ゼミナール 相続税法

松岡 章夫 編著

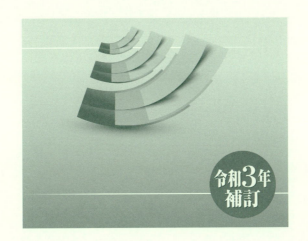

令和3年補訂

一般財団法人
大蔵財務協会

令和3年補訂　はしがき

　「ゼミナール相続税法」の筆者である橋本守次先生が、平成28年5月逝去された。橋本先生は大蔵省主税局で長きにわたり、資産税関係の立法等に携わってこられ、相続税制に精通している第一人者である方である。橋本先生は、本書の初版を平成19年1月に発刊後、平成23年10月に「新訂版」、平成27年1月に「平成27年1月改訂版」を続けて出されてきた。

　私も橋本先生の税理士会等での研修を何回も拝聴したり、本書を参考に仕事をさせていただいてきたが、このたび大蔵財務協会から本書の改訂に力を貸してくれないかとの話があり、非常に重荷の大役ではあるものの光栄な話であり、引き受けることとした。

　本書の改訂にあたっては、平成27年度税制改正以降の相続税制の改正を取り入れるほか、相続法にかかわる民法改正、相続税に関する裁判例・裁決例など随所に織り込んだ。平成27年の国外転出時課税、平成29、30、令和3年の非居住者等に関する課税範囲の見直し、平成30年の非上場株式等の納税猶予の特例措置、令和元年度の配偶者居住権の評価の創設など枚挙に暇がない。それらを正確に取り入れることはもちろんであるが、橋本先生の意図をくみ取りながら、法律、通達の記載をそのまま載せていると思われるところは、省くなどさせていただいた。しかし、本書の特色である橋本先生の私見（初版はしがき参照）にはほとんど手を付けずに残すとともに、橋本先生のお考えはそのまま掲載することとしている。したがって、本書の中で私見、筆者の考え、既に述べてきたが…、賛成しかねる、考え直すべきである、拙著などの表示は、原則、橋本守次先生のものであることをお断りしておく。若干、松岡の意見などを記載したが、それは、松岡意見、松岡著と表示してある。

本書の中で引用している参考書の中で、大蔵財務協会で発行しているものは、極力最新版のものに引き直した。引用している書籍の旧版にしかない記述はそのまま旧版のまま記載をした。また、金子宏先生の租税法（弘文堂）からの引用も多いので、これについては同書の最新版（平成31年2月改訂の第23版）から該当ページを引用するようにさせていただいた。

　本書の補訂にあたって、大蔵財務協会の編集局にお願いしたものとして、裁判例の引用をしてほしい旨依頼した。裁判例・裁決例がたくさん掲載されており、これを日付順に整理するだけでも、本書の利用価値が上がることになるので、橋本先生が初版はしがきで書かれているように、「本書が相続税制度の研究の何らかの捨て石になれば」ありがたい。

　本書の改訂は、足りないところは多々あるとは思うが、橋本先生の名著を汚さぬように記述したつもりである。本書が相続税法を勉強したい弁護士・公認会計士・税理士などの実務家の皆さんや大学院等で学ぶ方の一助になり、お役に立てることができれば、加筆・改訂者として嬉しい限りである。本書の内容について読者の方々の忌憚のないご意見、ご叱正を賜れれば幸いである。

　最後に、本書を橋本先生に直接お届けできないのが残念ではあるが、本書の刊行の機会を与えていただいた大蔵財務協会、そして刊行にご尽力いただいた同協会の編集局の皆さまに心から謝意を表したい。

令和3年6月

執筆を終えて
松岡　章夫

平成27年1月改訂　はしがき

　本書の新訂版後3年を経て平成27年1月改訂を公けにする。目的が何とも分からぬ相続税の課税強化が、平成27年1月から始まる。これによって影響を受けるのは大資産家ではなく、ようやく土地つきのマイホームを手に入れた後に相続が生じた寡婦のような少額資産家であることに世間もようやく気付いたとみえ、ここへ来て、こうした層をターゲットとした相続対策のセミナーが大はやりである。

　平成27年からこうした少額資産家を直撃する相続税制の主な改正の主なアイテムは、次のとおりである。

　　イ　課税最低限の縮減・課税対象の増加
　　ロ　税率の累進強化（若年層には緩和）
　　ハ　未成年者控除・障害者控除の引上げ
　　ニ　小規模宅地等の課税特例の拡大（老人ホーム・二世帯住宅等）

　こうした大改正のほか、
① 　国税通則法の見直しによる改正
　　イ　税務調査
　　ロ　更正請求
　　ハ　理由附記
② 　重要な判例の続出
　重要な判例も次々に現れている。主なものとしては、
　　イ　婚外子の法定相続分に係る最高裁決定
　　ロ　庭内神祠と非課税
　　ハ　株式保有特定会社の合否の判断

などが挙げられよう。なお、土地に係る相続税と所得税の二重課税に関する訴訟に対する最高裁の判断は最も注目されるところである。

　ところで、単なる解説だけに終らず、問題点を深く掘り下げて検討

し、筆者の私見を加えるという本書の特色は、今回も継続しており、今後も同様である。

　終わりになったが、本書の改訂の機会を与えて頂いた大蔵財務協会の石坂匡身理事長をはじめ、本書の刊行にご協力頂いた編集局の諸氏に深甚なる謝意を表したい。

平成26年12月

　　　　　　　　　　　　　　　　　　　　　　　　筆者しるす

新訂版はしがき

　本書の初版を公けにしてから、早くも4年余が経過した。この間も、税制は休むことなく変化を続け、相続税制度についても、大正時代の創設以来初めてという信託法の全文改正に伴う信託税制の見直し、公益法人制度の根本的見直しに伴う公益法人課税制度の大改正等を始めとする各種の改正が行われ、新しい制度としては、中小法人の後継者問題の解決策の一つとして非上場株式等の贈与税・相続税の納税猶予制度が新設されたが、使い勝手に課題があるようで、早くも部分的な手直しが行われつつあるようだ。

　次に、相続税・贈与税に関する重要な判例・裁決例が最近多く見られるようになっている。武富士事件における最高裁の「住所」の判断（更に補足意見では、明文の規定のない租税回避に対する課税に対する否定）、負担付贈与通達とその適用、小規模宅地等の課税の特例の適用に関する幾つかの最高裁の判断、老人ホーム入居者に関する幾つかの課税問題など枚挙に暇がないほどであった。今回の改訂に当たっては、これらの重要判例等のほとんどは、ほぼ採り入れたつもりである。

　本書における、問題点を重点的に取り上げて検討し、できるだけ私見を付するという方針は、この新訂版でも同様であり、今後においても踏襲していきたい。

　最後になったが、本書の改訂の機会を与えていただいた大蔵財務協会の石坂匡身理事長をはじめ、本書の改訂出版にご協力いただいた編集局の諸氏に深甚なる謝意を表したい。

平成23年10月

　　　　　　　　　　　　　　　　　　　　　　　　筆者しるす

はしがき

　筆者は、かつて大蔵省主税局に在職し、資産税担当の仕事をしていた関係から、相続税の諸制度に関する沿革や問題点の検討の資料の乏しいこと、Up—to—dateで詳細な研究書の少ないことで、執務上不便を感じていた。退職後、そうした問題の研究をしてみたらという税務弘報誌の当時の編集長の勧めで、同誌で「ゼミナール相続税法」と題した連載を始めたものである。そうしたことから、執筆当初は、相続税制度の体系的な解説書というより、問題点を絞って集中的な検討をするつもりで執筆を進めた。相続税の項で比較的叙述量が少ないのはそのためである。しかし、結局、贈与税以下は、体系的な叙述振りになってしまい、平成4年10月号から平成16年8月号まで足かけ13年・96回にわたる長期の連載となった。今回、財団法人大蔵財務協会のご好意により、その後の改正や重要判例・学説を盛り込み、同じく「ゼミナール相続税法」の題でこのほど出版の運びとなったが、上記のような理由から体系書としてはあまりバランスがとれたものとなっていないけれども、敢えて補正はしないこととした。
　その代わり、本書の特色としては、できるだけ私見を付し、また、類書では、ほとんど触れない「不確定概念」、「借用概念・固有概念」あるいは附帯税・更正決定・同族会社等の行為計算否認、質問検査権等にかなりの頁を割いている。
　なお、理論的な問題の検討を重視する方針から、相続時精算課税制度や特定事業用資産の課税の特例制度等は、税務執行上の問題はあるにしても、政策的に導入されたもので、理論的な問題検討にはなじまないもののように思われるので、今回は制度の簡単な説明に止めている。もし、本書の改訂の機会があれば、今回触れなかった幾つかの他の問題点とともに検討してみたい。また、本書では、罰則については

全く触れていないが、これは罰則規定の主管は法務省であり、その解釈は一義的に法務省が主体とされていることから、敢えて触れなかったものである。罰則規定についての詳細は別に述べられたものがあるので、関心を持たれる向きは、それを参照されたい。

このような本書が相続税制度の研究の何らかの捨て石になれば、筆者の喜びこれに過ぎるものはない。

終わりに、本書の出版の機会を与えて頂いた財団法人大蔵財務協会の塚越則男理事長をはじめ、本書の刊行にご協力頂いた編集局の諸氏に心からの謝意を表したい。

平成19年1月

筆者しるす

[凡　例]

本書中に引用する法令等については、次の略称を使用しています。

(1) **法　令**

　　相法‥‥‥‥‥‥‥‥‥‥‥‥‥‥‥‥相続税法
　　相令‥‥‥‥‥‥‥‥‥‥‥‥‥‥‥‥相続税法施行令
　　相規‥‥‥‥‥‥‥‥‥‥‥‥‥‥‥‥相続税法施行規則
　　所法‥‥‥‥‥‥‥‥‥‥‥‥‥‥‥‥所得税法
　　所令‥‥‥‥‥‥‥‥‥‥‥‥‥‥‥‥所得税法施行令
　　法法‥‥‥‥‥‥‥‥‥‥‥‥‥‥‥‥法人税法
　　法令‥‥‥‥‥‥‥‥‥‥‥‥‥‥‥‥法人税法施行令
　　通則法‥‥‥‥‥‥‥‥‥‥‥‥‥‥‥国税通則法
　　通則令‥‥‥‥‥‥‥‥‥‥‥‥‥‥‥国税通則法施行令
　　措法‥‥‥‥‥‥‥‥‥‥‥‥‥‥‥‥租税特別措置法
　　措令‥‥‥‥‥‥‥‥‥‥‥‥‥‥‥‥租税特別措置法施行令
　　措規‥‥‥‥‥‥‥‥‥‥‥‥‥‥‥‥租税特別措置法施行規則

(2) **通　達**

　　相基通‥‥‥‥‥‥‥‥‥‥‥‥‥‥‥相続税法基本通達
　　評基通‥‥‥‥‥‥‥‥‥‥‥‥‥‥‥財産評価基本通達
　　所基通‥‥‥‥‥‥‥‥‥‥‥‥‥‥‥所得税基本通達
　　法基通‥‥‥‥‥‥‥‥‥‥‥‥‥‥‥法人税基本通達
　　措通‥‥‥‥‥‥‥‥‥‥‥‥‥‥‥‥租税特別措置法関係通達

なお、本書は令和3年4月28日現在の法令等によっている。

〔目　次〕

第1編　総　　論

1　はじめに ……………………………………………………… 2
2　相続税の性格 ………………………………………………… 3
3　相続税の課税根拠 …………………………………………… 3
4　相続税の沿革 ………………………………………………… 11
5　外国の相続税 ………………………………………………… 69

第2編　相続税

I　相続税の課税要件 …………………………………………… 78

第1節　課税原因 ……………………………………………… 78
1　総　　説 ……………………………………………………… 78
2　相　　続 ……………………………………………………… 79
3　遺　　贈 ……………………………………………………… 85
4　死因贈与 ……………………………………………………… 88
5　みなし相続・みなし遺贈 …………………………………… 89

第2節　納税義務者 …………………………………………… 89
1　無制限納税義務者と制限納税義務者 ……………………… 89
2　みなす納税義務者 …………………………………………… 109

第3節　課税財産 ……………………………………………… 128

2 目 次

　　　1　課税財産の意義と範囲 …………………………………128
　　　2　みなし相続財産・みなし遺贈財産 ……………………141
　　　3　非課税財産 ………………………………………………194

Ⅱ　相続税の課税価格 ……………………………………………219

　第1節　相続税の課税方式 ……………………………………219
　　　1　総　　説 …………………………………………………219
　　　2　税制特別調査会の答申 …………………………………219
　第2節　課税価格 ………………………………………………221
　　　1　総　　説 …………………………………………………221
　　　2　課税価格と課税標準 ……………………………………222
　　　3　注意点 ……………………………………………………223
　第3節　債務控除 ………………………………………………225
　　　1　総　　説 …………………………………………………225
　　　2　個別検討 …………………………………………………227
　　　3　葬式費用 …………………………………………………253
　　　4　債務控除を受けることができる者 ……………………257
　第4節　未分割財産がある場合の課税価格の計算 …………259
　　　1　総　　説 …………………………………………………259
　　　2　個別検討 …………………………………………………266

Ⅲ　相続税の総額・各人の相続税額の計算 ……………………283

　第1節　総　　説 ………………………………………………283
　　　1　昭和33年改正前の相続税制の問題 ……………………283
　　　2　現行体系の採用 …………………………………………284
　　　3　現行制度の問題点と検討 ………………………………285
　　　4　相続時精算課税制度の導入 ……………………………289

| 5　相続税の税額計算の基本的仕組み……………………290
第2節　遺産に係る基礎控除……………………………………294
第3節　相続税の総額……………………………………………313
第4節　各相続人等の相続税額…………………………………325
第5節　相続税額の加算…………………………………………327
第6節　贈与税額の控除…………………………………………329
第7節　配偶者の税額軽減………………………………………332
第8節　未成年者控除……………………………………………366
第9節　障害者控除………………………………………………375
第10節　相次相続控除……………………………………………384
第11節　在外財産に対する相続税額の控除……………………391
第12節　災害による税額計算の特例……………………………396
　　1　一般の災害減税の特例……………………………………396
　　2　阪神・淡路大震災の場合の特例…………………………398
　　3　東日本大震災の場合の特例………………………………401
第13節　その他の特例……………………………………………408
　　1　米国軍隊の地位協定に伴う特例…………………………408
　　2　国際連合軍隊の協定に伴う特例…………………………408
　　3　その他……………………………………………………408

第3編　贈　与　税

Ⅰ　贈与税の課税要件……………………………………………410

　第1節　課税原因………………………………………………410
　　1　総　説……………………………………………………410

4 目次

　　2　贈　　与 …………………………………………………… 414
　　3　みなし贈与 ………………………………………………… 426
　　4　贈与税の課税時期 ………………………………………… 426
第2節　納税義務者 ……………………………………………… 442
　　1　無制限納税義務者と制限納税義務者 …………………… 442
　　2　みなし納税義務者 ………………………………………… 459
第3節　課税財産 ………………………………………………… 471
　　1　課税財産の意義と範囲 …………………………………… 471
　　2　みなし贈与財産 …………………………………………… 471
　　3　信託に関する特例（相法9の2〜9の6）……………… 663
　　4　贈与税の非課税財産 ……………………………………… 713
　　5　特別障害者扶養信託の受益権に対する贈与税の非課税 … 745
　　6　直系尊属から住宅取得等資金の贈与を受けた場合
　　　 の贈与税の非課税 ………………………………………… 751
　　7　直系尊属から教育資金の一括贈与を受けた場合の
　　　 贈与税の非課税措置 ……………………………………… 756
　　8　直系尊属から結婚・子育て資金の一括贈与を受け
　　　 た場合の贈与税の非課税措置 …………………………… 765

Ⅱ　贈与税の課税価格 ………………………………………… 771

第1節　贈与税の課税方式 ……………………………………… 771
　　1　総　　説 …………………………………………………… 771
　　2　税制特別調査会の答申 …………………………………… 771
　　3　贈与税の課税体系に関する私見 ………………………… 774
第2節　課税価格 ………………………………………………… 776
　　1　総　　説 …………………………………………………… 776
　　2　相続開始の年における贈与税の課税価格の計算の特例 … 778

3　負担付贈与があった場合の贈与税の課税価格の計算 …… 781

Ⅲ　贈与税額の計算 ………………………………………… 784

第1節　総　　説 ……………………………………………… 784
第2節　贈与税の基礎控除 …………………………………… 785
第3節　贈与税の配偶者控除 ………………………………… 787
　　1　総　　説 ……………………………………………… 787
　　2　個別事項 ……………………………………………… 788
第4節　税額の計算 …………………………………………… 801
　　1　計算の方法 …………………………………………… 801
　　2　例　　外 ……………………………………………… 804
第5節　在外財産に対する贈与税額の控除 ………………… 805

第4編　相続時精算課税

第1節　制度の導入の背景 …………………………………… 808
第2節　当初の制度の概要 …………………………………… 810
第3節　現行制度の内容 ……………………………………… 812
　　1　相続時精算課税制度の適用対象者 ………………… 812
　　2　制度の適用を受けるための選択 …………………… 813
　　3　贈与税額の計算 ……………………………………… 814
　　4　相続時精算課税制度における相続税額の計算 …… 816
　　5　相続時精算課税制度における相続税の納税に係る権利
　　　　又は義務の承継 ……………………………………… 819
　　6　相続時精算課税等に係る贈与税の申告内容の開示制度 … 821
　　7　その他 ………………………………………………… 823

第4節 住宅取得等資金に係る相続時精算課税
　　　　制度の特例 …………………………………………826
　　1　制度創設の趣旨 ………………………………………826
　　2　制度の概要 ……………………………………………828
　　3　制度の内容 ……………………………………………828
第5節　制度の検証 ………………………………………………832
　　1　総　　説 ………………………………………………832
　　2　実質的に遺産税である現行相続税に取得者課税的
　　　 手法を持ち込んだことによる問題点 …………………833
　　3　相続時精算課税制度は節税策として利用できるものか…835
　　4　その他の問題点 ………………………………………835

第5編　農地、非上場株式等の納税猶予及び免除制度

Ⅰ　農地の贈与税・相続税の納税猶予及び免除制度 …………………………840

Ⅰ　総　　説 …………………………………………………840

第1節　制度の導入の経緯 ………………………………………840
　　1　農地等の生前贈与に係る贈与税の納期限の
　　　 延長制度の創設 …………………………………………840
　　2　農地に係る相続税の納税猶予制度の創設 ……………841
　　3　三大都市圏の特定市の市街化区域内農地等に対する
　　　 納税猶予制度の適用除外と経過措置 ……………………843

         4　その後の改正 …………………………………………844
　　第2節　制度の考え方 ………………………………………844
         1　贈与税の納税猶予制度の考え方 …………………844
         2　相続税の納税猶予制度の考え方 …………………845

Ⅱ　農地等を贈与した場合の贈与税の
　　納税猶予の特例 …………………………………………848

　　第1節　特例の適用要件 ……………………………………848
　　第2節　納税が猶予される贈与税の額 ……………………850
　　第3節　納税猶予の期限 ……………………………………851
         1　原　　則 ……………………………………………851
         2　猶予税額の全額の猶予が打ち切られる場合 ………851
         3　猶予税額の一部の猶予が打ち切られる場合 ………852
　　第4節　猶予の対象農地等の買換えの場合の特例 ………853
　　第5節　猶予税額の納付に伴う利子税 ……………………854
　　第6節　納税猶予の手続の留意点 …………………………854
　　第7節　計算例 ………………………………………………856

Ⅲ　贈与税の納税猶予に係る農地等の贈与者が
　　死亡した場合の相続税の課税の特例 ………………858

　　第1節　総　　説 ……………………………………………858
　　第2節　留意点 ………………………………………………859

Ⅳ　農地等についての相続税の納税猶予の特例 ………860

　　第1節　特例の適用要件 ……………………………………860
　　第2節　相続税の計算の特例 ………………………………862
         1　総　　説 ……………………………………………862

2 相続税の総額の計算 ……………………………………863
3 各人の相続税額の計算 …………………………………864
第3節 納税が猶予される相続税の額 ……………………………865
第4節 納税猶予の期限 ……………………………………………866
1 原　則 ……………………………………………………866
2 猶予税額の全額の猶予が打ち切られる場合 …………866
3 猶予税額の一部の猶予が打ち切られる場合 …………866
第5節 猶予の対象特例農地等の買換えの場合の特例 …868
第6節 猶予税額の納付に伴う利子税 …………………………868
第7節 納税猶予に係る相続税額の免除 ………………………869
第8節 納税猶予の手続の留意点 ………………………………870
第9節 計算例 ……………………………………………………871

Ⅴ 農地等についての相続税の納税猶予を適用
している場合の特定貸付けの特例 ………………875

Ⅱ 非上場株式等に係る贈与税・相続税の納税猶予及び免除制度（一般措置） ……………876

Ⅰ 総　説 ……………………………………………………………876

第1節 制度の導入の経緯 …………………………………………876
1 非上場株式等についての相続税の納税猶予の特例の
創設（措法70の7の2） ………………………………876
2 非上場株式等についての贈与税の納税猶予の特例の
創設（措法70の7） ……………………………………882
第2節 制度の考え方 ………………………………………………884
1 贈与税の納税猶予制度の概要 …………………………884

2　相続税の納税猶予制度の概要 ……………………………………885

Ⅱ　非上場株式等についての贈与税の納税猶予
　　及び免除 ……………………………………………………………888

　　第1節　特例の適用要件 ……………………………………………888
　　第2節　納税が猶予される贈与税の額 ……………………………893
　　第3節　納税猶予の期限 ……………………………………………893
　　　1　原　　則 ……………………………………………………893
　　　2　猶予税額の全額の猶予が打ち切られる場合 ………………894
　　　3　猶予税額の一部の猶予が打ち切られる場合 ………………895
　　第4節　計算例 ………………………………………………………895

Ⅲ　贈与税の納税猶予に係る非上場株式等の贈与者
　　が死亡した場合の相続税の課税の特例 …………………………896

　　第1節　総　説 ………………………………………………………896
　　第2節　留意点 ………………………………………………………898

Ⅳ　非上場株式等の贈与者が死亡した場合の
　　相続税の納税猶予及び免除 ………………………………………899

Ⅴ　非上場株式等についての相続税の納税猶予
　　及び免除 ……………………………………………………………901

　　第1節　特例の適用要件 ……………………………………………901
　　第2節　納税が猶予される相続税の額 ……………………………903
　　第3節　納税猶予の期限 ……………………………………………905
　　　1　原　　則 ……………………………………………………905
　　　2　猶予税額の全額の猶予が打ち切られる場合 ………………905

3 猶予税額の一部の猶予が打ち切られる場合 …………906
第4節 計算例 …………………………………………906

Ⅲ 非上場株式等に係る贈与税・相続税の納税猶予及び免除制度（特例措置）……………910

Ⅰ 制度の導入の経緯 ……………………………………910

Ⅱ 非上場株式等についての贈与税の納税猶予及び免除の特例 ……………………………………912

第1節 平成30年度税制改正の内容 …………………912
第2節 特例の内容 ……………………………………913
第3節 贈与者・被相続人の要件（共通）
（措法70の7の5、70の7の6①）……………915

Ⅲ 非上場株式等についての相続税の納税猶予及び免除の特例 ……………………………………918

Ⅳ 個人の事業用資産に係る贈与税・相続税の納税猶予及び免除制度特例 ……………………922

Ⅰ 制度の導入の経緯 ……………………………………922

Ⅱ 個人の事業用資産についての納税猶予制度の創設 …………………………………………………925

第1節　贈与税の納税猶予制度 ··· 925
　　1　概　　要 ·· 925
　　2　猶予税額の計算 ··· 926
　　3　猶予税額の免除 ··· 926
　　4　猶予税額の納付 ··· 927
　　5　利子税の納付 ··· 927
　　6　その他 ··· 927
第2節　相続税の納税猶予制度 ··· 928

Ⅴ　山林に係る相続税の納税猶予及び免除制度 ········ 930

Ⅰ　制度の導入の経緯 ··· 930

　　○　山林についての相続税の納税猶予の特例の創設
　　　（措法70の6の6）··· 930

Ⅱ　特例の内容 ·· 932

　　1　概　　要 ·· 932
　　2　納税猶予分の相続税額の計算 ······································· 932
　　3　納税猶予期間中の継続届出書の提出義務 ··············· 933

Ⅵ　特定の美術品に係る相続税の納税猶予
　　及び免除制度 ·· 934

Ⅰ　制度の導入の経緯 ··· 934

○ 特定の美術品についての相続税の納税猶予の
　　　　特例の創設（措法70の6の7）……………………………934
　Ⅱ　特例の内容……………………………………………………936
　　1　概　　要………………………………………………………936
　　2　納税猶予分の相続税額の計算………………………………936
　　3　継続届出書の提出（措法70の6の7⑨、措令40の7の
　　　7㉒㉓）…………………………………………………………937

Ⅶ　医療法人の持分に係る経済的利益について
　　の贈与税の納税猶予及び医療法人の持分に
　　ついての相続税の納税猶予……………………………938

　第1節　医療法人制度の改正……………………………………938
　　1　従来の医療法人………………………………………………938
　　2　平成19年改正後の医療法人…………………………………939
　第2節　各種医療法人の内容……………………………………940
　　1　旧制度によるもの……………………………………………940
　　2　新制度によるもの……………………………………………941
　第3節　医業継続に係る相続税・贈与税の
　　　　　納税猶予等……………………………………………942
　　1　贈与税…………………………………………………………942
　　2　個人の死亡に伴い贈与又は遺贈があったものとみなさ
　　　れる場合の特例………………………………………………943
　　3　相続税…………………………………………………………943
　　4　贈与税の課税の特例…………………………………………944
　　5　認定期限の延長………………………………………………944

第6編　財産評価

- I　総　説 …………………………………………… 948
  - 1　概　観 ……………………………………… 948
  - 2　評価に関する沿革 ………………………… 949
- II　財産評価の原則 ………………………………… 953
  - 1　総　説 ……………………………………… 953
  - 2　「時価」の考え方 ………………………… 954
  - 3　財産評価は被相続人の利用状況又は相続人の取得状況のいずれの立場で行うか …………………………… 957
  - 4　評価の時期 ………………………………… 959
- III　負担付贈与通達 ………………………………… 975
  - 1　総　説 ……………………………………… 975
  - 2　私　見 ……………………………………… 977
  - 3　負担付贈与通達に係る訴訟 ……………… 978
- IV　評価通達によらない評価 …………………… 1005
  - 1　総　説 …………………………………… 1005
  - 2　コメントと私見 ………………………… 1022
- V　土地評価の時点修正の問題 ………………… 1033
  - 1　総　説 …………………………………… 1033
  - 2　相続税法第22条と路線価の位置付け …… 1034

3　公示価格レベルの80％評価の問題 …………………… 1035
　　　4　時点修正の可否の検討 …………………………………… 1038
　　　5　私　　見 ………………………………………………… 1042
Ⅵ　土地評価審議会 ……………………………………………… 1043
　　　1　総　　説 ………………………………………………… 1043
　　　2　土地評価審議会の組織 ………………………………… 1043
　　　3　土地評価審議会の機能 ………………………………… 1044
Ⅶ　財産評価の方法 ……………………………………………… 1045
　　　1　総　　説 ………………………………………………… 1045
　　　2　法定評価方法 …………………………………………… 1045
　　　3　配偶者居住権 …………………………………………… 1066
　　　4　財産評価基本通達による評価方法 …………………… 1073
Ⅷ　小規模宅地の課税の特例 …………………………………… 1089
　　　1　総　　説 ………………………………………………… 1089
　　　2　小規模宅地等とは何か ………………………………… 1094
　　　3　特定事業用宅地等 ……………………………………… 1105
　　　4　特定居住用宅地等 ……………………………………… 1108
　　　5　特定同族会社事業用宅地等 …………………………… 1121
　　　6　貸付事業用宅地等 ……………………………………… 1126
　　　7　国営事業用宅地等 ……………………………………… 1129
　　　8　特例の適用要件 ………………………………………… 1131
Ⅸ　特定計画山林の課税の特例 ………………………………… 1137

第7編　申告及び納付

I　相続税及び贈与税の申告 …………………… 1140

第1節　相続税の申告 ……………………………… 1140
　1　総　　説 ……………………………………… 1140
　2　相続税の申告書の提出義務 ………………… 1141
　3　申告書の提出義務者が死亡した場合の申告
　　（申告義務の承継）…………………………… 1152
　4　特殊な場合の申告 …………………………… 1153
　5　期限後申告 …………………………………… 1160
　6　修正申告 ……………………………………… 1168
　7　郵送の場合の申告書の効力発生時期 ……… 1171
　8　更正の請求 …………………………………… 1176

第2節　更正又は決定 ……………………………… 1209
　1　総　　説 ……………………………………… 1209
　2　原則的な更正又は決定 ……………………… 1209
　3　相続税の更正又は決定の特例 ……………… 1216
　4　更正又は決定の期間制限 …………………… 1220

第3節　贈与税の申告 ……………………………… 1235
　1　総　　説 ……………………………………… 1235
　2　贈与税の申告書の提出義務 ………………… 1235
　3　贈与税の更正又は決定・更正の請求 ……… 1238

II　納付及び連帯納付義務 ……………………… 1242

第1節　納　　付 …………………………………… 1242

16　目　　次

　　　　1　期限内申告の場合 …………………………………………… 1242
　　　　2　期限後申告の場合 …………………………………………… 1243
　　　　3　加算税の場合 ………………………………………………… 1244
　　　　4　延滞税の場合 ………………………………………………… 1244
　　第2節　連帯納付義務 …………………………………………………… 1245
　　　　1　総　　説 ……………………………………………………… 1245
　　　　2　共同相続人の連帯納付責任 ………………………………… 1253
　　　　3　被相続人に係る相続税等の連帯納付責任 ………………… 1257
　　　　4　相続財産等の贈与等があった場合の相続税等の
　　　　　　納付責任 ……………………………………………………… 1259
　　　　5　財産を贈与した者の贈与税の連帯納付責任 ……………… 1261
　　　　6　連帯納付義務に係る確定手続 ……………………………… 1264

Ⅲ　延納及び物納 ………………………………………………………… 1275

　　第1節　総　　説 ………………………………………………………… 1275
　　　　1　制度の概要 …………………………………………………… 1275
　　　　2　沿　　革 ……………………………………………………… 1276
　　第2節　相続税の延納 …………………………………………………… 1281
　　　　1　総　　説 ……………………………………………………… 1281
　　　　2　延納の要件 …………………………………………………… 1282
　　　　3　延納期間 ……………………………………………………… 1283
　　　　4　延納年割額 …………………………………………………… 1285
　　　　5　延納の手続 …………………………………………………… 1287
　　　　6　物納申請の全部又は一部却下による延納の申請 ………… 1289
　　　　7　問題点 ………………………………………………………… 1290
　　　　8　延納の法的性格 ……………………………………………… 1291
　　第3節　贈与税の延納 …………………………………………………… 1291

1　総　　説 …………………………………………… 1291
　　　2　延納の要件 ………………………………………… 1292
　　　3　延納期間 …………………………………………… 1292
　　　4　延納の手続 ………………………………………… 1293
　第4節　相続税の物納 …………………………………………… 1294
　　　1　総　　説 …………………………………………… 1294
　　　2　物納の要件 ………………………………………… 1298
　　　3　物納の手続 ………………………………………… 1304
　　　4　特定物納制度 ……………………………………… 1310
　　　5　物納の撤回 ………………………………………… 1311
　　　6　物納に係る問題点と私見 ………………………… 1315

第8編　雑　　則

Ⅰ　附帯税 ………………………………………………………… 1320

　第1節　総　　説 ………………………………………………… 1320
　第2節　利子税 …………………………………………………… 1321
　　　1　総　　説 …………………………………………… 1321
　　　2　物納の許可審査期間における利子税 …………… 1321
　　　3　相続税の延納の場合の利子税 …………………… 1323
　　　4　贈与税の延納の場合の利子税 …………………… 1324
　　　5　災害等の場合の利子税の計算期間の見直し …… 1324
　　　6　物納を撤回した場合の利子税 …………………… 1326
　　　7　相続税の納税猶予の場合の利子税 ……………… 1327
　　　8　贈与税の納税猶予の場合の利子税 ……………… 1327

18　目　次

　　9　連帯納付義務に基づく相続税の利子税…………………… 1327
　　10　利子税等の割合の特例制度………………………………… 1327
　　11　利子税の具体的計算方法…………………………………… 1332
　第3節　延滞税……………………………………………………… 1335
　　1　総　説………………………………………………………… 1335
　　2　原則的な延滞税……………………………………………… 1336
　　3　相続税及び贈与税に関する特例…………………………… 1342
　　4　延滞税の割合の特例制度…………………………………… 1347
　　5　延滞税の端数処理…………………………………………… 1350
　第4節　加算税総説………………………………………………… 1350
　第5節　過少申告加算税…………………………………………… 1351
　　1　総　説………………………………………………………… 1351
　　2　過少申告加算税の計算……………………………………… 1352
　　3　他の法律による過少申告加算税の特例…………………… 1355
　　4　「正当な理由」がある場合の過少申告加算税の非課税… 1355
　　5　延滞税の計算期間の見直しに伴う
　　　　過少申告加算税の整備……………………………………… 1370
　　6　更正を予知しないでした修正申告の場合の
　　　　過少申告加算税の非課税…………………………………… 1371
　第6節　無申告加算税……………………………………………… 1378
　　1　総　説………………………………………………………… 1378
　　2　無申告加算税の計算………………………………………… 1379
　　3　他の法律による無申告加算税の特例……………………… 1381
　　4　「正当な理由」がある場合の無申告加算税の非課税 … 1381
　　5　更正を予知しないでした期限後申告・修正申告の
　　　　場合の無申告加算税の軽減………………………………… 1382
　第7節　重加算税…………………………………………………… 1391

1　総　　説 …………………………………………… 1391
　　2　隠蔽又は仮装の意義 ………………………………… 1393
　　3　重加算税の賦課について「故意」は必要か ……… 1404
　　4　不申告、虚偽申告、つまみ申告のように積極的な隠蔽・
　　　　仮装行為がない場合に重加算税が課税できるか ……… 1411
　　5　重加算税の対象となる隠蔽・仮装の行為者の範囲 …… 1424
　　6　重加算税の課税原因の成立時期 …………………… 1437
　　7　刑事罰と重加算税賦課の併課の二重処罰問題その他 … 1445

Ⅱ　同族会社等の行為又は計算の否認等 …………… 1456

第1節　総　　説 ……………………………………… 1456
　　1　現行制度の概要 ……………………………………… 1456
　　2　創設の理由 …………………………………………… 1457
　　3　行為計算否認規定の沿革と現状 …………………… 1459
　　4　「税負担の不当減少」の解釈について …………… 1462
第2節　租税回避行為と行為計算否認規定 ………… 1470
　　1　租税回避行為 ………………………………………… 1470
第3節　相続税法における同族会社の行為計算否認規定
　　　　　の適用状況と問題点 ………………………………… 1490
　　1　浦和地裁昭和56年2月25日判決 …………………… 1490
　　2　大阪地裁平成12年5月12日判決とその問題点 ……… 1492
　　3　私　　見 …………………………………………… 1499
第4節　税目間の調整を目的とした行為・計算否認
　　　　　規定の創設 ………………………………………… 1502
第5節　企業再編税制創設に伴う法人の行為計算否認　1505
　　1　規定の内容 …………………………………………… 1505
　　2　この規定に対する意見 ……………………………… 1506

第6節　実質課税の原則と租税回避 …………………… 1508
 1　総　　説 ……………………………………………… 1508
 2　沿　　革 ……………………………………………… 1509
 3　実質所得者課税の規定の解釈について ……………… 1510
 4　相続税と実質課税の原則 ……………………………… 1512
 5　私　　見 ……………………………………………… 1513
 6　実質課税の原則にからむ諸問題 ……………………… 1514

Ⅲ　申告書の公示 ……………………………………… 1516

Ⅳ　市町村長等の通知 ………………………………… 1522

Ⅴ　調書の提出 ………………………………………… 1525

Ⅵ　質問検査権その他調査関係規定 ……………… 1532

第1節　質問検査権 ………………………………………… 1532
 1　総　　説 ……………………………………………… 1532
 2　沿　　革 ……………………………………………… 1533
 3　質問検査権の趣旨と性格 ……………………………… 1538
 4　個別問題の検討 ………………………………………… 1541

第2節　処分の理由附記 …………………………………… 1562
 1　改正前の制度の概要 …………………………………… 1562
 2　改正の内容 …………………………………………… 1563
 3　適用関係 ……………………………………………… 1564
 4　私　　見 ……………………………………………… 1564

第3節　官公署への協力要請 ……………………………… 1565

主な参考文献等……………………………………… 1567

事項索引 …………………………………………… 1568

裁判例・裁決例索引 ……………………………… 1582

第 1 編
総　論

1　はじめに

相続税は、歴史的には、かなり古い租税の一つであるとされている（以下の叙述は、櫻井四郎著「相続税」（中央経済社）（以下「櫻井相続税」という。）13頁以下等による。）。

① まず、ドイツの財政学者シャンツ（Schanz）によると紀元前7世紀ごろエジプトで、財産の所有変更の場合に公課が課されており、紀元前4世紀ごろには相続を原因とする財産移転に対し課税されていたという。また、税率は5〜10％であったという。

② 次に、ローマ帝国では、西暦6年から老兵の年金の財源としてローマ市民の死亡の際、遺産の20分の1が死亡税として課税されていた。その後税率が10％に引き上げられたが、6世紀には、相続税が存在していないことが確認されているという。

　しかるに、中世末期に至り、イタリアでは、相続税が復活する。その最初は、1395年にゼノアで課税された相続税であるという。

③ その後17世紀の頃から、ヨーロッパ各国に相続税が普及していき、オランダでは16世紀の終りから17世紀中期ごろまでに、イギリスでは17世紀末期において、フランスでは18世紀初期に、オーストリアでは18世紀中期に、ノルウェー、デンマーク及びスイスでは18世紀末期に、それぞれ相続税が導入されている。ドイツ領の各国では、その淵源は、17、18世紀に存するが、一般的に実施され、かつ、完成されたのは19世紀になってからである。

④ アメリカでは、イギリスからの独立戦争当時にすでに相続税が導入されたが（1779年）、戦費調達のための一時的立法で、南北戦争税（1863年）、スペイン戦争税（1898年）と繰り返され、1916年に至って恒久税として制度化された。

⑤ 我が国では明治38年に日露戦争の戦時財政計画の一環として近代的な相続税制度が導入されている。

2 相続税の性格

相続税という租税の性格をどのように見るかという点については、その体系を後述3(2)の遺産税体系とすれば、蓄積された財産の一部を徴収して、富の集中を抑制し、社会へ一部を還元するという効果を担うもので、一種の実質的な財産税であるといえよう。また、その体系を同じく後述3(2)の遺産取得税体系とすれば相続により、偶発的に巨額の財産を取得したことによる相続人の担税力の増加に着目して課される不労所得税ないしは一時所得といえるであろう。

当局及び政府税制調査会答申等では、相続税の機能を富の再分配と考えているようである。

なお、相続税は、相続の開始により被相続人から相続人その他の者に移転する財産に対して課税するものであり、そのような意味では、一種の流通税であるという考え方もあるとされる。

3 相続税の課税根拠

(1) 従来の考え方

後に述べるように、若干流れが変わりつつはあるが、依然として主要な近代国家では、相続税は一般的に受け入れられており、租税体系の一環をなしているところであるが、その課税の根拠については一致したものがなく、種々の見解が唱えられている。相続税の課税根拠については、税制特別調査会の「相続税制度改正に関する答申」(昭和32年12月。以下「相続税答申」という。)で詳細な検討がされているが、それは(2)において述べることとし、まず、従来の学説を要約してみよう(稲葉敏「相続税法義解」(明治39年)(以下「相続税法義解」という。)9頁以下による。)。

① 官没拡張説

ベンサムの主張する説で、同氏は直系親族の場合を除き、遺言により遺産を他人に与えることを防止するという持論があり、無遺言の場合は、相続財産をすべて国に帰属させようとする説である。

② 国家共同相続税

ブルンチュリーの主張する説で、国家は個人の生存している間にこれに対して提供する利益に対し死後にその報酬を受ける権利があるという説である。

③ 財産分配説

ジョン・スチュアート・ミルの説で、相続制度を利用して、財産の集中を妨げ、社会貧富の懸隔を調和する目的に利用されるとする考え方である。

④ 報償説（手数料説）

この説は、司法裁判所を設置するには費用を要するが、裁判所に向ってその活動を請求する者は、その結果として利益を受けるからそのために要する費用を負担すべきであるという考え方である。

⑤ 戻し税説（Back Tax Theory）

各人がその生存期間中に脱税或いは特例の適用により課税されなかった所得ないし資産について、その死亡に際し、脱税の行い得ない時期に至って、その生存期間に免脱した税額を徴収するものであるとする説である。

⑥ 所得税一時納付説

相続税は毎年所得税を納付する方法に代えて死亡に際し、一時に納付するものであるとする説である。

(2) 相続税答申における課税根拠

相続税答申14頁は、相続税の課税根拠について、次のように答申している。

同答申は、課税体系を遺産税体系・遺産取得税体系の2つに分けて、まず、遺産税体系の理論的根拠を次のように示す。

① 被相続人の遺産に対してその額に応じ累進税率で課することにより富の集中を抑制するという社会政策的な意味を有するものである。このような考え方を推し進めたものとして個人が生存中富を蓄積できるのは、その人のすぐれた経済的な手腕に対して社会から財産の管理運用を信託されたことの結果とみることができるのであるが、その相続人は被相続人と同様にすぐれた経済的手腕を有するとは限らないから、相続の開始により被相続人から相続人に対して財産が移転する際に被相続人の遺産の一部は、当然

社会に返還されるべきであるとするものである。
② 人の死亡及び相続という事実は、被相続人が生前において受けた社会及び経済上の各種の要請に基づく税制上の特典その他租税の回避等により蓄積した財産を把握し課税する最もよい機会であり、この機会にいわば所得税あるいは財産税の後払いとして課税するには、遺産額を課税標準とすることが当然の帰結となるとするものである。

このように説明することを、米英の文献では"back tax theory"と呼んでいる（注1）。

また、同答申は、遺産取得税の理論的根拠として挙げられるものを次のようにいう。
③ 遺産取得に対する課税は、遺産の偶然の帰属による不労所得に対する課税であるとするものである。そして、それは遺産の取得に対する特殊の形態の所得税であると説明されている。
④ 次に大資産の取得に重い税を課することにより、社会政策的な観点から重要な意義があるものとして位置付けられている。すべての個人は経済的に機会均等であることが望ましく、このような観点から、個人が財産を相続等により無償取得した場合に、その取得財産の一部を課税するのが適当とするものである。

同答申は、基本的に現行の制度の基となった「遺産取得税体系を維持しつつ、相続税の総額は遺産額及び法定相続人の数により決定できるような体系」をとることを勧告し、実現をみたわけであるが、相続税の本質は、富の集中の抑制にあるとしており、その後税制調査会の答申や国会における政府答弁でもその考え方が述べられている（「相続税答申」2頁）（注2）。

(注1)　3(1)⑤を参照。
(注2)　しかしながら、我が国の実定法上は、所得税の対象となる所得という考え方である。例えば、所得税のかからない非課税所得の一態様として「相続、遺贈又は個人からの贈与により取得するもの（以下略）」を掲げている。即ち、税法上は、相続による財産取得も所得の一種と考えている証左である。因みに、現沖縄県が、昭和47年日本に復帰する前の琉球政府時代には、相

続税はなく、相続による財産取得は、一時所得として所得税が課税されていた。

(3) 税制調査会の論調の変化

① 平成14年度までの答申の論調

このような、相続税の課税目的は富の集中の排除という相続税答申の考え方は、その後長い間維持され、従来の税制調査会の答申では、②のような贈与税の負担軽減による世代間の財産移転の促進という考え方に対して、極めて消極的だった。例えば、相続時精算課税制度の導入を勧告した「平成15年度における税制改革についての答申（以下「15年改正答申」という。）」の直前の、「平成14年度の税制改正に関する答申」では、次のように述べている。

「現在、高齢者の保有する多額の個人金融資産を若年・中年世代へ早期に移転させて消費拡大等を図る視点から、贈与税の軽減を求める意見がある。しかしながら、現行制度の下で、既に相当の金額の贈与を毎年非課税で行うことが可能となっている。また、贈与税は相続税の課税回避を防止するという基本的な機能を有しており、相続税の課税対象者がごく一部の資産家に限られていることから、贈与税の軽減が世代間の財産移転を促進する効果も非常に限定的と考えられる。こうしたことから、贈与税については、相続税の幅広い見直しの一環として検討することが適当である。」

このように、税制調査会はそもそも贈与税は、富の再分配を目的とする相続税の補完税であるという伝統的な考えに立ち、贈与税の負担軽減に慎重だったのである。

② 平成14年6月以後の変化と現在まで

ところが、平成14年に至り、税制調査会は従来の態度を一変、同年6月14日にとりまとめられた「あるべき税制の構築に向けた基本方針」で、資産移転の時期の選択の中立性、世代間の財産の早期移転による経済の活性化を目的とした相続税・贈与税の一体化の方向の検討を打ち出し、続いて同年末に出された15年改正答申では、相続税・贈与税の改正について、次のように提言した。

「相続税・贈与税については、高齢者の保有する資産の次世代への移転の円滑化に資する視点から、相続税・贈与税の一本化措置を導入する。これにあわせて、相続税について最高税率の引下げを含む税率構造の見直し及び課税ベースの拡大を図るとともに、贈与税について相続税に準じた見直しを図る。」

そして、相続税・贈与税の一体化措置として「相続時精算課税制度」なるものの創設を提言し、その目的について15年改正答申は、次のように述べている。

「高齢化の進展に伴って、相続による次世代への資産移転の時期が従来より大幅に遅れてきている。また、高齢者の保有する資産（住宅等の実物資産も含む。）の有効活用を通じて経済社会の活性化にも資するといった社会的要請もある。かかる状況の下、相続税・贈与税の改革については、生前贈与の円滑化に資するため、生前贈与と相続との間で資産移転の時期の選択に対して税制の中立性を確保することが重要となってきている。こうした状況を踏まえ、相続税・贈与税の一体化措置を平成15年度税制改正において新たに導入する。この一体化措置は、従来の相続税と贈与税との関係を大きく見直すものであり、両税の抜本的改革として位置付けられるものである。」

そして、この提言に基づいた「相続時精算課税制度」が相続税法の改正により実現され、施行されるに至った。

さらに、この後、平成15年6月に発表された「少子・高齢社会における税制のあり方（中期答申）」では、次のように提言する。

「これまで相続税は、累次にわたる減税や各種の特例の拡充により、その負担は大幅に緩和されてきたが、負担の適正化に必要な課税ベースの拡大は実施されてこなかった。

個人所得課税の累進構造のフラット化の進展、将来の消費税率の引上げを考慮に入れると、相続税の持つ資産移転の段階での再分配機能が一層重要となる。

また、高齢者を取り巻く状況を見ると、近年、現役世代の負担を伴う社会

保障給付が充実し、個々人が主に家族で老後扶養の負担を担う形態から、より社会全体で老後扶養の負担を支えるようになってきている。このような老後扶養の社会化の進展に伴い、相続時に残された個人資産に負担を求める必要性が高まっていると考えられる。

こうした点を踏まえ、今後、少子・高齢化の下では、相続税について、従来より広い範囲に適切な税負担を求めるねらいから、課税ベースの拡大に引き続き取り組む必要がある。」

そして、平成19年11月20日付で公表された政府税制調査会の「抜本的な税制改革に向けた基本的考え方」（以下「19年改革答申」という。）では、「第2 各論」の「6 資産課税-(1) 相続税-① 相続課税の現状等と今後の方向性」において、次のように改正の方向性が打ち出されている。

「相続税については、主にバブル期における地価の急騰に伴い、基礎控除の引上げ等の減税や、居住及び事業の継続に配慮した各種特例の拡充が行われ、さらに、平成15年度改正では最高税率の引下げを含む税率構造の見直しが行われた。

このため、近年地価がバブル期以前の水準にまで下落し、相続税の負担が大幅に緩和された結果、年間死亡者数のうち相続税の課税が発生する割合が4％程度まで減少するなど、その資産再分配機能や財源調達機能が低下している。

近年の経済のストック化の中で、家計資産及び相続税の課税遺産における金融資産の額が著しく増加している。特に、高齢者世帯ほど資産蓄積が多く、家計資産の格差も、高齢者世帯において顕著になっている。また、相続人の数は年々減少してきており、今後ともそうした傾向が続くものと見込まれる中で、相続人の取得する財産額はさらに増加していくと考えられる。こうした点を踏まえると、相続を機会に高齢者世代内の資産格差が次世代へ引き継がれる可能性も増してきていると考えられる。

また、高齢化の進展の中で、相続人自身も高齢化してきており、相続時点ではすでに相続人自身の資産形成も進んでいると考えられる。このため、相

続財産が相続人の生活基盤を形成するという意味合いは従来に比して薄れてきており、遺産における金融資産の増加等とあいまって、相続税の担税力を有する層が拡大してきていると考えられる。

　さらに、今日では公的な社会保障制度が充実し、老後の扶養を社会的に支えているが、このことが高齢者の資産の維持に寄与することとなっている。そこで、被相続人が生涯にわたり社会から受けた給付に対応する負担を、死亡時に清算するという考え方に立てば、相続税は、遺産が相続される時にその一部を社会に還元することによって、給付と負担の調整に貢献できると考えられる。

　以上の相続税を巡る環境の変化等からすれば、これまでの改正により大幅に緩和されてきた相続税の負担水準をこのまま放置することは適当ではなく、相続税の有する資産再分配機能等の回復を図ることが重要である。」

(4) **民主党政権当時の税制改正大綱の考え方**

　その後、平成21年の総選挙で長年続いた自民党中心の政権から民主党政権へいわゆる政権交替が行われ、与党の税制調査会が族議員の温床になるとして廃止され、政府税制調査会も、従来の形から、財務大臣を会長とし、構成員も財務省の副大臣、財務官等によるいわゆる政治主導型のものに改組され、従来の税制調査会答申がなくなり、政府の税制改正は、税制改正大綱としてまとめられた。この「平成22年度税制改正大綱」では、相続税関係では、平成23年度の改正を目指して見直しを図るとしていたが、その方向は、従来のものと変わりがなかった（同大綱第3章5(1)）。

(5) **自・公政権復活後の改正の方向**

　平成24年の衆議院議員総選挙の結果、民主党が政権から下野して、自由民主党及び公明党が再び政権の座についたが、相続税・贈与税の改正の方向については、特に変わっていない。例えば、平成25年度税制改正大綱（自由民主党・公明党）の資産税の項では、次のとおりである。

「(2)　相続税・贈与税の見直し

　相続税については、時価が大幅に下落する中においても、バブル期の時価

上昇に対応した基礎控除や税率構造の水準が据え置かれてきた結果、課税割合が低下する等、富の再分配機能が低下している。こうした状況を受けて、課税ベースの拡大と税率構造の見直しを行う。

具体的には、平成27年より、相続税の基礎控除について、現行の「5,000万円＋1,000万円×法定相続人数」を「3,000万円＋600万円×法定相続人数」に引き下げるとともに、最高税率を55％に引き上げる等、税率構造の見直しを行う。その際、個人の土地所有者の居住や事業の継続に配慮する観点から、小規模宅地等についての相続税の課税価格の計算の特例について、居住用宅地の限度面積を拡大するとともに、居住用宅地と事業用宅地の完全併用を可能とする等の拡充を行う。

また、贈与税の最高税率を相続税に合わせる一方で、高齢者の保有する資産を現役世代により早期に移転させ、その有効活用を通じて「成長と富の創出の好循環」につなげるため、子や孫等が受贈者となる場合の贈与税の税率構造を緩和する等の見直しを行うとともに、相続時精算課税制度について、贈与者の年齢要件を65歳以上から60歳以上に引き下げ、受贈者に孫を加える拡充を行う。」

本書は、相続税制度の本質の学術的研究書ではないので、これ以上この問題には立ち入らないこととするが、興味を持たれる向きは、次の論稿を参照されたい。

○橋本守次「相続時精算課税制度の問題点」(「税務QA」(税務研究会)'04.2-16頁以下)
○田中治「相続税・贈与税一体化による資産移転」(「税経通信」(税務経理協会)'03.1-55頁以下)
○三木義一「相続税の抜本的改革への一視点」(「税経通信」'99.7-26頁以下)
○田中啓一ほか「相続税・贈与税に関する中期答申の論評」(「税経通信」'03.9-65頁以下)
○特集「相続・贈与税改革における活力と公平」(「税研」(日本税務研究センター) 2002.3-29頁以下)

4　相続税の沿革
(1)　遺産税時代(Ⅰ)（明治38年創設～昭和21年まで）
①　創　　設

　我が国の相続税は、明治38年に日露戦争の戦時財政計画の一環として、戦費調達の目的で創設されたものである。ただし、他の戦費調達のための増税は、非常特別税法の改正によって行われたが、相続税は、当初から相続税法として単独立法されたのが特徴で、これは、相続税を一時的な租税としないで、将来の恒久的制度とする狙いがあったものといわれている。

　相続税の創設については、我が国の当時の家族制度の下における家の存続という面からかなり問題とされた。したがって、その施行に関しては慎重な注意を要し、課税価格の算定はかなり困難と考えられたので、明治38年1月に相続税法公布の直後、大蔵大臣から次のような訓示が発せられた。その内容は、現代の税務行政を見ている我々にとって信じられないようなものだった。

相続税ニ関スル大蔵大臣ノ訓示

第1　税務署ニ於テハ常ニ各人ノ資産ノ増減ニ注意シ出来得ヘクンハ其ノ価額ヲ推算シ置キ相続税賦課上ノ参考ト為スヘシ

第2　相続開始シタル場合ニ於テ財産目録ヲ添附シ其ノ旨届出ヲ為シタルトキハ甚シキ不正アリト認メラル場合ノ外ハ成ルヘク届出ノ価額ニ依リ課税価格ヲ決定スルコトニ注意スヘシ

第3　課税価格ノ決定ヲ為スニ当リテハ大体ニ於テ其ノ実額ヲ得ムコトヲ期シ徒ラニ些細ノ点ニ関スル計算ニ重ヲ置クカ如キコトナキヲ要ス

第4　相続税法第2条ニ掲クル相続財産ハ総テ課税価格ニ算入スヘキモノナリト雖動産中家宝、什器、書籍、家具其ノ他日用器等ノ如キ営利ノ目的ヲ以テ所有スルモノニ非スシテ直接所得ヲ生セサルモノハ相続財産目録中ニ掲記シアラサルモ強テ之ヲ掲記セシメテ課税価格ニ算入スルニ及ハサルモノトス

第5　相続税ヲ課スヘキ財産ハ相続ニ因リ相続人ニ移転スヘキ財産ニ限ルヲ以テ保険契約ニ基キ支払ヲ受クル保険金ノ如キハ相続税ヲ課スヘキモノニ

非ス
第6 相続税法第3条ニ依リ相続開始前1年内ニ為シタル贈与ノ価額ヲ相続財産中ニ加算スルハ相続税ノ逋脱ヲ防クノ趣旨ニ出テタルモノナルヲ以テ財産ノ一部ヲ分与シタリト認ムヘキ贈与ヲ為シタル場合ニ限リ加算ヲ為スヘキモノニシテ些細ナル贈与ノ如キハ之ヲ加算スルニ及ハサルモノトス
第7 相続財産中ヨリ控除スヘキ債務ハ政府カ確実ト認メタルモノニ限ルト雖政府ニ於テ認定スルニハ必スシモ書面ノ証拠アルコトヲ必要トセサルヲ以テ苟モ成立確実ト認メラル、モノハ書面ノ有無ニ拘ラス之ヲ控除シテ妨ナキモノトス
第8 相続税法第9条ニ於テ相続人ノ廃除若ハ其ノ取消ニ関スル裁判ノ確定前又ハ相続ノ承認若ハ抛棄前ニ於テ相続税ヲ課スルコトヲ得ルノ規定ヲ設ケタルハ相続財産ノ散逸又ハ脱漏ヲ虞ルノ趣旨ニ出テタルモノナルヲ以テ其ノ虞ナキ場合ニ於テハ相続人ノ確定ヲ待テ課税シ妨ナキモノトス
第9 課税ヲ遅延スルハ納税義務者ヲシテ不安ナラシムルモノナルカ故ニ課税価格ヲ決定シ之ヲ通知スルハ特殊ノ故障ナキ限リ相続税法第11条ノ書類ヲ受理シタル後1箇月以内ニ之ヲ為スコトヲ要ス
第10 相続税ハ特殊ノ事情ナキ限リハ納税告知ノ日ヨリ30日ヲ以テ其ノ納期限トナシ各局成ルヘク其ノ取扱ヲ一致セシムルヲ要ス
第11 相続税ノ年賦延納ハ租税ノ為ニ財産ノ元本ヲ侵蝕スルノ弊ナカラシムルト同時ニ納税者ノ苦痛ヲ少カラシメムトスルノ趣旨ニ出テタルモノナルヲ以テ担保ノ確実ナル限リハ年賦延納ノ出願ニ対シテハ之ヲ許可スルコトヲ要ス
第12 相続税法第22条ニ於テ催告ニ関スル費用及税金ノ10分ノ1ニ相当スル金額ヲ徴収スルコトヲ得ルノ規定ヲ設ケタルハ書類提出ノ遅延ヲ防クノ趣旨ニ出テタルモノナルヲ以テ其ノ故意怠慢ニ因ルモノ、外ハ之ヲ適用スルニ及ハサルモノトス
第13 相続税法第23条第1項ニ依リ遺産相続開始シタルモノト看做シ相続税ヲ課シタル後贈与者ニ付相続開始シタル場合ニ於テハ仮令其贈与カ相続開始前1年以内ニ在ルモ第3条ニ依リ相続財産ニ加算スルノ限ニ在ラス
第14 相続税法第23条第1項ニ依リ相続人ト看做サレタル者ニ付相続開始シタル場合ニ於テハ同条第2項ニ依ラス前ノ相続税又ハ其ノ半額ニ相当スル金額ヲ免除スヘキモノトス
第15 相続財産カ税務署所轄ヲ異ニスル地ニ在ル場合ニ於テハ相続税所轄税務署ハ相続財産所在地ノ税務署ニ其ノ財産ノ調査ヲ嘱託スル等便宜取扱ノ簡便ヲ期スヘシ

② 明治43年の改正

　日露戦争の終結により、相続税は非常時税であるとか、家族制度に相容れないものであるなどの理由から廃止すべきという声も高まってきたので、政府は、税法審査委員会を設けて相続税の検討を行ったところ、相続税はこれを存続させるべしとの結論を得たので、公益事業への遺贈・贈与は非課税とする等技術的改正を行った改正案が帝国議会に提出され、明治43年に成立をみている。

③ 大正3年・大正11年の改正

　大正3年には、家督相続について相続税が軽減され、同11年には、信託法の制定に伴う相続税法の改正が行われた。

④ 大正15年の改正

　大正9年に政府は、臨時経済財政調査会を設け、税制全般にわたり根本的な検討が行われ、税制整理案大綱がまとめられたが、改正の実行に至らず、大正15年に至って、中央、地方を通ずる大規模な改正が行われた。相続税については、免税点・税率の引上げ・親族に対する贈与の遺産相続としてのみなし課税等の改正があった。

⑤ 昭和12年・昭和13年の改正

　昭和11年には、広田内閣による取引高税の創設と、所得税と財産税を組み合せた画期的な税制改革案が提案されたが実現をみるに至らなかった。昭和12年には当時勃発した北支事件の戦費調達のため租税の増徴が行われ、相続税についても税率の引上げが行われた。

　昭和13年には、相続税の増徴があったほか、国外相続財産に対する課税、生命保険金、退職金のみなし相続課税など、かなりの根本的改正が行われた。

⑥ 昭和15年から昭和19年までの改正

　昭和15年には、税制調査会の成案をもとに中央・地方を通ずる根本的な大改正が行われ、従来、法人・個人の所得はすべて所得税が課税されていたのを、法人の所得については、法人税を課税するに至った。しかし、相続税については、既に昭和13年に大改正が行われているので、相続税に関する税制

改正は、税率の引上げ、扶養家族控除制度（現在の未成年者控除・障害者控除に当たる。）の創設等若干の改正に止められた。

次いで昭和16年の改正では物納の制度が設けられた。昭和17年及び昭和19年には太平洋戦争の遂行のための増税が行われた。

また、戦争の終結した翌年の昭和21年には、免税点、税率が引き上げられている。

(2) 遺産税時代(Ⅱ)（昭和22年から昭和24年まで）

① 昭和22年の改正

昭和20年9月2日の米艦ミズーリ号上での連合国に対する正式降伏により、我が国は、米軍を主体とした連合国軍の占領下におかれ、政策の実施はマッカーサー将軍を頭とする総司令部（GHQ…General Head Quarters）の統制の下に行われるに至った。昭和22年には、このGHQの経済科学局財政部税務担当官シャベルの指摘（いわゆるシャベル勧告）に基づく改正が行われ、所得税・法人税等について申告納税方式が導入されるなど、根本的な改正が行われた。

相続税については、遺産税の体系自体は維持されたが、民法の相続制度の改正で、家督相続が廃止されたことに伴い、それまで、家督相続と遺産相続とで税率が異なっていたのを遺産相続一本とし、最高税率を65％とする税率の引上げが行われたほか、贈与税が相続税から分離して創設される等大規模な改正が行われた。これらの改正は、新憲法施行の日（昭和22年5月3日）から施行されたことは特記する必要がある。

② 昭和24年までの改正

その後物価の状況等から、昭和22年12月の改正で、加算税の重課・罰則の強化、昭和23年には、保険金、退職金の非課税限度、少額贈与の免税点の引上げ等が行われ、昭和24年には、アメリカから、日本の税制の調査研究のため、カール・シャウプ博士を団長とする日本の税制調査使節団が来日し、同年5月から8月にわたる精力的な調査を行った。その結果は同年9月に公表された「日本税制報告書（Report on Japanese Taxation）」となって結実する。

(3) 遺産取得税時代(I)(昭和25年から昭和32年まで)
① 昭和25年の改正

　シャウプ使節団の日本税制報告書（以下「シャウプ勧告」という。）による日本の税制改正の根本は、今日でも受け継がれている画期的なものである。このシャウプ勧告により、相続税・贈与税を統合した一生累積課税による遺産取得税方式が採用され、明治38年創設以来遺産税体系を維持してきた我が国の相続税は180度の転換をみた。この方式の方が遺産取得者の担税力に応じて公平であり、また遺産の分割を促進し富の過度集中を抑制するというのが改正の理由である。そして、贈与税も吸収して、相続、遺贈または贈与により財産を取得した者に対しその一生を通ずるこれらの取得財産の価額を累積して課税する方式を採った。配偶者控除、未成年者控除、10年以内の相次相続控除の制度もこのときに確立した。

　また、シャウプ税制では、相続に際して、相続税のほか、所得税および再評価税も同時に課税されることとなった。つまり、相続による財産の無償移転に対しては、被相続人に所得税を課税し、相続税は所得税を支払った後の財産について課税するということに改正された。これは財産の無償譲渡に対し、まず所得税を課税するという所得税の基本原則に従ったものである。被相続人の死亡に際しては、被相続人の納めるべき所得税をまず清算し、その後の財産が相続人に相続されるという考え方に立脚したものであった。そしてこの場合、被相続人の清算に当たっては、通常、財産の再評価が行われることになっていたから、相続に際しては、以上の3税が課税されることとされたのである。理論はともかくとして、現実の税負担からみると過重となるので、その後の改正によって所得税と再評価税の課税は相続の場合は行わないことになったのである。

② 昭和26年の改正

　昭和26年には、生命保険金に控除の制度が設けられ、また、申告書の提出期限が4月以内から6月以内に改められた。

③ 昭和28年の改正

　シャウプ方式は税務執行面で多くの困難にあったので、一生累積課税を廃止し、相続および包括遺贈は遺産取得税方式でそのつど課税の相続税に、特定遺贈および贈与は1年合算で受贈者課税の贈与税に改められた。

(4) 遺産取得税時代(Ⅱ)（昭和33年以後）

① 昭和33年の改正

　遺産取得税方式は、取得者の担税力に照応した課税を行うという長所を持ち、また、新憲法のもとにおいて民法における家督相続の廃止によって遺産が通常数人の相続人に分割相続されるという新民法に即応した制度であった。しかし、この制度の実施によって実施上、幾多の困難を生じてきた。

　すなわち、遺産について仮装分割が行われ、実際以上に多くの相続人によって相続されたような虚偽申告が跡を絶たず、しかも税務署の調査能力には限界があるから、調査不徹底と相まって、相続税の公平を維持することが困難となってきた。特に農家や中小企業のように実際上分割不可能な財産に対して、その他の分割可能な財産との比較において相対的に重い負担を負わせる結果となる点で、その課税上の不公平が問題となった。

　そこで、政府は、昭和32年に税制特別調査会を設置して「相続税制度についてどのような改正を行うべきか」を諮問した。同調査会は、同年12月25日に大蔵大臣に相続税答申を提出し、この答申に基づき遺産取得税方式の建前を維持しつつ、このような不公平を除去するために、すべての相続人が納める相続税の総額を、遺産の総額と法定相続人の数とその法定相続分という客観的な計数によって決定する方式、つまり、遺産税的な色彩を持った法定相続分課税方式による遺産取得税の現行制度が設けられることになった。

　この方式による課税最低限（遺産に係る基礎控除）は、150万円と法定相続人1人当たり30万円の合計額で、これを遺産の総額から控除して相続税の総額を計算するものである。

　この相続税の総額を各相続人へ配布するに当たっては、各相続人の取得財産額から取得財産に係る基礎控除（相続人50万円、その他20万円）を控除した

残額によってあん分して計算した。

　なお、この改正によって、配偶者控除および未成年者控除は税額控除方式に改められ、また、一親等の血族および配偶者以外の相続人についてはその財産取得の偶然性にかんがみ、20％の税額加算制度が設けられた。

　また贈与税の基礎控除は20万円とされ、3年間の累積課税が行われることとなった。

② 昭和37年の改正

　相続税の遺産に係る基礎控除の額がそれまでの150万円と法定相続人1人当たり30万円から200万円と50万円に改正された。

③ 昭和39年の改正

　相続税の遺産に係る基礎控除が250万円と50万円になったほか取得財産に係る基礎控除の額も70万円（相続人）と40万円（相続人以外）となり、贈与税の基礎控除はこれまでの20万円が40万円に引き上げられた。また、民法の改正に伴う特別縁故者への分与財産のみなす遺贈の規定が設けられた。さらに、租税特別措置法（以下「措置法」という。）において、農業を経営する個人が推定相続人の1人に農地を贈与してその農業経営を行わせる場合には、贈与税の納期限の延長を認めるとともに、その後その個人に相続の開始があったときには、その農地を相続財産に含めて相続税を課税することとする農地等の生前一括贈与の納期限の特例制度が創設された。

④ 昭和40年の改正

　生命保険金の非課税限度が50万円から100万円に引き上げられ、贈与税の申告書提出期限が3月15日まで延長されるなどの改正が行われた。

⑤ 昭和41年の改正

　相続税では、遺産に係る基礎控除の額が400万円と法定相続人1人当たり80万円に引き上げられ、遺産に係る配偶者控除の制度が新設され、税率も緩和された。また、取得財産に係る基礎控除の額のうち70万円は100万円に引き上げられた。贈与税では、配偶者控除の制度が新設され、税率が緩和された。

⑥ 昭和42年の改正

相続税について配偶者の2分の1税額控除を全額とし、生命保険金または退職手当金の非課税限度額をそれぞれ100万円または50万円に法定相続人の数を乗じた金額とし、簡素化のため「取得財産にかかる基礎控除」を廃止し、事業用財産（減価償却資産）にも10年延納を認めた。

⑦ 昭和46年の改正

イ　贈与税の配偶者控除の控除限度額が360万円に引き上げられるとともに、婚姻期間の要件が25年以上から20年以上に短縮されるなどその適用要件が緩和された。

ロ　イとの関連において、相続税の遺産にかかる配偶者控除が婚姻期間10年を超える1年につき40万円、最高限度400万円に改められたほか、その適用要件が緩和された。

ハ　死亡保険金の非課税限度が法定相続人1人当たり150万円に、死亡退職金の非課税限度が法定相続人1人当たり80万円に、それぞれ引き上げられた。

⑧ 昭和47年の改正

被相続人との婚姻期間が10年以上である配偶者の相続税について、配偶者に対する相続税額の軽減額の引上げ（婚姻期間20年以上である配偶者が相続税の申告書の提出期限までに遺産分割により取得した遺産額が3,000万円以下であれば、その配偶者の相続税額は全額軽減する。）が行われるとともに、新たに相続税について、障害者控除の制度および物納の撤回の制度が設けられた。

⑨ 昭和48年の改正

イ　相続税の遺産にかかる基礎控除の額が600万円と法定相続人1人当たり120万円に引き上げられた。

ロ　贈与税の配偶者控除の控除限度額が560万円に引き上げられるとともに、相続税の遺産にかかる配偶者控除の額が1年につき60万円、最高限度600万円に引き上げられた。

ハ　相続税の未成年者控除の額が1年につき2万円に引き上げられるととも

に、障害者控除の額についても、一般障害者の場合1年につき2万円に、特別障害者の場合1年につき4万円に、それぞれ引き上げられた。

⑩ 昭和50年の改正

イ 相続税

(イ) 相続税の遺産にかかる基礎控除額が2,000万円と法定相続人1人当たり400万円に引き上げられた。

(ロ) 遺産にかかる配偶者控除の制度を、次の(ニ)により拡充された配偶者の相続税の軽減措置に吸収することとし、この制度は廃止された。

(ハ) 死亡保険金の非課税限度額が法定相続人1人当たり250万円に、死亡退職金の非課税限度額が200万円に、それぞれ引き上げられた。

(ニ) 配偶者の相続税の軽減措置が配偶者の相続財産のうち遺産額の3分の1相当額(その額より4,000万円の方が大きい場合には4,000万円)に対応する相続税まで非課税とすることに改められた。

(ホ) 税率の累進度が緩和されるとともに、最高税率が70%から75%に改められた。

(ヘ) 相続税の未成年者控除の額が1年につき3万円に引き上げられ、障害者控除の額についても、一般障害者の場合1年につき3万円に、特別障害者の場合1年につき6万円に、それぞれ引き上げられた。

(ト) 相続税の延納について、遺産に占める不動産等の割合が50％以上である場合の不動産等対応部分の税額にかかる延納期間が15年に延長されるとともに、その部分の利子税も年5.4％に軽減された。

(チ) 土地の評価について一層の適正化を図るため、国税局ごとに土地評価審議会を設置することとされた。

(リ) 農業の相続人が農業を継続する場合に限り、農地価格のうち、恒久的に農業の用に供されるべき農地として取引される場合に通常成立すると認められる価格を超える部分に対応する相続税の納税を猶予し、次の相続までまたは納税猶予後20年間農業を継続した場合には、猶予税額の納付を免除するという、農地に対する相続税の納税猶予制度が創設された。

ヌ 相続税の公益事業用財産の非課税制度に関する当面の措置として、幼稚園等の教育用財産についての特例が政令の附則の改正により設けられた。

ロ 贈与税

イ 贈与税の基礎控除額が60万円に引き上げられるとともに、3年間の累積課税制度が廃止された。

ロ 贈与税の配偶者控除の額が最高限度1,000万円まで引き上げられた。

ハ 相続税と同様、贈与税の税率についてもその累進度が緩和されるとともに、最高税率が70％から75％に改められた。

ニ 特別障害者の生活の安定に資するため、特別障害者を受益者とする信託契約に基づき、金銭、有価証券等の財産が信託されたときは、3,000万円まで非課税とする特別障害者に対する贈与税の非課税制度が創設された。

ホ 農地に対する相続税の納税猶予制度の創設に伴い、農地等の生前一括贈与の納期限の特例制度が相続税の場合に準じ、納税猶予制度に切り替えられた。

⑪ 昭和55年の改正

昭和55年には、民法の一部を改正する法律（昭和55年5月17日法律第51号）による配偶者の法定相続分の引上げ、寄与分の制度の創設等の相続制度の改正に伴い、その附則で、次のとおり相続税法の一部が改正され、民法の改正とあわせて、昭和56年1月1日以後に相続または遺贈により取得した財産にかかる相続税について適用することとされた。

イ 配偶者の相続税の軽減措置が配偶者の相続財産のうち遺産額の2分の1（改正前3分の1）相当額と4,000万円のいずれか大きい額に対応する相続税まで非課税とすることに改められた。

ロ 遺産が未分割である場合には、各共同相続人が民法の規定による相続分に従って相続財産を取得したものとして相続税の課税価格を計算することとされているが、新しく創設された寄与分に関する民法の規定は、

この民法の規定に含めないこととされた。

⑫ 昭和58年の改正

措置法において、小規模宅地等についての相続税の課税価格の計算の特例の制度が創設された。

⑬ 昭和59年の改正

措置法において、住宅取得資金の贈与を受けた場合の贈与税額の計算の特例の制度が、2年間の時限措置として創設された。

⑭ 昭和63年の改正

いわゆる税制の抜本改革が行われ、相続税については、次のような改正が行われた。

イ　相続税

　㋑　相続税の遺産にかかる基礎控除額が、4,000万円と法定相続人の数×800万円に引き上げられた。

　㋺　死亡保険金および死亡退職金の非課税制度が、ともに法定相続人の数×500万円に引き上げられた。

　㋩　配偶者に対する相続税の軽減措置が拡充され、配偶者の相談財産のうち遺産額に対する配偶者の法定相続分相当額（その額より8,000万円の方が多い場合には8,000万円）に対応する相続税まで非課税とすることとされた。

　㋥　税率の累進度が緩和されるとともに、最高税率が75%から70%に引き下げられた。

　㋭　相続税の未成年者控除の額が1年につき6万円に引き上げられるとともに、障害者控除の額についても一般障害者の場合1年につき6万円に、特別障害者の場合1年につき12万円に、それぞれ引き上げられた。

　㋬　相続税の延納の最低限度額が10万円に引き上げられるとともに、延納税額が50万円未満で、かつ、その延納期間が3年以下であるときは、担保を不要とする制度が創設された。

　㋣　相続税の延納について、遺産に占める不動産等の割合が75%以上であ

る場合の不動産等対応部分の税額にかかる延納期間が20年に延長されるとともに、その部分の利子税も年4.8％に軽減された。
- ㋵ 小規模宅地等についての相続税の課税価格の計算の特例制度における減額割合が60％と50％に引き上げられた。
- ㋷ 相続財産に含まれる金銭を特定公益信託のために支出した場合の非課税の特例制度が創設された。
- ㋬ 相続税の遺産にかかる基礎控除額等を計算する場合の法定相続人の数に算入する養子の数を、原則として、1人または2人に制限することとされた。
- ㋸ 相続開始前3年以内に取得した不動産については、原則として、その取得価額によって相続税の課税価格を計算する特例制度が創設された。
- ㋾ そのほか、相続税の申告書の公示基準の引上げ、官公署等への協力要請規定および法定相続人の数に算入される養子の数の否認規定が創設された。

ロ　贈与税
- ㋑ 信託にかかる贈与税の課税規定が整備された。
- ㋺ 上記㋑の改正に伴い、特定公益信託から交付される一定の金品についての非課税規定が創設された。
- ㋩ 贈与税の配偶者控除の額が最高2,000万円まで引き上げられた。
- ㋥ 相続税と同様、贈与税の税率についても、その累進度が緩和されるとともに、最高税率が75％から70％に引き下げられた。
- ㋭ 特別障害者扶養信託にかかる贈与税の非課税限度額が、6,000万円まで引き上げられた。
- ㋬ 相続税の場合と同様、贈与税の延納の最低限度額が10万円に引き上げられるとともに、延納税額が50万円未満で、かつ、その延納期間が3年以下であるときは、担保を不要とする制度が創設された。

⑮　平成3年の改正

措置法において、贈与税および相続税の納税猶予の対象となる農地等の範

囲から三代都市圏の特定市の市街化区域農地等（特定市街化区域農地等）に該当するものが除外されるとともに、昭和60年1月1日前に開始した相続にかかる特例農地等で特定市街化区域農地等に該当するものについて所要の経過措置が講じられた。

⑯　平成4年の改正

　土地の相続税評価の評価割合を地価公示価格水準の8割（従来は7割）程度に引き上げる等の適正化に伴う相続税および贈与税の負担調整等を行うため、遺産にかかる基礎控除額の引上げ、税率の適用区分の拡大等が行われた。その内容は、次のとおりである。

イ　相続税

　㋑　相続税の遺産にかかる基礎控除額が、4,800万円と法定相続人の数×950万円に引き上げられた。

　㋺　相続税の税率について、適用区分の幅が1.8倍程度に拡大された。

　㋩　相続税の申告書の提出期限が6か月以内から10か月以内に延長され、平成4年1月1日から同年6月30日までの間の相続分については、申告期限を同年12月31日まで延長するとともに、平成5年から平成7年までの間の相続分については、申告期限を段階的に延長する経過措置が講じられた。

　㊁　相続税の延納について、贈与税の延納と同様に、「納期限までに、又は納付すべき日に金銭で納付することを困難とする事由がある場合」の要件が加えられた。

　㋭　延納または物納について、国税局長が必要と認めるときは、税務署長に代わって国税局長がこれらの事務を行うこととされた。

　㋬　小規模宅地等についての相続税の課税価格の計算の特例制度における減額割合が、事業用宅地等については60％から70％、居住用宅地等については50％から60％へそれぞれ引き上げられた。

ロ　贈与税

　㋑　贈与税の税率について、適用区分の幅が1.4倍程度に拡大された。

(ロ)　住宅取得資金の贈与を受けた場合の贈与税額の計算の特例制度について、適用対象となる者の年間所得金額要件が800万円から1,000万円に引き上げられた。

⑰　平成6年の改正

イ　相続税

　(イ)　相続税の遺産にかかる基礎控除額が、5,000万円と法定相続人の数×1,000万円に引き上げられた。

　(ロ)　税率の適用区分の幅が拡大されたほか、税率の刻み数が13段階から9段階に削減された。

　(ハ)　相続開始前3年以内に贈与があった場合の相続税額の計算の特例について、相続税の課税価格に算入しないことができる財産の範囲に、相続開始の年に贈与税の配偶者控除の適用要件を満たす居住用不動産等の贈与があった場合で、一定の要件を満たす場合の当該財産が追加された。

　(ニ)　配偶者に対する相続税の軽減措置について、最低保障額が1億6,000万円に引き上げられたほか、軽減措置の対象となる財産には、仮装または隠ぺいされていた財産は含めないこととされた。

　(ホ)　小規模宅地等についての相続税の課税価格の特例制度における減額割合が改められるとともに、適用対象となる宅地等の範囲に事業と称するに至らない不動産の貸付け等の用に供されていた宅地等が追加された。

ロ　贈与税

　住宅取得資金の贈与を受けた場合の贈与税額の計算の特例制度について、特例計算限度額が500万円から1,000万円に引き上げられたほか、適用要件の緩和が図られた。

⑱　平成8年の改正

　平成8年には、昭和63年末の税制抜本改革において導入された相続開始前3年以内に取得した不動産については取得価額によって相続税の課税価格を計算する特例制度が廃止された。また、国等に相続財産を贈与した場合の非課税特例の適用対象公益法人の範囲が拡大され、農地等についての贈与税ま

たは相続税の納税猶予の特例制度の適用を受けている農地等につき収用交換等により譲渡した場合に納付することとなる利子税の額を2分の1にする特例措置が創設された。

⑲　平成9年の改正

　平成9年には、不動産等にかかる相続税の延納等の特例における特例利子税率の割合が適用される期限が2年間延長されるとともに、農地等についての相続税の納税猶予の特例の改正に伴う賃貸住宅用地等への転用にかかる経過措置の特例について、対象者の範囲等が見直されたうえ、その適用期限が平成13年3月31日まで延長された。

⑳　平成11年の改正

イ　相続税

　小規模宅地等の特例適用の限度面積が、特定事業用等宅地等の場合は330㎡、その他の場合は200㎡とされ、その両者がある場合の調整措置が設けられた。

ロ　贈与税

　住宅資金の贈与を受けた場合の贈与税の特例の限度額を1,000万円から1,500万円に引き上げる等の改正が行われた。

㉑　平成12年の改正

イ　相続税

　相続又は遺贈により日本国外にある財産を取得した個人でその財産を取得した時において日本国内に住所を有しない者のうち日本国籍を有する者（その者又は当該相続若しくは遺贈に係る被相続人が当該相続又は遺贈に係る相続の開始前5年以内において日本国内に住所を有したことがある場合に限られる。）は、相続税を納める義務があるものとすることとされた。

　したがって、その者及び被相続人の双方がその相続の開始前5年以内に日本国内に住所を有したことがない場合の相続等については、日本国外にある財産について課税の対象の適用外とされる。

ロ　贈与税

贈与により日本国外にある財産を取得した個人でその財産を取得した時において日本国内に住所を有しない者のうち日本国籍を有する者（その者又は当該贈与に係る贈与者が当該贈与前5年以内において日本国内に住所を有したことがある場合に限られる。）は、贈与税を納める義務があるものとすることとされた。

　したがって、その者及び贈与者の双方がその贈与前5年以内に日本国内に住所を有したことがない場合の贈与については、日本国外にある財産について課税の対象の適用外とされる。

㉒　平成13年の改正
イ　相続税
　小規模宅地等についての相続税の課税価格の計算の特例について、限度面積要件を次の場合の区分に応じ、それぞれに定める面積までの部分に拡充する等の措置が講じられた。

　㈹　選択特例対象宅地等のすべてが特定事業用宅地等、特定同族会社事業用宅地等又は国営事業用宅地等である場合　　400㎡までの部分
　㈺　選択特例対象宅地等のすべてが特定居住用宅地等である場合　　240㎡までの部分
　㈻　選択特例対象宅地等のすべてが上記㈹及び㈺の宅地等以外の宅地等である場合　　200㎡までの部分
　㈾　選択特例対象宅地等のすべてが上記㈹、㈺又は㈻の宅地等である場合（上記㈹、㈺又は㈻に定める場合を除く。）　　次の式により計算した面積が400㎡以下となる場合の上記㈹、㈺又は㈻の宅地等の部分

$$㈹の宅地等 + ㈺の宅地等 \times \frac{5}{3} + ㈻の宅地等 \times 2$$

ロ　贈与税
　㈹　平成13年1月1日以後に贈与により財産を取得した者に係る贈与税については、贈与税の基礎控除の金額を110万円とする措置が講じられた（措法70の2）。

ロ　住宅取得資金の贈与を受けた場合の贈与税額の計算の特例について、非課税限度額が550万円（改正前：300万円）に引き上げられた。
㉓　平成14年の改正
イ　特定事業用資産についての相続税の課税価格の計算の特例の創設
　　特定事業用資産相続人等が、相続等により取得した一定の要件を満たす事業用資産のうちこの特例の適用を受けるものとして選択したものを相続開始の時から相続税の申告期限まで引き続き有している一定の場合には、相続税の課税価格に算入すべき価額は、以下の割合を乗じて計算した金額とすることとされた。
　　イ　特定同族会社株式等である選択特定事業用資産……90％
　　ロ　特定森林施業計画対象山林である選択特定事業用資産……95％
ロ　小規模宅地等についての相続税の課税価格の計算の特例の改正
　　上記イの特定事業用資産についての相続税の課税価格の計算の特例の創設に伴い、分割済みの小規模宅地等について特定事業用資産が分割されないことにより本特例が選択できない場合における更正の請求の規定の整備が行われた。
　　なお、小規模宅地等、特定同族会社株式等、特定森林施業計画対象山林に関する各特例の適用が選択制とされた。
㉔　平成15年の改正
イ　相続時精算課税制度の創設
　　65歳以上の親（贈与者）からの贈与により財産を取得した20歳以上の子（受贈者）は、従来の贈与税の課税方式（暦年課税方式）の適用を受けることに代えて、その受贈者の選択により、贈与時に贈与財産に対する贈与税（非課税枠：累積で2,500万円、税率：一律20％）を支払い、相続時にその贈与財産と相続財産とを合計した価額を基に計算した相続税額から既に支払った贈与税相当額を控除した額をもって納付すべき相続税額とする相続時精算課税制度の適用を受けることができることとされた。
ロ　相続税・贈与税の税率構造の見直し

相続税及び贈与税(暦年課税方式の贈与税に限る。)について、最高税率を50%(改正前:70%)に引き下げるとともに、税率の刻み数を6段階(改正前:相続税9段階、贈与税13段階)に削減し、税率適用区分の調整が行われた。

ハ その他の相続税法の改正
　㈤　相続時精算課税等に係る贈与税の申告内容の開示制度が創設された。
　㈹　贈与税の更正、決定等の期間制限が6年とされた。
　㈧　相続税額の2割加算制度の対象に被相続人の養子となった孫(代襲相続人を除く。)が加えられた。
　㈢　生命保険契約に関する権利の評価が一定の経過措置が講じられたうえ廃止された。

ニ 小規模宅地等についての相続税の課税価格の計算の特例の改正
　「特定同族会社事業用宅地等」に該当するか否かの判定の基礎とされる同族法人の要件が改正された(措法69の4)。

ホ 特定事業用資産についての相続税の課税価格の計算の特例の改正
　㈤　特定同族会社株式等に該当する特定事業用資産の各要件について、見直しが行われた。
　㈹　特例の対象となる特定事業用資産に相続時精算課税制度の適用を受ける一定の贈与財産(特定受贈同族会社株式等、特定受贈森林施業計画対象山林)が追加され、これに伴う特定事業用資産の選択その他の要件の改正が行われた。
　㈧　小規模宅地等、特定(受贈)同族会社株式等及び特定(受贈)森林施業計画対象山林についての相続税の課税価格の計算の特例について、一定の要件を満たす場合には、それぞれの特例の併用が認められることとされた。

ヘ 住宅取得等資金に係る相続時精算課税制度の特例の創設
　㈤　住宅の取得又は増改築に充てるための資金を贈与により取得した場合には、65歳未満の親からその資金の贈与を受けた場合についても相続時

精算課税制度を選択できることとされた。
　　㋺　住宅の取得又は増改築に充てるための資金を贈与により取得した場合には、相続時精算課税制度に係る贈与税の非課税枠（2,500万円）を1,000万円上乗せすることとされた。
　ト　住宅取得資金等の贈与を受けた場合の贈与税額の計算の特例の廃止
　　住宅取得資金等の贈与を受けた場合の贈与税額の計算の特例（いわゆる5分5乗方式）は、平成17年12月31日まで適用する経過措置を講じた上、廃止された。

㉕　平成16年の改正
　特定事業用資産についての相続税の課税価格の計算の特例について、対象となる特定同族会社株式等の価額の上限を10億円（改正前：3億円）に引き上げることとされた。

㉖　平成17年の改正
　住宅取得資金に係る相続時精算課税制度の適用対象となる既存住宅のうち耐震基準に適合したものは建築後の年数制限を問わないこととされた。

㉗　平成18年の改正
　イ　物納制度について、次の措置が講じられた。
　㈠　物納不適格財産の明確化等
　　㋑　抵当権が設定されている不動産、境界が不明確な土地等の一定の財産を物納不適格財産（管理又は処分をするのに不適格な財産）として定め、その範囲が明確化された。
　　㋺　市街化調整区域内の土地、接道条件を充足していない土地（いわゆる無道路地）等の一定の財産を物納劣後財産（他に物納適格財産がない場合に限り物納を認める財産）として定め、その範囲が明確化された。
　　㋩　物納申請された財産が物納不適格財産に該当する場合等で他に物納適格財産を有するときは、税務署長は当該物納申請を却下する。申請者は、一度に限り物納の再申請をすることができることとされた。
　㈡　物納手続の明確化

(イ)　物納財産を国が収納するために必要な書類として、物納財産の種類に応じ、登記事項証明書、測量図、境界確認書、要請により有価証券届出書等を提出する旨の確約書等一定の書類を定めるとともに、申請者は、これらの書類を物納申請時に提出することとされた。

　　(ロ)　提出された物納手続に必要な書類の記載に不備があった場合等には、税務署長は、これらの書類の補正等を申請者に請求することができることとされた。

　　　　この場合において、請求後20日以内にこれらの書類について補正等がされなかった場合には、物納申請を取り下げたものとみなされる。

　　(ハ)　物納財産の収納等物納に必要な手続が定められた。

　(ハ)　物納申請の許可に係る審査期間の法定等

　　(イ)　税務署長は、物納申請の許可又は却下を物納申請期限から3月以内に行うこととされた。

　　　　ただし、物納財産が多数となるなど調査等に相当の期間を要すると見込まれる場合には、6月以内（積雪など特別な事情によるものについては、9月以内）とすることができることとされた。

　　(ロ)　審査期間内に許可又は却下をしない場合には、物納を許可したものとみなされる。

　(ニ)　物納申請を却下された者の延納の申請

　　　物納の許可を申請した者について、延納による納付が可能であることから物納申請の全部又は一部が却下された場合には、20日以内に延納の申請を行うことができることとされた。

　(ホ)　延納中の物納の選択

　　　相続税を延納中の者が、資力の状況の変化等により延納による納付が困難となった場合には、申告期限から10年以内に限り、延納税額からその納期限の到来した分納税額を控除した残額を限度として、物納を選択することができることとされた。

　　　この場合における物納財産の収納価額は、その物納に係る申請時の価額

、社員、理事、監事等に対して特別の利益が与えられた場合に課なる法人の範囲が「持分の定めのない法人（持分の定める法人でする者がいないものを含む。）」に改められた。

利益を与えられた者の範囲の改正
定めのない法人から特別の利益を与えられた場合に課税される者、「評議員」が加えられた。

利益の内容の明確化
ら受ける特別の利益で課税対象となるものの内容として、金銭の資産の譲渡、給与の支給、役員等の選任、その他財産の運用及び営に関してその法人から受ける特別の利益が含まれることが明確

ない社団若しくは財団又は一定の法人に対する相続税又は贈与税正

なる法人の範囲の改正
は贈与を受けた場合において、個人とみなされて相続税又は贈与されることとなる法人の範囲が「持分の定めのない法人（持分の法人で持分を有する者がいないものを含む。）」に改められた。

との調整措置の改正
贈与又は遺贈に係る財産の価額が、当該財産を取得した人格のな等又は持分の定めのない法人の法人税に係る各事業年度の所得の金の額に算入されるときであっても、その社団等又は法人に対税又は相続税を課税することとされた。

果生ずる法人税等と贈与税等との二重課税を回避するため、相は贈与税の額から法人税等の額を控除するものとされた。

等の負担が不当に減少する結果となると認められる基準の法定化の親族等の相続税又は贈与税の負担が不当に減少する結果となるるかどうかの判断基準は、従来は、国税庁通達によっていたが、上明確化された。

とされた。ただし、税務署長は、収納の時までにその物納財産の状況に著しい変化が生じたときは、その収納の時の現況によりその物納財産の収納価額を定めることができることとされた。

(ヘ) その他所要の措置

㋑ 金銭又は延納による納付困難要件について、その判定方法が明確化された。

㋺ 物納財産の性質、形状、その他の特徴により、金銭による納付を困難とする金額を超える金額の物納財産を収納することについてやむを得ない事情があると認められる場合には、税務署長は、当該財産の物納を許可することができることとされた。

㋩ 物納により納付が完了されるまでの間について利子税の負担を求められることとされた。ただし、審査事務に要する期間については、利子税は免除される。

ロ 申告書の公示制度が廃止された。

㉘ **平成19年の改正**

イ 取引相場のない種類株式の評価方法が次のように明確化された。

(イ) 配当優先の無議決権株式は、原則、普通株式と同様に評価。ただし、5％評価減のうえ、評価減分を議決権株式の評価額に加算する評価方法も選択可能（同族株主が相続により取得した株式に限り、当該株式を取得した同族株主全員の同意が必要）。

(ロ) 一定の種類株式（社債類似株式）は、社債に準じて評価する。

(ハ) 拒否権付株式は、普通株式と同様に評価する。

ロ 取引相場のない株式等の相続時精算課税の特例が設けられる。

推定相続人の一人（受贈者）が、平成19年1月1日から平成20年12月31日までの間に、取引相場のない株式等の贈与を受ける場合には、次の要件を満たすときに限り、60歳以上の親からの贈与についても相続時精算課税制度を適用し、非課税枠を500万円上乗せして3,000万円とする等の措置が講じられた。

(イ) 当該会社の発行済株式等の総額（相続税評価額ベース）が20億円未満であること。

(ロ) 次の全要件を特例選択から4年経過時に満たしていること。

　(イ) 受贈者が当該会社の発行済株式等の総数の50％超を所有し、かつ、議決権の50％超を有していること。

　(ロ) 受贈者が当該会社の代表者として経営に従事していること。

　(ハ) その他所要の要件を満たすこと。

ハ 海外保険の取扱い

相続税の課税対象となる生命保険契約又は損害保険契約の範囲に、わが国の保険業法の免許等を受けていない外国の保険業者と締結された生命保険契約又は損害保険契約が加えられた。

ニ 配偶者の税額軽減の適用不可

配偶者が仮装又は隠ぺいしていた財産を配偶者以外の相続人等が取得した場合には、当該仮装又は隠ぺいしていた財産に伴い増加する相続税額について、税額軽減措置は適用しないこととされた。

ホ 信託に係る税制について、次のとおり整備が行われた。

(イ) 信託の効力発生時、受益者等の変更時、信託の終了時等について、その課税関係が明確化された。

(ロ) 受益者連続型信託について、次の措置が講じられた。

　(イ) 受益権の移転は、前受益者から移転したものとみなす。

　(ロ) 受益者連続型信託に関する権利でその利益を受ける期間の制限等の制約が付されているものについては、当該制約は、付されていないものとみなす。

(ハ) 受益者等が存しない信託等の特例

　(イ) 受益者等が存しない信託等について、当該信託の受益者等となる者が当該信託の委託者等の親族であるときは、当該信託の受託者は、当該委託者等から当該信託に関する権利を贈与等により取得したものとみなす。

　(ロ) 受益者等が存しない信託について、信託の契約が締結された時等にお

いて存しない者が受益者等となる場合に
託者の親族であるときは、当該信託に
取得したものとみなす。

(ニ) 信託に関する受益者別等の調書について
か、提出時期について受益者等が変更さ

(ホ) 法人課税信託制度の創設に伴い、同族
について所要の整備が行われた。

(ヘ) 国等に対して相続財産を贈与した場合
この措置の対象となる法人の範囲に、
る次世代育成支援対策に取り組む会社等
域雇用等促進法人が加えられた。

(ト) 住宅取得等資金に係る相続時精算課税
特定の贈与者から住宅取得等資金の贈
の特例について、特定受贈者が、住宅取
与により取得した財産について特定同族
時精算課税の特例の適用を受けている場

(チ) 小規模宅地等についての相続税の課税
小規模宅地等の課税の特例は、被相続
に係る贈与により財産を取得した者が、
時精算課税の特例又は500万円の特別控
適用しないこととされた。

(リ) 特定事業用資産についての相続税の
これについても、(チ)と同様な改正が行

㉙ **平成20年の改正**

次のような改正が行われた。

イ 特別の法人から受ける利益に対す
65）の改正

(イ) 対象の法人の範囲の改正

ニ　国等に対して相続財産を贈与した場合等の相続税の非課税措置の改正
(イ)　適用対象となる法人の範囲から「民法34条の規定により設立された法人」が削除され、それに代わるものとして、「公益社団法人・公益財団法人」が挿入された。
(ロ)　特定地域雇用等促進法人が対象法人から除かれた。
ホ　住宅取得等資金に係る相続時精算課税制度の特例の改正
　　特例の適用期限が平成21年12月31日まで2年延長された。
ヘ　特定農業生産法人に使用貸借による権利の設定をした場合の農地に係る贈与税の納税猶予の継続の特例の改正
　　特例の適用期限が、平成23年3月31日まで3年延長された。

㉚　**平成21年の改正(1)**
　平成21年の改正は、2回に分けて行われている。3月に行われた改正は、次のとおり非上場株式等に係る贈与税・相続税の納税猶予制度の新設と、それに伴う従来の農地等に係る贈与税・相続税の納税猶予制度の改正が行われている。続いて、第2回の改正は、6月に行われ、住宅取得資金の贈与税についての500万円控除を内容とするものである。ここでは、まず第1回の改正を挙げておく。
イ　非上場株式等についての贈与税・相続税の納税猶予制度の新設
　　中小企業会社の経営者の老齢化に伴う事業承継の円滑化の一助として、経営者の交代・相続に伴う贈与税・相続税の納税を猶予する制度が設けられた。そのあらましは次のとおりである。
(イ)　非上場株式等についての贈与税の納税猶予の特例の新設
　　贈与者の親族で贈与時において20歳以上であるほか、一定の要件を満たす経営承継受贈者が、認定贈与承継会社の代表権を有していた個人で一定の要件に該当する贈与者から当該認定贈与承継会社の非上場株式等を一定の条件に該当する贈与（特例対象贈与）により取得した場合には、当該非上場株式等のうち特例受贈非上場株式等に係る納税猶予分の贈与税額に相当する贈与税については、申告期限内に贈与税の申告書が提出され、かつ、

一定の担保が提供された場合に限り、贈与者の死亡の日まで納税を猶予することとされた。

この場合の猶予税額は、特例受贈非上場株式等のみの贈与を受けたものとして計算した贈与税額（いわゆる下積税額）による。

(ロ) 非上場株式等についての相続税の納税猶予の特例の新設

被相続人の親族で相続開始の直前において当該会社の役員であるほか、一定の要件を満たす経営承継相続人等が、認定承継会社の代表権を有していた被相続人から相続又は遺贈により当該認定承継会社の非上場株式等を取得した場合には、当該非上場株式等のうち特例非上場株式等に係る納税猶予分の相続税額に相当する相続税については、申告期限内に相続税の申告書が提出され、かつ、一定の担保が提供された場合に限り、経営承継相続人等の死亡の日まで納税を猶予することとされた。

この場合の猶予税額は、次の㋑の金額から㋺の金額を控除した残額（いわゆる下積税額）による。

㋑ 特例非上場株式等の価額を当該経営承継相続人等に係る相続税の課税価格とみなして計算した当該相続人等の相続税額

㋺ 特例非上場株式等の価額の20％相当額を当該経営承継相続人等に係る相続税の課税価格とみなして計算した当該相続人等の相続税額

(ハ) 非上場株式等についての贈与税の納税猶予に係る贈与者が死亡した場合の相続税の課税の特例

(イ)の「非上場株式等についての贈与税の納税猶予」の適用を受ける経営承継受贈者に係る贈与者が死亡した場合には、その贈与者の死亡による相続又は遺贈に係る相続税については、その経営承継受贈者がその贈与者から相続により、贈与時の価額で、その特例受贈非上場株式等の取得をしたものとみなすこととされた。

(ニ) 非上場株式等についての贈与税の納税猶予に係る贈与者が死亡した場合の相続税の納税猶予の特例

(ハ)の「非上場株式等についての贈与税の納税猶予に係る贈与者が死亡し

た場合の相続税の課税の特例」の適用を受けて、贈与者から相続又は遺贈により取得したものとみなされた特例受贈非上場株式等につきこの特例の適用を受けようとする経営相続承継受贈者が、当該相続に係る相続税の申告書の提出により納付すべき相続税の額のうち、特例相続非上場株式等に係る納税猶予分の相続税額に相当する相続税については、申告期限内に相続税の申告書が提出され、かつ、一定の担保が提供された場合に限り、当該経営承継受贈者の死亡の日まで、その納税を猶予することとされた。

㈹　相続税の申告期限の特例

　　平成20年10月１日から平成21年３月31日までの間に開始した相続に係る相続財産のうち非上場会社株式等が含まれる等一定の要件に該当する場合には、納税猶予の特例の適用の有無にかかわらず、その相続に係る相続税の申告期限が平成22年２月１日まで延長された。

ロ　農地等についての贈与税・相続税の納税猶予制度の改正

㈤　農地等についての相続税の納税猶予制度の改正

　　㋑　納税猶予期限及び免除事由の見直し

　　　　市街化区域外の農地又は採草放牧地について、相続税の申告期限の翌日から20年を経過する日まで営農を続けた場合の猶予税額の免除措置が廃止された。

　　㋺　猶予税額の全額の納期限が確定する総面積の20％のカウントから除外される譲渡等の範囲の拡大

　　　　農用地区域内にある特例農地等についての農業経営基盤強化促進法に基づく一定の譲渡が猶予税額の全部の納期限が確定することとなる総面積の20％のカウントから除外する譲渡等の範囲に加えられた。

　　㋩　相続税の納税猶予が継続される「特定貸付け」の特例の新設

　　　　農地等についての相続税の納税猶予の適用を受ける農業相続人が、その適用を受ける農地又は採草放牧地のうち市街化区域外に所在するものの全部又は一部について、農業経営基盤強化促進法の規定による一定の貸付け（以下「特定貸付け」という。）を行った場合において、特定貸付

けを行った日から2月以内に特定貸付けを行った旨の届出書を納税地の所轄税務署長に提出したときは、その特定貸付けを行った農地又は採草放牧地について、引き続き納税猶予が継続されることとされた。
㊂ 相続税の納税猶予が継続される「営農困難時貸付け」の特例の新設
相続税の申告期限後に身体障害など農業相続人に一定の事由が生じた場合において、一定の貸付けを行ったときは、引き続き相続税の納税猶予の適用が継続されることとされた。
㋺ 農地等についての贈与税の納税猶予制度の改正
身体障害など受贈者に一定の事由が生じた場合において、一定の貸付けを行ったときは、引き続き贈与税の納税猶予の適用が継続されることとされた。
㋩ 利子税の割合の引下げ
納税猶予税額に係る利子税の割合が、3.6％（改正前：6.6％）に引き下げられた。
ハ その他の改正
㋑ 特定事業用資産についての相続税の課税価格の計算の特例制度の改正
上記イ㋺の「非上場株式等についての相続税の納税猶予の特例の新設」に伴い、特定同族会社株式等及び特定受贈同族会社株式等に係る相続税の課税価格の計算の特例が廃止され、従来の特定計画山林に係る部分のみが「特定計画山林についての相続税の課税価格の計算の特例」に改組された上、存続することとされた。
㋺ 特定同族会社株式等の贈与に係る相続時精算課税の特例の廃止
適用期限（平成20年12月31日）の到来をもって廃止された。

㉛ **平成21年の改正(2)**

経済危機対策の一環として、租税特別措置法の改正が行われ、贈与税について、住宅取得等のための贈与税の軽減が次のように行われた。
すなわち、平成21年1月1日から平成22年12月31日までの間に、その直系尊属（父母、祖父母、養父母等）からの贈与により、住宅用家屋の新築、取得

又は増改築等に充てるための金銭(以下「住宅取得等資金」という。)の取得をした一定の要件を満たす受贈者(以下「特定受贈者」という。)が当該住宅用家屋の新築、取得又は増改築等について一定の要件を満たす場合には、その贈与により取得した住宅取得等資金のうち500万円までの金額については、贈与税の課税価格に算入しないこととされた。

㉜ 平成22年の改正

イ 相続税法の改正

(イ) 保険法の制定に伴うみなし相続財産の規定の整備

　相続税法に規定する「生命保険契約」とは、保険業法に規定する生命保険会社と締結した保険契約等とされ、「損害保険契約」とは、保険業法に規定する損害保険会社と締結した保険契約等として、その範囲が明確化された。

(ロ) 障害者控除の拡大

　障害者控除の計算に用いる年数が、障害者たる相続人が85歳(改正前:70歳)に達するまでの年数によることとされ、控除額の拡大が図られた。

(ハ) 定期金給付契約に関する権利の評価の改正

　次により評価することに改められた。

　イ 給付事由が発生している定期金に関する権利は、次のうちいずれか多い金額で評価する。

　　① 解約返戻金相当額

　　② 定期金に代えて一時金の給付を受けることができる場合は、当該一時金相当額

　　③ 予定利率等を基に算出した金額

　ロ 給付事由が発生していない定期金に関する権利は、原則として解約返戻金相当額

(ニ) 罰則の見直し

　脱税犯に係る法定刑が10年(改正前:5年)に引き上げられる等の見直しが行われた。

ロ　租税特別措置法の改正
(イ)　小規模宅地等についての相続税の課税価格の計算の特例の改正

次のような見直しが行われた。

　④　この特例の対象となる小規模宅地等の範囲から、特定事業用宅地等、特定居住用宅地等又は特定同族会社事業用宅地等以外の宅地等のうち、相続人等が相続税の申告期限まで事業又は居住を継続しないものを除外することとされた（改正前：200㎡まで50％減額）。

　⑩　一の宅地等について共同相続があった場合には、取得した者ごとに適用要件を判定することとされた。

　⑪　一棟の建物の敷地の用に供されていた宅地等のうち、特定居住用宅地等の要件に該当する部分とそれ以外の部分がある場合には、部分ごとに按分して軽減割合を適用することとされた。

　㊁　特定居住用宅地等は、主として居住の用に供されていた一の宅地等に限られることが明確化された。

　㊭　貸付事業用宅地等のうち、継続要件を満たすものについては、従来どおり200㎡まで50％の軽減割合が適用される。

(ロ)　直系尊属から住宅取得等資金の贈与税の非課税制度の改正

適用期間が平成23年12月31日まで延長された上、次のような改正がされた。

　④　非課税限度額（改正前：500万円）が、次のとおり引き上げられた。
　　　①　平成22年中に住宅取得等資金の贈与を受けた者　1,500万円
　　　②　平成23年中に住宅取得等資金の贈与を受けた者　1,000万円

　⑩　特定受贈者の要件に、贈与を受けた年の合計所得金額が2,000万円以下であることが追加された。

(ハ)　住宅取得等資金に係る相続時精算課税の特例の改正

　④　住宅取得等資金に係る相続時精算課税の特例は、適用期限が平成23年12月31日まで2年延長された。

　⑩　住宅取得等資金の贈与を受けた場合の相続時精算課税に係る贈与税の

特別控除（1,000万円）の特例は、適用期限の平成21年12月31日をもって廃止された。

㈡ 非上場株式等に係る贈与税・相続税の納税猶予の特例の改正

外国法人等の株式等を認定会社を通じて保有する場合における適用要件が明確化されるとともに、この場合におけるその認定会社の株式等に係る納税猶予税額の計算等について見直しが行われた。

㈭ 相続税・贈与税の義務的修正申告書等の提出に係る罰則の新設

相続税及び贈与税の特例に係る義務的修正申告書又は義務的期限後申告書を提出しなかった者について、申告書不提出罪（1年以下の懲役又は50万円以下の罰金）の対象とすることとされた。

㉝ 平成23年の改正

平成23年度税制改正法案として国会に提出されていた法案は、与野党協議の結果、合意の成立した内容について政府が改めて、「現下の厳しい経済状況及び雇用情勢に対応して税制の整備を図るための所得税法等の一部を改正する法律案」として国会に提出し、平成23年6月22日に成立した。このうち相続税関係の内容は、次のとおりである。

イ 相続税法の改正

㈠ 更正又は決定に基づく相続時精算課税制度に係る贈与税額を還付する場合の還付加算金の計算期間について、相続税の申告書の提出期限の翌日から更正の日の翌日以後1月を経過する日（当該更正が更正の請求に基づくものである場合には、その更正の請求の日の翌日以後3月を経過する日と当該更正の日の翌日以後1月を経過する日とのいずれか早い日）までの日数は、当該計算期間に算入しないこととする。

㈡ 相続税の連帯納付義務等について、次の措置を講ずることとする。

　㋑ 税務署長は、連帯納付義務者（納税義務者を除く。以下同じ。）から相続税を徴収しようとする場合等には、当該連帯納付義務者に対し、納付通知書による通知等を行わなければならない。

　㋺ 相続税の連帯納付義務者が連帯納付義務を履行する場合における当該

相続税に併せて納付すべき延滞税については、原則として、利子税に代える。

(ハ) 調書のうち、当該調書の提出期限の属する年の前々年の1月1日から12月31日までの間に提出すべきであった調書の枚数が1,000以上であるものについては、当該調書に記載すべきものとされる事項を電子情報処理組織を使用する方法又は光ディスク等を提出する方法のいずれかにより税務署長に提出しなければならないこととする。

ロ 租税特別措置法の改正

(イ) 次の制度について、その適用対象となる住宅取得等資金の範囲に、住宅の新築（住宅取得等資金の贈与を受けた日の属する年の翌年3月15日までに行われるものに限る。）に先行してその敷地の用に供される土地等を取得する場合における当該土地等の取得のための資金を追加することとする。

　㋑ 直系尊属から住宅取得等資金の贈与を受けた場合の贈与税の非課税措置

　㋺ 特定の贈与者から住宅取得等資金の贈与を受けた場合の相続時精算課税の特例措置

(ロ) 非上場株式等に係る相続税・贈与税の納税猶予制度について、風俗営業会社等に該当してはならないこととされる特別関係会社の範囲を特別関係会社のうち認定会社と密接な関係を有する一定の者によりその株式等の過半数を保有される会社とすることとする。

(ハ) 自然公園法の国立公園特別保護地区等内の土地（環境大臣と風景地保護協定を締結しているなど一定の要件を満たすものに限る。）について、相続税の物納劣後財産に該当する場合であっても、これを物納劣後財産に該当しないものとみなす措置を講ずることとする。

ハ その後の平成23年国会における法案の審議

なお、当初の政府提出法案については、上記の内容を削除して修正したうえ、法案の題名を「経済社会の構造の変化に対応した税制の構築を図るための所得税法等の一部を改正する法律案」と改めて、引き続き国会で審

議することとされた。この法案中相続税に関する部分は次のとおりである。
(イ) 相続税
 ㋑ 現行「5,000万円＋1,000万円×法定相続人数」である基礎控除を「3,000万円＋600万円×法定相続人数」へ引き下げる。
 ㋺ 最高税率を55％に引き上げるなど税率構造を見直す。
 ㋩ 現行「500万円×法定相続人数」である死亡保険金に係る非課税枠を「500万円×次のいずれかに該当する法定相続人数」とする。
  ① 未成年者
  ② 障害者
  ③ 相続開始直前に被相続人と生計を一にしていた者
 ㊁ 相続税額に係る未成年者控除（現行6万円×20歳に達するまでの年数）及び障害者控除（現行6万円×85歳に達するまでの年数）について、一年当たりの控除額を10万円に引き上げる。

(ロ) 贈与税
 ㋑ 暦年課税について、直系卑属（20歳以上）を受贈者とする場合の贈与税の税率構造を緩和する。
 ㋺ 相続時精算課税制度について、受贈者に20歳以上の孫を追加するとともに、贈与者の年齢要件を「65歳以上」から「60歳以上」に引き下げる。

その後、平成23年10月28日には、法案に関する与野党協議の状況を踏まえ、政府提案の形で、施行期日の修正に加え、国税通則法の改正について、国税通則法の題名・目的規定の改正及び納税者権利憲章の創設について取りやめることとする等の修正が行われた。

さらに、その後の与野党協議の結果、平成23年11月10日に、民主党・自民党・公明党の税制調査会長の間で、

・平成23年度改正事項の取扱いについて、法人課税と納税環境整備以外の項目は今改正から削除する

・平成23年度改正事項のうち積み残し分については、平成24年度税制改正又は税制抜本改革に合わせ成案を得るよう、各党でそれぞれ努力する

こととされた。この合意を受けて、平成23年11月18日には、民主党・自民党・公明党の3党の共同提案による法案の修正案が提出され、法案のうち個人所得課税、資産課税、消費課税に関する相当部分が削除された法案が平成23年11月30日に可決・成立、平成23年12月2日に施行された。

ニ　更正の請求期間等の改正

ホ　質問検査権等の規定の整備

㉞　**平成24年の改正**

イ　特に若年世代への資産の早期移転が喫緊の課題となっていること、また裾野の広い住宅需要を刺激することはデフレ脱却に向けた内需拡大に資することを踏まえ、省エネルギー性及び耐震性を備えた良質な住宅ストックを形成する観点から、住宅取得等資金に係る贈与税の非課税措置の拡充・延長が行われた。

ロ　相続税の連帯納付義務については、相続後長期間が経過した後に履行を求められるケースがあるとの批判を踏まえ、そうしたケースの発生を防止するための緩和措置を講じることとされた。

㉟　**平成25年の改正**

イ　相続税法等の改正

(イ)　相続税の基礎控除の引下げ（注1）

相続税の基礎控除が、現行の「5,000万円＋1,000万円×法定相続人の数」から「3,000万円＋600万円×法定相続人の数」へ引き下げられた。

(ロ)　相続税及び贈与税の税率構造の見直し（注1）

相続税及び贈与税の最高税率を55％へ引き上げるなど税率構造の見直しが行われた。

(ハ)　相続時精算課税制度の改正（注2）

相続時精算課税制度に係る贈与者の年齢要件が60歳以上（改正前：65歳以上）に引き下げられた。

(ニ)　未成年者控除等の引上げ（注1）

未成年者控除及び障害者控除について、控除額が引き上げられた。

(ホ)　相続税及び贈与税の納税義務の見直し（注３）

　　相続若しくは遺贈又は贈与により相続税法の施行地外財産を取得した日本国内に住所を有しない個人で日本国籍を有しないもの（相続若しくは遺贈又は贈与の時において日本国内に住所を有する者から当該相続税法の施行地外財産を取得した場合に限る。）は、相続税又は贈与税を納める義務があるものとされた。

　(ヘ)　特別障害者に対する贈与税の非課税制度の改正（注４）

　　(イ)　適用対象者に、一定の一般障害者（非課税限度額：3,000万円）が追加された。

　　(ロ)　信託契約の終了時期が、特別障害者等の死亡の日（改正前：特別障害者の死亡後６か月を経過する日）とされた。

　(ト)　相続税の物納制度の改正（注５）

　　相続税の物納制度について、管理処分不適格財産の範囲に次の財産が加えられた。

　　(イ)　地上権、賃借権その他の権利が設定されている不動産でその権利を有する者が暴力団員その他一定の者であるもの

　　(ロ)　暴力団員等によりその事業活動を支配されている株式会社又は暴力団員等を役員とする株式会社が発行した株式

　(注１)　上記イ(イ)、(ロ)、(ニ)の改正は、平成27年１月１日以後に相続又は遺贈により取得する財産に係る相続税について適用することとされた。

　(注２)　上記イ(ハ)の改正は、平成27年１月１日以後に贈与により取得する財産に係る贈与税について適用することとされた。

　(注３)　上記イ(ホ)の改正は、平成25年４月１日以後に相続若しくは遺贈又は贈与により取得する国外財産に係る相続税又は贈与税について適用することとされた。

　(注４)　上記イ(ヘ)の改正は、平成25年４月１日以後に贈与により財産を取得した者に係る贈与税について適用することとされた。

　(注５)　上記イ(ト)の改正は、平成25年４月１日以後に相続又は遺贈により取得する財産に係る相続税について適用することとされた。

　ロ　租税特別措置法の改正

(イ) 小規模宅地等についての相続税の課税価格の計算の特例の改正（注１）
　　④ 特定居住用宅地等に係る特例の適用対象面積を330㎡（改正前：240㎡）までの部分に拡充することとされた。
　　⑨ 特例の対象として選択する宅地等のすべてが特定事業用等宅地等及び特定居住用宅地等である場合には、それぞれの適用対象面積まで適用可能とされた。
　　　なお、貸付事業用宅地等を選択する場合における適用対象面積の計算については、改正前と同様に調整を行うこととされた。
　　⑧ 一棟の二世帯住宅で構造上区分のあるものについて、被相続人及びその親族が各独立部分に居住していた場合には、その親族が相続又は遺贈により取得したその敷地の用に供されていた宅地等のうち、被相続人及びその親族が居住していた部分に対応する部分を特例の対象とすることとされた。
　　㋥ 老人ホームに入所したことにより被相続人の居住の用に供されなくなった家屋の敷地の用に供されていた宅地等は、一定の要件が満たされる場合に限り、相続の開始の直前において被相続人の居住の用に供されていた宅地と同様に、この特例を適用することができることとされた。
(ロ) 暦年課税の贈与税の税率の特例及び相続時精算課税制度の特例の創設（注２）
　　④ 暦年課税の贈与税の税率について、20歳以上の者がその直系尊属から贈与を受けた場合の税率構造が緩和された。
　　⑨ 相続時精算課税制度について、受贈者の範囲に、20歳以上である孫（改正前：推定相続人のみ）が追加された。
(ハ) 事業承継税制の改正（注３）
　　事業承継税制について、以下の見直し等が行われた。
　　④ 制度の名称変更
　　⑨ 後継者の親族間承継要件の廃止
　　⑧ 先代経営者の役員退任要件の緩和（贈与税の納税猶予のみ）

㊁　雇用確保要件の緩和

㊭　納税猶予税額の免除事由（特例対象株式等を全部譲渡した場合）の拡充

㋬　納税猶予税額の再計算の特例の創設

㋣　納税猶予税額の計算方法の見直し（相続税の納税猶予のみ）

㋠　株券不発行会社への適用拡大

㋷　提出書類の簡略化（減量）

㋦　納税猶予期限が確定した税額についての延納及び物納の利用

㋸　利子税の負担軽減

㋾　事前確認制度の廃止

㋻　持株会社（大口株主）に係る猶予税額の計算方法の見直し（計算除外の特例措置に係る対象株式等の追加）

㋕　資産管理会社に係る要件（事業実態があるとされる資産管理会社の要件）の見直し

㋵　確定事由とされる総収入金額の算定方法の見直し

㈡　直系尊属から教育資金の一括贈与を受けた場合の贈与税の非課税措置の創設

受贈者（30歳未満の者に限る。）の教育資金に充てるためにその直系尊属が金銭等を拠出し、金融機関（信託会社（信託銀行を含む。）、銀行等及び金融商品取引業者（第一種金融商品取引業を行う者に限る。）をいう。）に信託等をした場合には、信託受益権の価額又は拠出された金銭等の額のうち受贈者１人につき1,500万円（学校等以外の者に支払われる金銭については、500万円を限度とする。）までの金額に相当する部分の価額については、平成25年４月１日から平成27年12月31日までの間に拠出されるものに限り、贈与税を課さないこととされた。

㈭　農地等についての相続税及び贈与税の納税猶予等における営農困難時貸付けの要件の緩和（注４）

農地等に係る相続税・贈与税の納税猶予制度について、営農困難時貸付けの適用を受けることができる事由に、上肢又は下肢の一部の喪失等によ

り農業に従事することが困難な故障が生じたことが追加された。
(ヘ) 山林についての相続税の納税猶予の改正（注5）
　(イ) 制度の名称が「山林についての相続税の納税猶予及び免除」と改められた。
　(ロ) 納税猶予税額の計算において、被相続人の債務及び葬式費用を相続税の課税価格から控除する場合には、山林以外の財産の価額から控除することとされた。
　(ハ) 特定森林経営計画が定められている区域内に災害等により作業路網の整備を行うことが困難な小流域がある場合のその森林経営計画全体に係る作業路網の整備については、当初認定起算日等から15年（改正前：10年）を経過する日までに整備が完了していれば、納税猶予期限の確定事由に該当しないこととされた。
(注1) 上記ロ(イ)④及び㋺の改正は平成27年1月1日以後に相続又は遺贈により取得する財産に係る相続税について適用し、ロ(イ)㋩及び㊁の改正は平成26年1月1日以後に相続又は遺贈により取得する財産に係る相続税について適用することとされた。
(注2) 上記ロ(ロ)の改正は、平成27年1月1日以後に贈与により取得する財産に係る贈与税について適用することとされた。
(注3) 上記ロ(ハ)の改正は、㋐を除いて所要の経過措置を講じたうえ、平成27年1月1日以後に相続若しくは遺贈又は贈与により取得する財産に係る相続税又は贈与税について適用することとされた。
　　　なお、ロ(ハ)㋐に関しては、平成25年4月1日以後に受ける認定について適用されることとなった。
(注4) 上記ロ(ホ)の改正は、平成25年4月1日以後に行われる貸付けについて適用することとされた。
(注5) 上記ロ(ヘ)④及び㋺の改正は、平成27年1月1日以後に相続又は遺贈により取得する山林に係る相続税について適用することとされた。また、上記ロ(ヘ)㋩の改正は、平成25年4月1日以後に相続又は遺贈により取得する山林に係る相続税について適用することとされた。

㊱ 平成26年の改正
イ 医業継続に係る相続税・贈与税の納税猶予等の創設

(イ) 相続税
  ㋑ 概要
    個人（以下「相続人」という。）が持分の定めのある医療法人の持分を相続又は遺贈により取得した場合において、その医療法人が相続税の申告期限において認定医療法人（注）であるときは、担保の提供を条件に、当該相続人が納付すべき相続税額のうち、当該認定医療法人の持分に係る課税価格に対応する相続税額については、移行計画の期間満了までその納税を猶予し、移行期間内に当該相続人が持分の全てを放棄した場合には、猶予税額を免除する。
    （注） 認定医療法人とは、良質な医療を提供する体制の確立を図るための医療法等の一部を改正する法律に規定される移行計画について、認定制度の施行の日から3年以内に厚生労働大臣の認定を受けた医療法人をいう。
  ㋺ 税額の計算
    ① 通常の相続税額の計算を行い、持分を取得した相続人の相続税額を算出する。
    ② 持分を取得した相続人以外の者の取得財産は不変とした上で、当該相続人が持分のみを相続したものとして相続税額の計算を行い、当該相続人の相続税額を算出し、その金額を猶予税額とする。
    ③ 上記①の相続税額から上記②の猶予税額を控除した金額を持分を取得した相続人の納付税額とする。
  ㋩ 猶予税額の納付
    移行期間内に持分の定めのない医療法人に移行しなかった場合又は認定の取消し、持分の払戻し等の事由が生じた場合には、猶予税額を納付する。また、基金拠出型医療法人に移行した場合には、持分のうち基金として拠出した部分に対応する猶予税額についても同様とする。
  ㊁ 利子税の納付
    上記㋩により猶予税額の全部又は一部を納付する場合には、相続税の申告期限からの期間に係る利子税を併せて納付する。

ホ　税額控除
　　　相続の開始から相続税の申告期限までの間に持分の全てを放棄した場合には、納税猶予は適用せず、上記ロの計算により算出される猶予税額に相当する金額（基金として拠出した部分に対応する金額を除く。）を相続人の納付すべき相続税額から控除する。
　ロ　贈与税
　　イ　概要
　　　持分の定めのある医療法人の出資者が持分を放棄したことにより他の出資者の持分の価額が増加することについて、その増加額（経済的利益）に相当する額の贈与を受けたものとみなして当該他の出資者に贈与税が課される場合において、その医療法人が認定医療法人であるときは、担保の提供を条件に、当該他の出資者が納付すべき贈与税額のうち、当該経済的利益に係る課税価格に対応する贈与税額については、移行計画の期間満了までその納税を猶予し、移行期間内に当該他の出資者が持分の全てを放棄した場合には、猶予税額を免除する。
　　ロ　税額の計算
　　　①　上記イの経済的利益及びそれ以外の受贈財産について通常の贈与税額を算出する。
　　　②　上記イの経済的利益のみについて贈与税額を算出し、その金額を猶予税額とする。
　　　③　上記①の贈与税額から②の猶予税額を控除した金額を納付税額とする。
　　ハ　猶予税額の納付、利子税の納付及び税額控除については、相続税と同様とする。
　（注）　上記の改正は、移行計画の認定制度の施行の日以後の相続若しくは遺贈又はみなし贈与に係る相続税又は贈与税について適用する。
ロ　農地等に係る相続税・贈与税の納税猶予制度について、次の見直しを行う。

(イ) 特例適用農地等を収用等のために譲渡した場合の利子税の特例について、平成26年4月1日から平成33年3月31日までの間に特例適用農地等を収用等のために譲渡した場合には、利子税の全額（現行：2分の1）を免除する。
(ロ) 特例適用農地等を譲渡し、代替農地等を取得した場合の買換え特例について、三大都市圏の特定市の特例適用農地等を収用等のために譲渡した場合には、取得時に三大都市圏の特定市の生産緑地地区内の農地等又は市街化調整区域内の農地等に該当しないものであっても、譲渡後1年以内にこれらの農地等に該当することとなる土地については、代替農地等に該当することとする。
(ハ) 三大都市圏の特定市の特例適用農地等を収用等のために譲渡した場合において、譲渡後1年以内に、その譲渡があった日において特例適用者が有していた特例適用農地等以外の三大都市圏の特定市の生産緑地地区内の農地等若しくは市街化調整区域内の農地等又は譲渡後1年以内にこれらの農地等に該当することとなる土地（譲渡をした特例適用農地等に係る相続等の開始前において有していたものを除く。）で、譲渡時における価額がその譲渡対価の額の全部又は一部に相当するものを納税猶予の適用対象とする見込みであることにつき、税務署長の承認を受けたときは、次のとおりとする。
① その譲渡はなかったものとみなす。
② 譲渡後1年を経過する日において、その譲渡対価の額の全部又は一部に相当する価額の農地等が納税猶予の適用対象とされていない場合には、譲渡した特例適用農地等のうち納税猶予の適用対象とされなかった価額に相当する部分については、その日において譲渡がされたものとみなす。
(ニ) 農地中間管理事業の推進に関する法律により創設される農地中間管理事業のために行われる賃借権等の設定による貸付けを特定貸付けの特例の対象とするほか、同法の制定に伴う所要の措置を講ずる。

㈣ 農業経営基盤強化促進法及び農地法の改正に伴う所要の措置を講ずる。
(注) 上記㈦から㈥までの改正は、平成26年4月1日以後の収用等のための譲渡について、上記㈡及び㈤の改正は、同日以後の貸付け等について適用する。
ハ 直系尊属から住宅取得等資金の贈与を受けた場合の贈与税の非課税措置及び特定の贈与者から住宅取得等資金の贈与を受けた場合の相続時精算課税の特例について、適用対象となる既存住宅用家屋の範囲に、地震に対する安全性に係る規定又はこれに準ずる基準に適合しない既存住宅を取得した場合において、当該既存住宅の取得の日までに耐震改修工事の申請等をし、かつ、その者の居住の用に供する日までに耐震改修工事を完了していること等の一定の要件を満たす既存住宅用家屋を加える。
ニ 相続財産を贈与した場合の相続税の非課税制度の対象となる法人の範囲に、博物館、美術館、植物園、動物園又は水族館の設置及び管理の業務を行う地方独立行政法人を加える。
ホ 森林法施行規則の改正を前提に、改正後の認定基準により森林経営計画の認定を受けた場合にも、特定計画山林についての相続税の課税価格の計算の特例及び計画伐採に係る相続税の延納等の特例を適用することとする。
ヘ 国立公園特別保護地区等内の土地に係る相続税の物納の特例について適用期限の到来をもって廃止する。

㊲ 平成27年の改正

イ 国外転出をする場合の譲渡所得等の特例の創設に伴う改正
㈠ 相続税又は贈与税の納税義務の範囲の見直し
㋑ 国外転出をする場合の譲渡所得等の特例の適用がある場合の納税猶予の期限の延長を受ける個人が死亡した場合又は財産の贈与をした場合には、当該個人は、相続若しくは遺贈又は贈与前5年以内のいずれかの時において日本国内に住所を有していたものとみなされる。
㋺ 贈与等により非居住者に資産が移転した場合の譲渡所得等の特例の適用がある場合の納税猶予の適用を受ける者から贈与により財産を取得した受贈者又は当該納税猶予の適用を受ける相続人が死亡した場合又は財

産の贈与をした場合には、当該受贈者又は相続人は、相続若しくは遺贈又は贈与前5年以内のいずれかの時において日本国内に住所を有していたものとみなされる。ただし、当該受贈者又は相続人が当該譲渡所得等の特例に係る贈与又は相続若しくは遺贈前5年以内に日本国内に住所を有していたことがない場合には、この限りではない。

(ロ) 相続税の債務控除の対象となる公租公課の金額の範囲の見直し

相続税の債務控除の対象となる公租公課の金額の範囲から、国外転出をする場合の譲渡所得等の特例の適用がある場合の納税猶予及び贈与等により非居住者に資産が移転した場合の譲渡所得等の特例の適用がある場合の納税猶予に係る納税猶予分の所得税額を除くこととし、その後当該納税猶予分の所得税額に相当する所得税を納付することとなった場合には更正の請求ができる。

ロ　調書の創設及び改正

(イ) 生命保険契約等の契約者変更に係る調書の創設

日本国内に営業所等を有する保険会社等は、生命保険契約等の契約者が死亡したことに伴い契約者の変更の手続を行った場合には、当該変更の効力が生じた日の属する年の翌年1月31日までに、一定の事項を記載した調書を当該調書を作成した営業所等の所在地の所轄税務署長に提出しなければならない。

(ロ) 生命保険金等の支払調書の改正

生命保険金等の支払調書について、生命保険契約等の契約者変更があった場合には、保険金等の支払の直前における契約者の払込保険料等を記載しなければならない。

ハ　その他の改正

(イ) 個人番号制度の導入に伴う見直し

相続税法等の規定により税務署長等に提出する各種書類に記載すべき事項に個人番号又は法人番号が追加された。

(ロ) 申告書の添付書類の見直し

上記(イ)の改正により、住民票の写し等の書類について、添付が不要とされた。
ニ　結婚・子育て資金の一括贈与に係る贈与税の非課税措置の創設
　　受贈者（20歳以上50歳未満の者に限る。）の結婚・子育て資金に充てるためにその直系尊属が金銭等を拠出し、金融機関（信託会社（信託銀行を含む。）、銀行等及び金融商品取引業者（第一種金融商品取引業を行う者に限る。）をいう。）に信託等をした場合には、信託受益権の価額又は拠出された金銭等の額のうち受贈者1人につき1,000万円（結婚に関するものについては、300万円を限度とする。）までの金額に相当する部分の価額については、平成27年4月1日から平成31年3月31日までの間に拠出されるものに限り、贈与税を課さないこととされた。
ホ　住宅取得等資金の贈与を受けた場合の贈与税の特例の改正
(イ)　適用期限の延長
　　以下の特例について、非課税限度額を拡大した上でその適用期限が平成31年6月30日まで延長された。
　　㋑　直系尊属から住宅取得等資金の贈与を受けた場合の贈与税の非課税
　　㋺　特定の贈与者から住宅取得等資金の贈与を受けた場合の相続時精算課税の特例
　　㋩　東日本大震災の被災者が直系尊属から住宅取得等資金の贈与を受けた場合の贈与税の非課税
ヘ　直系尊属から教育資金の一括贈与を受けた場合の贈与税の非課税措置の改正
　　次の見直しが行われた上、その適用期限が平成31年3月31日まで延長された。
(イ)　適用対象に、通学定期券代、留学渡航費等が加えられた。
(ロ)　教育資金の額が1回につき1万円以下のものについては、年間24万円を限度として、領収書に代え、支払の事実を記載した一定の書類を金融機関に提出することができることとされた。

ト 非上場株式等に係る贈与税及び相続税の納税猶予制度の改正
(イ) 経営贈与承継期間の末日の翌日以後に、当該経営承継受贈者が特例受贈非上場株式等の贈与をし、その贈与を受けた者が非上場株式等に係る贈与税の納税猶予制度の適用を受けるときは、当該経営承継受贈者の猶予中贈与税額のうち、その贈与を受けた者が当該納税猶予制度の適用を受ける特例受贈非上場株式等に対応する額を免除することとされた。
(ロ) 経営承継期間内に経営承継相続人等が認定承継会社の代表権を有しないこととなった場合（一定のやむを得ない理由がある場合に限る。）において、その有しないこととなった日以後に、当該経営承継相続人等が特例非上場株式等の贈与をし、その贈与を受けた者が非上場株式等に係る贈与税の納税猶予制度の適用を受けるときは、当該経営承継相続人等の猶予中相続税額のうち、その贈与を受けた者が当該納税猶予制度の適用を受ける特例受贈非上場株式等に対応する額を免除することとされた。
チ 小規模宅地等についての相続税の課税価格の計算の特例の改正
　相続開始の直前において居住の用に供することができない事由として、介護保険法の基本チェックリスト該当者が老人ホーム等に入居していた場合が追加された。

㊳ 平成28年の改正
イ 農地の納税猶予制度の見直し
(イ) 特例適用農地等に区分地上権が設定された場合においても、農業相続人等がその特例適用農地等の耕作を継続しているときは、納税猶予の期限は確定しないこととされた。
(ロ) 贈与税の納税猶予を適用している場合の特定貸付けの特例について、農地中間管理事業のために貸し付ける場合にあっては、受贈者の納税猶予の適用期間要件は適用しないこととされた。
(ハ) 贈与税の納税猶予の適用を受けることができる者を認定農業者等に限ることとされた。
(ニ) 農地法の改正に伴い、農業生産法人制度の見直しに伴う所要の措置が講

じられた。

ロ　信託に関する調書の提出範囲の見直し

　いわゆる「日本版ESOP信託」については、信託に関する受益者別（委託者別）調書の提出が不要とされた。

ハ　結婚・子育て資金の一括贈与を受けた場合の贈与税の非課税制度の資金使途の明確化

　対象となる不妊治療に要する費用に薬局に支払われるものが含まれること等が明確化された。

ニ　贈与税の配偶者控除の添付書類の見直し

　申告書に添付すべき登記事項証明書が、居住用不動産を取得したことを証する書類に変更された。

ホ　国外転出をする場合の譲渡所得等の特例の見直しに伴う所要の措置

ヘ　国税通則法の改正に伴う所要の措置

　相続税及び贈与税の義務的修正申告に係る規定について所要の措置が講じられた。

㊴　**平成29年の改正**

イ　相続税及び贈与税の納税義務の見直し

　国内に住所を有しない相続人等に係る相続税及び贈与税の納税義務について、見直しが行われた。

ロ　相続税の物納制度の見直し

　社債、株式及び証券投資信託等の受益証券のうち金融商品取引所に上場されているもの等が第1順位とされ、物納財産の範囲に投資証券等のうち金融商品取引所に上場されているもの等が加えられ、これらについても第1順位とされた。

ハ　特定土地等及び特定株式等に係る相続税の課税価格の計算の特例等の創設

　特定非常災害の指定を受けた災害が発生した場合において、その特定非常災害発生日前の相続若しくは遺贈又は贈与により取得した財産に係る相続税

又は贈与税でその特定非常災害発生日以後に申告期限が到来するものについて、その課税価格の計算上、その災害により被災者生活再建支援法が適用される区域内の土地等及び一定の非上場株式等でその特定非常災害発生日に有していたものの価額は、その災害の発生直後を基準とした価額とすることができることとされた。

　この特例の適用を受ける場合において、特定日（国税通則法の規定により延長された申告期限とその災害発生日の翌日から10月を経過する日とのいずれか遅い日をいう。）の前日までに申告期限が到来するものについては、その申告期限が特定日まで延長された。

ニ　医療法人の持分の放棄があった場合の贈与税の課税の特例の創設等

㈶　平成18年医療法等改正法に規定する移行計画の認定を受けた医療法人の持分を有する個人がその持分の全部又は一部の放棄をしたことによりその医療法人がその認定移行計画に記載された移行期限までに持分の定めのない医療法人への移行をした場合には、その医療法人がその放棄により受けた経済的利益については、贈与税を課さないこととされた。

　この適用を受けた医療法人について、持分の定めのない医療法人への移行をした日以後6年を経過する日までの間に移行計画の認定要件に該当しないこととなった場合には、上記の経済的利益については、その医療法人を個人とみなして、贈与税を課すこととされた。

㈹　医業継続に係る相続税・贈与税の納税猶予制度等の適用期限が3年延長された。

ホ　非上場株式等についての贈与税・相続税の納税猶予制度の改正

㈶　災害等の被災者等がこの特例の適用を受ける場合について、適用対象となる会社の認定等の時期に応じ、次の措置が講じられた。

　　① 災害等の発生前に相続若しくは遺贈又は贈与により非上場株式等を取得し、円滑化法の認定を受けている、又はその認定を受けようとしている会社

　　　災害等により受けた被害の態様に応じ、その認定承継会社等の雇用確

保要件の免除等をするとともに、これらの被害を受けた会社が破産等した場合には、経営承継期間等内であっても猶予税額を免除することとされた。

　㋺　災害等の発生後に相続又は遺贈により非上場株式等を取得し、円滑化法の認定を受けようとしている会社

　　上記㋑の措置に加え、事前役員就任要件を緩和することとされた。

㈹　納税猶予の取消事由に係る雇用確保要件について、相続開始時又は贈与時の常時使用従業員数に100分の80を乗じて計算した数に1人に満たない端数があるときは、これを切り捨てることとされた。ただし、相続開始時又は贈与時の常時使用従業員数が1人の場合には、1人とされた。

㈧　相続時精算課税制度に係る贈与が、贈与税の納税猶予制度の適用対象に加えられた。

㈡　非上場株式等の贈与者が死亡した場合の相続税の納税猶予制度における認定相続承継会社の要件について、中小企業者であること及びその会社の株式等が非上場株式等に該当することとする要件が撤廃された。

ヘ　住宅取得等資金の贈与を受けた場合の贈与税の特例の改正

　　住宅取得等資金の贈与を受けて住宅用家屋の新築等をした者が、その住宅用家屋が災害により滅失等をしたことによってその居住の用に供することができなくなったときなどの居住要件等が緩和された。

ト　山林についての相続税の納税猶予制度の改正

㈵　猶予期間中に身体障害等のやむを得ない事情により林業経営の継続が困難となったときは、一定の推定相続人に林業経営の全てを委託した場合であっても、納税猶予を継続することができることとされた。

㈺　災害による森林被害のため経営の規模の拡大を行うことが困難である場合には、当初認定起算日等から15年を経過する日までに経営の規模の拡大が完了していれば、納税猶予の取消事由に該当しないこととされた。

㈦　森林経営計画に定められている区域に存する山林のうち同一の小流域内に存するものの面積が5ha未満である一定の山林が、納税猶予の適用対

象に加えられた。
チ　直系尊属から教育資金の一括贈与を受けた場合の贈与税の非課税の改正
　　金融機関への領収書等の提出について、書面による提出に代えて電磁的方法により提供することができることとされた。

㊵　平成30年の改正
イ　一般社団法人等に対する課税の見直し
㈹　特定の一般社団法人等に対する相続税の課税
　㋑　特定一般社団法人等の理事である者（相続開始前5年以内のいずれかの時において特定一般社団法人等の理事であった者を含む。）が死亡した場合には、当該特定一般社団法人等が、当該特定一般社団法人等の純資産額をその死亡の時における同族理事（被相続人を含む。）の数で除して計算した金額に相当する金額を当該被相続人から遺贈により取得したものとみなして、当該特定一般社団法人等に相続税を課税することとされた。
　㋺　㋑により特定一般社団法人等に相続税が課税される場合には、その相続税の額から、贈与等により取得した財産について既に当該特定一般社団法人等に課税された贈与税等の額を控除することとされた。
㈺　一般社団法人等に対して贈与等があった場合の贈与税等の課税の見直し
　　個人から一般社団法人又は一般財団法人に対して財産の贈与等があった場合の贈与税等の課税については、贈与税等の負担が不当に減少する結果とならないものとされる改正前の要件（役員等に占める親族等の割合が3分の1以下である旨の定款の定めがあること等）のうちいずれかを満たさない場合に贈与税等が課税されることとされ、規定が明確化された。
ロ　納税義務の見直し
　　国外に住所を有する者等に対する相続税又は贈与税の課税の範囲が見直された。
ハ　相続税の申告書の添付書類の拡充
　　相続税の申告書の添付書類に、次の書類が追加された。
　㋑　戸籍謄本を複写したもの

㋺　法定相続情報一覧図の写し又はそれを複写したもの
ニ　非上場株式等についての贈与税・相続税の納税猶予制度の見直し
㈠　非上場株式等に係る贈与税・相続税の納税猶予制度の特例措置が創設された。
㈡　相続時精算課税制度の適用対象の拡充
　　特例経営承継受贈者が贈与者の推定相続人以外の者（その年１月１日において20歳以上である者に限る。）であり、かつ、その贈与者が同日において60歳以上の者である場合には、相続時精算課税の適用を受けることができることとされた。
㈢　非上場株式等についての贈与税・相続税の納税猶予制度の見直し
　　一般措置の事業承継税制についても、複数の贈与者からの贈与等が対象とされた。
ホ　特定美術品に係る相続税の納税猶予制度の創設
　　個人が、一定の美術館と特定美術品の寄託契約を締結し、文化財保護法に規定する保存活用計画の文化庁長官の認定を受けてその美術館にその特定美術品を寄託した場合において、その者が死亡し、その特定美術品を相続又は遺贈により取得した者がその寄託契約及び保存活用計画に基づき寄託を継続したときは、担保の提供を条件に、その寄託相続人が納付すべき相続税額のうち、その特定美術品に係る課税価格の80％に対応する相続税の納税を猶予することとされた。
ヘ　農地等に係る相続税・贈与税の納税猶予制度の見直し
㈠　相続税の納税猶予を適用している場合の都市農地の貸付けの特例の創設
　　次に掲げる貸付けがされた生産緑地についても納税猶予を適用することとされた。
　　㋑　都市農地の貸借の円滑化に関する法律に規定する認定事業計画に基づく貸付け
　　㋺　特定農地貸付けに関する農地法等の特例に関する法律（以下「特定農地貸付法」という。）の規定により地方公共団体又は農業協同組合が行う

特定農地貸付けの用に供するための貸付け
- (ハ) 特定農地貸付法の規定により地方公共団体及び農業協同組合以外の者が行う特定農地貸付け（その者が所有する農地で行うものであって、都市農地の貸借の円滑化に関する法律に規定する協定に準じた貸付協定を締結しているものに限る。）の用に供するための貸付け
- (ニ) 都市農地の貸借の円滑化に関する法律に規定する特定都市農地貸付けの用に供するための貸付け

(ロ) 農地等についての相続税・贈与税の納税猶予制度の改正
- (イ) 農地法において農地とみなされる農作物栽培高度化施設の敷地の用に供される土地について、現行の農地と同様に取り扱うこととされた。
- (ロ) 特例農地等の範囲に、特定生産緑地である農地等及び三大都市圏の特定市の田園住居地域内の農地が加えられた。
- (ハ) 相続税の納税猶予制度について、三大都市圏の特定市以外の地域内の生産緑地の営農継続要件が終身とされた。

ト　小規模宅地等に係る相続税の課税価格の計算の特例の見直し
(イ) 持ち家に居住していない者に係る特定居住用宅地等の特例の対象者の範囲から、次に掲げる者が除外された。
- (イ) 相続開始前3年以内に、その者の三親等内の親族又はその者と特別の関係のある法人が所有する国内にある家屋に居住したことがある者
- (ロ) 相続開始時に居住の用に供している家屋を過去に所有していたことがある者

(ロ) 貸付事業用宅地等の範囲から、相続開始前3年以内に貸付事業の用に供された宅地等（相続開始前3年を超えて事業的規模で貸付事業を行っている者が当該貸付事業の用に供しているものを除く。）が除外された。

(ハ) 介護医療院に入所したことにより被相続人の居住の用に供されなくなった家屋の敷地の用に供されていた宅地等について、相続の開始の直前において被相続人の居住の用に供されていたものとして本特例を適用することとされた。

チ　国等に対して相続財産を贈与した場合の相続税の非課税制度の拡充
　　次の業務を行う地方独立行政法人が適用対象となる法人として追加された。
(イ)　申請等関係事務を市町村又は市町村の長その他の執行機関の名において処理する業務
(ロ)　介護医療院の設置及び管理の業務

㊶　**令和元年の改正**
イ　民法（相続法）の改正に伴う見直し
(イ)　配偶者居住権の創設に伴う改正
　㋐　配偶者居住権等の評価額が法定された。
　㋑　物納劣後財産の範囲に配偶者居住権が設定された建物及びその敷地が加えられた。
(ロ)　特別寄与料の創設に伴う改正
　㋐　特別寄与者が支払を受けるべき特別寄与料の額が確定した場合には、当該特別寄与者が、当該特別寄与料の額に相当する金額を被相続人から遺贈により取得したものとみなして、相続税が課税される。
　㋑　上記㋐の事由が生じたため新たに相続税の申告義務が生じた者は、当該事由が生じたことを知った日から10月以内に相続税の申告書を提出しなければならないこととされた。
　㋒　相続人が支払うべき特別寄与料の額は、当該相続人に係る相続税の課税価格から控除される。
　㋓　相続税における更正の請求の特則等の対象に上記㋐の事由が加えられた。
(ハ)　遺留分減殺請求の改正に伴う所要の整備
　　更正の請求の特則等について所要の措置を講じた。
ロ　添付書類の見直し
　　次に掲げる書類について、住民票の写し等の添付を要しないこととされた。

(イ)　障害者非課税信託申告書

　　(ロ)　相続時精算課税選択届出書

ハ　個人の事業用資産についての納税猶予制度の創設

(イ)　贈与税の納税猶予制度

(ロ)　相続税の納税猶予制度

ニ　小規模宅地等についての相続税の課税価格の計算の特例の見直し

　　特定事業用宅地等の範囲から、相続開始前3年以内に事業の用に供された宅地等（その宅地等の上で事業の用に供されている減価償却資産の価額が、その宅地等の相続時の価額の15％以上である場合を除く。）が除外された。

　　(注)　この改正は、平成31年4月1日以後に相続等により取得する財産に係る相続税について適用される。ただし、同日前から事業の用に供されている宅地等については、適用されない。

ホ　直系尊属から教育資金の一括贈与を受けた場合の贈与税の非課税措置の改正

　　次の措置が講じられた上、その適用期限が2年延長された。

(イ)　前年の受贈者の合計所得金額が1,000万円を超える場合には、本措置の適用を受けることができない。

(ロ)　教育資金の範囲から、学校等以外の者に支払われる金銭で受贈者が23歳に達した日の翌日以後に支払われるもののうち、教育に関する役務提供の対価、スポーツ・文化芸術に関する活動等に係る指導の対価、これらの役務提供又は指導に係る物品の購入費及び施設の利用料が除外された。ただし、教育訓練給付金の支給対象となる教育訓練を受講するための費用は除外されない。

　　(注)　この改正は、令和元年7月1日以後に支払われる教育資金について適用される。

(ハ)　信託等をした日から教育資金管理契約の終了の日までの間に贈与者が死亡した場合（その死亡の日において受贈者が次のいずれかに該当する場合を除く。）において、受贈者が贈与者からその死亡前3年以内に信託等により

取得した信託受益権等について本措置の適用を受けたことがあるときは、その死亡の日における管理残額を、受贈者が贈与者から相続又は遺贈により取得したものとみなされる。

　㈤　23歳未満である場合
　㈷　学校等に在学している場合
　㈸　教育訓練給付金の支給対象となる教育訓練を受講している場合
㈡　教育資金管理契約の終了事由について、受贈者が30歳に達した場合においても、その達した日において上記㈤㈷又は㈸のいずれかに該当するときは教育資金管理契約は終了しないものとされ、その達した日の翌日以後については、その年において上記㈤㈷若しくは㈸のいずれかに該当する期間がなかった場合におけるその年12月31日又は受贈者が40歳に達する日のいずれか早い日に教育資金管理契約が終了するものとされた。

ヘ　直系尊属から結婚・子育て資金の一括贈与を受けた場合の贈与税の非課税措置の改正

　前年の受贈者の合計所得金額が1,000万円を超える場合には、本措置の適用を受けることができないこととした上、その適用期限が2年延長された。

ト　農地等に係る納税猶予制度等の見直し
㈠　農地利用集積円滑化事業を農地中間管理事業に統合すること等に伴う所要の措置が講じられた。
㈡　特例適用農地等の買換え特例について、福島復興再生特別措置法に規定する認定特定復興再生拠点区域復興再生計画に記載された事業等の用に供するために譲渡をした一定の避難指示区域等内に所在する特例適用農地等に係る代替農地等の取得期限は、その特例適用農地等の所在する市町村内の避難指示区域に係る避難指示の全てが解除された日から5年を経過する日とされた。

チ　非上場株式等に係る納税猶予制度の見直し
㈠　贈与税の納税猶予における受贈者の年齢要件が18歳以上に引き下げられ

た（令和4年4月1日以後）。
(ロ) 一定のやむを得ない事情により認定承継会社等が資産保有型会社・資産運用型会社に該当した場合においても、その該当した日から6月以内にこれらの会社に該当しなくなったときは、納税猶予の取消事由に該当しないものとされた。
(ハ) 非上場株式等の贈与者が死亡した場合の相続税の納税猶予の適用を受ける場合には贈与税の納税猶予の免除届出の添付書類を不要とする等、手続の簡素化が行われた。
リ 民法（成年年齢）の改正に伴う見直し
　次に掲げる制度における受贈者等の年齢要件が18歳以上に引き下げられた。
　(イ) 未成年者控除の対象年齢
　(ロ) 直系尊属から贈与を受けた場合の贈与税の税率の特例
　(ハ) 相続時精算課税適用者の特例
　(ニ) 非上場株式等に係る贈与税の納税猶予制度（特例制度についても同様。）
（注）上記の改正は、令和4年4月1日以後の相続・贈与から適用される。

㊷ 令和2年の改正
イ　農地等に係る贈与税・相続税の納税猶予制度の改正
　特例適用農地等の範囲に、三大都市圏の特定市の市街化区域内に所在する農地で、地区計画農地保全条例により制限を受ける一定の地区計画の区域内に所在するものが加えられた。
ロ　医業継続に係る贈与税・相続税の納税猶予制度等の改正
　適用期限が令和5年9月30日まで3年延長された。
ハ　相続税の物納の特例の改正
　適用対象となる登録美術品の範囲に制作者が生存中である美術品のうち一定のものが加えられた。
ニ　国等に対して相続財産を贈与した場合等の相続税の非課税措置の改正
　認定NPO法人について、パブリック・サポート・テスト要件の総収入

金額及び受入寄附金総額から民間公益活動を促進するための休眠預金等に係る資金の活用に関する法律に基づき事業を実施するために受け取った助成金の額を除外する等の措置が講じられた後も、引き続き本措置の対象とされた。
ホ　贈与税についての更正、決定等の期間制限の特則の改正
　　賦課決定をすることができないこととなる日前3月以内にされた贈与税の申告書の提出に係る無申告加算税の賦課決定について、その提出がされた日から3月を経過する日まで、行うことができるようになった。
ヘ　添付書類の省略
　　次に掲げる届出書等について、貸借対照表・損益計算書の添付が不要となった。
　(イ)　非上場株式等についての相続税・贈与税の納税猶予における継続届出書等
　(ロ)　担保が保証人（法人）の保証である場合における延納申請書
　(ハ)　非上場株式を物納する場合における物納申請書
㊸　令和3年の改正
イ　外国人等に係る相続税の納税義務者の範囲の見直し
　　国内に短期的に居住する在留資格を有する者、国外に居住する外国人等が、相続開始の時又は贈与の時において国内に居住する在留資格を有する者から、相続若しくは遺贈又は贈与により取得する国外財産については、相続税又は贈与税を課さないこととされた。
ロ　直系尊属から住宅取得等資金の贈与を受けた場合の贈与税の非課税措置等の改正
(イ)　直系尊属から住宅取得等資金の贈与を受けた場合の贈与税の非課税措置について、次の措置が講じられた。
　　㋑　令和3年4月1日から同年12月31日までの間に住宅用家屋の新築等に係る契約を締結した場合における非課税限度額が、令和2年4月1日から令和3年3月31日までの間の非課税限度額と同額まで引き上げられた。

ロ　受贈者が贈与を受けた年分の所得税に係る合計所得金額が1,000万円以下である場合に限り、床面積要件の下限を40㎡以上（現行：50㎡以上）に引き下げられた。
(ロ)　特定の贈与者から住宅取得等資金の贈与を受けた場合の相続時精算課税制度の特例について、床面積要件の下限を40㎡以上（現行：50㎡以上）に引き下げられた。
ハ　教育資金、結婚・子育て資金の一括贈与に係る贈与税の非課税措置の改正
(イ)　直系尊属から教育資金の一括贈与を受けた場合の贈与税の非課税措置について、次の措置が講じられた上、その適用期限が2年延長された。
　　㋑　信託等があった日から教育資金管理契約の終了の日までの間に贈与者が死亡した場合（その死亡の日において、受贈者が次のいずれかに該当する場合を除く。）には、その死亡の日までの年数にかかわらず、同日における管理残額を、受贈者が当該贈与者から相続等により取得したものとみなされた。
　　　①　23歳未満である場合
　　　②　学校等に在学している場合
　　　③　教育訓練給付金の支給対象となる教育訓練を受講している場合
　　㋺　上記㋑により相続等により取得したものとみなされる管理残額について、贈与者の子以外の直系卑属に相続税が課される場合には、当該管理残額に対応する相続税額が、相続税額の2割加算の対象とされた。
　　㋩　本措置の対象となる教育資金の範囲に、1日当たり5人以下の乳幼児を保育する認可外保育施設のうち、都道府県知事等から一定の基準を満たす旨の証明書の交付を受けたものに支払われる保育料等が加えられた。
(ロ)　直系尊属から結婚・子育て資金の一括贈与を受けた場合の贈与税の非課税措置について、次の措置が講じられた上、その適用期限が2年延長された。
　　㋑　贈与者から相続等により取得したものとみなされる管理残額について、

当該贈与者の子以外の直系卑属に相続税が課される場合には、当該管理残額に対応する相続税額が、相続税額の２割加算の対象とされた。

(ロ) 受贈者の年齢要件の下限が18歳以上（現行：20歳以上）に引き下げられた。

(ハ) 本措置の対象となる結婚・子育て資金の範囲に、１日当たり５人以下の乳幼児を保育する認可外保育施設のうち、都道府県知事等から一定の基準を満たす旨の証明書の交付を受けたものに支払われる保育料等が加えられた。

ニ　個人事業者の事業用資産に係る相続税・贈与税の納税猶予制度の適用対象資産の適用範囲の拡大

個人事業者の事業用資産に係る相続税・贈与税の納税猶予制度について、適用対象となる特定事業用資産の範囲に、被相続人又は贈与者の事業の用に供されていた乗用自動車で青色申告書に添付される貸借対照表に計上されているもの（取得価額500万円以下の部分に対応する部分に限る。）が加えられた。

ホ　非上場株式等に係る相続税の納税猶予の特例制度適用時の後継者要件の緩和

非上場株式等に係る相続税の納税猶予の特例制度について、次に掲げる場合には、後継者が被相続人の相続開始の直前において特例認定承継会社の役員でないときであっても、本制度の適用を受けることができることとされた（①については、一般制度についても同様とする。）。

① 被相続人が70歳未満（現行：60歳未満）で死亡した場合

② 後継者が中小企業における経営の承継の円滑化に関する法律施行規則の確認を受けた特例承継計画に特例後継者として記載されている者である場合

5　外国の相続税

(1)　アメリカ

　アメリカの相続税は遺産税方式をとる。納税義務者は遺言執行人で、遺産税を納付した後の遺産を相続人に分配する。

　アメリカの贈与税は、一生累積課税方式で、贈与の度に過去の贈与を累積して課税して行き、最終的には遺産に加算して課税する。この場合、過去の納付贈与税額は控除される。贈与税の納税義務者は、贈与者である。

　アメリカの相続税・贈与税の基礎控除は、我が国のような遺産からの控除ではなく、統一税額控除（Unified Credit）と呼ばれる税額控除で、まず贈与税額から控除され、控除し切れない部分が遺産税額から控除される。税率は18％から55％までの超過累進税率である。なお、アメリカでは、配偶者への財産移転は非課税とされる。

　アメリカの遺産税については、2001年に当時のブッシュ大統領が成立させた減税法により、2001年に100万ドルであった生涯控除額が順次増加し、2009年には350万ドルとなり、2010年には遺産税が1年間課税停止になっていた（ただし、遺産を譲渡した時にキャピタルゲインを課税した。）。ただ、遺産税を永久に廃止するには、別にそのための法律が必要であり、さもないと、2001年当時の廃止法が復活し、生涯控除100万ドル、最高税率55％となることから、どうなるか注目されていた。

　結果は、当時のオバマ大統領が、ブッシュ減税の延長に踏み切り、法案を成立させた。この改正によると、遺産税の生涯控除は500万ドル、最高税率は35％となるが、これは2011年、2012年の2年のみで、延長等の措置をとらなければ税額控除は100万ドルとなる。

(2)　カナダ

　カナダでは、かつて、遺産税体系の相続税が存在していたが、1967年に公表されたカーター報告書の提言（財産取得者への課税と遺産税・贈与税の廃止）を基として1971年に遺産税及び贈与税が廃止され、代わって、死亡時に譲渡があったものとみなして、所得税が課税される。この納税義務者は遺言執行

者である。

(3) オーストラリア

オーストラリアでは、州相続税と連邦遺産税が併存していたが、クィーンズランド州を最初に州の遺産税・贈与税の廃止が相次ぎ、連邦でも1979年に遺産税が廃止され、一方カナダのような死亡時におけるみなし譲渡所得は行われず、死亡時における資産の帳簿価額が引き継がれ、将来現実に譲渡が行われた時に課税される仕組みとなっている。したがって現在のところ、オーストラリアでは、相続に伴い課税される税はない。

(4) イギリス

イギリスで、死者の全財産に課税する遺産税（Estate Duty）が採用されたのは1894年である。その後1974年にすべての生前贈与と死亡時の財産を課税対象となる資産移転税（Captal Transfer Tax）に改められた。資産移転税は約12年間施行された後1986年に遺産税に類似する相続税制度に修正され、現行の制度は死亡による財産移転と死亡前7年間に行われた贈与が課税される遺産税と遺産取得税の混合形態といわれている。税の名称は、「相続税」(Inheritance Tax) といわれる。

相続税の納税義務者は、贈与の場合は贈与者、相続の場合は遺言執行者（無遺言相続の場合は、遺産管財人）である。

イギリスの相続税の課税最低限は、物価にスライドして定められる。2003年4月6日以降の課税年度においては25万5,000ポンドである。

死亡時の税率は、上述の課税最低限を超えた部分について40％とされる。

生前贈与については、年間3,000ポンドを超えない贈与は、非課税となる。贈与者の死亡前3年以内の贈与に対する税率は40％であるが、それ以外の期間の税率は20％である。また、死亡前7年以内（3年以内のものは除く。）の生前贈与は相続税の課税対象に含まれるが、相続税の税率が、年数に応じ20％～80％軽減される（テーパー控除（tapering relief）という。）。

なお、贈与については、「潜在的免税贈与」（Potentially exempt transfer…PET）といわれるものがある。これは、前述のように贈与者が贈与の日から

7年以内に死亡した場合には、遺産額にその贈与が加算されて遺産税が課税されることから、逆に、贈与者が贈与の日から7年以内に死亡しない限り、その贈与は累積されることがなく、贈与の時点で課税されることがないものであり、①個人によりされたものであること、②潜在的免税贈与に該当しなければ課税贈与となること、③個人に対してなされたものであるか又は個人が所有権を有する一定の「継承的財産設定」(Settlement)であることと定義される（イギリス相続税法3A）。

その代表的事例である「継承的財産設定」(Settlement)とは、「可能な限り将来に向けて承継的に財産権が妻子その他特定の親族に移転するよう財産を処分すること」とされている（田中英夫編集代表「英米法辞典」（東京大学出版会）772頁)。「継承的財産設定」は信託の設定という方法で行われている。

この方法によれば、財産家は早期にこのSettlementを利用して相続税の回避を図ることができ、事実広く行われているといわれる。

次に、イギリスにおける夫婦間贈与は、生存時であると死亡時であるとを問わず、また夫婦が同居しているか否かを問わず、非課税となる。

原則として、非課税限度はないが、受贈者である配偶者がイギリス国外に本居を有する場合には、55,000ポンドまでが非課税とされる。

(5) ドイツ

ドイツの相続税は、遺産取得税の一つの典型とされる。相続税は、フランク王国の時代から存したといわれるが、近代的な相続税は、1873年にプロイセンで導入された。

ドイツの相続税の所管は国（Reich）でなく州（Land）であることが特色である。

相続税は、被相続人の死亡による財産の取得（相続、遺贈、死因贈与等）、生前贈与、目的出捐又は家族財団（Familienstiftungen）である（注）。

(注)　「家族財団」とは、一定範囲の家族の利益のために設立された財団又は社団で、相続税回避の防止のため、30年ごとに相続税が課税される。

ドイツの相続税は、贈与税を含めた税で、同一の者から過去10年内に取得

した財産を累積して課税するものである。すなわち過去10年内に同一の者から取得した財産の額を今回取得した財産の額に加算し、税率を適用して計算した税額から、過去に取得した財産に現在の控除・税率を適用して計算した金額（実際の税額の方が高ければ、その額）を控除して算出した金額が今回納付すべき相続税額となる。

相続税の控除・税率は、被相続人又は贈与者と相続人又は受贈者との関係によってクラス1からクラス3までに分かれる。

クラス1……配偶者、子、継子、代襲相続の場合の孫、子の卑属、相続の場合の父母・祖父母

クラス2……贈与の場合の父母・祖父母、兄弟姉妹、兄弟姉妹の1親等の卑属、継父母、義子、義父母、元配偶者

クラス3……その他

基礎控除、税率は、次のとおりである。

クラス	基礎控除		税　率
クラス1	配偶者	307,000ユーロ	7～30%
	子・代襲相続の孫	205,000ユーロ	
	その他	51,200ユーロ	
クラス2		10,300ユーロ	12～40%
クラス3		5,200ユーロ	17～50%

（※1）　死亡による取得の場合は、この他、配偶者は256,000ユーロ、子は年齢に応じて10,300ユーロから52,000ユーロが特別控除として認められる。

（※2）　税率は「単純累進税率」であるが、税率が高くなる付近で調整が行われる。

ドイツの相続税の課税対象財産は、主として「評価法」（Bewertungsgesetz）という法律に基づいて行われる点に特色がある。もっとも、実際には通達によって補われている部分もある。また、非上場株式の評価は、日本と同様に通達で定められている。財産の価格は、原則として普通価格（Gemeiner Wert）による。普通価格とは、その経済財の性質に従った通常の商取引において処分によって得られる価格によって定められる。

なお、ドイツの財産税（州税・Vermögensteuer）は、現在課税が停止されているとのことである。

(6) フランス

フランスの相続税は、他の国と異なり、登録税の1種として認識されている。すなわち、相続、贈与を原因とする無償の財産移転に対して課税される登録税の一つである。

ローマ時代から存した財産移転に対する課税は、中世において、封建領主が臣下の死亡の際に徴収する死亡税の形となり、ルイ14世の時代に勅令により100分の1の登録税を死亡による財産移転に課税するものとされたが、直系相続は免税とされた。

1790年のルイ16世の時代に至り、直系相続をも含めて、死亡を原因とする財産移転に対して財産が移転する当事者の関係により、また、動産・不動産の別により異なる税率が適用されるものとなった。

1797年のフランス革命後、相続税は、登録税法のもとに整理統合され、税率も比例税率から累進税率へと改められて行った。第一次世界大戦のあった1917年から1922年の間には、人口政策をとり入れた遺産税が併せて課税された時代もあった。

このように、フランスの相続税は、当初、流通税の一つとなっていたが、次第に財産税としての性格を持つに至り、しかも、一貫して登録税の名のもとに課税されていることが特色である。しかし、申告・納付手続は、後述のとおり、あまり我々の持つ登録税のイメージとはほど遠く、通常の直接税のスタイルである。

フランスの相続税は、遺産取得税体系に属する。すなわち、相続税の納税義務者は、相続、遺贈又は死因贈与により財産を取得した者である。課税対象は、不動産及び動産とされているが、動産は有体動産と無体動産が含まれ、更に、無体動産のうちには、上場証券、非上場証券が含まれる。また、我々にはあまりなじみがないが「用益権」（usufruit）、「虚有権」（nue-propriété）も課税財産となる（注）。

(注)　「用益権」とはある物を使用収益する権利をいい、「虚有権」とは、用益権の設定された物の処分権をいい、それぞれ完全な所有権の一定割合で評価し、双方の評価を合わせたものが、完全な所有権の評価となる。

　また、フランスの相続税は、ドイツと同様に相続前10年以内の生前贈与は累積して課税され、生前贈与について納付した贈与税は控除される（生前贈与についても同様な累積課税が行われる。なお、1992年前は、一生累積課税が行われていたが、1992年以後改められている。これは、生前贈与の促進策と説明されている。）。

　次に、フランスの相続税（贈与税も同じ。）の控除・税率も、相続人と被相続人との関係で異なっている。

　　（基礎控除）　　　　　　　　　（2002年1月1日以降）
・配偶者の場合………………………………76,000ユーロ
・子（代襲相続人を含む。）の場合…………46,000ユーロ
・パクス（注1）の相手方の場合…………57,000ユーロ
・兄弟姉妹の場合（注2）……………………15,000ユーロ
・障害者の場合………………………………46,000ユーロ
・その他の場合（注3）………………………1,500ユーロ

(注1)　「パクス」（民事連帯契約……Pact civile de solidarité（PACS））とは、フランスの新たな家族の一形態として、1999年にいわゆるパクス法によって認められたもので、事実婚の届出・登録制度のことである。ただし、パクスの一方の当事者が死亡しても他方の当事者には相続権はない。ただ、パクスの当事者間の無償の財産移転があれば、相続税ないし贈与税の対象になるが、第三者間の贈与・相続より負担は軽減されている。
(注2)　兄弟姉妹の基礎控除が認められるためには、独身者、寡婦（夫）、離婚者、別居者であること、50歳以上又は独立生計を営めない障害者であること及び相続前5年間被相続人と同居していたこと等の要件を満たす必要がある。なお、兄弟姉妹には、贈与の場合の基礎控除はない。
(注3)　この控除は、贈与の場合には適用されない。

(税率)（※）
- ・直系親族の場合……5％～40％
- ・配偶者の場合……5％～40％
- ・パクスの相手方の場合……40％～50％
- ・兄弟姉妹……35％～45％
- ・4親等内の血族……55％
- ・5親等以上の血族・非血族……60％

（※）　累進税率の場合は、超過累進税率である。

　フランスの相続税は、死亡の日から6か月以内に申告書の提出を要し、かつ、その際、原則として全額を納付しなければならない。

　最後に、フランスの夫婦財産制についてはどのような財産制によるかは全く自由であるが、法定共通制によれば、一方の配偶者の死亡の場合、共通財産の2分の1は、当然生存配偶者のものとなり、相続とされないので課税されない。また包括共通制によれば、一方の配偶者の死亡の場合、夫婦財産はすべて生存配偶者に帰属し、これもまた相続とされないので課税されない。

(7)　**イタリア**

　イタリアの相続税・贈与税は、フランスと同様に登録税として課税されていたが、2001年に廃止された。廃止の理由については、次の2点が述べられている。

① 　相続税は、いわば富の集中に対する課税であるが、社会保障制度の発達により、課税の意義がなくなってきた。

② 　財産の重要なものが無体化しており、国境移動が容易であること、現在の相続税・贈与税が登録税であるため、対象が不動産に限られ、富の大部分を占める証券の無償譲渡が課税できない。行政コストと税収が見合っていない。

　なお、この廃止の方法は、相続税・贈与税統一法典を廃止するのではなく、法典の中に廃止規定を挿入するという方法をとっている。したがって、統一法典そのものは存在しており、廃止されなかった規定はなお適用可能ということになっているとされる。

(8) その他の国

以上のほか、ニュージーランドで遺産税、シンガポール、スロバキアで相続税、スウェーデンで相続税・贈与税が廃止されている。シンガポール、スロバキアでは、相続税の廃止により海外からの富裕層の流入がみられるという。

(9) 相続法との関連

税制は、その国の民法・商法と深い関連を持つものであり、特に外国の場合、その研究は重要であることは、上記の説明でも触れたところである。本書では、紙数の関係からあまり触れることができないが、「世界における相続税法の現状」(日税研論集VOL56・日本税務研究センター2004.12)では、これらの点も述べられているので、参考とされたい。

第 2 編
相続税

Ⅰ　相続税の課税要件

第1節　課　税　原　因

1　総　説

　相続税の課税原因は、「相続又は遺贈」により財産を取得することである（相法1の3①）。相続又は遺贈の意義は民法の規定に従うが、遺贈のうちには、贈与者の死亡により効力を生ずる贈与（以下「死因贈与」という。）が含まれる（相法1の3①一）。

　このほか、財産の取得は法律的な意味での相続又は遺贈によるものではないが、相続税法上、その財産の取得は相続又は遺贈によるものとみなして相続税の課税原因となるものがある（相法3～4、7～9の4）。例えば、被相続人が自己を被保険者とし、かつ、保険料を負担し、自己以外の者（例えば子）を保険金受取人とする生命保険契約を締結した後、保険事故（被相続人の死亡）が発生して、その子が保険金を取得する場合を考えると、子が保険金を受け取ったのは、相続によるのではなく、保険契約の効果として、保険会社から取得したに過ぎないが、被相続人が保険料を負担し、保険事故の発生により、その子が保険金を取得したのであるから、その態様は、相続により財産を取得した場合と類似しており、その取得には相続税を課税するのがバランス上適当である。そのような見地から、一定の財産取得を相続又は遺贈による取得とみなして、相続税の課税対象としているものである。

2 相　　続

(1) 相続の開始

相続税の課税原因の第1は、相続の開始である。現行民法における相続の開始は、自然人の死亡によるのみである（民法882）（注1）。

人の死亡は、自然的・生理的な、現実の死亡のほか、失踪宣告による擬制的な死亡がある（民法30、31）。

相続の開始に関して問題になる例として、実体的には、被相続人の相続人たる地位にありながら、何らかの事情によって戸籍上の記載がこれと異なっているという場合がある。しかし、相続は真実の身分関係に従って行われ、戸籍の記載いかんによって影響を受けることはない（注2）。したがって、実務の上で、相続人の範囲の判断には、十分な調査が必要である。

(注1)　いわゆる旧民法の下における相続制度では、純粋な財産承継である遺産相続と戸主権の承継に伴う家督相続の二本立てとなっており、家督相続については、戸主の死亡のほか、隠居、女戸主の入夫婚姻、国籍の喪失など生前における相続の開始原因が設けられていた。従って、被相続人が生存したままの状態で、相続が開始し、相続税が課税される事態があり得た。もちろん戦後、家の制度がなくなり、家督相続が廃止されたので、現在は、生前における相続開始原因もすべて消滅している。

(注2)　この点に関し、次のような判例がある（大審院大正11年11月6日判決）。
「戸籍ノ記載ハ人ノ身分関係ヲ確定スル効力ヲ有スルモノニ非ザレバ、民法ノ規定ニ依リ家族タル者ガ誤テ戸主トシテ戸籍ニ記載セラレタル場合ニ於テモ其ノ者ハ依然トシテ家族タル身分ヲ有スルニ止マリ、戸籍ノ記載ニ因リ戸主タル身分ヲ取得スルモノニ非ズ。勿論利害関係人ハ其ノ誤謬ノ記載ヲ訂正スルコトヲ得ベシト雖、訂正ハ一旦喪失シタル身分関係ヲ回復スルモノニ非ズシテ、真正ノ身分関係ト戸籍ノ記載トヲ一致セシメントスル方法タルニ過ギズ。」

(2) 相続開始の場所

相続は、被相続人の住所において開始する（民法883）。相続税の申告書の提出先もこれを受けて、被相続人の死亡の時の住所地が国内にある場合には、相続人の住所地を納税地とする原則規定（相法62）にかかわらず、当分の間、

被相続人の死亡の時の住所地が納税地とされ、その住所地の所轄税務署長に申告書を提出し、納付することになっている（相法附則③）。

(3) 相続開始の時期

相続による相続税の課税時期は、相続による財産取得の時期であり（通則法15②四）、その時期はすなわち相続開始の時である。すなわち、相続は、人の死亡により直ちに開始し、何らの手続も要しないからである。

(4) 人の死亡

人の死亡は、自然的死亡及び失踪宣告による擬制的死亡（これに関連して官公署によってなされる認定死亡）がある。

〔自然的死亡〕

現実に人が死亡したことを指す。通常は、心臓の停止による全身的死亡を、脈拍及び呼吸の停止並びに瞳孔拡散の三つの徴候により、確認する方法がとられる（松原正明「実務家族法3・判例先例相続法Ⅰ」（日本加除出版）7頁）。この確認は、専門家である医師等によって確定され、その作成する死亡診断書ないし死体検案書又はこれらに代わる死亡の事実を記すべき書面にその年・月・日・時・分が記載される（戸籍法86②、③）。そして、これらの記載に基づいて戸籍の記載が行われる。

ところで、近時の人工的生命維持技術あるいは臓器移植技術の発達に伴って、高度な技術のもとに人工的に心臓が活動させられている状態で、脳機能の不可逆的停止（いわゆる脳死）が確認できるならば、この「脳死」をもって人の死亡の認定をしてもよいのではないかという議論が起こり、賛否両論が唱えられている。首相の諮問機関である「臨時脳死及び臓器移植調査会」は平成4年（1992年）1月に脳死を死と認める最終答申を提出したが、結局のところ、平成9年（1997年）6月に成立し、10月16日に施行された「臓器の移植に関する法律（いわゆる臓器移植法）」は、臓器移植の意思を提供者が前もって書面で表示し、家族の反対がないことを条件として、移植の場合に限って、「脳死判定基準」による判定が行われ、これにより、「脳死」と判定された場合に限って、心臓等の移植が認められるという内容となっている。

しからば、臓器移植法により「脳死」と認められたら、それは人の「死亡」となるのかという点では、必ずしも明快なものではないようであり、議論が残されているということである（注1、2）。

(注1)　臓器移植の対象になる「死体」には、脳死した者の身体を含むものとされている（臓器移植法6①）。この規定がどのような意味を持っているのかは難しい問題のようだが、「脳死判定」をされた人の身体は死体に含まれるから「死亡」に含まれるという解釈が大勢のようで、従来いわれていた違法性阻却事由とはならないということである。ただし、筆者は、この問題については門外漢であり、まだ、議論が残されているようなので、なお勉強していきたい。

　　　この問題の記述については、唄孝一「脳死議論は決着したか」（法律時報69巻10号14頁以下）、ジュリスト特集「臓器移植法」（ジュリストNo.1121（1997・10月15日号））を参考とした。

(注2)　平成21年7月に臓器移植法の一部改正が成立し、次のような改正が行われている（厚生労働省「政策レポート（臓器移植法の改正について）」より）。

	改正内容	施行日
親族に対する優先提供	○臓器の優先提供を認める	平成22年1月17日
臓器摘出の要件	○本人の書面による臓器提供の意思表示があった場合であって、遺族がこれを拒まないとき又は遺族がないとき 又は ○本人の臓器提供の意思が不明の場合であって、遺族がこれを書面により承諾するとき	平成22年7月17日
臓器摘出に係る脳死判定の要件	○本人が 　A　書面により臓器提供の意思表示をし、かつ 　B　脳死判定の拒否の意思表示をしている場合以外の場合 であって、家族が脳死判定を拒まないとき又は家族がないとき 又は ○本人について 　A　臓器提供の意思が不明であり、かつ、 　B　脳死判定の拒否の意思表示をしている場合以外の場合 であって、家族が脳死判定を行うことを書面により承諾するとき	同上
小児の取扱い	○家族の書面による承諾により、15歳未満の方からの臓器提供が可能になる（15歳以上の方の意思表示は有効とされている）	同上
被虐待児への対応	○虐待を受けて死亡した児童から臓器が提供されることのないよう適切に対応	同上

したがって、実務上は、現在のところは、医師の診断書等によって、死亡を判定するしかない。死亡時期の確定は、相続人の確定等に重大な影響を及ぼすもので、慎重な配慮が必要である。裁判所、就中最高裁判所の判断が待たれる。

〔認定死亡〕

災害等の危難に遭遇し、死亡したことは確実であるが、死体が発見されない場合において、取調べに当たった警察等が死亡の認定をして、死亡地の市

I 相続税の課税要件 83

町村長に死亡の報告をすることにより、戸籍に死亡した旨の記載がされる（戸籍法89）。これを認定死亡といい、生存していたことの証拠がない限り、戸籍上の死亡日に死亡したものと認定される（最高裁昭和28年4月23日判決）。

したがって、認定死亡の取扱いを受けた者が、生存していた旨の反証を挙げれば、死亡の認定は覆され、戸籍が訂正されることはいうまでもない。

〔失踪宣告〕

次に失踪宣告による擬制的死亡の場合は、失踪宣告の審判が確定した時ではなく、普通失踪では7年間の失踪期間満了の時に死亡したものとみなされ、危難失踪では危難の去った時に遡って死亡したものとみなされる（民法30、31）（注1、2）。

(注1) 「民法第30条第2項の規定に基づく危難失踪者の死亡とみなされる日は、（昭和37年の改正により）その失踪期間満了のときでなく、危難の去った日となったので、その相続登記については、危難の去った日を登記原因の日付とするのが相当である」（昭和37年6月15日民事甲第1606号民事局長通達）。

(注2) 100歳以上の高齢の生存不明者については、戸籍整理上の行政措置として、戸籍法第44条の規定により、市町村長が職権で、戸籍に死亡の記載をすることができる（昭和24年9月17日民甲2095号民事局長回答）。しかし、この措置は単なる戸籍行政上の便宜的取扱いに過ぎないから、死亡の職権記載を行っても、それによって相続が開始するわけではなく、したがって相続登記をすることもできない。死亡を確定するためには、失踪宣告を受けることによって正確な死亡時期を決定しなければならない（同旨法曹会昭和46年2月10日決議）。

(5) 同時死亡と相続の開始

飛行機、船舶等の交通機関の事故や台風、地震、火事等の災害で、親子や夫婦が相前後して死亡し、どちらが先に死亡したか不明な事例がよく見受けられる。このような場合は、どちらが先に死亡したかによって、相続では大きな違いが生ずる。

例えば、次図のような親族関係にある夫婦と長男が旅行に行ったところ、乗っていた船が事故で沈み、妻だけが助かったという場合、夫が先に死んだか、長男が先に死んだかで大きな差異が生ずる。

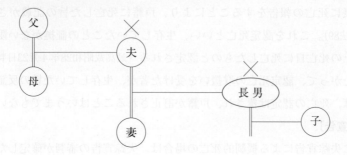

　この例で夫が先に死亡すると、夫の遺産は一たん妻と長男が2分の1ずつ相続し、次いで長男の死亡により、長男の相続した遺産を親である妻が相続し、結局夫の遺産を妻が全部相続することになる。これに対し、長男が先に死亡したものとすると長男は夫の死亡時には既に死亡しているので、夫の遺産は妻が3分の2、父母双方が6分の1ずつ相続することになる。我が民法は従前この点について規定がなく、種々の問題を生じていたため、昭和37年民法改正で、「死亡した数人の中の1人が他の者の死亡後なお生存していることが分明できないときは、これらの者は同時に死亡したものと推定する」（民法32の2）と規定してこの問題を解決した。したがって、前掲の事例の場合、長男と夫は同時に死亡し、お互いに相続しないことになるから、夫の死亡の時に長男は死亡しているものとみなして相続関係を考えることになる。

　なお、同時死亡の規定については、次のことを注意する必要がある。

① 　共同の危難によることは要件となっていない。例えば、同じ日に父と子が別の事由に死亡し、一方又は双方の死亡時刻が不明で、いずれが先に死亡したか不明なときにも推定規定が働く。

② 　推定規定であるから、立証によって、この推定を覆すことは可能である。

③ 　事例のような夫と長男が同時死亡した場合、長男にもし子があれば、子は長男の代襲相続人となれる。

　　なお、代襲相続について規定している民法887条2項は「被相続人の子が、相続開始以前に死亡したとき…」となっているが、昭和37年改正前は「…相続開始前に…」となっていた。したがって、改正前は子は夫の代襲

I 相続税の課税要件　85

相続人にはなれなかった。

(6) 相続人等

民法上、相続により財産を取得しうる者即ち、相続人の範囲等については、第2節「納税義務者」に関する解説で触れることとし、ここでは省略する。

3　遺贈

(1) 遺贈の意義

相続税の課税原因の第2は、遺贈による財産の取得である。

遺贈とは、遺言者が遺言によって無償の財産的利益を他人に与える行為である。単独行為である点において、民法上の契約の一種である贈与とは異なる。

遺言者は、包括又は特定の名義で、その財産の全部又は一部を処分することができる。

ただし、遺留分に関する規定に違反することはできない（民法964）。遺言は、いわゆる要式行為で、一定の方式に従ったものでなければ効力がなく、また、遺言するときの遺言者は、満15歳以上でなければならない（民法926）ことに注意しなければならない。

遺贈が有効であるためには、受遺者が受遺能力を有することを要し（民法965）、これを有しない場合には、遺贈としての効力を生ずることがない。受遺者が遺言者の死亡以前に死亡しているとき（同時死亡を含む意である。）も遺贈の効力は生じない（民法994①）。

なお、「相続させる」という遺言の場合も、遺贈の場合と同様に、特段の事情のない限り、遺言の効力は失われて、代襲相続は認められない旨の判例がある（最判平23.2.22（民集65-2-699））。

(2) 遺贈の効力発生時期

遺言の効力は、停止条件を付した場合を除き、遺言者の死亡の時からその効力を生ずる（民法985①）。したがって、遺贈により財産を取得する時期は、原則として遺言者の死亡の時であり、その時期が相続税の課税時期ということ

とになる（注1、2）。

ただし、遺言に停止条件を付した場合において、その条件が遺言者の死亡後に成就したときは、遺言は、条件が成就した時に効力を生ずる（民法985②）。

(注1)　「包括受遺者は旧民法第1092条（現990条）により遺産相続人と同一の権利義務を有するものであるから、遺言書が効力を発生すると共に遺贈の目的物は直接受遺者に対し民法第176条所定の如く物権的に移転するものと解せられているが故に特段の事情のない限り受遺者である訴外Bは前示Aの死亡に因り本件土地の所有権を取得したものと認められる。」（高松高裁昭和32年12月11日判決）

(注2)　相続財産に属する特定物又は特定債権が遺贈の対象となっている場合に、その権利が受遺者に移るかについては、遺贈そのものに物権的効力を認める説と遺贈そのものは受遺者が債権的権利を取得する説とがあり、近時の有力説のなかには債権的効力説を支持する見解もあるが、多数説及び判例は、物権的効力説をとっている（例えば大審院大正5年11月8日判決、同大正10年5月30日判決、同昭和15年2月13日判決）。

(3)　遺贈の種類

遺贈には、次のとおり、包括遺贈と特定遺贈とがある。また、負担付の遺贈もある。

①　包括遺贈

包括遺贈は、包括的に権利義務を遺言によって譲渡するもので、相続に類似するといえる。そこで、包括受遺者は、相続人と同一の権利義務を有するものとされる（民法990）。

包括遺贈は、遺産それ自体の全部又は一部を対象とし、これを包括名義で遺贈するのが一般的な方法であるが、遺言で、遺産のうちの積極財産を処分し、債務を清算した後に残余の金額を相続人等に一定の割合で分配するように指示したものも包括遺贈と解する判例（大審院昭和6年6月16日判決）がある。また、総財産の特定の割合を遺贈し、その評価計算は遺言執行者に別に計算させる旨の遺言も包括遺贈として有効とされている（法曹会昭和13年9月22日決議）。

② 特定遺贈

　特定遺贈は、包括遺贈以外の遺贈である。一般には、A町何丁目何番地の土地とか、B会社の株式というように、特定の財産を遺言によって与える行為であるが、遺贈の対象はこのような特定物に限らず、例えば所有不動産の全部とか所有株式の2分の1とか、遺贈の目的物が特定できれば足りるものと解されている。

　また、目的物が現実に特定していなくても、遺言で特定されうるように定められていればよく（大審院大正6年12月12日判決）、遺言執行者が相続財産を任意に売却し、その代金を受遺者に交付すべしとする遺言も有効である（法曹会昭和10年5月8日決議）。

　新たに受遺者のために債権を創設し（大審院昭和11年6月9日判決）、逆に受遺者の債務を免除する等、受遺者に特別の財産的利益を与えるものは、すべて特定遺贈と解されている。

③ 負担付遺贈

　特定遺贈には、負担付遺贈のように義務を伴うものもある。このような負担付遺贈を受けた者は、遺贈の目的の価額を超えない限度においてのみ、負担した義務を履行する責に任ずる（民法1002）。

　このようなことから、受遺者はいつでも遺贈の放棄をすることができる（相続人と異なる。）し、遺贈の放棄は、遺言者の死亡の時に遡ってその効力を生ずることになっている（民法986）（注）。

（注）　既に述べたように相続人となるべき者が、相続を放棄した後に、相続税法第3条第1項各号に掲げる財産、例えば生命保険金を取得したような場合は相続税の課税対象となるが、その相続人は、生命保険金を相続ではなく、「遺贈」によって取得したものとみなされることに注意する必要がある。

(4) 遺贈に対する相続税の課税理由

　昭和33年改正前の相続税法では、包括遺贈及び被相続人からの相続人に対する特定遺贈については、前者は包括受遺者が相続人と同じ立場に立つものであり、後者は相続により財産の取得に準ずるものであるという理由から相

続税を課税することとされ、その他の特定遺贈による財産の取得は贈与税を課税することとされていた。

しかし、昭和33年の相続税法の改正において、相続税制度について法定相続分による相続税の総額計算の方式が採用されたことに伴い、できるだけ恣意的な要素を除去するため、その他の特定遺贈に係る財産もすべて遺贈に含めて相続税の総額の計算を行う必要があるという見地に基づき改正されたものである。

したがって、次に述べる死因贈与についても、遺贈と同様に取り扱うべきとの見解から相続税を課税することとされたものである。

4 死因贈与
(1) 死因贈与の意義

相続税の課税原因の第3は、死因贈与である。

贈与による財産の取得は、本来は贈与税の課税原因であるが、3(4)で述べた理由から贈与者の死亡により効力が生ずる死因贈与は、遺贈に準じて相続税の課税原因に含まれることとされているものである。

民法においても、贈与者の死亡により効力を生ずる贈与は、遺贈に関する規定に従うこととされている（民法554）（注1、2）。

死因贈与と遺贈との社会的機能は極めて類似しているが、前者はあくまでも契約であるのに対し、後者は単独行為であることが大きな差異である。

(注1) 死因贈与の成立のためには書面が存在することは必要とされず、また、契約の方式は、遺言の方式に関する規定に従うべきことを意味しないとする判例がある（大審院大正15年12月9日判決、最高裁昭和32年5月21日判決etc.）。

(注2) 遺贈に関する規定の準用の範囲には問題が多いようである。関係する判例等を幾つか挙げると

① 遺言者はいつでも遺言の全部又は一部を取り消しうるという規定は準用されるが、取消は遺言の方式に従うべしとする部分は準用がない（大審院昭和16年11月15日判決。負担付死因贈与契約につき、東京地裁昭和

44年1月25日判決)。
② 書面によらない死因贈与において贈与者が死亡した場合には、相続人がその取消権を行使しうる（法曹会昭和16年12月9日決議）。
③ 遺贈の承認・放棄に関する規定は……民法554条によって契約である死因贈与に準用されるものではないと解すべきである（最高裁昭和43年6月6日判決）。

(2) 死因贈与に対する相続税の課税理由

　昭和33年改正前の相続税では、贈与はすべて贈与税の課税対象となっていた。しかし、前述のように、昭和33年の改正において、相続に係る遺産額全体から相続税の総額を計算するという現在の課税体系が採用されたことから、遺贈と同様、相続開始の時において遺産を構成する死因贈与の対象財産も遺産に含める必要があるため、死因贈与を遺贈に含めた相続税の課税対象とすることに改められたものである。

5　みなし相続・みなし遺贈

　すでに前記1で述べたように、法律的には、相続又は遺贈によって取得した財産ではないが、実質的にはこれと同様な結果が生ずる場合には、課税の公平を保つ意味からその財産を相続又は遺贈による取得とみなして相続税が課税される。

　これらの詳細は、第3節以降「課税財産」の項で説明し、ここでは省略する。

第2節　納税義務者

1　無制限納税義務者と制限納税義務者

(1) 原　　則

　相続税の納税義務者は、原則として、相続、遺贈又は死因贈与によって財産を取得した個人であり（相法1の3①）、相続等の時における住所等により、

その課税の範囲は(2)のとおりとなる。

　無制限納税義務者とは、相続、遺贈又は死因贈与により財産を取得した個人で、その財産を取得した時において相続税法の施行地に住所を有するものである（相法1の3①一）。

　無制限納税義務者の場合の相続税の課税財産の範囲は、その名称のとおり、その財産の所在地のいかんを問わず、その個人が相続、遺贈又は死因贈与により取得した財産のすべてである（相法2①）。

　このように、無制限納税義務者は、法施行地外の財産を相続した場合でも課税される結果、その財産の所在地国の法令によっても相続税に相当する税が課税されるような場合には、国際的な二重課税が生ずるおそれがある。このため、後述のとおり、外国で課税された相続税に相当する税額のうち一定部分を相続税額から控除する「在外財産に対する相続税額の控除（相法21）」の制度が設けられているほか、日本とアメリカ合衆国との間では、特に相続税条約による調整規定が設けられている（遺産、相続および贈与に対する租税に関する日本国とアメリカ合衆国との間の二重課税の回避および脱税の防止のための条約の実施に伴う所得税法の特例等に関する法律5①）。

　制限納税義務者とは、相続、遺贈又は死因贈与により相続税法の施行地にある財産を取得した個人で、その財産を取得した時において相続税法の施行地に住所を有しないもののうち非居住無制限納税義務者に該当するもの以外のものである（相法1の3①三）。

　この場合における相続税の課税財産の範囲は、上記の個人が相続、遺贈又は死因贈与により取得した財産で相続税法の施行地内にあるものに限られ、相続税法の施行地外にある財産については、これを相続等により取得しても、相続税の課税は及ばない（相法2②）。

(2) 納税義務者の態様別の納税義務の範囲

〔相続税の納税義務の範囲〕

＜平成12年3月31日以前＞

被相続人＼相続人	国内に居住	国外に居住
国内に居住	国内財産国外財産 ともに課税	国内財産のみに課税
国外に居住		

＜平成12年4月1日以後＞

被相続人＼相続人	国内に居住	国外に居住 日本国籍あり 5年以内に国内に住所あり	国外に居住 日本国籍あり 左記以外	国外に居住 日本国籍なし
国内に居住	国内財産国外財産 ともに課税	国内財産国外財産 ともに課税	国内財産国外財産 ともに課税	国内財産のみに課税
国外に居住 5年以内に国内に住所あり	国内財産国外財産 ともに課税	国内財産国外財産 ともに課税	国内財産国外財産 ともに課税	国内財産のみに課税
国外に居住 上記以外	国内財産国外財産 ともに課税	国内財産国外財産 ともに課税		国内財産のみに課税

<平成25年4月1日以後>

被相続人＼相続人	国内に居住	国外に居住		
		日本国籍あり		日本国籍なし
		5年以内に国内に住所あり	左記以外	
国内に居住	国内財産・国外財産ともに課税	国内財産・国外財産ともに課税	国内財産・国外財産ともに課税	国内財産のみに課税
国外に居住 5年以内に国内に住所あり	国内財産・国外財産ともに課税	国内財産・国外財産ともに課税	国内財産・国外財産ともに課税	国内財産のみに課税
国外に居住 上記以外	国内財産・国外財産ともに課税	国内財産・国外財産ともに課税		国内財産のみに課税

＜平成29年４月１日以後＞

被相続人＼相続人		国内に居住	短期滞在の外国人（※１）	国外に居住・日本国籍あり・10年以内に国内に住所あり	国外に居住・日本国籍あり・左記以外	国外に居住・日本国籍なし
国内に居住		国内財産・国外財産ともに課税	国内財産・国外財産ともに課税	国内財産・国外財産ともに課税	国内財産・国外財産ともに課税	国内財産・国外財産ともに課税
	短期滞在の外国人（※１）	国内財産・国外財産ともに課税		国内財産・国外財産ともに課税		
国外に居住	10年以内に国内に住所あり	国内財産・国外財産ともに課税	国内財産・国外財産ともに課税	国内財産・国外財産ともに課税	国内財産・国外財産ともに課税	国内財産・国外財産ともに課税
国外に居住	短期滞在の外国人（※２）	国内財産・国外財産ともに課税		国内財産・国外財産ともに課税	国内財産のみに課税	国内財産のみに課税
国外に居住	上記以外	国内財産・国外財産ともに課税	国内財産のみに課税	国内財産・国外財産ともに課税	国内財産のみに課税	国内財産のみに課税

※１　出入国管理及び難民認定法別表第１の在留資格の者で、過去15年以内において国内に住所を有していた期間の合計が10年以下のもの

※２　日本国籍のない者で、過去15年以内において国内に住所を有していた期間の合計が10年以下のもの

<平成30年4月1日以後>

被相続人 \ 相続人		国内に居住	一時居住者(※1)	国外に居住		
				日本国籍あり		日本国籍なし
				10年以内に国内に住所あり	左記以外	
国内に居住						
	一時居住被相続人(※1)					
国外に居住	10年以内に国内に住所あり	国内財産・国外財産ともに課税				
	非居住被相続人(※1)					
	上記以外(非居住被相続人(※2))				国内財産のみに課税	

※1 相続開始の時において、出入国管理及び難民認定法別表第1の在留資格を有する者であって、過去15年以内において国内に住所を有していた期間の合計が10年以下のもの

※2 相続開始前10年以内のいずれの時においても日本国籍のないもの

Ⅰ　相続税の課税要件　95

＜令和3年4月1日以後＞

被相続人＼相続人		国内に居住	一時居住者（※1）	国外に居住		
				日本国籍あり		日本国籍なし
				10年以内に国内に住所あり	左記以外	
国内に居住		国内財産・国外財産ともに課税				
	外国人被相続人（※1）					国内財産のみに課税
国外に居住	10年以内に国内に住所あり					
	非居住被相続人（※1）					
	上記以外（非居住被相続人（※2））					

※1　相続開始の時において、出入国管理及び難民認定法別表第1の在留資格を有する者であって、過去15年以内において国内に住所を有していた期間の合計が10年以下のもの
※2　相続開始の時において、在留資格を有する者

(3)　各要件の説明
イ　被相続人

　被相続人については、その国籍・住所のいかんを問わない。したがって、被相続人が外国人であっても、相続税の納税義務が生じうる。

　もっとも、被相続人が外国人である場合には、その相続の準拠法は、被相続人の本国法によるものとされ（法の適用に関する通則法36）（同旨神戸地裁昭和35年5月28日判決、大阪高裁昭和35年11月30日判決）、また、遺言の成立及び

その効力は、その成立の当時における遺言者の本国法によることとされている（同法37）。したがって、被相続人が外国人である場合の相続及び遺言については、それぞれの外国人の本国法を十分に研究しておく必要がある（注1～3）。

(注1) 平成18年6月15日、衆議院本会議において、「法の適用に関する通則法」が可決、成立した。この法律は、国際的な取引等の増加や多様化などの社会経済情勢の変化及び近時における諸外国の国際私法に関する法整備の動向に鑑み、「法例」（明治31年法律第10号）の全部を改正し、法律行為、不法行為、債権譲渡等に関する準拠法の指定等の規定を整備するとともに、国民に理解しやすい法律とするためその表記を現代用語化したものである。

この法律は、平成19年1月1日より施行されている。

相続については、いずれも従前の法例と同様に
① 相続は被相続人の本国法による（通則法36）
② 遺言の成立及び効力は、その成立の当時における遺言者の本国法による（通則法37①）

となっているので、実質的な変更はない。

(注2) 中国福建省福清県出身で、本籍を同所に有するものとうかがわれる者の死亡による相続税の課税に当たり、中華民国の法令を適用しないで、中華人民共和国の法令を適用すべきであるとしても、これは重大かつ明白な瑕疵であると断ずることはできないから、この課税処分を当然無効の行政処分ということはできない（宇都宮地裁足利支部昭和32年12月28日判決）。

(注3) 日本国籍とアルゼンチン国籍とを共に有する者の、二重国籍者は2個の人格を有するものとして、それぞれ課税価格を決定し、それぞれ基礎控除を行うべしという主張であるが、二重国籍者が二国の各法律により各別に人格が認められるにしても、それは結局1個の自然人について認められるにすぎないから、そのことをもってわが民法上の相続権享有の2個の権利主体と認める余地は全くない（神戸地裁昭和35年5月28日、大阪高裁昭和35年11月30日判決）。

ロ　法施行地

相続税法の施行地の範囲は、住所や制限納税義務者の課税対象財産の所在の判定上、重要な要素となるものである。

相続税法の施行地とは、相続税法の効力の及ぶ地域のことである。一国の

法令の場所に関する効力即ち属地的効力は、原則としてその領土の全域に及び、それ以外の地域には及ばない。

このことは、特に明記しないでも当然のことであるが、現在、歯舞群島、色丹島、国後島、択捉島のいわゆる北方領土は、我が国の領土であるにもかかわらず、日本国と旧ソヴィエト社会主義共和国連邦との共同宣言等により、行政、司法、立法の三権を行使できない状況にある。我が国の法令のうち、戦後比較的初期に立法されたものには、このような関係を明示するため、特にこうした施行地域に関する規定がおかれているものがあり、この規定は附則に設けられている。

このような立法例は、租税関係の法令にその例がみられ、相続税法もその一つである（注1、2）。

(注1)　他には、資産再評価法等があり、昭和40年の全文改正前の所得税法、法人税法でも規定されていた。相続税法は、その附則2項で、本州、北海道、四国、九州及びその付属の島に施行すると定められており、このうち、歯舞島、色丹島、国後島及び択捉島は、当分の間、相続税法の施行地から除かれている（相法附則②、相令附則②）。

(注2)　相続税法の施行地域から除かれる区域は、当初、北方領土のほか、沖縄、小笠原、奄美群島が含まれていたが、これらの地域の復帰により、順次縮小され、現在は上記4島を残すのみである。

また、最近では、法人税の事例であるが、日本国沿岸の大陸棚は、法人税法の施行地となるとした判例がある（注）。

(注)　日本国沿岸の大陸棚については、本件各係争年度当時日本国が大陸棚条約に加入していなくても、確立した慣習国際法により、海底及びその下の鉱物資源を探索・開発する目的・範囲内においては、日本国の領土主権の自然的な延長である主権的権利が及び、鉱物資源の探索・開発行為及びこれに関連する行為は当然に日本国の管轄・統制に服するのであり、右の主権的権利には右行為（事業）から生じた所得に対する課税権も含まれるというべきである。したがって右のような内容の慣習国際法が成立したことにより、当然に、日本国沿岸の大陸棚は法人税法の「施行地」となったと解すべきである（東京高裁昭和59年3月14日判決）。

八　住　　所

相続税法における住所の判定については、何ら規定が設けられていないので、民法上の観念によって判断することが妥当であるとされている（いわゆる武富士事件に係る最高裁平成23年2月18日第2小法廷判決。贈与税の「住所」の項を参照）。

ただし、次のような見解がある。
(イ)「住所は、私法以外の法律でも、問題とされる。……かような法律における住所も、その人の生活の本拠であることには、変りはない。しかし、その認定に当っては、それぞれの法律の精神にしたがって判断すべきであって、民法（及びこれを基準とする訴訟法、国際私法など）の解釈がそのまま適用されるとは限らない」（我妻栄「新訂民法総則（民法講義Ⅰ）」（岩波書店）94頁）。
(ロ)「都会で下宿している学生が……被相続人死亡による相続税などについては、徴税の便宜からすれば、郷里に住所を認めるのが妥当であろう」（谷口知平・石田喜久夫編「新版注釈民法(1)」（有斐閣）341頁）。

民法上の住所に関する判例としては、「選挙権の要件としての住所は、その人の生活にもっとも関係の深い一般的生活、全生活の中心をもってその者の住所と解すべく、所論のように、私生活面の住所、事業活動面の住所、政治活動面の住所等を分離して判断すべきものではない」とする最高裁判決（昭和35年3月22日）がある（注）。

（注）住所単一説をとっているもののようである。

民法における「住所」は、生活の本拠とされている（民法21）。生活の本拠とは、「或人の一般の生活関係においてその中心をなす場所」とされている。具体的にどの場所がその人の生活関係の中心をなす場所であるかの判定については、定住の意思を必要とするという主観説と、専ら事実によって判断するものとする客観説とがある。

また、住所の個数についても、1個に限るとする単一説と2個所以上ありうるとする複数説とがある。通説は後者とされるが、判例は前記最高裁判決どおり前者をとるようである（遠藤浩ほか編「民法(1)総則第4版増補訂2版

（有斐閣双書）68～69頁）。

このように、民法の観念に従うとしても、いずれによるかという問題があるが、相続税法の取扱いとしては、次のようになっている。

㋑　相続税法に規定する「住所」とは、各人の生活の本拠をいい、生活の本拠であるかどうかは、客観的事実によって判定するものとされる（相基通1の3・1の4共－5）。即ち、相続税における住所の判断は、相続人がその場所に定住する意思を有するかどうかにかかわりなく、客観的事実によって、その場所がその人の生活の本拠、つまり、その人の生活の中心の場所であるかどうかを判断することとされており、客観説によっているものと解される。

㋺　日本の国籍を有している者又は出入国管理及び難民認定法（昭和26年政令第319号）別表第二に掲げる永住者については、その者が相続若しくは遺贈又は贈与により財産を取得した時において法施行地を離れている場合であっても、その者が次に掲げる者に該当する場合（相基通1の3・1の4共－5によりその者の住所が明らかに法施行地外にあると認められる場合を除く。）は、その者の住所は、法施行地にあるものとして取り扱うものとされる（相基通1の3・1の4共－6）。

(i)　学術、技芸の習得のため留学している者で法施行地にいる者の扶養親族となっている者

　　すなわち、これらの者は、その者を扶養する国内の親族からの送金により生活費や教育費を賄っていることから、その者は国内を離れていてもその者を扶養する国内にいる親族と生計を一にしており、その親族の住所地を生活の本拠としていると認めるのが相当であると考えられることによる。

(ii)　国外において勤務その他の人的役務の提供をする者で国外における当該人的役務の提供が短期間（おおむね1年以内である場合をいうものとする。）であると見込まれる者（その者の配偶者その他生計を一にする親族でその者と同居している者を含む。）

すなわち、所得税法においては、国内又は国外に居住することになった者が、それぞれ国内又は国外で継続して1年以上居住することを通常必要とする職業を有する場合には、その者はそれぞれ国内又は国外に住所を有する者と推定されている（所令14、15）こととの整合性を考慮するとともに、このような場合には、通常、国内に生活の本拠と認められる場所が残されていることが多いであろうと考えられることによるとされる（注）。

これらの取扱いは、上記のような考え方に基づき具体的な判断基準を示したものであるから、相続等による財産取得時において国内を離れてから1年以内であるような者であっても、長期間の国外勤務が予定されているような者など明らかに国外に生活の本拠があると認められる者については、相基通1の3・1の4共－5により国外に住所があることとなる（相基通1の3・1の4共－6本文かっこ書）。

なお、所得税法第3条においては、国家公務員及び地方公務員は、原則として、国内に住所を有しない期間についても、国内に住所を有するものとみなされているが、相続税法にはこのような規定がないので、国家公務員及び地方公務員についても相基通1の3・1の4共－6により判断することとされる。

(注) その者が相続若しくは遺贈又は贈与により財産を取得した時において法施行地を離れている場合であっても、国外出張、国外興行等により一時的に法施行地を離れているにすぎない者については、その者の住所は法施行地にあることとなる。

(ハ) 住所の数については、課税上の住所が複数では、執行上煩雑に堪えないので、同一人について、同時に法施行地に2個所以上の住所はないものとして、住所を判定することに取り扱われている（相基通1の3・1の4共－5）。すなわち単一説をとっているものと解される。

(三) 相続人が居住無制限納税義務者に該当するかどうかは、その者の「住所」の所在地のいかんで判定し、所得税のように1年以上法施行地に

「居所」を有する場合にも無制限納税義務者とされることはない。すなわち、財産を相続した時において、法施行地内に居所は有するが住所はないという者は、居住無制限納税義務者にはならない（相基通1の3・1の4共-4）。

ニ　住所の判定の特例

(イ)　日本国とアメリカ合衆国との間の相互協力及び安全保障条約に基づき日本国にあるアメリカ合衆国の陸軍、空軍及び海軍の構成員、軍属又はこれらの者の家族に対する相続税法の適用については、これらの者が、これらの者として日本国に滞在する期間は、これらの者が法施行地に住所を有していない期間とみなされる（日本国とアメリカ合衆国との相互協力及び安全保障条約第6条に基づく施設及び区域並びに日本における合衆国軍隊の地位に関する協定の実施に伴う所得税法等の臨時特例に関する法律5②）。

(ロ)　日本国における国際連合の軍隊の構成員、軍属又はこれらの者の家族についても、上記(イ)と同様な取扱いがされる（日本国における国際連合の軍隊の地位に関する協定の実施に伴う所得税法等の臨時特例に関する法律3①）。

ホ　国　　籍

非居住無制限納税義務者の要件の一つとされる「国籍」については、国際法上の原則として、国籍の決定は各国の国内管轄事項に属するものとされている。そのため、ある個人について、どの国も自国民としないために、どの国の国籍ももたない状態（無国籍）になったり、二つ以上の国が自国民とするために、二つ以上の国籍を同時にもつ状態（重国籍）になったりすることも起きてくるといわれている（山田鐐一、土屋文昭共著「わかりやすい国籍法」（有斐閣））。

すなわち、出生により子が取得する国籍について、例えば、我が国の国籍法と同様に「父母両血統主義（父又は母のどちらかがその国の国籍をもっていれば、その子もその国の国籍を取得できるという主義）」を採用する国の男性と日本人の女性とが結婚して生まれた子や、「生地主義（その国の領土のなかで生まれた者はその国の国籍を取得できるという主義）」を採用する国で生まれた

日本人の子などは、その者が一定の年齢に達するまでにいずれかの国籍を選択する（国籍法14）までの間、日本国籍と外国国籍を併有する重国籍者となる。

非居住無制限納税義務者については、「日本国籍を有する者」であることがその要件の一つとされているが、その者が日本国籍と外国国籍とを併有する重国籍者であることも考えられ、そのような場合に、その者が非居住無制限納税義務者に該当するか否かについては、条文上「日本国籍を有する者」から重国籍者を除いていないこと、また、国籍法は重国籍を減らすための制度を設けているものの、それを排除していないことから、その者が重国籍者であっても、法第1条の3第1項第2号又は1条の4第1項第2号に規定する「日本国籍を有する者」に当然に含まれることになる（相基通1の3・1の4共－7）。

（参　考）

○国籍法（抄）

（国籍の選択）

第14条　外国の国籍を有する日本国民は、外国及び日本の国籍を有することとなった時が20歳に達する前であるときは22歳に達するまでに、その時が20歳に達した後であるときは、その時から2年以内に、いずれかの国籍を選択しなければならない。

2　日本の国籍の選択は、外国の国籍を離脱することによるほかは、戸籍法の定めるところにより、日本の国籍を選択し、かつ、外国の国籍を放棄する旨の宣言（以下「選択の宣言」という。）をすることによってする。

○父母両系血統主義を採用している国

　日本、アイスランド、イスラエル、イタリア、エチオピア、エルサルバドル、オーストリア、オランダ、ガーナ、ギリシャ、スウェーデン、スペイン、スロバキア、タイ、中国、韓国、デンマーク、トルコ、ナイジェリア、ノルウェー、ハンガリー、フィリピン、フィンランド、チェコ、ブルガリア、ポーランド、ルーマニア　など

○父系優先血統主義を採用している国

　アラブ首長国連邦、アルジェリア、イラク、イラン、インドネシア、エジプト、オマーン、クウェート、サウジアラビア、シリア、スーダン、スリランカ、セネガル、マダガスカル、モロッコ、レバノン　など

○両系血統主義だが、条件付きで出生地主義を採用している国
　イギリス、オーストラリア、オランダ、スペイン、ドイツ、フランス、ロシア、ウクライナ、ベラルーシ　など
○出生地主義を採用している国
　アルゼンチン、カナダ、アメリカ合衆国、ブラジル、アイルランド、グレナダ、ザンビア、タンザニア、パキスタン、バングラデシュ、フィジー　など
〔出典：フリー百科事典『ウィキペディア（Wikipedia）』（2021年2月24日閲覧）〕

ヘ　国外転出時課税との関係

　所得税法第137条の2又は第137条の3の規定の適用がある場合における納税義務の範囲については、次のとおりとされる（相法1の3②）。

(イ)　国外転出をしたことにより一定の株式等の特定の資産（以下「対象資産」という。）の含み益に対して所得税が課され、所得税法第137条の2第1項の納税猶予の適用を受け、さらに同条第2項の規定により納税猶予期間を10年に延長している個人が死亡した場合には、その個人は、相続税の納税義務の判定にあたっては、その死亡に係る相続の開始前10年以内のいずれかの時において日本国内に住所を有していたものとみなされる。

(ロ)　非居住者に対象資産を贈与したことにより所得税が課され、所得税法第137条の3第1項（同条第3項の規定により納税猶予期間を10年に延長している場合を含む。）の納税猶予の適用を受けている者（(ロ)において「贈与者」という。）から当該贈与により財産を取得した者（(ロ)において「受贈者」という。）が死亡した場合には、その受贈者は、相続税の納税義務の判定にあたっては、その受贈者の死亡に係る相続の開始前10年以内のいずれかの時において日本国内に住所を有していたものとみなされる。ただし、その受贈者が、所得税の課税に係る贈与の前10年以内のいずれの時においても日本国内に住所を有していたことがない場合には、この規定の適用はない。

(ハ)　居住者（(ハ)において「被相続人」という。）が死亡し対象資産を相続（(ハ)において「一次相続」という。）した非居住者（(ハ)において「一次相続人」とい

う。）が、被相続人に課された所得税について所得税法第137条の3第2項（同条第3項の規定により納税猶予期間を10年に延長している場合を含む。）の納税猶予の適用を受けていた場合において、その一次相続人が死亡（ハにおいて「二次相続」という。）したときは、その一次相続人は、二次相続に係る相続税の納税義務の判定にあたっては、二次相続の開始前10年以内のいずれかの時において日本国内に住所を有していたものとみなされる。ただし、その一次相続人が一次相続の開始前10年以内のいずれの時においても日本国内に住所を有していたことがない場合には、この規定の適用はない。

(4) 財産の取得の時期

イ　原　　則

(イ)　原則として相続開始の時（失踪宣言を相続開始原因とする相続の場合にあっては、民法31条に規定する失踪期間満了の時又は危難の去った時）（相基通1の3・1の4共－8）。

(ロ)　停止条件付の遺贈でその条件が遺贈者の死亡後に成就するものについては、その条件が成就した時（相基通1の3・1の4共－9）。

ロ　未分割財産の特例

　相続又は包括遺贈により取得した財産の全部又は一部が、共同相続人又は包括受遺者によってまだ分割されていない場合において、相続税の申告書を提出するとき又は相続税について更正又は決定をするときは、各共同相続人又は包括受遺者が民法の規定による相続分又は包括遺贈の割合に従ってその財産を取得したものとして課税価格を計算するものとされている（相法55）。

　これについては、被相続人の遺産であっても、相続人が現実に受領していないものは、相続税の課税価格から除外すべきであるという考え方もあるが、被相続人の遺産に含まれるものは、すべて相続開始の時から共同相続により承継取得されるもので、遺産分割が行われるまでは相続人の共有に属するものであるから、遺産未分割の状態においても、これに相続税を課税することは適法であるとの判例がある（東京地裁昭和47年9月26日判決）（注）。

(注)「相続税法は、遺産分割を仮装した租税回避又は脱税を防止するとともに、相続人間の税負担の不平を期するため、民法上の法定相続人が、法定相続分にしたがって遺産を分割取得したものと仮定して相続税の総額を計算し、この相続税の総額を、実際に遺産を取得した者が、その取得分に応じて納付するという法定相続分課税方式による遺産取得税方式を採用しているのであり、このような課税方式を採用していること自体がすべての相続税納税義務者について、相続開始時を基準とした課税を行うことを予定しているものということができる。」(神戸地裁昭和58年11月14日、大阪高裁昭和59年7月6日判決)

ハ　売買契約中の土地等

売買契約中の土地等の課税については後で詳述するが、

(イ)　売主に相続が開始した場合には、相続開始時の取得財産は、売買契約に基づく相続開始時における残代金請求権とされる。

(ロ)　買主に相続が開始した場合には、相続開始時の取得財産は、売買契約に係る土地等の引渡請求権とされる。

(5)　財産の所在

制限納税義務者の判定については、既に述べた相続人の住所の所在のほか、取得した財産の所在がどこかという判断が重要になるわけである。

この財産の所在の判定は、次によって行うこととされている(相法10)。

項	号	財産の種類	所在の判定
1	一	動産	その動産の所在による
		不動産又は不動産の上に存する権利	その不動産の所在による
		船舶又は航空機	船籍又は航空機の登録をした機関の所在(船籍のない船舶については、その所在(相基通10－1))による
	二	鉱業権又は租鉱権	鉱区の所在による
		採石権	採石権の所在による
	三	漁業権又は入漁権	漁場に最も近い沿岸の属する市町村又はこれに相当する行政区画による

項	号	財産の種類	所在の判定
1	四	預金、貯金、積金又は寄託金で次に掲げるもの ① 銀行、無尽会社又は株式会社商工組合中央金庫に対する預金、貯金又は積金 ② 農業協同組合、農業協同組合連合会、水産業協同組合、信用協同組合、信用金庫又は労働金庫に対する預金、貯金又は積金	その受入れをした営業所又は事業所の所在による
	五	保険金	その契約に係る保険会社等の本店又は主たる事務所(日本国内に本店又は主たる事務所がない場合において、日本国内にその契約に係る事務を行う営業所、事務所その他これらに準ずるものを有するときは、これらの営業所等)の所在による
		生命保険契約又は損害保険契約(相基通10-2)	
	六	退職手当金、功労金その他これらに準ずる給与	その給与を支払った者の住所又は本店若しくは主たる事務所(前号に同じ。)の所在による
	七	貸付金債権	その債務者の住所又は本店若しくは主たる事務所の所在による
	八	社債、株式、出資又は外国預託証券	その社債若しくは株式の発行法人、その出資のされている法人又は外国預託証券の発行法人の本店又は主たる事務所の所在による
	九	集団投資信託又は法人課税信託に関する権利	これらの信託の引受けをした営業所、事務所その他これらに準ずるものの所在による
	十	特許権、実用新案権、意匠権又はこれらの実施権で登録されているもの	その登録をした機関の所在による
		商標権	
		回路配置利用権、育成者権又はこれらの利用権で登録されているもの	

項	号	財産の種類	所在の判定
1	十一	著作権、出版権又は著作隣接権でこれらの権利の目的物が発行されているもの	これらを発行する営業所又は事業所の所在による
	十二	相続税法第7条の規定により贈与又は遺贈により取得したものとみなされる金銭	そのみなされる基因となった財産の種類に応じ、所在を判定する
	十三	上記一から十二までの財産以外の財産で営業上又は事業上の権利（売掛金等、営業権、電話加入権等（相基通10－6））	その営業所又は事業所の所在による
2		（日本）国債、地方債	日本国内に所在するものとする
		外国又は外国の地方公共団体その他これに準ずるものの発行する公債	その外国に所在するものとする
3		その他の財産	その財産の権利者であった被相続人の住所の所在による

　また、遺産、相続及び贈与に対する租税に関する二重課税の回避及び脱税の防止のための日本国とアメリカ合衆国との間の条約において、被相続人がその死亡の時に合衆国の国籍を有し若しくは合衆国内に住所を有していた場合、又は被相続人の遺産の受益者がその被相続人の死亡の時に日本国内に住所を有していた場合における一定の財産又は財産権の所在については、二重課税の調整の意味から、租税の賦課及び税額控除に関し、一定の定めによって判定される（同条約3）。

　次に、設例により、これまで説明したことを復習してみる。

〔事例1〕
　X氏は、東京に20年以上住所を有するA国人（A国の国籍を有する。）であるが、この程死亡するに至った。X氏の親族は、X氏と同居している日本人の妻（A国に帰化し、A国籍を有する。）とX氏がその先妻（A国人であったが既に死亡）との間に儲けた男子、女子各1人（いずれも成人しており、A国籍を有し、日本国籍はなく、A国に住所を有する。）がいる。
　X氏は、生前に遺言をしており、死後公表されたその内容は、次のとおりであった。

① 日本国内における不動産、A国Z銀行ロンドン支店に預けてある日本法人の株式、日本S銀行丸の内支店での預金及びB国C銀行ニューヨーク支店での預金は、妻に相続させる。
② A国にある貴金属、A国法人の発行する社債及びA国Z銀行ロンドン支店での預金は、子2人に2分の1ずつ相続させる。
　この場合、妻とX氏の子2人が日本の相続税を課税される財産はどれか。
　また、相続税の計算と申告はどのようにすればよいか。
　なお、妻とX氏の子2人とは、もちろん一切の血縁関係はない。

〔回答〕 1　X氏の妻は、相続開始時に日本に住所を有するので、相続税の無制限納税義務者に該当し（相法1の3①一）、相続したすべての財産が相続税の課税対象となる（相法2①）。
2　X氏と先妻との間の子2人は、相続開始時に日本に住所がなく、日本の国籍を有しないが、被相続人が相続開始時において住所を有し、一時居住被相続人に該当しないので、X氏の妻と同様に相続税の無制限納税義務者に該当する（相法1の3①二ロ）。
3　したがって、X氏の妻と子2人はいずれもが日本の相続税の課税対象となるが、相続税の計算は、妻が相続した財産の価額の合計額から妻と子2人が法定相続人に該当するものとして計算した遺産に係る基礎控除額を控除して相続税の総額を求める。この相続税の総額から各人の取得財産に応じて各人の納付すべき税額を求め、配偶者の場合は、配偶者の税額軽減額を控除したものがX氏の妻の納付すべき相続税額になる。
4　X氏の妻と子2人は、相続の開始があったことを知った日の翌日から10か月以内に相続税の申告書をX氏の死亡の際の所轄税務署長に提出し、納税する必要がある。

〔事例2〕

　H氏は、令和X年4月に受けた交通事故により重傷を負い、同年5月に死亡した。
　H氏の相続人は妻Iと長男J、長女K及び二男Lの四名である。
　妻Iは、H氏とともに、東京都港区の住居で生活しており、また、長男Jも同じく東京都千代田区のマンションにその妻とともに居住していたが、令和X年1月に勤務先から1年間のアメリカ支社での勤務を命ぜられてアメリカのニューヨーク市に赴任しており、相続開始当時は妻とともにニューヨーク市のアパートに居住していた。
　次に、長女Kは、その夫（ドイツ人でドイツ国籍を有する。）が甲証券会社

ボン支店に勤務していることから、ボン市のマンションに夫や子供とともに生活している（長女Kは、ドイツに帰化し、ドイツ国籍を取得し、日本の国籍はない。）。夫のボン支店勤務は、平成V年4月からで、日本に帰国する見込みはほとんどない。

また、二男Lは平成W年から、ファッション研究のため、パリの専門学校に留学しており、将来はファッションデザイナーを目指しているが、現在のところ殆ど収入がないため、被相続人H氏からの仕送りで生計を立てており、H氏の所得税の申告ではH氏の扶養親族となっている。なお、二男Lの留学はまだ2〜3年は続く見込みである。

H氏は、かねてから遺言書を作成しており、死亡後、遺言書の検認を受けて内容を調べたところ、各相続人とも、それぞれ相当の財産を取得することになっていたが、いずれの相続人の取得する財産も、国外にある財産が含まれていたため、無制限納税義務者・制限納税義務者のいずれに該当するかを判定する必要が生じている。各相続人について、どのように判断すべきか。

〔回答〕　妻Iは、相続開始時に日本に住所があるので無制限納税義務者に該当する。

長男Jは相続開始当時アメリカに居住しているが、日本に住居があり、かつ海外勤務が短期間（1年以内）であるため、日本に住所があるものとして取り扱われるので、無制限納税義務者に該当する。

長女Kは相続開始当時ドイツに居住し、夫の勤務状況から、ドイツに生活の本拠があるとみられ、住所・国籍とも日本にないが、被相続人H氏が相続開始時に日本に住所があり、一時居住被相続人ではないので、無制限納税義務者に該当する。

二男Lは、相続開始当時フランスに居住し、その状況は短期間には解消しないと見込まれるが、技芸の習得のための留学で、かつ、日本にいるH氏の扶養親族でもあるため、日本に住所があるものとして取り扱われるので、無制限納税義務者に該当する。

2　みなす納税義務者

(1)　総　　説

① 趣　　旨

相続により財産を取得する者は、相続の本質からいって、当然、個人に限られる。しかしながら、遺贈及び死因贈与は、必ずしも常に個人に対してされるものとは限らず、会社その他の法人や人格のない社団又は財団に対して

行われることもある。

　ところで、会社のように、一般的にその所得について法人税が課税される法人であれば、遺贈等のような無償での財産の取得による利益は、当然に益金に算入されて、法人税が課税される。

　しかし、収益事業以外の事業について課税されない公益法人等や人格のない社団等が収益事業以外の事業に関して無償で財産を取得した場合の受贈益には、法人税は課税されない。この点に着目して、かつて、このような公益法人や人格のない社団等に自己の財産を拠出し、しかも、事実上これらの法人等を支配して、財産の保全を図り、一方租税負担は回避するという事例がしばしば見られたので、このような公益法人のような持分の定めのない法人や人格のない社団等を通じて相続税負担の逋脱を図ることを防ぐために、一定の場合、これらの法人等を個人とみなして相続税を課税することとされているものである（注）。

(注)　**公益法人制度の改革**
　　平成18年5月26日に国会において、次の公益法人制度改革関連3法が成立した。
　　① 一般社団法人及び一般財団法人に関する法律（一般社団・財団法人法）
　　② 公益社団法人及び公益財団法人の認定等に関する法律（公益法人認定法）
　　③ 一般社団法人及び一般財団法人に関する法律及び公益社団法人及び公益財団法人の認定等に関する法律の施行に伴う関係法律の整備等に関する法律（整備法）
　　これらの法律は、平成20年4月1日から施行されている。
　　これらの法律により、これまでの公益法人設立許可主義が改められるとともに、2002年に導入された中間法人制度も廃止された。そして、新たに登記だけで法人になれる「一般社団法人」「一般財団法人」制度を設け、公益法人と中間法人とを吸収した。言い換えると、役所の許可を得て設立していた法人を、登記だけで設立できるようにする、いわゆる「準則主義」を採用している。
　　その上で、これら一般法人のうち、有識者でつくる第三者委員会（公益認定等委員会）の関与の下、特定行政庁が「公益性」があると認定すれば、「公益社団法人」「公益財団法人」として税制上の支援措置を受けられることが柱となっ

ている。いわゆる"二階建の法人制度"である。すなわち、二階に上がれて初めて現行の公益法人と同じように取り扱われる。

　約2万6千あった公益法人（社団法人・財団法人）については、法律施行後は、「特例民法法人」として存続するが、成立した法律施行日から5年以内に、一般社団法人、一般財団法人への認可申請、公益社団法人、公益財団法人の認定申請を行い、新制度への移行を図ることとなっている。5年以内に移行しない場合には、清算、解散となる。株式会社や協同組合等の法人形態には移行できない。

◎　一般社団法人の概要

・社員2名以上で設立可能とし、設立時の財産保有規制は設けない。
・社員総会及び理事は必置。定款の定めによって理事会、監事又は会計監査人の設置が可能。
・資金調達及び財産基礎の維持を図るため、基金制度の採用が可能。
・社員による代表訴訟制度に関する規定を整備。

次に「一般財団法人」の概要は次のとおりである。

◎　一般財団法人の概要

・設立者は、設立時に300万円以上の財産を拠出。
・財団の目的は、その変更に関する規定を定款に定めない限り、変更不可。
・理事の業務執行を監督し、かつ、法人の重要な意思決定に関する機関として、評議員及び評議員会制度を創設。
・評議員、評議員会、理事、理事会及び監事は必置。定款の定めによって、会計監査人の設置が可能。

〔図表〕 公益法人制度改革関連3法に盛られた制度

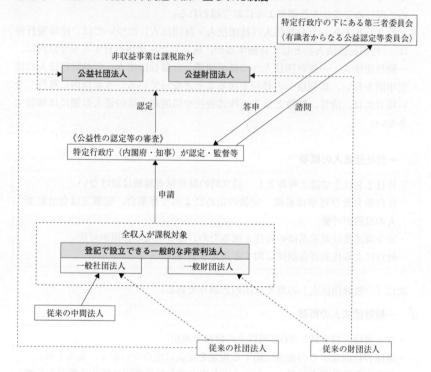

② 沿　革

　このように、法人等を利用する相続税回避を防止しようという考え方は、昭和24年のシャウプ勧告で表われたものである。即ち、シャウプ勧告では、非営利公益団体に対する贈与については相続税・贈与税を免税にすべきことを述べながら、一方、この制度の濫用による税負担の回避の防止策について、次のように述べている（シャウプ勧告書第2編第8章「贈与税および遺産税」E節「寄付」）。

　「かかる無制限な免税に対してなされる唯一の重要な反駁は、しばしばそれが贈与者又は彼の相続人が支配する慈善団体を創設することによって濫用されてきたということである。かような手段によって納税者はそれ相当の税を支払わずに大なる財産に対する支配力を効果的に維持することができた。

しかしながらかかる濫用は適当な防衛により防止し得るであろう。

それ故、非営利公益団体に対する贈与はすべて相続税及び贈与税は免除さるべきことを勧告する。……ただし、その贈与者も彼の相続人もその法人の活動から直接又は間接を問わず、実質的に利益を受けてはならない（もちろん一般公衆としてのそれは別であるが）。……或いはとにかく贈与者と彼の相続人がその団体から特別の利益を受ける立場にあったりした場合には、その免除は認められない。……このような濫用は、贈与の場合よりも遺贈の場合に起こりやすいから、贈与に対しては多少緩和した制限を儲けるのが妥当であろう」

こうしたシャウプ勧告を受けて行われた昭和25年の相続税法の改正の際に、法人等を利用する相続税負担の回避策に対する幾つかの防止措置が創設されている。

すなわち、「同族会社又は公益法人等を経由ないし利用して相続税負担の不当な経験を図らんとする場合を予想して（下条進一郎「改正相続税法詳解」財政経済弘報第182号（昭和25年4月3日）。以下「下条解説」という。）」同族会社の行為計算の否認規定（相法64）が設けられたほか、公益法人等に対して寄付がされた場合に、当該法人の施設の利用、余裕金の運用、財産の帰属等について特別の利益を受ける者があるときは、その特別の利益を受ける者が、直接寄付者から遺贈等を受けたものとして課税することとされ（相法65）、人格のない社団又は財団に対して寄付がされた場合には、当該社団又は財団を個人とみなして課税することとされたのである（相法66①）。

この人格のない社団等に対する課税については、創設当初の制度は、シャウプ勧告によって、相続・贈与等について一生累積してすべて相続税を課税することとされたことから、「個人と同様に社団又は財団について累積して課税することは不合理でもあるので、その取得財産について、その贈与者又は遺贈者ごとに、累積して相続税額を算出する（下条解説）」こととされたのである。

その後、昭和27年の相続税法改正において、公益法人等に対して遺贈等が

あった場合において、その遺贈等をした者の親族その他特別関係者の相続税等の負担が不当に減少する結果となると認められるときは、その公益法人等を個人とみなして課税することとされた。その課税方法は、人格のない社団等の場合と同様である。

次に、昭和28年に相続税の一生累積課税が廃止されたことにより、人格のない社団等・公益法人等に対する課税方式が、財産の提供者ごとに個別課税を行う方法に改められた。

その後は、前述の公益法人制度の改正で、公益性を有しない一般社団法人や一般財団法人の設立が可能となったことから、課税対象となる法人の範囲が、平成20年の改正で、「持分のない法人」に改められて今日に至っている。

(2) 人格のない社団又は財団が納税義務者となる場合

① 意　義

代表者又は管理者の定めのある人格のない社団又は財団に対して財産の遺贈があった場合には、その社団又は財団を個人とみなして相続税が課税されることとなっている（相法66①）。

また、この人格のない社団等に対する課税は、その遺贈が相続税負担の不当減少を生ずるかどうかを問わず行われることが、公益法人等に対する課税と異なった特色である（注）。

(注)　この規定の差異の理由について特に説明した文献は見当たらないが、公益法人等を個人とみなして課税する規定は、前述のとおり後から追加された規定であることと、公益法人に対しては、一般的に非課税とされているため、これを相続税の対象とするためには、負担の不当減少という要件を特に追加する必要があると考えられたのではなかろうか。

なお、代表者等の定めのある人格のない社団又は財団を設立するために財産の提供があった場合にも、同様に個人とみなして相続税又は贈与税が課税されることになっている（相法66②）。

② 要　件

個人とみなされて相続税（贈与税）の納税義務者とされる「代表者又は管

理者の定めのある人格のない社団又は財団」の意義は、次のとおりである。
イ　人格のない社団
　人格のない社団は、一名「権利能力なき社団」ともいわれ、一般に、社団の実体を有しながら法人格のないものをいうとされている。すなわち、学術団体・町内会・同窓会等の団体にみられるように、多数の構成員から成り、整備された組織を有し、その実体を社団法人と同じくする団体で法人格を有しないものである。特別法によって法人とする途が与えられていないものと、法人となりうるが、その手続をとらないでいるものとがある。現在は、法人格のない点を除き、できるだけ社団法人と同様に取り扱うのがよいと考えられている（「新版・新法律学辞典」（有斐閣）322頁）。
　「権利能力なき社団」といい得るためには、団体としての組織を備え、多数決の原則が行われ、構成員の変更にかかわらず団体が存続し、その組織において代表の方法、総会の運営、財産の管理等団体としての主要な点が確定していることを要する（最高裁昭和39年10月15日判決）とされている。
ロ　人格のない財団
　人格のない財団は、一名「権利能力なき財団」ともいわれ、一定の目的に捧げられた財産を中心として、これを運営する組織を有するもので、その実体が財団法人と同じであるにもかかわらず、主として法律上の技術的要件を欠くために法人格を有しないものとされている。例えば、設立中の財団法人で、主務官公庁の許可を得ないものがこれに属する。「権利能力なき財団」といい得るためには、目的財産の分離独立、財産管理機構の確立、団体としての社会的活動等がその判断基準に挙げられている（最高裁昭和44年11月4日判決）。
　なお、人格のない社団又は財団で代表者又は管理者の定めのあるものを法律上規定している例としては税法のほかでは、民事訴訟上の当事者能力を認める例がある（民事訴訟法46）（注）。
（注）　人格のない社団等については、訴訟能力が法律上認められているほか、社団として享有しうる権利（権利能力）の範囲、なし得る行為の範囲、代表機

関の権限とその行為の形式（行為能力）及び代表機関の不法行為による社団の賠償責任（不法行為能力）等も、ことごとく社団法人の規定を適用しているものとされている（我妻栄「新訂民法総則（民法講義Ⅰ）」（岩波書店）133頁）。

③　人格のない社団等に対する課税についての訴訟事件

　人格のない社団等に対する課税について、これらがそもそも租税債務の主体になりうるのかについて、争われた事件（いわゆる労音に対する入場税課税事件）について紹介しておくこととする。

　この事件は、権利義務の主体は自然人又は法人に限られ、「人格を有しないものは、たとえそれが社団としての組織を備え社会的実体として活動していても、社団そのものとしてそれに権利義務の帰属を認めることはできない」とする労音（労働者音楽協議会）の主張に対して、人格のない社団等を納税義務の主体として認める判決が数多く出されている（例えば東京高裁昭和47年6月28日判決、広島高裁昭和47年5月22日判決etc）（注1）。

　なお、人格のない社団の成立が否定された事例（いわゆるネズミ講事件）として熊本地裁（昭和59年2月27日）の判決例がある（注2）。

（注1）　東京高裁（昭和47年6月28日判決）の判例を参考として挙げておく。「…国が団体に対して法人格を付与するゆえんは、実質において複数の個人の集合体である団体が構成員らの単なる集団ではなく当該団体がそれ自身において社会生活上の一単位として活動しているものと観念されるが故に、自然人と同様団体それ自体に一個の法律上の主体たる地位を与えて社会的実態と法律形式とを合致せしめ、もって団体をめぐる法律関係を明確かつ単純ならしめようとするにあるものと解すべきである。そうであってみれば、人格なき社団がその性質、組織、活動状態において法人格を有する社団となんら異なるところがないものである以上、人格なき社団は実定法上の権利義務の主体たり得べき根拠を社団性自体の中に包含しているものというべきであって、実定法上明文の規定をもって法人格を付与されることによってはじめて権利義務の主体たり得る地位が発生してくるものではないのである。……それ故、国が社団に対して法律をもっていかなる権利能力を付与するかは立法政策の問題に帰し、私法上権利能力のない社団に対し法の分野において権利能力を認めてこれを法的規判の対象とすることは

なんら差し支えなく、各租税法規がそれぞれの立場から私法上の人格なき社団に納税義務を負わせることができるのである。
　したがって、控訴人ら（労音）が主張するように人格なき社団は権利能力を有しないから義務能力もなく租税債務の主体たり得ないというものではない」

(注2)　熊本地裁（昭和59年2月27日）の判決は、次のとおりである（同旨福岡高裁平成2年7月18日判決（確定））。
　「いわゆるネズミ講を主宰する「T会・D研究所」は、会員（構成員）資格が定款上一義的ではなく、本件各講の仕組との関係も不明確であること、また、当会の役員相互間にも統一的な見解があるわけではなく、その運用も明確な基準がなく、当会の構成員の範囲を客観的に明らかにすることができないこと等から、当会をその構成員から区別された構成員の集団である団体として把えることは不可能であるから、当会は、人格なき社団としての成立要件適用の基本的出発点を欠いており、……人格なき社団としての実体を有しない」

④　住所の判定

　人格のない社団等の納税義務者の区分等の判定の基本となる住所の判定については、その住所は、人格のない社団等の主たる営業所又は事業の所在地にあるものとみなされる（相法66③）。

(3)　持分の定めのない法人が納税義務者となる場合

①　総　　説

イ　持分の定めのない法人（持分の定めのある法人で持分を有する者がないものを含む。以下第2編において同じ。）に対して課税する場合

　持分の定めのない法人に対し、財産の遺贈があった場合において、その遺贈により遺贈者の親族その他これらの者と相続税法第64条第1項に規定する特別の関係がある者の相続税の負担が不当に減少する結果となると認められるときは、その持分の定めのない法人を個人とみなして相続税を課税することとされている（相法66④）。

　また、持分の定めのない法人を設立するための財産の提供があった場合において、税負担の不当減少をきたすと認められるときも、同様に課税される

こととなっている（相法66②④）。

なお、従来は、この課税の対象となる法人は、「法人税法第2条第6号に規定する公益法人等その他公益を目的とする法人」と規定されていた。この範囲は、平成20年の改正で、現行のように改められたものであるが、その理由は、次のようなものと思われる。

(1) 平成20年の公益法人制度の改正により、公益を目的とせず、かつ、営利目的でもなく、一般社団法人、一般財団法人の設立が認められることとなったため、従来の法人の範囲ではカバーし切れなくなったこと（参考・平成20年版改正税法のすべて455頁）。
(2) 従来の対象法人の定義である「その他公益を目的とする法人」の範囲は必ずしも明確でなく、特に医療法人がこの範囲に含まれるか否かをめぐって、後述のとおり、しばしば訴訟が提起されてきたこと。
(3) 後述の東京地裁昭和46年7月15日判決は、「出資持分の定めのある法人については、その出資持分を通じて相続税等を課税することができるので、相続税等の回避の問題は生じないから、同条の規定の適用される余地はないと解するのが相当である。……これに反し、出資持分の定めのない法人の場合は、財産の提供者の贈与者等又はこれらの者の親族その他特別な関係者の相続税等の負担が不当に減少する場合を生じる場合もありうるというべきである」と判示していること。

こうしたことから、平成20年の公益法人等に対する税制改正の機会に、対象となる法人の範囲を改めたものと考えられる。

このような課税が行われる趣旨は、既に述べたように持分の定めのない法人に財産の遺贈、贈与等を行うことにより、贈与等をした者又はこれらの者と特別な関係がある者がその法人の施設又は余裕金を私的に利用するなどその法人から特別の利益を受けているような場合には、実質的には、その贈与等をした者がその贈与等にかかる財産を有し、又は特別の利益を受ける者に特別の利益を贈与したのと同じこととなり、したがって、贈与等をした者について相続が開始した場合には、その財産は遺産となって相続税が課され、

又は特別の利益を受ける者に対し贈与税が課されるのにかかわらず、法人に対して財産の贈与等をすることによりこれらの課税を免れることとなることにかえりみ、その法人に財産の贈与等があった際に法人に課税することとされているものである（注）。

(注) 持分の定めがある法人（持分を有する者がないものを除く。）に対する財産の遺贈等があったときは、当該法人の出資者等について相続税法第9条の規定を適用すべき場合がある。

ロ 受益者に対して課税する場合

　イで述べた持分の定めのない法人に対して財産の遺贈、贈与又は設立のための財産の提供があった場合において、その法人が施設の利用、余裕金の運用、解散した場合における財産の帰属等について、設立者、社員、理事、監事若しくは評議員、遺贈若しくは贈与をした者又はこれらの者と相続税法第64条第1項の特別の関係がある者に対して特別の利益を与えるものであるときは、その財産の遺贈等があったときにおいて、これらの法人から特別の利益を受ける個人が、その財産（相続税法第12条第1項第3号又は第21条の3第1項第3号の非課税財産を除く。）の遺贈等により受ける利益の価額に相当する金額をその財産の遺贈等をした個人から遺贈等により取得したものとみなして相続税又は贈与税が課税されることになっている（相法65①～③）。

ハ イとロとの適用関係

　したがって、同じ持分の定めのない法人に対し遺贈等をされた財産から個人が特別の利益を受ける場合について、相続税法第65条と第66条の重複適用が生ずることになるが、このように両者が競合する場合には、まず第66条第4項が適用され、その適用がない場合には第65条が適用されるものとされている（相法65①）。

　この具体的な事例としては、持分の定めのない法人に対する財産の贈与等に基因して、その贈与等をした者及びその者と特別関係がある者以外の者でその法人の設立者、社員、理事、監事若しくは評議員又はこれらの者と特別関係がある者に特別の利益を与えると認められる場合には、第66条第4項の

適用はないが、特別の利益を受ける者に対して第65条の規定が適用される（昭和39年6月9日直審（資）24-19）。この第65条の規定が適用される場合は、納税義務者は法人ではなく、受益者であり、課税対象となる利益の価額は、法人が取得した財産の価額ではなく、受けた利益の額であることに注意を要する。

② 要　　件（対象となる持分の定めのない法人）

「持分の定めのない法人」とは、例えば、次に掲げる法人をいうこととされている（昭和39年6月9日直審（資）24第2（以下贈与税の項で「66条4項通達」という。）13）。

イ　定款、寄附行為若しくは規則（これらに準ずるものを含む。以下「定款等」という。）又は法令の定めにより、当該法人の社員、構成員（当該法人へ出資している者に限る。以下「社員等」という。）が当該法人の出資に係る残余財産の分配請求権又は払戻請求権を行使することができない法人

ロ　定款等に、社員等が当該法人の出資に係る残余財産の分配請求権又は払戻請求権を行使することができる旨の定めはあるが、そのような社員等が存在しない法人

③ 法人税との調整規定の改正

上記の場合において、従来は、対象法人を個人とみなして、相続税を課税する一方、二重課税とならないよう対象法人の各事業年度の所得の金額の計算上益金の額にされるときは、相続税法第66条第4項の規定は適用されないこととされていたが、平成20年改正で次のように改められた。

イ　その贈与又は遺贈に係る財産の価額が法人税法の規定によりその人格のない社団等又は持分の定めのない法人（以下「法人等」という。）の各事業年度の所得の金額の計算上益金の額に算入されるときであっても、その法人等に対して贈与税又は相続税を課税することとされた（相法66①④）。

ロ　その結果、法人税等（法人税及び法人事業税等をいう。以下同じ。）と贈与税又は相続税の税負担が二重に生じることとなることから、この問題を回避するため、相続税または贈与税の額から法人税等の額を控除することと

された（相法66⑤）。

④ **相続税等の負担が不当に減少する結果となると認められる場合の明確化**

上記の場合において、贈与者の親族等の相続税の負担が不当に減少する結果となると認められるかどうかの判断は、従来から国税庁長官通達に基づいてされていたが、今般の公益法人制度改革に伴う一連の税制改正において、できる限り法令に規定された。

具体的には、贈与又は遺贈により財産を取得した持分の定めのない法人が、一定の要件を満たすときは、相続税法第66条第4項の「相続税又は贈与税の負担が不当に減少する結果となると認められない」ものとされている（相令33③）。

なお、④については、贈与税の項で詳しく説明する（465頁以下）。

⑤ **「公益を目的とする事業を行う法人」に対する課税についての訴訟事件**

ところで、従来の「その他公益を目的とする事業を行う法人」という概念は、具体的にいかなる内容を示すかが明らかでなく、租税法律主義の観点とりわけ課税要件明確の原則に違反しており、違憲・無効とする学説（例えば北野弘久「税法判例研究」（中央経済社）236頁以下）があって、訴訟事件となった事例も幾つかある。

これらの訴訟に対する判決は、おおむね、「公益を目的とする事業を行う法人」という用語は一般化されているとはいい難いが、その使用はやむを得ないとして、国側の勝訴に至っている。例えば、東京地裁昭和46年7月15日判決では、次のように述べている。

「租税法律主義は、課税要件を決定することにより行政庁の恣意的な徴税を排除し、国民の財産的利益が侵害されないようにするためのものであって、租税法律主義の原則から課税要件はできるだけ詳細、かつ、明確に法律又は法律に定める条件により定められることが要請されるのであるが、税法の対象とする社会経済上の事象は千差万別であり、その態様も日々に生成、発展、変化している事情のもとではそれらの一切を法律により一義的に規定しつくすことは困難であるから、税法においては既定の法概念にとらわれず社会経

済の実態に即応する用語を使用することも避けられないといわなければならない。もっとも、右に述べた租税法律主義の精神に鑑みその用語の解釈適用にあたっては合理的、かつ、客観的にこれをしなければならず、類推的など拡大解釈が許されないことはいうまでもない。相続税法第66条第4項は、「その他公益を目的とする事業を行う法人」という用語を使用しており、右用語は実定法上必ずしも一般化されているとはいえず、その内容を類型的に把握することは困難であり、また、税法上の用語をできるだけ分かりやすくすることは国民的要望であるというべきであるが、同条項で右公益を目的とする事業を行う法人の例示として掲げる法人税法（（注）昭和40年の改正前の法人税法をいう。）5条1項1号又は3号のほか、右と類似する法人が特別法により設立されたものを包含させたのは同条項の前記の趣旨を達成するためであって、右の趣旨目的を達成するためには既定の法概念にとらわれず、「その他公益を目的とする事業を行う法人」なる用語を使用するも、けだし止むを得ないところであるといわなければならない。」

　この事件は、具体的には、医療法人が「公益を目的とする事業を行う法人」に該当するかどうかが争われたものであるが、医療事業は事業の性質上利益の追求を第一義とするものでなく、その事業は公益性をもつ事業とされ、医療法人はいわゆる営利法人にも公益法人にも該当せず、いわば両者の中間に位置し、むしろ公益を目的とする事業を行う法人に該当するとされた（上記判例）。

　この「不当減少」について前掲の東京地裁昭和46年7月15日判決は、出資持分の定めのある法人については、その出資持分を通じて相続税等を課税することができるので、相続税等の回避の問題は生じないから「同条の規定の適用される余地はないと解するのが相当である」としている。これに反し、出資持分の定めのない法人の場合は、財産の提供者、贈与者等又はこれらの者の親族その他特別な関係者の相続税等の負担が不当に減少する場合を生じる場合もありうるというべきであると述べている。

　また、「負担が不当に減少する結果となると認められる」という表現が不

明確で租税法律主義に反するという主張については、「親族その他特別の関係のある者の相続税又は贈与税の負担が不当に減少する結果となる」かどうかは、公益を目的とする事業を行う法人に対する財産の提供又は贈与の時点においてその法人の社会的地位、評価、定款若しくは寄付行為の定め、役員の構成、収入支出の経理及び財産の管理の状況等からみて財産の提供者、贈与者又はその親族等の相続税又は贈与税の負担が不当に減少する結果となると認められる事実が存在すれば足り、結果的にだれにどれだけの相続税等の負担の減少をきたしたか確定的に明らかにする必要はないとしている。

⑥ 特別関係者の範囲

特別関係者の範囲は、次のとおりである（相法66④、64①、相令31）。

イ 遺贈者等又はこれらの者の親族とまだ婚姻の届出をしないが、事実上婚姻関係と同様の事情にある者及びその者の親族でその者と生計を一にしているもの

ロ 遺贈者等又はこれらの者の親族の使用人及び使用人以外の者でその遺贈者等又は親族から受ける金銭その他の財産によって生計を維持しているもの並びにこれらの者の親族でこれらの者と生計を一にしているもの

⑦ 住所の判定

持分の定めのない法人の納税義務の基本となる住所の判定については、人格のない社団等の場合と同様に、その住所は、その法人の主たる営業所又は事務所の所在地にあるものとみなされる（相法66③④）。

(4) 特定の一般社団法人等が納税義務者となる場合

① 平成30年制度創設の背景及び基本的な考え方

一般社団法人及び一般財団法人（以下「一般社団法人等」という。）には株式等のような出資持分がないことを利用して、相続税の負担を回避しようとする動きが近年見受けられるようになった。

すなわち、株式会社であれば、法人が保有する財産は株式の評価額に反映され、株主が死亡した場合には株式の相続に対し相続税が課されるのに対し、一般社団法人等については、持分が存在せず、法人が保有する財産が個人の

財産に反映されることがない。そのため、理事や社員を同族関係者で占めること等により法人を私的に支配し、個人が実質的にその法人の財産を保有していると認められるような場合でも、個人間の財産移転を前提とする相続税においては、半永久的に課税対象にならないことになる。

このような租税回避を防止するための措置として、従前の規定がある（相法65、66④）が、課税されないための要件（相令33③）を一時的に満たした上で法人に贈与し、贈与後に法人の私的支配を確立する等の租税回避の防止が困難であること、贈与ではなく有償譲渡により資産を法人に移転した場合や、贈与による法人への資産移転の場合でも上記の規定による贈与税等の負担を一度受忍しさえすれば、その後は相続税が課税されなくなること等からすると、法人への財産移転時の課税のみでは相続税回避の防止措置として十分といえない。そこで、一族で実質的な支配を維持している法人に対し、支配力の承継を通じた実質的な財産移転があったものとして課税するといった相続税回避の防止措置が必要であると考えられた。

このため、創設された課税の仕組みは、将来的な執行の継続可能性も考慮しつつ、現行の相続税に近い形で課税する観点から、次の②のとおり、一定の要件を満たす一般社団法人等の理事の死亡に際し、その時点における法人の純資産額をベースにして計算したみなし遺贈財産を課税対象とし、その一般社団法人等を個人とみなして（＝納税義務者として）相続税の負担を求めることとされた。

② **基本的な仕組み**

一般社団法人等の理事（当該一般社団法人等の理事でなくなった日から5年を経過していない者を含む。）が死亡した場合において、その一般社団法人等が一定の要件を満たす法人である場合には、その死亡の時におけるその一般社団法人等の純資産額をその時におけるその一般社団法人等の同族理事の数に（被相続人の数として）1を加えた数で除した金額を、遺贈により取得したものとみなし、その一般社団法人等を個人とみなして、その一般社団法人等に相続税が課税される。

③ 課税対象とならない一般社団法人等

　一般社団法人等のうち、次のイ及びロの法人は特定の者が私的に支配しているとは考えにくいこと、また、ハ及びニの法人はいわゆる証券化スキームに用いられるものであり、相続税の負担を軽減する目的とは考えにくいことから、本制度における課税の対象から除外されている（相令34④）。

イ　公益社団法人及び公益財団法人の認定等に関する法律の規定による公益認定を受けた公益社団法人又は公益財団法人

ロ　法人税法第2条第9号の2に規定する非営利型法人（いわゆる「非営利徹底型法人」及び「共益型法人」を指す。）

ハ　資産の流動化に関する法律第2条第3項に規定する特定目的会社又はこれに類する一定の会社を一般社団法人及び一般財団法人に関する法律第2条第4号に規定する子法人として保有することを専ら目的とする一定の一般社団法人等

ニ　資産の流動化に関する法律第2条第2項に規定する資産の流動化に類する行為を行う一定の一般社団法人等

④ 課税の対象となる特定一般社団法人等の要件

　上記③イからニまでの法人以外の一般社団法人等のうち、次のいずれかの要件を満たすもの（以下「特定一般社団法人等」という。）は、特定の一族による支配がされている法人と考えられることから相続税の課税対象とされる（相法66の2②三）。

イ　被相続人の相続開始の直前におけるその被相続人に係る同族理事（注）の数が理事の総数に占める割合が2分の1を超えること

ロ　被相続人の相続の開始前5年以内においてその被相続人に係る同族理事（注）の数が理事の総数に占める割合が2分の1を超える期間の合計が3年以上であること

（注）　上記の「同族理事」とは、一般社団法人等の理事のうち、次に掲げる者をいう（相法66の2②二、相令34③）。

　　(イ)　被相続人

(ロ)　被相続人の配偶者
　(ハ)　被相続人の3親等内の親族
　(ニ)　被相続人と婚姻の届出をしていないが事実上婚姻関係と同様の事情にある者
　(ホ)　被相続人の使用人及び使用人以外の者で当該被相続人から受ける金銭その他の財産によって生計を維持しているもの
　(ヘ)　上記(ニ)及び(ホ)に掲げる者と生計を一にしているこれらの者の配偶者又は3親等内の親族
　(ト)　上記(ロ)から(ヘ)までに掲げる者のほか、次に掲げる法人の会社役員（法人税法第2条第15号に規定する役員を指す。）又は使用人である者
　　　① 被相続人が会社役員となっている他の法人
　　　㊥ 被相続人及び上記(ロ)から(ヘ)までに掲げる者並びにこれらの者と法人税法第2条第10号に規定する特殊の関係のある法人を判定の基礎にした場合に同族会社に該当する他の法人

⑤　相続税額の計算方法

　上記②の「純資産額」とは、次のイの金額からロの金額を控除した残額をいう（相令34①）。

イ　被相続人の相続開始の時において特定一般社団法人等が有する財産の価額の合計額
ロ　次に掲げる金額の合計額
　(イ)　特定一般社団法人等が有する債務であって被相続人の相続開始の際現に存するものの金額
　(ロ)　特定一般社団法人等に課される国税又は地方税であって被相続人の相続の開始以前に納税義務が成立したもの
　(ハ)　被相続人の死亡により支給する相続税法第3条第1項第2号に掲げる給与（いわゆる死亡退職金）
　(ニ)　被相続人の相続開始の時におけるその特定一般社団法人等の一般社団法人及び一般財団法人に関する法律に規定する基金の額

⑥　相続税額からの過去の贈与税額又は相続税額の控除

イ　過去の贈与税額又は相続税額の控除

特定一般社団法人等に過去に相続税法第66条第4項の規定により課された贈与税又は相続税の税額を控除する（相法66の2③）。
ロ　被相続人から遺贈により財産を取得した場合の法人税等相当額の控除
⑦　**相続税における他の課税規定との調整（二重課税の排除）**
イ　みなし遺贈財産に対する相続税法第66条第4項の適用除外（相令⑨）
ロ　個人とみなされた特定一般社団法人等が被相続人から遺贈により取得した本来財産について相続税法第66条第4項が適用されない場合の明示（相令⑪）
ハ　3年加算規定の適用除外（相法66の2⑤）
⑧　**その他**
イ　住所の扱い
　特定一般社団法人等の住所は、その法人の主たる事務所の所在地となる（相法66の2④）。
ロ　申告書の提出期限の扱い
　被相続人が死亡したことを知った日の翌日から10か月とされている（相令34⑧）。
ハ　申告書の添付書類
　相続開始の日に作成された特定一般社団法人等の登記事項証明書（相規16③三）
⑨　**適用時期**
　平成30年4月1日以後の一般社団法人等の理事である者の死亡に係る相続税について適用される。
　ただし、特定一般社団法人等が平成30年3月31日以前に設立されたものである場合には、理事の構成を変更するなどの対応に時間を要することに鑑み、3年間の経過期間が設けられ、令和3年4月1日以後の一般社団法人等の理事である者（その一般社団法人等の理事でなくなった日から5年を経過していない者を含む。）の死亡に係る相続税について適用される（平30改正法附則43⑤）（平成30年4月1日以後に設立された一般社団法人等については、この経過期間は

なく、原則どおり新制度が適用される。)。

なお、上記の既存法人についての課税要件の判定に際して、平成30年3月31日以前の期間は、上記④ロの2分の1を超える期間に該当しないものとされており、相続開始前5年間の同族理事の割合の判定は、施行日以後の期間のみが対象となる（平30改正法附則43⑥）。

第3節　課 税 財 産

1　課税財産の意義と範囲

(1)　総　説

相続税の課税財産は、原則として、相続、遺贈又は死因贈与により取得した財産である。このほか、法律的には相続、遺贈又は死因贈与により取得した財産には該当しないが、実質的には、相続等によって取得したものと同様な財産については、いわゆるみなし相続財産として課税対象に含める。

財産は、広義には、積極財産と消極財産とに区別することができ、消極財産は通常「債務」と称される。相続税法上は、「財産」は積極財産と考えられており、この項では、その前提に立って話を進める。消極財産たる「債務」については、別途、課税価格の計算の項で、債務控除の説明のときに論及することとする。

(2)　課税財産の意義

ところで、相続税法上「財産」については特別な定義ないし解釈規定を設けておらず、一般法たる民法等の法規ないし社会通念によって定めるほかはないが、国税庁の解釈では、金銭に見積もることができる経済的価値のあるすべてのものをいうこととされている（相基通11の2-1）。

すなわち、経済的価値があるということは「換価性」があるということであり、換価性のないもの、すなわち経済的価値のないものは、財産とはいえない。例えば先祖伝来の仏壇などは、美術工芸品として価値のあるもの以外

は、仏壇の継承者にとっては価値があり、財産といえるかも知れないが、客観的にみて換価・処分の可能性はほとんどないものであるならば財産的価値は極めて少ないといわざるを得ない。

なお、上記取扱通達（相基通11の2－1）は、留意事項として、次の点を明らかにしている。

① 財産には、物権、債権及び無体財産権に限らず、信託受益権、電話加入権が含まれると解されている。

　すなわち、信託財産それ自体は、受託者の所有に属するが、受託者の相続財産にはならない（信託法1、15）。また、受益者も信託財産の所有者ではないから、受益者の相続財産でもない。しかし、受益者が信託行為の定めるところに従って受けるべき利益、すなわち信託受益権は、一種の経済的価値を有する権利であるから、この権利自体は、当然相続財産となる。

② 財産には、法律上の根拠を有しないものであっても経済的価値が認められているもの、例えば、営業権のようなものが含まれると解されている。

　営業権は、特許権、著作権等と異なり、法律上の保護を受けている権利ではなく、一種の事実関係としての「のれん」ではあるが、こののれんが社会的に、経済的価値を認められ、取引の対象となっていることは、しばしば見受けられるところである。

　したがって、営業権も相続財産の課税対象財産に含まれることを明らかにしているのである。また、ノーハウについても同様と考えられよう。

　なお、鉄道高架橋下の使用権は、権利としての法的根拠がないから、相続税の課税対象とならないとして争われた事例について、これを課税対象となるとした裁決例がある（昭和58年7月18日裁決・東京国税不服審判所裁決事例集（大蔵省印刷局刊）（以下「東審事例集」という。）V）（注）。

（注）　この裁決要旨は、次のとおりである。

　　「鉄道高架橋下の使用権は、高架橋下の空間に建物を所有することにより使用収益する権利であると認められ、当該使用権の売買取引は慣習化されて相当な経済的価値を有するものである。したがって、その使用権が法令に具体

的に定義されていなくても、これが相続税の課税財産となることは明らかである。

また、この権利の態様としては、土地の上に存する権利のうち、借地権に最も類似するものということができ、しかも、本件建物は、他に貸し付けているものであるから、それは、貸家建付借地権に類似するものと認定するのが相当である。」

③ 質権、抵当権又は地役権（区分地上権に準ずる地役権を除く。）のように従たる権利は、主たる権利の価値を担保し、又は増加させるものであって、独立して財産を構成しないから、これらの権利自体としては相続税の課税対象にはならないものと解されている。

なお、同じ物権でも、地上権、永小作権、入会権のように、一定の範囲内で他人の不動産を使用収益する用役物権は課税対象となる。また、物権と債権との中間的存在として重要なものとして借地権及び借家権がある。借地権、借家権は、ともにそれ自体として特別法に基づく1個の財産権として存在し、取引の対象にもなっている。

鉱業権、粗鋼権、漁業権なども物権に準じて取り扱われる。

したがって、担保物権以外の用役物権は、課税対象に含まれる。

(3) 課税財産についての問題点

① 一身専属権

被相続人の一身に専属する権利は、相続によって相続人に承継されないから（民法896ただし書）、当然相続税の課税対象にはならない。一般にいって、一身に専属する権利は、親権のように身分法上の権利に事例が多いが、このような権利は、もともと経済的価値がなく、財産とはいえないから、相続税の課税にはなじまない。

しかしながら、一身に専属する権利であっても、終身定期金のようなものは、財産的な価値があるが、このような権利は、本人の死亡によって消滅するから、やはり相続税の課税対象とはなり難いのである。

なお、委託契約、雇用契約等によって、当事者間で相互に特定の行為を請求する権利なども、それ自体は一身専属権であるが、その行為の結果発生し

た代金請求権、賃金支払請求権は、一身専属権ではなく、一般の財産権として相続されるから、課税対象となることに注意すべきである（注）。

(注) ゴルフ会員権が会員個人に専属するプレー利用権であり、承継手続等がされていないから財産的価値がなく、相続財産とはならないとする主張が認められなかった裁決例（昭和52年2月1日裁決・裁決事例集No.13-48頁）がある。その要旨は、次のとおりである。

「本件会員権は、ゴルフ場を一般の利用者に比し、有利な経済的条件で継続的に利用できる権利と、いつでも換価できる財産的価値を有する権利とが一体不可分のものとなっていることが認められ、請求人が主張するような被相続人に専属するプレー利用権だけのものではなく、それ自体財産的価値を有するものであり、相続による承継手続を経ないで、随時相続人において本件会員権を譲渡することができるのであるから、本件会員権は換価性があり、経済的価値を有する権利と認められる。

したがって、本件会員権は、相続により取得した財産と認めるのが相当である。」

② **建築中の家屋**

家屋の建築中に相続が開始した事案で、相続財産は、建築中の家屋か前払金かで争われたものについて、相続開始時において引渡しを受けていないものは建築中の家屋に含まれないとの裁決例がある（昭和52年10月21日裁決・東審事例集Ⅴ・1頁）（注）。

(注) この裁決の要旨は、次のとおりである。

「評価通達にいう「建築中の家屋」とは、相続、遺贈又は贈与により財産を取得した時において、その家屋の所有権が被相続人又は贈与者に帰属している場合であることはいうまでもないところ、本件家屋の相続開始の時における所有権の帰属については、請負契約書及び請求人から提出された工事請負契約約款によれば、完成引渡し前における本件家屋の所有権については何ら記載がなく、また、本件家屋に係る使用材料も請負者が専ら自己の材料を使用したことが、A社の工事台帳によって認められる上、前記工事請負契約約款第16条によれば、完成までの危険負担が請負者にあることは明らかであるから、本件家屋は、相続開始の時において完成引渡しに至ってなく、評価通達に定める「建築中の家屋」に該当しないことは明らかである。

したがって、本件家屋は不動産たる家屋として評価すべきものではなく、請負者に対して支払った請負代金相当額は請負者に対する債権（前払金）と

して評価するのが相当である。」

③ 売買契約中の土地等

　土地等の売買契約締結後、その契約に係る取引の完了前の期間中（以下「売買契約中」と仮称する。）に売主又は買主に相続が開始した場合の相続財産は何か、また、その評価はどうするかという問題はかなり以前から論じられ、判例、学説とも様々で、実務上の取扱いも一貫しているとは必ずしもいえない状況にあった。しかしながら、これに関する最高裁判決が幾つか出され、これに伴って、税務上の取扱いもおおむね統一化されてきている。

　この問題については、その経過を詳細に論ずる紙数は到底ないが、ごく概要を紹介してみる。

イ　問題のポイント

　この問題のポイントは、結局土地の売買契約中に相続が開始した場合の相続財産は土地かそれとも何らかの請求権かでその評価が著しく異なるからで、また、仮に相続財産が土地であるとすれば、その評価は評価通達によるいわゆる相続税評価額か否かが問題とされた。

(イ)　まず、売買契約中に売主が死亡した場合、まだ買主に引き渡されていない土地は、売主の相続財産か、相続財産であるとすればその評価は相続税評価額か、それとも取引価額か（取引価額とすれば、相続税評価額によらない理由をどう説明するか。）。

　　あるいは、実質的には土地は買主側の財産とみて、売主の相続財産は売買代金の未収分と考えるか。

(ロ)　次に、買主が死亡した場合には、まだ引渡しのされていない土地は買主の相続財産となりうるか。仮に土地と考えると、まだ未払代金債務がある場合、土地の評価額をいわゆる相続税評価額とすると債務と評価額との差額が他の相続財産の価額から控除できる結果になるが、これをどう考えるか、不適当であると考えるなら、どう処理すべきか。

　　あるいは、買主の相続財産は土地ではなく、土地の所有権移転請求権又は前渡金債権であると考えるか。もし、前者であるなら、その評価は、実

質的には土地と同じとみて土地の相続税評価額によるか又は売買取引価額で評価するのか。また、後者と考えるなら、前渡金は、いわば預け金と同じ性格であるから、万一の場合の返還請求権が相続財産であり、前渡金の額で評価すべきか。

ロ　初期の取扱い

明確な取扱通達はないが、文献、判例等からみると、

(イ)　売主死亡のケース

文献（注）によると、農地売買のケースで、売主が農地転用の許可前に死亡し、代金の一部を受領している場合について、

　(イ)　農地は転用許可がまだない状態であるから売主の相続財産であり、相続税評価額によって評価する。

　(ロ)　受領代金は、被相続人の現・預金又は他の財産となっており、一方受領相当額が債務控除されるので差引ゼロとなる旨の解説がされており、現在の課税庁の考え方とは異なっている。

（注）「相続・贈与（昭和46年初版）」（有斐閣選書）253頁

(ロ)　買主死亡のケース

このケースについて直接言及した文献は確認できないが、後述の浦和地裁昭和54年3月28日判決における課税庁の主張をみると、前渡金返還請求権を相続財産と考えていたもののように思われる（注）。

（注）　後述昭和51年4月15日裁決でも、課税庁は同様な主張をしている。

ハ　裁決の動向

(イ)　売主死亡のケース（昭和48年9月26日裁決・裁決事例集No 6・60頁）

売主が農地を売り渡し、代金のうち前受金を受領した後、農地転用許可書の到達前に売主が死亡したので、相続人は農地を相続財産として評価通達により評価し、申告したところ、課税庁は、転用許可は、許可書に記載した日付（売主の死亡前）をもって効力が発生しており、買主が既に宅地造成を事実上開始しているから農地は買主に移転しているとして、譲渡代金（前受金）を相続財産として課税した。審判所は、転用許可の効力は、許可通知書

が到達しない限り発生しないから、売主の相続財産は農地であり、評価通達により評価し、前受金は預り金として処理すべきである（債務と差引きゼロ）と判断した。この考え方は、ロ(イ)と同じである。

(ロ) 買主死亡のケース

(イ) 昭和51年4月15日裁決（裁決事例集No12・42頁）の事例

買主は、農地の売買代金を全額支払ったが農地の転用許可前に死亡した。相続人側は、農地を相続財産とし、評価して申告した（その根拠は、農地の譲渡所得の課税時期は、契約の締結日による申告を認める（当時の所得税法基本通達36－12（注）ただし書）から、相続税も同様に取り扱うべきであるというもの）。これに対し、課税庁は、農地は、転用許可のない限り、所有権は買主に移転しないから、買主の相続財産は支払済の譲渡代金即ち前受金であるとして課税し、審判所は、課税庁の考え方を支持した裁決を行った。この考え方はロ(ロ)と同じである。

(ロ) 昭和61年4月25日裁決（裁決事例集No31・173頁）の事例

納税者側が相続財産は土地であると主張する点は、(イ)と同じであるが、課税庁側の主張は、(イ)と異なり、相続財産は、農地の所有権移転請求権であると主張した(注)。したがって、その評価額は、売買金額によることになる。この考え方は、最近の訴訟における課税庁の主張と同じである。

(注) 課税庁が、当初買主の相続財産を前渡金としていた主張を変えた理由は定かではないが、後述浦和地裁昭和54年3月28日判決により、課税庁の会計学的思考が、裁判官に認められなかったことによるものではないかともいわれている。すなわち、契約の解除の可能性もないのに、前渡金の返還請求権を相続財産とするのはおかしいという裁判官の考え方（訟務月報56・1－第27巻第1号別冊209頁以下）を説得できなかったためといわれる。

ニ　学説の動向

学説では、相続財産をどう考えるかは、二次的な問題で、相続財産の評価をどう考えるかが中心の争点となっている。そこで、学説の紹介も、この点を中心としたものとなる。

(イ) 評価通達による評価額によるとする説

㈃　山田二郎氏は名古屋地裁昭和55年3月24日判決に係る買主死亡のケース（以下「神谷事件」と仮称）で、農地は相続財産となると解するが、実体からみて、その評価は前渡金請求権に準拠するより、農地に準じて考えるべきで、転用許可の前後で評価額が異なるのは適当でない。ただし、債務控除の方が多額になるのは不合理だから、差額は圧縮すべきであると説く（税務事例13－3・15頁、税務経理協会「資産税重要判例紹介」146頁）。ほかに、清永敬次氏も、同様の考えを説く（判例時報995号・151頁）。

㈁　関根稔氏は（注）、東京地裁昭和53年9月27日判決に係る売主死亡のケース（以下「小沢事件」と仮称）の控訴審判決（東京高裁昭和56年1月28日判決）で、土地を取引価額で評価し、手付金を控除するという判示を批判し、積極財産は土地所有権と残代金債権であり、消極財産は土地所有権移転義務であるから、相殺して結局残代金債権が残るという説明の方が分かりやすいと説いた（上告審（最高裁昭和61年12月5日第2小法廷判決）は、結果的に、これと同じ判断をしている。）。

買主死亡のケースでは、相続財産は所有権移転請求権であると考えるが、これを取引価額で評価するのは、通達の例外で、その拡大に限度がなくなる点を批判し、土地にしかなりようのない請求権は土地として評価すべしと主張する。㈃の山田二郎氏と異なるのは、債務が土地の評価額を上回る場合その差額を他の財産の価額から控除できるのは、財産の種類によって評価上有利不利が出る現行制度上仕方のないことであるとして認容する点である。

（注）　税法学380号（1982年）14頁。ただし首藤重幸氏・税務事例研究（日本税務研究センター）1・80－81頁を参考とした。

㈂　四元俊明氏は、おおむね関根氏と同趣旨で、売主死亡の場合は残代金請求権の金額、買主死亡の場合は引渡請求権を土地と同様な評価をして課税し、債務の方が多い場合は他の財産の額から控除するのはやむを得ない。したがって評価水準の引上げが必要であると説く（同氏著「行間の税法解釈学」（ぎょうせい）72頁以下）。

(ロ) 取引価額（時価）によるとする説

(イ) 品川芳宣氏は、売主死亡の場合は、相続人は売買代金債権を承継し、買主死亡の場合は土地を承継するが、相続財産が何であっても、その経済的価値は売買代金相当額で、相続税法第22条の時価は、客観的な取引価額だから、売買金額が適正ならその取引価額によるべきであり、評価通達によるのはむしろ租税負担の公平に反すると説く（「税経通信」税務経理協会35巻12号（1980）202頁）。

(ロ) 佐藤康氏も、上記と同じ見解を示す（「税務弘報」中央経済社29巻3号（1981）158頁）。

(ハ) 樋口哲夫氏は、小沢事件につき、売主の相続財産は、期限付売買代金債権額と解するのが整合的見解とみえると考えながらも、土地所有権は買主に移転していないという事実をみると相続財産は土地という控訴審判決を支持するとしている。しかし、その評価については、売買対象となっている特殊の土地－代金→現金に転化する過程の土地－売主たる地位の附着した土地といっており、むしろ代金額で評価することを考えているように思える（注）。

(注) この点、(イ)(ロ)の（注）の税務事例研究1・80頁では樋口氏の意見を評価通達適用説に分類しているが、いかがなものかと考える。

ホ　判例の動向

(イ) 売主死亡のケース（小沢事件）

(イ) 第一審（東京地裁昭和53年9月27日判決）

納税者側は相続財産は土地（農地として評価）とし、課税庁は土地は買主に移転し、残代金（未収金）が相続財産であるとして争った。判決は本件土地は引渡特約（引渡時期が相続後の時期）があるから、相続時の所有権は売主にあり、農地で評価すべしと判示し、課税庁側が敗訴した。

(ロ) 控訴審（東京高裁昭和56年1月28日判決）

課税庁は、相続財産は、土地の売主としての地位に基づく権利義務ないし売買代金債権でその評価は債権金額であると主張した。判決は、所

I 相続税の課税要件 137

有権が相続開始時まだ買主に移転していないから、売買代金債権も確定的には売主に帰属していないと判断し、相続財産自体は第一審と同様に土地であるとしたが、その評価については、取引価額が明らかであり、評価通達による評価額と著しい格差が生じているときは、相続税法第22条の法意により通達によることは合理的でないから、特別の事情があるとして、取引価額によるべきである。ただ、重複課税を避けるため、手付金を土地の価額から離脱しているものとして控除すべきであると判示した。

(ハ) 上告審（最高裁昭和61年12月5日第2小法廷判決）

本件土地について評価通達によらず、取引価額で評価する理由はないと納税者側は主張したが、判決は、土地所有権は単に売買代金債権を確保する機能しかないから、相続財産は売買残代金債権であると判示した。

(ロ) 買主死亡のケース

次のとおりである。

略称	神谷事件	岡田事件	関事件	池田事件
第一審	名古屋地裁 昭和55年3月24日判決	浦和地裁 昭和56年2月25日判決	東京地裁 昭和62年10月26日判決	浦和地裁 昭和54年3月28日判決
控訴審	名古屋高裁 昭和56年10月28日判決	東京高裁 昭和58年8月16日判決	東京高裁 平成元年8月30日判決	東京高裁 昭和55年5月21日判決
上告審	最高裁第2 昭和61年12月5日判決	最高裁第1 昭和62年5月28日判決	最高裁第3 平成5年5月28日判決	控訴審で確定

(参考) なお、岡田事件については、上告審で控訴審判決の破棄差戻しがされたが、訴訟法違背の問題によるもので、実体の判断については、差戻審でも変わりはない（差戻し後の控訴審・東京地裁昭和62年9月28日判決、上告審・最高裁平成2年7月13日判決）。

(イ) 第一審

関事件（注）を除き、納税者側は相続財産は土地であり、評価通達で評価し、未払債務はそのまま控除せよと主張した。課税庁側は相続財産

は所有権移転請求権であり、取引価額で評価すべき旨主張した（池田事件のみは前渡金請求権であると主張し、債務控除は認めないとした。）。

判決はいずれも相続財産は所有権移転請求権であり（池田事件については、課税庁の主張を斥けたことになる。）、評価は取引価額により、未払債務は控除すると判示した。

(注)　関事件は相続開始より13年前に購入した農地が対象という特殊事情から、納税者側は13年前の前渡金の不当利得返還請求権と主張し、課税庁側は、相続開始時の評価通達による評価（この場合は、相続税評価額の方が高い）を主張したもので、他の事件と事情が異なる。つまり、時価評価が問題にならないケースで、判決も課税庁の主張を支持した。

ロ　控訴審

納税者・課税庁とも第一審と同じ主張（池田事件は、課税庁が相続財産につき第一審判決と同じ主張に変更）で、判決は第一審と同じ判示をした。なお池田事件は上告せず、控訴審で確定した。

ハ　上告審

上告審判決は、原判決どおり、相続財産は所有権移転請求権で、取引価額で評価することを判示した。

なお、関事件は第一審どおり相続税評価額によるものとした。

ヘ　現在の取扱い

目下のところ、売買契約中の土地についての取扱通達として公表されたものはないが、最高裁判決及び学説から考えて、実務的には次のように処理することに取り扱われている（飯田隆一編「土地評価の実務（令和2年版）」（大蔵財務協会）382頁以下）（注1～3）。

(1)　売主に相続が開始した場合には、相続又は遺贈により取得した財産は、その売買契約に基づく土地の譲渡の対価のうち相続開始時における未収入金とされる。

(2)　買主に相続が開始した場合には、相続又は遺贈により取得した財産は、その売買契約に係る土地の引渡請求権等とし、その財産取得者の負担すべ

き債務は、相続開始時における未払金とされる。
(注1)　買主に相続が開始した場合における上記(2)の土地の引渡請求権等の価額は、原則としてその売買契約に基づく土地の譲渡の対価の額によるものとするが、その売買契約の日から相続開始の日までの期間が通常の売買の例に比較して長期間であるなどその対価の額が当該相続開始の日におけるその土地の時価として適当でない場合には、別途適切な売買実例などを参酌して評価した価額によるものとされる。
(注2)　買主に相続が開始した場合において、その土地を相続財産とする申告があった場合には、それが認められる。
　　　この場合には、その売買契約に係る土地の引渡請求権等は相続財産としないほか、その土地の価額は、評価基本通達により評価した価額によることになる。
　　　なお、その土地が小規模宅地等についての相続税の課税価格の計算の特例の適用要件に該当する場合には、その土地についてこの特例を適用することができるものと考えられる。
(注3)　売主死亡の場合、形式的には土地が相続財産であるから、土地を相続財産として申告してくれば、買主死亡の場合と同様に取り扱ってもよいではないかという考え方もあるが問題が多く、私見としては賛同しがたい。

　なお、上記の評価に関し、土地所有権移転請求権の時価は、土地の価額にその取得のために直接要する費用たる仲介手数料を加えた金額とすべきであるとした判決(名古屋地裁平成3年5月29日判決、名古屋高裁平成4年4月30日判決、最高裁平成5年2月28日第1小法廷判決)が現われ、注目を集めている。

④　生命侵害に係る損害賠償請求権・支払債務

　自動車事故等による即死者の損害賠償請求権について相続税の課税対象となるか。なるとすれば、課税対象額はどうなるかという問題がある。
　まず、民法上の損害賠償請求権の相続性について概観してみよう。これは、財産的損害に対する賠償請求権と精神的損害に対するそれとでややニュアンスが異なる。

イ　財産的損害に対する賠償請求権

　人が死亡した場合に、自身の死亡による財産的損害の賠償請求権を被相続

人が取得して相続人が相続するということは本来あり得ない筈であるが、それでは傷害を受けた被相続人がその結果死亡した場合には問題なく損害賠償請求権が相続されることとのバランスがとれないので、判例は、当初、致死傷と死亡との間に観念上時間的間隔があり、その時に被害者に損害賠償請求権が発生し、被害者の死亡によってそれが相続されるとした（大審院大正15年2月16日判決）（「時間間隔説」といわれる。）。その後、被相続人の死亡によって相続人が原始的に取得する（「原始取得説」といわれる。）という判例（大審院昭和3年3月10日判決）が現れたが、その後の判例は再び時間間隔説に戻っている（cf.大審院昭和16年12月17日判決）。

学説としては、上記2説のほか、生命侵害をもって身体障害の極限観念としてとらえ、被害者が死亡の直前に実質上生命障害に対すると同じ内容の損害賠償請求権を取得し、それが相続されるという説、あるいは被害者の遺族が自己に損害が発生したとして固有の損害賠償請求権を取得するという説がある。

ロ　精神的損害に対する賠償請求権

生命侵害による精神的損害賠償請求権即ち慰謝料請求権の相続については、もともと慰謝料が一身専属的な性格をもっているところから、イ以上に困難な問題がある。判例は、慰謝料請求権のこのような性格に省み、被害者の意思表示によって通常の債権となり、相続の対象となるように、その意思表示の認定について種々の工夫がこらされた（例えば、有名な「残念事件」大審院昭和2年5月30日判決）。これに対し、学説の多数は、このような意思表示の認定のできないようなケース（例えば「助けてくれ」と叫んだだけでは請求の意思表示と認められなかった（東京控訴院昭和8年5月26日判決）。）では被害者が不利になると批判し、請求の意思表示をしなくても、放棄・免除など特別の事情が認められない限り、慰謝料請求権は当然に相続すべきであると論じ、最高裁判所も、この立場をとった判決（最高裁昭和42年11月1日判決）を行うに至っている。これに対し、慰謝料請求権の一身専属性を徹底し、相続の対象とならず、死者の近親者は専ら民法第711条の固有の慰謝料請求権のみを

行使しうるという有力な学説（ef.加藤一郎「不法行為・法律学全集22-Ⅱ」（有斐閣）260頁）があり、この立場をとる判例も少なくない（ef.東京地裁昭和45年5月24日）。

　このような事故死により支払われる損害賠償金に対する課税がどのようになるかについて、国税庁では明確な取扱いを公表していないが、課税当局者の解説によれば、交通事故死により遺族に支払われる損害賠償金について、財産的損害に対する賠償金は相続税の課税対象になるが、それ以外の部分に対応する損害賠償金は課税の対象とならない旨を回答している（前田憲作ほか編「資産税実務問答集（平成3年8月改訂）」（納税協会連合会）420頁）。その根拠については明らかにされていないが、筆者の全くの個人的推測では、損害賠償金請求権の相続性については直接言及せず、それが相続財産であろうと遺族の固有の権利であろうと、財産的損害に対する賠償請求権は、財産に代わるものであるからこれを課税対象とし、慰謝料請求権は、慰謝料を非課税とする取扱い（所法16、所令30）により非課税となるものと考えるのが妥当のように思われる。また、慰謝料請求権が相続財産であるとしても、相続時点では請求権の金額が確定していないので、課税価格に算入すべき金額を算定しえないという考えもできよう。

　一方、被相続人が加害者である場合の損害金については債務控除の対象となるものとされている（菅原恒夫・近藤光夫共編「資産税質疑応答集（平成17年版）」（大蔵財務協会）（以下「資産税質疑応答集」という。）723頁）。

2　みなし相続財産・みなし遺贈財産

(1)　総　　説

　相続税の課税対象となる財産は、第一義的には、相続、遺贈又は死因贈与によって取得した財産であるが、その他に法律上は、相続、遺贈又は死因贈与によって取得した財産に該当するとはいい難いが、実質的にこれと同様な結果になると認められる一定の取得財産については、これを相続又は遺贈により取得したものとみなして相続税が課税される。

例えば、被相続人の死亡によって相続人が生命保険金を取得する場合あるいは死亡退職金の支給を受ける場合には、民法上は、一般に被相続人の所有財産を承継するとは解されていないが（注1）、これに相続税を課税しなければ、人為的に相続税を免れることが可能となり、それ以外の者との間に課税上不公平を生ずるからである（庭山慶一郎「相続税の理論と実務」（税務経理協会）38頁）と説明されている（注2）。

(注1) 被保険者が死亡して、その相続人が保険金を取得する場合に、これを相続による取得と解するか、あるいは相続人の原始取得と解するかについては、ケースによって議論が分かれているようである（谷口知平・久貴忠彦編集「新版注釈民法 (27)」（有斐閣））。

① 保険契約者が被保険者で、その相続人が受取人である場合

　㋑ 相続人の固有名詞が契約上特定されている場合
　　この場合は、相続人の固有財産とするのが判例（cf. 大審院昭和10年10月14日、同昭和11年5月31日判決）で、学説も同様である。

　㋺ 受取人が単に「相続人」となっている場合
　　この場合は、次のように説が分かれている。
　　(A) 相続財産であり、保険金請求権が相続人に移転するとする説
　　　この説をとるのは、松本烝治「保険法」（有斐閣）224頁、山崎賢一「家族法判例百選（第二版）」（有斐閣）221頁などである。
　　(B) 相続人の固有財産であるとする説
　　　この説は、更に、その相続人は、㋐請求権発生時における契約者の相続人たるべき個人をいうとする説と、㋑契約時における契約者の相続人たるべき個人をいうとする説に分かれるが、判例は次のとおり前説をとっており、通説もそのようである（大森忠夫「保険法・法律学全集」（有斐閣）273頁 etc.）。

「養老保険契約において、被保険者死亡の場合の保険金受取人が、単に「被相続人死亡の場合はその相続人」と指定されたときは、特段の事情のない限り、本契約は被相続人死亡の時における相続人たるべき者を受取人として特に指定したいわゆる他人のための保険契約と解するのが相当であり、当該保険金の請求権は、保険契約の効力発生と同時に右相続人たるべき者の固有財産となり、被保険者の遺産より離脱しているものと解すべきである（最高裁昭和40年2月2日判決）」

② 保険契約者が被保険者であり、受取人も被保険者となっている場合

I 相続税の課税要件

　　　　この場合は、結果的には、受取人の相続人が保険金を取得することになるが、通説は、これをもって相続人の相続財産と解している。しかし、これについては、死者に保険金請求権が発生してそれを相続するという考え方はおかしいという批判があり、相続財産にならないとする説がある（前掲「新版注釈民法（27）」101頁）。

（注２）これについては、「相続税法が、相続人の受領した保険金額を相続財産とみなして相続税の対象としていることは、理論上はもちろん、実際上も好ましいこととはいえない（中川善之助、泉久雄「法律学全集・相続法（第4版）」（有斐閣）207頁）」という批判がある。ただし、その理由については詳かにされていない。

　以上のように、被保険者の死亡により相続人が取得する保険金請求権が、相続人の固有財産か相続財産かについては、必ずしも議論なしとしないので、筆者の個人的見解としては、むしろ、こういった議論を避け、かつ、課税上の不公平を生じないように、相続人の取得する保険金請求権は、一律に相続したものとみなすこととして解決を図ったものと解すべきではないかと考えている（注）。

（注）もし、従来のように、保険金受取人が相続人と指定されているものは、本来の相続財産ではないので、これを相続財産とみなしたものと考えると、保険金受取人が被保険者とされ、相続人がその保険金を受け取った場合は、上記のように、その保険金請求権は相続財産であると解するのが通説であるので、その保険金の取得について相続税法第12条第1項第5号の非課税規定が及ばないのではないか（何となれば、同規定の対象は、相続税法第3条第1項第1号の保険金即ち、みなし相続財産とされた保険金に限られる。）という疑問が生じてくる（これについては、後述(2)②のとおり実質的には当局も上記と同じ解釈をとっているように思われる。）。

　また、死亡退職金についても、判例の大勢は、受給者（遺族）の固有の権利である（最高裁昭和55年11月27日、昭和58年10月14日、昭和62年3月3日判決）と解しているが、下級審には、会社役員の死亡退職金を遺産とする判例（東京地裁昭和45年2月26日判決）もあり、学説上も、これを特別受益と考える見解（前掲「新版注釈民法（27）」93頁）がある。したがって、死亡退職金についても紛議を避けるため一律に相続財産とみなしたものと解する。

なお、みなし相続・みなし遺贈の区分については、取得した者が相続人である場合には相続により取得したものとみなされ、相続人以外の者である場合には、遺贈により取得したものとみなされる（相法3①）。これは、主として、生命保険金・死亡退職金の非課税規定（相法12①五、六）が相続人のみに適用される規定であるところから、この規定の適用の判定上、意味をもつものである。

ここにいう「相続人」には、相続の放棄をした者（民法第938条の規定により正式に放棄の手続をした者に限り、いわゆる事実上の放棄をした者を含まない。）及び相続権を失った者（民法第891条各号に掲げる者並びに同法第892条及び第893条の規定による推定相続人の廃除の請求に基づき相続権を失った者に限る。）を含まないこととされている（相法3①、相基通3－1、3－2）。したがって相続を放棄した者が取得したみなし相続・遺贈財産は、遺贈により取得したことになる（相基通3－3）。

(2) **生命保険金（相法3①一）**

① 被相続人（遺贈をした者を含む。）の死亡により相続人その他の者が生命保険契約（保険業法第2条第3項（定義）に規定する生命保険会社と締結した保険契約（これに類する共済に係る契約を含む。以下同じ。）その他の政令で定める契約をいう。以下同じ。）の保険金（共済金を含む。以下同じ。）又は損害保険契約（同条第4項に規定する損害保険会社と締結した保険契約その他の政令で定める契約をいう。以下同じ。）の保険金（偶然な事故に基因する死亡に伴い支払われるものに限る。）を取得した場合には、その保険金受取人（共済金受取人を含む。以下同じ。）について、当該保険金（(3)の退職手当金等及び(6)又は(7)の権利に該当するものを除く。）のうち被相続人が負担した保険料（共済掛金を含む。以下同じ。）の金額の当該契約に係る保険料で被相続人の死亡の時までに払い込まれたものの全額に対する割合に相当する部分は、保険金受取人が相続又は遺贈によって取得したものとみなされる。

　　(参考1) 従来の生命保険契約、損害保険契約に関するルールは約100年前に商法で規定され、その後実質的な改正が行われていなかった。その後の社

会経済情勢の変化に対応するため、法務省法制審議会（保険部会）において保険法の現代化等を目指した検討が行われた結果、平成20年に、商法第2編第10章に規定する保険契約に関する法制が見直され、商法から独立した単行法としての保険法が制定された（平成20年法律第56号、平成22年4月1日施行）。

新たに制定された保険法では、契約者保護の規定の整備、損害保険についてのルールの柔軟化、保険金受取人の変更ルールの整備等が行われたほか、従来の商法における「生命保険契約」及び「損害保険契約」のほかにいわゆる第三分野の保険に対応する「傷害疾病定額保険契約」（注1）や「傷害疾病損害保険契約」（注2）といった従来の商法における生命保険契約、損害保険契約の概念とは異なる契約類型を示す用語が新たに定義された。

(注1) 傷害疾病定額保険契約とは、保険契約のうち、保険者が人の傷害疾病に基づき一定の保険給付を行うことを約するものをいう（保険法2九）。

(注2) 傷害疾病損害保険契約とは、損害保険契約のうち、保険者が人の傷害疾病によって生ずることのある損害（当該傷害疾病が生じた者が受けるものに限る。）をてん補することを約するものをいう（保険法2七）。

(参考2) 生命保険契約・損害保険契約の範囲の明確化（相続税法の改正）

これまで相続税法では、生命保険契約、損害保険契約について特段の定義を置いておらず、これらは旧相続税法基本通達3－4においてその範囲が明示されており、商法に規定が存在しなかったいわゆる第三分野の保険契約については、契約の主体により生命保険契約又は損害保険契約のいずれかに属するものと解されてきた。

先般の保険法の制定により第三分野の保険に関する規定が新設されたが、「傷害疾病定額保険契約」については、相続税法上、それが生命保険契約に該当するのか、それとも損害保険契約に該当するのかが明確ではなかった。そのため、この点について明確にする必要があることから、平成22年の改正において、生命保険契約の範囲を相続税法等で規定することとされた。

なお、この改正は、保険法の制定を契機に相続税法基本通達で示されていたみなし相続財産の対象となる「生命保険契約」及び「損害保険契約」の範囲について法令により明確化するものであり、改正の前

後で課税範囲に変更はない。
② 上記の「政令で定める生命保険契約」とは、次の契約をいう（相令1の2①）。
イ 保険業法第2条第3項に規定する生命保険会社と締結した保険契約又は同条第6項に規定する外国保険業者若しくは同条第18項に規定する少額短期保険業者と締結したこれに類する契約

　（備考）　このイに規定する「類する契約」とは、「保険業法第2条第3項に規定する生命保険会社と締結した保険契約」と類する契約をいう。これは、外国保険業者及び少額短期保険業者には生命保険と損害保険の区別がないため、これらの者と締結した生命保険契約及び傷害疾病定額保険契約のうち、生命保険会社と締結した保険契約に類似するものは、相続税法上は生命保険契約に含めることを規定したものである。

ロ 郵政民営化法等の施行に伴う関係法律の整備等に関する法律（平成17年法律第102号）第2条の規定による廃止前の簡易生命保険法第3条に規定する簡易生命保険契約（簡易生命保険法の一部を改正する法律（平成2年法律第50号）附則第5条第15号に規定する年金保険契約及び同条第16号に規定する旧年金保険契約を除く。）（**(参考)** を参照されたい。）

　(参考)　なお、旧相基通3－4（平成22年削除）の次の解説を参考とされたい（国税庁資産税課長伊戸川啓三監修「最新版・相続税法基本通達逐条解説」（大蔵財務協会・平成5年発行）40頁以下」でこの②ロに関し、次のような解説があるので参考とされたい。

　　「この通達では、生命保険契約の範囲には、保険業法の規定による免許を受けた生命保険会社又は外国保険事業者に関する法律の規定よる免許を受けた外国保険事業者と締結した生命保険契約のほか、国が管掌する簡易生命保険契約及び相続税法の規定において生命保険契約に含むこととされている生命共済に係る契約を含むことを明らかにしている。

　　なお、簡易生命保険法の一部を改正する法律（平成2年法律第50号）により、従来、簡易生命保険法及び郵便年金法により設けられていた簡易生命保険制度及び郵便年金制度が改正後の簡易生命保険制度に組み入れられ、郵便年金法が廃止（同法附則第3条、この廃止された郵便年金法を以下「旧郵便年金法」という。）されるとともに、旧郵

便年金法の規定により締結された終身年金の年金契約、定期年金の年金契約等は、上記の簡易生命保険法の一部を改正する法律の施行の日（平成3年4月1日）において、改正後の簡易生命保険法に定める保険契約となるものとされ（同法附則第7条第1項）、また、旧郵便年金法の規定により締結された年金契約に基づく掛金の払込みは保険料の払込みとみなすこととされている（同法附則第7条第6項）ので、相続税法上は、平成3年4月1日以後、旧郵便年金法の規定により締結された年金契約のすべてが法第3条第1項第1号の保険契約に該当することとなると考えられないわけではない。

　しかしながら、相続税法においては、法第3条第1項第4号中「郵便年金契約その他の」の文言を削り、「掛金」の下に「又は保険料」を加える等の一部改正が行われており、もともと法第3条第1項第4号の定期金給付契約からは生命保険契約が除かれているものであるから、上記のような簡易生命保険法の改正があることをもって旧郵便年金法の規定により締結された年金契約のすべてが法第3条第1項第1号の保険契約に該当することとなると考えることは、相続税法の一部改正の趣旨に反することとなり、相当ではない。

　このため、相続税法の一部改正については、上記の簡易生命保険法の一部を改正する法律の附則により旧郵便年金法の規定による年金契約が簡易年金保険法の保険契約とされることとなったとしても、その実体が法第3条第1項第4号により課税対象となっていた定期金給付契約となんら変わりがない旧郵便年金法の規定により締結された年金契約については、法第3条第1項第1号により課税するものではなく、法第3条第1項第4号により課税するものであることを明らかにしたものと理解される。

　そこで、相基通3－4では、簡易生命保険契約から、簡易生命保険法の一部を改正する法律（平成2年法律第50号）附則第3条により廃止された郵便年金法の規定により締結された年金契約を除くこととしているものである。なお、旧郵便年金法の規定により締結された年金契約で簡易生命保険法の一部を改正する法律（平成2年法律第50号）附則第7条第1項の規定により改正後の簡易生命保険法の保険契約とされる契約に、特約（簡易生命保険法第18条に規定する障害特約及び同法第19条に規定する疾病障害特約）が付加された場合には、その特約部分については相続税法上の生命保険契約に該当することとなる。」

ハ 次に掲げる契約、次に掲げる団体と締結した契約
　イ 農業協同組合、農業協同組合連合会
　ロ 漁業協同組合、水産加工業協同組合、共済水産業協同組合連合会
　ハ 消費生活協同組合連合会
　ニ 中小企業等協同組合法に規定する共済事業を行う特定共済組合
　ホ 独立行政法人中小企業基盤整備機構
　ヘ 相続税法第12条第1項第4号に規定する共済制度に係る契約
　ト 法律の規定に基づく共済に関する事業を行う法人と締結した生命共済に係る契約で、その事業及び契約の内容が上記イからニまでに掲げるものに準ずるものとして財務大臣の指定するもの

③ 上記の政令で定める損害保険契約とは、次の契約をいう（相令1の2②）。
　イ 保険業法第2条第4項に規定する損害保険会社と締結した保険契約又は同条第6項に規定する外国保険業者若しくは同条第18項に規定する少額短期保険業者と締結したこれに類する保険契約
　　（備考）　上記イに規定する「類する契約」とは、「保険業法第2条第4項に規定する損害保険会社と締結した保険契約」と類する契約をいう。これは、外国保険業者及び少額短期保険業者には生命保険と損害保険の区別がないため、これらの者と締結した損害保険契約及び傷害疾病定額保険契約のうち、損害保険会社と締結した保険契約に類似するものは、相続税法上は損害保険契約に含めることを規定したものである。
　ロ 次に掲げる契約、次に掲げる団体と締結した契約
　　イ 農業協同組合、農業協同組合連合会
　　ロ 漁業協同組合、水産加工業協同組合、共済水産業協同組合連合会
　　ハ 消費生活協同組合連合会
　　ニ 中小企業等協同組合法に規定する共済事業を行う特定共済組合
　　ホ 条例の規定により地方公共団体が交通事故に基因する傷害に関して実施する共済制度に係る契約
　　ヘ 法律の規定に基づく共済に関する事業を行う法人と締結した傷害共済に係る契約で、その事業及び契約の内容がイからニまでに掲げるも

のに準ずるものとして財務大臣の指定するもの
④ 以下、一般的な解説は省いて、注意すべき点だけを述べる。
イ 保険契約の範囲

　損害保険契約の保険金のうち、偶然な事故に基因する死亡に伴い支払われる保険金については、生命保険金と同様に取り扱われる。

　これは、その実態において、生命保険金と何ら変わりがないという理由による。したがって被保険者の傷害（死亡の直接の原因となった傷害は含まれない。）、疾病その他これらに類するもので死亡を伴わないものを保険事故として支払われる保険金等は、被保険者の死亡後に支払われるものであっても、相法第3条第1項第1号の規定は適用されないことになる。これらは、本来の相続財産として取り扱われる（相基通3－7）。

　なお、この規定では、契約者については何ら言及されていないことに注意する必要がある（次のロを参照）。

ロ 保険金受取人

　この規定における「保険金受取人」とは、その保険契約に係る保険約款等の規定に基づいて保険事故の発生により保険金を受け取る権利を有する者をいうものとして取り扱われる（相基通3－11）。

　この「保険金受取人」について、昭和57年以前の基本通達15条では、原則として、生命保険契約上の保険金受取人をいうものとし、被相続人が保険金受取人となっている場合で、その被相続人の死亡を保険事故とするものについては、その指定受取人がいないときには、現実に取得した者をいうものとして取り扱っていた。その理由及び現行のように改められた理由については、次のように説明されている（森田哲也編「相続税法基本通達逐条解説（令和2年11月改訂版）」（大蔵財務協会）53頁以下）（以下「相基通解説」という。）。

　「（前略）この点に関連し、昭和57年改正前の基本通達の解説では、次のように説明していた。

　『この場合は、被相続人が受取人となっている保険契約で指定受取人がないものについては、民法上いったん被相続人が保険金請求権を取得し、相

続人がその請求権を本来の相続により取得したものと解する説もある。とこ
ろで、相続税法における保険金に対する非課税規定（筆者注・相法12①五）
は、相続人が相続により取得したものとみなされる保険金に限って適用され
ることになっており、本来の相続によって取得した保険金については適用す
ることが予定されていない。しかし、被相続人が受取人となっている生命保
険契約で指定受取人がいないものであっても、その被相続人の死亡を保険事
故として受取る保険金は、上述のとおり法的形式においては本来の相続財産
と解する説もあるが、実質的には、相続人等が保険金の請求権を原始的に取
得し、相続税法において相続又は遺贈により取得したものとみなされる場合
と何ら変わりがないとする考え方もある。

　そこで、相基通第15条（現行＝3－11）においては、このような考え方の
もとに、その実質に着目し、被相続人が受取人となっている場合で、指定受
取人がいないときは、現実に保険金を受取った者を生命保険契約上の受取人
として取り扱うことにより、保険金に対する非課税規定の適用を認めている
のである。』

　昭和57年の基本通達の改正に当たっては、上記の点を含めて改めて検討し
た結果、法第3条第1項第1号は「被相続人の死亡により相続人その他の者
が、……保険金（……）を取得した場合」と規定しているにすぎない。しか
も、相続人が生命保険請求権を相続財産として取得する場合があるという考
え方をとるとしても、改正前の取扱いでは、この場合の相続人が「現実に取
得した者」に該当するとして法第3条第1項第1号に規定する保険金受取人
に含めて取り扱うというのであるならば、ことさらこのような考え方をとら
なくても、法第3条第1項第1号に規定する保険金受取人は税法上の議論は
さておき、実際に保険金を受け取る権利を有する者とすれば、このような場
合の相続人も含まれると考えられる」

　ところで、保険契約上の保険金受取人以外の者が現実に保険金を取得して
いる場合もあり得るが、この場合の取扱いは、次のように定められている
（相基通3－12）。

I 相続税の課税要件

　すなわち、保険契約上の保険金受取人以外の者が現実に保険金を取得している場合において、保険金受取人の変更の手続がなされていなかったことにつきやむを得ない事情があると認められる場合など、現実に保険金を取得した者がその保険金を取得することについて相当な理由があると認められるときは、その者を相法第3条第1項第1号に規定する保険金受取人とすることに取り扱われている（注）。

（注）　保険金は、一般的には保険証券に記載されている保険金受取人が取得しているが、なかには、異なる者が現実に保険金を取得している場合もある。このような場合保険金受取人とは誰をいうのかについて、大阪高裁昭和39年12月21日判決では、「法第5条第1項にいう「保険金受取人」は、保険契約によって決定された契約上（但し名義人をいう趣旨ではない。）の受取人をいうものであるが、保険契約上殊に保険証券の文書上に受取人として記載された者即ち名義人が常に右法条の受取人に該当するものと解することはできず、名義人が形式的便宜的に指定されたに過ぎないような場合は、すでに当該保険契約上、保険者との関係においても、実質的な契約上の受取人は右名義人とは別人である」と判示している。そこで、この判決の趣旨を踏まえ、上記相基通3－12が定められたものといわれている。この取扱いが適用される事例としては、「例えば、①夫が独身時代に夫の母を保険金受取人とする生命保険契約を締結していた場合において、保険金受取人を妻に変更しないまま夫が死亡し、それによって保険会社から支払われた保険金を夫の母が取得せず妻が実際に取得したときにおいて、その保険金は妻が受け取るべきものであったとして、妻を保険金受取人として相続税の申告があったようなとき、②被相続人が取引先に対する債務の担保として、取引先を保険金受取人とする生命保険契約を締結していた場合において、被相続人の死亡によって保険会社から支払われた保険金が取引先に対する債務に充当され、その債務の金額を超える部分の金額については被相続人の相続人が受け取ったときにおいて、保険会社から支払われた保険金は法第3条第1項第1号に規定する保険金として相続人が受け取ったものとし、取引先に対する債務は法第13条に規定する債務控除の対象となる債務として相続税の申告があったようなときが、これに該当すると考えられる。」（「相基通解説」55頁以下）などが挙げられている。

ハ　保険料負担者

　保険事故が発生して保険金の支払があった場合におけるその保険金の課税

関係は、周知のとおり、保険料の負担者が誰であるかによって異なってくる。

これを図示すると、次のとおりになる。

このうち、相続税法第3条第1項第1号が適用されるのはイのパターンであり、被相続人が負担した保険料に対応する部分の保険金が被相続人の死亡により相続又は遺贈（相続人以外の者が取得した場合）により取得したものとみなされ、受取人が相続人の場合は、相続人1人当たり500万円の非課税枠（相法12①五）が適用される。しかし、保険料負担者が被相続人以外の者である場合には、上記ロ、ハのとおり、たとえ保険事故が被相続人の死亡であっても、その負担した保険料対応部分の保険金は、所得税又は贈与税の課税対象となるのである。

ところで、保険料の負担者が誰であるかによって、このように課税関係が異なり、その結果、税負担に著しい差が生ずるため（注）、保険料の負担者の判断をめぐって実務上争いになることが少なくない。

（注）　一般的には、保険料負担者が受取人自身であれば、所得税法の一時所得となり2分の1課税の対象となるので有利であると考えられるが、保険金が少額で、いわゆる法定相続人の数が多いケースでは、上記の非課税枠により、課税対象額がなくなって却って有利となる場合もある（一時所得では特別控除額の50万円をオーバーすれば必ず課税対象額が生ずるからである。）。後述のように、請求人の主張がケースによって異なるのは、その辺が理由のように思われる。

そこで、以下に、保険料の負担者が誰かについて争われた裁決例を4例紹介して参考に供することとしたい。

I　相続税の課税要件　153

[第1例]
　保険料は契約者（請求人）ではなく、被相続人が負担したものであるから、受取生命保険金はみなし相続財産に該当するとされた事例（昭和60年4月19日裁決・裁決事例集No.29－12頁）

　この事例は、税務署（原処分庁）は、本件生命保険契約の契約者は妻（請求人）であり、保険料の負担者も妻であるから、本件受取生命保険金は妻の一時所得に係る総収入金額であるとして課税したものである。
　審判所は、これについては、Ⓐ被相続人（請求人の夫）は過去に保険解約歴があり、同人を保険契約者とすることができなかった事情があったこと、Ⓑ本件生命保険契約は被相続人自らが締結していること、Ⓒ妻が保険料を支払っていたことを裏付ける資料はなく、むしろ被相続人が同人の営んでいた事業（食堂経営）の収入の中から保険料を支払っていたとみるのが相当であるとして、本件受取生命保険金は相続税法第3条第1項第1号に規定する保険金に該当すると判断し、一時所得の課税処分を取り消した（注）。
（注）　税務署側は、被保険者（夫）名義で経営する事業から生じた所得を妻が自己のために消費（保険料払込み）に充てたとしても不自然でないと主張したが容れられなかった。

[第2例]
　母（請求人）が受け取った養老生命共済金は、長男（被共済者）の法定代理人である母が負担した共済掛金に係るものであるから、一時所得に該当するとした事例（昭和63年6月13日裁決・裁決事例集No.35－9頁）

　この事例は、母は、次のとおり長男の死亡により受け取った共済金は、長男が掛金を負担したものであるから、税務署の一時所得課税は誤りであると主張したものである。
㋑　生命共済契約の締結及び掛金の支払は、いずれも子の親権者としての監護行為である。
㋺　子には自分の前夫から養育費として子に直接振り込まれた郵便貯金口座があり、これから支払わせるつもりで自分が立替払いをしていただけであ

る。その証拠に、一度7万円を子の口座から自分の口座に振り替えている。

審判所は、これにつき、Ⓐ共済証書の契約者名は母名義であること、Ⓑ契約申込書に、母が長男の法定代理人として契約に同意する旨の表示はなく、一方、商法第674条第1項の被共済者の同意について、母が法定代理人として記名押印していること、Ⓒ共済掛金を、長男の普通貯金口座から支払ったとする事実は認められないこと、Ⓓその他共済契約及び共済掛金の支払について親権者として監護行為であるとする事実は認められないことから、共済掛金の負担者は母であり、一時所得課税は正当であると判断した（注）。

(注) 審判所は、掛金、割戻金もすべて母の口座から出入りしており、子の口座から振り替えられた72万円は掛金の支払に直接充てられていないと認定している。

〔第3例〕
長男の死亡に伴い父が受け取った保険金は、被保険者である長男が負担した保険料に係るものであるから、みなし相続財産に該当するとした事例（平成元年3月31日裁決・裁決事例集No.37-65頁）

この事例は、亡長男（未婚）の相続人である父が受け取った生命保険金につき相続財産として申告したところ、税務署側は、一時所得として課税したものである。その主張は、次のとおりである。

㈠　本件契約は被保険者を長男とし、契約者は父となっている。父は事実上長男が契約者であると主張するが、変更手続もされておらず、そのような主張は失当である。

㈡　保険料は契約者が負担するものである。父は長男の就職祝金をもって保険料の払込みに充てたから、保険料の負担者は長男であると主張するが、祝金を保険料に充当したかどうかは明確でなく、また保険料の支払は現金でされているから、父の預金から保険料相当の出金がないことをもって、長男が保険料を負担していたことにはならない。

㈢　父がその所得税において生命保険料控除を受けていないといって、保険料を父が負担していないことにはならない。

審判所は、これについて、Ⓐ父の預金口座からは保険料相当の出金がないこと、Ⓑ母が日々記録している家計簿にも父が保険料を支払った記録がないこと、Ⓒ父が保険料を支払ったのであれば通例所得税の生命保険料控除を受ける筈であるのに、保険料控除の欄にその記載がないことを挙げ、逆に母と長男が生命保険会社の代理店で保険契約を締結し、保険料を現金払いしているが、前述の家計簿には、そのころ親せきなどからもらった長男に対する就職祝金の記載及びそれから保険料を支払った旨の記載があることなどの事実を認定して、本件保険料は長男の就職祝金から支払われ、長男が負担したものと判断し、一時所得の課税処分を取り消した（注）。

(注) 筆者は、偶々長男の就職祝金から支払われているとしても、何故それが長男の負担とみるのか疑問である。この祝金は母の管理下にあったようであるから、家計に繰り入れられ、結局生計の主宰者である父が負担したとみる余地があったのではないか。

〔第4例〕
子が父から毎年保険料相当額の贈与を受けその保険料の支払に充てていた場合における受取保険金は、相続により取得したものとはみなされないとした事例（昭和59年2月27日裁決・裁決事例集No.27-231頁）

この事例は、上記の保険金を相続財産に含めないでした相続税の申告に対し、税務署が更正したもので、次の事実から、契約・保険料の負担とも被相続人が行ったと主張した。

㋑ 保険料相当額が振込まれた本件普通預金口座は、保険料の支払のみの目的である。

㋺ 契約の経緯・払込み手続などの行為者は被相続人と推認される。

㋩ 子は当時未成年者（13歳）で被相続人と生計を一にしてその扶養を受けており、他に資産所得としてみるべきものがない。

審判所は、これについて、Ⓐ保険契約を被相続人が親権者として代行し、保険料の支払に当たっては、その都度被相続人が自己の預金を引き出して、これを子名義の預金口座に入金させ、その預金から保険料を払い込んだもの

であること、Ⓑ保険料は、被相続人の所得税の確定申告において生命保険料控除をしていないこと、Ⓒ子は贈与のあった年分において贈与税の申告書を提出し、納税していることから、子は贈与により取得した預金をもって保険料の払込みをしたものと認められると判断し、当該保険金を相続財産とした更正処分を取り消した（注）。

（注） 筆者は、相法第3条第1項第1号にいう「被相続人が保険料を負担した」というのは、実質的に被相続人が負担したケースを含むと考えており、このように形式を整えていればよいという考え方には賛成できない。

二　相続税法第3条第1項第1号の適用のない保険金

既に述べたように、㈠みなし相続財産としての退職手当金等（相法3①二）、㈡定期金給付契約の継続受取人の受給権（相法3①五）及び㈢契約に基づかない定期金に関する権利（相法3①六）は、保険金ではあるが、相続税法第3条第1項第1号の規定は適用されないことが明らかにされている。

これは、実質的に退職金の性質を有するものは退職金として取り扱うなど、保険金として支払われても、その給付の実質的な性質に応じてみなし相続財産を区分するという考え方である。具体的には、次のとおりである。

(イ)　生命保険金で退職手当金に該当するもの

㈠　適格退職年金の保険金で被相続人の死亡により相続人等が取得するもの（継続受取人が取得するものは、㈢に該当）

㈡　退職金に充てることが、契約により又は従業員と事業主との間の取決めにより明らかにされているいわゆる退職給付金に関する生命保険契約に基づいて、被相続人の死亡退職により支給される生命保険金（注）

（注）　これらの点につき、次のような裁決例がある。

① 「被相続人を被保険者とする団体定期生命保険契約に基づき保険金受取人である請求人が受け取った保険金につき、これを弔慰金と解し退職手当金等とすべきであるとする旨の請求人の主張について、被相続人の雇用主が当該契約を締結し、かつ、保険料を負担していたとしても、社内規程、就業規則、労働協約等において当該保険金を退職手当金等として支給する旨の関係者の意思が明白に表示されている場合に

限り退職手当金等に該当すると解すべきであること、また、雇用主は従業員の生存中に保険契約を締結し、保険料を負担するのみで、本件保険金の受取りについては何らの権利がなく、被相続人の死亡により請求人は当然に本件保険金を取得したものであることから、本件保険金は相続税法第3条第1項第1号に規定する生命保険金に該当するとした原処分は相当である。」(昭和55年10月4日裁決・裁決事例集No.21-180頁)

②(i) 雇用主が、その従業員や役員のために、これらの者を被保険者とする生命保険契約の保険料を負担している場合において、被保険者の死亡によりその相続人等が死亡保険金を取得したときには、雇用主の負担した保険料はその従業員や役員が負担したものと解し、死亡保険金は相続税の対象とするのが相当である(相法3①一)。

しかし、雇用主が、その死亡保険金を退職手当金等として支給することとしている場合には、その死亡保険金を退職手当金等に当たるものと解するのが相当であるが、その判断は、雇用主である企業の定款、株主総会、社内規程、就業規則、労働協約等において、その死亡保険金が退職手当金等として支給されるものである旨の意思が明らかにされているか否か等を考慮して行うのが相当である。

(ii) ところで、J社においては、取締役の退職慰労金について、定款で、株主総会の決議により定める旨規定し、また、役員退職慰労金内規で、その金額は、株主総会において承認された金額又は株主総会の決議に従い取締役会において決定した金額とする旨規定されているにもかかわらず、本件被相続人に対する退職慰労金の支給については、株主総会において何ら決議されておらず、また、本件死亡保険金を退職手当金等として支給する旨の定めもない。

このことからすれば、請求人が本件生命保険契約に基づき取得した死亡保険金は、退職手当金等としては認められないというべきである。

(iii) そして、雇用主たるJ社は、被相続人の生存中に本件生命保険契約を締結し、その保険料を支払うのみで、本件死亡保険金については何ら権利はなく、請求人は、被相続人の死亡により、当然に本件死亡保険金を取得することができるのであるから、請求人が取得した死亡保険金は、その全額が生命保険金として相続税の課税対象となる(平成12年9月20日裁決・裁決事例集No.60-491頁)。

(ロ) 生命保険金で、継続受取人の契約に基づく定期金受給権に該当するもの

いわゆる個人年金保険（利回年金保険）契約で保証期間付のものの場合の継続受取人の一時金又は年金の受給権がこれに該当する。この場合は、当初受取人である被相続人の負担した保険料に対応する部分がみなし相続財産となる。

(ハ) 生命保険金で、継続受取人の契約に基づかない定期金受給権に該当するもの

適格退職年金保険の保証期間付の場合の継続受取人の年間又は一時金の受給権がこれに該当する。適格退職年金保険契約は、事業主と保険会社との間の契約で、従業員（又はその遺族）は契約当事者でないので、従業員（又はその遺族）から見れば、契約に基づかない給付金となるという考え方によるものである。なお、この受給権の場合は、(ロ)と異なり、事業主負担がある場合でも、それは当初受取人（被相続人）からの取得と考えられるので、負担者に関係なく、その受給権の全額がみなし相続財産になる。

（参考） なお、この年金払特約付の生命保険契約に係る生命保険年金につき、相続税法第3条第1項第1号の規定によってみなし相続財産として相続税が課税された年金受給権により支払を受けた年金が雑所得として課税されることにつき、この年金は所得税法第9条第1項第15号（現行第16号）による二重課税排除の規定に該当し、所得税は課税されないとして争われた事件につき、最高裁平成22年7月6日第3小法廷判決は、次のとおり判示して、納税者の主張を認めた。

「(相続税法3条1項1号に規定する被相続人の死亡により相続人が取得した生命保険契約の保険金）には、年金の方法により支払を受けるものも含まれるものと解されるところ、年金の方法により支払を受ける場合の上記保険金とは、基本債権としての年金受給権を指し、これは同法24条1項所定の定期金給付契約に関する権利に当たるものと解される。」

「そうすると、年金の方法により支払を受ける上記保険金（年金受給権）のうち有期定期金債権に当たるものについては、同項1号の規定により、その残存期間に応じ、その残存期間に受けるべき年金の総額に同号所定の割合を乗じて計算した金額が当該年金受給権の価額として相続税の課税対象となるが、この価額は、当該年金受給権の取得のときにお

ける時価（同法22条）、すなわち、将来にわたって受け取るべき年金の金額を被相続人死亡時の現在価値に引き直した金額の合計額に相当し、その価額と上記残存期間に受けるべき年金の総額との差額は、当該各年金の上記現在価値をそれぞれ元本とした場合の運用益の合計額に相当するものとして規定されているものと解される。したがって、これらの年金の各支給額のうち上記現在価値に相当する部分は、相続税の課税対象となる経済的価値と同一のものということができ、所得税法9条1項15号（当時）により所得税の課税対象とならないものというべきである。」

(3) 退職手当金等（相法3①二）

　被相続人の死亡により、相続人その他の者が、被相続人に支給されるべきであった退職手当金、功労金その他これらに準ずる給与（以下「退職手当金等」という。）で被相続人の死亡後3年以内に支給が確定したものの支給を受けた場合は、その給与の支給を受けた者が相続又は遺贈によって取得したものとみなされる。

　この退職手当金等には、次の法律等により支給を受ける年金又は一時金に関する権利（これらに類するものを含む。）が含まれる（相令1の3）。

　㋑　国家公務員共済組合法
　㋺　地方公務員等共済組合法
　㋩　私立学校教職員共済法
　㋥　確定給付企業年金法
　㋭　平成25年厚生年金等改正法附則の規定による存続連合会
　㋬　確定拠出年金法
　㋣　適格退職年金契約その他退職給付金に関する信託又は生命保険の契約
　㋠　独立行政法人勤労者退職金共済機構
　㋷　独立行政法人中小企業基盤整備機構
　㋦　独立行政法人福祉医療機構

　退職手当金等についても、注意すべき点を中心として述べる。

① 退職手当金等の範囲……死亡退職に限るか否か

　みなし相続財産とされる退職手当金等は、被相続人の死亡により被相続人

に支給されるべきであった退職手当金で被相続人の死亡後3年以内に確定したものとされている（相法3①二）。ところで、被相続人が生前に退職し、生存中に退職手当金等が確定した後に相続が開始した場合には、その退職手当金等は退職所得として所得税が課税される。したがって、所得税を控除した後の残額が本来の相続財産に含まれて相続税が課税されることになるが、生存中に退職しても、被相続人の相続開始の時にその支給額が確定しなかった退職手当金等は、本来は、その支給額が確定して初めてその支給を受ける権利が相続人等に発生するものと考えられるので、その支給を受ける権利は相続財産ではないとする見解が一般的である。

したがって、このような、生前退職で、相続開始時にその支給額が定まらない退職手当金等については、相続税法上のみなし相続財産となるか否かが議論の対象となったが、これについては、同じくみなし相続財産となる生命保険金が被相続人（同時に保険料負担者）の死亡に限られていることとのバランス等から見解が分かれている。

〔事　例〕
　K氏は、明治29年に創立されたN会社の社長・会長として勤務していたが、昭和22年7月同社を退職し、同年11月19日に死亡した。N会社は、K氏の死亡当時戦後不況の真最中であったのと、昭和21年6月制限会社に指定され、更に同年12月持株会社に指定されて、一定の行為を禁止されたためK氏に対する退職金を支給しなかった。しかし、N会社はK氏の多年の功労に酬いるため、上記の事情が解消した昭和27年に至り、同年1月の株主総会で退職金贈呈の決議がされ、同年11月28日の取締役会の議を経てK氏に対する退職金4,500万円がK氏の相続人に支給されることになった。相続人らは昭和28年1、2月に受領の意思表示をしたが、実際の受領は、昭和31年12月7日となった。これにつき、課税庁は、この退職金は一時所得に該当するとして課税し、相続人側は、みなし相続財産に該当するとして争われたものである（注）。

　　（注）　この当時、みなし相続財産となる退職手当金等には、死亡後3年以内に確定したものという限定がなかった（旧相法4①四）。

この事例については、課税庁側の一時所得課税自体は支持されたが、退職手当金等の範囲については、次のように判例が分かれた。

Ⅰ　相続税の課税要件　161

イ　死亡退職に限るとする説

　「いわゆる本来の課税財産は、相続とか遺贈というような人の死亡のときに（相続開始のときに）財産取得の効果が法律上発生するものである以上、いわゆるみなし課税財産についても実質上人の死亡のときに（相続開始のときに）財産取得の効果が発生するものと解せられるものでなくてはならない。このことは（旧）相続税法第4条第1項各号の各規定を検討すればたやすく首肯しうるところである。したがって同法第4条第1項第4号も、右のような趣旨に基いて規定しているものと解さなくてはならないから、……被相続人の死亡は、その相続人に退職金等が支給される原因となるばかりでなく、退職金等の支給決定の原因となるのでなければならない。してみると、右規定は、被相続人の死亡が退職金等の支給決定の原因となるもの、すなわち死亡退職に関する規定であって、被傭者が死亡した場合、いわゆる死亡退職手当金等の名目で雇用主から死亡者である被相続人の遺族に渡される金品がこれに該当する……」（本件第一審・大阪地裁昭和37年2月16日判決）

ロ　生前退職を含むとする説

⑴　「（旧相続税法第4条第1項）第4号は相続が開始した場合において、退職手当金等で被相続人に支給されるべきであったものが、被相続人が死亡したため、その相続人その他の者に支給された場合における退職手当金等はこれを相続財産とみなすとした規定であると解すべきものである。したがって、右4号を死亡退職の場合に限るものと狭義に解すべきではなく、被相続人が退職手当金等の請求権を取得することなく退職し、その後死亡して相続が開始した場合に、被相続人に対する退職手当金等という趣旨で相続人に金銭が支給されたようなときも、これを右4号による相続財産とみなすべきものである」（本件控訴審・大阪高裁昭和40年1月26日判決）

⑵　「法は、相続という法律上の原因によって財産を取得したのと同視すべき関係にあるときは、これを相続財産とみなして、所得税ではなく相続税を課すこととしている。旧相続税法4条1項4号はその趣旨の規定の一つであり、被相続人の死亡後その支給額が確定され、これにより相

続人等が退職手当金等の支給者に対して直接に退職手当金等の請求権を取得した場合についても、これを相続財産とみなして相続税を課することとしたのであって、もとより生前退職の場合を含むものと解すべく、死亡退職の場合に限るものと解すべき根拠はない」(本件上告審・最高裁昭和47年12月26日判決)。

この事件における課税庁側の主張は、イの死亡退職金説であったが、結局、最高裁の容れるところとならなかった。そこで、現在の取扱い(相基通3－31)は、「被相続人が生存中に退職し、死亡後に支給が確定した退職手当金等は、被相続人が死亡退職したことに伴いその相続人等が取得した退職手当金等と比べて実質的な差はない」(「相基通解説」93頁)という考え方から、被相続人の生前退職による退職手当金等であっても、その支給されるべき額が、被相続人の死亡前に確定しなかったもので、被相続人の死亡後3年以内に確定したものについては、みなし相続財産として取り扱うこととされている。

この最高裁判決の考え方には「被相続人に支給されるべきであった」という法文があることから考えて生前退職か死亡退職かで、みなし相続財産となるか否かを差別する必要はないとして賛意を表する意見(佐藤清勝「税経通信」1978年11月臨時増刊号108頁)がある。ただし、筆者は、生前退職して支給額が確定した直後に相続があった場合には、所得税及び相続税が併せて課税されることとのバランス及び支給額の確定時期の操作により、その回避を図ることが容易であると考えられることから、死亡退職金に限るとする説をとりたい。

なお、みなし相続財産とされる退職手当金等が被相続人の死亡後3年以内に支給が確定したものに限られている趣旨について、前掲最高裁昭和47年12月26日判決は、「旧相続税法4条1項4号に該当するというためには、実質上相続によって財産を取得したのと同視すべき関係にあるという以上、被相続人の死亡による相続開始の際、その支給額はたとえ未確定であるにせよ、少なくとも退職金の支給されること自体は、退職手当支給規程その他明示ま

たは黙示の契約等により、当然に予定された場合であることを要するものというべく、また、所得税としてではなく相続税としての課税を期待するものである以上相続税として課税可能な期間内に支給額が確定する場合でなければならないのは当然である（（現行）相続税法3条1項2号において、相続により取得したものとみなされる退職手当金等は「被相続人の死亡後3年以内に支給が確定したものに限る。」とするのも、相続開始の際、退職手当金等の支給が当然に予定され、また、その支給額がその後3年以内に確定したものにかぎり、相続財産とみなされるとの趣旨にほかならない。）」としているところである（注）。

(注) なお、被相続人が受けるべきであった賞与の額が被相続人の死亡後に確定したものは、退職手当金等には含まれないこととされている（相基通3−32）。また、支給期の到来していない給与も同様である（相基通3−33）。これらは、本来の相続財産に属するものであることによる。ただし、これらには本来所得税が課税され、税引後の額に相続税が課税されるべき筋合であるが、生前退職で相続時支給額未確定の退職手当金等がみなし相続財産に含まれ、相続税のみが課税されることとのバランスから、所得税は課税しないとして取り扱われている（所基通9−17）。

② 弔慰金

イ　総　説

退職手当金等と弔慰金とは、観念としては全く違うものであるが、実務的には、実際に支給されたものが、いずれであるかを判断するのは必ずしも容易ではない。

すなわち、退職手当金等とは、その名義のいかんにかかわらず実質上被相続人の退職手当金等として支給される金品をいうものとされ（相基通3−18）、具体的に受給する金品が退職手当金等に該当するかどうかについては、次により判定するものとされている（相基通3−19）。

(イ) 退職給与規程その他これに準ずるものの定めに基づいて受ける場合には、これにより判定する。

(ロ) その他の場合には、被相続人の地位、功労等を考慮し、被相続人の雇用主等が営む事業と類似する事業における被相続人と同様な地位にあるもの

が受け、又は受けると認められる額等を勘案して判定する。

一方、弔慰金といわれるものは、被相続人の死亡により相続人その他の者が受ける弔慰金、花輪代、葬祭料等（以下「弔慰金等」という。）で、性格的には退職手当金等とは異なるが、実務的には、弔慰金の名義で、実質的な退職手当金等の支給が行われ、その判定をめぐって争われることが少なくない。

そこで、弔慰金等として支給されるものについては、次の算式により、(B)及び(D)を退職手当金等として課税し、(C)についてはみなし相続財産に含めず、相続税を課税しないこととされている（相基通3－20）（注）。

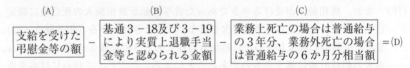

この(B)の実質上退職手当金等と認められる金額は、例えば、退職手当金等名義での支給額が退職金支給規程等による金額に比し、過少であると認められる場合、その過少額は弔慰金名義で支出されているものとの考えによるものであろう（注）。

なお、労働者災害補償保険法、労働基準法、国家公務員等共済組合法等一定の法律に基づき遺族等が受ける弔慰金等については、退職手当金等には該当しないものとして取り扱われるので（相基通3－23）、その支給額がたとえ上記算式中、普通給与の3年分又は6か月分の枠を超えていても、その枠は、実際の支給額に置き換えられることになる。しかし、そのような場合において、この弔慰金のほかに勤務先から弔慰金として支給される金額があっても、それについては、弔慰金とされる枠がなくなっているので、すべて退職手当金等として課税されることになる。

また、上記算式中の「普通給与」は、被相続人の死亡当時の棒給、給料、賃金、扶養手当、勤務地手当、特殊勤務地手当等の合計額をいい、賞与は含まれない（相基通3－20）。

（注）弔慰金等は、原則として贈与により取得した金品に該当するが、贈与税については相基通21の3－9により社会通念上相当と認められるものについて

は課税されないことになっている。また、支給者が法人の場合は一時所得になるが、これも非課税として取り扱われる（所令30）（「相基通解説」75頁）。

ロ　業務上の死亡の判断

前述のとおり、弔慰金として課税除外となる額は、被相続人の死亡が業務上か業務外かによって異なるため、業務上の判断が実務上重要となるが、相続税の取扱いでは、労働法の分野において労働者の災害補償の問題としてとらえられている業務上の死亡の判断によることとされ、次によることとなっている（相基通3-22）。

(イ)　「業務」とは、被相続人に遂行すべきものとして割り当てられた仕事をいう。

(ロ)　「業務上の死亡」とは、直接業務に起因する死亡又は業務と相当因果関係があると認められる死亡をいう。

この具体的な認定に当たっては、労働者の災害補償に関連して示されている労働者労働基準局の行政上の先例に準拠して取り扱われる。「業務上死亡」に該当する場合は、次のように例示されている（「相基通解説」77頁）。

　㋑　自己の業務遂行中に発生した事故により死亡した場合
　㋺　自己の担当外の業務であっても、雇用主の営む業務の遂行中の事故により死亡した場合
　㋩　出張中又は赴任途上において発生した事故により死亡した場合
　㋥　自己の従事する業務により職業病を誘発して死亡した場合
　㋭　作業の中断中の事故であっても、業務行為に付随する行為中の事故によって死亡した場合

なお、通勤途上の災害は、一般的には業務遂行性も業務起因性も認められないので、業務上の災害に該当しないと考えられてきたが、労働省の取扱いで、昭和48年9月から通勤災害についても業務上の災害の場合に準じて保険給付が行われることとされているので、相続税の課税上も、通勤途上の死亡は、業務上の死亡に準じて取り扱われる（「相基通解説」77頁）。

ところで、業務上の死亡の判定については、上記のような基準はあっても、

実務上判断が容易でないケースもある。例えば会社の社長が会議中に死亡した場合を考えると、業務遂行中に死亡したには違いないが、死亡と業務遂行との間に因果関係があるか否かは一概にはいえない。もともと、その社長は何か持病があって、業務の遂行と関係なく、偶々発病したのが家庭でなく、会社であったというに過ぎない場合には、業務上の死亡とは認められないこともあり得る。そこで、以下に、業務上の死亡か否かについて争われた裁決例を3例紹介して参考に供することとしたい。

〔第1例〕
業界代表として会議に出席中死亡した被相続人の死亡は業務上の死亡に当たらないから弔慰金の額は、同人の死亡当時の普通給与の半年分相当額とするのが相当とされた事例（昭和57年8月13日裁決・裁決事例集No.24-127頁）

この事例は、乳業会社の専務取締役であった被相続人が業界代表としてN事業団（農林水産省の関係団体）主催の研究会に出席中死亡し、弔慰金が支給されたことについて、その非課税額の認定をめぐり、その死亡が業務上の死亡に該当するかどうかが争われたものである。

審判所は、これについて、被相続人がこの会議に出席することに関して強度の精神的緊張、興奮を強いられたものとは推測できないことから、同会議への出席が死亡の起因とは認められず、また被相続人の死亡前約4か月間の業務が被相続人にとって肉体的、精神的に過重な負担となり、それにより過度の疲労、心労が蓄積していたとも認められないから、結局、被相続人は業務の遂行に直接起因して健康を害し、又は潜在していた疾病が発病して死亡したものとは認められないので、被相続人の死亡は業務上の死亡に該当しないと判断し、弔慰金の額は被相続人の死亡当時における普通給与の半年分に相当する金額と認定するのが相当であるとして、弔慰金を全く認めなかった原処分の一部を取り消した（注）。

(注) この事件は、原処分庁が弔慰金を一切認めなかったことについての争いが主体で、業務上の死亡かどうかは当事者間ではほとんど議論されず、審判所

が争点整理をして判断したものである。

> 〔第2例〕
> 散歩中の事故による死亡は、業務遂行中の事故が原因となっているとは認められないから、業務上の死亡に該当せず、支給された弔慰金の一部は退職手当金等に該当するとされた事例（昭和62年12月1日裁決・東審事例集Ⅴ-93頁）

この事例は、会社社長である被相続人が昭和55年1月23日に会社の工場で行われた経営会議後、工場内を視察した際、階段から落ちて全身を打撲したが（第一事故）、その後昭和58年7月28日に、被相続人は自宅付近を散歩中転倒して、顔面、ひざ等を打撲して入院した（第二事故）。被相続人は、昭和59年5月3日死亡するに至ったが、その死因は脳溢血を間接原因、急性心不全が直接原因とされた。会社は、社長の死亡を株主総会及び取締役会における決議により業務上の死亡として弔慰金を支給したが、税務署は業務上の死亡ではないとして普通給与の半年分を超える部分を退職手当金等として相続税の更正を行い、争われたものである。

納税者側は、被相続人の死因である急性心不全は第一事故（業務上）で受けた慢性硬膜外血腫によるものだから業務上の死亡であると主張し、税務署側は、第一事故の負傷はほぼ完治しており、硬膜外血腫が心不全の原因であるとしても、それは第二事故（業務外）によるもので業務上の死亡ではないとして争った。

審判所は、次のように判断して、課税処分を支持した。

イ　被相続人は、業務遂行上の事故により負傷したが、被相続人の死亡が①業務中の事故と相当因果関係があるとする医学的な証明がないこと、②その後の疾病発生は散歩中の転倒事故に起因したものと認められること、③脳溢血による急性心不全が死亡原因であるとする死亡診断書からみて、被相続人の死亡は、業務上の死亡には当たらない。

ロ　株主総会及び取締役会において、被相続人の死亡を業務上の死亡であると決議したとしても、その決議は弔慰金の贈呈を公正妥当ならしめるもの

に過ぎず、その法的性格をも決定するものではないから、その決議をもって被相続人の死亡を業務上の死亡であるとする主張は採用できない。

> 〔第3例〕
> 会社の代表者の死亡が倒産寸前の同社の再建のための生命保険金目当ての自殺だとしても、そのことをもって業務上の死亡とはいえないとして、支給された弔慰金の一部は退職手当金等に該当するとされた事例（昭和56年6月24日裁決・東審事例集Ⅴ-55頁）

この事例は、弔慰金の支給額をめぐり会社代表者の自殺による死亡が業務上の死亡か否かで争われたものである。

納税者側は、被相続人（会社代表者）は、会社の経営が困難となり、融資の途もなくなったので、債権者や従業員の立場を考え、自らを犠牲にすることも辞さないとの異常な精神状態に追い込まれ、死をもって自己が被保険者となっている生命保険契約に係る生命保険金を会社に取得させることにより経営責任を全うしようとして自殺したのは明らかで、その死亡は業務起因性があるから、業務上の死亡であると主張した。

審判所は、これについて、会社の倒産が避けられない事態となり、この経営の行き詰まりを打開しようとする代表取締役の業務の遂行と、その死亡との間には、社会通念上何らの必然性が認められず、また、密着性もないというべきであるから、被相続人の死亡が会社の業務遂行の結果に起因して発生したということはできない。そして、被相続人の死亡が業務遂行に起因して精神錯乱の状態になり、又は著しく正常な判断を妨げられた結果生じた不測の事故によるものでもなく、故意によるもの、すなわち自らの意志により自らの生命を断ったものである以上会社業務との間に相当因果関係があるということにはならない。したがって、被相続人の死亡は直接業務に起因する死亡又は業務と相当因果関係があると認められる死亡のいずれにも該当しないから、業務上の死亡に当たらないと判断して、税務署の課税処分を支持した（注）。

（注）納税者側は、自殺と業務との間に相当因果関係が認められた事例として、

労働保険審査会の昭和43年7月23日付裁決（タンクローリー運転手の自殺の事例）及び広島労働基準局の昭和54年12月17日付決定（製鉄所の荷揚作業員の自殺の事例）を挙げて、本件もそのように判断するよう主張したが、審判所は、これらの自殺は、いずれも業務上の負傷又は疾病により生じた精神異常のため、かつ、心神喪失の状態において行われ、しかも、その状態が当該負傷又は疾病に原因しているとして自殺と業務との間に相当因果関係があるとされたもので、本件被相続人の自殺については、そのような事情が認められないとして、納税者側の主張は容れられなかった。

以上3例は、いずれも結果的には業務上の死亡と認められなかった事例ではあるが、審判所の判断をよく検討すれば、業務上の死亡と認められるためのポイントがよくわかる事例であり、できれば、裁決文そのものを読んで研究して頂ければ、その点が十分おわかり頂けるものと思う。

③ **退職手当金等の受給者**

退職手当金等についても、生命保険金と同様に、相続人が取得したものについて非課税限度額の特例があるため、誰が受給者であるかの決定が重要である。これについての現行の取扱いは、次による（相基通3-25）。

(イ) 退職給与規程等で、その支給を受ける者が具体的に定められている場合は、その支給を受けることとなる者

(ロ) 退職給与規程等によりその支給を受ける者が具体的に定められていない場合又は被相続人が退職給与規程等の適用を受けない者（例えば、法人の役員の場合は、株主総会の議決による。）である場合は、次による。

　(イ) 申告又は更正若しくは決定の時までに退職手当金等を現実に取得した者があるときは、その取得した者

　(ロ) 相続人全員の協議により、退職手当金等の支給を受ける者を定めたときは、その定められた者

　(ハ) (イ)及び(ロ)以外のときは、相続人全員（各人が退職手当金を均等に取得したものとする。）（注）

　　(注) この(ハ)の取扱いは、現実の受給者が決まるまでの仮定計算だから、申告の際は(ハ)によっても、その後退職手当金等の受給者が判明すれば、修

正申告ないし更正の際は㋑の取扱いによることになる。

(4) **生命保険契約に関する権利（相法3①三）**

　相続開始の時において、まだ保険事故が発生していない生命保険契約（注）で被相続人が保険料の全部又は一部を負担し、かつ、被相続人以外の者がその生命保険契約の契約者であるものがある場合には、その契約者について、その契約に関する権利のうち、次により計算した割合に相当する部分を相続又は遺贈によって取得したものとみなされる（相法3①三）。

$$割合 = \frac{Ⓐのうち被相続人が負担した保険料}{相続開始までの払込み保険料の全額Ⓐ}$$

（注）　相続財産とみなされる生命保険契約の権利には、一定期間内に保険事故が発生しなかった場合において返還金その他これに準ずるものの支払いがない生命保険契約すなわちいわゆる掛捨て保険に係るものは除かれる。航空機等の搭乗に際してその搭乗期間中に限り生命を保険するようなものが該当する（近時は、損害保険の形態の方が多く見られる。）。

　　　このような掛捨て保険を除外しているのは「一般の保険契約については、これを取得したものとみなされる契約者が解約、受取人の指定その他の権限を有し、返還金等の支払いを受けることができる点を狙って、これを相続財産とすることとしているものであるから、掛捨ての保険契約のような契約者に返還金等の支払いがないものについて、これを相続財産とみなして課税することの不合理であることに基づいている（「櫻井相続税」157頁）」といわれている。

　生命保険契約の被保険者が被相続人以外の者である場合には、被相続人の死亡によっては保険事故は発生しないのであるが、将来保険事故が発生した場合には、保険金受取人が保険金を取得することにはなるけれども、保険契約上は、契約者が保険金受取人の指定、変更、さらには保険契約の解除も自由に行える立場にあるので、この契約者が保険契約に関する権利を取得している者といえる。したがって被相続人が保険料の全部又は一部を負担したとすれば、その負担部分に対応した保険契約に関する権利は生前に契約者が贈与を受けたに等しいが、被相続人の死亡により契約者の権利は実質的にも確定的なものとなり、直ちに返還金等の支払いを受けることもできることとな

るので、被相続人の死亡の段階で、その権利を相続又は遺贈により取得したものとみなすのであるとされている（吉田冨士雄「相続税法（昭和55年版）」（税務経理協会）86頁）。したがって、上記により保険契約者が相続又は遺贈によって取得したものとみなされた部分の生命保険契約に関する権利は、そのみなされた時以後はその契約者が自ら保険料を負担したものと同様に取り扱われる（相基通3－35）。すなわち、例えば、契約者が被保険者で、その時以後の保険料をすべて負担しているときは、保険金受取人（契約者とは別とする。）はその保険金の全額を相続又は遺贈によって取得したことになるわけである。

以上に関連する若干の取扱いを記しておく。

① 被保険者でない保険契約者が死亡した場合における生命保険契約に関する権利については、次のようになる（相基通3－36）。

(イ) 保険契約者が保険料を負担している場合には、契約に関する権利は、相続人その他の者が相続又は遺贈により取得する財産となる（注1）。

(ロ) 保険契約者が保険料を負担していない場合には、課税しない（注2）。

(注1) 既に述べたように、保険契約者と保険料負担者とが異なる場合において、保険事故の発生前に保険料負担者が死亡した場合には、契約者が生命保険契約に関する権利を相続等により取得したものとみなされ（相法3①三）、そのみなされた時以後は保険契約者が保険料負担者として取り扱われる（相基通3－35）ので、契約者が死亡した場合には、その権利が同じく(イ)と同様、契約者の本来の相続財産となる。

(注2) 保険料を負担していない契約者が死亡した場合には、その契約に関する権利は経済的価値を考慮するときは消極的に考えることが妥当であるので課税しないこととされている（武田昌輔監修「DHCコンメンタール相続税法（第1巻）」（第一法規）（以下「DHCコンメンタール相続税法」という。）811頁）。

② 保険金受取人が死亡した場合には、

(イ) まだ保険事故が発生していない生命保険契約であり、

(ロ) 保険金受取人が契約者でなく、

(ハ) 保険料の負担者でない

ときに限り、その死亡時には課税関係は生じないものとされる（相基通3－34)(注)。

(注) 保険金受取人は、保険事故が発生すれば保険金を取得するが、保険事故が発生する前は、契約者は自由に受取人の地位の変更や契約の解約ができるので、保険金受取人の地位は極めて不安定なものである。そこで、保険金受取人が死亡しても、契約者でも保険料負担者でもなく、保険事故も発生していない状態では課税関係の生ずる余地はないという考え方によるものとされる（「DHCコンメンタール相続税法（第1巻)」810頁)。

したがって、このような場合には、たとえ、保険金受取人が死亡しても、課税しないものとされているのである。

(5) **定期金に関する権利（相法3①四）**

相続開始の時において、まだ保険事故が発生していない定期金給付契約（生命保険契約を除く。)で被相続人が掛金又は保険料の全部又は一部を負担し、かつ被相続人以外の者がその定期金給付契約の契約者であるものがある場合には、その契約者について、その契約に関する権利のうち、次により計算した割合に相当する部分を相続又は遺贈によって取得したものとみなされる（相法3①四）。

$$割合 = \frac{Ⓐのうち被相続人が負担した掛金等}{相続開始までの払込掛金等の全額Ⓐ}$$

定期金給付契約の意義については、特に明文はない。「定期金給付契約」を文言どおり解すると、およそ定期的に金銭の給付をする契約をすべて含むように見えるが、法は掛金のあることを前提として規定が書かれており、この点からすると、当事者の一方が掛金を払い込み、他方が定期金を支払うという契約のものを考えているようである。

また、法は「定期金給付契約」という場合、生命保険契約（年金払いのもの）を含むこととなっていることは、この第4号の規定では、定期金給付契約から生命保険契約が除かれていることから明らかである。

すなわち、一般的には、定期金給付契約には生命保険契約が含まれ、個々の規定で、生命保険契約が含まれることが支障があるときは、この第4号の

ように除外することとしているのである。第4号では、この規定に該当する事実が生命保険契約について生じた場合、すなわち被相続人が保険料を負担し、被相続人以外の者が契約者で、保険事故がまだ生じていないケースは前の第3号で規定されているので、この第4号では除外されているものである。

　このような定期金給付契約で、相続開始の時において、まだ定期金給付事由の発生していないものに関する権利について、みなし相続財産として課税する趣旨は、(4)の生命保険契約に関する権利で述べたところと同様である。

　以上に関連する若干の取扱いを簡単に記しておく。

① 定期金給付事由が発生する前に契約者が死亡した場合における定期金給付契約については、次のようになる。

㈲ 契約者が掛金を負担している場合には、契約に関する権利は相続人その他の者が相続又は遺贈により取得する財産となる（注1）。

㈹ 契約者が掛金を負担していない場合には課税しない（注2）。

(注1)　定期金給付事由の発生前に掛金の負担者が死亡した場合におけるその定期金給付契約に関する権利は、契約者と掛金負担者とが異なる場合には、契約者が定期金給付契約に関する場合を相続等により取得したものとみなされ（相法3①四）、契約者と掛金の負担者とが同一であるときは、契約者の本来の相続財産になる（相基通3－42）。

(注2)　掛金を負担していない契約者が死亡した場合には、生命保険契約の場合と同様に、その契約に関する権利の経済的価値は消極的に評価するのが妥当である（「DHCコンメンタール相続税法（第1巻）」814頁）との考えから課税しないものとされている（相基通3－41）。

② 定期金受取人となるべき者が死亡した場合において、まだ給付事由の発生していない定期金給付契約で、定期金受取人が契約者でなく、かつ、掛金の負担者でないものについては、受取人の地位は極めて不安定で課税関係を生ずる余地がないという考えから、課税関係は生じないものとして取り扱われる（相基通3－40）。

③ 定期金給付契約の解除、失効又は変更等により返還金又はこれに準ずるものの取得があった場合には、相続税法第6条第2項の規定によりその受

取人が掛金の負担者からその負担した掛金の金額のこれらの事由が発生した時までに払い込まれた掛金の全額に対する割合に相当する部分を贈与により取得したものとみなされる（相基通3－43）。

(6) **保証期間付定期金に関する権利**（相法3①五）

定期金給付契約で、①定期金受取人に対し、その生存中又は一定期間にわたり定期金を給付し、かつ、②その者が死亡したときはその死亡後、遺族その他の者に対して定期金又は一時金を給付するものに基づいて定期金受取人たる被相続人の死亡後相続人その他の者が定期金受取人又は一時金受取人となった場合においては、その定期金受取人又は一時金受取人となった者について、その定期金給付契約に関する権利のうち、次により計算した割合に相当する部分を相続又は遺贈によって取得したものとみなされることとなる（相法3①五）。

$$割合 = \frac{Ⓐのうち被相続人が負担した掛金等}{相続開始までの払込み掛金等の全額Ⓐ}$$

この定期金に関する権利に相続税を課税する理由は、生命保険金について課税する理由と同様で、定期金給付契約に基づいて、相続人その他の者が受ける定期金又は一時金は、契約により受けるものであって、相続の効果として取得するものではないが、被相続人が掛金又は保険料を負担して、相続人等が定期金等の給付を受けるもので、実質は、本来の相続財産を取得する場合と何ら異ならないためである。

上記のように、受取人の死亡後も遺族等に年金等を給付する定期金給付契約は、一般に「保証期間付定期金契約」といわれるもので、最近は、個人年金保険（いわゆる利殖年金）などにその事例がみられるようになっている。このような保証期間付定期金に関する権利についての課税上の取扱いは、次のようになっている（相基通3－45）。

すなわち、①保証据置年金契約（年金受取人が年金支払開始年齢に達した日からその死亡に至るまで年金の支払いをするほか、一定の期間内に年金受取人が死亡したときは、その残存期間中年金継続受取人に継続して年金の支払いをする

ものをいう。）又は②保証期間付年金保険契約（保険事故が発生した場合に保険金受取人に年金の支払いをするほか、一定の期間内に保険金受取人が死亡した場合には、その残存期間中継続受取人に継続して年金の支払いをするものをいい、これに類する共済契約を含む。）の年金給付事由又は保険事故が発生した後、保証期間内に年金受取人（保険金受取人を含む。）が死亡した場合の課税関係は、次のようになる。
① 年金受取人が掛金又は保険料の負担者であるとき
　相続税法第3条第1項第5号の規定により継続受取人が掛金又は保険料の負担者から、その負担した掛金又は保険料の金額のその相続開始の時までに払い込まれた掛金又は保険料の全額に対する割合に相当する部分を相続又は遺贈によって取得したものとみなされる。
② 年金受取人が掛金又は保険料の負担者でないとき
　相続税法第6条第3項の規定により継続受取人が掛金又は保険料の負担者から、その負担した掛金又は保険料の金額の相続開始の時までに払い込まれた掛金又は保険料の全額に対する割合に相当する部分を贈与によって取得したものとみなされる。
③ 掛金又は保険料の負担者と継続受取人とが同一人であるとき
　課税しないものとされる。
(参考) 　なお、(2)の最後の**(参考)** を参照されたい。
(7) **契約に基づかない定期金に関する権利**（相法3①六）
　被相続人の死亡により相続人その他の者が定期金（これに係る一時金を含む。）に関する権利で契約に基づくもの以外のもの（恩給法の規定による扶助料に関する権利を除く。）を取得した場合においては、その定期金に関する権利を取得した者について、その定期金に関する権利（退職手当金等に該当するものを除く。）を相続又は遺贈によって取得したものとみなされる（相法3①六）。
　このような契約に基づかない定期金に関する権利について課税する趣旨は、このような権利は、被相続人の死亡により相続の効果として被相続人から承

継するものではなく、法律等に基づいて相続人その他の者が直接取得したものではあるが、相続開始により取得したという点で実質的には相続財産と同じであるので、相続等により取得したものとみなされているものである。

この「定期金に関する権利で契約に基づくもの以外のもの」は、従来から法律、条例、就業規則等に基づき支給されるものと解されていたが（「DHCコンメンタール相続税法（第1巻）」818頁）、相基通3－29の定めに該当する退職年金の継続受取人が取得するその年金の受給に関する権利のほか、国家公務員等共済組合法の規定による遺族年金、地方公務員等共済組合法の規定による遺族年金、船員保険法の規定による遺族年金、厚生年金保険法の規定による遺族年金等がある。ただし、これらの法律による遺族年金等については、それぞれこれらの法律に非課税規定が設けられているので、相続税は課税されないと解されている（相基通3－46）（注）。

(注) これらの非課税規定は、実際に支払いを受ける年金について所得税等を課税しないという趣旨であって、年金の受給権そのものに対する相続税を非課税とするものではないという意見もあるが、恩給法による扶助料請求権が非課税とされている（相法3①六かっこ書。恩給法には非課税規定がないため、相続税法で非課税としたものである。）こととのバランスから、このように取り扱われているものと解されている（「DHCコンメンタール相続税法（第1巻）」819頁）。

次に、同じく契約に基づかない定期金に関する権利に該当するものとして、前述のとおり相基通3－29に該当する退職年金の継続受取人が取得する権利の例が挙げられる。これは、たとえば適格退職年金の場合、退職者が保証期間付の退職年金の受給を受けていたところ、保証期間中に退職者が死亡し、その相続人が残る保証期間中引き続いて年金を受給する権利を取得する。これは、事業主と受託者である保険（信託）会社との間の契約による効果で、従業員又は遺族は、その契約の当事者でないので、継続受取人たる相続人の受給権は契約に基づかない権利であると解されているわけである（注）。

(注) 死亡を保険事故とする年金保険で受取人が第三者の場合の年金受給権も同じ理由でこの第6号に該当しないかという考えもあるが、保険の場合は、む

しろこのような形態がノーマルであり、敢えて第6号に取り込まなくても、本来の相法第3条第1項第1号に該当するものと考えてよいであろう。

なお、取扱い上注意すべきものを挙げておく。

① 定期金に「これに係る一時金」を含めているのは、第5号と第6号との表現のバランスをとったものとされている。なお、この一時金は、定期金との選択ができるもののみをいい、最初から一時金のみしか支給されないものは含まれないという意味である。

② 定期金から除外されている退職手当金等は、定期金又はこれに準ずる方法で支給される退職手当金等をいうのであって、これらのものについては退職手当金等として課税される（相基通3－47）。したがって、相続人等がこれらの支給を受ければ、退職手当金等の非課税規定が適用される。逆に、この第6号の定期金に該当すれば、それが相続人が取得する年金保険であっても、生命保険金の非課税規定は適用されない（注）。

（注） 相続税法第3条第1項第1号で、保険金から第6号に該当する権利が除外されていることに注意すべきである。

(8) 被相続人の被相続人が負担した保険料の取扱い

① 趣　　旨

被相続人の被相続人が負担した保険料又は掛金は、前掲(2)生命保険金（相法3①一）、(4)生命保険契約に関する権利（相法3①三）、(5)定期金に関する権利（相法3①四）、(6)保証期間付定期金に関する権利（相法3①五）の規定の適用上、被相続人が負担した保険料又は掛金とみなされる（相法3②本文）（注）。

（注） 先代以前の被相続人については適用がないものとされている（相基通3－48）。

ただし、前掲(4)又は(5)により、契約者が被相続人の被相続人から(4)又は(5)の財産を相続等により取得したものとみなされた場合には、被相続人の被相続人が負担した保険料又は掛金については、この限りでないものとされる（相法3②ただし書）。

このただし書の趣旨は、次のようなものである。すなわち、被相続人の被相続人をA、被相続人で、かつ、被保険者をB、契約者で、かつ、受取人をCとし、A、Bがそれぞれ保険料を負担しているケースを考えてみると、

イ　まずAが死亡した場合には、まだ保険事故（Bの死亡）は生じていないから、相続税法第3条第1項第3号の規定によって、契約者であるCが生命保険契約に関する権利について課税される。

ロ　次いで、Bが死亡した場合には、保険事故が発生したので、Cが保険金を受け取ることになる。この場合、相続税法第3条第2項本文の規定によれば、Aが負担した保険料はBが負担したものとみなされるから、結局保険料全額が被相続人Bの負担となるので、Cが受け取る保険金の全額がみなし相続財産となって相続税が課税される。しかし、このうちAが保険料を負担した部分については、すでにイのとおりCは相続税の課税を受けているので、Cにとって相続税の二重課税になる。そこで、これを避けるために、すでにイによってCに相続税が課税されている場合には、同項本文の適用を排除して、Aの負担した保険料はBの負担した保険料とせず、実際にBの負担した保険料相当部分の保険金だけを相続税の課税対象とするのである。そして、Aの負担した保険料は、契約者たるCが自ら保険料を負担したものと同様に取り扱われるので（相基通3－35）、Bの死亡によりCが受け取った保険金のうちAの負担した保険料に対応する部分は、Cの一時所得の収入金額となり、Aの負担した保険料は、その収入を得るために支出した金額となるわけである。これを簡単な計算例で示す。

〔設　例〕
・Aの負担した保険料　300万円
・Bの負担した保険料　200万円
・Cの受取保険金　1,000万円

この場合、Aの死亡時には、Bが生存しているので、Cは、Aから、生命保険契約に関する権利を遺贈によって取得したものとみなされ、すでに相続

税の課税を受けている。従って、Bの死亡によってCが相続税の課税を受ける保険金は、次のとおりとなる。

$$1,000万円 \times \frac{200万円}{300万円 + 200万円} = 400万円$$

残りの600万円は一時所得の収入金額となり、300万円がその収入を得るために支出した金額となる。

② **問題点**

ところで、①の事例で、契約者がBであったとすると、BはAの死亡の際生存しているから①と同様に、Aから生命保険契約に関する権利を相続によって取得したものとみなされるが、Bが死亡した場合には、Cの受取保険金のうち相続税課税対象額の計算上、Cは契約者ではないから、相続税法第3条第2項ただし書の規定は適用されず、Aの保険料もBが負担したものとされて、全額がみなし相続財産となることは、条理上疑問のないところである。

ところで、このようにAの負担した保険料がBの負担した保険料となることの説明として、次の2説がある。

イ　相基通3－35の規定によるとする説

この説は、Aの負担した保険料については、Bにつき、すでに相法第3条第1項第3号の規定により、相続税が課税されているから、以後は契約者たるBが負担した保険料となると説明する。そして、同条第2項本文の規定によってもAの負担した保険料はBの負担した保険料とみなされるので、いずれの規定を適用すべきかとの疑問については、次のとおり、事実上第2項本文の規定を不要とする見解をとっている。

「現行の法第3条第2項本文に相当する規定は、昭和22年の相続税法の全文改正（昭和22年法律第87号）において、第4条第1項に生命保険契約に関する権利、定期金に関する権利及び保証期間付定期金に関する権利を相続財産とみなす旨が定められた際に同条第2項において定められたものである。しかし、昭和25年の相続税法の全文改正（昭和25年法律第73号）

において、現行の第3条第2項ただし書が定められ、それにより、同条第1項第3号又は第4号の規定により契約者が被相続人の被相続人から生命保険契約に関する権利又は定期金に関する権利を相続又は遺贈により取得したものとみなされた場合におけるその被相続人の被相続人が負担した保険料又は掛金については、同条第2項本文の規定は適用されないこととされた結果、この本文の規定は、現行の同条第1項第3号又は第4号に相当する規定が定められた昭和22年より前に被相続人の被相続人が死亡したものについて経過的に適用されるにすぎないものとなっている」(「相基通解説」114頁)

ロ　相続税法第3条第2項本文によるとする説

一方、第3条第2項に関して、次のような見解がある。「たとえば、被相続人の被相続人を甲、被相続人を乙、保険金受取人を丙として、乙の死亡を保険事故として丙の受け取る保険金につき、その保険料は甲、乙がともに負担していると仮定すると、ⓐ甲、乙および丙以外の者がその保険契約の契約者である場合には、保険事故の発生により丙の受取る保険金の金額が相続財産とみなされ（甲が負担した保険料は乙が負担した保険料とみなされる。）、ⓑ丙が契約者である場合には甲の死亡の際に、すでに丙に対し甲が負担した保険料の部分だけ、丙が保険契約に関する権利を相続または遺贈により取得したものとみなされて、保険契約に関する権利について課税されているので、乙の死亡の際には、その保険金額のうち乙の負担した保険料の部分だけ相続財産とみなされ（甲の負担した保険料は乙が負担したものとはみなされない。）、ⓒ乙が契約者である場合には、甲の死亡の際に乙に対し、甲が負担した保険料の部分だけ保険契約に関する権利として課税され、さらに乙の死亡により丙の受取る保険金の全額が相続財産とみなされる（契約者が保険契約に関する権利を取得したものとみなされて課税された後は、その保険料はその契約者が負担したものとして取り扱われる。）、ⓓさらに甲が契約者である場合には、甲の死亡の際に乙がその保険契約を相続し、さらに乙の死亡により丙の受取る保険金の全額が相続財産とみなされ

る」(「櫻井相続税」148頁)。

③ 私　　見

②のロのⓐのように、契約者が丁（甲、乙と全く相続関係のない者）である場合には、相基通3－35によれば、甲の負担した保険料は丁が負担したものとされるから、乙が死亡した際には、乙の負担した保険料相当部分だけが丙のみなし相続財産となる。しかし、丙の受け取る保険金の原資たる保険料は丙の被相続人乙とその被相続人甲とが負担しているのであるから、すべてみなし相続財産とするのが妥当であると考えるので、筆者はロの説をとりたい。イの説は、契約者は相続人以外の場合もありうるということを看過ごしているように思えるがどうか。

④ その他

相法第3条第1項第3号又は第4号の規定の適用については、被相続人の遺言により払い込まれた保険料又は掛金は、被相続人が負担した保険料又は掛金とみなされることになっている（相法3③）。

これは、本来は遺贈と考えることもできるが、すでに保険料等として払い込まれた以上は全額返還されることはないから、上記のように取り扱うのが実情に即するという考え方である（「DHCコンメンタール相続税法（第1巻）」823頁）。

(9) 特別縁故者が分与を受けた財産

民法第958条の3第1項（注）の規定により同項に規定する相続財産の全部又は一部を与えられた場合においては、その与えられた者が、その与えられた時におけるその財産の時価（その財産の評価について相続税法第3章に特別の定めがある場合には、その規定により評価した価額）に相当する金額をその財産に係る被相続人から遺贈により取得したものとみなされる（相法4）。

(注)　令和3年4月28日に公布された「民法等の一部を改正する法律」では、条文番号が958条の2になり、相続財産の管理人を清算人と呼称変更するなどの改正が行われたが、未施行であるため本書ではこの改正前の内容で記述している。

① 特別縁故者に対する財産分与

　相続開始後、相続人がいることが明らかでないときは、相続財産を法人（相続財産法人）とし（民法951）、家庭裁判所の選任した相続財産管理人にその清算を行わせる（民法982〜954）。

　他方で、相続債権者及び受遺者についての請求申出期間の満了後なお相続人が現われないときは、家庭裁判所は公告により一定期間を定めて相続人の申出を求めるが、その申出がないときは、相続人等の権利の主張を打ち切る（民法957〜958の2）。この場合において、家庭裁判所が相当と認めるときは、被相続人と生計を同じくしていた者、被相続人の療養看護に努めた者その他被相続人と特別の縁故があった者（以下「特別縁故者」と総称する。）の請求によって、これらの者に清算後の相続財産の全部又は一部を与えることができる（民法958の3①）。そして、この分与がされなかった財産は、国庫に帰属することになっている（民法959）。

　この制度は、昭和37年の民法改正により設けられたもので、本来なら遺言を活用して行われるはずの財産処分について、今日の我が国の実情では要式の厳格性や意識の不浸透などのため遺言の利用が活発でないという欠陥を補って、死者の意志の実現を図るためのものであるとされている。

　ただし、この制度は、相続人の補充としての役割を担わされるおそれがあり、特別縁故者の解釈が家庭裁判所の専権であるところから、乱用のおそれがある、あるいは旧民法の選定相続ないし祭祀相続の復活をもたらすおそれがある等の批判もある（「新版注釈民法(27)」695〜696頁）。

　特別縁故者の範囲は、おおむね、次のようになっている（「新版注釈民法(27)」698頁以下）。

イ　被相続人と生計を同じくしていた者

　これは、そのほとんどが親族若しくはこれに準ずる者である。公表された例を挙げると内縁の配偶者（東京家審昭和38年10月7日etc.）、事実上の養子（大阪家審昭和40年3月11日etc.）、事実上の養親—伯叔父母（岡山家裁玉野支部

審昭和38年11月7日etc.)、旧民法の継親子(京都家審昭和38年12月7日etc.)、亡長男の妻(大阪家審昭和42年11月21日)、未認知の非嫡出子(未公開・浦和家審昭和41年9月13日)がある。全くの他人で生計を同じくしていた者が、これに該当するとされた公表事例はないようである。
ロ　被相続人の療養看護に努めた者
　これは、現実には、イにも該当する者が多いため、「被相続人の療養看護に努めた」という事由だけで、特別縁故者とされた公表例は少ないが、次のような判例が挙げられる。
(イ)　戦時中に被相続人(女性)と外地で知り合い、帰国後も親密な交際を続け、被相続人が病臥してからは、同人の求めに応じその家に同居し(経済的には別個の生活)、同人の死亡までの数十年その大半は自ら病院勤務をしながら同人の看病や身のまわりの世話をした看護婦(高松家審昭和48年12月18日)
(ロ)　老齢で病弱の被相続人の近隣に住んでいて同人のために洗濯や食事の世話をし、2回にわたる入院の際にもその看病をし、また葬儀の世話をした女性民生委員(前橋家審昭和39年10月2日)
(ハ)　いとこの子(5親等の傍系親族)であるところから、何かにつけて被相続人の老後の相談相手になるなどして世話をし、病臥後は妻とともにひたすら看護につくし、その死後は葬儀を行い被相続人の祭祀を主宰してきた者(鹿児島家審昭和38年11月2日)
(ニ)　このほか、家政婦や看護婦でこのロに該当する事例があるように思われるが、学説は一般に正当な報酬を得ていた者は原則として特別縁故者になり得ず、特別の事情がある場合に限ると考えており、この特別の事情とは「単に金銭的対価に応じた機械的サービスをしただけではなく、プラス肉親に近い愛情を伴っている献身的サービスを必要とする」(「新版注釈民法(27)」702頁)と説かれている。その例として、被相続人に依頼されて看護婦として2年以上も連日誠心誠意その看護に努め、その仕事ぶりには与えられる報酬を上回るものがあった者とされた事例(神戸家審昭和51年4月

ハ　その他被相続人と特別の縁故があった者

　これに該当するとされた事例を挙げてみる。

(イ)　親族関係にあった者の例

　　被相続人の亡妻の妹で、被相続人に対して20余年毎月1回位金銭や衣類、米などを仕送り、被相続人方家屋の買受代金のうち相当部分を支弁し、家事手伝の賃金も支弁してきた者（大阪家審昭和39年9月30日）、被相続人の5親等にあたる4人の独身の姉妹で、生活力の乏しいことを心配した被相続人から生活の援助を受け、特に被相続人死亡の1、2年前からは少額ながら毎月一定の生活費を支給されていた者（神戸家審昭和51年4月24日）などがある。

(ロ)　全くの他人の例

　　被相続人と50余年にわたり師弟であり、近隣の長幼として交わりを続け、晩年には被相続人の相談相手としてまた生活上の助言者として被相続人の生活に寄与し、死水まで取った者（大阪家審昭和38年12月23日）、被相続人やその一家のために代金を支出して家屋を購入してやり、10年以上にわたって被相続人一家の生計を援助した被相続人勤務の株式会社代表取締役（大阪家審昭和41年5月27日）などが挙げられる。

(ハ)　法人の例

　　反対説もあるが、立法当局及び通説は、法人も特別縁故者になりうるとし、審判例も同様である。その幾つかを挙げると、地方公共団体（福島家審昭和55年2月21日etc.）、学校法人（神戸家審昭和51年4月24日）、宗教法人（東京家審昭和40年8月12日etc.）、刑余者等の更生保護事業を目的とする公益法人（大津家審昭和52年9月10日）、被相続人が寮母等として30年間勤務した社会福祉法人（松江家審昭和54年2月21日）などがある。

　　また、人格のない社団等について市立養老院（長崎家審昭和41年4月8日）、大師講（松江家審昭和46年5月12日）を特別縁故者と認めた例がある。

② 課税方法とその問題点

　特別縁故者が民法第958条の3第1項の規定により相続財産の分与を受けた場合には、前述のように、分与された時の時価で遺贈により取得したものとみなされる。ただし、このみなし遺贈について適用される控除や税率は、「被相続人から遺贈により取得したものとみなす」ため、遺贈の時すなわち相続開始時が課税時期とされる（通則法15）ことから、相続開始時の控除、税率が適用される。したがって、一般の相続の場合よりもかなり高い負担となるという問題がある。

　この点については、過去に、次のような事例があるので紹介しておく。

〔事　例〕

　被相続人の特別縁故者が民法第958条の3の規定による相続財産の分与を受けることとなっていたが、係争中に死亡したため、その子である請求人が地位を承継して、分与財産の確定した日（昭和52年7月11日）における相続税法の規定を適用した相続税の申告（昭和53年1月11日）をしたところ、原処分庁（税務署）は、当初の被相続人の死亡時の相続税法を適用して更正を行い、これが争われたものである。

　この事例の審査請求の経緯は次のとおりである。

（納税者側の主張）

(イ)　課税時期が相続開始の日（本件は昭和43年10月27日）であるなら、既に5年の除斥期間が経過しているから、納税義務は時効によって消滅している。

(ロ)　分与財産の取得は、申立てに基づく家庭裁判所の審判があって初めて分与されるものであるから、納税義務の成立は、審判の確定時である。

(ハ)　分与が確定するまでの諸経費は、分与財産の価額から控除されるべきである。

　これに対して審判所は、次のとおり裁決して、納税者側の請求を棄却した（昭和56年2月23日裁決・裁決事例集No.21－187頁）。

(イ)　申告期限は、審判の確定があったことを知った日から6月以内（当時）であるから（相法29①）、本件は時効は成立していない。

㊁　国税通則法における相続税の課税時期は相続又は遺贈により財産を取得した時とされており、これは相続開始の日と解すべきである。そして、特別縁故者の分与財産の取得については、被相続人からの遺贈により取得したものとみなされるから、その課税時期も相続又は遺贈により財産を取得した場合と同様に取り扱われることは当然である。したがって、本件分与財産に係る相続税については、被相続人の相続開始の日における相続税法を適用すべきである。

㊂　分与財産の価額については、分与の時の時価と法定されているから、分与を受けるための諸経費を考慮する余地はない。

納税者側は、本件につき更に訴訟を提起したが、結局、上記裁決と同様な判決を受け、敗訴している（神戸地裁昭和58年11月14日判決、大阪高裁昭和59年11月13日判決、最高裁昭和63年12月1日判決）。

この判決のうち分与財産の課税時期を相続開始の時とした趣旨について、上掲大阪高裁判決は、次のとおり述べている。

「財産分与制度が遺言制度を補充するためのものであるところから、課税面においてもこのことを考慮し、分与財産は被相続人から遺贈によって取得したものとみて相続税の課税対象とすることが相当であり、分与財産の取得が遺贈によって被相続人から財産を取得した場合及び相続税法3条のみなし遺贈の場合とその実質において相違がないと解されたためである。そして分与財産を課税対象とするためには、相続税法の課税体系（法定相続分課税方式の導入による遺産取得課税）に合致させる必要があるので、分与財産の取得を遺贈による取得（即ち相続開始時の取得）とみなしたものである」

ただし、これらの判決（上掲神戸地裁判決・大阪高裁判決）でも「財産はその取得の時点で評価されながら、財産取得時点における引き上げられた基礎控除が適用されないという不利益な事態が取得者に生ずる」として問題意識は持ちながら、分与財産を一時所得として課税されるより控除が大きいし、財産分与が恩恵的なもので、控除は税額算出の一課程にすぎない等とあまり説得的でない理由を挙げて、相続時を基礎として課税する相続税法の課税体

系を否定するほどの不合理な事態とはいえないと説示して納税者の主張を斥けている。

このように分与財産の価額を分与の時の時価によることとしているのは、相続財産法人において相続財産の清算が行われ、その結果残存すべきものが分与されるからである（「DHCコンメンタール相続税法（第1巻）」855頁）と説明されているが、相続税法の適用時期とのギャップを積極的に理由付ける説明は見当たらない。

結局、この問題は、前掲判例のように現行相続税体系が取得者課税体系と遺産税体系の組合せになっていることと、財産分与の時期以外の時点で評価することの困難性から生じているもので、立法により解決する以外に方法はないように筆者には思えるが、どちらに歩み寄るにしても極めて困難で、かなりの思い切りが必要のように思える。

なお、分与の額の計算に際し、被相続人の葬式費用、入院費用等で相続開始時に未払のものを支払った場合において、これらの金額を相続財産から別に受けていないときは、分与を受けた金額からこれらの費用の金額を控除した価額をもって分与された価額として取り扱うこととされている（相基通4－3）。これは、特別縁故者が相続人でないため、債務控除（相法14）の適用がないことからこの取扱いを認めることとされたものである（「相基通解説」123頁以下）。

③ **特別縁故者が法人又は人格のない社団等である場合の課税**

イ 一般の法人の場合

分与財産の取得については相続税法の適用はないので、専ら法人税の課税問題として考えればよい。

ロ 公益法人等

一般の公益法人には課税問題は生じないが、相続税法第66条第4項の持分の定めのない法人に該当する場合には、その法人に財産の分与が行われたことにより、遺贈者の親族等の相続税の負担が不当に減少する結果となると認められるときに限り、その法人は相続税の納税義務を負う（相法66④）。

ハ 人格のない社団等

　代表者又は管理者の定めのある人格のない社団又は財団が財産の分与を受けた場合には、個人とみなされて相続税の課税対象となる（相法66①）。ただし、分与財産が相続税法第12条第1項第3号の公益事業用財産に該当すれば課税されない。

④ 相続税法第19条との関連

　相続財産の分与を受けた者が被相続人の相続開始前3年以内に被相続人から贈与により財産を取得したことがある場合には、相続税法第19条の規定が適用される（相基通3の2－4）。これは、財産の分与の審判の確定が相当の期間を要するため、同条の規定の適用に疑義を持つ者があることに対し、取扱いを明らかにしたものである。したがって、相続開始の年の被相続人からの贈与については、一たん贈与税の申告・納税をしておき、後日分与の審判が確定したところで、更正の請求をすることになる。

(10) 特別寄与者が取得した財産

　特別寄与料の創設に伴う課税関係について当局者は以下のように説明している（「令和2年版・改正税法のすべて」505頁）。

① 特別寄与料の概要

　令和元年6月30日以前施行の改正前の民法の規定では、被相続人の療養看護等に努め、その財産の維持又は増加に寄与した場合に対する制度として寄与分の規定があったが、この対象となるのは相続人のみであり、相続人以外の者が被相続人の療養看護に努め、被相続人の財産の維持に貢献した場合であっても、相続人でないことから遺産分割協議において分配を請求することはできず、何ら財産を取得することはできなかった。このような取扱いに対しては、療養看護を一切行わなかった相続人が遺産を取得できるのに対し、療養看護をした相続人以外の者が何ら遺産を取得できないのは不公平であるとする意見もあり、相続人以外の者の貢献を考慮するための方策として特別寄与料の制度が創設された。

　具体的には、被相続人に対し、無償で療養看護その他の労務を提供した

ことにより被相続人の財産の維持又は増加について特別の寄与をした親族（相続人など一定の者を除く。以下「特別寄与者」という。）は、相続の開始後、相続人に対し、特別寄与者の寄与に応じた額の金銭の支払いを請求することができることとされた。

② **相続税の課税方法等**

イ　特別寄与者の課税関係

上記①のとおり、特別寄与料は相続人以外の親族から相続人に対して請求するものであり、被相続人から相続又は遺贈により取得した財産ではないものの、

・　相続人と療養看護等をした親族との間の協議又は家庭裁判所の審判により定まること、
・　相続開始から1年以内に請求しなければならないこと、
・　遺産額を限度とすること、

から被相続人の死亡と密接な関係を有し、経済的には遺産の取得に近い性質を有する。そのため、一連の相続の中で課税関係を処理することが適当であると考えられる。また、被相続人が相続人以外の者に対して財産を遺贈した場合との課税のバランスをとる必要もある。そこで、特別寄与料に対しては、（所得税や贈与税ではなく）相続税を課税することとされた。

上記のとおり、特別寄与料は相続又は遺贈により取得するものではなく、一方、相続税は相続又は遺贈により取得した財産に課税するものなので、特別寄与料に相続税を課税するために、相続税法上、相続人からの特別寄与料の取得を被相続人から特別寄与者に対する遺贈とみなすこととされた（相法4②）。

なお、特別寄与者の相続税の計算方法は、相続人以外の者が遺贈により財産を取得した場合と同様であり、法定相続人ではないことから、基礎控除のうち法定相続人数比例部分（600万円）の適用はなく、相続税の総額を計算する際の法定相続分もない。その後、受領した特別寄与料により相続税の総額を按分し、特別寄与者の算出税額を求め、原則として相続税額が2割加算

される。これは、特別寄与者が相続人でないという点で受遺者（相続人を除く。）と変わりなく、遺贈とのバランスからも２割加算の対象となるものである。

ロ　特別寄与料を支払った者の課税関係

　特別寄与料を支払った相続人については、その支払いは被相続人の死亡に基因するものであり、遺産の中から支払うにせよ固有財産から支払うにせよ、その支払った金額分は担税力が減殺されることから、課税財産から減額することが適当と考えられる。また、そうすることにより、相続人及び特別寄与者全員の課税対象となる財産の合計が遺産総額に一致する。

　具体的には、特別寄与者が支払いを受けるべき特別寄与料の額がその特別寄与者に係る課税価格に算入される場合には、その特別寄与料を支払うべき相続人の課税価格は、相続又は遺贈により取得した財産から特別寄与料の額のうちその相続人が負担すべき金額を控除した金額とされる（相法13④）。

　なお、上記の相続人が負担すべき金額は、相続人が数人いる場合には、第900条から第902条までの規定により算定した各相続人の相続分を乗じた額を負担することとされている（民法1050⑤）。

ハ　申告期限までに支払いが確定しなかった場合

　特別寄与料について協議が調わないときは、特別寄与者が相続の開始及び相続人を知った時から６か月を経過したとき、又は相続開始の時から１年を経過したときまでに家庭裁判所に処分を請求することとされており（民法1050②）、その後、特別寄与料の支払いが確定することになる。一方、相続税の申告期限は相続の開始があったことを知った日の翌日から起算して10か月以内であるため、具体的な特別寄与料が決定されるのは、申告期限後となる可能性がある（相基通４－１参照）。そのため、特別寄与料を取得し、相続税法第４条第２項の規定により新たに相続税の納税義務が生じる者の申告期限は、特別寄与料の支払額が確定したことを知った日の翌日から10か月以内とする規定が設けられた（相法29①）。また、申告期限までに特別寄与料以外の財産を遺贈により取得し、申告を済ませている場合も同様に、特別寄与

料の支払額が確定したことを知った日の翌日から10か月以内に修正申告をしなければならない規定が設けられた（相法31②）。

　他方、特別寄与料を支払うこととなった相続人については、申告期限までに取得した財産について既に申告を済ませている場合には、特別寄与料の支払額が確定したことを知った日の翌日から4か月以内に更正の請求ができる規定が設けられた（相法32①七）。

③　適用関係

　上記②の改正は、令和元年7月1日以後に開始する相続に係る相続税について適用される（令和2年度税制改正法附則1三ロ、民法及び家事事件手続法の一部を改正する法律附則2）。

(11)　その他

　以上のほか、みなし遺贈財産となるものは、次のとおりであるが、いずれも贈与税におけるみなし贈与財産にも該当するものであるので、贈与税の説明の際に詳細に論ずることとし、ここでは、概要を簡単に述べるのみに止める。

イ　低額譲受け

　遺言により、著しく低い価額の対価で財産の譲渡を受けた場合においては、その譲渡の時において、譲渡を受けた者が対価とその財産の時価との差額を遺贈により取得したものとみなされる（相法7）。

ロ　債務免除等

　遺言により、対価を支払わないで、又は著しく低い価額の対価で、債務の免除、引受け又は第三者のためにする債務の弁済により利益を受けた場合においては、その債務免除等があった時において、その利益を受けた者がその債務の免除をした者からその債務の金額（対価の支払があったときは、対価と債務の差額）を遺贈により取得したものとみなされる（相法8）。

ハ　その他の利益

　以上のほか、遺言により、対価を支払わないで又は著しく低い価額の対価で利益を受けた場合においては、利益を受けた時において、その利益を受け

た者が、その利益を受けさせた者からその利益の金額（対価の支払があったときは対価と利益との差額）を遺贈により取得したものとみなされる（相法９）。

ニ　信　託

信託についての詳細な検討は、贈与税の項で行い、ここでは、制度の概要のみを述べる。

① 原　則

(イ) 信託の効力が発生した場合において、適正な対価を負担せずにその信託の受益者等（受益者としての権利を現に有する者及び特定委託者をいう。以下ニにおいて同じ。）となる者があるときは、その信託の効力が生じた時において、その信託の受益者等となる者は、その信託に関する権利をその信託の委託者から贈与により取得したものとみなされる。ただし、その信託の効力の発生が委託者の死亡に基因する場合は、遺贈とみなされる（相法９の２①）。

(ロ) 受益者等の存する信託について、適正な対価を負担せずに新たにその信託の受益者等が存するに至った場合（(ニ)の場合を除く。）には、その受益者等が存するに至った時において、その信託の受益者等となる者は、その信託に関する権利をその信託の受益者等であった者から贈与により取得したものとみなされる。ただし、その受益者等であった者の死亡に基因する場合は、遺贈とみなされる（相法９の２②）。

(ハ) 受託者等の存する信託について、その信託の一部の受益者等が存しなくなった場合において、適正な対価を負担せずに既にその信託の受益者等である者が信託について新たな利益を受けることとなるときは、その信託の一部の受益者等が存しなくなった時において、その利益を受ける者は、その利益をその信託の一部の受益者等であった者から贈与により取得したものとみなされる。ただし、当該受益者等であった者の死亡に基因する場合は、遺贈とみなされる（相法９の２③）。

(ニ) 受益者等の存する信託が終了した場合において、適正な対価を負担せず

にその信託の残余財産の給付を受けるべき、又は帰属すべき者となる者があるときは、そのなった時において、当該なった者は、その信託の残余財産をその信託の受益者等から贈与により取得したものとみなされる。ただし、当該受益者等の死亡に基因する場合は、遺贈とみなされる。また、残余財産の給付又は帰属すべき者が、その信託の受益者等であった場合には、その受益者等として有していた信託に関する権利に相当するものは、残余財産から除かれる（相法9の2④）。

(ホ) (イ)から(ハ)までの贈与又は遺贈により信託に関する権利又は利益を取得した者は、その信託の信託財産に属する資産及び負債を取得し、又は承継したものとみなされる（相法9の2⑥）。

② **受益者連続型信託の場合**

受益者連続型信託に関する権利を受益者（受益者が存しない場合は、特定委託者）が適正な対価を負担せずに取得した場合において、その受益者連続型信託に関する権利で当該信託の利益を受ける期間の制限その他の当該信託に関する権利の価値に作用する要因としての制約が付されているものについては、付されていなかったものとみなされる。ただし、当該信託に関する権利を有する者が法人（人格のない社団又は財団を含む。以下同じ。）である場合は除かれる（相法9の3）。

③ **受益者等が存しない信託等の場合**

(イ) 受益者等が存しない信託の効力が生ずる場合において、その信託等の受益者等となる者がその信託の委託者の親族として一定の者（以下「親族」という。(相令1の9)）であるときは、その信託の効力が生ずる時において、その信託の受託者が、委託者からその信託に関する権利を贈与により取得したものとみなされる。ただし、委託者の死亡に基因して信託の効力が生ずる場合には、遺贈とみなされる。また、信託の受益者等となる者が明らかでない場合は、その信託が終了したときに、その委託者の親族がその信託の残余財産の給付を受けることとなるときも同様に扱われる（相法9の4①）。

(ロ) 受益者等の存する信託について、その信託の受益者等が不存在となった場合において、その受益者等の次に受益者等となる者がその信託の効力が生じた時の委託者又は次に受益者等となる者の前の受益者等の親族であるときは、受益者等が不存在となった場合に該当することとなった時において、その信託の受託者は、次に受益者等となる者の前の受益者等からその信託に関する権利を贈与により取得したものとみなされる。ただし、前の受益者等の死亡に基因して当該前の受益者等が存しないこととなった場合には、遺贈とみなされる。また、次に受益者等となる者が明らかでない場合は、その信託が終了した場合に委託者又は前の受益者等の親族が信託の残余財産の給付を受けることとなるときも同様に扱われる（相法9の4②）。

(ハ) (イ)及び(ロ)の場合で、受託者が個人以外であるときは、その受託者を個人とみなして贈与税又は相続税が課税される（相法9の4③）。また、これらの税額の計算に当たっては、受託者の一定の法人税等が控除される（相法9の4④、相令1の10⑤）。

ホ　その他

すでに説明したように公益法人等の設立者等特定の者が法人から特別の利益を受けている場合において財産の遺贈があったときは、相続税法第66条第4項の規定の適用がある場合を除き、その遺贈の時において、法人から特別の利益を受ける者が、その財産の遺贈により受ける利益を遺贈者から遺贈により取得したものとみなされる（相法65①）。

3　非課税財産

(1) 総　説

相続税が課税される財産は、以上に述べたように、本来の相続又は遺贈により取得した財産及び相続又は遺贈により取得したものとみなされる財産であるが、これらの財産のすべてに対して例外なく相続税を課税することは相続の意義に照らして必ずしも適当であると考えられないので、相続税法はこれらの相続財産のうち、一定のものに対しては、人間感情的又は社会政策的

見地から相続税を課税しないことにしている（庭山慶一郎「相続税の理論と実務」（税務経理協会）（以下「相続税の理論と実務」という。）60頁）。以下これを順次説明する。

(2) 皇位とともに皇嗣が受けた物（相法12①一）

これは、国家の象徴としての天皇の地位に伴うもので、自由処分性がないことによるといわれている。いわゆる三種の神器（クサナギノツルギ、ヤタノカガミ、ヤサカニノマガタマ）、賢所（かしこどころ）が該当するとされる。

なお、令和元年5月1日に現在の上皇陛下が天皇の位を退位され、今上天皇が即位されたが、その際に皇位とともに皇嗣が受けた物については贈与税が課されない旨が規定された（天皇の退位等に関する皇室典範特例法附則7①）。

(3) 墓所、霊びょう及び祭具並びにこれらに準ずるもの（相法12①二）

① 総　説

これらが非課税とされる理由については、「祭具、墳墓等の所有権については、民法第897条において、慣習に従って祖先の祭祀を主宰すべき者が承継することに定められており、いわゆる相続財産とは別個に承継せらるべきことを規定している。そこでこの民法の精神にのっとり、また国民感情のうえからも、これらの物が日常礼拝の対象になっている点にかんがみ、一般の相続財産とは区分して、課税財産から除外されているのである」（前掲吉田富士雄著「相続税法」101頁）と説かれている。このほか、単に「これらは所謂不融通物（私法上取引の客体にできない物……筆者注）であるからこれを非課税としたのである」（泉美之松・栗原安著「相続税・富裕税の実務」（税務経理協会）（以下「相続税・富裕税の実務」という。）66頁）とする説もある（注）。

次に、先に述べたように、いわゆる祭祀用の財産は、一般的な相続財産とは別個に承継されることとされていることから、この非課税財産の範囲を民法上の祭祀用財産と同じとみるかどうかを問題とする考え方がある。すなわち、同一範囲とみれば、相続税法第12条第1項第2号の規定は本来の相続財産になじまない祭祀財産を非課税とした確認的規定に過ぎないが、異なるのであれば、創設的規定として、重要なものとなるという考え方である（「北

野コンメンタール相続税法」123頁)。同書は、これを確認的規定と解し、この非課税は財産の性質によるものであるから取得者が誰であるかを問わないと説いている。
(注) 「新版注釈民法(27)」126頁では、「本来不融通物ではない」とされている。

② 墓所、霊びょう

まず、「墓所、霊びょう」には、墓地、墓石及びおたまやのようなもののほか、これらのものの尊厳の維持に要する土地その他の物件をも含むものとして取り扱われる(相基通12-1)(注1～3)。

(注1) 「民法第897条第1項に規定する「墳墓」とは、遺体や遺骨を葬っている設備(墓石、墓碑などの墓標、土葬のときの埋棺など)をいい、その設置されている相当範囲の土地(墓地)は、墳墓そのものではないが、それに準じて取り扱うべきものであろうといわれている(谷口知平編「注釈民法(25)相続(2)」104頁)。したがって、本号に規定する「墓所、霊びょう」は、民法第897条第1項に規定する「墳墓」に相当するものと解してよいであろう」(「DHCコンメンタール相続税法(第1巻)」1196頁)とする見解がある。

(注2) 寺の檀家の墓地として貸し付けられている土地は、請求人の祖先を祭祀するための墓地として使用されているものではないから非課税財産には該当しないとする裁決例がある(昭和47年3月30日裁決・裁決事例集No.4-10頁)。

(注3) この規定については、次のような判例(東京地裁平成24年6月21日判決・確定)がある。

① 本件は、原告が、その母の相続に係る相続税につき、相続財産である土地のうち、弁財天及び稲荷を祀った各祠の敷地部分を相続税法12条1項2号に定める非課税財産とする内容を含む申告及び更正の請求を行ったところ、税務署長が、納付すべき税額を申告額より減じるものの、本件敷地は非課税財産に当たらないとしてこれについての課税をする内容を含み、更正の請求に係る税額を上回る税額とする減額更正処分を行ったことから、これを不服として、主位的には本件敷地が非課税財産に当たると主張し、予備的に本件敷地は一般人が移設を躊躇する祠が所在するため売却困難であるから、一定の評価減を行わなかった本件処分は相続税法22条に違反すると主張してその取消しを求めたという事案である。

② 争点は、(1)本件敷地の非課税財産該当性、(2)本件敷地の課税価格は相続税法22条に違反するか否か、である。

③ 相続税法12条１項柱書き及び同項２号（非課税規定）は、墓所、霊びょう及び祭具並びにこれらに準ずるものについては、相続税の課税価格に算入しないものと定めて、これらの財産を相続税の非課税財産としている。
④ 「これらに準ずるもの」とは、その文理からすると、「墓所」、「霊びょう」及び「祭具」には該当しないものの、その性質、内容等がおおむね「墓所、霊びょう及び祭具」に類したものをいうと解され、さらに、相続税法12条１項２号が、祖先祭祀、祭具承継といった伝統的感情的行事を尊重し、これらの物を日常礼拝の対象としている民俗又は国民感情に配慮する趣旨から、あえて「墓所、霊びょう又は祭具」と区別して「これらに準ずるもの」を非課税財産としていることからすれば、截然と「墓所、霊びょう又は祭具」に該当すると判断することができる直接的な祖先祭祀のための設備・施設でなくとも、その設備を日常礼拝することにより間接的に祖先祭祀等の目的に結びつくものも含むものと解される。
⑤ 「これらに準ずるもの」には、庭内神し、神棚、神体、神具、仏壇、位はい、仏像、仏具、古墳等で日常礼拝の用に供しているものであって、商品、骨とう品又は投資の対象として所有するもの以外のものが含まれると解される。
⑥ 庭内神しとその敷地とは別個のものであり、庭内神しの移設可能性も考慮すれば、敷地が当然に「これらに準ずるもの」に含まれるということはできないが、別個のものであることを理由としてこれを一律に排除するのは相当でなく、社会通念上一体の物として日常礼拝の対象とされている程度に密接不可分の関係にある相当範囲の敷地や附属設備も、その設備と一体の物としてこれらに準ずるもの」に含まれると解すべきである。
⑦ 本件敷地は、本件各祠と社会通念上、一体の物として日常礼拝の対象とされているといってよい程度に密接不可分の関係にある相当範囲の敷地ということができる。

この東京地裁判決を受けて国税庁はホームページで次のように取扱いを改めた。

『「庭内神し」の敷地については、「庭内神し」とその敷地とは別個のものであり、相続税法第12条第１項第２号の相続税の非課税規定の適用対象とはならないものと取り扱ってきました。しかし、①「庭内神し」の設備とその

敷地、附属設備との位置関係やその設備の敷地への定着性その他それらの現況等といった外形や、②その設備及びその附属設備等の建立の経緯・目的、③現在の礼拝の態様等も踏まえた上でのその設備及び附属設備等の機能の面から、その設備と社会通念上一体の物として日常礼拝の対象とされているといってよい程度に密接不可分の関係にある相当範囲の敷地や附属設備である場合には、その敷地及び附属設備は、その設備と一体の物として相続税法第12条第1項第2号の相続税の非課税規定の適用対象となるものとして取り扱うことに改めました。』

③ 祭　具

　この範囲については、国税庁の取扱通達の定めはないが、民法第897条の「祭具」の範囲については、祖先の祭祀、礼拝の用に供されるもの（位牌、仏壇、霊位やそれらの従物など）といわれている（「新版注釈民法(27)」126頁）。「本号に規定する「祭具」については、その取扱いは定められいないが、当然、民法上の概念と同様に解すべきものであろう」（「DHCコンメンタール相続税法（第2巻）」1196頁）という意見があるが、筆者も賛成である（注）。

（注）　北野コンメンタール相続税法123頁も祭具の範囲について「民法897条1項にいう「祭具」と異なるものを指していると解すべき根拠は存しないようである。そうするとそれはまったく同じものを指していると解してよいのではないだろうか」と述べている。

④ 「これらに準ずるもの」

　「これらに準ずるもの」とは、庭内神し、神だな、神体、神具、仏壇、位牌、仏像、仏具、古墳等で日常礼拝の用に供しているものをいうが、商品、骨とう品又は投資の対象として所有するものはこれに含まれないものとして取り扱われる（相基通12-2）。

　これは、日常崇拝の用具として特別な感情価値を具有し、民法も他の相続財産と別個に承継させることとしているなどの理由により非課税としているのであるから、「同じ型状のものであっても、日常崇拝の目的に供されず趣味、観賞用又は商品等として投資のために保有されるものなどについては非

課税とする理由がないので、それらのものについては相続税が課税されることを明らかにしたものである」(「相基通解説」249頁)と説明されている(注1、2)。

(注1) 北野コンメンタール相続税法124頁でも「民法897条1項には、このような「準ずるもの」という規定は存しないけれども、しかし解釈上祭祀財産の中にはそのような基本通達80条(筆者注・旧基本通達)で定めるようなものも含まれていると理解されているようである」として、取扱いを是認するようである。

(注2) この霊びょうは、仏壇等の非課税規定の解釈については、商品、骨とう品等として所有するものは非課税とならないことは当然としながらも「たとえば、霊廟、仏壇などが貴金属などによって装飾されており、その貴金属などの値段が相当額に上り、またそれ自体骨董的価値があるようなものであっても、その被相続人の社会的地位などに照らして相当と考えられるものは、もちろん非課税財産である」とし、また、「墓所の存する土地の広さなどについても必要最少限度の範囲に限るべきであるが、何が必要最少限度であるかは、同様に被相続人の社会的地位などによって異なることに注意しなければならない」(「相続税の理論と実務」61頁)と説く考え方がある。この考え方は、例えば香典等でも社交上も必要によるもので贈与者と受贈者等の関係等に照らして社会通念上相当と認められるものは課税しない(相基通21の3－10)という取扱いと通ずるものがあり、基本的には筆者も賛成であるが、実務上の線引きがうまくできないと適正な執行はむずかしいのではなかろうか。

(4) 公益事業用財産(相法12①三)

① 総　説

宗教、慈善、学術その他公益を目的とする事業を行う一定の者が相続又は遺贈により取得した財産で、その公益を目的とする事業の用に供することが確実なものは、相続税の非課税財産とされる。ただし、これらの財産を取得した者がその財産を取得した日から2年を経過した日において、なお、その財産を、公益を目的とする事業の用に供していない場合には、この非課税措置の適用はなくなり、相続税を課税することとされている(相法12②)。

② 公益を目的とする事業を行う者
イ 範　囲

　この特例の対象となる公益を目的とする事業を行う者とは、専ら、社会福祉事業法第2条に規定する社会福祉事業、更生保護事業法第2条第1項に規定する更生保護事業、学校教育法第1条に規定する学校を設置し、運営する事業その他の宗教、慈善、学術その他公益を目的とする事業で、その事業活動により文化の向上、社会福祉への貢献その他公益の増進に寄与するところが著しいと認められるものを行う者とされる（相令2本文）。

　ただし、その者が個人である場合には(イ)に掲げる事実、その者が人格のない社団又は財団（(ロ)及び(ハ)で「社団等」と略称）である場合には、(ロ)及び(ハ)に掲げる事実がない場合に限られる（相令2ただし書）。

(イ)　その者若しくはその親族その他その者と相続税法第64条第1項に規定する特別の関係（以下(ハ)までにおいて「特別関係」という（注）。）がある者又はその財産の相続に係る被相続人若しくはその財産の遺贈をした者若しくはこれらの者の親族その他これらの者と特別関係がある者に対してその事業に係る施設の利用、余裕金の運用、金銭の貸付け、資産の譲渡、給与の支給その他財産の運用及び事業の運営に関し特別の利益を与えること

　（注）「特別関係」がある者とは、次のとおりとされている（相法64①、相令31①）。

　　㋑　財産取得者又は被相続人等とまだ婚姻の届出をしないが、事実上婚姻関係と同様の事情にある者及びその者の親族でその者と生計を一にしているもの

　　㋺　財産取得者又は被相続人等の使用人及び使用人以外の者でこれらの者から受ける金銭その他の財産によって生計を維持しているもの並びにこれらの親族でこれらの者と生計を一にしているもの

(ロ)　その社団等の役員その他の機関の構成、その選任方法その他の社団等の事業の運営の基礎となる重要事項について、その事業の運営が特定の者又はその親族その他その特定の者と特別関係がある者の意思に従ってなされていると認められる事実があること

(ハ)　その社団等の機関の地位にある者、財産の遺贈をした者又はこれらの者の親族その他これらの者と特別関係がある者に対してその社団等の事業に係る施設の利用、余裕金の運用、解散した場合における財産の帰属、金銭の貸付け、資産の譲渡、給与の支給、その社団等の機関の地位にある者への選任その他財産の運用及び事業の運営に関し特別の利益を与えること

　この非課税措置は、「民間公益事業の特殊性、その保護育成等の見地から設けられているものである（「DHCコンメンタール相続税法（第1巻）」1186頁）といわれているが、何分にも、個人に帰属する財産を一般の財産と区別して相続税を非課税とするものであるから、非課税財産が個人の私的利用に供されるような事態とならないような要件が付されることはやむを得ないところである。したがって、この非課税措置の適用が受けられる者は、上記のように、専ら公益事業を行う者でその運営が公正に行われており、かつ、同族関係者に対して特別な利益を与えるような事実のないものに限られているものである。したがって、公益事業を行う者が一定の要件に該当し、相続又は遺贈により取得した財産がその公益事業の用に供することが確実なものであると認められる場合であっても、その公益事業の運営に当たり、相続税法施行令第2条第1号所定の財産取得者・親族等に対して特別の利益を与える行為に該当する事実が存するときは、その相続又は遺贈により取得した財産は非課税財産に該当しないものと解されている（注）。

(注)　この点について、次のような判例がある。
　　㋑　「相続税法（昭和33年法律第100号による改正前のもの）12条1項3号及び21条の3第1項3号並びに同法施行令2条及び4条の3は、慈善、学術、宗教等社会通念上およそ収益の余地のないような事業、すなわち、専ら公益の事業を行う者がその公益を目的とする事業の用に供する財産に限って非課税財産とする旨定めており、医療法人の事業は社会通念上も現実にも収益事業を含んでいるから、その事業の用に供する財産は右規定上の非課税財産に該当しない」（東京地裁昭和49年9月30日判決）
　　㋺　「公益事業の用に供される財産を相続税の非課税財産とする相続税法12条1項3号の規定が、そのような相続財産が公益の増進に寄与することに着目して設けられたものであるということはいうまでもないところであり、

他方、同法施行令2条1項が、個人が公共事業を行う場合について、その者の親族等にその事業に係る施設の利用、余裕金の運用その他その事業に関し特別の利益を与えるという事実があるときに右法条の適用がないものとしているのは、そのような場合には、右事実が個人的利益のための手段としても行われていることとなり、このような場合にまで当該財産を相続税の非課税財産とすることが、税負担の公平を阻害する結果となることをその根拠とするものと考えられる」(東京地裁平成2年11月16日判決)

上述の「専ら公益事業を行う者」は、その者が個人である場合には公益の増進に寄与するところが著しいと認められる事業(以下「高度の公益事業」という。)のみを専念して行う者をいい、その者が人格のない社団等である場合には高度の公益事業のみをその目的事業として行う社団等をいうものとして取り扱われる(昭和39年6月9日直審(資)24第1(以下「公益事業用財産通達」という。)）。

また、「特別の利益を与えること」とは、高度の公益事業を行う者に対し財産を<u>遺贈(死因贈与を含む。)</u>した者、当該事業を行う者又はこれらの者の親族その他これらの者と特別関係がある者について、例えば次に掲げる事実があると認められる場合がこれに該当するものとして取り扱われる(公益事業用財産通達4(注1～4))。

(イ) これらの者が役務を提供し、又はこれらの者の財産を利用に供している等の有無に関係なく、高度の公益事業に係る金銭その他の財産の支給を受けていること

(ロ) これらの者が高度の公益事業に係る余裕金を生活資金に利用し、又はその施設を居住の用に供している等これらの財産を無償又は有償で利用していること

(ハ) これらの者が利息の有無に関係なく、高度の公益事業に係る金銭の貸付けを受けていること。

(ニ) これらの者が対価の有無に関係なく、高度の公益事業に係る財産を譲り受けていること。

(注1) 上記公益事業用財産通達は、本来は公益事業用財産に係る贈与税の非

課税措置（相法21の3①三）に関する個別取扱通達であるが、当然相続税の場合にも適用されるべきものと考える。したがって、通達の引用に当たっては、適宜筆者が読み替えている部分があり、それをアンダーラインで表示しておいた。
(注2)　「特別の利益を与える」ことについての具体的な判例がある（東京地裁平成2年11月16日判決）。相続により取得した幼稚園事業のための敷地が相続税法第12条第1項第3号の非課税財産に該当するか否かが争われた事件であるが、「以上の認定のとおり、本件においては、X1は、昭和43年以降、継続して自分の子供ら4人を次々に自らの経営する幼稚園の職員として雇用し、また、昭和52年ころからは幼稚園事業に係る余裕金の中から親族に対する生活援助金を与え、更に、昭和56年4月以降は、孫5人を次々に無料でA幼稚園に入園させていたものであり、これらの行為がいずれも相続税法施行令2条1号所定の親族に対して特別の利益を与える行為に該当することは明らかなものというべきである。したがって、本件においては乙土地は、相続税法12条1項3号の非課税財産に該当しないものというべきである。」
(注3)　相続税法施行令第2条第1項の「特別の利益の供与」とは、親族等への給与の支払や生活費の援助のすべてがこれに当たるものではなく、相続税法施行規則附則4ないし7の規定（幼稚園等の教育用財産に対する非課税の適用要件）に準じて、相当な限度を超えるものだけがこれに当たると解するべきであるとする納税者の主張に対し、前記東京地裁平成2年11月16日判決は、次のとおり判示している。
　「（相続税法）施行規則附則4ないし7の規定は、個人経営の幼稚園事業を行っている者が死亡した場合に当該事業を承継して行う者について一定の場合に相続税法12条1項3号の規定を適用するという趣旨で設けられたものであるから、もともと相続人が幼稚園事業を行っているため事業の承継ということが起こり得ない本件の場合について、同規定を類推適用する余地はないものというべきである。」
(注4)　後述③幼稚園等の教育用財産に対する非課税の特例の項を参照されたい。

ロ　問題点等

　公益事業用財産の非課税措置の問題点等の詳細は、以上のほかは、贈与税の項で説明することとし、ここでは、簡単に述べておきたい。

(イ)　公益事業の範囲

公益事業すなわち公益を目的とする事業の範囲については、特に法律上の定義がなく、範囲が明らかでないため、しばしば争いとなっていることは、納税義務者の項でも述べたし、贈与税の項でも、取扱通達に関して再度述べるつもりなので、ここでは敢えて説明しない。ただ、公益事業用財産通達において、その事業が例示されているので、それを参照されたい。

なお、医療事業が公益事業に該当するか否かはしばしば争われるところであるが、東京地裁昭和49年9月30日判決は、この点につき次のように判示している。

「そもそも医療事業は、国民の健康保持に不可欠なもので、その業務は、直接国民の生命の保全、心身の健康等公衆衛生に深いかかわりをもつものであって、事の性質上利益の追求を第一目的とするものではないことは明らかであるから、その事業は公益性を有する事業ということができ、……医療事業を営む者は旧相続税法12条1項3号、21条の3第1項3号所定の「公益を目的とする事業を行う者」に該当するものというべきであるが、非課税の取扱いを受けることができないのは、これらの条項の定める政令の要件を満たすことができないからにほかならず、税法上医療事業が「公益を目的とする事業」に該当しないからではない」(注)

(注) 後述③を参照すること。

(ロ) 「公益を目的とする事業の用に供することが確実なもの」の意義

この意義は、相続財産について、相続開始の時においてその公益を目的とする事業の用に供することに関する具体的計画があり、かつ、その公益を目的とする事業の用に供されている状況にあるものをいうものとして取り扱われる。したがって、個人生活の用に供されるものはこれに該当しないものとされる（相基通12-3）。

(ハ) 相続後公益事業を開始した者の取扱い

この特例の対象となる者は、本来は相続又は遺贈により財産を取得した者が相続開始時において現に公益事業を行っているものをいうのであるが、公益事業を行う者からその事業の用に供されている財産を相続又は遺贈に

よって取得した者がその財産を取得すると同時にその事業を受け継いで行う場合には、その公益事業の用に供されている財産については、相続税法第12条第1項第3号に掲げる財産に該当するものとして取り扱われる（相基通12-5）。ただし、相続税の申告期限までにその財産が未分割の場合又は事業規模が著しく縮小される場合には、この取扱いは適用されない。

③ 幼稚園等の教育用財産に対する非課税の特例

イ 総 説

　周知のとおり、学校教育法第1条に規定する学校（小学校・中学校・高等学校・大学・高等専門学校、盲学校・聾学校・養護学校・幼稚園）は、国・地方公共団体及び学校法人のみが設置することができる（同法2）。しかしながら、私立の盲学校・聾学校・養護学校及び幼稚園は、当分の間学校法人によって設置されることを要しないものとされる（同法附則102）。したがって、個人が設置し、運営する幼稚園が多いわけであるが、この個人が死亡し、その相続人がその幼稚園に係る財産を相続して幼稚園の経営を引き続き行うこととした場合、その相続財産は、公益事業用財産として非課税になるかという問題がある。幼稚園事業そのものは、相続税法施行令第2条において例示されている「学校を設置する事業」に該当するが、現実の問題として、幼稚園を運営する個人は、幼稚園事業から生ずる収益を報酬等の形で取得しているのがほとんどで、これが同条各号の要件に抵触するものと解釈され、非課税の特例の運用を受け得なかったという問題がかねてからあった。ところが、昭和50年の相続税法改正の際、私立学校法の改正及び私立学校新興助成法の制定等により幼稚園の学校法人化を促進する政策がとられていたことなどから、将来学校法人として組織変えできるような充実した個人立幼稚園の相続については何らかの措置を設けるべきであるという要望が高まり、種々検討の結果、必ずしも相続税法施行令第2条の要件に該当しない幼稚園事業でも一定の要件を満たすものは、相続税の非課税対象に含めることとされたものであるといわれている。

ロ 特例の適用を受けられる場合

すなわち、当分の間、学校教育法第102条第1項に規定する私立の盲学校、聾学校、養護学校及び幼稚園（以下この項で「学校」という。）を設置し、運営する事業を営む個人については、相続税法施行令第2条の規定に該当する者のほか、その事業を営んできた被相続人からその事業を被相続人の死亡により承継し、かつ、その事業を引き続いて行うことが確実と認められる者で所要の要件に該当する場合には、相続税法第12条第1項第3号に規定する公益を目的とする事業を行う者に該当するものとされている（相令附則④、相規附則②③）。

この特例の適用を受けられる学校の事業の承継者は、次の要件のすべてに該当する者に限られる（相規附則③）（注）。

(イ) 被相続人（その被相続人を含む。）が相続開始の年の5年前の年の1月1日から引き続いて行われてきた学校の事業を、その被相続人の死亡により承継したこと

(ロ) 学校における教育の用に供するものとして相当と認められるものに専ら供するもの（以下「教育用財産」という。）であることにつき届出がされている財産を相続又は遺贈により取得し、学校の事業の用に供する者であること

(ハ) 相続開始の年以後の年もその事業を引き続いて行うことが確実であると認められる者であること

　（注）非課税となる教育用財産は、学校の事業を行う個人（被相続人）が、その取得の都度、教育の用に供した日から4月以内にその個人の所得税の納税地の所轄税務署長にあらかじめ届出されていることを要する。ただし、各年分の所得税の確定申告書に所定の書類を添付する方法も認められる（相規附則④～⑥）。すなわち、相続開始前からあらかじめ、このような手続をしておくことが必要であるので注意を要する。

ハ　特例の適用要件

次に、非課税措置の適用を受けるためには、相続開始の年の5年前の年以後の各年において、次に掲げる要件のすべてに該当することが必要とされている（相規附則⑦）。

(イ) 学校の事業を行う個人及びその事業を行っていた被相続人（以下「事業経営者」という。）の事業からの家事充当金は、所轄税務署長が同規模の学校法人の学校の代表者に対する報酬の支給状況等に照らして相当であると認定した金額を超えていないこと（注）

（注） この家事充当金の額は、毎年通達により公開される。

(ロ) 事業経営者の親族その他事業経営者と特別関係がある者でその事業に従事する者に対して支給する金額が、その労務に従事した期間、労務の性質及びその提供の程度、その事業に従事する他の使用人が支払を受ける給与の状況等に照らし、その労務の対価として相当であること

(ハ) 事業経営者は、その各年分の所得税、相続税又は贈与税について無申告加算税又は重加算税を課されたことがなく、かつ、所得税の源泉徴収義務者として不納付加算税又は重加算税を徴収されたことがないこと

(ニ) 事業経営者は、その各年分の所得税について連続して青色申告をしていること

(ホ) 事業経営者は、その各年分の事業所得の計算上、学校の事業と他の事業との収入金額及び費用の額を明確に区分しており、かつ、帳簿書類を備え付けて学校の事業に係る一切の取引を記録し、保存していること

(ヘ) 事業経営者は、学校の会計から学校の事業のための支出（税務署長の認定した(イ)の家事充当金の支出を含む。）以外の支出をしていないこと

(ト) 事業経営者は、事業に係る施設について、学校の事業以外の事業並びにその事業に係る事業経営者及びその者と特別関係にある者の用に供しておらず、かつ、その事業のための担保以外の担保に供していないこと

④ **相続財産を公益事業の用に供していない場合の課税**

相続財産を、財産の取得の日から2年を経過した日において、なおその財産を公益事業の用に供していない場合には、その財産は相続税の課税対象になる（相法12②）。

この場合、たとえ、公益事業そのものは2年以内に行うときであっても、その財産を公益事業の用に供していなければ課税対象になる（相基通12－4）。

また、当初はその財産を公益事業の用に供していても、2年を経過した日現在において、その用に供しなくなった場合も含まれる（相基通12－6）。

なお、この規定により相続税の課税対象になった場合には、その財産は取得の時の時価で評価する。もちろん、この場合の増差額については、延滞税及び各種加算税が課税される（相基通12－7）。

(5) 心身障害者共済制度に基づく給付金の受給権（相法12①四、相令2の2）
① 総　説

条例の規定により地方公共団体が精神又は身体に障害のある者に関して実施する共済制度で一定の要件に該当するものに基づいて支給される給付金を受ける権利は、相続税が非課税とされる（相法12①四）。

このような給付金の受給権は、本来なら、相続税法第3条第1項の規定によりみなし相続財産として課税されるものと考えられるが、次のような理由により非課税とされたといわれている（「DHCコンメンタール相続税法（第2巻）」1215頁）。

「その共済制度の内容から生命保険における保険金の年金払いと同様の性質をもっているので、相続税法では生命保険金に含めて考えるべきものであるが、その性格が心身障害者をもつ扶養者の不安を軽減し、かつ、残された障害者の生活の安定と福祉の向上を図るためのものであり、所得税法においてもその給付金が非課税とされていることから、相続税法においても非課税財産とされているものである」

② 適用要件

この非課税措置の対象となる共済制度は、地方公共団体の条例において、心身障害者を扶養する者を加入者とし、その加入者が地方公共団体に掛金を納付し、その地方公共団体が心身障害者の扶養のための給付金を定期に支給することを定めている制度で、次の要件を備えているものである（相令2の2、所令20②）。

(イ) 心身障害者の扶養のための給付金（その支給開始前に心身障害者が死亡した場合に加入者に対して支給される弔慰金を含む。）のみを支給するものであ

ること

(ロ) (イ)の給付金の額は、心身障害者の生活のために通常必要とされる費用を満たす金額（(イ)の弔慰金にあっては、掛金の累積額に比して相当と認められる金額）を超えず、かつ、その額について、特定の者につき不当に差別的な取扱いをしないこと

(ハ) (イ)の給付金（(イ)の弔慰金を除く。(ニ)で同じ。）の支給は、加入者の死亡、廃疾その他地方公共団体の長が認定した特別の事故を原因として開始されるものであること

(ニ) (イ)の給付金の受取人は、心身障害者又は(ハ)の事故発生後において心身障害者を扶養する者とするものであること

(ホ) (ニ)の給付金に関する経理は、他の経理と区分して行い、かつ、掛金その他の資金が銀行その他の金融機関に対する運用の委託、生命保険への加入その他これらに準ずる方法を通じて確実に運用されるものであること

(6) 相続人の取得した保険金のうち一定の金額（相法12①五）

① 総　　説

　被相続人の死亡によって、相続人その他の者が生命保険金を取得した場合において、被相続人が負担した保険料に対応する部分はみなし相続財産として相続税が課税されることは、既に述べたが（相法3①一）、このうち、相続人が相続によって取得したものとみなされる保険金（上記(5)に該当するものを除く。）の合計額のうち500万円までは非課税とされている。

　この非課税理由は、生命保険制度を通じて貯蓄の増進を図るほか、被相続人の死後における相続人の生活の安定等を考慮して非課税財産とされたもの（「DHCコンメンタール相続税法（第2巻）」1215頁）といわれている。

　このような意味から、相続を放棄した者又は相続権を失った者が取得した保険金については、この非課税措置は適用されない（相基通12−8）。

② 非課税額の計算

　非課税額の計算は、次のようになる（相法12①五、相基通12−9）。

イ　すべての相続人の取得した保険金の合計額が、500万円に法定相続人の

数を乗じて算出した金額（以下「保険金の非課税限度額」という。）以下である場合……すべての相続人の取得した保険金の金額（したがって、課税対象額はゼロになる。）

これを計算式で示すと次のとおりとなる。

保険金の非課税限度額＝500万円×法定相続人の数

（注）「法定相続人」は、相続税法第15条第2項に規定する相続人をいう。すなわち相続を放棄した相続人は、放棄をしなかったものとみなし、養子については制約がある。詳細は、「遺産に係る基礎控除（297頁以下）」を参照されたい。

ロ　すべての相続人の取得した保険金の合計額が保険金の非課税限度額を超える場合……保険金の非課税限度額にすべての相続人が取得した保険金の合計額のうちにその相続人の取得した保険金の合計額の占める割合を乗じて算出した金額

これを算式で示すと次のとおりである（注1～3）。

$$\left(500万円 \times 法定相続人の数\right) \times \frac{B}{A} = 各相続人の非課税金額$$

（注1）　算式中の符号は、次のとおりである。
　　　　A＝各相続人が取得した保険金の総額
　　　　B＝各相続人が取得した保険金の合計
（注2）　保険金を取得した被相続人の養子（相続を放棄した者を除く。）については、全員保険金の非課税金額の適用があることに注意を要する。
（注3）　相続人の取得した保険金のうちに、租税特別措置法第70条（国等に相続財産を贈与した場合の特例）の適用を受ける部分があるときは、その部分の保険金は、相続人の取得した保険金のうちに含めないで、上記の計算をする（相基通12－9）。

〔設　例〕

被相続人甲が死亡し、甲が被保険者で、かつ、保険料の全額を甲が負担していた生命保険契約に基づき、甲の遺族（全て相続開始直前に甲と生計を一にしていた。）が次のように保険金を取得した。各人の課税対象金額は幾らか。なお、次女戊は相続を放棄している。

妻乙　5,000万円　　長男丙　2,000万円
　　長女丁・二女戊（いずれも20歳未満）　各1,000万円

① 保険金の非課税額

　500万円×法定相続人の数4（※）＝2,000万円

　（※）　次女戊は相続を放棄しているが、法定相続人の数（相法15②）には含まれる。

② すべての相続人の取得した保険金の合計額

　乙5,000万円＋丙2,000万円＋丁1,000万円＝8,000万円

③ 各人の課税対象金額

　乙＝5,000万円－2,000万円×5,000万円／8,000万円＝3,750万円

　丙＝2,000万円－2,000万円×2,000万円／8,000万円＝1,500万円

　丁＝1,000万円－2,000万円×1,000万円／8,000万円＝750万円

　戊＝1,000万円（相続人でないので、非課税金額はない。）

(7) **相続人の取得した退職手当金等のうち一定の金額**（相法12①六）

① 総　　説

　被相続人の死亡によって、相続人その他の者が被相続人に支給されるべきであった退職手当金、功労金その他これらに準ずる給与（以下(7)において「退職手当金等」という。）で被相続人の死亡後3年以内に支給が確定したものの支給を受けた場合には、みなし相続財産として相続税が課税されるが（相法3①二）、このうち、相続人が相続によって取得したものとみなされる退職手当金等の合計額のうち500万円までは非課税とされている。

　この非課税理由は、生命保険金と同様に、被相続人の死後における相続人の生活の安定等を考慮して非課税財産とされたもの（「DHCコンメンタール相続税法（第2巻）」1226頁）といわれている。

　したがって、生命保険金の場合と同様、相続を放棄した者又は相続権を失った者が取得した退職手当金等については、この非課税措置は適用されない（相基通12－10）。

② 非課税額の計算

非課税額の計算は、次のようになる（相法12①六、相基通12－10）。

イ　すべての相続人の取得した退職手当金等の合計額が、500万円に法定相続人の数を乗じて計算した金額（以下「退職手当金等の非課税限度額」という。）以下である場合……すべての相続人の取得した退職手当金等の金額（したがって、課税対象はゼロになる。）

これを計算式で示すと次のとおりとなる。

退職手当金等の非課税限度額＝500万円×法定相続人の数

ロ　すべての相続人の取得した退職手当金等の合計額が退職手当金等の非課税限度額を超える場合……退職手当金等の非課税限度額にすべての相続人が取得した退職手当金等の合計額のうちにその相続人の取得した退職手当金等の合計額の占める割合を乗じて算出した金額

これを算式で示してみると、次のとおりである（注１、２）。

$$\left(500万円 \times \text{法定相続人の数}\right) \times \frac{B}{A} = \text{各相続人の非課税金額}$$

（注１）　算式中の符号は、次のとおりである。

　　　　　A＝各相続人が取得した退職手当金等の合計額の総額
　　　　　B＝各相続人が取得した退職手当金等の合計

（注２）　(6)②ロの（注２）及び（注３）を参照されたい。

〔設　例〕

会社社長である甲が死亡し、妻乙と長男丙が次のとおり退職手当金等の支給を受けた。なお、甲の法定相続人は、他に長女丁と二男戊がいる。

　　乙　3,000万円、丙　1,000万円

① 退職手当金の非課税額

　　500万円×4（法定相続人数）＝2,000万円

② すべての相続人の取得した退職手当金等の合計額

　　乙3,000万円＋丙1,000万円＝4,000万円

③ 各人の課税対象金額

$$乙 = 3,000万円 - 2,000万円 \times \frac{3,000万円}{4,000万円} = 1,500円$$

$$丙 = 1,000万円 - 2,000万円 \times \frac{1,000万円}{4,000万円} = 500万円$$

(8) 国等に対して相続財産を贈与した場合の相続税の非課税措置（措法70①）

① 総　説

　相続又は遺贈によって財産を取得した者がその相続又は遺贈に係る相続税の申告書の提出期限までに、その相続財産を国若しくは地方公共団体又は公益社団法人若しくは公益財団法人その他の公益を目的とする事業を営む法人のうち、教育若しくは科学の振興、文化の向上、社会福祉への貢献その他公益の増進に著しく寄与するものとして定められた一定の法人に贈与した場合には、その贈与により贈与者又はその親族その他これらの者と相続税法第64条第1項に規定する特別の関係がある者の相続税又は贈与税の負担が不当に減少する結果となると認められる場合（注）を除き、その贈与をした財産は、相続税の課税対象とならない。

（注）　この不当減少の判断は、公益事業用財産通達の第2の14から16までに準じて取り扱うものとされている（「租税特別措置法（相続税法の特例関係）の取扱いについて」通達（昭和50年11月4日直資2-224）。以下「措通」と略称する。）70-1-11）。この通達の内容は、すでにその概略を述べているので参照されたい。なお、贈与税の項でも、再度説明する。

　この措置が設けられた理由については、次のようにいわれている。すなわち、相続等により一旦取得した財産を公益法人に寄付しても本来は相続税が課税されるが、相続財産の取得直後における公益法人への寄付は被相続人の意思等に基づくものが多く、我が国では公益事業の振興等がなお重要であり、法人税や所得税でも試験研究法人等に対する寄付金の課税特例があること等からこの特例が設けられたものとされている（「DHCコンメンタール相続税法

（第3巻）」4077頁）。

なお、贈与を受けた法人が贈与を受けた日から2年を経過した日までに、上述の適格な法人としての要件に該当しなくなった場合又は財産を公益の用に供していない場合には、この非課税措置は遡及して不適用となり、相続税の修正申告書を上記の2年を経過した日の翌日から4月以内に提出しなければならない（措法70②、70の2）。

② 注意点

この特例の適用について注意を要する主な点は、次のとおりである。

イ　この特例は、財産の贈与の時において現に存する法人に対する贈与について適用されるもので、法人を設立するための寄付行為その他の財産の適用については、適用がない（措通70-1-3）。この点、次のロの所得税の特例（措法40）とは異なる。

ロ　特定の公益法人に相続財産を贈与して、この特例により、相続税が非課税となる場合であっても、その公益法人に贈与した財産が土地、建物等のように譲渡所得の基因となる資産である場合には、その資産を時価でその公益法人に譲渡したものとみなされ、譲渡所得について所得税が課税されることになる（所法59①）。ただし、この譲渡所得については、別途、一定の手続により国税庁長官の承認を受けた場合には、所得税が課税されない（措法40）。

ハ　相続財産の国等への贈与につき、措法70条の適用がない場合でも、次の③の特例の適用を受けられるときがある（措通70-1-10）。

③ 被相続人の意思に基づき公益法人を設立する場合等の取扱い

正式の遺言はないが、被相続人の意思に基づいて相続人が公益法人に財産を提供した場合には、その提供した財産は、まず相続財産に含められて相続税が課税された後に公益法人に帰属するものと解される。

しかし、被相続人が公益法人の設立のため財産を提供することの意思を正式の遺言に準ずるような方法で表明していたことが明らかであること等一定の要件を充たす場合には、相続税法で、前述のとおり公益事業者に対する相

続又は遺贈を非課税としていること等を勘案して、当分の間、正式遺言による遺贈と同様に取り扱うこととされている（「被相続人の意思に基づき公益法人を設立する場合等の相続税の取扱いについて」通達（昭和35年10月1日直資90））。その概要は、次のとおりである。

イ 公益法人の設立申請中に財産提供予定者が死亡した場合

　設立が認可されたことによりその提供を予定していた財産が公益法人に帰属した場合には、その財産はその公益法人が遺贈により取得したものと同様に取り扱われる。

ロ 公益法人の設立の認可申請前に財産提供予定者が死亡した場合

　相続人が、財産提供予定者即ち被相続人の意思に基づいてその財産を公益法人に帰属させた場合で、次のすべての要件に該当するときは、その財産はその公益法人が遺贈により取得したのと同様に取り扱われる。

　(イ) 被相続人が公益法人の設立のため財産を提供する意思を有していたことが明らかであること（注）。

　　（注）　被相続人の日記、書簡等にその旨が記載されているなど生前の事実の立証が必要である。

　(ロ) その公益法人に帰属した財産につき相続税法第66条第4項の規定の適用がないこと。

　(ハ) その公益法人が相続税の申告書の提出期限までに設立されたものであること（正当な理由があるときは、申告書の提出期限までにその設立許可申請がされていること。）。

　なお、財産の提供により、譲渡所得の生ずる場合があるが、これについては、②ロを参照されたい。

(9) 特定公益信託の信託財産とするための相続財産である金銭を支出した場合の特例（措法70③）

　相続又は遺贈によって財産を取得した者がその取得した財産に属する金銭を、その相続又は遺贈に係る相続税の申告書の提出期限までに特定公益信託（注1、2）のうち、その目的が教育又は科学の振興、文化の向上、社会福

祉への貢献その他公益の増進に著しく寄与するものとして一定のものの信託財産とするために支出した場合には、その支出によりその支出した者又はその親族その他これらの者と相続税法第64条第1項に規定する特別の関係がある者の相続税又は贈与税の負担が不当に減少する結果となると認められる場合を除き（(8)①の（注）を参照）、その金銭の額は、相続税の課税対象にならない。

(注1) 特定公益信託とは、公益信託ニ関スル法律第1条に規定する公益信託（注2）で信託の終了の時における信託財産がその信託財産に係る信託の委託者に帰属しないこと及びその信託事務の実施につき一定の要件（措令40の4①）を満たすことについて、その公益信託に係る主務大臣の証明がされたものをいう（措法70③、措令40の4②）。更に、この特例の適用を受けられる特定公益信託は、自然科学に係る科学技術に関する試験研究の助成等一定の事業を目的とし、かつ相当と認められる業績が持続できることにつき、主務大臣の認定を受けた日の翌日から5年を経過していないものに限られる（措令40の4③）。

(注2) 公益信託ニ関スル法律第1条では、「信託法（平成18年法律第108号）第258条第1項ニ規定スル受益者ノ定ナキ信託ノ内学術、技芸、慈善、祭祀、宗教其ノ他公益ヲ目的トスルモノニシテ次条ノ、許可ヲ受ケタルモノ」を公益信託と定めている。

また、この特例の対象となる金銭は、本来の相続又は遺贈によって取得した金銭のほか、みなし相続財産である保険金又は退職手当金等として取得した金銭も含まれ、また、相続等により取得した証券投資信託若しくは貸付信託の受益証券又は貸付金債権の信託期間満了又は弁済期限到来により取得した金銭も含むことに取り扱われる（措通70-3-1～2）。

なお、相続税の問題ではないが、特定公益信託に対して、個人が不動産等の譲渡所得となる資産を信託財産として支出する場合の譲渡所得課税については、現在のところ特段の規定はなく、また当局の公的見解も示されていない。しかし、将来特定公益信託が普及化されて行くためには、この問題の解決は是非とも必要であろう。

全くの筆者の私見では、信託の受託者すなわち信託財産の所有者は、信託

会社（信託銀行）であるから、この信託会社の受託する特定公益信託で一定の要件を満たすものがあれば、信託会社あるいは特定公益信託を公益法人とみなして、租税特別措置法第40条の規定を適用し、非課税とする方向での制度の新設を考えることが妥当ではないかと思っている。

⑽　認定特定非営利活動法人の行う特定非営利活動に係る事業に関連して相続財産を贈与した場合の特例（措法70⑩）

　相続又は遺贈により財産を取得した者が、その財産を相続税の申告書の提出期限までに、認定特定非営利活動法人に対し、その認定非営利活動法人の行う特定非営利活動促進法に規定する特定非営利活動に係る事業に関連する贈与をした場合には、その贈与した者又はその者の親族等の相続税又は贈与税の負担が不当に減少する結果となると認められる場合を除き、その贈与した財産の価額は、その相続又は遺贈に係る相続税の課税価格に算入しないこととする改正が行われた（措法70⑩）。

　なお、認定特定非営利活動法人で贈与を受けたものが次の場合に該当するときは、上記の規定にかかわらず、上記の贈与した財産の価額は、その相続又は遺贈に係る相続税の課税価格の計算の基礎に算入することとされている（措法70⑩）。

イ　その贈与があった日から2年を経過した日までに上記の認定特定非営利活動法人に該当しないこととなった場合

ロ　上記の贈与により取得した財産をその贈与があった日から2年を経過した日においてなおその公益を目的とする事業の用に供していない場合

（注1）　特定非営利活動促進法（平成10年法律7号）とは、民間によるボランティア活動などを促進するため、特定非営利の活動を目的とする団体に法人格を与えるために制定された法律である。エヌ・ピー・オー（NPO（Non-Profit Organization））法と通称される。これにより、財政、規模等の理由から公益法人となることが困難な団体にも法人格が与えられることになった。特定非営利活動の内容は別表で限定列挙されるほか、宗教的・政治的活動を主たる目的とする団体は認められないが、当該特定非営利活動以外の事業を行うことは許されている（非営利活動2①、5）。事業報告書の利

害関係人による閲覧、所轄庁への提出、一般人の閲覧を認めるなど（非営利活動28・29）、情報公開を強化している点は、主務官庁の監督を重視する公益法人制度とは異なる点である。また、税法上も一定の優遇措置がなされている（非営利活動46）。

（注2）　特定非営利活動法人とは、特定非営利活動促進法の定めるところにより設立された法人で、一定の要件を満たすものをいう（非営利活動2②）。いわゆるエヌ・ピー・オー（NPO）法人である。公益法人等よりも容易に都道府県知事の認証を受けられるものとされるが、法人税の税率については人格のない社団と同じく取り扱われている。さらに、厳格な要件の下に国税庁長官の認定を受けた場合には、認定特定非営利活動法人とされ、認定法人に寄附をした個人又は法人は、寄附金控除等を受けることができる（措法66の11の2）。

Ⅱ　相続税の課税価格

第1節　相続税の課税方式

1　総　説

　現行相続税法は、他の税法にはない相続税の課税方式を明らかにした規定が置かれている（相法11）。この規定は、昭和33年の税法改正で設けられたもので、その趣旨は、相続税は、相続又は遺贈により財産を取得した者の被相続人からこれらの事由により財産を取得したすべての者に係る相続税の総額（以下「相続税の総額」という。）を計算し、その総額を基礎としてそれぞれこれらの事由により財産を取得した者に係る相続税額として計算した金額により、課するものとされている。すなわち、相続税の課税方式は各相続人の取得財産を合計して相続税の総額を計算し、これを各相続人に配分してそれぞれの相続税を求める方式によることを明らかにしているもので、いわば宣言規定といえよう。

2　税制特別調査会の答申

　このような課税体系が採用されたのは昭和32年の政府税制特別調査会の「相続税制度改正に関する税制特別調査会答申」19〜20頁において、このような体系を採用すべきことを勧告したことに基づくものである。参考となると思われるので、やや長文であるが、以下引用してみる。

〔相続税制度改正に関する税制特別調査会答申〕
第5　検討と結論
(検討の結果の要約)
(1)　相続税に関する2つの課税体系（遺産税体系と遺産取得体系……筆者注）について上述の検討を基とし、現在現れている弊害を考慮しつつ、両体系をとる場合の利害得失について検討してみた。

　相続税の課税体系について、農家や中小企業等の財産相続の問題を解決するため課税最低限を引き上げて遺産税体系をとるべきであるとの強い意見もあった。

　しかし、当調査会は検討の結果、相続税の課税体系は、遺産取得税体系にも捨て難い長所があり、現在上述のような負担の不均衡をきたしているという弊害はあっても、いま直ちに遺産税体系に改めるべきではなく、将来の財産相続のあり方も考え、むしろ、現行の遺産取得税体系をとりつつその長所を存置し、かつ、この制度による弊害を是正する方向において検討を行うことが適当であるとの結論に達した。

(結論)
(2)　このような考え方に基づくものとしていくつかの案がとりあげられ、それぞれの案について、その長所を検討してみた。結論としての現行の相続税体系をそのままとし、遺産を法定の相続人が民法の相続分にしたがって分割したものと仮定して相続税額を計算する案をとりあげることが、現在においては最も適当であると判断した。

　当調査会は、この案が、現行の遺産取得税体系をとりつつ、遺産額と相続人の数という客観的事実により相続税額が定まり、しかも現行の制度を大幅にかえることなく実際の遺産分割の程度により負担が大幅に異なるという現在の弊害を除去できるという点では最も合理的な案と考えた。さらに、相続人の数が少ない場合に問題としてとりあげられている農家やこれに準ずる中小企業等その他の一般世帯の相続の問題を解決するため、共同相続人一人ごとに定められる控除額のほか、共同相続人の数にかかわらず、遺産について一定額を基礎的に控除することが適当であるとの結論に達した。

　相続税の負担は、相続税の総額が遺産額と法定相続人の数ごとにより決定される方式をとる結果、同額の遺産であっても、共同相続人の数が多い場合の負担は、相続人が単独又は少ない場合の負担に比して軽減されることとなるが、相続税の負担は、遺産を相続しない法定相続人が遺産を相続した者に依存することがあること等を考えあわせれば、法定相続人の多い

場合には少ない場合に比してある程度軽減されることが合理的であるといえるのである。

　この答申からも窺えるように、昭和33年の改正により誕生した現行相続税の課税体系は、従来のものと全く異なった複雑なものとなったので、これを明らかにするため、課税方式を簡潔に表現した現行の11条の規定が置かれたもののようである（注1）。しかし、この規定の実質的必要性あるいは存在価値があるかどうかは疑わしく、「相続税の総額」についても用語の内容は何も説明していないので、あまり意味がないという批判がある（注2）。

（注1）　この改正に関する経緯は、櫻井四郎「一税務官吏の戦後史(7)」（税経通信平成9年7月号150頁以下）に詳しい。

（注2）　「北野コンメンタール相続税法」108頁参照

　なお、平成15年の改正で導入された相続時精算課税制度は相続税というよりむしろ贈与税の関連部分が多く、かつ、一種の租税特別措置であると筆者は考えるので、相続税・贈与税の基本の説明の後で簡単に説明する。

第2節　課　税　価　格

1　総　説

　相続税の課税価格は、次のように定められている（相法11の2）。

(1)　相続又は遺贈により財産を取得した者がその取得の時において、居住無制限納税義務者又は非居住無制限納税義務者である場合には、その者の相続税の課税価格は、その者が相続又は遺贈により取得した財産の価額の合計額による（相法11の2①）。

(2)　相続又は遺贈により財産を取得した者がその取得の時において、制限納税義務者である場合には、その者の相続税の課税価格は、その者が相続又は遺贈により取得した財産で日本の国内にあるものの価額の合計額による（相法11の2②）。

2　課税価格と課税標準

　この「課税価格」については、「課税標準」の一種と解される。「課税標準」とは、各税法の規定により税額を算定するに当たっての基礎となる数額で、その額又は数量につき税率が適用されるものといわれる（志場喜徳郎他3氏共編「国税通則法精解（平成31年改訂）」（大蔵財務協会）（以下「国税通則法精解」という）139頁）。具体的に税率が適用されるものは、課税標準額又は課税標準数量といわれる。実際の税法では、たとえば所得税では「所得税の課税標準は、総所得金額、退職所得金額及び山林所得金額」（所法22①）とされるが、具体的に税率が適用される課税標準額は、所得控除後のその年分の課税総所得金額、課税退職所得金額又は課税山林所得金額である（所法89）。また、たとえば酒税の課税標準は、「酒類の製造場から移出し、又は保税地区から引き取る酒類の数量（酒税法22）とされるが、税率が適用される具体的な課税標準数量はたとえば「その月中において当該製造場から移出した酒類の税率の適用区分……ごとの課税標準の数量」（酒税法30の2①一）とされている。

　しかしながら、相続税法における「課税価格」については、このような使い分けが必ずしも明らかではない。すなわち、この相続税法第11条の2の規定による課税価格と第12条の非課税財産及び13条の債務控除との関係をどのように理解するのかである。つまり、相続税法第11条の2では相続税の課税価格は「相続又は遺贈により取得した財産の価格の合計額」とされるのに、第12条では「非課税」財産の価額は、相続税の課税価格に算入しないとし、また、同法第13条では、債務・葬式費用を財産の価額から控除した金額が「課税価格に算入すべき価額」となっている点をどう考えるのかである。

　これについては、これらの規定を一体として理解する考え方と第11条の2と第12条及び第13条を別の規定とする考え方とがあるようだが（「北野コンメンタール相続税法」112～113頁）、同書113頁の筆者（吉良実氏）と同様に筆者も一体として読む前説をとるべきであると考える。なお、同書112頁では、「財産」のうちに債務が含まれるという考え方があり得るように説かれるが、

第13条の規定は、後述のように「財産」と「債務」を使い分けているから、少なくとも、相続税法上の「財産」は、債務を含まない、いわゆる積極財産のみを指すものと筆者は解する。

　すなわち、相続税の課税価格は、積極財産の価額によるが、非課税財産についてはその価額は当初から課税価格に含めず、また、債務等については、積極（課税）財産の価額から控除したものを課税価格とすると規定しているものと理解する。すなわち、所得税のように総所得金額から所得控除を行って課税総所得金額を得るというシステムではなく、課税価格がはじめからネット金額として考えられているものと思う。

　なお、課税標準額とは、その額に税率を適用して税額が得られるものという一般の理解からすると、相続税の課税価格はいささか異質である。すなわち、課税価格自体の計算は、納税義務者たる相続人ごとに行うのであるが、この課税価格を合計して基礎控除を行った後の金額を法定相続人が法定相続分により取得したものと仮定して、これに税率（これも厳密にいえば「率」であって「税率」ではない。）を乗じて得た金額を相続税の総額とし、これを実際の相続人等の課税価格に乗じて各相続人等の相続税額を計算するというシステムからみると、相続税額は、課税価格に税率を適用して算出されるものではないようにも見える。もっとも、相続税の総額を課税価格であん分するということは、いわば、課税価格の合計に対する相続税額の割合すなわち平均税率を各人の課税価格に乗ずることに等しいから、そういった意味では、相続税の課税価格は、やはり課税標準の定義の範囲に入るものといってもよいだろう。

3　注意点

　未分割財産がある場合の課税価格の計算については、別に述べることとし、この他若干の注意を要する点は、たとえば次のようなことである。

(1)　相続等によって財産を取得した者が、相続開始の年に被相続人から贈与により財産を取得していた場合には、その財産の価額は贈与税ではなく相

続税の課税価格に含まれる（相法21の2④、相基通11の2－5）。
(2) 負担付遺贈により取得した財産の価額は、負担がないものとした場合におけるその財産の価額からその負担額（遺贈の時において確実と認められるものに限る。）を控除した価額によるものとされている。
(3) いわゆる譲渡担保（金銭消費貸借の担保として、その担保物の所有権を移転したもの又は債務金額によって買戻しをする特約のあるものをいう。）については、原則として、次のように取り扱われる（相基通11の2－6）(注)。
　① 債権者については、債権金額に相当する金額をその債権者の課税価格計算の基礎に算入し、譲渡担保の目的たる財産の価額に相当する金額は、これに算入しないこと。
　② 債務者については、譲渡担保の目的たる財産の価額に相当する金額をその債務者の課税価格の基礎に算入し、債務金額に相当する金額は控除すること。
　（注）　譲渡担保とは、目的物自体を債権者に譲渡する物的担保で、経済的必要によって盛んに利用され、判例もこれを有効としている。
　　　　譲渡担保には、次のように狭義の譲渡担保と売渡担保とがあり、この両者を含めて譲渡担保といわれることが多い。
　　　① 狭義の譲渡担保
　　　　原則として、債権者は担保のために必要にして十分なだけの権利を取得し、抵当権や質権などと同じように債務の弁済がないときは目的物を売却又は評価してその弁済に充て、残額があれば債務者に返済し、特に契約があれば清算せずにその目的物を債権者のものにするものをいう。
　　　② 売渡担保
　　　　債務者が目的物を債権者に譲渡し、代金相当額を融資として受け、一定の期限内に元利に相当する金額をもってこれを買い戻すという方法をとるもので、買戻しがなければ目的物は確定的に債権者に帰属し、その融資関係は終了するというものをいう。
　　　　ところで、課税上、この譲渡担保の目的物の移転を実質的に債権者に移転しているものとみるのか、あるいは債務者のもとに止まっているとみるのかによって大きな差異が生ずるわけであるが、譲渡担保についてはその経済的実質に即して、資産の移転はないものとして相続税の課税

価格を計算することに取り扱われているものである。
なお、譲渡所得課税における所得税及び法人税の取扱い（法基通2－1－18、所基通33－2）も、これと同様である。

第3節　債務控除

1　総　　説

相続税の課税価格を計算する場合において、相続又は遺贈により取得した財産について課税価格に算入すべき価額は被相続人の債務（無制限納税義務者の場合は、債務のほか葬式費用）の金額を控除して計算するものとされている。すなわち、積極財産の価額から消極財産たる債務の金額を控除したものが課税価格となるわけである。この債務を控除することを一般的に債務控除といわれている。

この債務控除の対象となる債務等の範囲は、納税義務者の態様により異なっている。すなわち、次のようになっている（相法13）。

(1)　**無制限納税義務者の場合**

無制限納税義務者（居住無制限納税義務者・非居住無制限納税義務者）の場合は、次のものの金額のうちその者の負担に属する部分の金額が債務控除の対象となる。

①　被相続人の債務で相続開始の際現に存するもの（公租公課を含む。）
②　被相続人に係る葬式費用

(2)　**制限納税義務者の場合**

制限納税義務者の場合は、被相続人の債務で次に掲げるものの金額のうちその者の負担に属する部分の金額が債務控除の対象となる。

①　相続等により取得した財産（以下(2)において「相続財産」という。）に係る公租公課

② 相続財産を目的とする留置権、特別の先取特権、質権又は抵当権で担保される債務
③ ①、②のほか、相続財産の取得、維持又は管理のために生じた債務（たとえば、財産の未払代金、未払修繕費）
④ 相続財産に関する贈与の義務
⑤ ①から④までのほか、被相続人が死亡した際国内に営業所又は事業所を有していた場合においては、その営業所又は事業所に係る営業上又は事業上の債務（注）

（注） 営業所又は事業所において、所得税法第4編の規定により源泉徴収した所得税で相続開始の際に未納であったもの並びにその営業所又は事業所において生じた消費税、揮発油税及び地方揮発油税、酒税等で相続開始の際に未納であったものは、相続税法第13条第2項第5号（上記⑤……筆者注）に掲げる債務に該当するものとして取り扱われる（相基通13-8）。また、買掛金、従業員の未払い賃金も含まれよう。

次に、この債務控除の対象となる債務は、確実と認められるものに限られる（相法14①）。また、債務控除の対象となる公租公課は、被相続人の死亡の際債務の確定しているもののほか、被相続人に係る一定の租税が含まれる（相法14②）。

なお、相続税の非課税財産（相法12①二、三）の取得、維持又は管理のために生じた債務は控除されないが、取得後2年経過日において公益事業の用に供していないため課税対象となった財産に係る債務は控除される（相法13③）。

このような債務控除を行う趣旨について、「民法上、相続人は、相続開始の時から被相続人の財産に属した一切の権利義務を承継するものとされるから（中略）、財産を承継するとともに、債務をも承継することとなり、ここに物税たる相続税の課税価格の計算にあたっては、相続または遺贈によって取得した財産の価格から承継した債務の額を当然に控除すべきものとされねばならない」（「北野コンメンタール相続税法」133頁）と説かれているが、より端的には、「相続税は、右の如く相続財産、すなわち、積極財産の価額か

ら、消極財産の価額を控除した純財産額を課税価格とする。けだし、純財産額こそ実質的財産税なる相続税の真の税源を示すとともに、またその担税力の高さを表現するものだからである」(栗原安「相続税法講義案上(昭和23年)」65頁)という説明が簡にして要を得ている。

次に、葬式費用を債務控除の対象とする理由については「被相続人に係る葬式費用は相続開始時に現存する被相続人の債務ではないが、相続開始に伴う必然的出費であり、社会通念上も、いわば相続財産そのものが担っている負担ともいえることを考慮して、これをも控除する旨を規定したものである」(「北野コンメンタール相続税法」133頁)とされており、適切な見解と考える。

また、制限納税義務者については、無制限納税義務者が、すべての相続財産を課税対象とされるのに対し、国内にある相続財産のみが課税されることから、控除される債務も課税対象財産に係る債務のみが対象となり、被相続人の一般的な債務は控除されないこととされているものである。その意味で、葬式費用も個々の課税対象財産との関連のない一般的な費用であるから、制限納税義務者に対しては控除が認められないものであろう。

2　個別検討
(1)　「債務」の意義
①　総　説

債務控除の対象となる債務は、まず、相続開始の際現に存する被相続人の債務である。「債務」については、税法上特別の定義はないので、民法上の概念に従うべきであろう。「債務」とはある者(債務者)が他の特定の者(債権者)に対して一定の行為(給付)をすることを内容とする義務をいう(「新版・新法律学辞典」(有斐閣)468頁)とされる。債務の代表的なものは金銭債務であるが、そのほかに物の引渡債務や行為債務もある。

次に、このような債務は積極財産とともに、相続によって、当然に被相続人から相続人に承継される。相続する積極財産が皆無で、債務しか存在しな

い場合でも、相続放棄や限定承認をしない限り、相続人に承継される（大審院大正10年10月20日判決）。債務は私法上の債務であると公法上の債務であるとを問わず、また、与える債務（特定物又は不特定物を給付することを目的とする債務）であると、なす債務（その他の行為をすることを目的とする債務）であるとを問わない。契約によって生じた金銭債務はもちろん、不当利得に基づく返還義務（大審院昭和7年3月1日判決）、損害賠償債務（慰謝料支払の債務につき、大審院昭和7年7月8日判決）なども発生原因のいかんにかかわりなく承継される。物上請求権や登記請求権に対応する引渡債務や登記義務も同様に承継される。

② **生命侵害に係る損害賠償請求に対する支払債務**

被相続人が加害者である場合の損害金については債務控除の対象となるものとされている（「資産税質疑応答集」723頁）。

③ **一身専属の債務**

被相続人の一身に専属したとみるべき債務は相続されない。たとえば、次のようなものが挙げられる（注1）。

(イ) 債務の履行が被相続人の人格と結合したもの（芸術上、技術上、著述上の作為債務、特定の営業者たることを前提とする不作為債務など）

(ロ) 対人的信頼関係を存在の基礎におく債務－特定の債務につき負担する普通の保証債務とは異なり、継続的取引において生ずることあるべき将来の一切の債務を保障するというように責任の及ぶ範囲が極めて広汎で、相互の特別の信用を基礎とする保証債務（保証債務の取扱いは後述する。）

(ハ) 身元保証人と本人相互の特別の信用情実関係を基礎とする身元保証債務

(ニ) 被相続人の親族関係その他の地位を基礎とするもの（例えば扶養義務）

(ホ) 罰金納付義務（これについては、相続性を認めた判例（大審院明治45年5月14日）があるが、学説は一般に反対しており、承継されないと解されており、課税上もそのように考えるべきであろう。）（注2）

（注1）「家族法体系Ⅵ相続(1)」（有斐閣）220頁
（注2）「資産税実務問答集」469頁。ただし、同書は、被相続人に課されてい

た罰金は未払であっても債務にならないとしているが、没収又は租税その他の公課若しくは専売に関する法令の規定により言い渡した罰金若しくは追徴は、刑の言渡しを受けた者が判決の確定した後死亡した場合には、相続財産についてこれを執行することができる（刑事訴訟法491）ので、その限りにおいて承継することとなるという見解があり（「櫻井相続税」211頁）、前掲実務問答集の回答には、いささか疑義をもつ。

④ 「相続開始の際現に存する」の意義

控除される債務は、相続開始の際に現に存する被相続人の債務であることである。現に存するとは現に債務の発生していることを意味し、したがって、履行期が到来していると否とを問わない。被相続人の贈与で履行されていないもののような贈与の義務も含まれる（相法13②四を参照。）。ただし、被相続人の死亡により消滅する債務が承継されないことは、前述のとおりである。

なお、相続開始後の和解で相続権確認の訴えの取下げの代償として支払うこととした金銭債務は相続開始の時に存在した債務とは認められないとした裁決例（注）がある。

(注)　「請求人が本件扶養料、学費を支払うこととなったのは、被相続人の生存中から係争中の認知請求の訴えに関連があるとしても、その支払債務は、請求人を被告として被相続人の死亡後に提起された相続権確認等の訴えにおいて職権和解によって発生したものであり、被相続人の相続開始の時に債務として存在していたものとは認められない」（昭和46年4月28日裁決・裁決事例集No 2 - 31頁）

⑤ 「確実と認められるもの」の意義

債務控除の対象となる債務は確実と認められるものに限られる（相法14①）。どのような債務を「確実と認められる債務」と認めるかについては、債務の存在のみならず履行が確実と認められる債務をいうものと解される（注）。なお、債務が確実であるかどうかについては、必ずしも書面の証拠があることを必要としない（相基通14-1）。

(注)　この点につき、次のような判例がある（広島高裁昭和57年9月30日判決）。

「相続税の課税価格の算定上債務控除の対象となる債務は……確実と認められる債務でなければならない。そして、右の確実と認められる債務とは、

債務が存在するとともに、債権者による裁判上、裁判外の請求、仮差押、差押、債務承認の請求等、債権者の債務の履行を求める意思が客観的に認識しえられる債務、又は、債務者においてその履行義務が法律的に強制される場合に限らず、社会生活関係上、営業継続上若しくは債権債務成立に至る経緯等に照らして事実的、道義的に履行が義務づけられているか、あるいは、履行せざるを得ない蓋然性の表象のある債務をいうもの、即ち債務の存在のみならず履行の確実と認められる債務を意味すると解するのが相当である」

次に、債務の金額が確定していなくてもその債務の存在が確実と認められるものについては相続開始当時の現況によって確実と認められる範囲の金額だけを控除することに取り扱われている（相基通14－1）（注）。

(注)「確実と認められる債務」の意義について、次のような判例もある（東京高裁昭和55年9月18日判決）。

「「確実と認められる債務」といい得るためには、法人の各事業年度の所得金額の計算に当り当該事業年度の損金の額に算入することのできる「確定した債務」（法人税法第22条3項2号）についていわれているごとく、「当該事業年度終了の日までに当該費用にかかる債務が成立し、その債務に基づいて具体的な給付をすべき原因となる事実が発生し、その金額を合理的に算定することができるものであることが必要である」（法人税基本通達・昭和44年5月1日付直審（法）25、2－2－12参照）と解するのが相当である。」

また、裁決例で「債務の確実性」につき判断したものを若干示しておこう。

(イ) 相続税の計算上控除できる債務としては、不当利得返還請求に基づく給付訴訟において存在が認められたにすぎない不当利得返還債務の全額ではなく、給付判決によって給付を命じられた額すなわち請求人が履行しなければならない額に限られる（昭和55年7月29日裁決・裁決事例集No.20－187頁）。

(ロ) 被相続人の下で事業に従事していた相続人が、その事業を引き継いだ後において、被相続人が経営していた当時の退職金として相続人及び従業員に支給することとした金員は、被相続人の当時には退職給与規定もなく、かつ、従業員が退職した事実も認められないので、相続開始時における被相続人の債務として確定していたものではないから、当該金員は相続財産から控除できる債務ではない（昭和48年11月28日裁決・裁決事例集No.7－37

(ハ) 被相続人の債務は、団体信用生命保険契約に基づき被相続人の死亡により支払われる保険金によって補てんされることが確実であって、相続人が支払う必要のない債務であるから、相続税法第14条に規定する「確実な債務」に当らず、相続税の課税価格の計算上債務として控除することはできない（昭和63年4月6日裁決・裁決事例集No.35－141頁）。

(ニ) 相続開始から3年を経過した後に被相続人に係る債務があるとして債権者から貸金の返還請求を訴訟により求められた請求人が裁判上の和解において同人の負担とされた金額につき、これを相続債務として債務控除するように更正の請求をしたが、借入れを立証する証書、借入金の授受、弁済に係る事実等に照らして当該債務が被相続人に帰属したとする確実な証拠は認められないから、当該債務を債務控除の対象にすることはできない（昭和56年1月28日裁決・裁決事例集No.21－193頁）。

(ホ) 請求人は、本件和解金は本件土地に係る長期にわたる紛争の和解金で、支払義務は相続開始時に確定したものであり、確定債務であると主張する。しかし、被相続人が貸し付けていた土地の借地人の立退きに当たって、同人に支払うこととなった和解に係る支払債務については、①支払の合意が成立したのは相続開始後であること、②相続開始時点において借地人はいまだ本件土地を立ち退いていなかったこと、③当該相続税の申告上、請求人は本件土地を貸宅地として評価していることから、本件和解金は、本件相続開始時点における確実と認められる債務には該当しない（平成6年6月27日裁決・裁決事例集No.47－403頁）。

(ヘ) 請求人は1億円の贈与義務（「本件債務」という。）は相続開始の際に現に存する債務であり、相続税の課税価格の計算上控除すべき金額であると主張する。

しかしながら、贈与債務が、相続税の課税価格の計算上債務として控除するための要件を充たすには、相続開始までにその贈与債務の基礎となる贈与契約が成立しており、かつ、相続開始のときに債務者（贈与者）につ

きその債務の履行が義務づけられる未履行の贈与債務であることが必要であるところ、本件においては、相続開始の時点においては、被相続人と受贈者の代理人との間で交渉が終了していたとはいえず、相続開始後に取り交わされた基本合意書をもって贈与額が確定し、これにより贈与契約が成立したものと認められることから、本件債務は相続開始の際に現に存する確実な債務には該当しない（平成13年5月30日裁決・裁決事例集No.61－560頁）。

なお、相続開始のときにおいて、既に消滅時効の完成した債務は、確実と認められる債務に該当しないものとして取り扱われる（相基通14－4）。

⑥　「そのものの負担に属する部分の金額」の意義

債務控除として認められる金額は、相続又は遺贈によって財産を取得した者が実際に負担する金額をいうものとされる（相基通13－3）。

この検討の前提として、民法上、債務の相続はどのように考えられているかをみてみよう。すなわち共同相続人がある場合の債務の分割については、遺産分割の対象にはならず、相続人の法定相続分に応じて当然に分割して承継されるという学説が有力であり、判例の圧倒的多数もこの立場をとる（大審院昭和5年12月4日決定・最高裁昭和34年6月19日判決）。ただ、このように解すると、無資力者が共同相続人にいれば、その部分だけ回収できないことになって、相続債権者の保護に欠けるという観点から、当然には分割されないとする説（不可分債務説・合有債務説（注））も唱えられている。

もっとも、法定相続分に応じた分割承継が判例の立場だとしても、それは相続人と相続債権者との間の関係であって、共同相続人間で、自由に他の共同相続人の負担部分を引き受けること（債務引受け）を妨げるものではない。ただ、これは相続債権者の承諾がないと債権者には対抗できない（遠藤浩ほか編集「民法(9)相続第4版増補版」（有斐閣双書）117頁 etc.）。

（注）　当然には分割されないとする学説は次のとおりである（泉久雄ほか著「民法講義8」（有斐閣大学双書）106頁を参考とした。）。

　　(イ)　不可分債務説

分割までは権利義務は一括して相続人に帰属しており、民法898条は相続人間の内部負担を考えている。また、債務の処分は債権者の同意なしには行い得ないから、相続債務は共同相続人に不可分的に帰属している。

㈹　合有債務説

相続財産・債務は包括的な1個の財産・債務で共同相続人に合有的に帰属しているから、債務について、債権者は共同相続人全員を相手として履行請求をすべきである。また、各共同相続人の個人財産を引当とする各共同相続人の相続分に応じて分割された債務と、遺産全体を引当とする合有的債務が併存しているという説もある。

このように、債権者と共同相続人との間の関係では法定相続分による当然分割承継説が判例の立場とみられるが、他方、上記のように、共同相続人間での債務分割（正しくは債務の引受け）は自由と考えられているので、実務上の取扱いは、相続人がそれぞれ実際に負担した金額について債務控除を認めることとして取り扱われているものと考える。ただし、実際に負担する金額が確定していないときは、民法第900条から第902条までの規定による法定相続分等の割合に応じて負担する金額をいうものとされている（相基通13－3）が、この点については、未分割の場合の課税価格の解説の項で再説することとする。

(2)　公租公課

①　原　　　則

債務控除の対象となる被相続人の債務には、公租公課が含まれることが法文上明らかにされている。この規定の性格については、「国税及び地方税に関しては、国税通則法第5条第1項及び地方税法第9条第1項の規定により被相続人の納税の義務が承継されることとされているところから、現在においては、これは留意的な規定と解してもよいと思われる」（「DHCコンメンタール相続税法（第2巻）」1257頁）という意見があり、筆者も賛成である（注）。

（注）　共同相続人がいる場合の納税義務は、国税、地方税とも法定相続分により承継する旨が明定されているが（通則法5②、地方税法9②）、債務控除の対象となる金額は、他の一般債務と同様に、実際に負担した金額によることと

されている。その理由については、(1)⑥で述べたところを参照されたい。

次に、「公租公課」の意義については、特に税法上の定義はないが、国又は公共団体（地方公共団体、公共組合及び営造物法人＝公団・公庫・港務局etc.）により賦課される公の負担の総称とされ、大体において公租は国税及び地方税を意味し、公課は租税以外の公の金銭負担、たとえば負担金、分担金、使用料、手数料、公共組合の組合費等を指すと解されている（「法律学小辞典」（有斐閣）341、361頁）。ただし、公租公課は特定の物に一元的に課される負担で、反対給付として性格をもつものは含まれないという前提の下に、使用料・手数料は公租公課に含まれないという説もあるが、上記のように広義に解するべきであろうと考える。

また、制限納税義務者の場合に控除される公租公課は、課税対象財産に係る公租公課に限られており、具体的には、国内にある財産を課税客体とする公租公課、たとえば、固定資産税、鉱区税等をいうものとして取り扱われる（相基通13－7）。

次に、債務控除として控除すべき公租公課は、被相続人の死亡の際確定しているものの金額のほか、被相続人の死亡後相続税の納税義務者が納付し、又は徴収されることとなった次の税額が含まれる（相法14②、相令3①）。

イ　被相続人の所得に対する所得税額

ロ　被相続人が相続等又は贈与により取得した財産に係る相続税額又は贈与税額

ハ　被相続人が有していた土地等に対する地価税額

ニ　被相続人が基準日において有していた資産につき再評価を行い又は再評価が行われたものとみなされた場合における当該再評価に係る再評価税額

ホ　被相続人が受けた登記等に係る登録免許税又は被相続人が受けた自動車検査証の交付等に係る自動車重量税につき納税の告知を受けた税額

ヘ　被相続人の行った資産の譲渡等又は被相続人の引き取る外国貨物に係る消費税の額

ト　被相続人が移出し、又は引き取る酒類、製造たばこ、揮発油、課税石油

ガス又は原油、石油製品、ガス状炭化水素若しくは石炭に係る酒税、たばこ税、揮発油税、地方揮発油税、石油ガス税又は石油石炭税の額
チ　被相続人により航空機に積み込まれた航空機燃料に係る航空機燃料税の額
リ　被相続人が印紙税法第11条第1項又は第12条第1項の承認を受けて作成した課税文書に係る印紙税の額
ヌ　被相続人が負担すべきであった地方税法第1条第1項第14号に規定する地方団体の徴収金（都、特別区及び全部事務組合のこれに相当する徴収金を含む。）の額

　すなわち、被相続人について納税義務が成立したが、その確定が死亡後になった公租公課も対象となるわけである。ただし、相続人等の責めに帰すべき事由により納付し、又は徴収されることとなった延滞税、利子税、過少申告加算税、無申告加算税及び重加算税に相当する税額は含まれない（相令3ただし書）。このような税額を債務控除すれば、このような付帯税を課税する意味が失われるからであろう。

　なお、公租公課については、次のような取扱いがある。
　課税価格又は相続税額の申告、更正又は決定があった後、控除すべき公租公課に異動が生じたときは、その課税価格又は相続税額につき更正を要するものとされる（相基通14－2）。

② **国外転出時課税の特例**
　国外転出時課税の改正に伴い控除できる公租公課の範囲が見直された。
　国外転出等をする場合に対象資産の含み益に課される所得税のうち納税猶予の適用を受けている部分については、納税猶予を適用している者が対象資産を譲渡せず日本に帰国した場合等には、所得税の課税を取り消すことができることとされていることから、税負担が生じないこととなる。他方、相続税の債務控除においては、相続の開始時において確実と認められる債務のみが控除の対象とされている。これを踏まえると、将来的に納付の必要がなくなる可能性がある所得税を債務控除することはバランスを欠くことから、納

税猶予分の所得税額については債務控除の対象としないこととされた（相法14③本文、相令3②本文）。

ただし、猶予期間中に対象資産の譲渡があったことにより納税猶予期間が終了したこと等により納税猶予されていた所得税を納付した場合には、その時点で債務控除が可能となり、更正の請求の特則の手続により債務控除ができることとされた（相法14③ただし書、相令3②ただし書）。

具体的には、債務控除の対象となる公租公課の範囲から、次の所得税が除かれる。

イ　死亡の際、既に行われた確定申告により納税義務が確定していたが納税猶予を適用していた次の所得税（相法14③）

(イ)　国外転出をしたことにより対象資産について所得税が課され、所得税法第137条の2第1項（同条第2項の規定により納税猶予期間が10年に延長された場合を含む。）の納税猶予の適用を受けていた者が死亡した場合の相続税におけるその死亡した者から納付義務を承継した納税猶予分の所得税額に相当する所得税

(ロ)　非居住者に対象資産を贈与したことにより所得税が課され、所得税法第137条の3第1項（同条第3項の規定により納税猶予期間が10年に延長された場合を含む。）の納税猶予の適用を受けていた贈与者が死亡した場合の相続税におけるその贈与者から納付義務を承継した納税猶予分の所得税額に相当する所得税

(ハ)　居住者（(ハ)において「被相続人」という。）が死亡し対象資産を相続した非居住者（(ハ)において「一次相続人」という。）が、被相続人に課された所得税について所得税法第137条の3第2項（同条第3項の規定により納税猶予期間を10年に延長している場合を含む。）の納税猶予の適用を受けていた場合において、その一次相続人が死亡（二次相続）をしたときは、二次相続の相続人が一次相続人から納付義務を承継した納税猶予分の所得税額に相当する所得税

ロ　居住者（ロにおいて「被相続人」という。）が死亡し対象資産を相続した

非居住者が、被相続人に課された所得税について所得税法第137条の3第2項（同条第3項の規定により納税猶予期間を10年に延長している場合を含む。）の納税猶予の適用を受けていた場合（すなわち、被相続人の死亡時にはまだ租税債権が確定していなかったものの、準確定申告により租税債権が確定した所得税について納税猶予を適用していた場合）における納税猶予分の所得税額に相当する所得税（相令3②）

(3) **自然債務**

　自然債務とは、訴権を伴わない債務で、債務者が任意に履行するときは、その履行は有効な弁済となり、不当利得として取り戻されることはないものである（於保不二雄「債権総論（新版）法律学全集20」（有斐閣）70頁）。我が国の民法は自然債務については何らの規定がなく、これを否定する学説・判例もあるが、不法原因給付（民法708）が給付の返還請求を認めないように、訴権のない債務は事実存在し、自然債務を認めるのが多数説でカフェーの女給に対する独立資金の給付約束を自然債務とする判例（大審院昭和10年4月25日判決）もある。

　自然債務が債務控除の対象になるか否かについては、借入金の利息につき明確な約定がなく、将来利益を得れば分配する旨の約束は自然債務で、相続開始時においてまだ確定した債務といえないから、債務控除の対象とならないとした次のような判例（東京高裁昭和52年9月29日判決）がある。

　「甲は過去において被相続人から商売上の世話を受けるなど被相続人とは親交関係にあり、また乙は被相続人とは同郷出身で長年友人関係にあった関係でそれぞれ貸付けがなされたものであって、いずれも貸付元本の弁済期や利息についての明確な約定はなされず、ただ、被相続人が丙から担保にとった本件土地建物が有利に売却処分されたときは、その利益の中から若干の利益を分配する旨の約定がなされたに過ぎないのであり、そして右両名とも相続開始日後貸付元本の返済のみで満足し、右両名に対し利息が支払われた事実もなく、また現に控訴人らの本件相続税の申告の際にもこれを債務として記載していないのであるから、控訴人主張の法定利息債務は相続開始時にお

いて債務として存在していないか（乙について）または確実な債務とはいえず（甲について）、相続税法13条の控除の対象となる債務に該当しないものといわざるを得ない」

(4) **保証債務及び連帯債務**
① **保証債務**

保証債務とは、債務者（主たる債務者）が債務を履行しない場合に、これに代わって履行するために債務者以外の者（保証人）が負担する債務（民法446〜465）で、債権者と保証人との間の保証契約によって成立する。実際には主たる債務者の委託を受けて保証人になることが多いが、民法上は、その必要はないとされる。保証人は主たる債務者が弁済しないときに弁済するもので、催告の抗弁権及び検索の抗弁権を持つが、連帯保証人の場合は、これらの抗弁権を持たないことに注意する必要がある。また保証人が弁済をしたときは、主たる債務者に対して求償権を持つ。

保証人が死亡した場合には、保証債務は相続の対象となる（注）。

(注) 身元保証債務や包括的信用債務のように、その保証額をあらかじめ知ることのできない内容不確定な継続的保証債務は、債務者の主観的色彩（相互の信頼）がとくに強く、特別の事情のない限り、当事者その人と終始すべきもので、相続人に承継されないとされる（大審院昭和2年7月4日判決、最高裁昭和37年11月9日判決）。

　　ただし、身元保証契約に基づいて具体的に発生した債務は相続の対象となる（大審院昭和10年11月29日判決）。

保証債務は、原則として債務控除の対象とされない（相基通14-3(1)）。その理由は、相続された保証債務は、「将来現実にその履行義務が発生するか否かは不確実であり、仮に将来その保証債務を履行した場合でも、法律上は、その保証債務の履行は求償権の行使によって補塡されるから、確実な債務とはいいがたい」（「相基通解説」287頁）とされる。

しかしながら、相続開始の現況において、主たる債務者が弁済不能の状態にあるため、保証債務者がその債務を履行しなければならない場合で、かつ、主たる債務者に求償して返還を受ける見込がない場合には、主たる債務者が

弁済不能の部分の金額は、保証債務者の債務として控除することが認められている（相基通14－3⑴ただし書）（注1、2）。

(注1)　この点に関し、次のような判例がある（東京地裁昭和59年4月26日判決）。

　「保証債務（連帯保証債務を含む。）は、保証人において、将来現実にその債務を履行するか否か不確実であるばかりでなく仮に将来その債務を履行した場合でも、その履行による損失は、法律上主たる債務者に対する求償権の行使によって補てんされるものであるから、原則として相続税法14条1項に定める「確実と認められる」債務には該当しない。しかしながら、相続開始の現況により（相法22）、主たる債務者が弁済不能の状態にある場合には、一般的に保証人においてその債務を履行しなければならないことが確実であり、かつ、その履行すべき債務について主たる債務者に対して求償権を行使しても返還を受ける見込みがない場合には、保証債務の履行による損失が補てんされないこととなる。したがって、主たる債務者が弁済不能の状態にあるため保証人がその債務を履行しなければならない場合で、かつ、主たる債務者に求償しても返還を受ける見込みがない場合には、保証債務についても、右にいう「確実と認められる」債務に該当するものとして、相続税の課税価格の計算上、債務控除の対象とすることができると解される」

(注2)　弁済不能の状態にあるか否かは、一般に主債務者が破産、和議、会社更生あるいは強制執行等の手続開始を受け、又は事業閉鎖、行方不明、刑の執行等により債務超過の状態が相当期間継続しながら、他からの融資を受ける見込みもなく、再起の目処が立たないなどの事情により事実上債権の回収ができない状況にあることが客観的に認められるか否かで決せられるべきであるとする判例（東京地裁昭和59年4月26日判決）がある。

　債務保証に似た保証として物上保証がある。これは、他人の債務のために自己所有の財産を担保に供することで、物上保証人は債務保証人と異なって、債権者に対して債務を負わないが、担保権が実行されたときは、債務者に対して保証人と同様な求償権を取得する。この物上保証が債務控除の対象となるか否かについて争われたケースがあるが、いずれも適用を否定されている（注1、2）。

(注1)　「原告らは、本件株式の担保差入れは保証債務の実質を有すると主張するが、……右担保差入れはあくまでも物上保証にすぎず、被相続人が右担保

差入れにより相続税法13条1項1号の控除の対象となる保証債務を負担したと解する余地はないから、原告らの主張は採用できない」（東京地裁昭和57年5月13日判決）
(注2)「相続開始時において、本件土地には、他人の債務のために根抵当権が設定され、物上保証に供されていたことが認められるところ、本件土地について、債権者が根抵当権を実行したことも、また、その行使を迫ったことも認められず、物上保証人としての債務の弁済もないから、求償権行使不能を理由に、本件土地が全く無価値であるとはいえず、また本件土地の評価額と同額の債務があるということもできない」（昭和56年2月7日裁決・裁決事例集No.21－207頁）

② 連帯債務

連帯債務とは、数人の債務者が、同一の内容の給付について、各自全部を弁済する義務を負うが、そのうちの1人が弁済すれば、他の者の債務も消滅する債務関係をいう（民法432～445）。保証債務とは異なり、各債務は独立で、補充性も附従性もない。連帯債務者の内部関係では、各自の負担部分（割合が不明のときは均等）が定まっており、1人が弁済等により免責を得たときは、他の債務者に求償することができる。

連帯債務も相続の対象となるが、債務控除については、次のように取り扱われる（相基通14－3(2)）。

イ 連帯債務者のうち債務控除を受けようとする者の負担すべき金額が明らかになっている場合には、その負担金額を控除する。

ロ 連帯債務者のうちに弁済不能の状態にある者（弁済不能者）があり、かつ、求償して弁済を受ける見込みがなく、弁済不能者の負担部分をも負担しなければならないと認められる場合には、その負担しなければならないと認められる部分の金額も、その債務控除を受けようとする者の負担部分として控除する。

連帯債務に係る債務控除に関して争われたケースとしては、次のような事例がある。

(イ) 主債務者が債務超過であっても未だ弁済不能といえず、確実な債務に該

当しないとされた事例（東京地裁昭和54年5月10日判決）

「本件相続開始時においてA社（主債務者）が債務超過の状態にあったことは当事者間に争いがないが、このことをもって直ちにA社が弁済不能の状態にあったということはできないし、本件相続開始時においてA社に事業の閉鎖等の事態が生じたり、強制執行や会社更生等の申立てがされたりしたことはなく、A社とB信用金庫等との間の金融取引は、本件相続開始時の前後を通じて継続的に行われていたことが認められる。したがって、A社は本件相続開始時において弁済不能の状態になかったものと認められる」

(ロ) 被相続人と受遺者との連帯債務につきその全額を被相続人の債務として控除すべしとされた事例（昭和57年1月14日裁決・裁決事例集No.23-161頁）

（原処分は借入金の2分の1の債務控除を認めるというものであるが）「一般に連帯債務者間の負担部分は当該債務者の特約（合意）によって定まるのであり、特約がないときは連帯債務により受けた利益の割合により負担するものと解されるところ、本件の場合は、連帯債務者間において負担部分に関する特約は認められないが、当該借入金の運用状況をみると、すべて被相続人が運用し、その運用で得た財産はほとんどが相続財産として申告されており、また、受遺者が運用した事実は認められず、実際に連帯債務による利益を享受したのは被相続人であると認められるから、当該借入金の全額は、被相続人の債務として債務控除するのが相当である」(注)

（注）本件裁決の評釈は、税務事例Vol25-No8・12頁以下参照

(ハ) 連帯保証債務のうち自己の負担部分までは債務控除の対象と認められたが、負担部分を超える分については認められなかった事例（東京地裁平成4年12月24日判決）

「被相続人の連帯保証債務については、主債務者が弁済不能の状態にあって、物上保証人も不存在であるため、連帯保証人においてその債務を履行しなければならないことが確実であり、かつ、主債務者に対し求償権

を行使しても返還を受ける見込がない場合には、その負担部分の限度の金額については、相続開始時において確実と認められる債務に該当するものであり、その負担部分を超える部分は本来他の連帯保証人に求償することができるものであるから、他の連帯保証人のうちに求償のできない経済状態の者がいる場合に限り、確実と認められる債務に該当するとされることがあり得るものと解すべきである」として、負担部分の限度では債務控除が認められた（注）。ただし、負担部分を超える部分については、「他の共同連帯保証人が、当時債務超過の状態にあって、これから債権の回収ができない状況にあったことを認めるべき証拠はない」として債務控除を認められなかった。

（注）課税庁は、被相続人の相続開始当時において主債務者に対する求償は可能であり、債務控除は認められないと主張したが、判決では、相続開始当時の主債務者の経営状態は、多額の欠損を生じており、専ら借入金によって運転資金を賄うという酷い状態にあったのであり、その後新たな経営者に引き継がれ経営状態の改善がみられたとしても、相続開始当時においてはそのことを期待することは全くできない状況にあったと認められるとして、課税処分の一部が取り消されている。

この判決は、このように、主債務者が弁済不能か否かの判断は相続開始当時の状況で行うことを明らかにした点でも参考となるものである。

(5) 贈与税の連帯納付義務と債務控除

財産を贈与した者は、その贈与により財産を取得した年分の贈与税額にその財産の価額が贈与税の課税価格に算入された財産の価額のうちに占める割合を乗じて算出した金額に相当する贈与税について、その財産の価額相当額を限度として、連帯納付の責を負うこととなっている（相法34④）（注１）。

そこで、被相続人が生前に財産を贈与し、相続開始当時まだ受贈者が贈与税を未納の状態であった場合には、被相続人の贈与税の連帯納付の義務は債務控除の対象になるかが争われ、その算入が否認された事例（静岡地裁平成元年６月９日判決）がある（注２）。

（注１）この制度の趣旨については「受贈者だけを贈与税の納税義務者に限定す

ると、受贈者に資力がない等の理由により贈与税の満足を得られないことが予想されるので、法34条 4 項において、贈与者は、贈与した財産の価額に相当する金額を限度として連帯納付の責に任ずる旨規定されたのである」とされる（上掲静岡地裁判決）。
(注 2) 「法34条 4 項の連帯納付義務の性格を右のように解した場合（筆者注・贈与者の連帯納付義務は補完的なものという意味）には、贈与者は主たる債務者ではないから贈与者において将来現実に贈与税を納付すべき義務を履行することになるのかどうか不確実であるし、また、贈与税を納付すべき義務を履行しても受贈者に対し求償権を行使することによってその損失を補填することもできるのであるから、相続開始時において受贈者が無資力の状況にあって求償権を行使しても納付した税額に相当する金員の返済を受ける見込みが全くないなどの特別の事情があるのなら格別、贈与者に連帯納付義務があるというだけでは、法14条 1 項に定める「確実と認められる債務」には該当しないというべきである」

(6) 贈与の義務と債務控除

　被相続人が契約した贈与についてまだその履行がされていないうちに相続が開始した場合、その未履行の贈与の義務が債務控除の対象になるかという問題がある。これは、その贈与義務が「確実と認められるもの」であれば、一般原則に従って債務控除の対象となると考えてよい。ちなみに、制限納税義務者の場合は、課税対象財産が国内にある財産であることから、債務控除の対象となる贈与義務も国内にある財産に関するものに限っている（相法13②四）。
　しかしながら贈与のうち書面によらないものは、履行が終るまでは各当事者はこれを取り消すことができることとされている（民法550）。これは、「一方では贈与者の贈与意思の明確を期し、他の一方では贈与者が軽率に贈与することを予防するにある」（来栖三郎「契約法・法律学全集21」（有斐閣）230頁）という理由によるといわれている。したがって、このようにいつでも取り消し得るような書面によらない贈与が相続開始の際まだ履行されていない場合に、これが「確実と認められる債務」として債務控除の対象となるか否かが争われた事例がある。

これは、(5)の贈与税の連帯納付義務が債務控除の対象として否定された第一審（前掲静岡地裁平成元年6月9日判決）の控訴審で、争点を被相続人が生前にしていた受贈者の贈与税を負担する約束が債務控除の対象となるか否かに切り替えて争われたものであるが、控訴審判決（東京高裁平成4年2月6日）は、書面によらない贈与というだけで、債務控除の対象とならないと解すべきではなく、被相続人が生前に贈与税を負担する意思を表明したことは、実質負担する趣旨と考えられ、連帯納付義務者として納付しようとしたものではないこと及び贈与税相当の金員の贈与が履行済みであることから、相続時点において、贈与の債務の存在及び履行は確実であったと認められるとして、債務控除の対象となると判示した（注）。

(注)「書面によらない贈与のようにいつでも本人又は相続人が取り消し得るものが、相続税法第14条1項にいう「確実と認められるもの」に含まれるかは1個の問題である。確かに、書面によらない贈与は、贈与者又はその相続人は履行するまでは取り消すことができる。しかしながら、だからといって、直ちに、それらが定型的に「確実と認められるもの」に当たらないということはできない。なぜなら、贈与契約に基づく債務は、保証債務のような補充的なものではないから、いやしくもその債務の存在すること及びその債務の履行されることが確実であると証拠上認められるならば、これを「確実と認められるもの」ではないといえないからである。すなわち、取消しが理論的には可能であっても、諸般の状況からみて取消権の行使がされず、その債務が履行されることが確実と認定できる場合には、これを債務控除の対象から除外すべき理由はない」

「書面によらない贈与であるというだけで、債務控除の対象にならないと解すべきでなく、書面によらない贈与であっても、相続時点において、相続人によって取消権が行使されずに履行されることが確実と認定できるか否かが問題であるというべきである。そして、この点の認定に関しては、相続開始後における状況、特に相続人によって現実に右債務の履行がされたか否かの点は、相続開始時点において債務の履行が確実と認められるか否かの認定においても斟酌されて然るべきである」

(7) **消滅時効の完成した債務**

債権は「10年（筆者注・商行為により生じた債権は5年とされるなど特例は多

い。）間行使しないとき」は消滅する（民法167①）。ただし、当事者が時効を援用しなければ、裁判所は、時効の成立によって裁判をすることができないとされている（民法145）。そこで、債務者側は、消滅時効の完成した債務について、時効を援用することで、初めて債権者からの支払いの請求を拒むことができるわけである。

このように、消滅時効の完成した債務が相続開始の際存するときは、これを債務控除の対象とするか否かについては問題が存する。すなわち、時効成立を援用した債務については、債務が消滅しているので問題はないが、相続開始の際時効は成立しているが被相続人が時効の成立を未だ援用していなかった債務については、これを控除の対象にすべきか否か議論のあるところである。

すなわち、時効の完成している債務と時効の援用との関係については、次のように幾つかの説がある。

① **攻撃防禦方法説**

これは、従来の判例（大審院明治38年11月25日）がとる説で、時効期間の経過により、確定時に債権債務は消滅し、援用は訴訟上の攻撃防禦方法にすぎないとする説である。

② **実体法説**

①の説によると時効の援用がなかった場合は、実体法と裁判の結果との間に矛盾が生ずるので、期間の経過だけでは時効は確定せず、時効の利益享受の意思表示をまって、はじめて時効の効果が生ずるという説が表われた。これには、(a)期間の経過により一応債権債務は消滅するが、援用によってそれが確定し、援用しない場合は一度発生した効果が消滅するという説（解除条件説）と(b)期間の経過によっては権利の得喪が確定せず、援用によって確定的な効果を生ずるという説（停止条件説）とがある。近時、この停止条件説によったとみられる判例（最高裁昭和61年3月17日判決・民集40巻20号420頁）が表われた。

後者の説は学説としては近時の最有力説といわれる。

③ 法定証拠提出説

近時有力となっている説で、期間の得喪という法定の証拠を裁判所に提出するのが援用とみる説である。①の説と似ているが、より訴訟法的に徹したものといわれる。

国税庁の取扱いでは、相続開始において、既に消滅時効の完成した債務は、確実と認められる債務に該当しないものとされている（相基通14－4）。その理由として①債権者が債権の行使をしなかったから、その消滅時効が完成したこと、②債務者は消滅時効が完成した債務の履行をしないことを主張することができることの事由により確実と認められない債務に該当しないものとして取り扱うこととしたと説明されている（注）。

(注) 相基通解説291頁を参照のこと。なお、行政裁判所大正3年1月29日判決は「相続開始前ニ消滅時効完成シタル債務ハ此処ニ所謂確実ナル債務ニ非ス、相続開始後仮令債務者カ時効ノ利益ヲ抛棄スル意思ヲ表示スルトモ相続開始当時ニ於テ確実ナル債務トナリタリト云フヲ得ス」とされ、この考え方が引き継がれているものかと思われる。

しかし、この取扱いについては異論もある。例えば、佐藤義行氏は、消滅時効の効力については、実体法説が多数説であるとして、「消滅時効が完成したとの一事をもって債務の確実性に欠けるとすることはできない」と説いている（「北野コンメンタール相続税法」141頁）。また、戦前の相続税法に関するものではあるが、大蔵省主税局河沼高輝「現行相続税法釈義」（自治館）（昭和3年発行）154頁においては、消滅時効完成後の債務について相続後相続人が現に弁済した事実があるときは、控除するのが妥当であると説いている。

筆者は、少なくとも、相続税の申告期限内に弁済した債務については、それが相続開始当時証拠等により支払いの意思が表明されているものは、時効の利益の放棄の意思ありとして控除を認める取扱いをしてもよいのではないかと考える（前掲(6)の東京高裁判決のような考え方をとれないものか。）（注）。

(注) 農地の所有権移転請求権（債権）については、「時効は援用権者が援用して初めてその効力が生ずる（民法145）ものであるから、単にその可能性がある

からといって相続財産の価格の算定上これを考慮すべき必要はないものと解すべきところ…時効援用の可能性をもって本件農地の所有権移転請求権の価額を減額すべきものとは認められない」（東京地裁昭和62年10月26日判決・いわゆる関事件第一審）とする判例がある。

(8) **相続財産に関する費用等と債務控除**

① 総　説

　民法第885条第1項では、相続財産に関する費用は、その財産の中から支弁することとされている。この規定によると、相続財産の中から支弁されるべき相続財産に関する費用は、債務控除の対象になるのではないかという疑問があり、後で述べるように幾つかの争訟も生じている。

　国税庁の取扱いでは、かかる相続財産に関する費用は、債務控除にはならないものとし（相基通13-2）、その理由として、「この費用は、相続開始後に発生するものであるから、被相続人の債務でもなく、相続の際に現存する債務でもない。したがって、相続財産に関する費用は、相続財産から支弁するものであっても、法第13条1項第1号に掲げる債務控除の対象となる債務とはならない」と説明している（「相基通解説」267頁）。

　しかしながら、筆者の乏しい記憶では、民法における判例・学説では、ほとんどこの点が議論されていない。これは、この債務が相続人の固有財産から支弁するか否かは問題となり得ても、相続債務か否かは、それほど重要な論点とはならないからではなかろうか。

② **相続財産に関する費用**

　相続財産に関する費用とは、相続財産の管理や清算に必要な費用を意味する。これを例示すると、次のようなものがある。

(イ) 相続の承認・放棄前（民法918）及び放棄後（同940）又は財産分離の請求後（同944）における相続財産保存のための遺産管理費用

(ロ) 限定承認（民法926～936）、財産分離（同943）又は相続人不存在の場合（同952、953）における清算のための管理費用

(ハ) 遺産分割前の共同相続財産の管理（民法898、252）の費用

このほか、相続財産の管理人選任費用、相続不動産についての保存登記手続のように遺産の保存に必要な費用、鑑定・換価・弁済その他清算に必要な費用、財産目録調整の費用、管理・清算のために訴訟費用などすべて含まれる。遺留分減殺の主張によって生じた費用（民法1029以下（松岡注・遺留分侵害の請求（民法1043以下）））、相続財産の破産（旧破産法12、47。（筆者注・新破産法222～237））の際に破産管財人が相続財産についてなすべき管理処分に必要な費用も含まれる（「新版注釈民法(26)・相続(1)」（有斐閣）133頁）とされている。

①で説明したように、この相続財産に関する費用の性格について、民法上の性格付けの議論はあまり明確ではないが、遺産債務に準ずる費用（「新版注釈民法(26)」136頁、同趣旨中川善之助・泉久雄「相続税法（第4版）」（有斐閣）245頁）と考えられているようで、被相続人の固有の債務とする説は、筆者の調べた範囲では見当たらなかった。したがって、現行法条の解釈としては国税庁の取扱いのように債務控除の対象とならないという結論になることはやむを得ない。しかし、現実には、このような費用の支出があって初めて、相続人の遺産を取得できるのであり、これらの費用を控除しないで相続税の課税価格を計算するのは、いささか制度として問題があるようにも思われる（注1、2）。立法的解決を図るべきではなかろうか。

(注1) 「遺産債務に準ずる費用」という意味は、相続人の固有財産にも執行が可能ということであり、この点からも債務控除と同様に取り扱うべしとする意見の根拠になり得よう（「新版注釈民法(26)」136頁参照）。

(注2) 民法学者からは「相続税法は、被相続人の債務（中略）及び葬式費用を債務控除の対象としているが（中略）、相続財産の管理費用の控除を認めていない。問題であろう。」（前掲中川ほか「相続法（第4版）」246頁）との批判がある。

なお、相続財産の範囲に関する民事紛争において要した弁護士費用は、相続税の課税価格から控除できないとした判例（津地裁昭和46年6月17日判決）がある。

③ 遺言執行費用

遺言の執行に関する費用とは、次のものを指す。
(イ) 遺言書の検認手続に要した費用（民法1004）
(ロ) 相続財産目録調整費用（民法1011）
(ハ) 相続財産の管理費用（民法1012）
(ニ) 遺言執行者に対する報酬（民法1018）及び家庭裁判所が選任した遺言執行者の職務代行者に対する報酬（家事審判規則126、74）
(ホ) 遺言の執行に関連してなした訴訟の費用のすべて

この遺言執行費用の性格については、前述の相続財産の管理費用と法条的には似た表現となっているが、民法学者は、後者が遺産債務に準ずる費用と解しているのと異なり、前者は遺産債務ではない——つまり、相続人の固有財産をもって責任を負う必要がない（中川善之助・加藤永一編「新版注釈民法(28)」（有斐閣）361頁）としている。したがって、相続財産の管理費用よりも、現行法上は債務控除の範囲に含まれるものとは解しがたい（注1、2）。

(注1) 「遺言執行費用は相続財産の中から支弁すべき相続財産に関する費用であって、被相続人の債務ではなく、また被相続人に係る葬式費用でないこともいうまでもないから、相続税法13条1項各号所定の遺産からの控除の対象となる債務には該当しないというべきである」という判例（東京地裁昭和49年8月29日判決）がある。しかし、遺言執行費用は、被相続人の遺言によって発生したものであるから、何らかの考慮を払うべきものではないかと考える。

(注2) 被相続人が遺言で弁護士を遺言執行者に指定し、かつ、生前に同弁護士と遺言執行の委任契約を締結し、これに基づき相続開始後同弁護士が遺言を執行して受けた報酬は、債務控除の対象となるかが争われた事件があるが、大阪地裁平成3年3月15日判決は、次のとおり判示して、債務控除の対象とならないとした。

「民法1006条1項（遺言執行者の指定）及び同法1018条1項（遺言執行者の報酬）の規定によれば、遺言執行者としての地位は、その性質上、遺言に基づいてのみ生じ、遺言執行者としての報酬請求権もまた遺言又は家庭裁判所の審判によってのみ生ずると解するのが相当である。したがって、遺言者との間でなされた本件委任契約は、遺言執行に対する報酬請求権の

発生根拠とはなりえないというべきであり、その意味では本件委任契約は効力を有しないことになり、そうすると、本件委任契約に基づいて支払われた本件報酬は、民法に定める遺言執行者に対する報酬とはいえないから、本件報酬が遺言執行者に対する報酬、すなわち、遺言の執行に関する費用として相続財産の負担となるとの前提の下、取得財産の価額の合計額の算定に際し本件報酬の額を控除すべきであるとの納税者らの主張は失当である。」

④ 財産分与費用

すでに述べたように、民法第958条の3第1項の規定により、相続財産法人となっている相続財産の分与を受けた特別縁故者は、その分与を受けた財産を、被相続人から遺贈により取得したものとして相続税が課税される（相法4）。この場合、分与を受けようとする特別縁故者は、相続財産の処分の申立てを家庭裁判所に対して行うことを要し、自らが特別縁故者であることの立証並びに相続財産の調査及び立証を要するほか、審判又は裁判に関する費用の出捐を余儀なくされることもある。このように財産分与を受けることにつき支出した費用が債務控除の対象となるかがしばしば争いとなるが、やはり被相続人の債務でもなく、葬式費用にも該当しないことから、債務控除の対象とすることは難しいと考える（注）。

(注) たとえば、次のような判例がある。

○ **神戸地裁昭和58年11月14日判決、同趣旨大阪高裁昭和59年7月6日判決、最高裁昭和63年12月1日判決**

「民法958条の3（特別縁故者への相続財産の分与）による財産分与は、相続債権者又は受遺者に対する弁済を終え、相続財産の清算をしたあとの残存すべき相続財産の全部又は一部を家庭裁判所の審判によって恩恵的に特別縁故者に分与するものであり、右特別縁故者は、自ら申立を行ってはじめて分与を受けうることになるものであるから、原告の主張する訴訟費用等は、被相続人の債務ではなく、また、被相続人に係る葬式費用でないこともいうまでもないから、右訴訟費用等を分与財産の価額から控除すべきであるとの納税者の主張には理由がない。」

ただし、すでに述べたように、民法第958条の3の規定により、相続財産の分与を受けた者が、被相続人の葬式費用又は被相続人の療養看護のための

入院費用等を支払った場合において、これらの金額を相続財産から別に受けていないときは、分与を受けた金額からこれらの費用の金額を控除した価額をもって、分与された価額として取り扱われることとなっている(相基通4－3)。

これは、財産分与を受けた者が葬式費用や入院費用を負担した場合には、相続財産法人に請求できるのであるが、それをしなかったときには、相続税の課税価格計算上これらの金額を控除するのが妥当である。しかし、現行法上これらの金額の控除が債務控除として認められるのは相続人又は包括受遺者に限られているところから、相続財産の分与を受けた者はその対象とならないので、取扱い上、債務控除の手法によらず、これらの金額を控除した後の分与額をもって分与財産の価額とされたものである(「相基通解説」124頁参照)(注)。

(注) なお、上記の取扱いがあることを理由として、財産分与の審判に関する訴訟費用を分与財産の価額から控除すべしとの納税者側の主張について、次のようにこれを認めなかった判例がある(前掲神戸地裁昭和58年11月14日判決)。
「相続税法基本通達(昭和57年5月17日付直資2－77による改正前のもの)41条の4(相続財産法人から与えられる分与額)(筆者注…現行相基通3の2－3)は、相続税法13条(債務控除)1項の例外を認めたものではないから、右通達の存在を理由として、民法958条の3(特別縁故者への相続財産の分与)による財産分与の審判に関する訴訟費用を分与財産の価額から控除すべきものとすることはできない。」

この財産分与を受けるために要した費用については、財産を取得するために出捐を余儀なくされる費用であることに鑑みれば立法論としては問題が残る(村中修「相続税における債務控除(下)」平成4年11月30日第4514号国税速報(大蔵財務協会)7頁)という意見があり、筆者も同感である。

⑤ 非課税財産に係る債務

被相続人の債務のうち、次に掲げる財産の取得、維持又は管理のために生じた債務の金額は、債務控除の対象とならない(相法13③)。

① 墓所、霊びょう及び祭具並びにこれらに準ずるもの

② 宗教、慈善、学術その他公益を目的とする事業を行う者で相続税法施行令第2条の規定に該当するもの（注）が相続又は遺贈により取得した財産でその公益を目的とする事業の用に供することが確実なもの

(注) すでに述べたように、幼稚園等を設置し、又は運営する事業を営む個人については、相続税法施行令第2条の要件に該当しない場合でも、同令附則第4項の規定の要件に該当するものは、この②の者に含まれることに注意する必要がある。

このように、非課税財産に係る債務を債務控除の対象としない理由については、所得税法においても、非課税所得とされている所得の金額の計算上生じた不足額（損失）については、損失がなかったものとみなされており、相続税においてもある財産を非課税として取り扱うならば、その財産に係る債務については控除の対象としないというのが合理的である（「相基通解説」276頁）とする見解がある。

なお、非課税財産に係る債務が控除されない例示として、取扱通達は、被相続人の生存中に墓碑を買い入れ、その代金が未払であるような場合には、その未払代金は債務として控除しない（相基通13-6）としているが、もとより当然のことで、敢えて通達として挙げるほどのことでもないような気がする。もし、例示として挙げるなら、「相基通解説」277頁でも指摘するように、墓碑だけでなく、仏壇、仏具、墓地、霊びょうなども含まれることは当然であるから、これらも例示に加えるべきではないか。

なお、「相基通解説」277頁では、霊園ローンのように霊園取得と借入れとの結び付きが明らかなものについても、その借入金の全部又は一部が相続開始時において残っていたときは、その借入金は債務控除の対象とならないと解してよいのではないかとの見解が示されている。

⑥ その他

その他、債務控除の対象となるか否かが争われた事例を幾つか挙げておく。

イ　市に買収された土地の代替地として市から買い受けることとした土地（農地）は、相続開始当時、農地法上の許可が得られず、かつ、その範囲

が具体的に特定していなかったのであるから相続財産に該当せず、また、右代替地に係る代金相当額（買収土地の代金相当額）は、相続税の課税価格計算上控除すべき債務に該当しない（熊本地裁昭和52年8月31日判決、同旨福岡高裁昭和54年3月13日判決、最高裁昭和55年6月16日判決）。
ロ　買収された土地の上に存する建物の移転費は、相続税の課税価格の計算上控除すべき債務に該当するが、その復元費は、右控除債務に該当しない（上掲イの判決）。
ハ　土地の仲介手数料支払債務は売買契約の成立を停止条件とするものであるが、停止条件付債務については、特段の事情のない限り、相続開始の時点までに当該条件が成就していなければ、相続税法14条1項の控除債務とは認められない（名古屋地裁平成3年5月29日判決、同旨名古屋高裁平成4年4月30日判決）（注）。
　　（注）　上掲名古屋高裁判決では、納税者が覚書によって相続開始時合意が成立しているから確実な債務であるとの主張に対して、当該覚書は、単に将来締結される売買契約の条件の要旨を約したものに過ぎないことから、相続開始時において確実なものとは認められないと判示した。
ニ　本件林道工事はP県の補助事業として5か年計画による単年度事業として行われるので、当該林道工事に係る受益者負担金額は、単年度工事請負契約を締結した後に、その請負金額（工事金額）を基に受益者に納入通知することによって確定するもので、当該工事の施行決定によって確定していたとは認められない。したがって、相続開始の日までに納入通知が発行されていない本件受益者負担金については、相続税の課税価格の計算上債務控除することはできない（平成3年12月2日裁決・裁決事例集No.42-188頁）。

3　葬式費用

(1)　総　説

　被相続人に係る葬式費用は、相続開始の際現に存する被相続人の債務と同

様に、相続税の課税価格の計算上控除することができることは、すでに述べたとおりである（相法13①）。

葬式費用は、被相続人の債務でないことが明らかであり、相続開始に伴って発生する費用であるのに、これを相続税の課税価格の計算控除を認める理由についてはすでに述べたが、相続開始に伴う必然的出費であり、相続財産そのものが担っている負担であるというのであれば、民法第885条第1項に規定する相続財産に関する費用も、その財産の中から支弁することとされている点では同様であり、これらの費用が債務控除の対象とならない点においてバランスを欠くのではないかという意見もある（注）。

(注) 葬式費用の一部負担とみられる香典が喪主に帰属するという考え方があり（「家族法大系Ⅵ」（有斐閣）189頁）、その考え方によれば、葬式費用は喪主の負担であるとも解される。判例は相続財産の負担とするものが少なくないが（cf.東京家審昭和33年7月4日）、相続人の負担とするもの（cf. 東京高裁昭和30年9月5日決定）、あるいは実質的に葬式を実施した者（一般には喪主）とするもの（東京地裁昭和61年1月28日判決）がある（「新版注釈民法㉖」133頁参照）。

この葬式費用の控除理由について、相続税創設当時の解説書によると、「死者ニ対スル敬意ヲ表シ若クハ哀惜ノ念ヨリ葬式ヲ営ムハ古来ヨリノ美風ニシテ亦人倫ノ最モ大ナル義務ナレハ之ニ対スル費用ハ実ニ避クヘカラサルモノナルカ故ナリ」と説明されている（稲葉敏「相続税法義解（明治39年発行）」138頁）。結局、葬式費用は相続に伴い避くべからざる費用ということが理由といえよう（注）。

(注) 河沼高輝「相続税法釈義」（昭和3年発行）（自治館）114頁は、「人生最終の典礼である儀式を、相続人をして故人に対する最後の義務として、容易にこれを営ましめむが為である」と述べている。

(2) 葬式費用の範囲

葬式費用の範囲については、相続税法は特に規定はなく、「社会通念上いわゆる葬式に要する費用と解される」（「櫻井相続税」209頁）、あるいは「何が葬式費用であるかは慣習にしたがって決するほかはない」（「北野コンメン

タール相続税法」135頁）といわれている。特に葬式費用の範囲を一般と別異に解する必要はないということであろう。

　ところで、葬式費用とは、直接葬式に要した費用と解され、葬儀後に生じた費用は含まないと解されている（注）。

（注）　戦前の文献では、次のように述べられている。

　　　「葬式費用トハ直接ニ葬式ノ為ニスル費用ニ限ラル、カ故葬具費埋葬費布施料等ヲ含ムハ勿論ナルモ後日ニ於ケル法会墓碑等ニ要スル費用ノ如キハ死者ノ為ニスルモノナリ雖モ茲ニ所謂葬式費用ニアラサルナリ」（前掲「相続税法義解」138頁）

　　　「葬式費用は故人の葬式に直接必要な費用に限る。その範囲は世間一般に認められてゐる宗教上、慣習上の儀禮に依って定まる。墓地の施設費、遺骸の回送費、土葬火葬費、儀式費、寄進施與費、その他直接葬式の範囲に属する佛事、祭事に要せし一切の費用の如きこれである。故に葬式に関聯して居るものでも、間接的のもの即ち葬式後の費用例えば墓碑の費用、供養の費用、回忌法会に要せし費用等は控除する限りでない。」（前掲「相続税法釈義」114頁）

　ところで、葬式は、死者を葬る儀式で、死の前後における儀礼、入棺、通夜、野辺送りなどをさすものといわれ、葬式費用はこれらに伴う諸種の金銭的支出であるが、葬式は、宗教や地域的慣習によりその様式が異なるので、何が葬式費用であるかの判定は極めて難しい問題である。したがって、それは、個々の具体例について社会通念に即して判断するほかはない（「相基通解説」275頁）とされている。実務上は、次のとおり、葬式費用となるもの及び葬式費用とならないものを取扱通達で示している。

① **葬式費用となるもの（相基通13－4）**

(イ)　葬式若しくは葬送に際し、又はこれらの前において、埋葬、火葬、納骨又は遺がい若しくは遺骨の回送その他に要した費用（仮葬式と本葬式とを行うものにあっては、その両者の費用）（注）

　　（注）　仮葬式の後に初七日の法事を含み、その後本葬式を営む場合でも、その両者の費用（初七日の費用は除く。）が控除されるべきと考える。

(ロ)　葬式に際し、施与した金品で、被相続人の職業、財産その他の事情に照

らして相当程度と認められるものに要した費用
(ハ) (イ)又は(ロ)に掲げるもののほか、葬式の前後に生じた出費で通常葬式に伴うものと認められるもの
(ニ) 死体の捜索又は死体若しくは遺骨の運搬に要した費用

② **葬式費用とならないもの（相基通13－5）**（「相基通解説」275頁以下を参照）

(イ) 香典返戻費用

これは、香典について社交上の必要によるもので、社会通念上相当と認められるものは贈与税を課税しないことに取り扱う（相基通21の3－9）こととしていることに照応して、葬式費用には含まれないこととされたものである。

(ロ) 墓碑及び墓地の買入費用並びに墓地の借入料

これは、墓碑、墓地が相続税の非課税財産とされていることに照応して葬式費用には含まれないこととされたものである。

(ハ) 法会に要する費用（注）

法会は法事ともいい、初七日、四十九日、一周忌、三回忌などがあるが、いずれも前述のとおり死者を葬る儀式である儀式とは異なり、死者の追善供養のため営まれるものであるので、葬式費用には含まれない。

(ニ) 医学上又は裁判上の特別の処置に要した費用

これは例えば死体の解剖に要した費用などであるが、やはり葬式とは関連がないので控除されない。

(注) 法人税に関する裁決事例であるが、会社が負担した「おとき」の費用が社葬費用として、損金算入の対象になるか否かが争われた事件がある（昭和60年2月27日裁決・裁決事例集No.29－111頁）。参考として、その概要を挙げておく。

（事実関係）

① 死亡した者はA会社の代表取締役で、その社葬はB寺で行われ、葬儀終了後Cホテルでおとき（参列者に食事を提供する仏事）が行われた。おときの会場に祭壇を設け、焼香及び読経等をした事実はない。出席人員は120名（葬儀の参列者のうち特定の者）で、これらの人には社葬の案内状にお

ときの案内状も同封している。
② おときの費用は１人当たり13,017円で、通常供与される昼食の程度を超える。
③ 会社の所在する地方で、葬儀の後におときが供されるのは一般的であるが、本来死者の三十五日忌の法要後僧侶に食事を施す儀式だったもので、近時は、三十五日忌の法要を葬儀・出棺の後に引き続いて行い、おときもこれに引き続き葬儀の当日に行われるのが一般化している。

(会社の主張)
　会社の所在する地方では葬儀にはおときが供されるものとの考えが定着しており、おときのない葬儀は成立しない。おときは列席者に最少限度の昼食を供するもので歌謡音曲もなく、接待係も置かず、出席者も少量の酒をたしなみ、早々に引き取る慣わしであるから、このようなおときの費用は、社葬費用として損金に算入すべきものである。

(国税不服審判所の判断)
　通常は、会葬のための費用がここでいう社葬のため通常要する費用に当たるものと解するのが相当であり、本件の場合、葬儀の後に場所をホテルに移して行われたおときは、故人の追善供養のために行われたものと認められるから、この費用は会葬のための費用ということはできず、したがって、この費用を社葬費用に当たらないとして損金の額に算入しなかった原処分に誤りはない。

4　債務控除を受けることができる者

　債務控除は、相続又は遺贈（包括遺贈及び被相続人からの相続人に対する遺贈に限る。）により財産を取得した者に限り認められる（相法13①）。換言すれば、相続人又は包括受遺者にのみ債務控除が認められるということになり、相続人以外の者に対する特定遺贈については、債務控除は行われない。
　これは、相続人や包括受遺者以外の者には被相続人の債務を承継することがあり得ず、また、通常葬式費用を負担することも考えられないからである（注）。
（注）「DHCコンメンタール相続税法（第１巻）」136～137頁、「相続税の理論と実務」33頁etc.を参照のこと。
　したがって、相続を放棄した者及び相続権を失った者は相続人でないから

債務控除の適用はないが、本来は相続人になり得た者であるから、現実には、道義的に被相続人の葬式費用を負担することはあり得るわけである。

そこで、このような社会的実情を踏まえ、相続を放棄した者及び相続権を失った者が、遺贈により財産を取得した場合（生命保険金の取得など遺贈により取得したものとみなされる場合を含む。）において、その者が現実に被相続人の葬式費用を負担した場合においては、その負担額は、その者の遺贈によって取得した財産の価額から債務控除しても差し支えないこととされている（相基通13-1）。

なお、民法第958条の3の規定により財産分与を受けた者が葬式費用又は被相続人の療養看護のための入院費用で相続開始当時未払のものを支払った場合の取扱いについては、すでに述べた（相基通4-3）。

第4節　未分割財産がある場合の課税価格の計算

1　総　　説

(1)　問題点

　相続人及び包括受遺者は、相続開始の時から、被相続人の財産に属した一切の権利義務を承継するが（民法896、990）、相続人が2人以上あるときは、相続財産はこれらの相続人（共同相続人）の共有となり（民法898）、遺産分割を行うことによって、各相続財産は、その分割されたところに従って、相続開始の時に遡って各人に帰属することが確定する（民法905）。

　遺産分割の方法は、①遺言によってその方法が指定されている場合にはそれにより（民法908）、②指定がない場合には、共同相続人及び包括受遺者間の協議により行い（民法907①、990）、その協議が調わないとき又はその協議をすることができないときは、家庭裁判所における調停又は審判により行われる（民法907②、家事審判法9①乙類十、17）。

　この遺産分割については、法律上別段に期限は定められておらず、いつでも自由に分割をすることができる（民法907①）。むしろ、被相続人は遺言で5年以内に限り、遺産の分割を禁ずることができるのである（民法908）。

　ところで、現行相続税法は、各相続人又は受遺者が相続又は遺贈により取得した財産を基として課税価格を計算することになっているが、遺産が未分割の状態でいる場合には、その未分割遺産に対する相続税の課税をどう考えるかという問題がある。

　これについては、後にも述べるとおり、現行相続税法第55条が、遺産が未分割の場合には、共同相続人又は包括受遺者が民法の相続分又は包括遺贈の割合に従って遺産を取得したものとして相続税の課税価格を計算する旨を定めているので、既に立法上解決されているではないかとの疑問を持つかもしれない。

しかし、現行相続税が遺産取得税体系をとり、各相続人等の取得財産の価額を課税標準として相続税の負担を求めていることからすると、後述のように、各相続人等が未だ確定的に財産を取得したとはいえない未分割遺産を相続分等の割合で取得したものとして相続税を課税することは、必ずしも問題がないとはいえない。以下この点について検討をしてみよう（注）。

（注）　この検討については、横田種雄「未分割遺産と相続税課税をめぐる問題点」税務大学校論叢10号130頁以下を参考とした。

① 未分割の場合の相続人等の遺産に対する権利の性質

現行相続税法は、相続等により財産を取得した者については、相続等により取得した財産の価額の合計額を課税標準として相続税を課する（相法2①、11の2）。ところで、相続が開始すれば、相続人は、その開始の時から被相続人の財産に属した一切の権利義務を承継するものとされ（民法897）、相続人が数人あるときは、相続財産は、その共有に属するものとされている（民法898）。したがって、遺産が未分割の状態であれば、遺産は共同相続人（包括受遺者を含む。）の共有の状態にあるわけであるが、未分割である遺産の共有状態が果して、相続税の課税対象である「相続による財産の取得」に該当するといえるかについては必ずしも問題がないわけではない。

すなわち、①上記のように、共同相続人は、相続開始の時から被相続人の財産に属した一切の権利義務を承継し、共有の状態にあり、遺産分割の遡及効は、分割して初めて発生するのであるから、未分割の状態であれば、各共同相続人等は、遺産に対しその相続分等に応じた権利を取得しているわけであり、これらの権利は相続税の課税上、相続等により取得した財産といえるという考え方がある一方、②相続税は財産の相続等による取得に担税力を認めて課税するものである。しかしながら遺産未分割の状態は、いわば暫定的なもので、遺産分割によって初めて具体的な取得財産が定まり、これを基に相続税を課税することによって適正な負担を実現できるのであるから、未分割状態における相続分等に応ずる権利は、相続税課税上、相続等により取得した財産に含まれないという考え方もある。

相続等により取得した財産の全部又は一部が共同相続人等によって分割されていないときは、その分割されていない財産については、各相続人等が民法の規定による相続分等の割合に従って財産を取得したものとして相続税の課税価格を計算するとする現行相続税法第55条の規定は、①の説のように未分割遺産であっても、相続人等はその相続分に応じた財産に対する権利は相続により取得したものとして課税できると解すれば、単なる計算規定に過ぎないことになり、②の説のように未分割遺産は、本来相続等により取得した財産ではないと解すれば、未分割遺産についての課税を創設的に規定したものとなる。

　この２つの考え方を更に検討してみると、次のとおりである。
（甲説）

　これは、前記②の考え方で、遺産が未分割の状態においては、相続分又は包括遺贈の割合による権利は、相続税の課税価格の計算の基礎となる相続又は遺贈により取得した財産に含まれないから、遺産分割によって具体的に相続等による取得財産が定まるまでは相続税を課税すべきではないとするものである。

　このような見解の根拠として、次のようなことが考えられる。

　すでに述べたように、相続人が数人あるときは遺産はその共有に属するとされているが、その「共有」の性質については、周知のように共有説と合有説とに分かれる。前者は各相続人が独立の持分をもって個々の相続財産を共有するもので、物権法に定める通常の共有と同じ性質だと解するもので、後者は各相続人は個々の相続財産の上に独立の持分を持たず、相続財産全体の上に合有的共有関係を有するに過ぎないとするものである。合有説は更に遺産全体の上に合有が成立し、個々の財産についての合有を認めない説と個々の財産についての合有を認める説とに分かれる。

　旧民法の立法者及び旧民法当時の通説は、「共有」は物権法に定める通常の共有又は準共有と同じであると考えて共有説をとっていたが、現行民法となってからは、むしろ合有説が通説的地位を占めるに至っているとされる。

これに対し、判例は、一貫して共有説を支持している（例えば、大審院大正9年12月22日判決、最高裁昭和30年5月31日判決）（注）。

(注) 下級審のうちには、合有説をとる判例（例えば大阪高裁昭和32年7月12日判決）もあるが、極めて異例のものといわれている。

合有説が唱えられた理由は、共有説のように各相続人が個々の財産に持分を有するものと解すると遺産分割は遺産全体を相続の基本原理に従って各相続人に配分するよう行われるべきであるという民法の原理（民法906）に反するし、民法第909条本文の分割の遡及効は持分の処分を許さないことを前提として初めて可能な論理であるという批判によるものである。

このような合有説の考え方からすると、民法が、相続人が数人あるときはその財産は共有に属すると定めているのは、遺産分割までの間における財産の所有関係に空白を生じないようにとられた民法独自の措置であって、暫定的、経過的なものであることに省みれば、遺産分割により初めて現実に具体的な相続財産を取得するものと説かれている。

このような合有説の考え方からすれば、遺産が未分割の状態において、相続分又は包括遺贈の割合による遺産に対する権利を課税対象に含めて相続税を課税することは法の予定しているところとは考えられないから、遺産未分割の状態では相続税は課税すべきではない。換言すれば、未分割遺産に対する相続分又は包括遺贈の割合による権利は、相続税の課税価格計算の基礎となる相続又は遺贈により取得した財産には含まれないと解すべきであるという考え方である。

(乙説)

これは、前記①の考え方で、遺産未分割の場合における相続分又は包括遺贈の割合に応ずる権利も、相続税の課税価格計算の基礎となる相続又は遺贈により取得した財産に含まれるとするものである。

このような見解の根拠として、次のような点が挙げられる。

すなわち、繰り返し述べるように、民法は各相続人は相続開始の時から相続分に応じて被相続人の財産に属した一切の権利義務を承継すると定められ

ている。したがって、この規定を素直に解すれば、遺産未分割の状態であっても、各相続人又は包括受遺者は相続開始の時から遺産を相続分又は包括遺贈の割合に従って取得したものと解することができ、したがって、これを課税価格の計算の基礎に算入すべきであるというのである。

　また、相続税法は、遺産未分割の状態において、相続分又は包括遺贈の割合による権利を課税価格計算の基礎として相続税が課税された後に遺産の分割が行われ、分割により取得した財産を基として計算した相続税の課税価格又は相続税額が、さきに相続分又は包括遺贈の割合による権利を計算の基礎として算出した相続税の課税価格又は相続税額に比して異なることとなったときは、修正申告又は更正の請求によって是正する途が拓かれているのであるから（相法31、32）、相続分又は包括遺贈の割合による権利を相続税の課税価格計算の基礎に含め、相続税の負担を求めることは何ら差し支えないと考えられる。

　また、仮に甲説のように遺産未分割の状態における相続分又は包括遺贈の割合による権利は相続又は遺贈により取得した財産に該当しないから相続税を課税すべきでないという考え方をとると、既に述べたように被相続人は遺言により、5年を超えない期間分割を禁ずることができ、また、遺産分割はいつでも行いうることから、遺言で遺産分割を禁じられている期間内には課税されることがなく、その期間経過後においても、各共同相続人又は包括受遺者は協議により遺産分割の時期を恣意的に定めることができる結果となり、遺産分割の時期を先送りすることによって、相続税の課税時期を恣意的に延期することができることになり、分割が早期に行われた場合と遅れて行われた場合とで相続税の実質負担に差異を生じ、負担の不公平をきたすことになる。

② 　検討と私見

　現行相続税法が遺産取得税体系をとり、各相続人が相続により取得した財産の価額を課税標準として相続税の負担を求めるという趣旨からすれば、相続税は、分割により実際に取得した財産を課税対象とすべきであり、遺産未

分割の状態における相続分又は包括遺贈による権利は、相続税の課税価格計算の基礎となる相続又は遺贈により取得した財産には含まれないとする甲説の考え方にも理由はあるが、甲説によると、前述のとおり遺産分割を恣意的に延期することによって相続税の課税時期を無限に遅らせることができることとなって、早期分割を行った者と分割を遅らせた者との税負担に甚しい差異が生ずることとなって、著しい不合理をきたすという問題が生ずる。

また、未分割の状態で一たん相続分又は包括遺贈の割合により遺産を取得したものとみなして相続税が課税された後において遺産の分割が行われ、分割により取得した財産の価額を基として計算した課税価格及び相続税額が、未分割の時における課税価格及び相続税額と異なることとなった場合には、修正申告又は更正の請求によって是正を図ることが認められていることからみても、遺産未分割の状態においても、相続分又は包括遺贈の割合による権利を相続税の課税価格の計算の基礎に含めて相続税を課税することを予定しているものといえる（同趣旨……前掲横田氏論文136頁）。

ただ、筆者は、相続税法第55条の規定が遺産未分割の状態における相続税の課税についての単なる計算規定に過ぎない（前掲横田氏論文136頁）とする見解には、いささか賛同しかねる。これまで検討してきたように、分割前の相続財産に対する相続人の権利は必ずしも単なる共有とは異なるという見解が少なくとも学説では有力であり、判例でも少数ではあるがそのような見解があることは既にみてきたとおりである。筆者は、現行相続税法第55条の規定は全くの創設的規定とまではいかなくても、未分割遺産に対する課税について、法律上の財産取得の態様にかかわらず、民法上の相続分によって課税するとした擬制的な規定に近いもので、単なる計算規定とは考えない。何となれば、一たん未分割遺産について法定相続分によって課税された後、分割が行われたときは、修正申告・更正の請求による是正の方法が認められてはいるが、これは必ずしも修正申告・更正の請求を強制しているわけではない。このような是正の手続きを相続人らがとらなければ、法定相続分と異なる分割が行われても、税務署長は更正・決定を義務付けられているわけではない

から（更正・決定を行うことを禁じているわけではない。）、その場合は、実際の分割とは異なった課税のままで終わることになる。したがって、相続税法第55条の規定を単なる計算規定とすることは賛成できない（注）。

(注) 未分割遺産の課税について争われた判例を幾つか例示しておくが、相続税法第55条の規定を負担公平の見地からおかれているものとみる例が多く、当然の規定とは考えていないように思われる。

① 相続税法は、相続税の申告期限までに遺産分割が行われていない場合においては、各相続人の法定相続分に応じて遺産を相続したものとして課税価格を計算し、その後において遺産分割により各相続人の取得する財産が確定したときは、その際にこれを基礎として相続税額を改算し、それに基づいて更正の請求又は修正申告をなし、あるいは更正決定がなされることを建前としているが、相続税は、本来、相続等によって現実に取得した財産につき課せられるべきものであり、右の遺産分割が行われない場合の措置は、長期間にわたって遺産分割を行わないことにより相続税の納付義務が免れるというような不都合を防止するためのものというべきである（東京地裁昭和45年3月4日判決）。

② 相続税法27条、31条、32条、55条等の規定によれば、相続税申告期限までに遺産分割が行われない場合には、便宜法定相続分に応じて遺産を相続したものとして課税価格および税額を算出して相続税を課し後日遺産分割により相続人の取得する財産が確定したときにこれを基盤として相続税額を改算する手続をとる建前であると解され、このことは、長期間にわたって遺産分割をしないことにより相続税の納付義務を免れるというがごとき不都合を防止するための措置であるばかりでなく、国家の財源を迅速、確実に確保するという国家的要請にも基づくものでもあることから、遺産の分割が行われないことが当該相続人の意思によるものであるか否かにかかわらず、一律に実施すべきことを相続税法が規定しているものというべきであるから、本件において原告の相続権につき係争中であり、原告の取得した財産が確定できないものであっても、法定相続分により課税し、これにより差押処分をすることは違法とはいえない（東京地裁昭和45年7月22日判決……同趣旨仙台地裁昭和63年6月29日判決）。

③ 原告らは、現実に受領した遺産のみが相続税の課税価格の対象とされるべきであり、たとえ、被相続人の遺産であっても原告らにおいて現実に受領していないものは右対象から除くべきである旨主張する。しかし、被相続人の遺産に含まれるものはすべて相続開始の時から共同相続人に承継取

得され、遺産分割が行われるまでは同人らの共有に属するのであって、そのことは、同人らのうちの誰が現実にこれを管理し所持しているかということとはまったく関係がないのである。そして、相続税法上は、遺産の全部又は一部が共同相続人により分割されていないときは、その分割されていない遺産について各共同相続人が民法の規定による相続分に従って取得したものとしてその課税価格を計算するものとされている（55条本文）。本件においては、いまだ遺産の分割は行われておらず、遺産分割の調停が現在家庭裁判所に係属していることが認められるので、原告らの前記主張には理由がない（東京地裁昭和47年9月26日判決）。

④　その他神戸地裁昭和58年11月14日判決・大阪高裁昭和59年7月6日判決（「Ⅱ」第3節2(8)④（注））を参照されたい。

2　個別検討

(1)　未分割遺産に対する課税規定を適用すべき場合

相続税法第55条の規定により民法の相続分に従って課税価格を計算すべき場合は、次のいずれかの場合で、相続又は包括遺贈により取得した財産の全部又は一部が共同相続人又は包括受遺者によってまだ分割されていないときである（相法55）。

①　相続又は包括遺贈により取得した財産に係る相続税について申告書を提出する場合

②　①の財産に係る相続税について更正又は決定をする場合

この①にいう申告書には、特に限定されていないので、期限内申告書はもとより、期限後申告書及び修正申告書をも含むものと解される。また、「財産」については、既に述べたとおり、相続税法は積極財産のみを「財産」と指称し、消極財産は「債務」と称している。また、取得財産について課税価格に算入すべき価額は、その財産の価額から債務の金額を控除した金額による（相法13）と定めている。本条もまた、相続税の課税価格を計算するに際しての取得財産に関する規定であるから、本条の「財産」の意義も積極財産をいうものと解すべきである。

(2)　「民法の規定による相続分」の意義

未分割の場合の課税価格の計算においては、分割されていない財産については、各共同相続人又は包括受遺者が民法（第904条の2を除く。）の規定による相続分又は包括遺贈の割合に従って当該財産を取得したものとして課税価格を計算するものとされている（相法55本文）。

　この「相続分」の意義は何か。数人の相続人が共同で遺産を承継する場合に、各相続人が承継する割合をいう。一般の共有でいえば持分であるが、相続ではこれを相続分という。この相続分は、次の3様の意味をもっている（前掲「民法(9)相続・第4版増補分」74頁）。

① 遺産の承継割合－分数的割合……民法899
② ①の割合に従って計算した相続財産の価額－各共同相続人の具体的に受けるべき財産……民法903（具体的相続分といわれる。）
③ 遺産分割前の相続人の地位……民法905

　相続税法では未分割の場合の課税価格の計算上適用される相続分は、第904条の2に規定する寄与分を除いた民法の規定による相続分とされているから、民法第900条《法定相続分》、第901条《代襲相続分》、第902条《指定相続分》並びに第903条及び第904条《特別受益者の相続分》の規定による相続分をいうものと解される（最高裁平成5年5月28日判決──なお、相基通55－1では「民法第900条から第903条まで」の規定による相続分としている。）。また判例によれば、共同相続人間における相続分の譲渡の結果定まる相続分も、相続税法第55条の相続分に含まれるとされている（注）。

（注）「相続税法第55条は遺産の全部又は一部が未だ分割されていない時点では、各共同相続人は、他の共同相続人に対し、未分割の個々の遺産について具体的な権利を主張することはできないが、未分割遺産全体について自己の相続分の割合に応じた持分的な権利を主張できることを踏まえて、相続税の申告又は課税をする場合において、遺産の全部又は一部が分割されていないときは、未分割の遺産については、前述の持分的な権利の割合に従って右遺産を取得したものとして課税価格を計算するものとしているのである。同条にいう相続分とは、民法900条ないし904条の規定により定まる相続分（以下「法定等相続分」という。）のみをいうのではなく、共同相続人間で相続分の譲渡

があった場合における当該譲渡の結果定まる相続分（譲渡人については法定等相続分から譲渡した相続分を控除したものを、譲受人については法定等相続分に譲り受けた相続分を加えたもの）も含まれるものと解するのが相当である。」（最高裁平成5年5月28日判決）

なお、本判決の第一審である東京地裁昭和62年10月26日判決……（判旨同趣旨）について判旨に賛成する判例評釈（関根稔・税務事例20巻10号4頁以下）がある。

なお、本条の相続分には、前述のとおり、民法第904条の2の規定による寄与分が含まれていない。この「寄与分」は、昭和55年の民法改正により創設されたもので、共同相続人中に、被相続人の事業に関する労務の提供又は財産上の給付、被相続人の療養看護その他の方法により被相続人の財産の維持又は増加につき特別の寄与をした者があるときは、共同相続人の協議で、その者の寄与分を定め、遺産から、この寄与分を控除したものを相続財産とみなして、通常の相続分を求め、これに寄与分を加えたものをもってその者の相続分とする制度である。相続税法第55条の規定の適用上、この寄与分を相続分に含めない理由として、「この寄与分は、具体的には共同相続人間の協議又は家庭裁判所における審判によってはじめて明らかになるため、遺産が未分割である場合には、その寄与分も具体的に定まっていないことになる。従って法第55条の遺産の全部又は一部が未分割である場合の相続税の課税価格の計算の基となる「民法の規定による相続分」の中に寄与分をも含めるとすると、相続税の課税価格の計算ができなくなる」（「DHCコンメンタール相続税法（第2巻）」3453頁）からであるといわれている。そこで、相続税法第55条では、従来どおり寄与分を除く民法の規定による相続分によって課税価格を計算するものとされているのである。

なお、注意すべきことは、上記の昭和55年の民法改正で、法定相続分及び代襲相続分の規定が改正され、昭和56年1月1日以後に開始した相続から適用されることになっていることである。これを逆にいえば、昭和55年12月31日以前に開始した相続については、改正前の相続分によって、未分割の場合の相続税の課税価格を計算しなければならないことになっている。

次にその相違点を表示しておこう。

項　　　　目	現　行	改正前
① 子及び配偶者が共同相続人である場合の相続分	子　　　1/2 配偶者　1/2	子　　　2/3 配偶者　1/3
② 配偶者及び直系尊属が共同相続人である場合の相続分	配偶者　2/3 直系尊属 1/3	配偶者　1/2 直系尊属 1/2
③ 配偶者及び兄弟姉妹が共同相続人である場合の相続分	配偶者　3/4 兄弟姉妹 1/4	配偶者　2/3 兄弟姉妹 1/3
④ 兄弟姉妹の代襲相続人の範囲	兄弟姉妹の子	兄弟姉妹の直系尊属

(3) みなし相続財産がある場合の相続分

相続税法第55条の規定により課税価格を計算する場合において、相続税法第3条及び第4条並びに第7条から第9条までの規定により相続又は遺贈により取得したものとみなされる財産がある場合はどうするかという問題がある。

この場合には、未分割遺産について、民法の相続分又は包括遺贈の割合による本来の相続財産の価額に上述の相続又は遺贈により取得したものとみなされた財産の価額を加算して課税価格を計算するものとして取り扱われている（相基通55-2）。

このような取扱いを行う理由としては、次のように説明されている（「相基通解説」735頁以下）。

イ　みなし相続財産である生命保険金や退職手当金等は、本来民法上の相続財産を構成しないものであるから、未分割財産と同様に考えることはないこと。

ロ　これらのみなし相続財産を民法の規定による特別受益と解すべきかどうか、特別受益と解する場合でもその金額をいかに計算するか民法上議論のあること。

(4) 特別受益者がある場合の課税価格
① 総　説

　未分割遺産の相続税課税について相続税法第55条の規定を適用するに当たって、共同相続人中に被相続人から遺贈を受け、又は婚姻・養子縁組のため若しくは生計の資本として贈与を受けた民法第903条に規定する特別受益者がいる場合には、当該特別受益者の課税価格の計算は、同条に規定する特別受益者の相続分（遺贈を受けている場合には、当然その遺贈分を加算する。）によることになる（相法55、相基通55－1）。したがって、共同相続人中に特別受益者がいる場合には、特別受益者の相続分をどのようにして算定するかの前提を解決しないことには、課税価格の計算はできないことになる。

　特別受益者の相続分は、被相続人が相続開始の時に有していた財産の価額に、その者が被相続人から婚姻・養子縁組のため、又は生計の資本として贈与を受けたいわゆる特別受益に係る贈与財産の価額を加えたものを相続財産とみなし、その者の法定あるいは指定相続分によって算出した価額から遺贈又は贈与を受けた財産の価額を控除し、その残額をもって相続分の価額とするものとされている（民法903）。

　ところで、この場合の相続税法第55条の規定の適用に当たっては、次の問題がある。

(イ)　遺産額に加算する上記の生前贈与した財産の価額は何によるか。

(ロ)　特別受益者が受けた遺贈又は贈与の価額が、法定あるいは指定相続分によって算出した価額を超えたため、その者の相続分がないこととなった場合（民法903②）における他の共同相続人の相続分をどのように計算するか。

(ハ)　債務がある場合には、どうするか。

　そこで、これらの問題について、検討してみよう。

② 加算すべき生前贈与財産の価額

　まず、遺産額に加算する生前贈与財産の価額については、学説は、相続開始時で評価すべしとする説（「相続開始時説」という。）と遺産分割時で評価すべしとする説（「分割時説」という。）とに分かれ、通説及び多くの審判例は

相続開始時説によっているとされている（注）。

（注）　この検討に当たっては、「新版注釈民法(27)・相続(2)」244頁以下、瀬川信久「具体的相続分算定のための遺産評価の基準時・現代家族法大系４」（有斐閣）359頁以下、中川ほか「相続法（第４版）」283頁以下を参照とした。

　なお、相続時の価額によるべしとする説や贈与時の客観的価額を基準として貨幣価値の変動に従い相続開始当時の価額に評価換えをすべきとする説もあるようである（注）。

（注）　前掲「相続法（第４版）」284頁（同書286頁ではフランス民法が不動産持戻しにつき、贈与時を基準として評価する改正をした事実を挙げている。）、「新版注釈民法(27)」249頁。なお、金銭の贈与につき相続開始の時の貨幣価値に換算して評価すべきとした判例（最高裁昭和51年３月18日判決）がある（「民法講義８相続」119頁）。

　したがって、実務としては、一応通説に従い、遺産の価額に加算する生前贈与財産の価額は相続開始時の価額によることに取り扱われており（注）、また、それが妥当であろうと考える。

（注）　「相基通解説」728頁

　次に、贈与により取得した財産が滅失したり、価格の増減があったときに、それが受贈者の行為によるものであるときは、相続開始の当時なお原状のままであるものとみなして、その価額を定めるものとされている（民法904）。すなわち、その財産が、相続開始当時、受贈者の行為の加えられない以前の贈与当時の状態（原状）のままで存するものとみなして、そのような状態の財産を相続開始時の時価で評価することになる。

　この受贈者の行為には、受贈者の過失を含むものと解され、また「滅失」には、焼失、破壊などの事実行為による物理的滅失のほか、贈与、売買などの法律行為による経済的滅失を含むものと解されている。また「価格の増減」とは、物価の変動のことではなく、使用、修繕、改良、損傷などによって値打ちに増減が生ずるという意味であるとされる（注）。

（注）　「新版注釈民法(27)」248頁。「たとえば、雑種地の土地の贈与を受けたが、それを宅地に造成した場合には、造成しない雑種地のままで存在するものと仮

定し、それを相続開始時の相場で評価することになる」とされている。

それでは、受贈者の行為によらないで財産が滅失したり、価格の増減があった場合は、どうなるかであるが、たとえば受贈財産が天災その他の不可抗力によって滅失した場合には、受贈財産はなかったものとされ、不可抗力により財産の価額が増減した場合には、その相続時の時価で評価される。ただし、生前贈与を受けた家屋が自然に半分だけ朽廃したような場合には、残り半分だけが相続開始時の時価で評価されるという考えのほか、生前贈与を受けなかった者とのバランスから、朽廃しない原状のままであるものとして相続開始時の時価で評価すべしとする見解もあるとされる（注）。

(注)「新版注釈民法(27)」248頁

このほか、生前贈与財産が株式であって、それが贈与後相続開始時までに増資・合併などがあった場合には、どのように評価すべきかという問題があるが、相続開始時の時価で評価するという考えを基本として、評価実務上の問題をも考慮して合理的に評価するほかはないであろう。

なお、被相続人の死亡により支払われる生命保険金請求権については、既に検討したように相続財産説と相続人の固有財産説とがあり、後説がほぼ通説・判例となっているが、これを特別受益として、民法第903条の持戻計算の対象とするかについては、別の観点から説が分かれており、学説としては遺贈と同様に取り扱うべきであるとするのが通説のようであるが、審判例としては、被相続人の生前贈与ないし遺贈に該当しないとする例が多いようである（東京家審昭和55年2月12日、広島高裁岡山支部昭和48年10月3日決定ほか）。死亡退職金についても同様である（注）。

(注)「新版注釈民法(27)」232～234頁、「民法講義8 相続」117頁

なお、相続税法第19条の規定による相続開始前3年以内の生前贈与財産の加算は、この特別受益分の持戻加算とは、次の点で異なるから混同しないように注意を要する。

(イ) 相続税法第19条による贈与財産の加算は、時価ではなく、贈与時の課税価格によること。

(ロ) 相続税法第19条による贈与財産の加算は相続前3年以内であるが、特別受益分の持戻対象となる贈与は、その時期を問わないこと。

③ **特別受益者と他の共同相続人との相続分の具体的算定**

イ 総　説

　共同相続人中に特別受益者が存在する場合の相続分は、次の順序で算定する。

(イ) 被相続人の相続開始当時における積極財産の価額に贈与財産の価額を加算する（みなし相続財産額）。

(ロ) みなし相続財産額に法定あるいは指定相続分の割合を乗じて各共同相続人の相続分（一応の相続分）を算出する。

(ハ) 一応の相続分の価額から贈与又は遺贈の価額を控除して、各共同相続人の取得する相続分（具体的相続分）を算出する。

　この各共同相続分の具体的相続分の算定に当たって、特別受益者の受けた遺贈又は贈与の価額（特別受益分）が一応の相続分以下であるときは、格別の問題はないが、特別受益分が一応の相続分を超えているときは、他の共同相続人の相続分の価額を侵していることになるので、これら他の共同相続人の相続分の算定をどのようにするのかという問題がある。これについては、種々の考え方があって学説は一致していない。これを計算例で示してみよう。

ロ　具体的な計算例

(イ) 相続分を超える特別受益を受けた相続人（「超過特別受益者」という。）がいない場合

　〔設例〕
　　相続人は妻甲と子乙、丙、丁の4人、相続開始時の遺産額1億2,000万円で、乙は1,200万円の生前贈与、丁は1,600万円の遺贈を受けている。

$$みなし相続財産 = 1億2,000万円 + 1,200万円$$
$$= 1億3,200万円$$
$$妻甲の具体的相続分 = 1億3,200万円 \times \frac{1}{2}$$
$$= 6,600万円$$

子乙 〃 ＝1億3,200万円×$\frac{1}{2}$×$\frac{1}{3}$－1,200万円
　　　　　　＝1,000万円

子丙 〃 ＝1億3,200万円×$\frac{1}{2}$×$\frac{1}{3}$
　　　　　　＝2,200万円

子丁 〃 ＝1億3,200万円×$\frac{1}{2}$×$\frac{1}{3}$－1,600万円
　　　　　　＝600万円

(ロ) 超過特別受益者がいる場合

〔設例〕
相続人は妻甲と子乙、丙、丁の4人、相続開始時の遺産額1億2,000万円で、乙は3,600万円の生前贈与、丁は2,400万円の遺贈を受けている。

みなし相続財産額＝1億2,000万円＋3,600万円
　　　　　　　　＝1億5,600万円

相続開始時における仮の具体的相続分

妻甲＝1億5,600万円×$\frac{1}{2}$＝7,800万円

子乙＝1億5,600万円×$\frac{1}{2}$×$\frac{1}{3}$－3,600万円
　　＝△1,000万円

子丙＝1億5,600万円×$\frac{1}{2}$×$\frac{1}{3}$＝2,600万円

子丁＝1億5,600万円×$\frac{1}{2}$×$\frac{1}{3}$－2,400万円
　　＝200万円

そこで、子乙の1,000万円を他の共同相続人にどのように配分するかについて、次の4つの考え方がある。

㋑ 超過特別受益者を相続人から除外し、残りの共同相続人で相続分により財産を分配する考え方（※）

妻甲＝1億2,000万円×$\frac{1}{2}$＝6,000万円

子乙＝0

子丙＝1億2,000万円×$\frac{1}{2}$×$\frac{1}{2}$＝3,000万円

子丁 = 1億2,000万円 × $\frac{1}{2}$ × $\frac{1}{2}$ - 2,400万円

= 600万円（遺贈2,400万円は別途加算）

※ このケースの計算方法は、「新版注釈民法(27)」236頁(2)(ア)にある計算方法と、その前版である谷口知平編集「注釈民法(25)」（有斐閣）199頁(ロ)の計算方法で異なり、筆者は、一応後者の計算方法が合理的なものと考えて、上記のように計算してみた。もし、筆者の誤解があるなら、御教示頂きたい。

(ロ) 超過特別受益者を除き、他の相続人について民法903条による相続分の額であん分して各共同相続人の具体的相続分を計算する考え方

妻甲 =（1億2,000万円 - 2,400万円）

$\times \frac{7,800万円}{7,800万円 + 2,600万円 + 200万円}$

≒ 7,064.2万円

子乙 = 0

子丙 =（1億2,000万円 - 2,400万円）

$\times \frac{2,600万円}{7,800万円 + 2,600万円 + 200万円}$

≒ 2,354.7万円

子丁 =（1億2,000万円 - 2,400万円）

$\times \frac{200万円}{7,800万円 + 2,600万円 + 200万円}$

≒ 181.1万円

（2,400万円の遺贈は、別途加算）

(ハ) 超過特別受益額について、超過特別受益者を除く各共同相続人が本来の相続分の割合で負担するという考え方

本来の相続分は妻甲が6分の3（= 2分の1）、子丙、丁が各6分の1である。

妻甲 = 7,800万円 - 1,000万円 × $\frac{3}{3 + 1 + 1}$

= 7,200万円

子乙 = 0

子丙 = 2,600万円 - 1,000万円 × $\frac{1}{3 + 1 + 1}$

= 2,400万円

子丁 = 200万円 - 1,000万円 × $\frac{1}{3 + 1 + 1}$

　　　　　＝ 0　（2,400万円の遺贈は、別途加算）
　㈢　超過特別受益者が配偶者以外の者である場合において、配偶者を除く他の共同相続人である超過特別受益額を負担するという考え方
　　　ⅰ　民法903条による相続分額であん分して負担する方法
　　　　妻甲＝7,800万円
　　　　子乙＝0
　　　　子丙＝2,600万円－1,000万円

$$\times \frac{2,600万円}{2,600万円+200万円} \fallingdotseq 1,671.4万円$$

　　　　子丁＝200万円－1,000万円×$\frac{200万円}{2,600万円+200万円}$

　　　　　　$\fallingdotseq$128.6万円（2,400万円の遺贈は、別途加算）
　　　ⅱ　本来の相続分で負担する方法
　　　　妻甲＝7,800万円
　　　　子乙＝0
　　　　子丙＝2,600万円－1,000万円×$\frac{1}{1+1}$
　　　　　　＝2,100万円
　　　　子丁＝200万円－1,000万円×$\frac{1}{1+1}$
　　　　　　＝△300万円
　　　　　（このマイナスは遺贈2,400万円が負担する。）

　共同相続人中に超過特別受益者がいる場合の具体的相続分については、以上4つの考え方があって、いずれも決定的なものではないとされているが、㈡の計算方法は民法903条の規定に忠実な算定方法であるため、超過特別受益者がいない場合の算定方法と整合性をもつ点で妥当な計算方法であるとされている。また、審判例でも多く㈡の計算方法を用いるといわれる（注）。
（注）「新版注釈民法⑵⑺」238～239頁。なお、田口豊「新版相続税法」（税務経理協会）52頁でも、この方法によっている。前掲「注釈民法⑵⑸」198頁では、税務実務の採用する方法としている。

④　**債務控除の方法**
　相続税の課税価格の計算上控除される被相続人の債務の額は、相続税法第13条第1項において、「その者の負担に属する部分の金額」と定められ、そ

の意義は相続等によって財産を取得した者が実際に負担する金額をいうものと解されている（相基法13－1）。この点の民法上の考え方及び税務の取扱いについては、すでに述べたところであるが、遺産が未分割であるため、相続税法第55条の規定により、相続税の課税価格を計算する場合には、どのようにすべきかという問題がある。

　これについては、相続税法第55条では、前述のとおり、分割されていない「財産」については、各共同相続人が民法（第904条の2を除く。）の規定により財産を取得したものとして課税価格を計算することとされているから、債務もそれに従って計算すればよいという考え方もあろうが、既に述べたように、相続税法にいう「財産」は積極財産のみを意味し、消極財産である債務は含まれないものと解されているので、同法第55条の上では、未分割のケースにおける債務控除については、何ら規定がされていないことになる。

　そこで、国税庁の取扱いでは、未分割の場合の相続税法第55条の規定は、遺産が分割されるまでの暫定的な仮定計算にすぎず、最終的には分割の確定により修正できることが予定されており（相法30、31①、32一、35③、55ただし書）、既に述べたように、最終的には、債務についても実際に負担した金額によることができるのであるから、未分割の場合の債務の金額については、計算方法の簡明な民法第900条から第902条までの規定による相続分の割合（特別受益がある場合の相続分は含まない。）によることとされている（相基通13－3）（注）。

(注)　「相基通解説」271頁。なお、昭和47年の改正前は、積極財産と同様、特別受益者がいる場合には、特別受益者がいる場合の相続分によることに取り扱われていたが、現行のように改められている。そのことの経緯は、同書270～271頁に詳しく述べられている。

　次に、このように債務については民法第900条から第902条までの法定あるいは指定相続分の割合により負担することとして相続税の課税価格を計算すると、共同相続人のうちに多額の特別受益を受けている者がある場合は、その者の相続分の額が少なくなるため、この取扱いにより計算した債務の負担

額が相続税法第55条の規定により計算した課税財産の価額（未分割財産についての具体的相続分の価額）を超過し、控除しきれない債務額が生ずる事態も考えられる。しかし、もともと、この相基通13－3の取扱いは、各共同相続人の実際に負担する債務の金額が確定するまでの仮の計算であるから、上記の控除しきれない債務の額を切り捨ててしまうことは不適当である。そこで、このような場合において、その超える部分の金額を他の共同相続人等の相続税の課税価格の計算上控除して申告があったときは、その計算を認めることに取り扱われている（相基通13－3ただし書）。

この取扱いによる計算例を次に示しておこう。

〔設例〕
被相続人の遺産は2億7,200万円、債務4,000万円で、相続人は妻甲と子乙及び丙であるが、未分割である。また、子乙は5年前に4,000万円（相続時の時価8,800万円）の財産の贈与を被相続人から受けている。

（計算）
① みなし相続財産
　＝2億7,200万円＋8,800万円＝3億6,000万円
② 各共同相続人の具体的相続分

　妻甲＝3億6,000万円×$\frac{1}{2}$＝1億8,000万円

　子乙＝3億6,000万円×$\frac{1}{2}$×$\frac{1}{2}$－8,800万円
　　　＝200万円

　子丙＝3億6,000万円×$\frac{1}{2}$×$\frac{1}{2}$＝9,000万円

③ 債務控除
　イ 法定相続分により計算した各人の債務

　　妻甲＝4,000万円×$\frac{1}{2}$＝2,000万円

　　子乙＝4,000万円×$\frac{1}{2}$×$\frac{1}{2}$＝1,000万円

　　子丙＝4,000万円×$\frac{1}{2}$×$\frac{1}{2}$＝1,000万円

　　子乙の場合には、次のとおり控除しきれない債務が生ずる。

相続分200万円－債務額1,000万円＝△800万円
　ロ　控除不足額を他の共同相続人に配分した後の各人の債務
　この債務の配分の方法については、特に定められていないので、この例では、均等に配分することとして計算する。

妻甲 ＝ 2,000万円 ＋ 800万円 × $\frac{1}{2}$ ＝ 2,400万円

子乙 ＝ 200万円

子丙 ＝ 1,000万円 ＋ 800万円 × $\frac{1}{2}$ ＝ 1,400万円

④　各人の課税価格
　　妻甲 ＝ 1億8,000万円 － 2,400万円
　　　　 ＝ 1億5,600万円
　　子乙 ＝ 200万円 － 200万円 ＝ 0
　　子丙 ＝ 9,000万円 － 1,400万円 ＝ 7,600万円
　　＊子乙の受けた贈与は相続開始前3年以内（相法19）に受けたものではないので、相続税の課税価格には加算されない。

⑤　私　　見
　生前贈与の評価時期及び債務控除については、通説及び取扱通達に従うことでよいと考えている。問題は、超過特別受益者がいる場合の計算であるが、結局のところは、暫定的な仮計算であるから、いずれの方法によっても、差し支えないのではないかと考えている。

(5)　遺産の一部が未分割である場合の課税価格
①　問題点と検討
　未分割遺産に対する相続税の課税については、前述のとおり民法の相続分（寄与分を除く。）の割合に従って遺産を取得したものとして各共同相続人の課税価格を計算するのであるが、遺産の一部が未分割である場合の課税価格の計算に当たって、相続税法第55条の「その分割されていない財産については、各共同相続人又は包括受遺者が民法の規定による相続分又は包括遺贈の割合に従って当該財産を取得したものとしてその課税価格を計算するものとする」との規定をどのように解釈し、どのようにして課税価格を計算すべきかという問題がある。

これに関する当局側の公式の見解は公表されていないが、考え方としては、次の2つが考えられよう。

(A説)　未分割の財産に、単純に法定相続分の割合を乗じて計算する方法

(B説)　分割ずみの財産を特別受益と同様に考えて、残余の未分割財産につき民法第903条に準じた方法で各共同相続人の相続分を計算する方法

これを図で示すと次のようになる。

(A説)

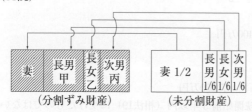

(B説)

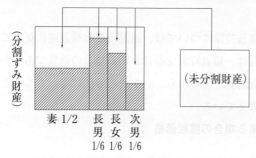

この両説の根拠は、それぞれ次のとおりである。

(A説の根拠)

(イ)　相続税法第55条の規定の文言に極めて忠実な解釈であること。

(ロ)　分割ずみ財産は特別受益とはいえないから、これを特別受益とみて、民法第903条の規定に準じて各共同相続人の相続分を計算するというB説の考え方は相続税法第55条の規定に文言からはとり難いこと。

(ハ)　遺産分割の最終的な結果としては、B説のように分割されるのが望ましいが、未分割の時点では、仮の計算にすぎず、計算が簡単で、実務上とり

易いA説によっても、それほど差し支えはないこと。
（B説の根拠）
(イ) 相続分は、遺産が分割ずみか未分割かに関係なく、各共同相続人が取得すべき相続財産の総額に対する分数的割合であることから、分割ずみ財産を除いた未分割財産についてのみ、分数的割合を乗じて計算する理由はないこと。
(ロ) 分割ずみ財産は、特別受益ではないから、これを特別受益として民法第903条の規定により共同相続人の相続分を計算するという解釈は法文上は直ちにはいえないとしても、A説のように、分割ずみ相続財産に、未分割財産に法定相続分の割合を乗じた額を加算した額が各人の相続財産になるという結果は、それ以上に民法の解釈からはとり難いこと。
(ハ) 仮定計算とはいえ、A説のように計算すると、既に分割により法定相続分以上の財産を取得した者に、更に未分割遺産を上積みして課税価格を計算するというのは、どう考えてもバランスを失すると思われること。

② 私　見

以上検討してみると、A説は相続税法第55条の規定の文言の解釈には極めて忠実であって、しかも、計算が簡単で便利という長所があって捨て難いのであるが、A説によって各共同相続人の財産の価額を計算すると、民法の規定による相続分とも、各共同相続人が最終的に意図している分割内容とも似ても似つかない結果が生ずるケースが予想され、いかに仮の計算とはいえ、どうにもバランスがとれないことになりかねないので、法律の規定には必ずしもそぐわないが、B説によるのが妥当であろう。したがって、筆者の全くの個人的見解としては、次のように考えている。

イ　遺産の一部が未分割である場合において、その未分割財産を含めて、各共同相続人の相続税の課税価格を計算するときは、B説の方法によるのが妥当であろう。

ロ　共同相続人が、A説の方法によって相続税の課税価格を計算して相続税の申告書を提出した場合には、共同相続人は、それにより分割を行う意

思があるものと考えられるから、その申告を尊重するのが適当であろう。

ハ 分割により既に取得した財産の価額が、総遺産に対する法定相続分の割合に応ずる価額以上である相続人については、民法第903条の場合と同様に、未分割財産に係る相続分はないものとして課税価格を計算すべきであろう。

この場合において、総遺産に対する法定相続分の割合に応ずる価額に満たない者については、その満たない範囲において、前述した超過特別受益者がいる場合の相続分の計算の方法に準じた方法で、各人の分割による取得財産に上積みして課税価格を計算するのが適当であろう。

Ⅲ 相続税の総額・各人の相続税額の計算

第1節 総　説

1　昭和33年改正前の相続税制の問題

　我が国の相続税は、周知のとおり、相続又は遺贈により財産を取得した者の被相続人からこれらの事由により財産を取得したすべての者に係る相続税の総額を計算し、その総額を基礎としてそれぞれこれらの事由により財産を取得した者の取得財産額に応じてあん分した額を各人の相続税額として課税するという他におそらく例をみない課税方式を採用している。

　このような課税方式を採用したことについての経緯は、すでに引用した税制特別調査会の「相続税答申」に述べられているが、ここでは、当時の立案当局者の解説（米山鈞一「改正相続税法について」税経通信臨時増刊号・改正税法詳解（昭和33年発行。以下「33年改正解説」という。）63頁以下）を参考としながら、再度簡単に触れてみよう。

　昭和33年の改正前の我が国の相続税制度は、シャウプ勧告により採用されたいわゆる遺産取得税体系といわれる体系で、先進国ではドイツ及びフランスで採用しているタイプの税制であった。すなわち、相続税は、相続のつど、各相続人が実際に取得した財産の価額を標準として課税するものである。このような遺産取得税体系の相続税は、イギリスやアメリカで採用されている遺産税体系の相続税と異なって、各相続人の取得した財産に応じた累進税率により課税するという点で、各相続人の負担能力に応じた課税ができるというすぐれた特長を持っているものである。しかし、我が国でこのような遺産取得税タイプの相続税を施行した結果、次のような問題点が指摘されていた。

(1) 仮装分割の問題

　遺産取得税タイプの相続税は、遺産が多数の相続人に分割されればされるほど相続税負担が減少するというものであったので、時に、事実と異なる相続税の申告が行われ、一方遺産分割の調査が執行上すこぶる困難であるという実情から、税務執行当局と納税者とのトラブルが起きやすく、税務行政への信頼を失わせる結果となるという指摘があった。

(2) 分割困難な財産の相続

　当時の大蔵省主税局の実態調査によると、法定相続人に対する実際相続人の割合は、遺産の額が小さければ小さいほど低く、その中でも農家や小規模の企業者が特に低かったといわれる（「33年改正解説」65頁）。

　これは、少額な資産は分割が容易でないこと、すなわち農家及び中小企業者の相続では分割により事業継続が困難となることを意味し、その結果、分割が容易な財産を多く有する者に比し、相対的に重い負担となっていた。

(3) 中小財産階層の負担軽減の要請

　従来の相続税が遺産取得税体系をとっていたことから、課税最低限は相対的に低いものとなり、中小財産階層にとって相続税負担が重いものとなっていた。したがって、財産の隠ぺい、預貯金、無記名債券等の不表現資産の把握の困難を招来する結果ともなっていた。

2　現行体系の採用

　このような問題点が税制特別調査会において検討された結果、むしろ、シャウプ勧告による改正前の遺産税に戻すべきであるという強い意見もあったが、各相続人の個人的実情に応じた課税ができるという遺産取得税体系に捨て難い長所もあるところから、結局、従来の遺産取得税体系をとりつつ、その長所を生かし、かつ、この制度による弊害を是正する見地から、現行の課税体系をとるべきことを税制特別調査会の相続税答申は勧告し、この体系が採用されたものである。

　現行体系は、税額計算の基礎となる要素として従来の実際取得財産価額の

ほかに、遺産額と法定相続人の数という客観的事実が導入されたことにより、相続人等の全員が納付すべき相続税の総額が恣意的要素によって左右されることがなく、遺産分割の程度により負担が著しく異なるという負担の不均衡が是正できるとされている。そして、同額の遺産でも、共同相続人の数により負担が異なるということにより遺産取得税の長所が生かされているとされる。

現行体系については、その後の相続税改正に関する税制調査会の審議でも、特に問題点としてとり上げられたものはなく、昭和61年10月の「税制の抜本的見直しについての答申」72頁においても、次のとおり述べられている。

「この場合、遺産取得課税方式（各相続人ごとに取得財産の価額を標準として課税）と遺産課税方式（被相続人の遺産額を標準として課税）とを併用した現行相続税の基本的仕組みは、両方式の問題点を法定相続分課税の導入により解消した合理的な制度であり、今後とも維持していくことが適当であると考える。」

3 現行制度の問題点と検討

現行制度については、平成21年度の税制改正において事業承継税制の導入に関連して取得課税体系への切替えが意図されたが、結局導入には至らなかった。その際、現行制度の問題点としていわれた点とそれに対する筆者の考え方を示しておく（拙稿「相続税の遺産取得課税方式導入の問題点（上）」「税務弘報平成20年10月号72頁以下）。

① 同一額の財産を取得しても遺産額の大小により負担が異なるという問題について

これは、個々の相続人が取得した相続財産の価額が同額であっても、現行の課税方式では、被相続人の遺産額の多寡及び法定相続人の数によって負担する税額が異なる。したがって同一額の財産取得間の水平的公平が害されているといわれる（注）。19年改正答申もこの問題を指摘する。

（注） この所論は、三木義一教授「相続税の抜本的改革への一視点」（税経通信

（税務経理協会）1999年7月号26頁以下）、同「遺産取得税方式と法定相続分方式との差異」（税研（日税研センター）2008年5月号38頁以下）で論じられている。また、前者の論文への批判として、塩崎潤「三木教授の『相続税の抜本的改革への一視点』に対する共鳴と別視点」（税経通信1999年10月号25頁）も参照されたい。

しかし、このような批判は、遺産取得課税体系を支持する立場からの判断で、遺産課税体系の側からいえば、水平的公平は遺産額が同一の場合にのみとればよく、遺産全体の額に応じて累進税率を適用して課税すれば、全体としての累進効果が得られるので、あとは、個々に遺産を取得した場合に、フラットな割合でその遺産額に含まれる税額を納付すればよいだけのことである。

しいて、それでも財産取得者の間で格差をつけたいのであれば、昭和33年の現行体系の登場の際に設けられ、税制簡素化の理由で昭和42年に廃止された「取得財産に係る基礎控除」を復活させることによって、少額の遺産相続に課税を及ぼさず、多少の累進効果も得られるであろう。取得財産に係る基礎控除のイメージは右図のとおりである。

（現 行）

相続人　取得財産額

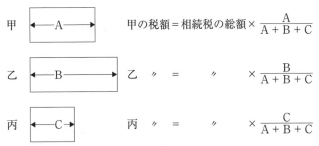

（取得財産に係る基礎控除を用いた場合）

相続人　取得財産額

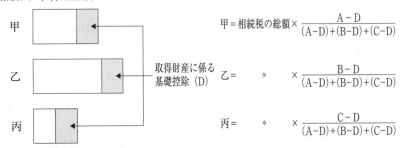

② **共同相続人の一人の責任による過少申告の場合でも他の相続人の負担額が増加し、加算税等も賦課されるという問題について**

　現行課税方式では、1人の相続人の申告漏れにより他の相続人にも追徴税額が発生するというとして、19年改正答申が指摘する問題である。

　これは、農地に係る相続税の納税猶予と同様に、過少申告による増差額は、過少申告をした相続人に全部賦課すれば解決する。前述の塩崎潤氏の論文でも、そのアイデアが示されている。

③ **現行税制では、遺産の相続で共同相続人間で紛争が起きた場合には、遺産全体の額が把握できないため申告ができないという問題について**

　現行課税方式では、自己の取得財産額のほか、被相続人の遺産の総額と

他の共同相続人の取得財産額が把握できない場合には、自己の税額も算定できない。したがって、いわゆる争族という事態になると、適正な相続税の申告が困難になる。また、一の申告書に連署して行う共同申告も不可能になることが多いとされている。

この指摘は、一見、遺産課税方式の致命的欠陥のように見える。しかし、争族という事態になれば、自らの取得財産額が幾らになるか確定できないのは、取得課税方式をとったところで同じである。相続人間で紛争があれば、相続税の申告期限においても遺産分割は行われないであろうが、さりとて、相続税の無申告を認めるわけにはいかないから、結局、現行と同じ法定相続分課税によらざるを得ないことになろう。そうであれば、遺産額全体を把握しなければ申告できないことは取得課税体系をとったところで解決できる問題ではない。

④ 現行の基礎控除計算上の養子に関する制限措置が民法の養子制度に悪影響を及ぼしているという問題について

現行の基礎控除額の計算方法の下での租税回避行為に対処するため、養子をした場合の法定相続人数の算定の制限措置が講じられているが、そのことが民法の養子制度に悪影響を及ぼしているとされている（注）。

しかし、これも、取得課税方式に改めれば解決できる問題ではない。取得課税方式になれば、養子による遺産の細分化、仮装分割が横行し、むしろ民法の養子制度に一層の悪影響を及ぼし、税務行政の負担も増すばかりとなるだろう。

(注) この問題は、昭和33年の改正の当時既に予見されていたところである。すなわち、「33年改正解説」76頁では、次のように述べている。

「ここで問題となるのは、養子縁組の問題である。養子も直系卑属である以上法定相続人となるが、養子縁組が比較的自由に行われるものと考えるときは、恣意的に法定相続人の数を増加することとなり、時に相続税の軽減を図る手段として用いられる虞れがないでもない。従って、できるだけ税額計算に客観性をもたせる意味からは、これをある程度規制することも考えられるが、養子縁組の精神からみて、これは裁判所において規制され

ることが期待されるので、今回の改正では特に規制する必要がないものとされている。」

　筆者の当時の記憶では、このようなことをしてまで（いわゆる戸籍を汚してまで）、相続税の負担の回避を図る者はいないのではないかという期待があったように思うが、その後の実際の状況をみると、このような期待が空しかったわけである。

4　相続時精算課税制度の導入
(1)　従来の税制調査会答申の論調

　従来の税制調査会の答申では、贈与税の負担軽減による世代間の財産移転の促進に対して、極めて消極的であった。例えば「平成14年度の税制改正に関する答申」では、次のように述べている。

　「現在、高齢者の保有する多額の個人金融資産を若干・中年世代へ早期に移転させて消費拡大等を図る視点から、贈与税の軽減を求める意見がある。しかしながら、現行制度の下で、既に相当の金額の贈与を毎年非課税で行うことが可能となっている。また、贈与税は相続税の課税回避を防止するという基本的な機能を有しており、相続税の課税対象者がごく一部の資産家に限られていることから、贈与税の軽減が世代間の財産移転を促進する効果も非常に限定的と考えられる。こうしたことから、贈与税については、相続税の幅広い見直しの一環として検討することが適当である。」

　このように、税制調査会はそもそも贈与税は、富の再分配を目的とする相続税の補完材であるという伝統的な考えに立ち、贈与税の負担軽減に慎重だった。

(2)　従来の路線を変えた15年改正答申

　ところが、平成14年に至り、税制調査会は従来の態度を一変、同年6月14日にとりまとめられた「あるべき税制の構築に向けた基本方針」で、資産移転の時期の選択の中立性、世代間の財産の早期移転による経済の活性化を目的とした相続税・贈与税の一体化の方向の検討を打ち出し、続いて同年末に出された15年改正答申では、相続税・贈与税の改正について、次のように提

言した。

　「相続税・贈与税については、高齢者の保有する資産の次世代への移転の円滑化に資する視点から、相続税・贈与税の一本化措置を導入する。これにあわせて、相続税について最高税率の引下げを含む税率構造の見直し及び課税ベースの拡大を図るとともに、贈与税について相続税に準じた見直しを図る。」

　そして、相続税・贈与税の一体化措置として「相続時精算課税制度」なるものの創設を提言し、その目的について15年改正答申は、次のように述べている。

　「高齢化の進展に伴って、相続による次世代への資産移転の時期が従来より大幅に遅れてきている。また、高齢者の保有する資産（住宅等の実物資産も含む。）の有効活用を通じて経済社会の活性化にも資するといった社会的要請もある。かかる状況の下、相続税・贈与税の改革については、生前贈与の円滑化に資するため、生前贈与と相続との間で資産移転の時期の選択に対して税制の中立性を確保することが重要となってきている。こうした状況を踏まえ、相続税・贈与税の一体化措置を平成15年度税制改正において新たに導入する。この一体化措置は、従来の相続税と贈与税との関係を大きく見直すものであり、両税の抜本的改革として位置付けられるものである。」

　そして、この提言に基づいた「相続時精算課税制度」が平成15年の相続税法の改正により実現され、施行されるに至ったのである。この制度の内容と問題点は後述する。

5　相続税の税額計算の基本的仕組み

　相続税の税額は、各相続人等の取得した財産の価額から非課税財産、債務及びその負担した葬式費用の額を控除して各人の課税価格を計算し、これを合計していわば純遺産額を求める。

　次いで、この純遺産額から遺産に係る基礎控除の額を控除して課税遺産額を求め、この課税遺産額を、その被相続人に係る法定相続人が、民法に規定

する法定相続分により分割したものと仮定して、各法定相続人の仮の取得財産額を求める。

　この仮の取得額に率（税率ではない。）を適用して各法定相続人ごとの仮の税額を求め、これを合計して相続税の総額を求める。

　次に、この相続税の総額を実際の相続財産の額によって按分して各人の相続税額を求め、これから税額控除を行って、実際の納付税額を算出する。

　これを図示すると、次頁のようになる。

　以下、この相続税額の計算の諸要素について研究してみよう。

〔参考〕相続税の税額計算の基本的仕組み

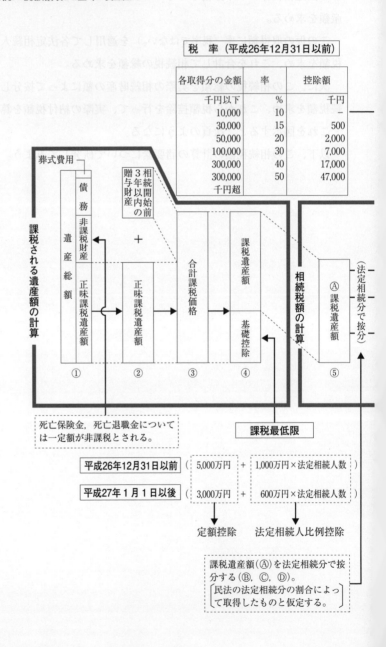

Ⅲ 相続税の総額・各人の相続税額の計算 293

税 率（平成27年1月1日以後）

各取得分の金額	率	控除額
千円以下	％	千円
10,000	10	−
30,000	15	500
50,000	20	2,000
100,000	30	7,000
200,000	40	17,000
300,000	45	27,000
600,000	50	42,000
600,000	55	72,000
千円超		

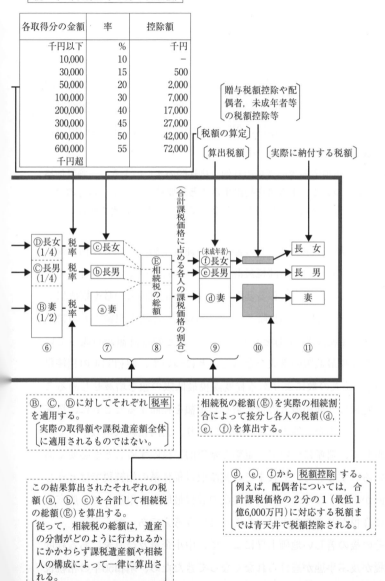

〔贈与税額控除や配偶者，未成年者等の税額控除等〕

〔税額の算定〕

〔算出税額〕

〔実際に納付する税額〕

⑥ ⑦ ⑧ ⑨ ⑩ ⑪

ⓑ，ⓒ，ⓓに対してそれぞれ税率を適用する。
実際の取得額や課税遺産額全体に適用されるものではない。

この結果算出されたそれぞれの税額（ⓐ，ⓑ，ⓒ）を合計して相続税の総額（Ⓔ）を算出する。
従って，相続税の総額は，遺産の分割がどのように行われるかにかかわらず課税遺産額や相続人の構成によって一律に算出される。

相続税の総額（Ⓔ）を実際の相続割合によって按分し各人の税額（ⓓ，ⓔ，ⓕ）を算出する。

ⓓ，ⓔ，ⓕから税額控除する。
例えば，配偶者については，合計課税価格の2分の1（最低1億6,000万円）に対応する税額までは青天井で税額控除される。

第2節　遺産に係る基礎控除

1　趣　旨

　前節までにおいて説明した各相続人等の課税価格を合計し、この課税価格の合計額（純遺産額）から遺産に係る基礎控除の額を控除して、いわゆる課税遺産額を求める。したがって、課税価格の合計額すなわち純遺産額が遺産に係る基礎控除以下である場合には、相続税額がないので、相続税の申告書を提出する必要がないことになる（注）。

（注）　もちろん、小規模宅地等の課税の特例（措法69の４）のように、課税価格の特例の適用について、申告書を提出することが要件となっているものは、例え、その適用の結果課税価格がゼロとなっても、申告が必要であることはいうまでもない。

　この遺産に係る基礎控除額は、この額以下の純遺産額については相続税を課税しないという意味合いから課税最低限ともいわれているが、現行の相続税の課税最低限すなわち遺産に係る基礎控除は、法定相続人の数や構成にかかわらない一定の控除額（定額控除といわれている。）と法定相続人の数に応じた控除額（法定相続人比例控除といわれている。）との合計額から成っている。このような課税最低限の構成をとったことについて、昭和33年の相続税答申は、「共同相続人の数によりある程度課税最低限の額を増減せしめることとして、一定額に共同相続人の数を乗じた金額を控除するとともに、農家及びこれに準ずる中小企業等の資産の相続に当り、共同相続人の数が少ない場合をも考慮して、遺産について一定額を基礎的に控除することが必要である」としている。すなわち、それまでの遺産取得税体系の相続税ではどうしても基礎控除が少なくなるため、ある程度の課税最低限を用意して、農家及び中小企業に課税が及ぶのをカバーしようという考えであった。

　しかし、その後の著しい地価上昇によって、中小企業及び農家にある程度の相続税課税が及ぶ事態が避けられなくなってきたため、昭和50年の相続税

の課税最低限の引上げの際は、せめて、一般的な住宅地で居住用の標準的な住宅の相続については課税しないという考え方で控除額を設定したと説明されている。

　しかし、その後も依然として地価の著しい上昇が続き、特に東京、大阪のような大都市地域の地価と地方の地価との上昇率に著しい乖離が生じ、従来のように非課税とする対象のイメージが描けない状態になっており、現在では、地価水準や相続税の課税対象の面からの説明が多くなされているように思う。

　この点、相続税の課税最低限に地域差が設けられない状況を補うものとして後述の小規模宅地等の課税特例が、地域による課税最低限の役割を果たしつつある。それ故に、その軽減割合の引上げがしばしば行われ、事実上の課税最低限の引上げの効果を生み出しているものといえよう。

　しかし、最近では、地価の下落を理由として次のように相続税の課税ベースを拡大する考え方から、相続税の課税最低限のレベルを引き下げる論調が高まった（平成23年度税制改正大綱）。

「3．資産課税
(1) 相続税
① 基本的な考え方
　　相続税は格差是正・富の再分配の観点から、重要な税です。相続税の基本控除は、バブル期の地価急騰による相続財産の価格上昇に対応した負担調整を行うために引き上げられてきました。しかしながら、その後、地価は下落を続けているにもかかわらず、基礎控除の水準は据え置かれてきました。そのため、相続税は、亡くなられた方の数に対する課税件数の割合が4パーセント程度に低下しており、最高税率の引下げを含む税率構造の緩和も行われてきた結果、相続税の再分配機能が低下しています。

　　地価動向等を踏まえた基礎控除の水準調整をはじめとする課税ベースの拡大を図るとともに、税率構造について見直しを図ることにより、相続税の再分配機能を回復し、格差の固定化を防止する必要があります。」

この結果、平成25年度の改正で相続税の遺産に係る基礎控除は、平成27年1月1日以後の相続等から従来に比し、40％の大幅な切下げが行われる。

○ 定額控除　3,000万円（従来5,000万円）
○ 法定相続人比例控除　法定相続人数×600万円（従来1,000万円）

改正の結果、法定相続人が例えば配偶者と子2人の場合の課税最低限は、従来の8,000万円から4,800万円に切り下げられることになる。

なお、参考までに、相続税の課税最低限の推移の状況を次に表示しておいた。

〔参考：相続税の課税最低限の推移〕

年	課 税 最 低 限
昭和33年	相続税の課税価格の合計額から控除する 150万円＋(30万円×法定相続人数)
昭和37年	200万円＋(50万円×法定相続人数)
昭和39年	250万円＋(50万円×法定相続人数)
昭和41年	400万円＋(80万円×法定相続人数)＋配偶者控除最高額200万円
昭和46年	400万円＋(80万円×法定相続人数)＋配偶者控除最高額400万円
昭和48年	600万円＋(120万円×法定相続人数)＋配偶者控除最高額600万円
昭和50年	2,000万円＋(400万円×法定相続人数)
昭和63年	4,000万円＋(800万円×法定相続人数)
平成4年	4,800万円＋(950万円×法定相続人数)
平成6年	5,000万円＋(1,000万円×法定相続人数)
平成27年	3,000万円＋(600万円×法定相続人数)

2 個別検討

(1) 「法定相続人」の意義

遺産に係る基礎控除は、既に述べたとおり次のような構造になっている（相法15①）。

定額控除＋法定相続人比例控除（※）×法定相続人の数
　※控除額は、次のとおりである。

	平成26年12月31日以前	平成27年1月1日以後
定額控除	5,000万円	3,000万円
法定相続人比例控除	1,000万円	600万円

ところで、この算式中の「法定相続人の数」とは、正確には、民法第5編第2章の規定による相続人の数をいうものとされる（相法15②）。

民法第5編第2章の規定による相続人とは、次のとおりとなっている。
① 被相続人の子は、相続人となる（民法887①）。当該子が相続開始前に死亡し、又は民法第881条の規定に該当し、若しくは廃除によって、その相続権を失ったときは、その者の子が代襲して相続人となる（民法887①）。ただし、被相続人の直系卑属でない者は代襲相続人となれない（被相続人の子が養子であり、その養子に縁組前の子（連れ子）がある場合である。）。この直系卑属の存在時期については見解が分かれているが相続開始時において判定すると解されているようである（「民法(9)相続（第4版増補版）」44頁）。

なお、この代襲相続人が、相続開始前に死亡し、又は欠格若しくは廃除によって代襲相続権を失った場合には、その子（曽孫）が再代襲相続が認められる（民法887③）。
② ①によって相続人となるべき者がいない場合には、次の順序によって相続人となる（民法889）。
　㋑ 直系尊属（ただし、親等の異なる者の間ではその近いものが優先する。例えば、母と祖父母が生存しているときは、母が相続人となる。）
　㋺ 兄弟姉妹

なお、兄弟姉妹に①のような代襲原因が生じているときは、その子が代襲相続人となる。しかし、子の場合のような再代襲は認められていない（民法889②）。また、直系尊属には代襲相続はない。
③　被相続人の配偶者は常に相続人となる。この場合において、①、②により相続人となる者がいれば、その者と同順位になる（民法890）。
④　胎児（相続開始の時において懐胎されてはいるが、まだ出生していない者のことをいう。）は、相続については既に生まれたものとみなす（民法886①）。しかし、胎児が死体で生まれたときには適用されない（民法886②）。生きて生まれたときは、その後数分で死亡しても、相続人となる。生存すべき状態で出生したことは要件とはされていない（「新版注釈民法(26)」212頁）。
　この「既に生まれたものとみなす」という文言については、生きて生まれることを停止条件とする説と死んで生まれることを解除条件とする説とに分かれている。この違いは、例えば胎児でいる場合に相続が開始し、遺産分割を行う際、停止条件説によれば胎児を除外して分割を行い、胎児出生後に相続回復請求権の行使によりそれを是正することになり、解除条件説によれば胎児を含めて遺産分割をすべきで、出生した胎児が双児であったり、死産であるときにそれを是正することになるという形で現われてくる（「新版注釈民法(26)」214〜216頁）。学説としては両説に分かれるが、判例としては停止条件説をとっているとされる（大審院大正6年5月18日判決）。
　なお、相続開始時に懐胎されていたかどうかは専ら立証によるが、婚姻解消後300日以内に生まれた子は婚姻中に懐胎されたものと推定される（民法772②）。
⑤　飛行機、船舶等の交通機関の事故や台風、地震、火事等の災害で親子や夫婦が共に死亡し、どちらが先に死亡したか不明なことがよくある。このような場合、どちらが先に死亡したかで、相続人が異なってくる事例がある。これについては同時死亡の推定規定が設けられている（民法32）が、この問題はⅠの第1節でとり上げているので、それを参照されたい。
⑥　欠格事由に該当する者は相続人となることができない（民法891）。また、

被相続人を虐待し、若しくは重大な侮辱を加えたとき、又は著しい非行があったときは、推定相続人の廃除請求が認められ、審判の確定により相続人の資格を失い、死亡後に審判が確定すれば、被相続人の死亡時に遡って効力を生ずる（民法891～895）。

以上のとおり、相続税法上の「法定相続人」は、民法上の相続人と範囲を同じくするが、「相続人の数」の算定につき、養子と放棄の場合で、相続税法上の例外が設けられている。

(2) **養子がある場合の特例**
① **総　説**

被相続人が養子縁組をした場合は、その養子は養子縁組の日から養親の嫡出子となる（民法906）。したがって、養親の実子と同様に血族関係を生じ、養親の直系卑属にもなるから、被相続人の「法定相続人」に該当する。養子は、実子と異なり、養子縁組をすれば幾人でも相続人の数を増やして、基礎控除の額を増加させ、また、後述のように取得金額を細分化して、累進税率の適用を緩和することができる。したがって、多くの養子をすることにより、相続税の負担の回避が可能となるわけである。

養子制度を利用したこのような弊害が生ずることは、現行制度が創設された当時から危惧されていたことは、前述したとおりだが、当時は、身分制度をそのように乱用してまで税の逋脱を図るような良識のない行動をする人はそうないであろうという感覚で、敢えて規制措置を設けないことで落ち着いたように筆者などは感じている。

ところが、その後の動きをみると、相続税の負担回避のため、養子制度を利用することを公然とすすめる節税書が巷にあふれ、特に、被相続人（父）及び相続人（子）の支配が及び、かつ氏の変更等も不要な相続人の配偶者や孫、孫の配偶者を被相続人の養子とし、「法定相続人の数」を増加させて、相続税の負担回避を目論む事例が増加してきた。

昭和63年の抜本改正当時の大蔵省の資料によると相続税事案における養子縁組の例として、かなり極端なケースが示されている。それを次頁に掲げて

〔相続税事案における養子縁組の例〕

事例	相続人数	内養子数	被相続人と養子との関係	相続開始年	養子縁組の時期（相続開始前）
A	13人	10人	子の配偶者 孫	昭和58年	2年6か月前
B	16人	8人	子の配偶者 孫 孫の配偶者	57年	5か月前（3人） その6日後（5人）
C	18人	8人	子の配偶者 孫 孫の配偶者	57年	9か月前（4人） 7か月前（4人）
D	10人	6人	子の配偶者 孫 孫の配偶者 ひ孫	59年	6年4か月前 1か月前
E	10人	7人	子の配偶者 孫	58年	4か月前
F	12人	6人	子の配偶者 孫	59年	1か月前
G	7人	4人	子の配偶者 孫の配偶者 ひ孫	59年	1か月前
H	12人	8人	子の配偶者 孫 孫の配偶者	59年	2日前
I	11人	5人	子の配偶者	58年	1日前
J	9人	5人	子の配偶者 孫	58年	9か月前（2人） 6か月前（1人） 3か月前（1人） 2か月前（1人）
K	10人	3人	孫	58年	4日前
L	16人	10人	子の配偶者 孫	60年	5日前（6人） 4日前（3人） 3日前（1人）

※　上記の事例のうち、A及びFについては養子の遺産取得は全くない。

おくが、相続人16人中10人が養子という例もあり、その大半は子の配偶者、孫、孫の配偶者である。また、養子縁組の時期はほとんど相続開始前1年以内であって、極端なものは相続の前日という例すらあった（「昭和63年版・改正税法のすべて」（大蔵財務協会）（以下「63年改正税法のすべて」という。）459頁）。このような過度な税の回避策については、何らかの対策をとるべきであるという指摘が次第に強くなってきたのもやむを得ないことである。

そこで、政府の税制調査会は、昭和63年4月28日付で行った「税制改革のための中期答申」では、この点について「法定相続人の数を増加させるための養子縁組……の相続税の税負担回避行為については、負担の公平を確保する観点から必要な対策を講ずる」ことを勧告し、昭和63年度の抜本税制改革の際に、現行の規制措置が設けられたものである。

② 規制措置の内容

養子がある場合の「法定相続人の数」に算入する養子の数は、次によることとされている（相法15②）。

イ 実子がある場合には、被相続人の養子のうち1人を法定相続人の数に加える。

ロ 実子がない場合には、被相続人の養子のうち2人までを法定相続人の数に加える。

このような措置をとった利用について、当時の立案者は、「63年改正税法のすべて」460頁以下でおおむね次のような趣旨で述べている。

すなわち、前述のような節税目的が明らかな養子縁組についての規制措置については、そのような養子縁組であっても、民法上は正当な手続を経たものである以上、相続税の課税の上でこれを否認することは極めて困難で、かつ、個々の養子縁組について節税目的か否かを税務当局が判断することは事実上不可能に近いことから、養子の数のうち一定の数だけを法定相続人の数に加えるという簡便策をとることとされたものである。

次に、被相続人の実子がいる場合には、一般的には養子縁組の必要性は乏しいが、実子がすべて女子で、家業承継等のため婿養子をとる事例や他家に

嫁いだ実子相続人の子を養子とする事例もあることから、養子のうち1人は法定相続人の数に加えることとされた。

次に、実子がいない場合の養子の数については、昭和62年の改正前の民法では、婚姻をしている者を養子とする場合には夫婦共同で縁組をしなければならないこととされていたこと、我が国の家庭では一般に子は2～3人であることから、養子のうち2人までを法定相続人の数に加えることとされた。

なお、当然のことであるが、この規制は、相続税の課税のうえだけのことで、民法の養子縁組の効力自体や相続人としての地位を否認するものではない（注）。

（注）そのような配慮から、養子のうち特定の者だけを法定相続人と認めるという方法ではなく、養子のうち一定の人数を法定相続人の「数」に加えるという措置をとったものであろう。それ故に、特定の養子を法定相続人から排除するという構成にはなっていない。

したがって、たとえば、生命保険金を取得した場合の一定額の非課税措置（相法12①五）は、養子である相続人にも認められる（注）。

（注）非課税枠の計算の基礎となる法定相続人の数については規制が及ぶので、混同しないように注意する必要がある。

③ 負担回避と認められる場合の規制

前述のように、養子のうち1人ないし2人については、法定相続人の数に含めることとした結果、これに何らの限定を付さないと、相続税の負担回避を目的とした養子をも認めることになりかねない。そこで、②の規制のうえに、更に次のような規制を設けたと説明されている（「63年改正税法のすべて」461頁）。

すなわち、1人又は2人の養子の数を法定相続人の数に算入することが、相続税の負担を不当に減少させる結果となると認められる場合には、税務署長の認めるところにより、その養子の数を法定相続人の数に算入しないで相続税の課税価格及び相続税額を計算することができるものとされている（相法63）。この負担の不当減少の判断の基準については特に定めはなく、今後

の執行及び判例の集積に待つと説明されている。

　この規定については、既に相続税法第15条第2項の規制があるのに、屋上屋を重ねるものであるという批判がある一方、同族会社の行為計算否認以外のパターンで税負担の不当回避につき否認規定を設けた例の一つとして注目すべきものであるという考え方もある。

④　実子とみなされる養子

　養子のうち、次に該当するものは、相続税の課税上実子とみなし、養子の数の制限措置の対象外とされている（相法15③、相令3の2）。

　　㋑　民法上の特別養子縁組による養子となった者（注）
　　㋺　配偶者の実子（連れ子）で被相続人の養子となった者
　　㋩　被相続人との婚姻前に被相続人の配偶者の特別養子縁組による養子となった者でその被相続人の養子となった者
　　㊁　実子若しくは養子又は直系尊属が相続開始以前に死亡し、又は相続権を失ったために相続人（放棄がなかったものとした場合の相続人）となったその者の直系卑属（代襲相続人）

　いずれも社会通念上実子と同一視すべきものとの考え方から、実子とみなして、規制の対象外とされたものである。

（注）　特別養子縁組は、昭和62年の民法改正で設けられたいわゆる「わらの上からの養子」で、実方の血族との親族関係が終了するものであり、かつ、家庭裁判所で養子縁組が成立するものである。

(3)　放棄があった場合の特例

①　総　　説

イ　相続の放棄の意義

　相続の放棄（民法939）は、相続人が自己の相続に関して、初めから相続人とならなかったとみなされることを欲する意思表示であるといわれる。相続効果が己に帰属することを拒否する行為だともいわれている（中川ほか「相続法（第4版）」423頁）。

　相続の放棄は、絶対的なものでなければならないから、特定の者のために

放棄するという相対的放棄や相続の一部放棄、条件付放棄などは認められない。例えばA、B、Cの3人の子が共同相続人である場合において、Aが相続の放棄をしながら、その相続分をBだけに帰属させようとするなら、それは放棄ではなく、処分（相続分の譲渡）であると解されている。そして、このような処分は相続の単純承認をしたものとみなされる（民法921一）。

相続の放棄は、要式行為であるから、考慮期間（相続開始があったことを知った時から3月）以内に家庭裁判所に申述しなければならない（民法938）。このような形式をとらない単なる意思表示は、放棄ということはできないとする判例（注1、2）がある。

(注1)　大審院昭和13年4月1日判決によれば放棄は、共同相続の場合でも、限定承認の場合と異なり、共同相続人全員ですることを要せず、各相続人が単独ですることができるものとされる。また、放棄は自由にすることができ、遺言が放棄を禁じ、あるいは制限していても、このような遺言に拘束されないと解されている。

(注2)　債務のみが相続の対象であるときでも放棄することができ（大審院大正10年10月2日判決）、放棄が道徳的観念に反しても効力に影響がないとされている（大審院昭和7年3月8日判決）。さらに、相続人の債権者に損害を与える結果になっても、また、それが目的とされ、認識されたときでも、放棄が無効になることはない（最高裁昭和42年5月30日判決）とする判例さえある（「新版注釈民法(27)」587頁参照）。

ロ　相続の放棄の効果

(イ)　基本的効果

相続放棄者は、「その相続に関しては、初から相続人とならなかったものとみなす（民法939）」とされている。

すなわち、相続を放棄すると、放棄者はその相続に関しては、初めから相続人たる地位を取得しなかったものとみなされるわけで、その結果、遺産に関する積極財産も消極財産（債務）も当初から承継しなかったことになり、何らの対抗要件なしに何人に対しても効果を生ずる。

(ロ)　放棄と相続分

相続の放棄によって、放棄者は初めから相続人とならなかったものとみな

される結果、放棄者は相続人の数に含まれないから、残りの相続人によって各相続人の相続分を計算することになる（注）。

例えば、被相続人の妻とその子A、B、Cがいる場合には、本来は、妻の相続分は2分の1、A、B、Cの各相続分は6分の1（2分の1×1/3）であるが、Aが放棄すれば、妻の相続分は変わらないが、BCの各相続分は4分の1（2分の1×1/2）となる。

また、この例で、A、B、C全員が放棄をすると、A、B、Cの子すなわち被相続人の孫がいても、これらの孫は固有の相続権を持たず、また、放棄した相続人に関しては代襲相続も発生しないから、孫は何らの相続権を有しないことになり、被相続人の直系尊属・兄弟姉妹の順序で相続人になる（これに応じて、配属者の相続分は3分の2、4分の3と変動する。）。

これらの相続人がいずれもなければ、配偶者がすべて相続権を有することになる。

(注)　現行の民法第939条は、昭和37年に改正されたもので、改正前の旧第939条は第1項で放棄の遡及効のみを規定し、第2項において「数人の相続人がある場合において、その1人が放棄したときは、その相続分は、他の相続人の相続分に応じてこれに帰属する」と定められ、この規定の解釈として、いわゆる頭分け説と株分け説の2つの考え方があった。

　(A)　頭分け説

　　　これは、法文に忠実な解釈で、第2項の「数人の相続人」のなかに配偶者を含むことは明らかであるから、放棄された相続分は、配偶者及び血族相続人の相続分に応じて分配すべきだという説である。

　(B)　株分け説

　　　これは、配偶者相続人と血族相続人は別の系列に属するから、同一の株（グループ）に属する相続分は、その株に属する相続人が全く存在しないか、または、全員が放棄するまではその株の内に留まり、他の株には流れ込まないという説である。旧国税庁長官通達「相続の放棄をした場合の相続人の順位および相続分の帰属について」（昭和28年4月14日直資55）は、その前身である旧国税庁長官通達「相続の放棄をした場合の相続分の帰属について」（昭和26年4月3日直資-56）が、上記の(A)の頭分け説をとっていたのを改めて株分け説により取り扱うこととした事例として有名である

(中川善之助・泉久雄「相続法・新版（有斐閣）」374頁）。

ハ　事実上の放棄

　相続放棄の正式の手続をとらず、事実上自己に帰属した権利を放棄する方法がとられることが少なくない。その方法として、㋑協議分割（民法907）の方法によるもの、㋺既に生前贈与（いわゆる特別受益…民法903）を受けたとするもの、㋩売買の形式によるもの、㋥贈与の形式によるものなどがあり、㋑や㋺によるものが多いといわれる。

　いわゆる農家などの「あととり」に財産を集中的に相続させるために行われることが多い事実上の放棄は、正規の手続をとった放棄ではないから、もちろん民法上の放棄には該当しない。したがって事実上の放棄をしても、被相続人の債務は当然承継する。したがって、相続税の課税上も、事実上の放棄は、放棄としては取り扱わない。

② 　放棄と相続税の課税

　相続税の課税と放棄との取扱いについては、2つのパターンがあるので、この際まとめて検討してみる。

　イ　相続の放棄を課税上そのまま受け入れる場合

　相続税の課税上は、基本的には、相続の放棄をそのまま受け入れている。例えば、未分割の相続財産がある場合の法定相続人や法定相続分の判定や相続を放棄した者が遺贈により財産を取得した場合の取扱いなどは、放棄があったところで、これらの課税を行うことになる（注）。

（注）　二重に相続資格を有する者と放棄があった場合の問題については、後述する。

　ロ　相続の放棄がなかったものとして、課税上取り扱われる場合

　これは、相続税法上「被相続人の第15条第2項に規定する相続人」と規定されているケースで、相続の放棄があった場合には、その放棄がなかったものとした場合における相続人（相法15②）を意味する。直接「相続の放棄があった場合には、その放棄がなかったものとした場合における相続人」と規定されている例もある。

　前者の例としては、生命保険金・死亡退職金の非課税限度額（相法12①五、

六)、遺産に係る基礎控除（相法15)、相続税の総額（相法16）があり、後者の例としては、未成年者控除、障害者控除（相法19の3、19の4）がある。

このような取扱いは、昭和33年の相続税法の改正の際設けられたものであるが、その理由について、当時の立案当局者の解説を引用してみよう（「33年改正解説」75頁)。

「（相続を放棄した者があっても、これを法定相続人の数に加えて基礎控除等の計算を行うことについて）これは、今回の改正法による課税方式は従来の課税方式が遺産の分割の状況によって税負担が著しく異なるという欠陥があるのを是正して、適正な相続税の負担を実現することを根本の狙いとしていることに基いているのであって、具体的にいうと農家などで農地の分割が困難なため、相続を放棄させる事例が多いが、このような場合にも、その相続を放棄した者が将来他の相続人に依存する関係があり、このような事情を無視して相続税の総額を計算する場合には、中小財産階層に相続税を重課するという従来の弊害を再びくり返す結果となることも考えられ、反面、相続人となるべき子の全員が相続を放棄して孫に相続させる等の操作（筆者注…前述の昭和37年の民法改正により孫の相続権はなくなったが、兄弟姉妹等について同様の操作をすることが考えられる。）により、法定相続人を恣意的に増加して相続税負担の軽減を図る可能性があることも考えられるので相続を放棄した者がある場合においても、相続の放棄がなかったものとした場合における法定相続人を税額計算上の基礎とすることとしたのである。」

(4) その他の問題

① 胎児の取扱い

胎児がいる場合の相続税の課税については、相続開始時には生まれていなくても、相続税の申告書を提出する日までに生きて生まれていれば、民法の原則どおり、相続については既に生まれたものとした課税上取り扱うことになる。したがって、胎児を含めたところで相続人の数、その相続分、遺産に係る基礎控除、相続税の総額などを計算することになるが、胎児は相続開始時には生まれていないから相続の開始を知るに至らず、したがって、相続税

の申告期限は、他の共同相続人と異なることになる。この場合は、出生の日の翌日から胎児の法定代理人である親権者らがその胎児が生きて生まれたことを知った日の翌日を起算日として申告期限を計算することとしている（相基通27－4(6)）。

問題は、相続税の申告書を提出する日までに胎児が出生していない場合であるが、課税実務上は、すでに説明した停止条件説をとって、胎児を相続人の数に含めないことに取り扱われている（相基通15－3）。また、課税価格の計算上も、その胎児がいないものとした場合における各相続人の相続分によって課税価格を計算することに取り扱われている（相基通11の2－3）。したがって、胎児が後日生きて生まれたときは、それによって、課税価格、遺産に係る基礎控除、相続税の総額を再計算し、胎児であった相続人は相続税の申告を、他の共同相続人は更正の請求を行うべきことになる（相法32二、相基通32－1）。申告期限については、前述のとおりである。

停止条件説をとった理由については、「相続税法上胎児をどのように取り扱うかについては、納税義務ということの重要性から生まれないうちに胎児自身を納税義務者としてとらえることには問題がある」（「相基通解説」521頁）と説明されている。

なお、胎児が生まれる前の状況では申告義務があるが、胎児が生まれたものとして課税価格及び相続税額を計算した場合において、相続人等のすべてが申告書の提出義務がなくなるときは、これらの事実は、国税通則法基本通達（徴収部関係）の第11条関係の1（災害その他やむを得ない理由）の(3)（申告等をする者の重傷病その他の自己の責めに帰さないやむを得ない事実）に該当するものとしてその胎児以外の相続人等の申告書の提出期限は、これらの者の申請に基づき、その胎児の生まれた日後2月の範囲内で延長することができることに取り扱われている（相基通27－6）。

② 二重資格の相続人がいる場合の取扱い

イ 養子と二重資格

養子は、相続人として、同一被相続人に対して二重の相続人たる資格を持

つケースがある。これについては、法務省の先例は、次のとおりとなっている。

(イ) 長女と養子が婚姻し、夫婦となった後、夫婦の一方が死亡した場合には、生存配偶者は、配偶者としての相続分を取得し、兄弟姉妹（注）としての相続分は取得しない（昭和23年8月9日民事甲第2317号民事局長回答）。

　　(注)　長女と養子は、養親からみればいずれも子であるから、長女と養子との相互関係は兄弟姉妹ともいえる。

(ロ) 自己の孫（亡長女の嫡出子）を養子にしている者が死亡し相続が開始した場合には、右の孫は被相続人の養子として相続権を有すると同時に亡母の代襲相続人でもあるから、養子としての相続分と亡母の代襲相続分を有する（昭和26年9月18日民事甲1881号民事局長電報回答）。

相続税の課税上の取扱いは、この(ロ)のケース、すなわち相続人の代襲相続人であり、かつ、被相続人の養子となっている者がある場合の相続税法の法定相続人の数の計算上は、実子1人とし、相続分は、代襲相続人としての相続分と養子としての相続分との双方を有するものとされている（相基通15－4）。

このほか、嫡出でない子を養子とした場合にも、実親子及び養親子としての相続分が重複するが、養子としての相続分だけを認めるべきだとする説があるとされている（「新版注釈民法(27)」188頁）。

なお、学説としては、二重資格による相続権は一切認めない説、前記の嫡出子と非嫡出子の資格は本来両立しないもので、非嫡出子としての相続分は、嫡出子としての相続分に吸収されるから二重資格の問題は生じない等であり、その他の場合は地位の重複に格別の矛盾はないから、相続権そして相続分の重複も当然として認める学説がある（岡垣学「増補・先例判例相続法」（日本加除出版）160～161頁）。

なお、民法上の法定相続人（放棄があった場合は、放棄がなかったものとした場合における法定相続人）が兄弟姉妹である場合において、上記のように、その相続人の中に被相続人の親と養子縁組をしたことにより相続人となった

者がいるときは、その養子は、法定相続人の数に含める養子の数の制限が適用される相続税法第15条第2項の「当該被相続人に養子がある場合」には該当しない（相基通15－5）。

ロ　二重資格と相続の放棄

　二重に相続資格をもつ相続人が先順位相続人として放棄した後に、後順位相続人として相続の承認ができるかが問題となる。

　例えば、弟が兄の養子となった後、兄が死亡し、弟が第1順位者たる養子の地位を放棄した場合において、兄が他に子及び直系尊属がないため、兄弟姉妹が第2順位者となったときに、既に養子として放棄した弟は、改めて弟として相続の承認あるいは放棄ができるかが問題となる。

　これに関して学説は、各相続資格につき個別的に承認・放棄の自由を与えられるべきだとして、選択を認めるのが多数説といわれる。しかし、その内容をみると、①先順位資格での放棄のみ後順位資格に及び同順位では及ばないとするもの、②異順位の場合は及ばないが同順位の場合は及ぶとするもの、③同順位、異順位を問わず、一の資格による放棄は他の資格に及ばないとするものに分かれる。また、故中川善之助教授らは、④一の資格の放棄は他の資格に及ぶとする考え方をとる（「新版注釈民法(27)」601頁）。

　判例は極めて少ないが、大審院大正15年9月18日判決及び京都地裁昭和34年6月16日判決は、②の考え方によっているといわれる。

　これに対し、実務上の先例は、次のとおり④の説によっている（昭和32年1月10日民事甲第61号民事局長回答）(注)。

　「相続の放棄は、相続人が自己のために開始した相続の効力を受けることを拒絶し、その効力を消滅させる意思表示である。したがって、弟を養子にした兄が死亡した場合、弟のなす相続放棄は兄に対する相続の放棄であるから、当然に第一順位たる直系卑属として及び次順位たる兄弟としての相続を放棄したものと解すべきである。」

(注)　昭和37年の民法改正に関して、家事審判規則第114条第2項に第3号が新設され、放棄の甲述書に被相続人との続柄を記載することとされたが、これは、

選択的放棄の許否とは関係がないものといわれている（「新版注釈民法(27)」601頁）。

3 設　例

以上に述べたところにより、遺産に係る基礎控除の計算の基本となる相続人の数について若干の設例を示してみよう。なお、相続人の数がゼロである場合の遺産に係る基礎控除は、平成26年12月31日以前は5,000万円である（相基通15－1）が、平成27年1月1日以後は3,000万円となる。相続人が全くおらず、受遺者のみが財産を取得する場合や、相続財産法人から特別縁故者が財産の分与を受ける場合がこれに該当する。

〔設例1〕

この場合において、B、C及び配偶者が相続を放棄したときの相続税法第15条第2項に規定する相続人（以下設例5まで「法定相続人」という。）の数は、A、B、C及び配偶者の4人である。子がすべて放棄した場合も同様である。

〔設例2〕

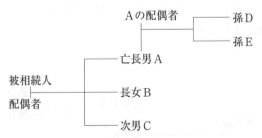

この場合において、相続の開始以前にAが死亡したときの法定相続人の数は、既に死亡している被代襲者Aは含まれず、B、C、D、E及び配偶者の5人である。また、Aが相続権を失っている者の場合も同様である。

〔設例3〕

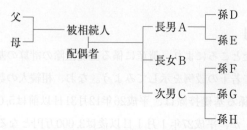

　この場合において、A、B及びCが相続の放棄をしたときにおける民法上の相続人の数は父母及び配偶者の3人であるが、相続税法上の法定相続人の数は、A、B、C及び配偶者の4人となる。

〔設例4〕

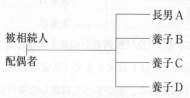

　この場合において、Bが民法第817条の2第1項に規定する特別養子縁組による養子となった者であるときの法定相続人の数はA、B及びBを除く養子1人（既に説明したとおり、C又はDのいずれか1人を特定することを要しない。）並びに配偶者の4人となる。

〔設例5〕

　この場合において、相続開始以前にAが死亡したときの法定相続人の数は、

既に死亡している被代襲者Aは含まれず、養子1人（B又はCのいずれか1人を特定することを要しない。）、D及びE並びに配偶者の4人となる。Aが相続権を失っている場合も同様である。

第3節　相続税の総額

1　趣　旨

　我が国の相続税の税額計算の最も著しい特徴は、この相続税の総額の計算にあるといえるであろう。一般に遺産税の場合には、たとえ共同相続人がいる場合でも、遺産全体に同一の税率を適用して税額を計算し、これを各共同相続人に配分して納付させるのであるが（我が国の遺産税体系時代の相続税もそのように計算が行われた。）、現行の我が国の相続税は、遺産から基礎控除を行った後の純遺産額を法定相続人がその法定相続分の割合で取得したものとして各人の相続税額を仮定計算し、これを合計して相続税の総額を計算する。いわば、相続人全体で納付すべき相続税額の合計額を求めることになるわけである。そして、この後この相続税の総額を各相続人等が実際に取得した財産の額に応じて配分して各人の相続税額を算出し、これから各種の税額控除を行って、各人の実際納付すべき相続税額を計算することになっているのは、繰り返し説明してきたところである。いわば、このプロセスに、遺産取得税的カラーを表したということである。

　この点について33年改正解説68頁では、次のとおり述べている。

　「この法定相続分による課税方式は、税額計算の基礎となる要素として従来の実際取得財産価額のほかに遺産額と法定相続人の数という客観的事実が導入されたことにより相続人等の全員が納付すべき相続税の総額が恣意的要素によって左右されることがなく、しかし従来の制度を大巾にかえることなく実際の遺産分割の程度により負担が著しく異なるという従来からいわれている負担の不均衡を是正できるということに基いている。

したがって、今回の改正の結果、相続税の負担は、遺産の額が同じであっても、共同相続人の数が多い場合の方が相続人が１人である場合又は共同相続人の数が少ない場合に較べて低いこととなり、また一方同額の財産を取得した場合でも、遺産の額が異なるときは、他の共同相続人の取得財産価額の影響を受けてその負担が異なることとなるが、これは、従来の遺産取得税体系を生かしつつ、しかも相続税を遺産額と法定相続人の数という客観的事実に基いて算出することにより、従来現れていた弊害を除去しようとしていることにほかならず、元来各相続人が相続により正確にいくらの財産を取得したかを判定することは税務執行上極めて困難な問題であるうえ、共同相続人は互にその相続財産に依存する場合が多いと考えられることからは、純粋にその相続人の取得財産の価額のみによって負担を定めることはかえって実情に即さないものと考えられること、また、遺産を事実上は単独又は小数の者で相続した場合においても、相続人の数が多い場合には、財産を相続した者は他の相続人に対してある程度財産上の負担を負うのが通常であると考えられることからは、同額の遺産の場合においても、相続人の数が多いときは、その遺産が実際にどのように分割されるかを問わず、その担税力は相続人の数の少い場合に比してある程度減殺されると考えられること等を考えあわせれば、同額の遺産であっても、相続人の数が多い場合はそれだけ負担を軽減し、同額の取得財産であっても共同相続人の数及びその相続財産の総額によりその負担が異なることとなることが合理的な課税であるといえる。」

また、このように、税額計算上、遺産を要素としてとり入れたことは、実質的な遺産税ではないかともみられるが、これについて、33年改正解説は、「今回の改正においても、最終的な課税標準たる課税価格については、従来の規定を改めておらず、依然として各相続人の取得財産価額をその課税価格とし、しかも、後述のような配偶者控除及び未成年者控除や取得財産からの基礎控除（筆者注…この制度は、現在は存しない。）の制度等各相続人の実状を考慮して課税することとしている点では、遺産取得税体系であるということができ、ただ、従来の制度の欠陥を補正する意味において遺産額を税額計

算の要素としてとり入れ、民法の法定相続分により法定相続人が遺産を取得したものと仮定して相続税の総額を計算しているものであって……」と述べ、遺産取得税体系を維持していると説明している。

2 個別検討
(1) 総　説
　既に繰り返して述べたように、我が国の相続税は、各相続人・受遺者の相続又は遺贈により取得した財産に係る課税価格の合計額から遺産に係る基礎控除額を控除した後の金額を民法の規定による相続人（相続の放棄があった場合には、放棄がなかったものとした場合の相続人。以下この2において「法定相続人」という。）が民法の規定による法定相続分に従って取得したものとみなして各相続人等の取得金額を計算し、この各人の取得金額に税率（正確には「率」である。）を乗じて各人の仮の相続税額を算出し、これを合計して、相続税の総額を求める。この相続税の総額を各人の実際の取得金額で按分して各人の相続税額を算出することになる。

　したがって、我が国の相続税の特色は、
① 　相続税の総額が算出された以上は、いかに取得財産額が少額な相続人でも必ず相続税の納税義務がある。
② 　したがって、取得財産額に対する税額の割合は一率である。
③ 　個々の納税義務者の取得財産額が同一でも、遺産全体が高額になるほど税額が大きくなる。
④ 　法定相続人の数やその構成によって、同一の遺産額でも、相続税の総額が異なり、したがって、各人の納付すべき相続税も異なる。

　このような特色は、遺産税的な税の構成をとる以上当然とはいえようが、近代税制の特色である個人の相税力に応じた課税とは、かなり異なるものであることは否み難い。しかし、必ずしも理論的にすぐれた税制が一般に受け入れやすい税制とは限らない。その意味で、現行相続税制は、ほとんど定着したとみられていたが、平成21年度の税制改正では、遺産取得税体系に改め

ようとする動きもあった。なお第1節の3を参照されたい（注）。

(注) 筆者は、この欠点を少しでも補うためには、昭和42年の改正で廃止された「取得財産に係る基礎控除」の制度を復活させるべきだと考える。この制度は、相続税の総額を各相続人および受遺者に配分する場合には、各人の実際の取得財産価額によらないで各相続人については、100万円、各受遺者については40万円の控除をした残額の比によってあん分することとしていた。これは、極めて少額な財産の取得者については課税しないことと、各財産の取得者の財産額に応じて負担の調整をすること（すなわち、高額財産取得者に負担割合が増加することすなわち多少でも累進効果を得られること）を目的としていた。

しかし、相続税の課税最低限が極めて大きく、しかも相続税の課税がされる財産階層の各相続人間の財産分配については、そんなに少額な財産配分をするような実例がごく少なく、しかも相続税の申告の大部分は法定相続分による申告が多いことから、昭和42年の改正において廃止されたものである。

当時の当局者は、その点を次のように説明している（「昭和42年版・改正税法のすべて」128頁）。

「相続税については、その計算が複雑であることからその制度の簡素化が問題となっていますが、現行の課税体系に大きな変更を加えない限り、それについて簡素化を図ることは困難であります。ただ、相続税の計算の場合に基礎控訴の制度として遺産に係るものと取得財産に係るものとがあり、これらはそれぞれの理由に基づいて設けられているわけでありますが、一般の納税者において理解し難いという難点があることおよび計算を若干でも簡易化させることから、今回の改正においては、その取得財産に係る基礎控訴を廃止することとしています。」

しかし、筆者は、現行相続税の欠陥是正策として、復活させるべきと考える。

なお、課税価格の合計額から遺産に係る基礎控除を行う理由について、前掲33年改正解説77頁では、次のとおり述べている。

「もし、民法の規定をそのまま採用したものであれば、総遺産額をまず相続分でわけてしかる後に基礎控除をするのが通例考えられるところであるが、ここでは、まず遺産に係る基礎控除をして、その後に相続分でわけることとしているのである。これは、遺産に係る基礎控除の利益をその金額の範囲内

Ⅲ 相続税の総額・各人の相続税額の計算　317

で最大限に得さしめるための配慮から出されたものである。」

(2) 相続開始前3年以内の贈与の加算

　各相続人・受遺者の相続税の課税価格については、既に詳細に説明したとおりである。すなわち、各相続人等が相続又は遺贈により取得した財産の価額から、債務及び葬式費用を控除して課税価格を計算し、これに相続開始前3年以内の贈与財産の額を加算したものを相続税の課税価格とみなして、これにより相続税の総額を計算する（相法19①）。そこで、この点について説明しよう。

① まず、この加算が行われるのは、相続人等が相続又は遺贈により財産を取得している場合に限られる。したがって、相続開始前3年以内に被相続人から贈与を受けていても、その者が相続により財産を取得していなければ、加算は行われない（相基通19-3）。

② 加算される贈与財産の価額は、その財産を贈与により取得した時における時価により評価した価額による（相基通19-1）（注1、2）。

(注1)　民法の規定による特別受益の加算の場合は、相続開始時の価額によることに取り扱われていることに注意する必要がある。また、贈与財産が滅失したり、減価している場合については、それが受贈者の行為によるものである場合には相続開始当時なお原状のままであるものとして価額を定めるものとされる（民法904）が、然らざる場合は、現状で評価（したがって、滅失のときは零）するものとされる。

(注2)　相続開始前3年以内に贈与により取得した財産が贈与税の更正又は決定等の期間を経過していた場合は、加算の対象となるかという疑問があるが、これを肯定した次のような裁決がある（昭和57年1月20日裁決・裁決事例集No.23-173頁）。
　　「請求人は……相続税の課税価格に加算するのは、当該財産に係る贈与税について国税通則法第70条の規定による除斥期間が経過していないものに限ると主張するが、贈与財産の加算に関して相続税法第19条には、相続開始前3年以内に被相続人から贈与によって取得した財産を相続財産に加算する旨規定されているのみで、その加算される贈与財産に係る贈与税額それ自体につき更正の期間を経過したものを除く旨の規定がないのであるから、贈与税の更正についてその制限期間を経過したか否かにかかわりな

く、贈与財産の全額を加算すべき法意と解するのほかなく、したがって請求人の主張は理由がない。」
③ 贈与税の配偶者控除との関連では、次のイ又はロは「特定贈与財産」として加算の対象とならない。
　イ　居住用不動産等の贈与が相続開始の年の前年以前にされた場合で、被相続人の配偶者がその贈与による取得の日の属する年分の贈与税につき配偶者控除の適用を受けているときは、その控除を受けた金額相当部分は加算しない（相法19①、②一）。
　ロ　その贈与が相続開始の年においてされた場合で、被相続人の配偶者がその被相続人からの贈与について既に配偶者控除の適用を受けた者ではないときは、贈与税の配偶者控除の適用を受けたものとした場合に控除を受けられる金額相当部分は、加算しない（相法19①、②二）。ただし、この適用を受けるには、相続税の申告書に一定の事項を記載し、所要の書類を添付する必要がある（相令4②、相規1の3）。
　ハ　被相続人の配偶者が、その被相続人から相続開始の日の属する年の3年前の年に2回以上にわたって居住用不動産等の贈与を受け、その年分の贈与税につき配偶者控除の適用を受けている場合で、その居住用不動産等の価額の合計額が贈与税の配偶者控除を受けることができる金額を超え、かつ、その居住用不動産等のうちに、相続開始前3年以内の贈与に該当するものと、該当しないものとがあるときは、前述のイによる加算はどのようにするかという疑問が生ずる。
　　例えば、相続の開始日が平成23年5月1日である被相続人からその配偶者が平成20年2月1日に居住用家屋の敷地1,000万円、同年8月1日に家屋の取得資金1,500万円の贈与を受けていた場合は、その課税価格は2,500万円で、配偶者控除2,000万円を超えているが、相続開始前3年以内の贈与に該当するものは、平成20年8月1日に贈与を受けた資金1,500万円だけとなる。このような場合には、配偶者控除は、まず、相続税の課税価格の計算上、相続開始前3年以内の贈与に該当する居住用

不動産等から適用されたものとして取り扱われる（相基通19－8）。

したがって、この事例では、2,000万円の配偶者控除は、まず、相続開始前3年内の贈与に該当する平成20年8月1日の家屋取得資金1,500万円から適用されたものとなるので、結局、相続税の課税価格に加算される金額はないことになる。

④　「相続の開始前3年以内」の意義は、相続の開始の日から遡って3年目の応当日から相続開始の日までの間をいうものと解されている（相基通19－2）。

たとえば、令和2年5月18日に相続が開始した場合には、期間の初日は算入しないので、起算日は令和2年5月17日となる。そして期間は、月又は年の始めから計算しないときは、その期間は、最後の月又は年においてその起算日に応当する日の前日（平成29年5月18日）となる（通則法10）。これは、相続開始の日を起算日として3年目の応当日とするのと同一の結果となるので、このように定められている（「相基通解説」321頁参照）。

⑤　既に述べたように、相続開始前3年以内の贈与に係る価額を、相続税の課税価格（債務控除後）に加算したものが相続税の課税価格とみなされる（相法19①）。したがって、その加算した贈与財産の価額から債務控除をすることはできないので、注意する必要がある（相基通19－5）。

(3)　**課税価格・各取得金額の計算**

相続税の総額を計算する場合における「各取得金額」は、遺産が分割されたかどうかにかかわらず、また、相続又は遺贈によって財産を取得した者が誰であるかにかかわらず、相続税の課税価格の合計額から遺産に係る基礎控除額を控除した後の金額を、「法定相続人」の数に応じた相続人が民法第900条及び第901条の規定による相続分に応じて取得したものとして計算する（相法16、相基通16－1）。すなわち、全くの仮定による計算で、実際の分割とは関係ないことに注意する必要がある。したがって、相続分も民法第900条の法定相続分及び第901条の代襲相続分だけで、指定相続分（民法902）や特別受益者の相続分（民法902～904）は含まれていない。

〔設例 1〕

```
被相続人 ─┬─ 養子A（既に死亡）─┬─ 孫D
         │                      └─ 孫E
         ├─ 養子B
配偶者 ───┴─ 養子C
```

上記の設例では、「法定相続人」及びその民法第900条及び第901条の規定による相続分（以下「法定相続分」という。）は、次のとおりとなる。

（法定相続人）　　（法定相続分）

養子 1 人※ $\longrightarrow \dfrac{1}{2} \times \dfrac{1}{2} = \dfrac{1}{4}$

孫 D、E（代襲相続人）$\longrightarrow \dfrac{1}{2} \times \dfrac{1}{2} \times \dfrac{1}{2} = \dfrac{1}{8}$

配偶者 $\rightarrow \dfrac{1}{2}$

※　養子B又はCのいずれか 1 人に特定する必要はないのであるから注意を要する。

〔設例 2〕

```
父 ─┐
    ├─ 被相続人 ─┬─ 長男A（放棄）─┬─ 孫D
母 ─┘            │                  └─ 孫E
                 ├─ 長男B（〃）
配偶者 ──────────┴─ 長男C（〃）─ 孫
```

上記の設例では、民法上の相続人は、配偶者と被相続人の父母であるが、「法定相続人」及び「法定相続分」は次のとおりとなる。

（法定相続人）　　　　　（法定相続分）

長男 A、長女 B 及び次男 C $\longrightarrow \dfrac{1}{2} \times \dfrac{1}{3} = \dfrac{1}{6}$

配偶者 $\longrightarrow \dfrac{1}{2}$

なお、課税価格等の端数処理は、次によるものとされる。

① 相続税の課税価格（相続開始前 3 年内の贈与財産が加算される場合には、加算後の相続税の課税価格とみなされる金額）を計算する場合において、その額に1,000円未満の端数があるとき又はその全額が1,000円未満であるときは、その端数金額又はその全額を切り捨てる（通則法118、相基通16－ 2 ）。

② 相続税の総額を計算する場合における「各取得金額」に1,000円未満の

端数があるとき又はその全額が1,000円未満であるときは、その端数金額又はその全額を切り捨てても差し支えないものとされている(相基通16-3)。すなわち、相続税の場合「税率」を乗ずる金額の計算では、2度端数処理が行われることになる。

(注) 嫡出でない子の相続分を嫡出子の2分の1とする民法第900条第4号の確定は違憲であるとする平成25年9月4日付の最高裁決定があったが、これによる民法改正を待たず、国税庁は次のとおり取り扱う旨をホームページで明らかにした。

相続税法における民法第900条第4号ただし書前段の取扱いについて(平成25年9月4日付最高裁判所の決定を受けた対応)

〔平成25年9月5日以後の取扱い〕
　平成25年9月4日付最高裁判所の決定(以下「違憲決定」といいます。)を受け、その趣旨を尊重し、平成25年9月5日以後、申告(期限内申告、期限後申告及び修正申告をいいます。)又は処分により相続税額を確定する場合(平成13年7月以後に開始された相続に限ります。)においては、「嫡出でない子の相続分は、嫡出である子の相続分の2分の1」とする民法第900条第4号ただし書前段(以下「嫡出に関する規定」といいます。)がないものとして民法第900条第4号の規定を適用した相続分に基づいて相続税額を計算します。
　なお、この取扱いに係る留意事項は、次のとおりです。

1　平成25年9月4日以前に相続税額が確定している場合
　違憲決定では、嫡出に関する規定についての違憲判断が「確定的なものとなった法律関係に影響を及ぼすものでない」旨の判示がなされていることに鑑み、平成25年9月4日以前に、申告又は処分(以下「申告等」といいます。)により相続税額が確定している場合には、嫡出に関する規定を適用した相続分に基づいて相続税額の計算を行っていたとしても、相続税額の是正はできません。また、嫡出に関する規定を適用した相続分に基づいて、相続税額の計算を行っていることのみでは、更正の請求の事由には当たりません。

2　平成25年9月5日以後に相続税額が確定する場合
(1)　平成25年9月4日以前に確定していた相続税額が異動する場合
　イ　更正の請求又は修正申告の場合

平成25年9月4日以前に、申告等により相続税額が確定している場合において、同年9月5日以後に、相続人が、財産の申告漏れ、評価誤りなどの理由により、更正の請求書（更正の申出書を含みます。）（国税通則法第23条）若しくは修正申告書（国税通則法第19条）を提出する場合又は相続税法第32条第1項に掲げる事由により更正の請求書若しくは修正申告書（相続税法第31条）を提出するときには、改めて相続税額を確定する必要があります。これらの新たに確定すべき相続税額の計算に当たっては、嫡出に関する規定がないものとして民法第900条第4号の規定を適用した相続分に基づいて、更正の請求又は修正申告に係る相続税額を計算します。

ロ　更正又は決定の場合

平成25年9月4日以前に、申告等により相続税額が確定している場合において、同年9月5日以後に、税務署長が、財産の申告漏れ、評価誤りなどの理由により、更正又は決定を行うときには、上記イと同様、新たに確定すべき相続税額の計算に当たっては、嫡出に関する規定がないものとして民法第900条第4号の規定を適用した相続分に基づいて、更正又は決定に係る相続税額を計算します。

(2) 平成25年9月5日以後に新たに相続税額が確定する場合

イ　期限内申告又は期限後申告の場合

平成25年9月5日以後に、相続税の期限内申告書又は期限後申告書を提出する場合には、嫡出に関する規定がないものとして民法第900条第4号の規定を適用した相続分に基づいて、期限内申告又は期限後申告に係る相続税額を計算します。

ロ　決定の場合

相続税の申告書を提出する義務があると認められる相続人が、当該申告書を提出していなかったことが明らかとなった場合には、嫡出に関する規定がないものとして民法第900条第4号の規定を適用した相続分に基づいて、決定に係る相続税額を計算します。

(4) 率（税率）・相続税の総額

上記により計算した各取得金額に「率」を乗じて計算したいわば「法定相続人」の仮の税額を算出する。この仮の税額の合計額が「相続税の総額」で、各相続人の納付すべき税額の基本となるものである。換言すれば、相続税の

総額は、相続人全体で納付すべき相続税額を示すことになる。したがって、この「法定相続人」の仮の税額は、実際に各相続人が納付する税額とは全く関係のない相続税の総額の計算のプロセスの一段階にすぎない。仮に「法定相続人」が実際の相続人と同一で、法相続分どおり分割したとしても、この仮の税額と実際の各相続人の税額とは一致しないのである。

次に、各「法定相続人」の取得金額に乗ずる率も「税率」でないことは既に述べた。何となれば、税率とは課税標準にこれを乗じて税額が得られるものであるが、この「率」は相続税の総額を計算する上での仮税額の計算に用いられるものだからである。次に、その率を速算表の形で掲げておく。なお、この税率は平成26年12月31までの相続について適用される。

各法定相続人の取得金額	率	控除額	各法定相続人の取得金額	率	控除額
千円以下	%	千円	千円以下	%	千円
10,000	10	—	300,000	40	17,000
30,000	15	500	300,000	50	47,000
50,000	20	2,000	千円超		
100,000	30	7,000			

平成25年度の改正で、上記の税率は次のように改正され、平成27年1月1日以後の相続から適用される。

各法定相続人の取得金額	率	控除額	各法定相続人の取得金額	率	控除額
千円以下	%	千円	千円以下	%	千円
10,000	10	—	200,000	40	17,000
30,000	15	500	300,000	45	27,000
50,000	20	2,000	600,000	50	42,000
100,000	30	7,000	600,000	55	72,000
			千円超		

なお、相続税の総額に100円未満の端数があるときは、その端数を切り捨

ても差し支えないものとされている（相基通16-3）。

3　設　例

簡単な設例をもって、相続税の総額を計算してみよう。

（事　例）

各相続人の取得した財産額（債務及び葬式費用を控除した後の価額）は、次のとおりである。

　　配偶者　85,315,610円　（相続開始日）
　　長　男　42,694,140円　平成27年8月10日
　　長　女　20,816,750円
　　次　男　25,348,260円

このほか、被相続人から、次の生前贈与が行われている。

(1)　配偶者に対し、居住用不動産の取得資金として平成27年6月5日10,000,000円、同年9月20日10,000,000円の贈与があり、配偶者は贈与税の申告の際、贈与税の配偶者控除の適用（控除額2,000万円）の適用を受けている。

(2)　長女は、相続開始の年の前年10月1日結婚に際し、被相続人から株式等の財産5,176,300円の贈与を受けている。

（計　算）

① **各人の課税価格**

　　配偶者　85,315,000円（※）……Ⓐ

　　※生前贈与分は、配偶者控除を相続開始前3年以内の贈与から優先して適用するため、加算額が生じない。

　　長男　42,694,000円　………………………Ⓑ
　　長女　20,816,750円＋5,176,300円
　　　　　⇨25,993,000円　………………………Ⓒ
　　次男　25,348,000円　………………………Ⓓ
　　課税価格の合計額＝Ⓐ＋Ⓑ＋Ⓒ＋Ⓓ
　　　　　　　　　　＝179,350,000円

② **遺産に係る基礎控除額**

3,000万円 + 600万円 × 4 = 5,400万円

③ **課税対象額**

17,935万円 − 5,400万円 = 12,535万円

④ **各人の「取得金額」**

配偶者　12,535万円 × $\frac{1}{2}$ ⇨ 62,675,000円

長男、長女、次男　12,535万円 × $\frac{1}{2}$ × $\frac{1}{3}$
　　　　　　　　≒ 20,891,666円
　　　　　　　　⇨ 20,891,000円

⑤ **相続税の総額**

配偶者　62,675千円 × 30% − 7,000千円
　　　= 11,802,500円……………………Ⓐ

長男、長女、次男　20,891千円 × 15% − 500千円
　　　= 2,633,650円 ………………………Ⓑ

相続税の総額 = Ⓐ + Ⓑ × 3 = 19,703,400円（100円未満切捨て）

第4節　各相続人等の相続税額

1　総　説

　各相続人及び受遺者の相続税額は、相続税の総額に、各相続人及び受遺者の課税価格がその財産を取得したすべての者に係る課税価格の合計額のうちに占める割合を乗じて算出した金額によるものとされる（相法17）。算式で示せば次のとおりである。

$$各人の相続税額 = 相続税の総額 \times \frac{各人の課税価格Ⓐ}{Ⓐの合計額}$$

　この「割合」が、いわば本来の税率に当たるものといえよう。本来は、この割合を乗じて得た金額が円単位まで確定するまで端数を算出すべきものであるが、税額計算の簡易化のため、この割合に、小数点以下2位未満の端数

がある場合には、その財産の取得者全員が選択した方法により、各取得者の割合の合計値が1になるようその端数を調整して、各取得者の相続税額を計算しているときは、その計算が認められることになっている（相基通17－1）。なお、この方法を選択した者についてその相続税額を更正する場合には、その選択した方法によって相続税額を計算することができるものとされる（相基通17－1なお書）。

この簡易計算は、小数点以下2位未満の端数（最大0.9％）とはいえ、相続税額が巨額となっている現在ではかなり大きな影響がある（例えば、算出相続税額1億円であれば最高100万円近くの税額が左右される。）。電卓の普及が著しい今日では、このような簡易計算を存置するのがどれほどの意味があるか再検討してみてよいのではなかろうか。

このようにして算出した各相続人等の相続税額から、後述の加算又は控除を行って、実際の納付税額を求めることになる。この納付税額に100円未満の端数があるとき又はその全額が100円未満であるときは、その端数又はその全部を切り捨てる（通則法119①）。

2 設 例

先の設例によって、各相続人の相続税額を算出してみる（配偶者の税額軽減等の適用前の税額）。

(1) 各相続人の税額の按分割合

　　配偶者　85,315千円÷179,350千円≒48％（※）
　　長　男　42,694千円÷　〃　　≒24％
　　長　女　25,993千円÷　〃　　≒14％
　　次　男　25,348千円÷　〃　　≒14％
　　※相続人全員の協議で端数は四捨五入することとなった。

(2) 各人の算出税額（※）

　　配偶者　19,703,400円×48％＝9,457,632円
　　長　男　　　〃　　×24％＝4,728,816円
　　長　女　　　〃　　×14％＝2,758,476円

次　男　　〃　　×14％＝2,758,476円
　合　計　　　　　　　19,703,400円
※この段階では税額の端数処理は行わないから注意を要する。

第5節　相続税額の加算

1　総　説

　この相続税の加算制度は、昭和33年の改正の際設けられたもので、当時の税制特別調査会の答申は、「相続人が配偶者及び第一親等以外の者であるときに、相続による財産の取得の偶然性にかえりみ、ある程度負担を加重することが適当」との理由でこの加算制度の導入を勧告した。また、33年改正解説は、これを敷えんして、「今回の改正案において、このような加算の制度を設けたのは、被相続人と親等の遠い者は、財産の取得に関し1親等の血族及び配偶者並びに代襲相続人に比較して偶然性が強いこと等を考慮したものであって、わが国では、戦前における相続税制度においてこれと類似の制度を設けていたが、戦前のそれは、相続人又は受遺者の親疎の別により税率自体に差異を設けていたのが今回の改正法では2割加算の形をとったものである」（同解説84頁）と説明している（注）。

（注）　先進国の相続税制では、フランスの制度が、親疎による税率の差が最も著しい。すなわち、配偶者間は5〜40％の7段階の累進税率（直系血族間も同じ。）、兄弟姉妹間は35％・45％の2段階、その他の4親等内の血族間は55％、その他の者間は60％となっている（「日税研論集No56・世界における相続税法の現状」（日本税務研究センター）204〜205頁）。

2　制度の内容

　相続又は遺贈により財産を取得した者が被相続人の1親等の血族及び配偶者以外の者である場合には、その者の相続税額は、前述したところにより算出した税額にその20％相当額を加算した額によることとされる。したがって、

実際にこの適用を受けるのは、被相続人の孫や兄弟姉妹が典型的な例であろう。もちろん全く血族関係のない者や人格のない社団等への遺贈などもこの対象になる。

被相続人の1親等の血族又は当該被相続人の直系卑属（代襲者）が相続開始前に死亡し、又は相続権を失ったため相続人となった当該被相続人の直系卑属すなわち代襲相続人も加算の対象から除外されている。

なお、1親等の血族とは、被相続人の子又は父母である。また、被相続人の1親等の血族であれば、その者が相続の放棄をした者（相続人でなくなる。）又は欠格若しくは廃除の事由により相続権を失った者が遺贈により財産を取得した場合でも20％の加算は行われない（相基通18－1）。

この相続税額が加算される対象となる者に、被相続人の直系卑属で当該被相続人の養子となっている者（いわゆる孫養子）が含まれることとされていることに注意を要する（相法18②）。ただし、その被相続人の直系卑属が相続開始以前に死亡し又は相続権を失ったため、その養子が代襲して相続人と

〔相続税額の2割加算制度〕

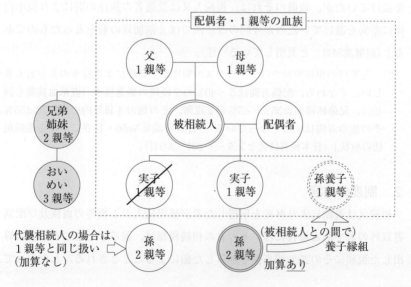

なっている場合は、この２割加算の対象から除かれている（相法18②）。

(参考)　相続税額の２割加算制度は、相続又は遺贈により財産を取得した者が被相続人との血縁関係の疎い者である場合又は血縁関係のない者である場合には、被相続人が子を越して孫に直接遺産を遺贈することにより相続税の課税を１回免れることになる等のために設けられたものとされている。

　孫養子の２割加算は、平成15年の改正で設けられたもので、このような相続税額の２割加算制度創設の趣旨を踏まえ、相続税の課税の適正化の一環として行われたものである。

　この相続税額の加算が行われる場合に、その者に係る相続税の課税価格に相当する金額の70％に相当する金額が上限とされていたが、この上限が相続税の最高税率が50％に引き下げられたことに伴い平成15年の改正で廃止された。

第６節　贈与税額の控除

1　総　　説

　第３節「相続税の総額」の項の２(2)で述べたとおり相続又は遺贈により財産を取得した者が、その相続開始前３年以内にその被相続人から贈与により取得した財産がある場合には、その価額を相続税の本来の課税価格に加算して相続税額が課税されることとなっている。そこで、この加算した贈与財産につき課された贈与税額は、この相続税額（20％加算の適用があるときは、その適用後の金額）から控除することとされている。

2　制度の内容

　前述のとおり、相続開始前３年以内の被相続人からの贈与により取得した財産がある場合には、その財産の価額を相続税の課税価格に加算した金額が相続税の課税価格とみなされて相続税が課税されるとともに、その贈与財産について課せられた贈与税があるときは、その税額を相続税額から控除するものとされている（相法19①）。

この控除される贈与税額は、相続税法第21条の8《在外財産に対する贈与税額の控除》の規定による控除前の贈与税額によるものとされ、延滞税、利子税、過少申告加算税、無申告加算税及び重加算税に相当する税額は除かれる（相法19）。

　また、「課せられた贈与税」には、相続開始前3年以内の贈与財産に対して現に課せられた贈与税のほか、まだ実際には課税されていないが、課されるべき贈与税も含まれるものとして取り扱われる。この場合には、速やかに課税手続をとることに留意するものとされるが、当然のことである。なお、相続税法第36条第1項及び第2項《贈与税についての更正、決定等の期間制限の特例》の規定による更正又は決定が除斥期間経過のためできなくなった場合には、その贈与税は「課されるべき贈与税」には含まれない（相基通19-6）。

　この控除すべき贈与税は、加算の対象となる贈与のあった年分の贈与税額に、その加算された贈与の金額が、その年分の贈与税の課税価格に算入された財産の価額の合計額のうちに占める割合を乗じて算出した額とされる（相令4①）。

　この算出方法を算式で示せば、次のとおりである（相基通19-7）。

$$A \times \frac{C}{B} \text{（※）}$$

　※この算式の符号は、次のとおりである。
　　　　A＝その年分の贈与税額
　　　　B＝その年分の贈与税の課税価格（特定贈与財産に該当するものがある場合には、これを控除した金額）
　　　　C＝相続税法第19条の規定により相続税の課税価格に加算されたその年分の贈与財産の価額（特定贈与財産に該当するものがある場合には、これを控除した金額）

　これを簡単な設例で計算してみよう。

（設　例）

　被相続人Aの妻B（婚姻期間25年）は、平成27年5月10日に死亡したAから相続によって財産を取得したが、その前年に次のとおり贈与によって財産

Ⅲ 相続税の総額・各人の相続税額の計算 331

を取得している。
 ① Aからの贈与
  (イ) 居住用不動産……2,500万円
  (ロ) 国債……500万円
 ② 父Cからの贈与
  (ハ) 株式……300万円

この贈与については、配偶者控除の適用を受けたうえで、贈与税4,300千円を申告納付している。今回の相続により、相続税額から控除できる贈与税額はいくらか。

(計　算)
 ① 前年の贈与税の課税価格
  (イ)2,500万円 − 配偶者控除2,000万円 + (ロ)500万円 + (ハ)300万円 = 1,300万円
 ② 相続税の課税価格に加算される金額
  (イ)2,500万円 − 配偶者控除2,000万円 + (ロ)500万円 = 1,000万円
 ③ 控除されるべき税額
  $4,300千円 \times \dfrac{1,000万円}{1,300万円} ≒ 3,307,692円$

このようにして計算した贈与税の控除額が相続税額を上回っても、その超過額の還付は行われないことになっている。この点について、「DHCコンメンタール相続税法（第1巻）」1363頁は、次のように述べている。

「また、相続税の課税価格に加算された受贈財産に係る贈与税額が、加算後の課税価格を基礎として計算した相続税額を超える場合であっても、納付すべき相続税額が零になるのみで、既に課税された贈与税額が減額されることはない。」

第7節　配偶者の税額軽減

1　総　説
(1)　沿　革
　配偶者の相続に対する相続税の課税方法の変遷は、そのまま、我が国の配偶者に対する法制的な対応の変遷を表していて興味深いので、若干紙面を費して記述してみたい。

イ　まず、戦前における配偶者に対する相続税については、戦前の旧民法が配偶者の相続権自体を被相続人の血族より後順位のものとして取り扱っていたことからもうかがえるように（注）、戦前においては何らの特例も設けられていなかった。

　（注）　家督相続では、配偶者は法定家督相続人になれず（旧民法970）、また、遺産相続においても、配偶者は、被相続人に直系卑属があれば相続権を有しなかった（旧民法994～996）。

ロ　戦後、旧民法の「家」の制度が解体されて、昭和22年の改正で家督相続の制度が廃止され、相続制度は遺産相続一本となった。しかも、配偶者は、他の血族相続人と別に、常に相続人としての地位が認められることになり、配偶者の相続権は180度の転換をみた。しかしながら、この段階でも、相続税の課税上は、特別な取扱いは設けられなかった。

ハ　配偶者の相続税課税に当たって、はじめて軽減措置が設けられたのは、昭和25年の税制改正であり、その基となったのは、昭和24年のシャウプ勧告である。すなわち、シャウプ勧告では、配偶者の相続税について、次のように述べている（注）。

　「生存中の配偶者に対する遺産は、配偶者はそう永く生きながらえないであろうとの予想の外になお考慮されるべきものがある。すなわち、相続財産の集積ないし保存は、しばしば夫婦双方協力の結果である。このよう

に可成自分の努力に負うような相続財産を継承する寡婦に多額の税を課税するのは不公平である。かくて、配偶者に対する遺産は、両親や他の尊属に対する遺産と共に最低税率の範囲に入れるのが妥当であろう。」
(注) シャウプ使節団「日本税制報告書」第2編第8章B節

　シャウプ勧告は、上述のように説いて、配偶者の遺産相続については、その相続した遺産額の半額を課税額から控除する案を提案した。

　昭和25年の相続税の改正では、シャウプ勧告による一生累積課税方式をこのとき受け入れたのであるが、配偶者についても、我が国ではじめて軽減措置を設けることとなり、勧告どおり課税財産の2分の1を控除する配偶者控除が設けられるに至ったものである。この配偶者控除の創設理由について、当時の立案当局は、次のように述べている（注）。

　「残存配偶者の取得する財産は、生前の夫婦の協力により蓄積されたものであることと、負担者たる残存配偶者が死亡した場合は、同一時代に2回課税されることになり、これが税負担を軽減させる必要があるとの理由からこれを認めることとしたのである」
(注) 下条進一郎「改正相続税法詳解」財政経済弘報 No.182・4頁

　ただし、贈与については、シャウプ勧告においても、この特例を適用しない旨が明言されており、制度としても採用されなかった。

ニ　昭和28年の税制改正で、主として税務執行上の理由から、相続税について、一生累積課税制度が廃止され、贈与については相続税と別に贈与税が課税されることとなって、相続税は、相続によって取得した財産を課税対象とする完全な取得者課税方式がとられたが、配偶者については引き続き2分の1課税が行われた。

ホ　昭和33年の改正により、相続税の課税体系は、現行のように総遺産額と法定相続人の構成によって相続税の総額が確定するいわば遺産税的遺産取得税体系がとられたのは既に繰り返し述べたが、その際、従来の配偶者控除のような課税価格の2分の1を控除する方式では、累進税率による軽減の度合が大き過ぎて、他の相続人とバランスを失するし、残存配偶者の相

続財産について次回の相続の機会が早いということも、後述の相次相続控除で救済できると考えられ、また、遺産形成の寄与は配偶者のみならず、被相続人の子女も然りであるなどの考慮から、配偶者控除をこの際税額控除方式に改め、配偶者の法定相続分に対応する税額の2分の1（政府提案では3分の1とされていたが、国会審議の過程で修正された。）を控除することとされるとともに、高額の遺産承継に過大な利益を与えることのないよう最高限度の制度が設けられ、遺産3,000万円の場合の控除額が限度とされた。

ヘ　昭和41年の税制改正で、老後の残存配偶者の生活安定に資する目的等から配偶者間の居住用不動産（その取得のための金銭を含む。）の贈与について160万円の贈与税の配偶者控除が設けられたが、これとのバランスをとるため、この贈与税の配偶者控除を利用しなかった配偶者（婚姻期間が15年超）が法定相続人のうちに含まれているときは、最高200万円までの遺産に係る配偶者控除が、基礎控除のほかに認められるに至った。

ト　続く昭和42年の改正では、配偶者の相続税について、遺産形成への寄与、残存配偶者の生計の配慮等を理由として、従来の2分の1税額控除を改め、遺産3,000万円（この点は改正なし。）までは、配偶者の法定相続分に対応する税額の全額を控除することとされた。

チ　昭和46年の改正では、贈与税の配偶者控除が360万円に引き上げられたのに伴って遺産に係る配偶者控除も400万円に引き上げられた。

リ　続く昭和47年の改正では、配偶者に対する相続税について一層の軽減を図るべきであるとする強い要望があり、これまでの軽減措置のほか、被相続人との婚姻期間が10年以上の配偶者の相続については、1,000万円に、婚姻期間10年を超える年数1年につき200万円を加算した金額（最高限度3,000万円）まで相続税を課さないとする制度が設けられた。

ヌ　続く昭和48年には、贈与税の配偶者控除が560万円に、遺産に係る配偶者控除が600万円に引き上げられた。

ル　昭和50年は相続制度について大幅な改正が行われたが、配偶者について

も、その相続税負担の一層の軽減を要望する声が強く、結局、従来の軽減措置に代えて、配偶者の相続については、婚姻年数のいかんにかかわらず、遺産額の3分の1と4,000万円のいずれか大きい金額に対応する相続税を控除することとされ、遺産に係る配偶者控除は廃止された。

　この改正は、それまで設けられていた控除の最高限度を廃止し、遺産額がいかに高額であっても、その3分の1までの財産取得はすべて非課税としたことに大きな特色がある。この点は、国会審議の際も議論となったところであるが、当時の国会における政府側の説明は、改正の理由として次のように述べている。この点は、現在でも基本的には同様である。

(イ)　配偶者の相続は同世代間の財産移転であり、遠からず次の相続が生じて相続税が課税されることが予想される。

(ロ)　長年共同生活が営まれてきた妻の座をそのまま維持させるよう配慮すべきである。

(ハ)　遺産の維持形成に対する配偶者の貢献を考慮すべきである。

ヲ　昭和56年には、昭和55年の民法改正による配偶者の法定相続分の改正に応じ、配偶者の取得した相続財産のうち遺産額の2分の1（最低4,000万円）までは相続税を課さないことに改められた。

ワ　昭和63年の抜本改正においては「配偶者の相続については、同一世代間の財産移転であることに留意し、配偶者の生活の安定に一層配慮する等の見地から（税制改革についての中間答申（昭和63年4月））、非課税枠を遺産額のうち配偶者の法定相続分までに改めるとともに、最低保障額が物価水準や所得水準の推移等を踏まえ（同答申）、8,000万円に引き上げられている。

カ　平成6年の改正では、税制調査会の「今後の税制のあり方についての答申（以下「中間答申」という。）」（平成5年11月）の「生存配偶者の居住の場の確保が困難になっているとの問題に対処するため、民法の法定相続分までは非課税とする現行の配偶者に対する相続税額の軽減措置は維持しつつ、最低保障額の引上げによる負担の軽減を検討すべきである」との指摘を踏

まえて、配偶者の非課税枠の最低保障額が1億6,000万円までに引き上げられたほか、当初申告の際隠ぺい、仮装されていた財産は、配偶者が取得した場合でも、軽減措置とならないこととされた。

ヨ 平成19年の改正で、配偶者が隠ぺいし、又は仮装したにもかかわらずその隠ぺいされ、又は仮装された財産を取得しなかった場合であっても、その取得しなかった隠ぺいされ、又は仮装された財産に係る相続税を負担するよう見直しが図られた。

タ 平成23年の改正で、配偶者の税額軽減措置は、当初申告書、期限後申告書、修正申告書又は更正の請求書にこの特例の適用を受ける旨及び必要な書類の添付がある場合に限り適用することとされた。

(2) 現行制度の概要

相続又は遺贈により財産を取得した者が被相続人の配偶者である場合には、その相続等により財産を取得したすべての者に係る相続税の課税価格の合計額に配偶者の法定相続分を乗じた額（その額が1億6,000万円に満たない場合は、1億6,000万円）に対応する相続税額を配偶者の相続税額から控除することとされている（相法19の2①）。

すなわち、配偶者について、第2節から第6節まで（第5節を除く。）により計算した相続税額から、その相続又は遺贈に係る相続税の総額に、次のイ又はロのうちいずれか少ない金額が、その相続又は遺贈により財産を取得したすべての者に係る相続税の課税価格の合計額のうちに占める割合を乗じて算出した金額を控除した残額をもって、その配偶者の納付すべき相続税額とし、その残額がないときは、その配偶者の納付すべき相続税額はないものとされる。

イ その相続又は遺贈により財産を取得したすべての者に係る相続税の課税価格の合計額に配偶者の法定相続分を乗じた額（その額が1億6,000万円に満たない場合は1億6,000万円）（注1、2）

ロ その相続又は遺贈により財産を取得した配偶者に係る相続税の課税価格に相当する金額

(注1) 配偶者の法定相続分は、共同相続人がいないときは遺産の全部、共同相続人が子のときは2分の1、共同相続人が被相続人の尊属のときは3分の2、共同相続人が被相続人の兄弟姉妹のときは4分の3となっている（民法900）。
(注2) この配偶者の税額軽減額は、次の算式により計算するものとされている（相基通19の2－7）。

$$A \times \frac{C \text{又は} D \text{のいずれか少ない金額}}{B}$$

(注) 算式中の符号は、次のとおりである。
Aは、当該相続又は遺贈（当該相続に係る被相続人からの贈与により取得した財産で相続時精算課税の適用を受けるものに係る贈与を含む。）により財産を取得したすべての者に係る相続税の総額
Bは、当該相続又は遺贈により財産を取得したすべての者に係る相続税の課税価格の合計額（当該合計額に1,000円未満の端数があるとき又はその全額が1,000円未満であるときは、その端数金額又はその全額を切り捨てるものとする。）
Cは、上記イに掲げる金額
Dは、上記ロに掲げる金額

(参考) この最低保障額と後述の小規模宅地の課税の特例により、時価10億円（200㎡とする。1㎡当たり500万円）の土地を相続しても課税されないことになる（「平成6年版・改正税法のすべて」287頁）。
・土地の時価（公示価格ベース）　　10億円
・相続税評価額（路線価ベース）　　 8億円
・小規模宅地の特例による減額　△6.4億円
・配偶者の税額軽減措置　　　　△1.6億円
　実質課税額価格　　　　　　　　　　0

(3) 分割要件

この配偶者の税額軽減は、原則として相続税の申告期限までに分割されている財産に限り適用される。すなわち、(2)のロの「配偶者に係る相続税の課税価格に相当する金額」の計算の基礎とされる財産には、原則として、相続税の申告書が提出期限までに分割されていない財産が含まれない（相法19の2②本文）ので、この財産に対応する税額は軽減されないことになるわけである。

ただし、その分割されていない財産が、後日次に掲げる場合に該当して分割されたときは、その分割により取得した財産は、(2)のロに含まれて、軽減の対象になる（相法19の2②ただし書、相令4の2）。この軽減は、更正の請求に基づいて受けることになる（相法32八）。

イ　相続税の申告期限から3年以内に分割された場合におけるその分割により配偶者が取得した財産

ロ　相続税の申告期限から3年を経過する日までその財産が分割されなかったことにつき、相続又は遺贈に関し訴えの提起がされたことその他一定のやむを得ない事情がある場合において、これにつき税務署長の承認を受けたときで、その財産の分割ができることとなった日として一定の日の翌日から4か月以内に分割されたときにおけるその分割により配偶者が取得した財産

(4)　仮装又は隠蔽に係る財産の適用除外

相続又は遺贈により財産を取得した者が隠蔽仮装行為（当該財産を取得した者が行う行為で当該財産を取得した者に係る相続税の課税価格の計算の基礎となるべき事実の全部又は一部を隠蔽し、又は仮装することをいう。）に基づき、相続税の申告書を提出し、又は提出していなかった場合において、その相続税について調査があったことにより、更正又は決定があるべきことを予知して期限後申告書又は修正申告書を提出するときは、配偶者の軽減税額の計算上は、「相続税の税額」には、配偶者が行った隠蔽仮装行為による事実に基づく金額を含まないで計算したものにより、「課税価格の合計額」及び「課税価格」からは、隠蔽仮装行為による事実に基づく金額で配偶者に係る相続税の課税価格に算入すべきものは含まないものとされている（相法19の2⑤⑥）。

2　個別検討

(1)　対象となる配偶者

この税額軽減の対象となる「配偶者」は、民法と同様に、婚姻の届出をし

た者に限るものとして取り扱われる（相基通19の2－2）。したがって、事実上婚姻関係と同様の事情にある者であっても婚姻の届出をしていないいわゆる内縁関係にある者は、含まれないものと解される。このような考え方は税法に共通であるといえる（注）。

(注)　「配偶者」・「親族」の意義について、次のような判例（大阪地裁昭和36年9月19日判決—同旨岡山地裁昭和39年1月28日判決、東京地裁昭和50年3月17日）がある。
　　　「およそわが法体系上、ある法律分野における法律用語は他の分野においても同一意味を有するのが原則であるから、ある法律で単に「配偶者」及び「親族」と規定している場合には民法上の配偶者（すなわち婚姻届をした配偶者）及び親族を指称するものであり、従って所得税法上配偶者の中に内縁の妻を包含しない。」

　次に、この税額軽減措置は、配偶者が相続の放棄をしたため相続人に該当しない場合でも、その配偶者が遺贈により財産を取得しているときには、同様に適用される（相基通19の2－3）。相続を放棄した配偶者が保険金等を遺贈により取得したものとみなされる場合（相法3①各号etc.）も同様である。

　また、この配偶者の税額軽減措置は、未成年者控除や障害者控除と異なって、財産を取得した配偶者が制限納税義務者（相続開始時に国内に住所を有しない納税義務者のうち非居住無制限納税義務者以外の者は、国内にある相続財産のみ課税対象となる……相法1の3三、2②）であっても適用がある。

　このように未成年者控除や障害者控除と取扱いを異にしている理由については明らかではないが、筆者の個人的見解では、これらの控除は国の福祉政策の一つと考えられるが、配偶者の税額軽減措置は、配偶者に対する優遇の見地から設けられているもので、その目的に異にするという考え方によるものかと思っている。

(2)　配偶者に係る税額軽減の計算の基礎となる財産

　配偶者の税額軽減額は、配偶者が実際に分割等によって取得した財産の価額を基として計算した課税価格に対応する税額とされていることは既に説明したとおりで、これらの財産とは、具体的には、次に掲げるものである（相

基通19の2-4）。なお、分割取得については、別に詳細に検討する。

イ　申告期限まで相続又は遺贈により取得した財産のうち分割により取得した財産（注）

ロ　被相続人の相続人が配偶者のみで包括受遺者がいない場合における相続により取得した財産

ハ　被相続人の包括受遺者が被相続人の配偶者のみで他に相続人がいない場合における包括遺贈により取得した財産

ニ　被相続人からの特定遺贈により取得した財産

ホ　相続税法第19条の規定により相続開始前3年以内に被相続人から贈与により取得した財産の価額が相続税の課税価格に加算された場合におけるその財産

ヘ　相続税法の規定により相続又は遺贈により取得したものとみなされる財産

ト　申告期限から3年以内（この期間が経過するまでの間に財産が分割されなかったことにつきやむを得ない事情がある場合において、税務署長の承認を受けたときは、その財産につき分割できることとなった日の翌日から4か月以内）に分割された場合におけるその分割により取得した財産

　（注）　相続等により取得した財産の全部又は一部が分割される前にその相続（「第1次相続」という。）に係る被相続人の配偶者が死亡した場合には、その配偶者は分割により財産を取得していないので、配偶者の税額軽減が適用されないということになりかねない。そこで、このようなケースを救うため、第1次相続により取得した財産の全部又は一部が、第1次相続に係る配偶者以外の共同相続人又は包括受遺者及び当該配偶者の死亡に基づく相続に係る共同相続人又は包括受遺者によって分割され、その分割により配偶者の取得した財産として確定させたものがあるときは、その財産は分割により配偶者が取得したものとすることが認められる（相基通19の2-5）。

　次に、配偶者の税額軽減額の計算の基礎となる課税価格の計算において、相続財産の一部が申告期限までに分割されておらず、かつ債務控除の額があ

る場合には、この債務控除の方法としては、次の(イ)から(ハ)までの考え方があるが、いずれをとるかで、課税価格が異なり、軽減額も異なることになる。

(イ) 未分割財産の価額からまず控除する。

(ロ) 分割財産の価額からまず控除する。

(ハ) 分割財産・未分割財産からそれぞれあん分して控除する。

　国税庁の取扱いは、納税者の有利な(イ)の方法をとっている。すなわち、配偶者の軽減額の計算をするための課税価格の計算上、債務及び葬式費用の額は、まず、未分割財産の価額から控除し、控除しきれない額を未分割財産以外の財産の価額から控除することとされている（相基通19の2－6本文）。

　なお、共同相続人間で遺産の分割が代償分割の方法によって行われ、配偶者が相続財産を現物で取得し、他の相続人に代償財産を給付する債務を負担した場合には、この債務をどのように控除するかが問題となるが、これについては、「債務や葬式費用は、特定の財産との対応関係を有しないことも踏まえて上記（筆者注：相基通19の2－6）の取扱いが定められたものである。しかし、代償分割により相続財産を現物で取得した者が他の相続人に対して負担する債務は、代償分割の対象となった特定の財産に対応するものであり、その事柄の性格からみても、他の財産の価額から控除するのは適当でない」（「相基通解説」345、346頁）という考え方から、代償分割に基づいて相続財産を現物で取得した配偶者が他の相続人に対して負担する代償財産の給付債務については、配偶者が代償分割により取得した財産の価額から控除する取扱いとなっている（相基通19の2－6なお書）。

(3) 財産の分割要件

① 総　説

　配偶者に対する税額軽減は、配偶者の財産取得についての優遇措置であることから、昭和47年の配偶者の優遇措置の大幅拡大の際、配偶者が実際に分割等によって財産を取得した場合に限って適用することとされた。

　この趣旨から、軽減税額の計算の基礎となる「配偶者に係る相続税の課税価格」の計算に係る財産には、その相続又は遺贈に係る相続税の申告書の提

出期限（申告期限）(注)までにその遺産の全部又は一部が共同相続人又は包括受遺者によってまだ分割されていない場合におけるその分割されていない財産は含まれない（相法19の2②本文）。したがって、遺産がすべて未分割であるときは、「配偶者に係る相続税の課税価格」はゼロとなって、配偶者の軽減税額もゼロということになる。

(注) 相続税の申告書を提出すべき者がその申告書の提出期限前に、申告書を提出しないままで死亡した場合には、その死亡した者の相続人（包括受遺者を含む。）は、その死亡した者について相続開始があったことを知った日の翌日から10か月以内にその死亡した者に係る相続税の申告書を提出しなければならないが（相法27②）、このような場合の分割の期限たる「申告期限」については、相続税法第27条第2項の規定による申告書の提出期限による。

このように、財産の分割の期限を申告期限までとしているのは、この特例の適用要件が財産分割を要件としているところから、おおむね相続税の申告期限までには財産分割が終了し、軽減税額も確定しているのが通常であろうと考えられたことによるものといわれている。

なお、災害により相続税の申告期限が延長された場合（通則法11）には、その延長された申告期限によることになる。

② 分割の意義

配偶者の税額軽減額の計算の基礎となる財産は、既に述べたように分割によって取得されたものに限られることから、「分割」の意義が重要となる。

ここにいう「分割」とは、相続開始後において、相続又は包括遺贈により取得した財産を現実に共同相続人等に分属させることをいい、その分割の方法が現物分割、代償分割若しくは換価分割であるか（注1）また、その分割の手続きが協議、調停若しくは審判による分割であるかは問われない（相基通19の2－8本文）。

ただし、当初の分割により共同相続人等に分属した財産を分割のやり直しとして再配分した場合には、その再配分により取得した財産は、分割により取得したものとはされない（相基通19の2－8ただし書）。これは、分割協議などにより取得した財産は、抽象的な共有の状態から具体的に特定の者の所

有に帰属することになるから、このように、各人に具体的に帰属した財産を分割のやり直しとして再配分した場合には、もはやそれは遺産の分割ではなく、贈与や交換などによる新たな財産の移転を考えるべきであり、その態様に応じ、相続税以外の新たな課税関係が生ずるものと解されている。

しかし、当初の遺産分割自体に無効又は取り消しすべき原因があって、分割のやり直しが行われることがある（注2）。これは、財産の帰属そのものに問題があったためで、有効な当初分割のやり直しというものではないから、このような事由による再分割については遺産の分割の範ちゅうとして考えるべきであるとされている（「相基通解説」354頁参照）（注3）。

(注1)　「代償分割」とは、共同相続人等のうちの1人又は数人が相続又は包括遺贈により取得した財産の現物を取得し、その現物を取得した者が他の共同相続人等に対する債務を負担する分割の方法をいい、「換価分割」とは、共同相続人等のうちの1人又は数人が相続又は包括遺贈により取得した財産の全部又は一部を金銭に換価して、その換価代金を分割する方法をいうものとされている。

(注2)　分割協議に参加した相続人が無資格者であったり、相続人の一部を除いて分割協議がされた場合には、原則として分割協議は無効となる（例外・民法910）。また、分割協議の意思表示に錯誤及び詐欺・強迫があった場合には、表意者は、民法95、96条に従って意思表示の無効・取消しを主張できる（遠藤浩ほか編集「民法(9)相続（第4版増補版）」117頁参照）。

(注3)　ただ、相続人全員の合意による遺産分割のやり直しによる再取得を相続と認める最高裁平成2年9月27日判決（以下「2年判決」という。）、課税上もこれを認める（ただし傍論）東京高裁平成12年1月26日判決（確定）が現れており、その経緯は、拙稿「遺産の再分割と課税問題」（Fuji Accounting Review 9号（2004年6月）3頁以下）（東京富士大学税務会計研究所）に詳細に論じている。

結局、遺産分割のやり直しすなわち再分割については、それが相続人全員の合意による遺産分割協議の解除と再分割である場合には、民法上は認められるという司法の判断は、ほぼ定着してきたといってよいであろう。ただ本件判決及び2年判決の評釈にも見られるように、当初分割協議により帰属が確定した財産を再分割協議の名の下に他へ移転するものと認められる場合には、その移転は相続ではなく、贈与等と認められる場合もあり

得るということであろう。具体的に、どのような場合を贈与とみるかは、今後の判例等の集積と分析を待つしかないのであろう。ただ、少くとも、従来の課税当局の見解のように、遺産分割のやり直しは、分割が無効というような例外を除き、すべて贈与又は交換と見るという硬直的な姿勢は徐々に修正されてくるのではないかというのが、筆者の結論である。

③ 期限後分割について特例が認められる場合

〔申告期限後3年以内の分割の場合の特例〕

　配偶者の税額軽減の適用対象となる財産は、既述のとおり、申告期限内の分割により、配偶者が取得したものに限ることが原則となっている。しかしながら、実際には、特別な事情がなくても、なかなか申告期限内に分割できないケースも稀ではない。しかし、一方では、無制限に、いくら時間がかかっても、分割すれば特例を適用するというのでは、ただ漫然と分割が延ばされ、結局いつまでも相続税額が確定しないことになるといった問題もある。そこで、これらの事情を総合勘案し、一般的に遺産を分割するのに十分な期間と思われる相続税の申告書の提出期限から3年以内に分割された財産も、この軽減措置の対象に含まれているのである（相法19の2②ただし書）。

　なお、この特例は、後述のように、申告期限内に相続税の申告書を提出していることが前提要件とされているので、この段階では、特例を適用しない通常の税額で申告納付し、後日、申告期限後3年以内の分割により、相続財産が確定したところで、更正の請求により相続税の減額を求め、還付を受けることになる（相法32八）。したがって、期限内分割ができないと、一旦は、配偶者も特例の適用前の高額の相続税を納付しなければならなくなるので、注意しなければならない。

④ 申告期限後3年以内に遺産分割ができないやむを得ない事情がある場合の特例

　前述のように、申告期限後3年以内の遺産分割についても軽減特例の対象とされているので、大半のケースは、これでカバーできると考えられる。しかし、その相続又は遺贈に関する訴えが提起されている等のやむを得ない事

情があることにより、上記の期間内でも分割ができない場合もあり得るし、これを全く救済しないと酷に過ぎると考えられる。

そこで、申告期限から3年の期間を経過する日までの間に遺産を分割することができない次に掲げる事情がある場合には、あらかじめ税務署長の承認を受けることにより、それぞれ次に掲げる日を分割できることとなった日とし、その日の翌日から4か月以内にされた分割によって配偶者が取得した財産も、軽減措置の対象とされる（相法19の2②ただし書、相令4の2①）。なお、軽減措置の適用を受けるためには、相続税法第32条の規定による更正の請求をすることが必要であることは、③と同様である。

イ　申告期限の翌日から3年を経過する日において、その相続又は遺贈に関する訴え（注1）が提起されている場合（相続又は遺贈に関する和解又は調停の申立てがされている場合において、これらの申立ての時に訴えの提起がされたものとみなされるとき（注2）を含む。）……判決の確定（注3）又は訴えの取下げの日（注4）その他当該訴訟の完結の日（注5）

(注1)　このイ及び次のロの相続又は遺贈に関する訴え、和解、調停又は審判とは、その相続に係る被相続人の財産又は債務、相続人の身分、遺言及び遺産分割に関する訴え、和解、調停又は審判のほかその相続の前の相続に係るこれらの訴え、和解、調停又は審判も含む（相基通19の2－9）。

(注2)　「これらの申立ての時に訴えの提起がされたものとみなされるとき」とは、次に掲げる場合をいうものとされる（相基通19の2－10）。

(イ)　民事訴訟法第275条第2項の規定により、和解の申立てをした者がその申立てをした時に、その訴えを提起したものとみなされる場合

(ロ)　家事審判法第26条第2項の規定により、調停の当事者が調停の申立ての時に、その訴えを提起したものとみなされる場合

(ハ)　民事調停法第19条の規定により、調停の申立者が調停の申立ての時に、その訴えの提起があったものとみなされる場合

(注3)　「判決の確定の日」とは、次に掲げる場合の区分に応じ、それぞれ次に掲げる日をいう（相基通19の2－11）。

(イ)　敗訴の当事者が上訴をしない場合　その上訴期間を経過した日

(ロ)　全部敗訴の当事者が上訴期間経過前に上訴権を放棄した場合　その上訴権を放棄した日

(ハ) 両当事者がそれぞれ上訴権を有し、かつ、それぞれ別々に上訴権を放棄した場合　その上訴権の放棄があった日のうちいずれか遅い日
　　　(ニ) 上告判決、除権判決のように上訴が許されない場合　その判決の言渡しがあった日
　(注4) 「訴えの取下げの日」とは、次に掲げる場合の区分に応じ、それぞれ次に掲げる日をいう（相基通19の2－12）。なお、これらの日は、民事訴訟法第91条の規定による訴訟記録の閲覧又は裁判所の証明書により確認することができる。
　　　(イ) 民事訴訟法第261条に規定する訴えの取下げがあった場合　その訴えの取下げの効力が生じた日
　　　(ロ) 民事訴訟法第263条、民事調停法第20条第2項又は家事審判法第19条第2項の規定により訴えの取下げがあったものとみなされた場合　その訴えの取下げがあったものとみなされた日
　　　(ハ) 上訴期間経過後に上訴の取下げがあった場合　その上訴の取下げがあった日
　(注5) 「その他当該訴訟の完結の日」とは、次に掲げる場合の区分に応じ、それぞれ次に掲げる日をいう（相基通19の2－13）。
　　　(イ) 民事訴訟法第267条に規定する和解又は請求の放棄若しくは認諾があった場合　その和解又は請求の放棄若しくは認諾を調書に記録した日
　　　(ロ) 訴訟当事者の死亡によりその訴訟を継続することができなくなった場合　その当事者の死亡の日
　　　(ハ) 訴訟当事者の地位の混同が生じた場合　その地位の混同が生じた日
ロ　申告期限の翌日から3年を経過する日において、その相続又は遺贈に関する和解、調停又は審判の申立てがされている場合（イ又はニに該当する場合を除く。）……和解若しくは調停の成立、審判の確定又はこれらの申立ての取下げの日その他これらの申立てに係る事件の終了の日（注）
　(注) 「申立てに係る事件の終了の日」とは、次に掲げる場合の区分に応じ、それぞれ次に掲げる日をいう（相基通19の2－14）。
　　　(イ) 家事審判規則第19条第2項に規定する審判に代わる裁判があった場合…その裁判の確定の日
　　　(ロ) 民事調停法第17条に規定する調停に代わる決定があった場合…その決定の確定の日

(ハ)　民事調停法第31条に規定する調停条項を定めた場合…その調停条項を定めた日
(ニ)　事件の当事者の死亡によりその申立てに係る事件の手続きを続行することができないようになった場合…その当事者の死亡の日
(ホ)　事件の当事者の地位の混同が生じた場合…その地位の混同が生じた日

ハ　申告期限の翌日から３年を経過する日において、相続又は遺贈に関し、民法第907条第３項若しくは第908条の規定により遺産の分割が禁止され、又は同法第915条第１項ただし書の規定により相続の承認若しくは放棄の期間が伸長されている場合（その相続又は遺贈に関する調停又は審判の申立てがされている場合において、分割の禁止をする旨の調停が成立し、又は分割の禁止若しくは期間の伸長をする旨の審判若しくはこれに代わる裁判が確定したときを含む。）……その分割の禁止がされている期間又はその伸長がされている期間が経過した日

ニ　以上のほか、財産が申告期限の翌日から３年を経過する日までに分割されなかったこと及び財産の分割が遅延したことにつき税務署長においてやむを得ない事情があると認める場合……その事情の消滅の日（注１、２）。

（注１）　この「やむを得ない事情があると認める場合」とは、次に掲げるような事情により客観的に遺産分割ができないと認められるような場合をいうものとして取り扱われる（相基通19の２－15）。
(イ)　申告期限の翌日から３年を経過する日において、共同相続人又は包括受遺者の１人又は数人が行方不明又は生死不明であり、かつ、その者に係る財産管理人が選任されていない場合
(ロ)　申告期限の翌日から３年を経過する日において、共同相続人又は包括受遺者の１人又は数人が精神又は重度の障害疾病のための加療中である場合
(ハ)　申告期限の翌日から３年を経過する日前において、共同相続人又は包括受遺者の１人又は数人が国外にある事務所若しくは事業所等に勤務している場合又は長期間の航海、遠洋漁業等に従事している場合において、その職務の内容などに照らして、申告期限の翌日から３年を経過する日までに帰国できないとき
(ニ)　申告期限の翌日から３年を経過する日において、前述のイからハま

でに掲げる事情又は(イ)から(ハ)までに掲げる事情があった場合において、申告期限の翌日から3年を経過する日後にその事情が消滅し、かつ、その事情の消滅前又は消滅後新たにこれらの事情が生じたとき

(注2) また、申告期限の翌日から3年を経過する日前に、前述のイからハまでに掲げる事情又は（注1）の(イ)から(ハ)までに掲げる事情があり、その事情が申告期限の翌日から3年を経過する日前4月以内に消滅し、かつ、申告期限から3年を経過する日までに遺産の分割が行われていない場合において、それらの事情が消滅した日から4月以内に、相続又は遺贈により取得した財産の全部又は一部が共同相続人又は包括受遺者によって分割されたときには、上述(ニ)の場合に該当するものとして取り扱ってもよいとされている（相基通19の2－16）。

ところで、この申告期限後3年以内に分割ができないやむを得ない事情があり、その事情解消後の分割により配偶者の税額軽減の特例の適用を受けようとする場合には、申告期限後3年を経過する日の翌日から2月を経過する日までに、あらかじめ、そのやむを得ない事情の詳細等を記載した申請書を、その事情があることを証する書類を添付して、納税地の所轄税務署長に提出し、その承認を受けておかなければならない（相法19の2②ただし書、相令4の2②、相規1の4①②）。

この申請書の提出があった場合において、所轄税務署長がその承認又は却下の処分をしたときは、その申請者に対して通知をしなければならない。また、申請書の提出の日の翌日から2月を経過する日までに承認又は却下の処分をしなかったときは、その2月を経過する日において承認をしたものとみなされる（相令4の2③④）。

(4) 適用要件

この特例の適用を受けるための要件としては、

① 相続税の申告書（期限後申告書及び修正申告書を含む。）又は更正請求書に、この特例の適用を受ける旨及びその金額の計算に関する明細を記載した書類を添付すること

② その他の所定の書類を添付すること

が必要とされている（相法19の2③）。

この添付書類は次のとおりである（相規1の4③）。
イ　遺言書の写し、財産の分割の協議に関する書類（その相続に係るすべての共同相続人及び包括受遺者が自署し、自己の印を押しているものに限る。）の写し（その自己の印につきこれらの者の住所地の市町村長の印鑑証明書が添付されているものに限る。）その他の財産の取得の状況を証する書類（注1、2）
（注1）　共同相続人等が無能力者である場合には、その者の特別代理人又は法定代理人がその者に代理して自署し、その代理人の住所地の市区町村長の印鑑を押しているものをいうとされている（相基通19の2－17）。
（注2）「その他の財産の取得の状況を証する書類」には、その財産が調停又は審判により分割されているものである場合には、その調停の調書又は審判書の謄本、その財産がいわゆるみなし相続財産等である場合には、その財産の支払通知書等その財産の取得を証する書類が含まれる（相基通19の2－18）。
ロ　相続税の申告書を提出する際に遺産の全部又は一部が分割されていない場合において、その申告書の提出後に分割される財産について、配偶者の税額軽減の特例の適用を受けようとするときは、その旨、分割されていない事情及び分割の見込みの詳細を記載した書類（注）
（注）　申告期限後に分割が行われる見込みである場合は、この書類を添付しておかないと、後述のやむを得ない事情がない限り、申告期限後の分割について特例が適用されないので留意する必要がある。

なお、税務署長は、前述の書類の添付がない申告書又は更正請求書の提出があった場合においても、その添付がなかったことについてやむを得ない事情があると認められるときは、その書類の提出があった場合に限り、この特例が適用されることになっている（相法19の2④）。

この「やむを得ない事情」については、他の宥恕規定と同様、具体的な内容は公表されていないし、判例、裁決例も極めて少ないが、その幾つかについて挙げておこう。
イ　納税者は、保証債務履行のため、土地を売却するが申告の必要があるか

と所轄税務署の担当職員に尋ねたところ、担当職員は売却代金による保証債務の履行が完了するまで申告の必要がないと教示したこと及び売却完了まで数年を要することを明らかにした上で再度申告の要否について問合わせをしたこと等を挙げ、土地を譲渡した年について確定申告をしなかったことについて、やむを得ない事情があるから、保証債務の課税の特例の適用を認めるべきであると主張したが、確定申告期限前に法64条2項の適用を受けるためには、所定事項を記載した確定申告書の提出が必要である旨の説明部分もある譲渡所得についてのあらましの解説書を含む文書又は案内書を、更に右期間後の2回無申告理由の照会書を発送していること、納税者はそれに対し、応答しなかったこと等の事実が認められる。以上の事実の下では、被告税務署長部下職員から保証債務履行のための土地譲渡と保証債務の履行が完了した後に理由書を添えて申告書を提出すればよい旨の教示を受けた納税者の実兄が、これを土地譲渡と保証債務の履行が何年にわたろうとも最終的に確定申告書を提出すればよいものと誤解したことをもって、確定申告書不提出についてやむを得ない事情があったとすることはできない（大阪地裁昭和56年4月24日判決、大阪高裁昭和57年3月11日判決、最高裁昭和60年6月21日判決）。

ロ　請求人（納税者）は確定申告書を作成するに当たり、固定資産を交換した場合の課税の特例の適用を受けるべく、①請求人の関係する団体事務員と相談の上、特例適用条文を所得税法第58条第1項と記載すべきところ、誤って租税特別措置法第33条の2と記載し、これが誤っていることに気付かずに提出したが、確定申告書に特例の適用を受ける旨の何らかの記載さえあれば、課税の対象とはされないものと信じていたこと、また、確定申告書には譲渡所得の計算明細書等同条の適用を受けるための必要な書類のすべてが添付されていること、②請求人が①のように誤信したことについては、原処分庁（課税当局）の納税相談の機会を利用しなかったことなど請求人としても反省すべき点はあるが、税法の知識に乏しい請求人として無理からぬことでもあり、さらに、確定申告書の作成について相談した団

体事務員の税法に関する知識を過信した請求人のみにその責を負わせるのもいささか酷であると考えられることから、本件においては、所得税法第58条第1項と記載しなかったことについて、やむを得ない事情があったと認めるのが相当である（国税不服審判所昭和54年11月7日裁決・裁決事例集No.19-45頁）。

このように、宥恕規定の「やむを得ない事情」については判例・裁決例が少ないが、これと考え方が共通すると思われる無申告加算税の賦課の原因である期限内申告書の不提出について、無申告加算税が課されない「正当な理由」の存否については争われる事例が多く、判例も豊富であるので、若干の紙数を割いて、述べてみる（以下の記述については、品川芳宣「附帯税の事例研究」（第4版）（財経詳報社）212～232頁を参考とした。なお、この点については、無申告加算税の項でも検討する。）。

まず、「正当な理由」の意義についての判示のリーディング・ケースは、次のとおりである。

イ　昭和37年当時施行の旧所得税法56条3項によると、無申告加算税額の決定については、納税義務者が決定期限内に確定申告書を提出せず、かつ、そのことについて正当な理由がないことを要するものとされているところ、右法条にいわゆる正当な理由とは、無申告加算税が租税債権確定のために納税義務者に課せられた税法上の義務の不履行に対する一種の行政上の制裁であるところからすれば、かような制裁を課することを不当若しくは酷ならしめるような事情を指すものと解するのが相当である（大阪地裁昭和43年4月22日判決、同旨長崎地裁昭和44年2月5日判決）。

ロ　無申告加算税制度は、申告の適正を担保し申告納税制度を確保するために行政上の制裁として設けられたものであり、国税通則法66条1項但書の「正当な理由」とは、期限内に申告書を提出できなかったことに宥恕すべき事情があり、行政上の制裁を課すことが相当でない場合を意味する（仙台地裁昭和63年6月29日判決、同旨広島地裁平成2年2月28日判決）。

なお、旧所得税基本通達518では、「正当な理由」について、交通、通信の

と絶、通信機関の故障等により期限内に申告書を提出できなかった場合、申告時の身体上の都合で申告ができず、かつ、他人をしても申告書を提出できなかった場合などを挙げている。

次に、「正当な理由」の存否が争われるパターンとして、「(A)税法の不知又は誤解」、「(B)税務職員の指導」、「(C)事実関係の誤認」の3種類がある。これを順次みてみると、

(A) 税法の不知又は誤解（注）

Ⓐ 土地明渡しの調停事件に係る譲渡所得の課税時期につき原告は代金完済時の昭和31年分の所得として申告したところ、調停成立日の属する昭和30年分の所得として更正決定され、そのうち無申告加算税の決定処分について争われた事件で「無申告または期限後申告が法律の不知ないし誤解にもとづくものであるとしても、単にそれのみでは、所得税法56条3項および資産再評価法80条1項所定の無申告加算税を免れうべき真にやむをえないものとしての正当事由とはなりえない」（大阪地裁昭和33年11月17日判決）。

Ⓑ 不動産の交換譲渡による所得は非課税と誤信したからといって、確定申告をしなかったことにつき、原告の主張する無申告の理由は、要するに法の不知であるから、そのような事情は「正当な理由」で該当すると解せない（大阪地裁昭和54年1月30日判決、同旨大阪高裁昭和54年5月29日）。

Ⓒ 法人税法の「施行地」が日本国の領土内であり、大陸棚を含まないことは、本件係争年度当時の統一された解釈であり、また、仮に右施行地に大陸棚が含まれるとの解釈が税務当局において採用されていたとしても、このような解釈は一般納税者の予測を超えたものであったから、控訴人会社が大陸棚における所得につき税務申告しなかったことには、国税通則法56条1項ただし書に規定する「正当な理由」があるとの主張に対し、大陸棚を施行地に含める解釈は一般納税者の予測を超えたものではなく、右解釈を公表していなくとも税務取扱上妥当を欠いたともいえない。したがって、控訴人が、本件各係争年度の国内源泉所得について税務申告しなかったことについて「正当な理由」があったとは認められない（東京高裁昭和59年

Ⅲ 相続税の総額・各人の相続税額の計算 353

3月14日判決)。

(注) このように、税法の不知・誤解は「正当な理由」にならないというのが、従来の判例の傾向であるが、財産分与に関して、税法の不知・誤解が、法律行為の動機として相手方に表示されていれば、法律行為に錯誤があったとして無効原因になるという注目すべき判例が現れ(最高裁平成元年9月14日判決)、更に、措法35条の適用に関する税法の不知・誤解についてその主張を認めた(ただし、別途理由により、納税者敗訴)判例も出ている(東京高裁平成元年10月16日判決、同旨最高裁平成5年2月11日判決)。

Ⓓ(1) 外国法人である親会社から付与されたストックオプションについては、かつてこれを一時所得として取り扱い、課税庁の職員が監修した公刊物でもその旨の見解が述べられていたが、平成10年分の所得税の確定申告時ごろからその取扱いを変更し、給与所得として統一的に取り扱うようになった。

(2) この所得区分の問題については、一時所得とする見解にも相応の論拠があり、最高裁平成17年1月25日判決によってこれが給与所得と判断されるまでは、下級審の判例において判断が分かれていたものである。

(3) このような問題について課税庁が従来の取扱いを変更しようとする場合には、法令の改正によることが望ましく、通達を発するなどして変更後の取扱いを納税者に周知させ、これが定着するよう措置すべきものである。ところが課税庁は、取扱いの変更時にはこれを明示せず、平成14年6月の所得税法基本通達の改正によって初めて変更後の取扱いを示した。

(4) そうであれば、少なくともそれまでの間は納税者において外国親会社から付与されたストックオプションが一時所得に当たるものと解して申告したとしても、無理からぬ面があり、それを課税庁の主観的な事情に基づく単なる法律解釈の誤りとはいえない。

(5) 以上のような事情の下においては、納税者が平成11年分の所得税についてストックオプションを一時所得として申告したことは、平成8年分から平成10年分までストックオプションを給与所得として増額更正を受

けていたとしても、給与所得として申告しなかったことを考慮しても、納税者の責めに帰すことのできない客観的な事情があり、過少申告加算税を課することは不当又は酷であるから国税通則法65条4項にいう「正当な理由」があるというべきである（最高裁平成18年10月24日第3小法廷判決）。

(B) 税務職員の指導

これについても、その主張が排斥されている事例が多いが（例えば、京都地裁昭和49年3月1日判決、広島地裁昭和51年3月16日判決、福岡地裁平成元年6月2日判決etc.）、若干納税者の主張が認められたケースがあるので、紙数の関係上これのみを紹介する。

Ⓐ 税務署職員が昭和37年2月下旬頃原告を税務署に呼び出し、昭和36年分譲渡所得について、原告の意向を受けて、居住用財産買換えの取得価額の見積額の承認申請の手続を代行し、右申請に対する承認は3月5日になされた。これらの申告、申請手続に通じていなかった原告は、なすべき手続きは一切完了したものと信じて確定申告書は提出しなかった。このような場合、税務署職員が右申請書の提出事務のみを代行したにとどまり、確定申告書を交付し、所定の記載をなして期限内に提出するよう指導しなかったのは、行き届いた指導とはいえず、原告が確定申告書を提出しなかったのは誠に無理からぬことであり、これに対し無申告加算税を課すことは原告にとってきわめて酷であるから、原告が確定申告書を提出しなかったことについて正当な理由があったというべきである（大阪地裁昭和43年4月22日判決）。

Ⓑ 不動産業を営む原告は、譲渡担保の不履行により取得した土地について、昭和36年中にその一部を譲渡し、被告の係官より何回かの申告指導を受けたものの結論が出ずそのままにしていたところ、所得税の決定と無申告加算税の賦課決定を受けた。原告は、この賦課決定につき、本件申告指導においては、所得計算が複雑であったため、昭和37年2月に当該係官より「本件土地の全部が売却できてから所得税を決めます」といわれ、同年4

月に同係官に預けていた関係書類も返戻されていたから、本件無申告には正当な理由があると主張した。これに対し、裁判所は、関係証拠からみて原告の主張する事実は認め得るとし、かかる事実と、申告納税制度は本来納税者が税法の仕組みについてある程度の理解を前提とするものの、税法の内容が複雑であるため、多くの納税者が税務係員の指示に頼っている実状を併せ考えると、原告が期限内に確定申告書を提出しなかったのは誠に無理からぬところではあるとし、当該無申告には「正当な理由」があると判示した（長崎地裁昭和44年2月5日判決）。

Ⓒ このほか、申告期限前の納税相談において贈与不動産が非課税財産に該当するとの納税者の誤信を解くに足る十分な説明がされていない場合、納税者が期限内に贈与税の申告をしなかったことは、「正当な理由」があるとされた判例（東京地裁昭和46年5月10日判決）があるが、控訴審では異なる事実認定をして「正当な理由」を認めなかった（東京高裁昭和48年3月9日判決）。

(C) 事実関係の誤認

Ⓐ 相続税の期限後申告につき、相続人らの病気により相続人間において遺産分割の協議ができなかったことは、「正当な理由」に当たらない（大阪地裁昭和50年10月22日判決）。

Ⓑ 所得税法上の課税対象たるべき所得とは、客観的に適正な所得をいうから、納税者が単に欠損を生じたと思っても、このことのみをもっては無申告についての正当理由となすことはできない（東京地裁昭和34年5月13日判決）。

(5) 仮装又は隠蔽に係る財産の適用除外

① 総　説

既に述べたように、配偶者に対する税額軽減制度は、分割により取得した財産であれば、必ずしも期限内申告でなくても、期限後申告でも、修正申告であっても又は更正の請求によっても適用が受けられることとなっている。

そのため、最近においては、意図的に相続財産の隠蔽や債務の仮装を行っ

て、相続税の逋脱を図ろうとした場合において、その後の相続税調査によりこのような隠蔽ないし仮装が把握されても、それによる更正又は決定がある前に、その把握された財産をすべて配偶者が分割取得したことにして、期限後申告書又は修正申告書を提出することにより、その財産取得が配偶者の法定相続分の枠内である限り税額軽減の適用を受けることとして、実質的には、ほとんど課税を免れるという事例が現われてきている。

このような不公正な申告を看過することは、真面目な納税者の税への不信感を抱かせ、納税道義上問題が生ずる。また、更正又は決定が行われる場合には、その更正又は決定によって増加した配偶者の取得財産については軽減特例の適用がないことに実務上は取り扱われていることとのバランスをも考慮する必要があるとされていた。そこで、政府の税制調査会は、平成6年度の税制改正答申において、相続税の軽減対象財産の最低保障額の引上げに際し、「適正な申告を確保するため、軽減対象財産から仮装隠ぺいに係るものは除外することが適当である」と勧告し、これを受けて、次のような制度が設けられた。

すなわち、相続税の納税義務者が、被相続人の配偶者に係る相続税の課税価格の計算の基礎となるべき事実を隠蔽又は仮装し、その隠蔽又は仮装したところによって相続税の申告書を提出していた場合又は提出していなかった場合において、その相続税について調査があったことにより、更正又は決定があるべきことを予知して期限後申告書又は修正申告書を提出するときは、配偶者の軽減税額の計算に当たって、その仮装・隠蔽された財産については、相続税の課税価格の合計額又は配偶者の課税価格に相当する金額に含めないこととされた（旧相法19の2⑤）。

この改正により、仮装・隠蔽があった場合における配偶者の税額軽減額は、仮装・隠蔽がなかったものとした場合に計算される税額に止まることになり、調査により把握された仮装・隠蔽に係る財産については、それが配偶者によって取得されたものであっても、相続税及び加算税を負担することとされた。

ところが、この改正後、次のような問題が出てきた（「平成19年版・改正税法のすべて」491頁）。

「しかしながら、上記の措置は配偶者が隠ぺいされ、又は仮装された財産を取得しなかった場合には、例え配偶者自らが隠ぺいし、又は仮装したときであっても、配偶者の税額軽減の規定は通常通り適用されることになります。このことによりどのような問題が生じるかというと、先ず、隠ぺいされ、又は仮装された財産が他の相続人の課税価格を増加させることからその結果として「相続税の総額」が増加します。さらに、これを受けて、配偶者の税額軽減額も増加することにより、本来であれば、隠ぺいされ、又は仮装された財産が把握されたことより相続人等のすべての者の税負担が増加するはずのところですが、配偶者に限っては、この税額軽減措置により納付すべき税額が増加しないケースが生じるという問題が出てきました。」

そこで、平成19年の改正で、配偶者が隠蔽し、又は仮装したにもかかわらず、その隠蔽され、又は仮装された財産を取得しなかった場合であっても、その取得しなかった隠蔽され、又は仮装された財産に係る相続税を負担するように改められた。

② 隠蔽・仮装行為を行った者

「隠蔽仮装行為」とは、相続又は遺贈により財産を取得した者が行う行為で当該財産を取得した者に係る相続税の課税価格の計算の基礎となるべき事実の全部又は一部を隠蔽し、又は仮装することをいう（相法19の2⑥）。

すなわち、「隠蔽仮装行為」は、財産を取得した者が行ったものと定義されている。この定義からみると、配偶者が隠蔽仮装をしたにもかかわらず、その隠蔽仮装に係る財産を取得しない場合には、その行為が、隠蔽仮装行為といえるのかどうかは疑問があると筆者は考えている（注）。

(注) 重加算税の賦課要件としては、納税者がその課税標準等又は税額等の計算の基礎となるべき事実の隠蔽又は仮装をすることが要件となっている（通則法68①）が、行為者を納税者本人に限定すべきでないという基本的認識では、学説・判例ともほぼ一致しているようである。しかし、その範囲をどこまで

とするかについては、問題が残っている。

　相続税についていえば、被相続人が相続財産の一部を隠蔽又は仮装し、その相続人がその状態を利用して、内容虚偽の申告をした場合には、たとえ、相続人が積極的に隠蔽・仮装をしていなくても、重加算税の賦課要件を満たす旨の判例（後述大阪地裁昭和56年2月25日判決等）がある。

なお、相続人は、国内に住所を有するいわゆる無制限納税義務者に限らないことにも留意する必要がある。

次に、この規制措置の対象となるのは、「配偶者に係る相続税の課税価格の計算となるべき事実の隠蔽又は仮装」であるから、必ずしも積極財産を隠ぺいすることだけに限られず、架空の債務を実在するがごとく仮装して課税価格を減額することも含まれる。

③　仮装・隠蔽の意義

ここにいう「仮装・隠蔽」の意義の詳細については、雑則の加算税の項で述べることとしたいが、一応、まず、一般論について簡単に述べ、次いで、相続税に関する仮装・隠蔽についての判例等をみてみよう。なお、本稿での論述は、ほとんど重加算税の賦課に関するものであることをお断わりしておく。

イ　当局側の見解

「事実の隠蔽は、二重帳簿の作成、売上除外、架空仕入若しくは架空経費の計上、たな卸資産の一部除外等によるものをその典型的なものとする。事実の仮装は、取引上の他人名義の使用、虚偽答弁等をその典型的なものとする。いずれも、行為が客観的にみて隠蔽又は仮装と判断されるものであればたり、納税者の故意の立証まで要求しているものではない。この点において、罰則規定における「偽りその他不正の行為」（例えば、所得税法238条1項）と異なり、重加算税の賦課に際して、税務署長の判断基準をより外形的、客観的ならしめようとする趣旨である」（「国税通則法精解」813頁）

次に隠蔽・仮装については、旧所得税基本通達（昭和29年直所1－1）83項では次のとおり明らかにされていた。

Ⅲ 相続税の総額・各人の相続税額の計算　359

　「法第57条の2第1項から第4項までの規定（昭和40年改正前の旧所得税法……筆者注）の適用については、次に掲げるような所得に対応する税額のみを所得税額計算の基礎となるべき事実を隠ぺいし、又は仮装したところに基づくものとして取り扱うもさしつかえないものとする。

⑷　いわゆる二重帳簿を作成して所得を隠ぺいしていた場合における当該隠ぺいされていた部分の所得

⑿　売上除外、架空仕入れ若しくは架空経費の計上その他故意に虚偽の帳簿を作成して所得を隠ぺいし、又は仮装していた場合における当該隠ぺいし、又は仮装されていた部分の所得

⒀　たな卸資産の一部を故意に除外して所得を隠ぺいしていた場合における当該隠ぺいされていた部分の所得

⒁　他人名義による等により所得を隠ぺいし、又は仮装していた場合における当該隠ぺいし、又は仮装されていた部分の所得

⒂　虚偽答弁、取引先の通謀、帳簿又は財産の秘匿その他の不正手段により故意に所得を隠ぺいし、又は仮装していた場合における当該隠ぺいし、又は仮装していた部分の所得

⒃　その他明らかに故意に収入の相当部分を除外して確定申告書を提出し、又は給与所得その他についての源泉徴収を行っていた場合における当該除外されていた部分の所得」

　なお、平成12年には、相続税及び贈与税について、次のような取扱いが明らかにされている。詳細は加算税の項で説明する。

　④　相続税及び贈与税の重加算税の取扱いについて（事務運営指針）（課資2－263ほか）

　◎　相続税、贈与税の過少申告加算税及び無申告加算税の取扱いについて（事務運営指針）（課資2－254）

ロ　判　例

⑷　「右法条の各1項に規定する「……の計算の基礎となるべき事実の全部又は一部を隠ぺいし、又は仮装し」たとは、不正手段による租税徴収権の

侵害行為を意味し、「事実を隠ぺい」するとは、事実を隠匿しあるいは脱漏することを、「事実を仮装」するとは、所得・財産あるいは取引上の名義を装う等事実を歪曲することをいい、いずれも行為の意味を認識しながら故意に行うことを要するものと解すべきである」（和歌山地裁昭和50年6月23日判決）

(ロ)　「国税通則法68条は、不正手段による租税徴収権の侵害行為に対し、制裁を課することを定めた規定であり、同条にいう「事実を隠ぺいする」とは、課税標準等又は税額の計算の基礎となる事実について、これを隠ぺいしあるいは故意に脱漏することをいい、また「事実を仮装する」とは、所得、財産あるいは取引上の名義等に関し、あたかも、それが事実であるかのように装う等、故意に事実を歪曲することをいうと解するのが相当である（名古屋地裁昭55年10月13日判決）」

(ハ)　旧国税通則法第68条第1項にいう「納税者がその国税の課税標準等又は納税等の計算の基礎となるべき事実の全部又は一部を隠ぺいし又は仮装し、その隠ぺいし、又は仮装したところに基づき納税申告書を提出し」た場合とは、相続税についてみると、相続人又は受遺者が積極的に右の隠ぺい、仮装の行為に及ぶ場合に限らず、被相続人又はその他の者の行為により、相続財産の一部等が隠ぺい、仮装された状態にあり、相続人又は受遺者が右の状態を利用して、脱税の意図の下に、隠ぺい、仮装された相続財産の一部等を除外する等した内容虚偽の相続税の申告書を提出した場合をも含むと解するのが相当である（注）。」

　（注）　相続税については、納税者たる相続人等の行った隠蔽・仮装行為のほか、被相続人の生前にした隠蔽・仮装行為が相続人等に影響を及ぼすかという問題があるが、この判例は、この点について、上記のように判示したうえ、本件においては、被相続人の妻である原告が被相続人の生前中に仮名預金の切替手続に関与したと認められるから、相続財産の一部が隠蔽された状態にあることを利用して、脱税の意図の下に、これを除外して内容虚偽の申告書を提出したことになる旨を判示している（大阪地裁昭和56年2月25日判決）。

本件の控訴審でも、相続人が隠蔽・仮装の積極的行為を行っていなくとも、被相続人の遺産の隠蔽状態を利用して内容虚偽の申告をした場合には、隠蔽・仮装したところに基づき納税申告書を提出したことに該当する（大阪高裁昭和57年9月3日判決）と判示している。

④ **故意の要否**

隠蔽・仮装行為について故意を必要とするか否かについては、

(イ) 「行為が客観的に隠蔽・仮装と判断されるものであればたり、納税者の故意の立証まで要求しているものではない」（「国税通則法精解」813頁）。

(ロ) 「課税要件となる事実を隠ぺい又は仮装することについての認識があれば足り、その後の過少申告等についての認識は必要としない」（寺西輝泰「租税制裁における故意」税理19巻14号61頁（ぎょうせい））。

(ハ) 「租税を免れようとする意図で仮装・隠ぺいを行うことが必要である」（碓井光明「重加算税賦課の構造」税理22巻12号4・5頁）。

とする三種の見解があるが、次のような株式取引をめぐっての重加算税賦課をめぐっての第一審及び上告審の判断をみると、判例としては、(ロ)の説をとるようである。

（**第一審**）　重加算税の賦課について、その趣旨に鑑み、「税の申告に際し、仮装、隠ぺいした事実に基づいて申告する、あるいは申告しないなどという点についての認識を必要とするものではなく、結果として過少申告などの事実で足りる」（熊本地裁昭和57年12月15日判決）

（**上告審**）「隠ぺい・仮装行為を原因として過少申告の結果が発生したものであれば足り、それ以上に、申告に際し、過少申告を行うことの認識を有していることまでも必要とするものではない」（最高裁昭和62年5月8日判決）

筆者の個人的意見では、国税通則法第68条第1項にいう「……の事実の全部又は一部を隠蔽し、又は仮装し、その隠蔽し、又は仮装したところに基づき納税申告書を提出していたとき」という表現は、申告書の提出においても、仮装・隠蔽による過少申告の認識を想定しているようにも解しうるが、実際

には、課税要件事実の隠蔽・仮装の行為があれば、それは当然に申告に際しても脱税の意思があると推定しうるのではないか。重加算税は刑事罰ではないから、そこまでの立証を必要とはしないと考えてよいのではないか。もし、課税要件事実の隠蔽・仮装の事実がありながら、申告の際には逋脱の意思がないというなら、それを主張する側が立証すべきではないかと考えるがどうだろうか。

そして、この解釈は、相続税法第19条の2第6項の規定の解釈にも、当然応用されうるものと考える。

⑤ **不申告・虚偽申告と隠蔽・仮装**

例えば所得税でいえば、積極的な隠蔽・仮装行為を伴わず、所得があるのに故意に申告しなかったり、収入金額の一部を記帳しないで、いわゆるつまみ申告をすることが、課税要件事実の隠蔽・仮装になるかどうかは問題のあるところである。これについては、記録を残さないことや申告書の虚偽記入は「隠蔽・仮装」に当たらないとする学説（注1）もあり、その趣旨の判例（注2）もあるが、単なる不申告や税法の不知等による申告もれや、誤りによる虚偽申告が「隠蔽・仮装」に該当しないことは明らかであるが、それに伴う帳簿への未記帳、原始記録の不存在、預金名義等の借用、税務調査への非協力、虚偽答弁、虚偽資料の提出等の事実を総合して隠蔽・仮装行為を認定している判例が少なくない（注3）。

(注1)　碓井氏「重加算税賦課の構造」税理（ぎょうせい）22巻12号5〜6頁
(注2)　福岡地裁昭和50年3月29日判決（ただし、本件は、控訴審及び上告審（注3参照）において判断が覆っている。）
(注3)　次のような判例がある。
　　① 被控訴人は、経済人として相当の社会的活動をしており、申告納税制度がとられており、すべての所得を申告し、正当な所得税額を納付すべきことを十分知っていたものと思われると認定したうえ、確定申告に際し、真実の所得を秘匿し、それが課税の対象になることを回避するため、所得の金額をことさらに過少にした内容虚偽の確定申告書を提出し、正当な納税義務を過少にして、その不足税額を免れる偽りの不正行為、いわゆる過少申告をしたことは、国税通則法68条第1項の、国税である所

得税の税額計算の基礎となる所得の存在を一部隠蔽し、その隠蔽したところに基づき、納税申告書を提出したことに該当すると判示した（福岡高裁昭和51年6月30日判決……の控訴審で、上告審（最高裁昭和52年1月25日判決）も同旨の判断をしている）。

② 家賃収入等の申告除外につき、帳簿書類に記載せず、税務調査において虚偽の答弁を行い、架空の領収書等を作成したことは、当初から課税を回避しようとする意図があったものと推認することができるから、隠蔽又は仮装したことに当たる（東京地裁昭和52年7月25日判決）。

⑥ 隠蔽仮装があった場合の具体的な計算方法

イ 考え方

隠蔽仮装があった場合の配偶者の税額軽減額は、既に述べたとおり次の算式により計算する。

$$相続税の総額 A \times \frac{次のC又はDのうちいずれか少ない金額}{課税価格の合計額 B}$$

C＝課税価格の合計額×配偶者の法定相続分（その額が1億6,000万円未満の場合は1億6,000万円）

D＝分割により配偶者が取得した財産に係る課税価格

次に隠蔽又は仮装があった場合の配偶者の軽減税額は次のように上記A～Dを読み替えて計算する（相基通19の2－7の2）。

(1) Aの金額　次の算式により算出した相続税の課税価格の合計額に係る相続税の総額（当該金額に100円未満の端数があるとき又はその全額が100円未満であるときは、その端数金額又はその全額を切り捨てるものとする。）

$$a-(b+c)$$

(2) Bの金額　上記(1)の算式により算出した相続税の課税価格の合計額

(3) Cの金額　次の算式により算出した金額（当該金額に1,000円未満の端数があるとき又はその全額が1,000円未満であるときは、その端数金額又はその全額を切り捨てるものとする。）に民法第900条の規定による被相続人の配偶者の相続分（相続の放棄があった場合には、その放棄がなかったものとした場合における相続分とする。）を乗じて算出した金額（当該被相続人の相続人（相

続の放棄があった場合には、その放棄がなかったものとした場合における相続人）が当該配偶者のみである場合には、当該合計額とする。）に相当する金額と1億6,000万円のいずれか多い金額

　　　a－（d＋e）

(4)　Dの金額　次の算式により算出した金額（当該金額に1,000円未満の端数があるとき又はその全額が1,000円未満であるときは、その端数金額又はその全額を切り捨てるものとする。）

　　　f－（g＋e）

(注)　算式中の符号は次のとおりである。

　　aは、相法第19条の2第1項第2号イの「課税価格の合計額」（当該合計額の基となった各人の課税価格について通則法第118条第1項の規定による端数処理を行っている場合には、当該処理をする前の金額の合計額とする。）

　　bは、被相続人から相続又は遺贈により財産を取得した者（以下相基通19の2－7の2において「納税義務者」という。）が相続又は遺贈により取得した財産の価額のうち被相続人の配偶者が行った相法第19条の2第6項に規定する隠蔽仮装行為による事実に基づく金額（以下相基通19の2－7の2において「隠蔽仮装行為に係る金額」という。）と当該納税義務者の債務及び葬式費用のうち当該配偶者が行った隠蔽仮装行為に係る金額との合計額（当該合計額が当該納税義務者に係る相続又は遺贈により取得した財産の価額の合計額（相法第13条第1項又は第2項の規定の適用がある場合にはこれらの規定による控除後の金額をいう。以下相基通19の2－7の2において「純資産価額」という。）を上回る場合には、当該納税義務者に係る純資産価額とする。）

　　cは、納税義務者につき相法第19条の規定により相続税の課税価格に加算される財産の価額のうち被相続人の配偶者が行った隠蔽仮装行為に係る金額

　　dは、被相続人の配偶者が相続又は遺贈により取得した財産の価額のうち納税義務者が行った隠蔽仮装行為に係る金額と当該配偶者の債務及び葬式費用のうち当該納税義務者が行った隠蔽仮装行為に係る金額との合計額（当該合計額が当該配偶者に係る純資産価額を上回る場合には、当該配偶者に係る純資産価額とする。）

　　eは、被相続人の配偶者につき相法第19条の規定により相続税の課税価格に加算される財産の価額のうち納税義務者が行った隠蔽仮装行為に係る金額

Ⅲ　相続税の総額・各人の相続税額の計算　365

　　f は、相法第19条の 2 第 1 項第 2 号ロに掲げる課税価格（当該課税価格について通則法第118条第 1 項の規定による端数処理を行っている場合には、当該処理をする前の金額とする。）に相当する金額

　　g は、被相続人の配偶者が相続又は遺贈により取得した財産の価額（相法第19条の 2 第 2 項に規定する分割されていない財産の価額を除く。）のうち納税義務者が行った隠蔽仮装行為に係る金額と当該配偶者の債務及び葬式費用のうち当該納税義務者が行った隠蔽仮装行為に係る金額との合計額（当該合計額が相法第19条の 2 第 1 項第 2 号ロの金額の計算の基となった純資産価額に相当する金額を上回る場合には、当該純資産価額に相当する金額）

ロ　計算例

　これを簡単な計算例で示すと、次のとおりである。

〔設例〕

（当初申告）

相続人　妻・子 1 人

（当初申告）　　配偶者の課税価格　　35,000万円
　　　　　　　　子の課税価格　　　　35,000万円

相続税の総額　　　　　　　　　　　22,100万円

　配偶者の算出税額

　　$22,100万円 \times \dfrac{35,000万円}{70,000万円} = 11,050万円 \cdots ①$

　配偶者の軽減額

　　$22,100万円 \times \dfrac{35,000万円}{70,000万円} = 11,050万円 \cdots ②$

　配偶者の納付税額　①－②＝0

　子の税額（納付すべき税額）

　　$22,100万円 \times \dfrac{35,000万円}{70,000万円} = 11,050万円$

（調査による正当な課税価格と税額）

　配偶者が被相続人の財産 3 億円を隠蔽していたことが調査により判明し、配偶者及び子は、この財産は配偶者が取得したものとして相続税の修正申告書を提出した。その結果は、次のとおりとなる。

・配偶者の課税価格

　35,000万円＋30,000万円＝65,000万円

- 子の課税価格　35,000万円
  相続税の総額　37,100万円
- 配偶者の算出税額

  $37,100万円 \times \dfrac{65,000万円}{100,000万円} = 24,115万円$

- 配偶者の軽減額

  $37,100万円 \times \dfrac{35,000万円\text{(注)}}{100,000万円} = 12,985万円$

  (注)　配偶者が相続財産等につき隠ぺい又は仮装を行っているときは、その軽減額の計算においては、上記のように、配偶者の取得分の計算上は、隠ぺい又は仮装に係る財産を除いて計算することになる。

第8節　未成年者控除

1　総　説

　未成年者控除とは、相続、遺贈又は死因贈与により財産を取得した者が、①無制限納税義務者（非居住無制限納税義務者（相法1の3三）を含む。第9節でも同じ。）（注）で、②法定相続人（相続の放棄があった場合には、その放棄がなかったものとした場合の法定相続人）に該当し、かつ、③20歳未満である場合には、その者の算出相続税額（20％加算、贈与税額控除、配偶者の税額軽減後の税額）からその者が20歳に達するまでの年数1年につき6万円を控除する制度であったが平成25年度税制改正において、平成27年1月1日以後は控除額が10万円に引き上げられた（相法19の3）。

　なお、民法の改正により令和4年4月1日以後の相続又は遺贈により取得する財産に係る相続税からは、年齢が18歳となる。

(注)　この点につき、遺産、相続及び贈与に対する租税に関する二重課税の回避及び脱税の防止のための日本国とアメリカ合衆国との間の条約（以下「日米相続税条約」という。）に基づく特別法である「遺産、相続及び贈与に対する租税に関する二重課税の回避及び脱税の防止のための日本国とアメリカ合衆国との間の条約の実施に伴う相続税法の特例等に関する法律（以下この節に

Ⅲ　相続税の総額・各人の相続税額の計算　367

おいて「特例法」という。)」により、次のような特例が設けられている。

　すなわち、相続又は遺贈により、国内にある財産を取得した者が、その取得の時において国内に住所を有せず、かつ、20歳未満である場合において、その被相続人の死亡の時に、アメリカ合衆国の国籍を有し、又は合衆国に住所を有していたときは、未成年者控除の適用対象者とみなして特例が適用される。この場合における控除すべき金額は、次の算式により算出した金額を限度とすることとされる（特例法２）。

$$6万円（平成27年1月1日以後の相続は、10万円） \times \frac{Ⓐのうち国内にある財産の価額}{相続等により取得したすべての財産の価額Ⓐ} \times 満20歳に達するまでの年数$$

　未成年者控除の制度は、シャウプ勧告に基づく昭和25年の税制改正によって設けられたもので、その創設の趣旨は、「相続人又は受遺者の中に未成年者が居るときは、元来未成年者が成長して自立するまでには相当の養育費を要するが、かかる養育費はまず被相続人又は遺贈者の死亡の際の財産から負担されるべきものと認めこの控除をしようというのである。」(「相続税・富裕税の実務」90頁）と説明されている（注）。

(注)　シャウプ勧告は、次のように述べている（シャウプ使節団日本税制報告書第８章C)。

　「相続財産に対する第一の負担は、子供が自立しうるまでに養育するに要する費用である。したがって、故人が未成年者の子供を後に残した場合は、基礎控除の外に、未成年の子供１人につき、仮りに18歳に至るまで毎年１万円の追加控除を認めることを勧告する。」

　「この控除は、子供に残された遺産に対して、或は未亡人又は後見人のような子供の養育に責任のある人の分け前に対して、認められるべきであろう。」

　昭和25年に創設された未成年者控除は、18歳に達するまでの間１年につき１万円を相続財産の価額から控除するという財産控除の制度をとっていた（備考１、２）。

(備考１)　「未成年者控除」といいながら、18歳までの年数しか控除を認めない理由としては、「新制高校卒業の年齢等から考えて、普通の場合の養育費としてはこれ位の年齢まで配慮すればよいと認められるからである」と説明されている（「相続税・富裕税の実務」91頁）。

(備考２)　各年単純に１万円を控除するという点については、「正確には養育

費は適当な利回りを考慮した年金計算方法によるべきだとの考えもあるが、計算の便宜と簡易化のために18歳に達するまでの各1年について1万円としたわけである」(「相続税・富裕税の実務」90頁)と説明されている。

その後、未成年者控除は昭和28年の改正で1年につき控除額が2万円に引き上げられた後、昭和33年の税制改正で、満20歳に達するまでの1年につき1万円を相続税額から控除する税額控除の制度に改められ(注)、その後昭和48年の改正で1年につき2万円に、昭和50年の改正で1年につき3万円に、昭和63年の改正で1年につき6万円、また、前述のとおり、平成25年の改正で10万円(平成27年1月1日以後の相続から適用)に引き上げられた。

(注) 控除限度を満18歳から20歳に引き上げた理由については、養育費又は教育費を控除するという観点からは、満18歳に達するまでの年数ではやや短い感があることによるものとされ、控除方式については、制度自体が低額財産階層ほど有利なものとなるようこれを未成年者の納付する税額から控除するいわゆる税額控除方式をとることとしたものとされている(「33年改正解説」90頁)。

なお、未成年者控除制度自体は、前述のとおり、昭和25年の税制改正で創設されたものであるが、かつては、これに類する扶養控除の制度があった。すなわち、昭和15年から昭和21年までは、扶養家族の控除があり、昭和15年の創設の当時でいえば、家督相続の場合には遺産が5万円以下のときに限り、相続開始当時の被相続人の同居家族中年齢18歳未満若しくは60歳以上の者又は不具廃疾の者1人につき1,000円を課税価格から控除し、また遺産相続の場合には遺産が3万円以下のときに限り、相続開始の時に被相続人の親権に服し、かつ、被相続人と同居する子のうち年齢18歳未満又は不具廃疾の者1人につき1,000円を課税価格から控除するものであった。その後昭和17年及び昭和21年の改正で控除額等に若干の改正はあるが、基本的な改正はないまま、昭和25年に未成年者控除にとって代わられた。

2 個別検討

(1) 未成年者控除の適用を受けることができる者

未成年者控除の適用を受けることができる者は、相続、遺贈又は死因贈与により財産を取得した者で、次のいずれにも該当しているものである（相法19の3①）。

① 財産を取得した時においていわゆる無制限納税義務者（居住無制限納税義務者・非居住無制限納税義務者）であること。

② 被相続人の民法上の法定相続人（相続の放棄があった場合には、その放棄がなかったものとした場合の法定相続人）に該当すること。

③ 20歳未満の者であること。

まず、未成年者控除の適用対象は、当初は財産の取得の時において国内に住所を有する者に限られていたが、その理由については、国外に住所を有する未成年者については、国外にある財産によって養育されるべきことを期待すべきであるからとされている（「相続税・富裕税の実務」91頁）（注）。ただし、平成12年の改正で日本に住所のない非居住無制限納税義務者も対象とされたが、その理由については第9節障害者控除の2(1)①を参照されたい。

（注） なお、前述のとおり日米租税条約により、特例が設けられているが、これは、日米いずれの国においても、自国の国籍を有していたとすれば、又は自国内に住所を有していたとすれば与えられるであろう特定の控除は、互いに国籍を有せず、または住所を有しない場合にも認めようという趣旨であるといわれている（「櫻井相続税」243～244頁）。

次に、未成年者控除の適用対象が被相続人の法定相続人に限られる結果、例えば法定相続人以外の者が遺贈を受けた場合には、その者には未成年者控除の適用がないことになるが、これは未成年者控除の性質上かかる場合には、その財産には義務的養育費に相当する部分がないと考えられるからであるとされている（「相続税・富裕税の実務」91頁）。

次に、法定相続人とは、放棄があった場合には、その放棄がなかったものとした場合の法定相続人をいうものとされている。したがって、財産を取得

した者が相続を放棄したことにより相続人に該当しないこととなった場合においても、その者が無制限納税義務者で20歳未満の者に該当し、かつ、放棄をしなかったならば被相続人の民法第5編第2章の規定による相続人に該当するときは、未成年者控除の適用がある（相基通19の3－1）。

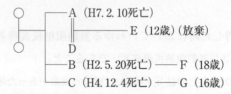

例えば上記のような例でみると、被相続人Aの子Eは、Aが保険料を負担していたAの死亡保険金を取得したので相続を放棄したとすれば、本来の法定相続人はAの配偶者DとAの兄弟B、Cのそれぞれの代襲相続人であるF、Gとなる。しかし、未成年者控除の適用上は、Aの法定相続人に該当するか否かの判定においては、相続の放棄はなかったものとして行うため、その場合の法定相続人はAの配偶者DとAの子Eとなり、F、Gは未成年者控除の適用がないことになる。

なお、被相続人の養子が遺産に係る基礎控除等の計算上の相続人の数に含める養子の数の制限の対象となる場合であっても、未成年者控除の適用上は、全く実子と同様に取り扱われ、格別の制限はない。

次に、未成年者控除は、20歳未満の者に適用されるもので「未成年」に適用されるものではないから、例えば、未成年の者が婚姻して民法第753条の規定により成年に達したものとみなされた者についても、相続開始の時において20歳未満であれば、未成年者控除の適用がある（相基通19の3－2）。

なお、被相続人の法定相続人に該当するか否かの判定は、相続開始時で行うことはいうまでもない。この場合、胎児は、民法では生まれたものとみなされるが（民法886）、既に述べたとおり、相続税法上は生きて生まれた場合に、相続税の納税義務者となることに取り扱われている（相基通11の2－3）。なお、明文の規定はないが、20歳未満か否かの判定も、相続開始の時におい

Ⅲ 相続税の総額・各人の相続税額の計算 371

て行うべきことは当然であろう。また、年齢の計算は満年齢で暦に従って計算すべきこともいうまでもない（「年齢計算ニ関スル法律」及び「年齢のとなえ方に関する法律」）。

(2) 未成年者控除額の計算

　未成年者控除額は、その者が相続開始の時から満20歳に達する日までの期間の各1年につき6万円（平27.1.1以後の相続からは10万円）とされる。この期間に1年未満の端数があるとき又はその期間が1年未満のときは1年とする。なお、年齢計算自体は出生の日から起算するが、20歳に達する期間の計算の起算は相続開始の翌日から行うべきである（年齢計算ニ関スル法律①②、民法140、143、通則法10①）。

　この年数計算について、胎児の場合に次のような問題がある。既に述べたように、胎児は、相続については既に生まれたものとみなされる（民法886）が、その解釈については停止条件説と解除条件説とに分かれる。停止条件説は、胎児自身には権利能力はなく、生きて生まれた時に始めて権利能力が認められるがその時期が相続開始時に遡るとする。解除条件説は、胎児自身に権利能力を認め、後に死んで生まれた時は相続開始時に遡って権利能力を失うとする。民法の規定の文言からは解除条件説が忠実な解釈のようにも見えるが、学説としては両説があり、判例は停止条件説をとるといわれている。

　そして、既に述べたように、国税庁の取扱いとしては、相続開始時に胎児を納税義務者としてとらえることには問題があるという見地から停止条件説をとり、生きて生まれたときに胎児の納税義務が発生するものという解釈をとっている（「相基通解説」228・229頁）。したがって、この解釈からすれば、胎児は、出生によって相続税の納税義務が発生するから20歳に達するまでの年数は20年となり、その未成年者控除の額は120万円（20年×6万円）（平成27年1月1日以後は200万円（20年×10万円））となる（相基通19の3-3）。

　しかし、解除条件説をとる立場の側からは、この説によれば、胎児は、相続開始の時に直ちに権利能力を取得し、相続人として取り扱われるのである

から、「20歳に達する期間」は20年数か月ということになって、端数計算により21年となると解すべきであるという意見がある(「北野コンメンタール相続税法」194～195頁)。この相続税法基本通達19の3-3は、この見解に対する国税庁の回答という意味に理解すべきであろうか。

(3) **扶養義務者からの控除**

(2)により計算した未成年者控除を受けることができる金額が、その控除を受ける者について算出した税額(20％加算、贈与税額控除、配偶者の税額軽減後の税額。以下未成年者控除の項において「算出税額」という。)を超える場合には、その超える部分の金額を、未成年者控除を受ける者の扶養義務者(注)の算出税額から控除できる(相法19の3②)。このような特例を認めた理由は、「未成年者の養育費が扶養義務者の負担となることがあることを考慮して設けられたものである(吉田富士雄著「相続税法(55年版)」税務経理協会131頁)」といわれている。因みにシャウプ勧告でも、「この控除は、子供に残された遺産に対して、或いは未亡人又は後見人のような子供の養育に責任のある人の分け前に対して認められるべきであろう(シャウプ使節団日本税制報告書第8章C)」と述べている。

(注) ここにいう「扶養義務者」とは、配偶者及び民法877条に規定する親族をいうものとされている(相法7)。民法877条によれば、直系血族及び兄弟姉妹は互いの扶養義務があり、特別の事情があれば家庭裁判所は、以上のほか3親等内の親族間でも扶養義務を負わせることができるので、この範囲内の親族及び配偶者が「扶養義務者」ということになるが、これらの者のほか3親等内の親族で生計を一にする者については、家庭裁判所の審判がない場合であってもこれに該当するものとして取り扱われる(相基通1の2-1)。これは、3親等内の親族でも、例えば叔父と甥という間柄であって、一方が生活に困っている場合又は債務の弁済に困っている場合などには、たとえ家庭裁判所の審判を受けていなくても、それを扶助することは実際に多いという実情を踏まえてのこととされる(「相基通解説」1～2頁)。

次に、相続等により財産を取得した者が未成年者控除の要件(無制限納税義務者、法定相続人、20歳未満)に該当している場合には、その者についての算出税額がないときであっても、その者に係る未成年者控除額は、その扶養

義務者の算出税額から控除するものとされている（相基通19の3－4）。なお、これに関して、相続人に該当するが、全然財産を取得しなかった未成年者について未成年者控除が認められるかの問題があるが、取扱いは、その者の未成年者控除額をも他の相続人の相続税額から控除することを認めている（「櫻井相続税」241頁）とする説があるが、国税庁側の解説は、相続等により財産を全然取得していないことからその者について未成年者控除の規定の適用の余地がなく、したがって控除不足額の問題が生じないので、その者の扶養義務者の算出相続税額からも未成年者控除額を控除することはできない（「相基通解説」375頁）としている。筆者も、法文の文理上、同様に解する。

ところで、未成年者控除の控除不足額を扶養義務者の算出税額から控除する場合において、控除を受けることができる扶養義務者が2人以上あるときは、次に掲げる区分に応じ、それぞれ次に掲げる金額が控除できる金額である（相令4の3）。

① 扶養義務者の全員が協議によりその全員が控除を受けることができる金額の総額を各人ごとに配分してそれぞれの控除を受ける金額を定め、その控除を受ける金額を記載した相続税の申告書（期限後申告書を含む。）を提出した場合は、その申告書に記載した金額

② ①以外の場合は、扶養義務者の全員が控除を受けることができる金額の総額を、各人の算出税額によりあん分して計算した金額

(4) 2回以上未成年者控除を受ける場合の特例

未成年者控除を受ける者が、既にその者又はその扶養義務者について未成年者控除を受けたことがある場合には、その者又はその扶養義務者が控除を受けることのできる金額は、既に控除を受けた金額の合計額が最初の相続の際に未成年者控除を受けることができる金額に満たなかった場合におけるその満たなかった金額の範囲に限られる（相法19の3③）。すなわち、その未成年者については、成年に達するまでを通じて最初の相続の際に未成年者控除を受けることができる金額を限度とするものである（相基通19の3－5参照）。

例えば、平成26年12月31日以前においては、7歳の時に父から財産を相続

してその相続税額から42万円の未成年者控除を受けたとすると、その控除不足額は、次のとおり36万円となる。

(20－7)×6万円－42万円＝36万円

また、平成27年1月1日以後においては、次のとおり88万円となる。

(20－7)×10万円－42万円＝88万円

次に、この人が11歳の時母から財産を相続した場合には、その相続税額から控除を受けることができる金額は、平成26年12月31日以前においては、54万円((20－11)×6万円)ではなく、上述の控除不足額は36万円となり、平成27年1月1日以後においては、90万円((20－11)×10万円)ではなく、上述の控除不足額は88万円となる。

このような措置がとられている理由は、成年に達するまでの養育料という未成年者控除の趣旨にかんがみ、成年に達するまで1年につき6万円という税額控除は重ねて受けることができないものとする趣旨(「北野コンメンタール相続税法」196頁)であるとされている。

(5) **適用要件**

未成年者控除をはじめとする諸控除は、配偶者の税額軽減措置のほかは、すべて申告による適用要件が付されていない。したがって、期限後申告でも、更正・決定の場合でも適用を受けられる。

すなわち、昭和32年までは、未成年者控除等は原則として、期限内申告書の提出と必要事項の記載がある場合に限り適用されることとなっていたが、昭和33年の改正により適用要件を付さないことに改められたものである。その理由について、33年改正解説104頁で、当時の当局者は、次のとおり説明している。

「……相続、遺贈又は贈与というような事実は、所得の発生のように継続的に発生するものでなく、多くは長年月に一回発生するものであることにかえりみて、その負担の決定については、特に慎重に、かつ、納税者との強調のもとにされることが望ましく、特に今回の改正後の配偶者控除(注)、未成年者控除その他の税額が生活の保障、教育又は養育費用の保障及び二重課

税の排除という観点から設けられていることからも、申告要件のような制限を附することは適当ではないので、これらの控除……の適用については、前述の申告要件は一切廃止し、申告、決定の如何にかかわらず、その適用が認められ……ることとなっている。」

(注)　昭和33年の改正当時は、配偶者控除についても申告要件が付されていなかったが、昭和47年の改正で、配偶者の税額軽減の適用要件に遺産の分割取得を要件としたため、申告要件を付することとされた。

第9節　障害者控除

1　総　説

　障害者控除とは、相続、遺贈又は死因贈与により財産を取得した者が、①無制限納税義務者で、②法定相続人（相続の放棄があった場合には、その放棄がなかったものとした場合の法定相続人）に該当し、かつ、③障害者である場合には、その者の算出相続税額（20％加算、贈与税額控除、配偶者の税額軽減、未成年者控除の税額）からその者が85歳に達するまでの年数1年につき、その者が一般障害者である時は6万円、その者が特別障害者である時は12万円を控除する制度である（相法19の4）（注1、2）。

(注1)　未成年者控除と同様に、この障害者控除は、相続時に国内に住所を有しないいわゆる制限納税義務者（非居住無制限納税義務者を含む。）には適用されないが、同じく特例として、被相続人の死亡当時にアメリカ合衆国の国籍を有し、又は合衆国に住所を有していた制限納税義務者には、一定の要件のもとに障害者控除が適用される（特例法2）。

(注2)　平成25年度改正で「6万円」が「10万円」に、「12万円」が「20万円」に引き上げられ、平成27年1月1日以後の相続から適用される。

　障害者控除の制度は、未成年者控除と異なって、昭和47年の改正で新設された制度である。その創設の趣旨は、「心身障害者を残す場合の相続について、その特殊事情に応じた特別の配慮を払い、障害者福祉の増進に資そうと

するもの」(「昭和47年版・改正税法のすべて」110頁)(以下「47年版改正税法のすべて」という。)と説明されている。

　また、障害者控除の対象者の年齢の上限を70歳としたことについては、当時の平均寿命が男子69歳、女子74歳程度であったことと、かつてのカナダの相続税(1971年の税制改革で廃止され、現在は存在しない)の虚弱者控除が71歳を限度としたものだったことを参考にしたものである(「47年版改正税法のすべて」112頁)。また、創設当時の1年当たり1万円の控除額は、未成年者控除とバランスをとったものとされている。すなわち、当時親がいない児童の養育費増加が月1万円強で、通常の障害者の在宅者に対する増加経費も月額1万円強で大差がないことから、これを同額にしたものと説明されている。また、重度障害者の追加経費は月額4万円強で、通常の障害者の3～4倍であるところから、これを基に、特別障害者の控除額を3万円(当時)としたものと説明されている(「47年版改正税法のすべて」112頁)。

　その後、障害者控除額は、昭和48年に、1年当たりの控除額が一般障害者につき2万円、特別障害者につき4万円に引き上げられ、更に昭和50年の改正では、3万円と6万円に、昭和63年の改正では、6万円と12万円に、平成25年の改正では10万円と20万円に引き上げられて現在に至っている。

　また、平均余命年数が著しく伸張していることから平成22年の改正で「70歳」から「85歳」に引き上げられている。

2　個別検討
(1) **障害者控除の適用を受けることができる者**
① **総　説**

　障害者控除の適用を受けることができる者は、相続、遺贈又は死因贈与により財産を取得した者で、障害者に該当し、かつ、次のいずれにも該当する者である(相法19の4①)。

　　㋑　財産を取得した時において国内に住所を有するいわゆる無制限納税義務者であること(非居住無制限納税義務者は含まれない。)。

ロ 被相続人の民法上の法定相続人（相続の放棄があった場合には、その放棄がなかったものとした場合の法定相続人）に該当すること。

ハ 85歳に達しない者であること。

まず、障害者控除の適用対象が、財産の取得の時において国内に住所を有する者に限られる理由については、当局者の説明は特にないが、一説によれば、障害者控除の制度が、わが国の社会福祉政策的配慮に基づくものであるから、本法施行地に住所を有しない者にまで、本来の特典をを及ぼす必要はないと考えられたことによる（「北野コンメンタール相続税法」199頁）と説かれている。

なお、平成12年の改正で、日本に住所がなく、かつ、一定の要件に該当するいわゆる非居住無制限納税義務者には、未成年者控除と異なって、障害者控除の適用がないものとされている。これは、未成年者控除が単に年齢により適用の有無が定まるのに対し、障害者控除の場合は、各国によって障害の範囲が異なることも予想され、執行上困難があるという理由のようである。ただし、当局の公的説明はない。

次に、未成年者控除と同様に、障害者控除の適用対象が法定相続人（この意義については、「未成年者控除の項」参照）に限られる結果、被相続人の妻子がいる場合に、被相続人の孫や兄弟で障害者に該当する者が被相続人から遺贈を受けても、障害者控除の適用はないことになる。これについても、当局者の説明は特にないが、一説には、相続人でない者が、たまたま遺贈により財産を取得した場合にまで、障害者控除を認める必要がないという理由によるものと考えられる（「北野コンメンタール相続税法」198・199頁）と説かれている。しかし、このように対象を限定することについては、次のような批判がある（「北野コンメンタール相続税法」199頁）。

「しかし、たとえば、相続人でない孫や親、兄弟姉妹などの障害者に対し、障害者であることを心配して遺贈がなされた場合に、障害者控除の特典を与えないことにつき、どれほどの合理的な理由があるであろうか。」

筆者も、この控除が社会福祉政策の目的があるのなら、孫への遺贈程度は認

めてよいようにも思うが、相続税が１親等の血族や配偶者以外の相続・遺贈には重課する考え方をとっていることからみると、そのようなケースに特典というインセンティヴを与える必要がないという考え方があるのかも知れない。

また、障害者が相続時において85歳に達している場合には、障害者控除がゼロとなって事実上、障害者控除の適用がないことになるが、これについては、前述のとおり、当時あったカナダの相続税の虚弱者控除も71歳までであったことを考慮したものと説明されている（「47年版改正税法のすべて」112頁）。

② **障害者の範囲**

障害者控除の適用対象となる障害者は、心神喪失の常況にある者、失明者その他の精神又は身体に障害がある者で政令で定める者とされ、そのうち、控除額が割増しとなる特別障害者とは、障害者のうち精神又は身体に重度の障害がある者で政令で定めるものをいうとされる（相法19の４②）。したがって控除額の割増しのない「一般障害者」は、障害者のうち、特別障害者に該当しない者ということになる。この一般障害者と特別障害者の範囲を表で対照させると次のようになる（相令４の４①②、相基通19の４－１、２）。

一般障害者とは、次に掲げる者をいう（基通19の４－１）	特別障害者とは、次に掲げる者をいう（基通19の４－２）
①　児童相談所、知的障害者更生相談所（知的障害者福祉法（昭和35年法律第37号）第12条第１項に規定する知的障害者更生相談所をいう。）、精神保健福祉センター（精神保健及び精神障害者福祉に関する法律（昭和25年法律第123号）第16条第１項に規定する精神保健福祉センターをいう。）若しくは精神保健指定医の判定により知的障害者とされた者のうち重度の知的障害者とされた者以外の者	①　精神上の障害により事理を弁識する能力を欠く常況にある者又は児童相談所、知的障害者更生相談所、精神保健福祉センター若しくは精神保健指定医の判定により重度の精神薄弱者とされた者
②　精神保健及び精神障害者福祉に関する法律第45条第２項の規定により交付を受けた精神障害者保健福祉手帳（以下「精神障害者保健福祉手帳」という。）に障害等級が２級又は３級である者として記載されている者	②　精神障害者保健福祉手帳に障害等級が１級である者として記載されている者

③ 身体障害者福祉法(昭和24年法律第283号)第15条第4項の規定により交付を受けた身体障害者手帳(以下「身体障害者手帳」という。)に身体上の障害の程度が3級から6級までである者として記載されている者	③ 身体障害者手帳に身体上の障害の程度が1級又は2級である者として記載されている者
④ ①、②又は③に掲げる者のほか、戦傷病者特別援護法(昭和38年法律第168号)第4条の規定により交付を受けた戦傷病者手帳(以下「戦傷病者手帳」という。)に記載されている精神上又は身体上の障害の程度が次に掲げるものに該当する者 イ 恩給法(大正12年法律第48号)別表第1号表ノ2の第4項症から第6項症までの障害があるもの ロ 恩給法別表第1号表ノ3に定める障害があるもの ハ 傷病について厚生労働大臣が療養の必要があると認定したもの ニ 旧恩給法施行令(大正12年勅令第367号、恩給法施行令の一部を改正する勅令(昭和21年勅令第504号)による改正前のものをいう。)第31条第1項に定める程度の障害があるもの	④ ①、②又は③に掲げる者のほか、戦傷病者手帳に精神上又は身体上の障害の程度が恩給法別表第1号表ノ2の特別項症から第3項症までである者として記載されている者 ⑤ ③及び④に掲げる者のほか、原子爆弾被爆者に対する援護に関する法律(平成6年法律第117号)第11条第1項の規定による厚生労働大臣の認定を受けている者
⑤ 常に就床を要し、複雑な介護を要する者のうち、精神又は身体の障害の程度が①又は③に準ずる者として市町村長又は特別区の区長(社会福祉法(昭和26年法律第45号)に定める福祉に関する事務所が老人福祉法(昭和38年法律第133号)第5条の4第2項各号に掲げる業務を行っている場合には、当該福祉に関する事務所の長。以下右欄までにおいて「市長村長等」という。)の認定を受けている者	⑥ 常に就床を要し、複雑な介護を要する者のうち、精神又は身体の障害の程度が①又は③に準ずる者として市町村長等の認定を受けている者
⑥ 精神又は身体に障害のある年齢65歳以上の者で、精神又は身体の障害の程度が①又は③に準ずる者として市町村長等の認定を受けている者	⑦ 精神又は身体に障害のある年齢65歳以上の者で、精神又は身体の障害の程度が①又は③に準ずる者として市町村長等の認定を受けている者

このように、障害者の範囲は、おおむね所得税法上の障害者と同じである

が、「常に就床を要し、複雑な介護を要する者」について、相続税の場合は市町村長等の認定を要することとした点が異なっている。この理由は、所得税が1年ごとに判定するのに対し、相続税は70歳（当時）までを一括して判定することによるものと説明されている（「47年版改正税法のすべて」111頁）。

次に、一般障害者のうち③又は④（特別障害者の場合は④又は⑤）に該当する者は、相続開始の時において既に交付を受けている身体障害者手帳又は戦傷病者手帳にこれらの障害がある旨の記載がされている者に限られるのであるが、これを厳格に適用すると、例えば相続開始の直近時に交通事故で身体に障害を受けたため、相続開始時にまだ手帳の交付を受けていない者は、障害者控除の適用が受けられないことになって、実情に沿わない結果になる。そこで、相続開始の時において、身体障害者手帳又は戦傷病者手帳の交付を受けていない者であっても、次の要件のいずれにも該当する者は、上記の表の者（一般障害者は③又は④、特別障害者は④又は⑤）に該当するものとして取り扱われる（相基通19の4－3）。

イ　相続税の申告書を提出する時において、上記の手帳の交付を受けていること又はこれらの手帳の交付を申請中であること。

ロ　交付を受けているこれらの手帳又は手帳の交付を受けるための医師の診断書により、相続開始の時の現況において、明らかにこれらの手帳に記載され、又はこれらの手帳の交付を受けられる程度の障害があると認められる者であること。

③　**その他**

未成年者控除の場合と同様に、次の点に留意する必要がある。

イ　相続を放棄した者がみなし遺贈（例えば被相続人が保険料を負担し、その死亡により生命保険金を取得した場合）により財産を取得した場合であっても、その者がその放棄がなかったものとしたときは民法上の法定相続人に該当する者であり、かつ、居住無制限納税義務者で障害者に該当する者であるときは、障害者控除の適用がある。

ロ　障害者控除の適用要件を満たしている障害者が相続等により財産を取

得している場合には、たとえ、他の税額控除により納付すべき相続税額がないときであっても、障害者控除はその扶養義務者の相続税額から控除することができる。しかし障害者が全く財産を取得していないときは、対象とならない。

(2) **障害者控除額の計算**

障害者控除額は、相続等により財産を取得した障害者が相続開始の時から満85歳に達する日までの期間の各1年につき、一般障害者にあっては6万円、特別障害者にあっては12万円とされる。ただし、平成27年1月1日以後の相続では、10万円と20万円に引き上げられる。この期間に1年未満の端数があるとき又はその期間が1年未満のときは1年とする。年齢計算の方法については、未成年者控除の項を参照されたい。

(3) **扶養義務者からの控除及び2回以上障害者控除を受ける場合の特例**

障害者控除を受けることができる金額がその控除を受ける者について算出した相続税額を超える場合及び障害者控除を受ける者が既にその者又は扶養義務者について障害者控除を受けている場合の取扱いについては、未成年者控除の項で述べたところと同じである（相法19の4③）。

ただし、障害者控除の適用を受ける障害者又はその扶養義務者が、既に障害者控除の適用を受けたことがある者である場合には、今回控除を受けるときの控除限度額は、前回の相続の際の控除限度額から既に控除を受けた額の合計額を控除した残額の範囲内に限られるという原則は上記のとおり未成年者控除の場合と同じであるが、障害者の場合は、前回の相続時と今回の相続時とで障害の程度が変わっているということがありうるので、そのような場合、すなわち前回では一般障害者であったが今回は特別障害者であった場合又はその逆となった場合の今回の相続時における控除限度額は、次の①及び②の合計額から既に控除を受けた金額を控除した残額とされる（相令4の4④、相基通19の4－4）。

① 今回の相続に係る一般障害者又は特別障害者について、通常の方法により計算した金額

② 今回の相続と前回の相続との間の年数を85歳に達するまでの年数とみなして、前回の相続の時における特別障害者又は一般障害者の区分に応じて計算した控除限度額の合計額（注1～3）

(注1) この期間計算については、1年未満の端数があるとき又は期間が1年未満であるときは、これを1年とすることになる（相基通19の4－5）。

(注2) 今回の相続の時では特別障害者であった者が、前回の相続の時では一般障害者として障害者控除を受けていた場合において、今回控除を受けることができる金額の計算式は、次のようになる（相基通19の4－4）。

$\{20万円 \times (85-Y) + 10万円 \times (Y-X)\} - A$

X＝前の相続で一般障害者として控除の適用を受けた時の年齢
Y＝今回の相続で特別障害者として控除の適用を受ける時の年齢
A＝前の相続で控除を受けた障害者控除額

この場合、実際に一般障害者から特別障害者に変わった時期がいつかを問わないことに注意する必要がある。

(注3) この相続税法施行令第4条の4第4項の規定については、次のような批判がある（「北野コンメンタール相続税法」203頁）。「この規定の趣旨は、要するに、前回の相続の時からつぎの相続の時までは、障害者の区分の変更がないものとして計算した障害者控除の合計額を、その者の障害者控除の限度額としようとするものである。

しかしながら、法は、右の限度額の計算について、政令には委任しておらず、また、法19条の4第3項、19条の3第3項の規定の解釈から、当然に右の法施令のような結論が出てくるものとも解されない。右法施令の規定は、右法律の規定とは違った、右法律の規定の範囲をこえた事項を定めているのである。

いうまでもなく、租税法律主義は税法における最高法原則であり（憲法84条、30条）、課税要件等は、すべて法律に規定されなければならない（課税要件等の法定主義の原則）。法律の根拠なしに政令で新たに課税要件等を定めることは許されず、まして、法律の規定と異なる内容を政令で定めることは到底許されない。したがって、法施令4条の4第4項の規定は、租税法律主義を定めた憲法に違反するものとして無効であり、右施令を適用することはできないものというべきである。

前の相続と今回の相続とで障害者の区分が異なる場合の限度額につき、明確な規定をおかなかったのは、明らかに立法の不備であり、すみやかに立法的解決が図られなければならない。」

筆者は、この批判について、次のように考える。すなわち、この政令について相続税法上の明確な委任規定がないことはそのとおりで立法的解決を図るのがベストではあるが、だからといって、この論者のいうように、無効だと極論するほど不合理不利益なことを定めているとは思われず、広い意味で実施政令の一と考える。

以下、簡単な計算例で示せば、次のとおりである（注）。

前回の相続で一般障害者であった者が今回（平成27年1月1日以後）の相続では特別障害者に該当した場合

〔設例〕
(1) 第1回の相続
・障害者（一般障害者）の年齢　10歳
・障害者の相続税額　400万円①
・障害者控除額
　（85歳－10歳）×10万円＝750万円②
・本則による控除不足額
　②－①＝750万円－400万円＝350万円③
(2) 第2回の相続
・障害者（特別障害者）の年齢　15歳
・障害者の相続税額　1,500万円④
・本来の控除限度額＝③……350万円
・特例による控除限度額
　（85歳－15歳）×20万円＋（15歳－10歳）×10万円－400万円①＝950万円⑤
・納付すべき相続税額＝④－⑤
　　＝550万円

(注)　設例のケースで、前回相続時は、旧法適用の特別障害者で、今回相続時は現行法適用の一般障害者であるような場合での控除限度額をどのように計算すべきかは必ずしも明らかでないが、何らかの形で公的な見解を示してもらうのが望ましい。

全くの私見としては、今回相続時において設例に準じて計算した控除限度額によるべきものと考える。

なお、先に述べたように、この障害者控除は、相続時に国内に住所を有しないいわゆる制限納税義務者には適用されないが、特例として、被相続人の死亡当時にアメリカ合衆国の国籍を有し、又は合衆国に住所を有していた制限納税義務者には、一定の要件のもとに次の算式により算出した金額を限度

として、障害者控除が適用される（特例法2）。

$$\begin{matrix}10万円\\ or\\ 20万円\end{matrix} \times \frac{Ⓐのうち国内にある財産の価額}{相続等により取得したすべての財産の価額Ⓐ} \times 満85歳に達するまでの年数$$

(4) その他

なお、障害者控除の基本的な考え方は所得税のそれと同じであるので、詳細の取扱いについては、下記を参照されたい（注）。

・身体障害者福祉法施行規則別表第5号
・恩給法第1号表12
・国民年金法施行令別表
・厚生年金保険法施行令別表第1
・相続税法上の障害者控除の取扱いについて（昭和48年2月2日社庶第16号厚生省社会局長・児童家庭局長）
・精神障害者に対する相続税法上の障害者控除等の適用について（平成2年4月3日健医発第497号厚生省保健医療局長）
・精神障害者に対する所得税法上の障害者控除の適用について（平成元年3月17日健医発第288号厚生省保健医療局長）
・精神障害者に対する所得税法上の障害者控除の適用等に関する留意事項について（平成元年12月6日健医精発第53号厚生省保健医療局精神保健課長）

(注)　「DHCコンメンタール相続税法（第1巻）」1490～1496頁参照

第10節　相次相続控除

1　総　説

相次相続控除は、10年以内に2回以上相続が開始し、かつ、相続税が課される場合には、前回の相続により課された相続税額のうち、年数に応じた一定割合相当額を、後の相続に係る相続税額から控除する制度である（相法20）。

相次相続控除の考え方は、後述のとおり、明治28年の相続税制度創設以来

とり入れられていたが、現行の形は、やはりシャウプ勧告に基づく昭和25年の税制改正によって設けられたもので、その趣旨は、「相続に因る財産の移転は親の死亡に因って親の所有していた財産が、その子供に移転するのが普通であり、子供の出生と親の死亡とによって人間社会を平均してみると、相続に因る財産の移転は、平均的には一世代30年とみて一世代一回生ずるのが普通であると考えられる。そこでかかる平均によらないで短期間に連続して因って財産が移転する場合においては、その都度所定の税額で課税すると、一世代ごとに一回の割合で相続が開始する普通の場合に比較して苛酷な税負担となる。そこで相次相続に対する税額控除の制度が設けられ、この場合の税負担の緩和合理化が図られている」（「相続税・富裕税の実務」109頁）と説明されている（注1、2）。

(注1) シャウプ勧告は、次のように述べている（シャウプ使節団日本税制報告書第8章F）。

「二度三度と引き続いて移転が起る場合の不当な負担を軽減するために、現行相続税法は前回の継承税が5年以内に課税される場合に控除の規定を設けている。これは妥当な考えであるが、その適用において、5年の制限は、多少気まぐれな作用をする傾きがあるし、時としては苦痛にさえ惹起する。

この控除をより円滑に用いるため、例えば次回までの移転の間の期間が10年に満たない場合満1年ごとに前回の税額の10分の1ずつ控除するよう計算することを提案する。（若しこれ以上細かく分けることに価値ありとする場合は、規則は両者間の100カ月に満たざる期間の満1カ月につき1％ずつ控除することにしてもよい。）前回の税が、相続税であるか或は何らかの理由によって今回移転される財産より大きなものに適用されたものであった場合は前回の税額を適当に按分することが必要である。この配分は行政上の規則の問題として取上げるべきであろう。」

(注2) （注1）のシャウプ勧告の内容を受け入れて昭和25年の改正により、相次相続控除は、次のように改正された（「相続税・富裕税の実務」110頁）。

　㋑　改正前の相次相続控除は、税額免除を認められる期間は、5年となっていたが、改正後はこれを10年に延長した。相次相続控除を認められる機会を多くしようという趣旨であった。

　㋺　改正前の相次相続控除は、前の相続から後の相続までの期間が5年以

内であれば原則として前の相続について納付した又は納付すべきであった相続税額の全額を免除することになっており、5年以内であるか否かによってその負担が著しく相異していた。改正により、これを前と後との期間に応じて差異を設ける現行の形に改められた。

　相次相続控除制度自体は明治38年の相続税創設当時から存在し、当初は相続後3年以内に再び相続があった場合に相続税額の全額を、5年以内の場合は相続税額の半額を免除するもので、その後明治43年に「3年」が「5年」に、「5年」が「7年」に改められ、昭和15年には「5年」が「7年」に、「7年」が「10年」に改められ、昭和22年には5年以内の相続について全額免除に改められて後、昭和25年の改正で、現行のような形になったものである。

　なお、昭和25年の税制改正では、同様に短期間の再相続が予想される被相続人より年長者の相続の場合は、その税額の3分の1を控除するいわゆる年長者控除の制度が設けられていたが、相次相続控除と制度が重複するという点から、制度の簡素化の一として、昭和28年の税制改正で廃止されている（注）。

（注）　大倉真隆「改正相続税法解説」財政経済広報・昭和28年8月9日第393号7頁参照

2　個別検討

(1)　相次相続控除の適用を受けることができる者

　相次相続控除の適用を受けることができる者は、次のすべてに該当している者でなければならない（相法20①）。

① 　相続（被相続人からの相続人に対する遺贈を含む。以下この2において同じ。）により財産を取得した者であること。

　　したがって、当然この特例の適用を受けられる者は「相続人」に限られ、相続人でない者が遺贈により財産を取得しても、相次相続控除の適用はない。

　　すなわち、この相次相続控除は、相続による相続人への財産移転が短期間内に相次いで生ずることによる相続税負担の調整を図ろうとするものであるから、その負担調整を行うべき対象は相続人に限るものとすべきで、

偶然に財産を取得した受遺者にまで、負担調整を行う必要はないと考えられたことによるものであろう。

　そこで、未成年者控除及び障害者控除と異なり、相続を放棄した者及び相続権を失った者は相続人ではないから、被相続人が保険料を負担した生命保険金を取得した場合（みなし遺贈）であっても、相次相続控除は適用されない（相基通20－1）。

　また、同じく未成年者控除及び障害者控除と異なり、相次相続控除の適用を受けられる相続人は、無制限納税義務者に限られず、相続時に国内に住所のない制限納税義務者（相法1の3三）であっても差し支えない。相次相続控除による負担調整は、制限納税義務者と無制限納税義務者との間で異なるところはないからである（「北野コンメンタール相続税法」206頁）と説かれている。なお、この場合の相次相続控除の対象となる第一次相続の相続税額は、日本の相続税法により課された相続税に限られることになる。

② 第2次相続の開始前10年以内に第1次相続があったこと。

　今回の相続（第2次相続という。）の開始前10年以内にあった相続（第1次相続という。）により課された相続税額があることが要件となる。

　この「10年以内」の計算は、国税通則法第10条第1項の期間計算の規定が適用される。同項の規定は、本来は将来に向かってこの期間計算の方法を定めたものであるが、この場合のように「過去にさかのぼって計算される期間についても準用すべきであろう」（「通則法精解」220頁）と説かれている。したがって、例えば、第2次相続の開始日が平成26年5月16日であるとすれば、その初日（第2次相続開始日）は算入されず、その前日（平成26年5月15日）が起算日となり、その10年前の起算日（平成16年5月15日）の翌日（平成16年5月16日）までの間に第1次相続が開始していることが必要になる。

③ 第1次相続により課税された相続税があること。

　この相次相続控除の適用があるためには、当然のことながら、第2次相

続に係る被相続人が第1次相続により取得した財産につき課せられた相続税があることを要する。したがって例えば、第1次相続に係る被相続人の納付した相続税については、第2次相続に係る相続税に係る相次相続控除の対象にならないことは当然である（相基通20-4）（注）。

(注) 平成18年4月死亡A→平成23年6月死亡B→平成27年10月死亡C→D
　　　上記の場合において、Cの相続により相続人Dが相次相続控除の適用を受けられるのは、CがBからの相続により納付した相続税に限られ、BがAからの相続により納付した相続税は、たとえ第2次相続（Cの死亡）から10年内に生じていた相続であっても第2次相続に係る相次相続控除の適用はない。

なお、「課せられた相続税」には、実際に被相続人に課された相続税はもちろん、被相続人の死亡後に、第1次相続に係る相続税につき修正申告、更正又は決定により課された税も含まれる。

また、「課せられた相続税」が、納付済みであるか否かは、相次相続控除の適用上は無関係である。また、延滞税、利子税、過少申告加算税、無申告加算税及び重加算税は、「課せられた相続税」には含まれない。

(2) **相次相続控除額の計算**

相次相続控除は、第2次相続により財産を取得した相続人の算出相続税額（20％加算、贈与税額控除、配偶者の税額軽減、未成年者控除、障害者控除後の税額）から、次により計算した相次相続控除額を控除して行う（相法20①）。

すなわち、相次相続控除額は、第2次相続に係る被相続人が第1次相続により取得した財産につき課せられた相続税額に、次の①から③までの割合を順次乗じて算出した金額とされる（相法20①）。

① 第2次相続における相続財産（被相続人から相続人への遺贈財産を含む。）の価額（相続税の課税価格に算入される部分の価額に限る。）の合計額の、その被相続人が第1次相続によって取得した財産の価額（相続税の課税価格に算入された部分の価額に限る。）からその財産に係る相続税額を控除した金額に対する割合（この割合が100分の100を超える場合には、100分の100に止められる。）（注1、2）。

Ⅲ 相続税の総額・各人の相続税額の計算 389

(注1) この割合を乗ずることにより、第2次相続財産が第1次相続財産より減少している場合には、その減少した部分に対する税額は控除されないことになる。一方、第2次相続財産が第1次相続財産より増加している場合には、この割合が100分の100で打ち止められる結果、第1次相続における相続税額を超えた控除額となることはない。

(注2) 「課税価格に算入される部分の価額」(第2次相続)及び「課税価格に算入された部分」(第1次相続)とは、いずれも、債務控除後の金額をいうものとして取り扱われる(相基通20-2)。

② 第2次相続に係る被相続人から相続によって取得した財産の価額(相続税の課税価格に算入される部分の価額に限る。)の第2次相続に係る被相続人から相続人及び受遺者の全員が相続又は遺贈により取得した財産の価額(相続税の課税価格に算入される部分の価額に限る。)の合計額に対する割合(注)。

(注) この割合を乗ずることにより、各相続人ごとの控除されるべき税額の基礎となる金額が算出される。

③ 第1次相続開始の時から第2次相続開始の時までの期間に相当する年数を10年から控除した年数(その年数が1年未満であるとき又はその年数に1年未満の端数があるときは、これを1年とする。)の10年に対する割合(注)

(注) この割合を乗ずることにより、第1次相続と第2次相続との間の期間の長短に応じた税負担の調整が図られることになる。

以上に説明した相次相続控除額の算出方法を算式で示すと、次のようになる(相基通20-3)。

$$A \times \frac{C}{B-A}\left(\text{求めた割合が}\frac{100}{100}\text{を超えるときは}\frac{100}{100}\text{とする。}\right) \times \frac{D}{C} \times \frac{10-E}{10} = \text{控除額}$$

(備考) 算式中の符号は、次のとおりである。

A=第2次相続に係る被相続人が第1次相続により取得した財産につき課せられた相続税額

B=第2次相続に係る被相続人が第1次相続により取得した財産の価額(債務控除をした後の金額)

C=第2次相続により相続人及び受遺者の全員が取得した財産の価額(債務控除をした後の金額)

D＝第2次相続により当該控除対象者が取得した財産の価額（債務控除をした後の金額）

E＝第1次相続開始の時から第2次相続開始の時までの期間に相当する年数（1年未満の端数は切捨て）

(3) 計算例

〔設例〕

次の設例により相次相続控除の額を計算せよ（取得した財産の価額は、すべて債務控除後の金額である。）

① 第2次相続に係る被相続人が第1次相続により取得した財産につき課せられた相続税額……800万円(A)
② 第2次相続に係る被相続人が第1次相続により取得した財産の価額……4,000万円(B)
③ 第2次相続により相続人及び受遺者の全員が取得した財産の価額……16,000万円(C)
④ 第2次相続により相次相続控除の対象となる相続人が取得した財産の価額……3,200万円(D)
⑤ 第1次相続開始の時から第2次相続開始の時までの期間に相当する年数……6年10月(E)

[相次相続控除額の計算]

$$800万円(A) \times \frac{16,000万円(C)}{4,000万円(B) - 800万円(A)} \times \frac{3,200万円(D)}{16,000万円(C)} \times \frac{10-6(E)}{10} = 64万円$$

(備考1) $\frac{16,000万円}{4,000万円 - 800万円}$ の割合が $\frac{100}{100}$ を超えるので、$\frac{100}{100}$ として計算する。

(備考2) 10−Eの期間に1年未満の端数があるときは、その端数は1年として計算する。換言すれば、Eの6年10月のうち1年に満たない端数の10月は切り捨てて、6年として計算することになる。

(参考) 第2次相続に係る被相続人が租税特別措置法第70条の6第1項の規定による相続税の納税猶予の特例の適用を受けていた場合又は第2次相続により財産を取得した相続人のうち相続税の納税猶予の特例の適用を受ける者がある場合の相次相続控除は、次の算式になる。

$$A \times \frac{C}{B-A}\left(\frac{100}{100}が限度\right) \times \frac{D}{C'} \times \frac{10-E}{10}$$

これらの符号のうち、一般の相次相続控除と異なるところは、次のとおり

である。

　C′＝農業相続人が取得した特例農地等の価額を農業投資価格で計算した場合の第2次相続により相続人及び受遺者の全員が取得した財産の価額（債務控除をした後の金額）

　D＝相次相続控除の適用対象者が農業相続人である場合には、その者の取得した特例農地等の価額は農業投資価格で計算する。

　以上のほかは、一般の相次相続控除の計算と同様である。

第11節　在外財産に対する相続税額の控除

1　総　説

　相続又は遺贈（死因贈与及び相続開始の年において被相続人から受けた贈与で、相続税の課税価格に加算されるものを含む。以下この節において同じ。）により相続税法の施行地外（国外）にある被相続人の財産を取得した場合において、その財産についてその地の法令により相続税に相当する税が課せられたときは、算出相続税額（20％加算、贈与税額控除、配偶者の税額軽減、未成年者控除、障害者控除、相次相続控除後の税額）から、その課された税額相当額を控除する（相法21本文）。ただし、その課された税額が、その国外財産に対応する日本の相続税額を超えるときは、その超過額は控除されない（相法21ただし書）。

　この制度自体は、昭和13年に創設されたものであるが（注1）、昭和25年のシャウプ勧告に基づく相続税制度の大改正の際の当局者は、この制度の趣旨を次のように述べている（注2）。

　「相続税の無制限納税義務者の場合には、相続、遺贈又は贈与（筆者注・この改正では、これらをすべて累積して相続税一本の課税を行った。この点現行制度と異なる。）により税法施行地外にある財産を取得した場合にも相続税の課税を受ける。ところが、その財産の所在する地の法令によって日本の相続税に相当する税の課税を受けることが予想される。この場合において、もし

いずれの税も財産価額そのものを標準として課税するものとすれば、著しく税負担が苛酷となることが予想される。ここにかかる場合の国際的二重課税を避ける必要が生ずる。国際的二重課税を避ける方法としては、種々の方法が考えられるが、わが国の相続税法においては、古くから、原則として外国の法令により課せられたわが国の相続税に相当する税額を控除する方法を採っており、今回の改正においてもこの方法をそのまま踏襲している。」

(注1)　この在外財産に対する相続税額の控除制度は、昭和13年の税制改正によって創設されている。すなわち、我が国の相続税は、昭和13年の改正前は、国内財産のみを課税対象としていたが、この改正によって被相続人（当時）が国内に住所を有するときは、その相続財産の全部に対し、その所在のいかんを問わず、課税対象とすることに改めた際、二重課税を排除するため、この控除が設けられたものである。その事情を当時の当局者は、次のように述べている（平田敬一郎述「相続税法講義案（昭和18年）」（大蔵省税務講習会）35頁以下）。

　　　「昭和13年度ノ改正前ノ相続税法ハ所謂属地主義ヲ採リ、單ニ税法施行地ニ在ル相続財産ニ対シテノミ相続税ヲ課税スルコトトシテ居ルガ、右ノ改正ニ依リ所謂属人主義ニ改メ、被相続人ガ税法施行地ニ住所ヲ有スルトキハ財産ノ所在ヲ問ハズ相続財産全部ニ対シ課税スルコトトシタ。蓋シ相続人ノ相続スル財産ノ総テヲ綜合シテ累進税率ニ依リ課税スルコトガ、真ニ担税力ニ適フ所似ナルノミナラズ、従来ノ如キ法制ニ於テハ外国ニ在ル財産ハ之ヲ課税外ニ置クニモ拘ラズ在外財産ヲ取得スル為ニ生ジタル債務ハ之ヲ課税財産ヨリ控除スルト云フ不合理ガアッタノデアル。此ノ改正ハ相続税法ノ建前ヲ根本的ニ変更シタモノデ法制的ニ見レバ重大ナル意義ヲ有スル。

　　　右ノ如ク被相続人ガ税法施行地ニ住所ヲ有スルトキハ外国ニ在ル財産ニ付テモ相続税ヲ課セラレル。其ノ結果外国ノ相続税トノ間ニ二重課税ヲ来スコトヽナルノデ、之ヲ緩和スル規定ガ設ケラレテ居ル（相続税法第10条ノ2）。」

(注2)　「相続税・富裕税の実務」121頁以下

Ⅲ 相続税の総額・各人の相続税額の計算 393

2 個別検討

(1) 控除の適用を受けられる者

在外財産に対する相続税額の控除(以下「外国税額控除」という。)の適用を受けられる者は、次の要件に該当する者である(相法20の2本文)。

① 相続又は遺贈により財産を取得したこと。

この「財産」は、前述のとおり、相続等により財産を取得した者が、相続開始の年において、被相続人から贈与を受けた財産で相続税法第19条の規定によりその価額が相続税の課税価格に加算されるものが含まれる。そこで、その財産に③による日本の相続税に相当する外国の租税が課されていれば、控除の対象になるのである。

② ①の財産は、相続税法の施行地外にあるものであること。

このことから、外国税額控除は、その財産の所在地を問わず、すべて課税対象とされる無制限納税義務者(相続開始時に、国内に住所のある者)及び非居住無制限納税義務者に限り認められ、制限納税義務者(相続開始時に国内に住所がなく、国内財産のみ課税される者)には適用がないという結論になる(注1)。

③ ①の財産について、その所在地国において我が国の相続税に相当する税が課税されたこと。

「相続税に相当する税」とは、実質において我が国の相続税に相当する税であればよく、必ずしも相続税という名称を用いていると否とは問わない。したがって、国税であると地方税であるとを問わないと解すべきである(相続税・富裕税の実務」122頁)(注2)。

また、その他の法令により相続税に相当する税が課せられていればよく、必ずしも取得者自身が納付したと否とを問わない(「相続税・富裕税の実務」122頁)。

(注1) その取得した財産の所在の判定は、相続税法第10条の規定による。

ただし、我が国の相続税法上日本国内に所在するものとされた財産が、外国の相続税に相当する税の課税にも、その外国に所在する財産とされ

ることがあり得る。このような場合は、いずれの国においても国内財産となるから、外国税額控除の対象とならず、国際的二重課税が避けられないことになる。この問題は、租税条約によって解決するしかないが、相続税についての条約は目下のところ日米間における「遺産、相続及び贈与に対する租税に関する国際二重課税の回避及び脱税の防止のための日本国とアメリカ合衆国との間の条約」(昭和30年4月1日条約第2号)のみである。この条約では、第3条において、財産の所在地について詳細な定めが設けられている(内容は省略)。

(注2) 主要各国の相続税に相当する税の概況については、第1編「総論」5外国の相続税の項を参照されたい。

(2) 控除額の限度

控除される外国税額控除額は、相続又は遺贈により取得した国外に所在する財産について外国の法令により課税された相続税に相当する税額である。ただし、その税額が下記の算式によって計算した金額を超えるときは、その超える部分の金額は控除されない(相法20の2ただし書)。

$$相次相続控除後の相続税額 \times \frac{国外に所在する財産の価額}{相続又は遺贈により取得した財産の価額のうち課税価格の計算の基礎に算入された部分の金額}$$

これは、外国における課税がもし我が国の相続税額より重い場合には、我が国の相続税額を超えてまで控除する必要はないから、在外財産に対する我が国の相続税額を超える部分の外国税額は控除しないこととされているものである。

なお、上記算式の分子の「財産の価額」とは、相続又は遺贈により取得した国外にある財産の価額の合計額からその財産に係る債務の金額を控除した額をいい、分母の「課税価格計算の基礎に算入された部分」とは債務控除をした後の金額をいうものとして取り扱われる(相基通20の2-2)。

また、在外財産の価額が外貨建てになっている場合には、これを邦貨に換算する必要があるが、この換算のための為替レートは何によるべきかが問題となる。これについては、外貨建てによる資産の評価に当たっては、その資産を課税時期において邦貨に換金するとした場合を考えることになるから、

外貨を売って邦貨に換金する場合の相場、すなわち電信買相場（Telegraphic Transfer.BuyingRate……TTB）によることに取り扱われているようである（「資産税質疑応答集」1342頁を参照のこと。）（注）。

（注）　この電信買相場（TTB）は、実際には、対顧客直物電信売相場によることとされている。

(3)　控除額の換算方法

　外国において在外財産に課税される相続税相当額は、当然外貨表示額で課税されているから、これもまた外貨を邦貨に換算しなければならないが、それをいつの時点で行うか、また、その為替レートは、どの相場によるべきかという問題がある。この点については、取扱通達では、外国の法令により課せられた相続税に相当する税額は、原則として、その地の法令により納付すべき日とされている日における対顧客直物電信売相場（Telegraphic Transfer.SellingRate……TTS）により邦貨に換金することに取り扱われている（相基通20の2－1本文）。

　このような取扱いをする理由は、外国の法令により課された相続税に相当する税を納付する場合には、納税者は、外国為替銀行で電信売相場（TTS）により外貨を取得して、外国に送金するのが通常であろうと考えられたからであると説明されている（「相基通解説」400頁）。

　なお、外国税額を納付する場合には、常に納付すべき日に納付されるとは限らないから、送金が著しく遅延して行われる場合を除き、国内から実際に送金する日における対顧客直物電信売相場によって邦貨換算を行ってもよいことに取り扱われている（相基通20の2－1ただし書）。

(4)　税額控除の順序

　以上に述べた税額控除は次の順序によって行うこととされている（相基通20の2－4）。

　①　贈与税額控除

　②　配偶者に対する相続税額の軽減

　③　未成年者控除

④ 障害者控除
⑤ 相次相続控除
⑥ 在外財産に対する相続税額の控除

この控除は、先順位の税額控除をして、相続税額がゼロ（赤字のときは、ゼロとする。）となる場合は、次の税額控除を行うことなく、その者の納付すべき相続税額はないものとされる。

第12節　災害による税額計算の特例

1　一般の災害減税の特例

相続税の納税義務者が相続又は遺贈により取得した財産について、災害により甚大な被害を受けた場合には、その被害を受けた時期が申告書の提出期限の前か後かにより、次のような措置が設けられている（災害被害者に対する租税の減免、徴収猶予等に関する法律（以下「災免法」という。）4、6、災害被害者に対する租税の減免、徴収融資等に関する法律の施行に関する政令11、12）。

(1)　申告期限後に被災した場合

相続等により取得した財産について相続税の申告書の提出期限後に災害により被害を受けた場合において、次のいずれかに該当するときは、災害のあった日以後において納付すべき相続税額（付帯税は除く。）のうち次の金額が免除される。

災害の日以後の納付すべき相続税額 $\times \dfrac{A}{B}$

・A＝Bのうち災害により被害を受けた部分の価額（保険金等により補てんされた金額を除く。以下2において同じ。）
・B＝相続税の課税対象となった相続財産の価額（債務控除後の価額。以下2において同じ。）

(イ)　相続税の課税対象となった相続財産の価額のうちに被害を受けた部分の価額の占める割合が10％以上であること。

(ロ) 相続税の課税対象となった次の財産（「動産等」という。）の価額のうちにその動産等のうち被害を受けた部分の価額の占める割合が10％以上であること（注）。

　(イ) 動産（金銭及び有価証券を除く。）
　(ロ) 不動産（土地及び土地の上に存する権利を除く。）
　(ハ) 立木

　(注) (ロ)の動産等のうち被災部分が10％以上という基準は、平成7年度の税制改正で設けられた新しい基準で、(イ)と(ロ)は選択によって決められる。この基準が設けられた趣旨は、次のように説明されている（「平成7年版・改正税法のすべて」317〜318頁）。

　　「相続財産中に占める土地等のウエイトの高まりを考慮し、阪神・淡路大震災を契機に災害減免法の適用基準が一般的に緩和されました。……相続財産中に占める土地等のウエイトが高まり、家屋等のウエイトが1割にも満たないという最近の相続税の課税実績からしますと、改正前の基準では、例えば、相続財産である家屋が全壊した場合でも災害減免法の減免措置の適用が受けられないというようなことが十分に想定されました。そこで、今回の改正において、従来の基準に加え、……新たな基準が設けられ、従来の基準か、新しい基準かのいずれかの基準を満たせば災害減免法の減免措置が受けられることとされました。」

(2) **申告期限前に被災した場合**

　相続等により取得した財産について相続税の申告書の提出期限前に災害により被害を受けた場合において、次のいずれかに該当するときは、相続財産の価額は、被害を受けた部分の価額を控除して計算する。

① 相続税の課税対象となった相続財産の価額のうちに被害を受けた部分の価額の占める割合が10％以上であること。

② 相続税の課税対象となった動産等の価額のうちにその動産等のうち被害を受けた部分の価額の占める割合が10％以上であること。

　なお、ここにいう「災害」は、震災、風水害、落雷、火災その他これらに類する災害をいうものとされる（災免法1）。

2 阪神・淡路大震災の場合の特例
(1) 趣　旨

　平成7年1月17日に発生した阪神・淡路大震災（以下この2において「大震災」と略称する。）による被害を受けた場合の特例が(2)以下のように設けられている（阪神・淡路大震災の被災者に係る国税関係法律の臨時特例に関する法律29～31、同施行令22、同施行規則14）。

　この特例は、課税価格計算の特例及び申告書の提出期限の特例（これについては、申告書の項で述べる。）の二つから成るが、課税価格計算の特例の趣旨については、次のように説明されている（「平成7年版・改正税法のすべて」466頁）。

　「相続税の課税上、相続により取得した財産の価額は、相続開始の時の時価によることが原則です。しかしながら、今回の阪神・淡路大震災（以下「大震災」といいます。）により相当広範囲にわたって地域の社会的、経済的環境が一変したことに伴い、思わぬ地価変動が起こることもあり得ると考えられ、そのような地価変動（具体的には地価の下落）が現実に起きたときに、被災日前に相続が開始し、これからその相続に係る土地の評価を行って相続税の申告をしようとする者にしてみれば、あくまで相続の時の時価で評価を行わなければならないとすると、

①　通常の地価変動ではなく、自己の全く予想し得ない原因で地価が下落していることが分かっているのに、相続又は贈与の時の時価で申告しなければならない。

②　財産の価額とこれから申告して納付することとなる相続税額を前提として遺産分割を行ったのに、期待していた手取り遺産額が実現されなくなる。

③　他の資産の相続した共同相続人との関係で、不公平を感ずる。

といった割り切れない思いを抱くことは避けられないと考えられることから、そのような納税者の置かれた状況を考慮するとともに、被災地内にある土地等に係る相続税の負担に配慮して、今回の措置が講じられたものです。

　なお、相続特別措置法第69条の4の規定による取得価額課税の特例の適用

Ⅲ 相続税の総額・各人の相続税額の計算　399

がある者について、被災後の時価での課税価格の選択が認められているのは、上記の趣旨を徹底させるという理由によるものです。」

次に、この特例における用語の意義を先に述べておく。

(イ)　指定地域

大震災により相当な損害を受けた地域として、大蔵大臣の指定する地域をいう。具体的には、次の地域が指定されている（平成7年大蔵省告示第59号）。

・大阪府：豊中市
・兵庫県：神戸市、尼崎市、明石市、西宮市、洲本市、芦屋市、伊丹市、宝塚市、三木市、川西市、津名郡、三原郡西淡町

(ロ)　特定土地等

指定地域内にある土地又は土地の上に存する権利をいう。

(ハ)　特定株式等

相続等により取得した株式のうち、その発行法人の相続時における保有資産の合計額のうちに占める指定地域内にあった動産等（金銭及び有価証券以外の動産、不動産、不動産の上に存する権利及び立木をいう。）の価額の合計額の割合が30%以上である法人の発行する株式又は出資をいう。

ただし、上場株式、証券取引法に規定する店頭売買有価証券に該当する株式又は出資及び公開途上にある株式（評基通168(2)ロ参照）は含まれない。

(2)　特例の内容

相続開始が平成7年1月16日以前で、その相続税の申告書の提出期限が同月17日以後となる場合において、その者がその相続等により取得した財産又は相続税法第19条の規定により相続財産に加算される贈与により取得した財産（平成6年1月1日から平成7年1月16日までの間に取得したものに限る。）で、平成7年1月17日において所有していたもののうちに、「特定土地等」又は「特定株式等」があるときは、その「特定土地等」又は「特定株式等」については、相続税の課税価格に算入すべき価額は、相続等の時の時価（被相続人が相続開始前3年以内に取得した財産にあっては、その取得価額）によらず、大震災の発生直後の価額によることができるものとされている。

この「大震災の発生直後の価額」とは、次によるものとされている。
(イ) 特定土地等の場合

　その特定土地等(その上にある不動産を含む。)の状況が、大震災の発生直後も引き続き相続等により取得した時の現況にあったものとみなして、大震災の発生直後における価額として評価した額に相当する金額による。

　これは、相続等によりその土地等を取得した時から大震災発生直後までの間に、土地等の区画形質の変更や利用・権利関係の変更があったとしても、これらの理由による地価の変動は、大震災とは関係がないことから、このような事由による地価の変動は考慮しないで、大震災発生直後の価額を評価するという趣旨である。

(ロ) 特定株式等の場合

　その特定株式等の相続等の時において、その特定株式等の発行法人が有していた動産等(平成7年1月17日においてその法人が保有していたものに限られる。)で指定地域内にあるものの相続等の時における状況が、大震災の発生直後の現況にあったものとみなして、その相続等により取得した時における価額として評価した額に相当する金額による。

　これは、特定株式等の発行法人が、相続の時において保有していた動産等で指定地域内にあったもので、かつ、大震災発生の時において保有していたものについては、相続の時において既に大震災による損害を被った状態で存していたものとして、その特定株式等を評価するという趣旨である。

(3) **適用要件**

　(2)の特例については、相続人が取得した相続財産を物納に充てる場合には、この特例を適用しない方が有利になることや特定土地等や特定株式等の価額が下落するとは限らないことから、この特例の適用を受けるか否かは納税者の選択に委ねることとされている(震災特例法29④)。

3 東日本大震災の場合の特例

(1) 趣　旨

　平成23年3月11日に発生した東日本大震災（以下この3において「東日本大震災」という。）による被害を受けた場合の特例が(2)以下のように設けられている（東日本大震災の被災者等に係る国税関係法律の臨時特例に関する法律34～38、同施行令27～29、同施行規則12～14）。

　この法律による相続税関係の特例は、阪神・淡路大震災の場合の特例とほとんど同じなので、要点のみを述べるとする。

(2) 特例の内容

① 課税価格の計算の特例

　相続開始が平成22年5月11日から平成23年3月10日までの間で、その相続等により取得した財産等で平成23年3月11日において所有していたもののうちに、「特定土地等」又は「特定株式等」があるときは、その「特定土地等」又は「特定株式等」については、相続税の課税価格に算入すべき価額は、相続等の時の時価によらず、大震災後を基準とした価額によることができるものとされている。なお、贈与税についても、同様の特例がある。

(イ) 「特定土地等」とは、東日本大震災により相当な被害を受けた地域として財務大臣の指定する地域（以下「指定地域」という。）内にある土地等をいう。

(ロ) 「特定株式等」とは、指定地域内にある一定の動産及び不動産等の価額が保有資産の合計額の30％以上である法人の株式等（上場株式等を除く。）をいう。

(ハ) (イ)及び(ロ)の指定地域は、青森県、岩手県、宮城県、福島県、茨城県、栃木県、千葉県、新潟県十日町市、新潟県中魚沼郡津南町及び長野県下水内郡栄村とされている。

② 「住宅取得等資金の贈与税の特例」に係る入居要件等の特例

　「住宅取得等資金の贈与税の特例」について、次の措置が講じられた。

(イ) 震災により特例の対象となる住宅が損壊し通常の修繕によっては原状回

復が困難となったため入居できなくなった場合には、入居要件が免除される。
(ロ) （平成22年分）　震災により特例の対象となる住宅の修繕が必要となるなど期限までに入居できなくなった場合には、入居期限が1年間延長される。
(ハ) （平成23年分）　震災により特例の対象となる住宅を期限までに取得できなくなった場合には、取得期限と入居期限が1年間延長される。
(注) 上記②の特例は、平成22年1月1日から平成23年3月10日までの間の贈与が対象となる。

4　特定土地等及び特定株式等に係る特例
(1)　制度創設の背景

この制度創設の背景について、次のように説明されている（「平成29年版・改正税法のすべて」582～583頁）。

災害により損害を受けた者に係る相続税又は贈与税については、災免法により、相続又は贈与により取得した財産について、その価額は、物理的に被害を受けた部分の価額を控除した金額とするといった措置が講じられており、一定の対応はされている。

他方、阪神・淡路大震災及び東日本大震災については、その被害の規模や性質を踏まえ、それぞれ震災特例法を制定し、震災に基因する地価下落といった経済的な損失についても対応するための更なる特例措置が設けられていた。

平成28年4月の熊本地震をはじめ近年災害が頻発していることを踏まえ、被災者の不安を早期に解消するとともに、税制上の対応が復旧や復興の動きに遅れることのないよう、各税目にわたり、あらかじめ規定を整備することとされた。

相続税及び贈与税についても、阪神・淡路大震災及び東日本大震災の際に講じられた措置を参考に、この特例措置をはじめ、「非上場株式等について

の贈与税・相続税の納税猶予制度」、「住宅取得等資金の贈与を受けた場合の贈与税の特例」及び「山林についての相続税の納税猶予制度」についても災害に対応した措置を常設化することとされた。

(2) 制度の内容
① 特定土地等及び特定株式等に係る相続税の課税価格の計算の特例

　特定非常災害に係る特定非常災害発生日前に相続又は遺贈(その相続に係る被相続人からの贈与により取得した財産で相続時精算課税の適用を受けるものに係る贈与を含む。以下①及び③において同じ。)により財産を取得した者があり、かつ、その相続又は遺贈に係る相続税の申告書の提出期限がその特定非常災害発生日以後である場合において、その者がその相続若しくは遺贈により取得した財産又は贈与により取得した財産(その特定非常災害発生日の属する年(その特定非常災害発生日が1月1日から贈与税の申告書の提出期限までの間にある場合には、その前年)の1月1日からその特定非常災害発生日の前日までの間に取得したもので、相続税法第19条《相続開始前3年以内の贈与財産の加算》又は第21条の9第3項《相続時精算課税の適用を受ける財産》の規定の適用を受けるものに限る。)でその特定非常災害発生日において所有していたもののうちに、特定土地等又は特定株式等があるときは、その特定土地等又はその特定株式等に係る相続税の課税価格に算入すべき価額又は相続税の課税価格に加算される贈与により取得した財産の価額は、その特定非常災害の発生直後の価額とすることができる(措法69の6①)。

　なお、上記及び下記②の各用語の意義は、以下のとおりである。
イ　特定非常災害

　特定非常災害の被害者の権利利益の保全等を図るための特別措置に関する法律第2条第1項の規定により特定非常災害として指定された非常災害をいう。これまでに適用された災害は、「阪神・淡路大震災」、「平成16年新潟中越地震」、「東日本大震災」、「平成28年熊本地震」、「平成30年7月豪雨」、「令和元年台風第19号」「令和2年7月豪雨」である。
ロ　特定土地等

特定地域(注)内にある土地又は土地の上に存する権利をいう(措法69の6①)。
(注) 特定地域とは、特定非常災害により被災者生活再建支援法第3条第1項の規定の適用を受ける地域（この規定の適用がない場合には、その特定非常災害により相当な損害を受けた地域として財務大臣が指定する地域）をいう（措法69の6①）。

ハ　特定株式等

特定地域内に保有する資産の割合が高い一定の法人の株式又は出資（上場株式、金融商品取引法に規定する店頭売買有価証券に該当する株式等及び公開途上にある株式は除く。）をいう（措法69の6①、措令40の2の3②、措規23の2の3）。

この場合の特定地域内に保有する資産の割合が高い一定の法人とは、相続等（相続若しくは遺贈又は贈与をいう。ニにおいて同じ。）により株式又は出資を取得した時において、その株式又は出資に係る法人の保有していた資産の時価の合計額のうちに占める特定地域内の動産（金銭及び有価証券は除く。）、不動産、不動産の上に存する権利及び立木（ニ㋺において「動産等」という。）の価額の合計額の割合が10分の3以上の法人をいう（措令40の2の3①）。

ニ　特定非常災害の発生直後の価額

特定非常災害の発生直後とは、災害発生後に最も状況が悪化した時をいい、その価額は次のとおりとされている（措令40の2の3③）。

㋑　特定土地等

特定土地等（その特定土地等の上にある不動産を含む。）の状況が特定非常災害の発生直後も引き続き相続等により取得した時の現況にあったものとみなして、特定非常災害の発生直後におけるその特定土地等の価額として評価した額に相当する金額とされている。すなわち、相続等によりその土地等を取得したときから特定非常災害の発生直後までの間に、土地等の区画形質の変更や利用・権利関係の変更があった場合でも、これらの事由による地価の変動は、特定非常災害とは何ら関係がないもの

であることから、これらの事由による地価の変動は考慮せずに、その土地等の特定非常災害の発生直後の価額を評価し直すことになる。

(ロ) 特定株式等

特定株式等を相続等により取得した時においてその特定株式等に係る法人が保有していた特定地域内にある動産等（その法人が特定非常災害発生日において保有していたものに限る。）の、その相続等により取得した時における状況が、特定非常災害の発生直後の現況にあったものとみなして、その相続等により取得した時におけるその特定株式等の価額として評価した額に相当する金額とされる。すなわち、特定株式等に係る法人が相続開始時等において保有していた資産のうち特定地域内にあったもので特定非常災害の発生時において保有していたものについては、相続開始時等において既に特定非常災害による損害を被った状態で存していたものとして、その特定株式等を評価する。

また、この特例の適用に当たっては、相続税の申告書（期限後申告書及び修正申告書を含む。）又は更正請求書に、この規定の適用を受けようとする旨の記載がある場合に限り適用することとされており、特例の適用は納税者の選択による（措法69の6③）（注1、2）。

(注1) ただし、その記載がなかったことについて税務署長においてやむを得ない事情があると認めるときには、この限りではない。

(注2) この特例は、相続財産である特定土地等及び特定株式等についての災害に起因するいわば経済的な損失による評価損に配慮した特例であり、相続財産について災害により発生したいわば物理的な損失を対象として減免措置が講じられている災害減免法とは性格が異なる。したがって、土地等については、1人の相続人について、この特例と災害減免法の減免措置との両方の適用がある場合もある。

② 特定土地等及び特定株式等に係る贈与税の課税価格の計算の特例

個人が特定非常災害発生日の属する年（その特定非常災害発生日が1月1日から贈与税の申告書の提出期限までの間にある場合には、その前年）の1月1日からその特定非常災害発生日の前日までの間に贈与により取得した財産でそ

の特定非常災害発生日において所有していたもののうちに、特定土地等又は特定株式等がある場合には、その特定土地等又は特定株式等に係る贈与税の課税価格に算入すべき価額は、その特定非常災害発生日に係る特定非常災害の発生直後の価額とすることができる（措法69の7①）。

　この特例は、相続税における特例と同様に、贈与税の申告書（期限後申告書及び修正申告書を含む。）又は更正請求書に、この規定の適用を受けようとする旨の記載がある場合に限り、適用することとされている（措法69の7②）（注）。

（注）ただし、その記載がなかったことについて税務署長においてやむを得ない事情があると認めるときには、この限りではない。

③　相続税及び贈与税の申告書の提出期限の特例

イ　相続税の申告書の提出期限の特例

　同一の被相続人から相続又は遺贈により財産を取得した全ての者のうちに上記①の適用を受けることができる者がいる場合において、その相続若しくは遺贈により財産を取得した者又はその者の相続人（包括受遺者を含む。）が提出すべき相続税の申告書の提出期限が特定日（特定非常災害に係る国税通則法第11条の規定により延長された申告に関する期限と特定非常災害発生日の翌日から10月を経過する日とのいずれか遅い日をいう。ロにおいて同じ。）の前日以前であるときは、その相続税の申告書の提出期限は、特定日とされる（措法69の8①②）。

ロ　贈与税の申告書の提出期限の特例

　特定非常災害発生日の属する年（その特定非常災害発生日が1月1日から贈与税の申告書の提出期限までの間にある場合には、その前年）の1月1日から12月31日までの間に贈与により財産を取得した個人で上記②の適用を受けることができるものが提出すべき贈与税の申告書の提出期限が特定日の前日以前である場合には、その贈与税の申告書の提出期限は、特定日とされる（措法69の8③）。

(3) 適用関係

　上記2①から③までの特例は、平成29年1月1日以後に相続若しくは遺贈又は贈与により取得する財産に係る相続税又は贈与税について適用される（平29改正法附則88①）。

第13節　その他の特例

1　米国軍隊の地位協定に伴う特例

アメリカ合衆国との協定により、相続税法の施行地及びその付近に配備されているアメリカ合衆国軍隊の構成員、軍属又はこれらの者の家族については、これらの者が一時的に日本に滞在するためにのみ相続税法施行地において有する資産（不動産、不動産上の権利又は事業のための資産を除く。）又は個人契約者が事業のためにのみ有する一定の資産については相続税は非課税とされ、また、これらの者がその目的のためにのみ滞在する期間は住所が相続税法施行地にないものとされている（日本国とアメリカ合衆国との間の相互協力および安全保障条約第6条に基づく施設及び区域ならびに日本国における合衆国軍隊の地位に関する協定の実施に伴う所得税法等の臨時特例に関する法律5）。

2　国際連合軍隊の協定に伴う特例

1の特例は、国際連合の軍隊の構成員、軍属又はこれらの者の家族についても認められている（日本国における国際連合の軍隊の地位に関する協定の実施に伴う所得税法等の臨時特例に関する法律3①）。

3　その他

以上のほか、相続税の特例は、農地等に係る相続税の納税猶予の特例・小規模宅地等の課税の特例及び特定事業用資産の課税の特例があるが、前者は贈与税の課税要件及び税額計算の説明後に、また、後二者は評価の項で説明することとする。

第3編
贈与税

I 贈与税の課税要件

第1節 課税原因

1 総説
(1) 概要

　贈与税の課税原因は、「贈与」により財産を取得することである（相法1の4）。贈与の意義は後述するが、贈与のうち、贈与者の死亡により効力を生ずる贈与、すなわち死因贈与は含まれない。この「死因贈与」は、相続税の課税対象になることは既に述べた。その理由についてもその際説明したが、ここに再度述べておくと、昭和32年までは、贈与はすべて贈与税の課税対象となっていたが、昭和33年の改正で、それまで贈与税の課税対象となっていた相続人以外の者に対する特定遺贈が相続税の課税対象に取り込まれた結果、これと同じような効果のある死因贈与も相続税の課税対象に移されたものである。

　このほか、相続税の場合と同様、財産の取得は、法律的な意味での贈与によるものではないが、相続税法上、その財産の取得は贈与によるものとみなして贈与税の課税原因となるものがある（相法4～9の5）。例えば、生命保険契約の保険事故（傷害、疾病その他これらに類する保険事故で死亡を伴わないものを除く。）が発生した場合において、これらの契約に係る保険料が保険金受取人以外によって負担されたものである場合を考えると、その保険金の受取人（例えば子）が受け取った保険金は、贈与によるのではなく、保険契約の効果として、保険会社から取得したに過ぎないが、受取人以外の保険料の負担者（例えば親……負担者が死亡した場合を除く。）が保険料を支払い、保険

事故の発生により、その子が保険金を取得したのであるから、その態様は、贈与により財産を取得した場合に類似しており、その取得には贈与税を課税するのがバランス上妥当である。そのような見地から、贈与による取得と同視できる一定の取得を贈与による取得とみなして、贈与税の課税対象としているものである。

(2) 課税体系

相続税の負担は、生前に財産を贈与することにより容易に回避することができる。したがって、この生前中の贈与に対し何らかの税を課することにより負担の適正を図るという考え方が当然出てくる。諸外国でも、相続税と贈与税を併設する例が多い。

生前贈与により相続税の負担を回避しようとする策を防止するための税制上の措置としては2つの方法が考えられる。

① 生前贈与を累積して課税する方法

これは、相続税一本の体系を維持し、生前に行われた贈与財産を累積して、これを相続財産に加算して、相続税を課税するという方法である。この方法は、相続税の回避防止策としては最も徹底したものであるが、生前贈与をどの範囲まで取り込めるかについては、税務執行上、困難な問題があるので、一定期間内の生前贈与だけを加算する立法例が多い（我が国では、相続開始前3年以内の贈与を対象とする。）。

② 生前贈与について相続税と別に課税する方法

①の方法は、執行上の制約から、生前の一定期間の贈与だけを取り込む例が多く、その場合には、負担回避防止策としては不徹底なものになるという欠陥を生ずる。そこで、このような欠陥をできるだけ少なくするため、生前贈与の都度、相続税とは別に贈与税を課税する方法が採用されている立法例が多い。

もっとも、この贈与税の課税方法も、それまでの生前贈与について、そのすべて、あるいは過去一定期間のものを累積して課税する方法と、贈与の都度課税する方法とがある（我が国の贈与税は、後者の方法によっている。）。

しかしながら、後述のように、平成15年の改正で、世代間の財産移転（贈与）を促進するための相続時精算課税制度が、同一税法である相続税法に導入された結果、全く理念の異なる2つの贈与税課税体系が同一税法に併存する形になり、贈与税の課税意義が極めて不明確になっている。この問題の検討は、第4編で行っている。

(3) 沿　革

我が国の贈与に対する課税自体は、相続税の創設当時から行われているが、当初は、相続税としての課税が行われた。

すなわち明治38年に創設された相続税制度においては、不動産及び船舶以外の財産（不動産及び船舶の相続又は贈与については登録税が課されていた。）を①被相続人の推定相続人に贈与したとき、又は②分家に際し、若しくは分家後、本家の戸主が分家の戸主又は家族に贈与したときは、遺産相続が開始したものとして、財産の受贈者に相続税が課税され、更に、相続開始前1年以内に被相続人が贈与した財産の価額を遺産額に加算して相続税を課税することとされていた。

その後、大正15年の改正で、推定相続人以外の親族への贈与についても遺産相続とみなして課税され、昭和13年の改正では不動産・船舶の贈与を遺産相続とみなして課税することとされた（登録税額は相続税額から控除）。更に昭和15年の改正では、3年以内の同一人からの贈与は、これを累積して課税することとされたが、体系としては、昭和21年まで存続した。

次に、昭和22年の改正では、相続税と贈与税の二本立てとなり、贈与税が独立した税目となったが、当時の相続税は遺産税体系であったため、贈与税は、財産の贈与者に課税され、課税範囲は、贈与者の一生を通ずる贈与財産の累積額とされた。なお、登録税額の控除は廃止された。

更に、シャウプ勧告に基づく昭和25年の改正では、相続税は遺産取得税体系に改められて、独立税目としての贈与税は、相続税に吸収され、相続、遺贈又は贈与による財産の取得者に対して、その者の一生を通ずる受贈財産価額を累積して課税するという徹底した取得者課税方式が採用された。

しかし、この方式は、当時の税務執行の現状から円滑な施行は困難で、昭和28年の改正では、一生累積課税は廃止されて、再び相続税と贈与税の二本立てに戻った。ただ、相続税は、相続開始前2年以内に被相続人から贈与により取得した財産の価額は、相続税の課税価格に加算することとしたが、贈与税は一歴年中の贈与及び特定遺贈による財産の受贈者に課税することとされた。

　次いで、昭和33年の改正では、相続税の課税体系が現行のとおり遺産税体系を加味した遺産取得税方式に改められ、特定遺贈及び死因贈与が相続税の課税範囲に取り込まれた結果、贈与税は、死因贈与を除く贈与だけを課税対象とすることに改められた。なお、生前贈与の課税範囲が相続開始前2年以内から3年以内に拡大されたことに伴い、同一人からの3年以内の贈与財産は、これを累積して贈与税を課税する制度が新設された。しかし、この贈与税の3年間累積課税制度は、昭和50年の税制改正で制度の簡素化という名目で廃止された。

　更に、平成15年の改正では、世代間の財産の移転の促進策として65歳以上の親（贈与者）からの贈与により財産を取得した20歳以上の子（受贈者）は、従来の贈与税の課税方式（暦年課税方式）の適用を受けることに代えて、その受贈者の選択により、贈与時に贈与財産に対する贈与税（非課税枠：累積で2,500万円、税率：一律20％）を支払い、相続時にその贈与財産と相続財産とを合計した価額を基に計算した相続税額から既に支払った贈与税相当額を控除した額をもって納付すべき相続税額とする相続時精算課税制度の適用を受けることができることとされた。

　平成25年の改正では、相続時精算課税の適用対象となる贈与者の年齢要件が60歳以上に引き下げられ、受贈者の範囲に孫が加えられたほか、税率の改正がされた。これらの改正は、平成27年1月1日以後の贈与から適用された。

2 贈　与
(1)　総　説

　贈与税は、個人の間の財産の無償移転たる贈与その他低額又は無償による経済的利益の取得についてかかる税であって、その税額は、単に、一歴年中の贈与から基礎控除（場合によりこのほか配偶者控除等）を控除した残額に超過累進税率を乗じて計算するという単純なもので、法律も、贈与税法ではなく、相続税法の一部として組み込まれている。このことは、また、贈与税の性格が相続税の補完税であることをもよく示している。

　しかし、贈与税制度それ自体は、このようにごく単純な制度ではあるが、肝心の課税要件事実（課税原因）である贈与は、全くの第三者間よりは、親族その他の特殊関係者間で行われることがはるかに多く、かつ、一方的に財産的利益を与えるものであることから、契約その他の贈与の事実を立証する証拠も少なく、課税原因である贈与が行われたのかどうかの事実認定が、他の税に比し、はるかに実務上困難性が伴うという大きな問題がある。また、後に説明するみなし贈与についても、特に経済的利益の認定をめぐって見解が対立しており、相続税の課税原因たる相続については、ほとんど問題がなかったことに比し、際立った対照をなしているのが特徴といえるだろう。

(2)　贈与の意義

　相続税法上の贈与税の課税要件事実である「贈与」については、税法上格別の定義はないので、その意義を明らかにするには、まず、民法の贈与の意義を検討する必要がある。

① 民法上の「贈与」

　贈与について民法第549条は、「贈与は、当事者の一方が自己の財産を無償で相手方に与える意思を表示し、相手方が受諾をすることによって、その効力を生ずる」と定めている。これをもう少し詳細に述べれば次のとおりである（柚木馨・高木多喜男編「新版注釈民法⒁」（有斐閣）19頁以下を参考とした。）。

(イ)　「自己の財産を」相手方に「与える」ことが必要である。換言すれば、贈与者の財産の実体を減少せしめることによって受贈者に財産的利益を与

える行為、すなわちいわゆる財産的出捐があることを要する。

　このように、「贈与」というためには、まず、自己の財産の実体を減少することが要件である。したがって、労務の無償給付や物の無償使用の許与は、通常は贈与とならない。しかし、出捐者の財産の実体の減少を生ずる限り、既存の物又は権利の譲渡に限られず、債務の免除や用益物権の設定・その放棄のごときもまた、贈与となり得るとされる。

　なお、「自己の財産」とあるため、自己に属する財産の贈与に限られるような印象を受けるが、他人に属する財産の贈与も、そのような債務を無償で負担するという意味で贈与として有効とみるのが通説とされる。

　次に「贈与」というためには、受贈者に財産的利益を与えることが必要である。先に述べた労務の無償給付や物の無償使用の許与が通常贈与とならないのは、これにより受贈者に財産の増加がないことによるとされるが、これにより受贈者がなすべかりし支出を節約した場合には、贈与となることがあろうとされる。

(ロ)　次いで、「贈与」であるためには、財産的出捐が「無償で」なされることを必要とする。この「無償」とは主観的な観念で当事者間の合意によって財産的出捐が対価を伴わぬものとされることをいう（負担付贈与については、後述）。

(ハ)　贈与は、贈与者と受贈者との間の契約であって、単独行為である遺贈と異なっている。また、贈与者は無償で債務を負担するから、無償片務契約となる。

　この点で問題となるのは、あらかじめ約束がなくて、いきなり物の引渡し又は権利の移転を伴う無償性の合意をするのが現実贈与で、贈与契約と同時にその履行である出捐行為がされる債権契約であるとする説と、無償の合意を伴う現実の出捐行為に過ぎないとする非債権契約とする説とに分かれるが、現実贈与といえども贈与に含まれるという解釈には、変わりがないと考えてよいようである。

　なお、贈与の一種として負担付贈与といわれるものがある。これは、受

贈者が一定の給付をする債務を負担する「贈与」である。したがって、この負担は、贈与者の出捐の補償、言い換えれば贈与者の給付の対価ではない（注）。

(注) 受贈者の負担の価値が贈与者の与える財産の価額に等しいか又はこれより大であるときは、負担付贈与ではないとするのが通説である。

この負担によって利益を受ける者は贈与者に限らず、第三者でもよいと考えられている。

② 相続税法上の「贈与」

相続税法上の「贈与」については、一般的に民法の贈与と同意義に解されている（田口豊「新版相続税法（第2版）」（税務経理協会）3頁ほか同趣旨見解多数）（注）。

(注) 「北野コンメンタール相続税法」25頁以下によれば、みなし贈与の規定があることを理由に、相続税法第1条（筆者注・現在は第1条の4）の「贈与」の意義は民法に規定するところより広いとしているが、首肯し難い論理である。同条自体は、通常の贈与のみを指し、みなし贈与は、別途の規定であると解すべきではないか。しかし、後述のように、個々の経済的利益の取得が贈与かみなし贈与かの判断について、かなりの問題があることは事実である。

このように、私法上の概念が、税法上も特に定義なくして用いられているとき、他の法分野から借用しているという意味で、「借用概念」と呼ばれる。「配当」、「配偶者」、「相続」等は、その例であり、「贈与」もまた典型的な借用概念である。

(3) 借用概念と学説

借用概念について問題となるのは、それを他の法分野で用いられているのと同じ意義に解すべきか、それとも、租税法の目的から異なる意義に解すべきかという点で、我が国では、学説が対立している。

① 私法上の概念と同一に解すべしとする説（統一説）

金子宏教授は、この立場から次のとおり説いている（金子宏著「租税法（第23版）」127頁）。中川一郎博士も統一説の強力な主張者とされる。

「…借用概念は他の法分野におけると同じ意義に解釈するのが、租税法律

主義＝法的安定性の要請に合致している。すなわち、私法との関連で見ると、納税義務は、各種の経済活動ないし経済現象から生じてくるのであるが、それらの活動ないし現象は第一次的には私法によって規律されているから、租税法がそれらを課税要件規定の中にとりこむにあたって、私法上におけると同じ概念を用いている場合には、別意に解すべきことが租税法規の明文またはその趣旨から明らかな場合（括弧内省略）は別として、それを私法上におけると同じ意義に解するのが、法的安定性の見地からは好ましい。」

② **租税法の目的に照らして解釈すべきとする説（目的適合説）**

この説の代表的な論者は、田中二郎博士で次のとおり説く（田中二郎「租税法（第3版）法律学全集11」（有斐閣）126〜127頁）。

「…私法の規定は、私的自治の原則を前提として承認し、原則として、その補完的・任意的規定としての意味をもつものであり、当事者間の利害の調整という見地に基づく定めである。そこに用いられている諸概念も、もともと、そのような見地において用いられているものと解される。ところが、租税法は、当事者間の利害調整という見地とは全く別個に、これを課税対象事実又はその構成要件として、これらの規定又は概念を用いているのであるから、同じ規定又は概念を用いている場合でも、常に同一の意味内容を有するものと考えるべきではなく、租税法の目的に照らして、合目的的に、したがって、私法上のそれに比して、時にはより広義に、時にはより狭義に理解すべき場合があり、また、別個の観点からその意味を理解すべき場合もあることを否定し得ない。規定の表現又は概念を示す文言を囚われることなく、その経済的意義の理解が必要とされるゆえんである。」

③ **独立説**

この説は、租税法が借用概念を用いている場合も、それは原則として独自の意義を与えられるべきであるとする見解で、ドイツにおいて1919年の租税通則法の制定に際して強く主張され、ナチス成立とともに盛んとなったが、現在は統一説に戻ったとされる。

我が国では故田中勝次郎博士の見解が独立説とされているが、同博士も

「どうしても税法の精神の方を尊重しなければならないという結論に達したとき、はじめて民事法上の法概念とは異なった法概念の存在を認めなければならないという意味に解すべきものと考える」と説き、結局、程度の差ともいえる。

(4) 借用概念に関する判例の傾向

判例は、一般的には借用概念は、本来の法分野におけるのと同じ意義に解しているようであるがそのニュアンスが微妙に異なる。

① **借用概念一般**（注）

イ　現行租税法規は、私法的な法秩序に規制された経済活動を前提としてこれとの調整の下に、その独自の行政目的を達成することを基本的建前として立法されていると解すべきであるから、租税法規が、一般私法において使用されていると同一の用語を使用している場合は特に租税法規が明文をもって他の法規と異なる意義をもって使用することを明らかにしている場合又は法規の体系上他の法規と異なる意義をもって使用されていることが明らかな場合若しくは特に他の法規と異なる意義をもって使用されていると解すべき実質的理由がない限り、私法上使用されていると同一の意義を有する概念として使用されているものと解するのが相当である（東京地裁昭和34年2月11日判決）。

ロ　成文法の解釈については、立法者の意思を参酌しなければならないが、それに拘束されることなく、法規を客観的に解釈しなければならないのはもちろんであるが、税法に商法と同一用語が用いられている場合は、租税法律主義の建前から例外の解釈が認められない限り同一の意義に解すべきである（東京高裁昭和34年9月12日判決）。

（注）　ややニュアンスの異なる判例として私法上の規定は、私的自治の原則を前提として承認し、その補完的、任意的規定として、当事者の利害の調整を目的とするのに対し、税法は、当事者間の利害調整という見地とは別個の課税対象事実又はその構成要件として、これらの文言又は概念を用いているものであるから、同じ文言又は概念が用いられている場合であっても、常に私法上のそれと同一の意味内容を有するものと解すべきではなく、税

I 贈与税の課税要件 419

法の目的に照らし合目的的に解して、別個の観点からその意味内容を理解しなければならない場合が存することも否定できないとする判例（神戸地裁昭和58年11月14日判決・同旨大阪高裁昭和59年7月6日判決）があり、以下にみるように、機械的に借用概念を厳格に解釈するという考え方は少なくなってきているように思ってきたが、後述⑥の武富士事件に関する最高裁平成23年2月18日判決は、再び、借用概念について厳格に解する考え方に戻ったようである。今後の判決の動向に注目したい。

② **利益配当**（注）

所得税法は、利益配当の概念として、商法の前提とする利益配当の概念と同一観念を採用しているものと解するのが相当であり、商法の規定に従って適法にされたものと限らず、商法の見地からは不適法とされる配当も含まれる（最高裁昭和35年10月7日判決）。

（注）しかし、一方では、いわゆる株主相互金融会社における株主優待金について、会社から株主たる地位にある者に対し株主たる地位に基づいてなされる金銭的給付は、たとえ会社に利益がなく、かつ、株主総会の決議を経ずになされたものであっても、法人税法上その性質は配当であって、これを損金に算入することは許されないとした判例（最高裁昭和43年11月13日判決）があり、同じ株主優待金の判断でありながら、最高裁の判断は異なっている。

③ **配偶者・親族**

イ　我が国の実定法体系のもとにおいては、ある法律分野における法律用語は他の法律分野においても同一の意味内容を有しているのが原則であって、かるがるしく分野を異にすることを理由に用語に異別に解釈することは許されないから、前記規定中の「配偶者」および「親族」という用語は、いずれも民法上の配偶者（届出をした配偶者）及び親族を指しているものと解すべきである（岡山地裁昭和39年1月28日判決）。

ロ　所得税法（本件昭和57年分及び同58年分の各更正に関しては同59年法律第5号による改正前のもの、同59年分の更正に関しては同61年法律第109号による改正前のものをいう、以下同じ。）2条1項34号に規定する親族は、民法上の親族をいうものと解すべきであり、したがって、婚姻の届出をしていないが事実上婚姻関係と同様の事情にある者との間の未認知の子又はその者の

連れ子は、同法84条に規定する扶養控除の対象となる親族には該当しないというべきである（最高裁平成3年10月17日第1小法廷判決）。

④ 資産の取得

租税特別措置法（昭和49年法律第17号による改正前）65条の7第2項にいう「資産の取得」の意義について定めた規定は税法上存しないが、右「取得」は、一応、税法学上にいわゆる借用概念に属すると解されるので、右資産が土地である場合には、これを私法上の概念である「土地の所有権の取得」と別意に解すべき合理的な理由がない限り、原則として右私法上の概念に従ってこれを解すべきである。もっとも、これと同時に、右租税特別措置の趣旨・目的及び企業会計原則その他関連諸規定の解釈との調和等の観念から、総合的にこれを考察することが重要なことはいうまでもない（京都地裁昭和57年12月17日判決）。

⑤ 人格なき社団

所得税法4条、法人税法3条、相続税法66条に規定する「人格なき社団」の概念は、もともと「権利能力なき社団」として認知された民事実体法上の概念を借用したもので、納税主体をこのような社団概念に準拠してこれを捕捉する以上は、民事実体法上の社団性概念にある程度拘束されるのもやむを得ないことである。他方、ある事業主体の社団性の存否は、優れて実体法上の問題であり、社会的に事業主体、活動主体として実体法上その実在が肯認されることを基礎として、そこに取引主体等が形成され、訴訟当事者としての適格、強制執行の対象となる財産の区別等がされるに至るのである。もっとも、税法上、人格なき社団として課税の客体となり得るか否かも実体法上の問題ではあるが、その社団性が肯認されることが前提であり、その判断においては、法的安定性の点からも社団性の概念は民事実体法と一義的に解釈されるのが相当である（福岡高裁平成2年7月18日判決）。

⑥ 住　所

原審は、上告人が贈与税回避を可能にする状況を整えるために香港に出

国するものであることを認識し、国内滞在日数を調整していたことをもって、住所の判断に当たって香港と国内における各滞在日数の多寡を主要な要素として考慮することを否定する理由として説示するが、一定の場所が住所に当たるか否かは、客観的に生活の本拠たる実体を具備しているか否かによって決すべきものであり、主観的に贈与税回避の目的があったとしても、客観的な生活の実体が消滅するものではないから、滞在日数を調整していたことをもって、現に香港での滞在日数が本件期間中の約3分の2に及んでいる上告人について、本件香港居宅に生活の本拠たる実体があることを否定する理由とすることはできない。

このことは、法が民法上の概念である「住所」を用いて課税要件を定めているため、本件の争点が上記「住所」概念の解釈適用の問題となることから導かれる帰結であるといわざるを得ず、他方、贈与税回避を可能にする状況を整えるためにあえて国外に長期の滞在をするという行為が課税実務上想定されていなかった事態であり、このような方法による贈与税回避を容認することが適当でないというのであれば、法の解釈では限界があるので、そのような事態に対応できるような立法によって対処すべきものである（最高裁平成23年2月18日第2小法廷判決）。

(5) 同一の用語について民法と異なる見解を示した判例
① 区分地上権

地下又は空間の上下の範囲を定め工作物を所有するため（地下鉄のトンネル等）設定されるいわゆる「区分地上権」（民法269の2）は、一般の地上権（民法265）とは別個に規定されているが、地上権であることに変わりがないことから、かつて、地上権について相続税の評価方法を定めた相続税法第23条の規定が区分地上権にも適用されるかが争われたが、「民法269条の2及び相続税法第23条の立法経過、民法269条の2所定の地上権（区分地上権）の法的性格、相続税法第23条の規定内容、そして両者の不適合性からすれば、同条は、民法265条の地上権に係る評価方法を規定したものに過ぎず、区分地上権に係る評価方法についてまで規定したものではないと解するのが相当で

ある。……民法269条の2所定の地上権(区分地上権)の価額は相続税法第22条(評価の原則)の規定に基づき時価により評価すべきである。」(東京地裁昭和58年3月7日判決・同旨東京高裁昭和58年10月13日判決)とされた。制度全体の趣旨から、税法上の用語を民法のそれとは異なって解釈した典型的な判決である(注)。

(注) この判決後、平成4年度の税制改正の際、相続税法第23条に規定する地上権から区分地上権が除外されて、現在は問題は解消している。

② **負担付贈与**

これは、個人甲が、自己の債務の一部ずつを引き受けさせるという負担付きで妻と子2人に土地の共有持分を贈与したところ、課税庁側は、これは債務引受けを対価とした甲の土地の譲渡で甲に譲渡所得が生じ、また、甲の妻と子が受贈後その土地を譲渡しているため、妻子の譲渡所得は短期譲渡所得に該当するとして課税処分を行った。これに対し、甲側は、甲からの贈与は典型的な負担付贈与で、受贈者の負担は贈与財産の対価たる性質を持たないから甲に譲渡所得の発生するいわれはなく、また、贈与であるから、所得税法第60条第1項第1号の規定により甲の土地の取得時期は受贈者たる妻子に引き継がれ、その結果、妻子の譲渡所得は長期譲渡所得に該当すると主張し、課税処分の取消しを求めて争いとなった。

これに対する判決の要旨は次のとおりである(静岡地裁昭和60年3月14日判決、同旨東京高裁昭和62年9月9日判決)。また、上告審でもこれらの判決が支持されている(最高裁昭和63年7月19日判決)。

「所得税法60条1項は同項各号に定める場合にはその財産の譲受人が譲渡人の取得時から引き続いてこれを所有していたものとして、いわゆる取得価額の引継ぎによる課税の繰延べを認めている。したがって、この繰延べが認められるためには、資産の譲渡があってもその時期に譲渡所得課税がされない場合でなければならない。ところが、負担付贈与においては、贈与者に収入すべき金額となる経済的利益が存する場合があり、譲渡損となる場合を除いては、一般原則に従いその経済的利益に対して譲渡所得課税がされるから、

課税時期の繰延べが認められないことは明らかである。そこで、同項1号の「贈与」とは、単純贈与と贈与者に経済的利益を生じない負担付贈与をいうものといわざるを得ない。

　負担付贈与が私法上贈与の一種であり、法60条1項1号の贈与について法文上負担付贈与を除外する旨の規定はないが、租税法の解釈であっても、必ずしも法文上の文言のみにとらわれるべきものではなく、当該法条の実質的意義を考察し、その意義に照らして合理的な解釈をすべきものであるから、同条1項1号にいう贈与について、贈与者に経済的利益を生ずる負担付贈与を含まないと解することをもって租税法律主義に反するとことはできない。」

　この判例は、借用概念といえども、その規定の実質的意義を考察し、その意義に照らして合理的な解釈をすべきという下級審の判断を最高裁も支持したもので、重要な先例といえるものである（注1～3）。

(注1)　甲らは、この点について、次のように主張したが、裁判所の容れるところとならなかった。
　　　「私法上の贈与は、当然に負担付贈与を含むものであるから、明文の規定がない限り、税法上も贈与の中には負担付贈与も含まれるのであって、明文の規定もないのにこれを制限的に解釈することは、法令の解釈の常識に反し、憲法30条、84条が明記する租税法律主義に反するものであって違法である」

(注2)　金子「租税法（第19版）」115頁でも、この判例は、「私法上におけると同じ概念を用いている場合で、別意に解すべきことが租税法規の明文またはその趣旨から明らかな場合」の例として挙げられている。

(注3)　この判決は、本件契約が負担付贈与であること自体は是認しながら、無償譲渡でも譲渡所得課税の対象であり、債務引受けによる経済的利益が収入金額となるとしている。収入金額があるなら、無償ではなく有償譲渡で、負担付贈与というより低額譲渡とみる方が理論構成がしやすかったのではなかったかという気がするがどうか。

(6)　借用概念に関する私見

　引用が多過ぎたが、あと2つほど紹介したい。最初に碓井光明教授の本件

判決の評釈（税務事例Vol.10、No.3-18頁）を次に掲げる。租税法と私法の概念を云々する前に、民法自体で、概念により、その解釈の広狭があるという示唆に富む考え方で、大いに参考になる。

「…しかしながら等しく借用概念であっても、「相続」と「贈与」とを比較するとき、前者は財産承継制度として厳格に解されるのに対し、後者は、民法に典型契約として規定されているもので、契約自由の原則の下では、無償性を中心とする贈与の属性の濃淡の程度によって相対的に判断されるものといえよう。紛争を処理するにあたって無償契約に関する規定を適用すべきか有償契約に関する規定を適用すべきかという観点から贈与の概念が問題とされ、その際には個別具体の事件の妥当な解決を図るために、弾力的な解釈適用を行うのが普通である（たとえば、反対給付を支払う場合であっても、当事者が対価的意義がないと考えているときは「贈与」であるとするがごとし（我妻栄「債権各論中巻一」（岩波書店）224頁）（昭和32年））。租税法上の概念と私法上の概念の相対性を認めるかどうかの以前に、民法の贈与が紛争解決において上記のような機能ないし性質を有していることに注目しておきたい」

最後に植松守雄弁護士の見解を紹介しておく。同弁護士が、固有概念と借用概念の限界があいまいで、仮にある用語を借用概念ということで出発してみても、先に見たような利益配当のケースのようにそれがどれだけ解釈基準として役立つか疑問であるとした上で、次のように説く（注解所得税法研究会・主編植松守雄「注解所得税法10」（会計ジャーナル1976年2月号82頁））（注1、2）。

「法律上の概念としてその意味内容が不明であればあるほど、目的論的解釈が重要となるように思われる。いずれにしてもある概念を「固有概念」か「借用概念」かということであまり機械的に割り切って結論を出すのは危険で、この考え方は各種の要素を総合勘案して行うべき法律解釈において一つの着眼点を提供するものというように理解すべきであろう。」

(注1) 現在は、注解所得税法研究会編「注解所得税法（五訂版）」（大蔵財務協会）313頁

（注2）　以上の引用のうち、学説については、租税法学会「租税法研究第6号・租税法と私法」（有斐閣）2〜16頁を参考としている。

　そこで、この問題についての筆者の考え方を簡単に述べておく。

　まず、学説についてであるが、極端な統一説や独立説はともかくとして、結局3つの学説とも、民法からの借用概念については、民法上の解釈を第一義と考えることは同一で、どのような場合にその例外の解釈を認めるかについて立場の濃淡があるに過ぎないようにみられる。しかも、そもそも借用概念という考え方自体が「それによって租税法の解釈に関する錯綜した議論を多少とも整理し、またいわゆる実質課税の原則を根拠として租税法に自由な解釈をもち込むことに対して歯止めをかけることに役立つのではないか（前掲「租税法と私法」2〜3頁）」という意図的な考えに基づくもので、統一説の強力な論者である中川博士はその主張において「財政権力といえども常に憲法を根幹とする法秩序内において、その秩序を維持してのみ活動が許されるに過ぎない」（前掲「租税法と私法」10頁）とされる。しかし、そのことがなぜ統一説につながるのか筆者にはよく分からない。また、この論者によるとある用語について、これが借用概念か否かを一々割り切らなければならないが、植松弁護士の説くように、その基準はあいまいである。また、固有概念なら税法独自の解釈でどのように解してもよいということではあるまい。

　また、判例の傾向として、金子教授は私法からの借用概念について、私法におけると同じ意義に解する傾向にある（前掲「租税法と私法」3頁）とされるが、先ほど引用したように、基本的な考えとして、私法上の借用概念は私法上の解釈によるという流れは変わらないが、初期の「利益配当」や「匿名組合」に関する厳格な統一説的な判例は、最近においては少なくなっており、むしろ租税法の目的に照らし、民法と異なる意義を持つと解すべき場合には、別途の解釈を認めるという考え方に変わりつつあるように思われる。その現われが、最近の「区分地上権」や「負担付贈与」を巡る判決に現われてきているのではないか。

　「借用概念」の厳格な解釈に舵を戻したのではないかともいわれる前掲の

最高裁平成23年2月18日判決でも、「…住所とは、反対の解釈をすべき特段の事由はない以上、生活の本拠、すなわちその者の生活に最も関係の深い一般的生活、全生活の中心をなすものであり…」としており、特段の理由があれば、別異の解釈は可能であることを示しているといえよう。

したがって、筆者は、植松弁護士の見解に基本的に賛意を表したい。すなわち、特定の用語について、「借用概念」か「固有概念」かに区分けして、その解釈の態度を変えるという考え方は有益とは思われない。もちろん、法的安定性の見地から、その用語が私法で用いられているものは、基本的にはその私法上の解釈を尊重しつつ、しかしそれでは、法の趣旨からみてどうしても問題があるときは、その理由を明らかにして、異なる解釈をとることもまた許されるべきと考えられる。このことは、固有概念とされるものも同様である。

統一論者の課税庁側の恣意的解釈への危惧はむしろ、裁判所の良識に任すべき問題ではないか。

3　みなし贈与

既に述べたように、相続税の場合と同様に、法律的には贈与によって取得した財産ではないが、実質的にはこれと同様な結果が生ずる場合には、課税の公平を保つ意味からその財産を贈与による取得とみなして贈与税が課税される。これらの詳細は、課税財産の項で詳説し、ここでは省略する。

4　贈与税の課税時期

(1)　総　　説

相続税の課税時期は、相続の開始の時とされているので、実務上問題になることは少ないが、贈与税の場合は贈与を課税原因とすることから、その課税時期は贈与による財産取得の時となり、その時期は具体的にどう判断するかについて、実務的に紛争となることが少なくない。これについての学説・判例は、次の3つに分かれているとされる。

① 契約成立時説（A説）

この説は、物権変動の時期に関する民法の通説（注）に従うもので、およそ贈与も民法上の契約の1つであるから、契約の成立によって契約の効力が発生し、所有権移転の効力が発生するという説である。

(注) 贈与による所有権の移転も物権変動の一種であるので、その物権変動は民法第176条の「当事者の意思表示のみによって、その効力を生ずる」とする規定の適用があり、意思表示だけで足り、しかも、契約の成立と同時に物権変動を生ずるというのが、判例及び通説であるとされる。売買などでは、売買契約と同時に物権変動が生ずるとする大審院判例（大審院大正2年10月25日判決）があり、戦後では最高裁昭和33年6月20日判決が、上掲大審院判決を引用して、特定物売買における所有権の即時移転を宣言し、引渡義務と代金支払の同時履行の問題と所有権の移転とは無関係と判示している（「民法(2)物権・第4版増補版」（有斐閣双書）49頁）。

この考え方をとるものと思われる判例が幾つかある。

(A) 京都地裁昭和52年12月16日判決

親族間における書面によらない不動産の贈与の時期が契約の時か登記の時か争われた事件について、次のとおり判示した（注）。

「贈与税は「財産の取得」（相法1の2）を課税原因とし、納税義務は右「財産の取得」の時（通則法15②五）に成立するものとされているところ、右「取得」の概念について税法上格別に定義づけた規定も見当らないので、右国税通則法にいう「贈与による財産の取得の時」についても、民法の一般理論と別異に解すべき根拠も特に見出しがたいところ、判例通説の一般理論によれば贈与者の意思表示を受贈者が受託することにより成立し、他に特段の行為なくして財産権移転の効力を生ずる（民法549）ものとされているから、右「取得の時」とは贈与契約（意思表示の合致）が成立した時をいうものであって、これは書面によらない贈与の場合においても変りはないものと解するのが相当である。」

(注) この判決は上記のとおり、贈与による財産の取得時期は契約の時と判示して、課税庁側の敗訴となったが、控訴審（大阪高裁昭和54年7月19日判決）では、親族間における不動産の贈与につき、登記原因として記載された贈与

年月日にかかわらず、その登記の日に贈与が行われたと判示して、第一審の判断を覆した。

(B) 東京地裁昭和57年10月14日判決

贈与すべき土地を特定しない贈与の課税時期について、次のとおり判示した（注）。

「贈与税の納税義務の成立時期である財産の取得の時とは、不動産の贈与についていえば、原則として、所有権移転の時をいうと解される。相続税法基本通達6条1項が「財産取得の時期は、……贈与の場合にあっては、書面によるものについてはその契約の効力の発生した時」によるものとすると定めているところ、この通達も、贈与契約の効力発生と同時に所有権等の移転の効果が原則として発生するとの見解に立ち、契約の効力の発生した時をもって財産取得の時期とすると定めたものであって、結局は、所有権等の移転の効力が発生した時をもって贈与による財産取得の時期として取り扱う趣旨と解される。したがって、不動産の贈与契約が締結されても、将来において目的物の所有権を移転することを特に定めた契約や、目的物の特定を欠く契約の場合には、契約の効力発生の時に所有権の移転があったものとはいうことができないから、かかる場合には現実の所有権移転又は目的物の特定があった時に財産の取得があったものというべきである。」

(注) 本件の控訴審でも同趣旨の判示がされている（東京高裁昭和59年3月28日判決）。

(C) 大阪地裁昭和48年9月17日判決

公正証書上における受贈者の意思表示をもって贈与契約が成立したものと認定した事例である。判示の内容は次のとおり（注）。

「本件土地に関し被相続人の生前に公正証書が作成せられており、その公正証書の内容は、遺贈または死因贈与と解すべきではなく、贈与契約と解すべきであり、原告の受贈の意思表示は、被相続人が当時未成年者であった原告の法定代理人として原告に代理して行なったものと解するのが相当である。しかも、本件土地は贈与当時既に造成されて宅地化しており右契約に農地調

整法5条の適用はなく、有効に成立したものというべきである。なお、原告が右土地を相続財産として相続税の申告をし、土地の登記名義を相続を原因として原告に移転していること（筆者注・原告は、当時公正証書の保管場所を知らなかったためという。）、原告が成年に達した後も、右土地の賃貸借契約の締結、貸料の受領、税金の納付は、被相続人が行なっていたこと（筆者注・未成年時からの延長という。）が認められるが、右の事実をもってしても、贈与の認定を左右することはできず、結局、本件土地は、原告が被相続人から生前贈与を受けたものであって、相続財産に該当しない。」

(注)　公正証書上贈与された財産を、相続財産として申告し、受贈者が成年に達しても被相続人がその財産の一切の管理をしていたことを事実認定しても、公正証書による受贈の意思表示をもって契約成立とみた判例で、かなり徹底した民法理論の通説による判示となっている。ただ、本件の実質的争点は農地及び宅地の評価にあり、本件判決の評釈（熊川敬一郎評釈・シュトイエル145号・7頁以下）でも上記判示については何らのコメントもしていない。

② 履行時説（B説）

　これは、贈与契約の履行行為（目的財産の引渡し、効力要件としての登記等）がされた時をもって、財産の取得の時と解する説で、学説として、この立場をとる例が多い。

(A)　中川一郎教授の説（「税法学体系」（ぎょうせい）437頁）

　「贈与は、債権契約であり、贈与者が贈与契約の履行行為として、贈与財産の所有権を受贈者に移転せしめる物権行為をなすことによって初めて、受贈者は財産を取得するのである。したがって、贈与契約が成立しても、贈与者の履行行為がなければ、受贈者に、贈与による財産の取得という課税原因は生じない。」

(B)　吉良実教授の説（「北野コンメンタール相続税法」218頁）

　「……ここに財産を「取得した」とは、現実に取得したこと、つまり物権とか債権等の財産権が法律上帰属した場合はもとよりのこと、それに限らず、広く経済的利益が事実上帰属した場合を含む概念と解すべきである。したがって法律上は財産権が移転したとはいえない場合であっても、事実上経済

的利益を享受しておれば、ここでいう「取得した」という中に入り、反対に形式的に財産権の移転がありその名義人となった場合には、その名義人はここでいう財産を「取得した」という中に入らず、もとより贈与はなかったものとして取扱われるのである（昭和39年5月23日直審（資）22、直資68）。そして、この「取得した」とは現実の取得をいうのであるから、単に贈与契約（債権契約）がなされたというだけでは足りず、その契約の履行としての財産の占有権の移転、つまり目的財産の引渡とか、効力要件としての登記・登録等がなされ、物権的に取得したことを要するものと解すべきである。」

(C) 和田正明教授の説（「税大論叢」9号36頁）

「贈与については、その特殊性にかんがみ、書面によるとよらざるにかかわりなく、民法550条にいう『履行を終』る時をもって権利確定の基準とすべきである。……履行を終る現象として、動産については引渡し、不動産については引渡しと登記が考えられる。」

(D) 小林栢弘氏の説（「税務事例」Vol.20-No10・13頁）

小林氏は、贈与税の課税時期を贈与財産の所有権移転の時と別個に考え、かつ所有権の移転の時を民法の通説判例どおり贈与契約の効力発生の時と考えると、贈与契約の効力発生後でかつ履行前に受贈者が死亡したケースでは、受贈者の相続人にまず相続税が課され、次いで履行時に再び当該相続人に贈与税が課されるという奇妙な現象が生ずるとして、次のように説く。

「……贈与税の課税時期についても、相続税の場合と同様に、贈与の目的物である所有権の移転の時と解するのが相当であると考えられるが、その時期は、贈与契約成立の時ではなく、目的物の引渡し又は登記等が行われ、受贈者が確定的に所有権を取得した時と解するのが一般の取引社会における法意識にも合致して、課税上も相当であると考える。」（注）

(注) 小林氏は更に、相続税法基本通達1・1の2共-7(2)の贈与による財産取得の時の取扱いに関し、次のように説く。

「相続税法基本通達1・1の2共-7(2)（筆者注・現行1の3・1の4共-8(2)）の取扱も、契約時に所有権が移転するというのではなく、引渡し、登

記等が行われた時に移転するという民法の解釈を前提にするならば、書面による贈与も書面によらない贈与も、引渡し、登記等があった時に、その贈与物件の所有権移転の効力が生ずることになっているので、この取扱いはその時をもって贈与税の課税の時期とするものであるということもいえるのではなかろうか。」

③ **課税適状時説（C説）**

これは、後述の相続税法基本通達1の3・1の4共－8(2)による財産取得の時期の考え方をとるもので、書面による贈与はその契約の効力の発生した時により、書面によらない贈与についてはその履行の時によることとする立場をとるものである。

この考え方は、基本的には民法の物権変動の通説によるが、書面によらない贈与は、その取消しがなし得なくなる履行の時によるというものである。

判例では、この説をとるものが多い。

(A) 那覇地裁昭和59年6月19日判決

財産の取得の時についての上記の取扱いと同趣旨の見解を示す判例で、要旨は下記のとおり。

「国税通則法15条2項5号によれば贈与税の納税義務は贈与（いわゆる死因贈与を除く。）による財産の取得の時に成立するものとされているところ、贈与税が贈与による財産権の移転すなわち財産の無償移転による受贈者の財産の増加に担税力を認めて課される租税であるところからすれば、右にいう「取得の時」とは、贈与による財産権の移転が当事者間において確定的に生じたものと客観的に認められる時、すなわち書面による贈与にあってはその効力発生の時、また、書面によらない贈与にあってはその取消（撤回）の可能性（民法550）が消滅した時、例えば不動産の贈与についてはその引渡又は所有権移転登記経由の時をいうものと解するのが相当である。」

(B) 東京地裁昭和55年5月20日判決

書面によらない贈与の課税時期は、履行の時によるとする判例である（注）。

「書面によらない贈与は、その履行が終わるまでは、当事者がいつでも自

由にこれを取り消すことができるものであり（民法550）、その履行前は目的財産の確定的な移転があったということができないから、書面によらない贈与について相続税法1条の2等にいう「贈与による財産を取得した」として贈与税を課するためには贈与の履行が終了してもはや任意に取り消されることがなくなることが必要であると解すべきである。」

(注)　控訴審である東京高裁昭和56年8月27日判決も同趣旨である。

(C)　横浜地裁昭和52年4月13日判決

　(B)と同旨の判例である（注）。

「書面によらない贈与は、その履行が終わらないうちは、各当事者においていつでもこれを取消すことができる（民法550）のであるから、受贈者の地位は、履行の終るまでは不確実なものといわざるを得ない。

右のような書面によらない贈与の性質にかんがみれば、贈与税の納税義務者について規定する相続税法1条の2にいう「贈与により財産を取得した時」とは、書面によらない贈与の場合においては「贈与の履行の終った時」を意味するものと解するのが相当でありその時に、受贈者は、贈与税の納税義務を負担するに至ると解すべきである。」

(注)　控訴審である東京高裁昭和53年12月20日判決も同趣旨である。

(D)　福岡地裁昭和54年2月15日判決

　同じく(B)と同旨の判例である。

「相続税法19条の贈与により財産を取得したこととは、本件のような書面によらない贈与にあってはその履行の終了を意味すると解すべきである。」

(E)　大阪高裁昭和41年12月26日判決

　同じく(B)と同旨の判例である。

「贈与契約は書面による契約以前に成立していたと主張しても、控訴人（原告）主張のような口頭契約が成立したとは認められないし、かかる口頭契約は履行前はいつでも贈与者において取消すことができるものであるからいまだ課税要因事実として成熟確定せず納税義務の発生しないものである。」

Ⅰ　贈与税の課税要件　433

(F)　那覇地裁平成7年9月27日判決

　書面の作成日と登記の日が大きく離れているが、沖縄の特殊事情を考慮して、書面の作成により贈与契約が効力を生じたものとみて、登記日を課税時期とする課税処分を取り消した珍しい判決である。

　「加えて、本土復帰前の沖縄においては、贈与税の制度はなく、贈与による財産の取得については、所得税の一時所得の適用を受けるところ、昭和42年に資産評価調査員規程が制定され、評価基準の作成作業が始まるまでは、不動産の評価基準はなく、不動産の一時所得についての課税実績がほとんどなかったことが認められる。したがって、昭和41年当時、贈与による財産の取得における納税意識は一般的に低かったと推認されることからすれば、原告において、本件贈与当時に移転登記を直ちに行わなかったことに、租税回避の意図を認めることはできない。……以上からすれば、昭和41年ころ、原告とAの間で、ほぼ本件土地に相当する部分について、Aから原告に贈与する旨の合意が成立し、右贈与を証明するため、同年5月8日付けで覚書が作成されたものと認められる。そうであれば、本件贈与は、基本通達にいうところの、書面による贈与であることとなるから、基本通達1・1の2共－7により、その契約の効力の発生したときである昭和41年を財産の取得時期とすべきであり、同取得時期を平成2年とした被告の本件各処分は、いずれも誤りである。」

(G)　神戸地裁昭和56年11月2日判決

　公正証書があっても、その時期の贈与を否認した事例で、このタイプの判例は多い。

　「原告甲は、本件土地以外の個別的に贈与を受けた土地については、直ちに所有権移転登記を経由する等しているのに、本件土地については、それがなされないままになっていることをも考え合せれば、本件公正証書を作成したときの乙の意思は、直後に作成する遺言書で原告両名に遺贈する目的財産の範囲（本件土地）を、親族間に存する事情にかんがみ、関係者間に明確ならしめておくところにあったものであり、公正証書を作成したのは、右の事

情にかんがみ、特に慎重を期したものであって、条件付であるとはいえその時点で直ちに原告両名に対して本件土地を贈与するというようなものではなかったと推認され、また、原告甲もこのことを了知していたものと推認」した上で、公正証書作成時には「本件贈与契約は成立していないものというほかはない」と認定した。

(H) 名古屋地裁平成5年3月24日判決

(G)と同旨の内容で、「本件不動産につき、わざわざ公正証書を作成しながら、所有権移転登記をしなかった合理的な理由を見出すことができず、本件公正証書は、いずれも租税の負担を免れるための方便として作成されたものであり、事実は被相続人が死亡した場合には本件不動産をそれぞれ原告、丙及び丁に贈与することを約したのであるが、相続税の課税を回避するため、あたかも即時に贈与したかの如き条項にしたものと認めるのが相当である」として、証書作成時の贈与を否認した。

(I) 名古屋高裁平成10年12月25日判決

(G)と同旨の内容で、「本件公正証書は、将来原告が帰化申請する際に、本件不動産を原告に贈与しても、贈与税の負担がかからないようにするためにのみ作成されたものであって、Aに本件公正証書の記載どおりに本件不動産を贈与する意思はなかったものと認められる。他方、原告は本件公正証書は、将来、本件不動産を原告に贈与することを明らかにした文書にすぎないという程度の認識しか有しておらず、本件公正証書作成時に本件不動産の贈与を受けたという認識は有していなかったと認められる。よって、本件公正証書によって、AからXに対する書面による贈与がなされたものとは認められない。そうすると、AがXに対し、本件不動産を贈与したのは、書面によらない贈与によるものということになるが、書面によらない贈与の場合にはその履行の時に贈与による財産取得があったと見るべきである。そして、不動産が贈与された場合には、不動産の引渡し又は所有権移転登記がなされたときにその履行があったと解されるところ、本件においては、すでに判示したように、原告は本件不動産を従前から居住しており、本件証拠上、本件

登記手続よりも前に、本件不動産の贈与に基づき本件不動産の引渡を受けたというような事情は認められないから、控訴人は、本件登記手続がされた平成5年12月13日ころにAから本件不動産の贈与を受け、その履行として本件登記手続がされ、これによって控訴人は本件不動産を取得したものであるから、控訴人の本件不動産の取得時期は平成5年12月13日である。」とした。

(J) 京都地裁平成16年1月30日判決

(G)と同旨の内容で、「本来、法律上当然に納付すべきことなる相続税や贈与税の負担を違法に免れる目的で、贈与契約の表示行為がされて贈与契約が仮装されることは勿論あり得るけれども、本件事実関係によっても、また、本件各証拠によっても、AもXも、本件贈与不動産の贈与をする意思がないのに、相続税や贈与税の負担を免れる目的で本件公正証書の作成依頼をしたとまでは到底認められない。むしろ、本件事実関係及び本件各証拠によれば、Aとしては、当時、本件贈与不動産の所有権をXに無償で取得させる意思はあったものと認められる。」とし、また、「本件公正証書作成当時、原告とAは、本件約定に拘わらず、Aが本件贈与不動産の所有権を直ちに原告に移転させるのではなく、結局、Aの死後、本件贈与不動産を原告に贈与するとの意思で、そのような合意をしたもの、すなわち、死因贈与の契約をしたものと認めるのが相当である。」とした。

(2) 課税当局の取扱い

国税庁の贈与による財産の取得の時期の取扱いは、次のとおりである（相基通1の3・1の4共-8(2)）。

① 書面による贈与……その契約の効力の発生した時
② 書面によらない贈与……その履行の時

この取扱いについての当時の当局者の説明は、次のとおりである（庭山慶一郎著「相続税の理論と実務」（税務経理協会）20～21頁）。

「相続税、贈与税の課税はあくまでも実質課税の原則を貫いて行われるという本来の建前から、取得とその時期は当然に「所有権移転とその時期」ということになるであろう。しかして、相続および遺贈の場合には、それらの

原因による所有権移転の時期は明瞭である。………しかしながら贈与の場合には、問題は若干複雑である。わが民法上、所有権の移転は動産、不動産を問わず当事者の意思表示のみによって効力を生ずることになっているから（民法176）、様式の何たるを問わず、意思表示の時または当事者間で所有権移転の時期として定めた時に財産の取得があったことになり、その時を基準として贈与税の課税が行われることになる。ただし書面によらない贈与は既に履行した部分を除き、当事者間において取消すことができるから（民法550）、すなわち履行によって初めて贈与が確定的になるのであるから、課税の便宜上履行の時を以て財産の取得の時として取扱うことにしている。」

また、国税庁当局者も、上記取扱いについて、相続税法第1条の4の規定の趣旨に照らし、基本的には、民法の物権変動の時期についての通説、判例の考え方を前提とし、所有権等の移転の効力が発生した時をもって、贈与による財産取得の時期として取り扱うことが相当と考えられたからであって、ただ書面によらない贈与は履行の時としているのは、書面によらない贈与（口頭による贈与）は履行が終わるまではいつでも取り消すことができ、履行前の受贈者の地位は極めて不安定なものであるので、その贈与が確定的になる履行の時によるものとして取り扱うこととしたものであるとしている（「相基通解説」26頁）。

以上にみたとおり、実務としては、(1)③のＣ説の考え方が、国税庁の取扱通達及び判例の大勢をバックとして運用されているのが現実であるが、取扱いの文面として書面によるものは契約の効力発生の日とすることから、次に述べるような種々の問題を起こしている。

(3) 検　討
① 総　説

贈与税の課税時期についての実務は、(1)③のＣ説（相基通1の3・1の4共－8(2)の考え方）によって動いていることは、上記のとおりであるが、同通達(2)が書面による贈与は、契約の効力の発生の時を財産取得の時とすることから、公正証書による相続回避が一時盛んに行われ、現在でも絶無ではな

い（後述名古屋地裁平成5年3月24日判決）。

　公正証書は、一般に私文書に比し、訴訟上極めて強い証拠力を有すると考えられているので、公正証書による贈与契約書を作成し、贈与税の除斥期間満了後に登記等を行い、課税当局の追求を受けると、これは書面による贈与契約であるから、相続税法基本通達1の3・1の4共－8(2)により、財産取得時期は契約効力発生の日である。しかも、この契約は公正証書によりされているから、その契約の日は公正証書によって証拠立てられる。したがって、もはや贈与税の除斥期間は満了していると主張して贈与税を免れようとするのが、この事例の主なパターンである（注）。

（注）　この考え方を支持した判例として、4(1)の①の(C)で挙げた大阪地裁昭和48年9月17日判決がある。

　当局者は、このような主張に対し、この取扱いは書面さえ存在していればよいという趣旨ではないから、たとえ、書面は存在していても、所有権等の移転の登記又は登録の目的となる財産について、その登記又は登録を行うについて何らの障害がないにもかかわらず書面の作成後（登記又は登録を行うについて障害がある場合はその障害が除かれた後）長期間登記又は登録を行わない場合など、実質的に考察すると、贈与の真実性には疑問が多く、むしろ全体を総合的にみるならば、贈与契約は、租税回避その他何らかの目的により、当事者の客観的真意とは別になされた仮装の行為あるいは贈与の予約とみるのがより自然かつ合理的であるようなものまで、その契約の効力を認めようとするものではないとしている（「相基通解説」26頁）。

② 判　例

　前掲大阪地裁昭和48年9月17日判決を除き、公正証書上の契約の日を財産取得の日とする判例は筆者は見出し得なかった。

(A)　名古屋地裁平成5年3月24日判決

　「認定事実によれば、本件公正証書は、いずれも特段の必要がないのに作成されたものであり、しかも、原告らは、いずれも所有権移転登記をすることに何ら支障がなかったにもかかわらず、被相続人の死亡に至るまでこれを

しなかったというべきところ、原告らは、本件不動産以外の不動産の贈与については、公正証書を作成しておらず、被相続人から贈与を受けると間もなく所有権移転登記を経由しているのであるから、本件不動産につき、わざわざ公正証書を作成しながら、所有権移転登記をしなかった合理的な理由を見出すことができず、本件公正証書は、いずれも租税の負担を免れるための方便として作成されたものであり、真実は、被相続人が死亡した場合には本件不動産をそれぞれ原告らに贈与することを約したのであるが、相続税の課税を回避するため、あたかも即時に贈与したかの如き条項にしたものと認めるのが相当である。本件公正証書作成当時、既に原告らが本件不動産に居住するなどして、無償でこれを使用していたことに鑑みれば、原告らが本件不動産に係る固定資産税等、火災保険の保険料及び修繕費等を負担してきた事実があるからといって、右認定を覆すには足りないというべきである。そうすると、本件不動産は、「贈与者の死亡により効力を生ずる贈与」（遺贈）によって取得した財産に当たるので、相続税の課税財産に含まれるというべきである。」（注）

(注) 本判決は、原告が、税金、保険料、修繕費を負担し、物件に既に居住していたにもかかわらず、原告の死因贈与による取得とみた事例である。

(B) 大阪地裁昭和62年2月24日判決

「本件課税物件の贈与の時期が、原告主張の昭和38年5月15日（本件贈与証書作成時）であるのか、被告主張の昭和57年4月19日（所有権移転登記時）であるのか検討するに、認定事実によると、本件贈与証書作成当時、Aとしては、原告及びその妻がAの養子となり、Aと同居してその日常生活の世話をし、老後の面倒をみ、B社の経営を助けてくれるならば、いずれ、Aが適当と認めた時期に改めてその所有財産を原告に贈与する意思であり、ただ、原告を養子として迎えるに先立ち、いずれは自己の全財産を原告に譲ってもよいとの気持を具体的な形で表わすとともに、証書の作成によって、原告に、将来自己の財産を贈与あるいは相続させることに伴う紛争（その中には税金の問題もあったと考えられる。）を未然に防ごうという意味あいもあっ

て、本件贈与証書の作成に至ったものと推認され、また、認定事実からすれば、右のような本件贈与証書作成の経緯、目的は、原告においても、同証書作成当時、十分認識していたものと認められる。

　以上の次第で、本件課税物件についてのAから原告への贈与は、原告が、Aの承認を得て、右物件についての所有権移転登記を行った昭和57年4月19日と認めるのが相当であり、これを前提としてなされた本件贈与税決定処分は正当である」（注）

(注)　公正証書作成後登記をしないまま経過し、贈与者が死亡したケースで、公正証書は租税負担の回避のための方便で作られたもので、贈与対象とされた不動産は死因贈与として相続税の課税対象と判示されたものである。次の(C)の判例も同趣旨。

(C)　神戸地裁昭和56年11月2日判決

　「本件公正証書には、X_1・X_2両名は贈与を受けた本件土地の一部分たりとも被相続人の書面による承諾を得ずして他の譲渡、質入れあるいは担保等の目的に供することはできない旨記載されているのであり、本件事実関係からすれば被相続人Aは、本件公正証書作成後これと接着した時期に本件遺言書を作成し、その中で、目的物件については本件公正証書の記載を引用して、自己の死後はX_1・X_2両名に本件土地を遺贈する旨、本件公正証書の記載とは相容れない意思を表明したうえ、その後死亡に至るまで8余年の間、A家の当主として、本件土地のすべてを自己の所有として管理処分していたものであるというべく、しかも、X_1・X_2両名はこれを了承していたのである。

　これらの諸点と、更には、X_2は、本件土地以外の個別的贈与を受けた土地については、直ちに所有権移転登記を経由する等しているのに、本件土地については、それがなされないままになっていることをも考え合せれば、本件公正証書を作成したときの被相続人Aの意思は、直後に作成する遺言書でX_1・X_2両名に遺贈する目的財産の範囲（本件土地）を、親族間に有する事情にかんがみ、関係者間に明確ならしめておくところにあったものであり、公正証書を作成したのは、右の事情にかんがみ、特に慎重を期したものであっ

て、条件付であるとはいえその時点で直ちにX_1・X_2両名に対して本件土地を贈与するというようなものではなかったと推認され、また、X_2もこのことを承知していたものと推認される。

　したがって、本件土地は、被相続人Aの生前に贈与されたものではなく、遺産に属するものと認めるのが相当である。」(注)

(注)　本判決の判示は、公正証書による贈与はされなかったというにあるようだが、(B)の判決と同様に死因贈与と解すべきではなかったかとする意見（小林栢弘評釈「税務事例」Vol.20 – No.10・12頁）がある。

③　**裁決例**

　公正証書による贈与の時期についての国税不服審判所の公表裁決例としては、次のようなものがあり、いずれも審査請求人側の主張が却けられている(注)。

(A)　公正証書による贈与契約は相続税回避のための仮装行為であるとした事例（昭和46年9月27日裁決・裁決事例集No.3 – 30頁）

　請求人は、本件贈与契約公正証書に記載された財産であるから、相続財産から除外されるべきであると主張するが、本件各証拠資料により認められる各事実を総合すると、本件贈与契約は、公正証書による贈与契約の形は存在するけれども、当事者の客観的真意とは別になされた仮装の行為とみるのが自然かつ合理的であって、これをこのまま承認することは、租税負担公平の見地からも採り難いところというほかない。

　したがって、本件公正証書に記載された財産は、相続時において請求人のものではなく、被相続人の相続財産であるとした原処分は相当である。

(B)　公正証書を作成して被相続人の生前に贈与を受けたものであるとする不動産について、生前贈与ではなく死因贈与により取得したものと認定した事例（昭和57年10月8日裁決・裁決事例集No.25 – 89頁）

　被相続人と請求人らは、公正証書を作成し、不動産を贈与する旨の合意をしたが、被相続人は公正証書を作成してから死亡するまでの約6年間不動産を従来どおり自己の所有物として管理し、使用収益していたこと、被相続人

には公正証書作成当時同人の死亡後同人の財産の分割等が支障なく行われるであろうという思惑が存在したことが十分うかがわれることなどから、公正証書による合意の真の内容は公正証書記載の贈与を即時に行うというものではなく、むしろ、死因贈与契約をしたものと認めるのが相当であり、贈与の効力は被相続人の死亡により生ずることとなったものといわざるを得ない。

(注) このほか、次のような例があるが、それぞれ訴訟に移行しているので、②の判例のうち該当部分を参照されたい。

　Ⓐ　不動産贈与の効力は、贈与契約公正証書の作成の時ではなく、被相続人の死亡の時に生じたものと認定した事例（昭和54年2月14日裁決、裁決事例集No.17-57頁）→②(C)の神戸地裁昭和56年11月2日判決

　Ⓑ　贈与により取得した財産の取得時期は贈与証書による贈与契約の時ではなく贈与登記の時であると認定した事例（昭和60年3月25日裁決、裁決事例集No.29-141頁）→②(B)の大阪地裁昭和62年2月24日判決

(4) 私　　見

　判例・裁決例の見解はおおむね妥当と考えるが、こういった紛争が生ずるのも、書面による贈与の時期について、民法の通説判例による契約効力の発生の時という取扱いに固執していることに原因があるように思う。

　筆者としては、むしろ(1)②のB説のように、贈与については、すべて履行の時をもって課税時期とすることが理論的にも統一性があるように思えるが、いかがなものか。ただ、実務上、履行の時の事実認定については、かなり困難性を伴うが、それは、現在の実務においても避け得ないもので、敢えてB説をとり得ない理由にはならない。また、所有権移転に関する通説判例と一致しないという批判に対しては、この考え方は少なくとも通説に至らないまでも有力説であること、所得税の譲渡所得の取扱いでは、既に、所有権移転理論を離れて引渡し時をもって課税時期としていること、C説の根拠判例として挙げた判例も、見方を変えればその大半はB説支持とも見られることから、根本的な障害とはなり得ないものと考える。

　また、別の批判として、相続税の課税時期は所有権移転時期（相続開始時）をとりながら、贈与税の課税時期は所有権移転時説をとらず、履行時説

をとるのはご都合主義であるという非難が考えられるが、相続税の場合は民法の明文をもって、所有権移転時期が定められており、疑念の余地がなく、また、これがすなわち履行の時（実質的に資産の支配を取得した時）と考えれば、何ら矛盾はないと考えるが、どうか。

第2節　納税義務者

1　無制限納税義務者と制限納税義務者

(1)　原　　則

現行贈与税の納税義務者の概要は、次のとおりである。

イ　贈与税の納税義務者は、原則として、贈与（贈与者の死亡により効力を生ずる贈与即ち死因贈与を除く。）により財産を取得した個人であり（相法1の4①）、贈与による財産の取得の時における受贈者の住所等により、その課税範囲は(2)のとおりとなる。

(注)　主要諸外国の贈与税の納税義務者については、第1編「総論」の5を参照されたいが、アメリカは贈与者が、ドイツ及びフランスは受贈者が納税義務者になる。また、イギリスは、贈与者の死亡により、その死亡前7年以内の贈与について遺産税が課税され、生前に贈与税が課税されることはないので、その納税義務者もないことになる。

ロ　無制限納税義務者

無制限納税義務者とは、贈与により財産を取得した個人で、その財産を取得した時において相続税法の施行地に住所を有する者等である（相法1の4①一、二）。

無制限納税義務者の場合の贈与税の課税財産の範囲は、その名称のとおり、その財産の所在地のいかんを問わず、その個人が、その贈与により取得した財産のすべてである（相法2の2①）。

(注)　この制度は、武富士事件のような租税回避を規制することを目的として平成12年の租税特別措置法の改正で設けられ、平成15年に相続税法本法に

移されたものである。立法の趣旨について、当時の当局者は、次のように説明している(「平成12年版・改正税法のすべて」372頁)。

「(2) このような制度は、課税対象を決定する上で基礎となる国と「人」とのつながりを財産の取得という一時点における相続人等又は受贈者の住所のみで捉えるという考え方に基づくもので、財産の国外への移転がそれほど容易でなく、生活拠点を国外に移転させることも頻繁には行われないという状況の下では、簡素という点で優れたものといえます。しかし、経済のグローバル化・ボーダレス化等に伴い、国境を超えた「人」や「財産」の移動が活発化している中で、このような制度のままでは課税の公平を確保し難い状況となってきていました。また、現に、我が国と外国との間での相続税・贈与税の課税方法や課税対象等の違いを利用し、例えば、

イ　相続発生の直前に財産を国外に移転し、国外に住所を有する子供に相続させる

ロ　子供が国外に住所を移した直後に国外へ財産を移転し、その国外財産をその子供へ贈与する

ことによって、我が国の相続税や贈与税の負担を回避し、更には、いずれの国の負担も免れるという節税手法が一般に紹介され、税制に対する信頼を損ねかねない状況も生じていました。

(3) この点については、政府税制調査会の「平成12年度の税制改正に関する答申」においても、「相続税については、国際化などの経済社会状況の変化への対応も求められており、税制の信頼を高める観点から、海外への資産移転による租税回避行為の防止などについても必要な措置を措置を検討する必要があります。」との指摘を受けていました。

(4) このような状況を踏まえ、今回の税制改正では、経済のグローバル化等に対応して引き続き課税の公平を確保し、あわせて、租税回避行為を防止するため、国内に住所を有していない者で日本国籍を有する相続人等又は受贈者については、原則として、相続等又は贈与の時点で国内に住所を有していない場合であっても、国内に住所を有する者と同様、国外財産も相続税又は贈与税の課税対象とする措置を講ずることとされたものです。

(5) なお、主要諸外国の制度をみても、従来のわが国の制度のように、財産の取得の時点での相続人等又は受贈者の住所のみにより納税義務の範囲を判別するのではなく、相続人等又は被相続人等の国籍や相続

開始前等の一定期間における住所地の異動状況等も勘案することとしている例が多いほか、一部の国では、自国での租税を回避する目的で国籍を離脱しているような場合には、より厳しい基準で納税義務の範囲を判定する制度を導入している国もあります。今回の納税義務者等の特例の創設は、このような諸外国の制度の現状も踏まえつつ、納税義務の範囲を判定する際に国際的な基準の一つである自国籍の有無をも勘案するよう措置することとしたものです。」

このように、無制限納税義務者は、法施行地外の財産を贈与された場合でも課税される結果、相続税の項でも述べたのと同様に、その財産の所在地国の法令によっても贈与税に相当する税が課税されるような場合には、国際的な二重課税が生ずるおそれがある。このため、後述のとおり、外国で課税された贈与税に相当する税額を、我が国で課される贈与税額から控除する「在外財産に対する贈与税額の控除(相法21の8)」の制度が設けられているほか、日本とアメリカ合衆国との間では、特に「遺産、相続及び贈与に対する租税に関する二重課税の回避及び脱税の防止のための日本国とアメリカ合衆国との間の条約」による調整が行われている。

ハ 制限納税義務者

制限納税義務者とは、贈与により相続税法の施行地にある財産を取得した個人で、無制限納税義務者に該当するもの以外のものである(相法1の4①三、四)。

この場合における贈与税の課税財産の範囲は、上記の個人が贈与により取得した財産で相続税法の施行地内にあるものに限られ、相続税法の施行地外にある財産については、これを贈与等により取得しても、贈与税の課税は及ばない(相法2の2②)。

(2) **納税義務者の態様別の納税義務の範囲**

I 贈与税の課税要件　445

＜平成12年3月31日以前＞

贈与者＼受贈者	国内に居住	国外に居住
国内に居住	国内財産・国外財産 ともに課税	国内財産のみに課税
国外に居住		

＜平成12年4月1日以後＞

贈与者＼受贈者		国内に居住	国外に居住		
			日本国籍あり		日本国籍なし
			5年以内に国内に住所あり	左記以外	
国内に居住		国内財産・国外財産 ともに課税			国内財産のみに課税
国外に居住	5年以内に国内に住所あり				
	上記以外				

＜平成25年4月1日以後＞

贈与者 \ 受贈者	国内に居住	国外に居住		
		日本国籍あり		日本国籍なし
		5年以内に国内に住所あり	左記以外	
国内に居住	国内財産 国外財産 ともに課税			
国外に居住 / 5年以内に国内に住所あり				国内財産のみに課税
国外に居住 / 上記以外				国内財産のみに課税

I 贈与税の課税要件　447

＜平成29年4月1日以後＞

贈与者 \ 受贈者	国内に居住	短期滞在の外国人（※1）	国外に居住 日本国籍あり 10年以内に国内に住所あり	国外に居住 日本国籍あり 左記以外	国外に居住 日本国籍なし
国内に居住			国内財産・国外財産ともに課税		
短期滞在の外国人（※1）			国内財産・国外財産ともに課税		
国外に居住　10年以内に国内に住所あり			国内財産・国外財産ともに課税		
国外に居住　　短期滞在の外国人（※2）			国内財産・国外財産ともに課税		国内財産のみに課税
国外に居住　上記以外			国内財産・国外財産ともに課税		国内財産のみに課税

※1　出入国管理及び難民認定法別表第1の在留資格の者で、過去15年以内において国内に住所を有していた期間の合計が10年以下のもの

※2　日本国籍のない者で、過去15年以内において国内に住所を有していた期間の合計が10年以下のもの

<平成30年4月1日以後>

贈与者＼受贈者	国内に居住	国外に居住			
		一時居住者（※1）	日本国籍あり		日本国籍なし
			10年以内に国内に住所あり	左記以外	
国内に居住					
一時居住贈与者（※1）					
10年以内に国内に住所あり（国外に居住）	国内財産・国外財産ともに課税				
短期滞在非居住贈与者（※2）（国外に居住）					
長期滞在非居住贈与者1（※3）（国外に居住）				国内財産のみに課税	
上記以外（非居住贈与者2）（国外に居住）					

※1 贈与の時において、出入国管理及び難民認定法別表第1の在留資格を有する者であって、過去15年以内において国内に住所を有していた期間の合計が10年以下のもの

※2 贈与前10年以内のいずれの時も日本国籍のない者で、出国前15年以内に国内に住所を有していた期間の合計が10年以下のもの

※3 贈与前10年以内のいずれの時も日本国籍のない者で、出国前15年以内に国内に住所を有していた期間の合計が10年超のもので出国後2年を経過したもの

Ⅰ 贈与税の課税要件　449

<令和3年4月1日以後>

贈与者＼受贈者		国内に居住	一時居住者（※1）	国外に居住		
				日本国籍あり		日本国籍なし
				10年以内に国内に住所あり	左記以外	
国内に居住						
	外国人贈与者（※1）					
国外に居住	10年以内に国内に住所あり					
	非居住贈与者（※1）					
	上記以外（非居住贈与者）（※2）					

表の網掛け部分：国内財産・国外財産ともに課税
それ以外：国内財産のみに課税

※1　贈与の時において、出入国管理及び難民認定法別表第1の在留資格を有する者であって、過去15年以内において国内に住所を有していた期間の合計が10年以下のもの
※2　贈与の時において、在留資格を有する者

(3) 各要件の説明

イ　贈与者

　贈与者については、相続税における被相続人と同様に、その国籍・住所のいかんを問わない。したがって、贈与者が外国人であり、当該外国に住所（ただし、(1)ロを参照）及び財産を有していても、その贈与の時において日本に住所のある受贈者（非居住無制限納税義務者を含む。）は、日本の贈与税の無制限納税義務者であるから、当該外国にある贈与者の財産を贈与により取得すれば、贈与税の納税義務が生ずることとなる。

もっとも、贈与者又は受贈者が外国人である場合には、贈与という債権契約の成立及び効果の判断の準拠法をいずれの国の法律によるべきかという問題があるが、この点については旧法例第7条第1項において「法律行為ノ成立及ヒ効力ニ付テハ当事者ノ意思ニ従ヒ其何レノ国ノ法律ニ依ルヘキカヲ定ム」とされ、同条第2項において「当事者ノ意思カ分明ナラサルトキハ行為地法ニ依ル」と定められ、これが単に債権的法律行為のみを念頭におくものといわれている（注1、2）。

(注1)　折茂豊著「国際私法（各論）（新版）」（法律学全集60）（有斐閣）129頁
(注2)　既に述べたように、従来の「法例」が全部改正され（平成18年6月15日成立）、「法の適用に関する通則法」となって、平成19年1月1日に施行された。従来の法例第7条第1項及び第2項に当たる部分は、次のとおりで、従来とほぼ同様といえよう。
　　① 法律行為の成立及び効力は、当事者が当該法律行為の当時に選択した地の法による（上記法7）。
　　② 上記①による選択がないときは、法律行為の成立及び効力は、当該法律行為に最も密接な関係がある地の法による（上記法8①）。
　　③ 法律行為において特徴的な給付を当事者の一方のみが行うものであるときはその給付を行う当事者の常居所地法を、不動産を目的物とする法律行為であるときはその不動産の所在地法を、それぞれ当該法律行為に最も密接な関係がある地の法と推定する（上記法8②）。

　したがって、当事者の一方又は双方が外国人である場合の贈与については、当事者の意思及び準拠法が外国法によるとされている場合には当該外国法の研究が必要となろう（注）。

(注)　もっとも、当事者間の意思は、実務的には、必ずしも明らかであるとは限らないが、それだからといって直ちに旧法例7条2項（筆者注・法の適用に関する通則法8①に相当）による行為地法準拠とするべきではなく、「わが法例の解釈としては、準拠法の選定に関する当事者の意思が明示されなかったときも、問題となる契約の内容・性質、その当事者、その目的物など、その他もろもろの具体的事情を考慮し、当事者の意思に最もよく適合すべしとしおもわれるいずれかの法を準拠法として定める」とすべしと説かれている（前掲「国際私法」130頁）。

ロ　法施行地・住所・住所の判定・国籍

　これらについても、相続税の項において検討したところであるが、後述の制限納税義務者の項をも参照されたい。

ハ　「贈与により財産を取得した者」

　贈与により財産を取得した者即ち贈与税の納税義務者は、前述のとおり原則として「個人」である（相法1の4）。この「個人」とは、当然であるが「自然人」である（相基通1の3・1の4共－1）。これは、法人に対する概念として明らかにしたものとされている。なお、特定の場合、例外として人格のない社団等や持分のない法人等が納税義務者となることは、前述したとおりであり、また後にも述べる。

ニ　国外転出時課税との関係

　所得税法第137条の2又は第137条の3の規定の適用がある場合における納税義務の範囲については、次のとおりとされた（相法1の4②）。

(イ)　国外転出をしたことにより対象資産について所得税が課され、所得税法第137条の2第1項の納税猶予の適用を受け、さらに同条第2項の規定により納税猶予期間を10年に延長している個人が財産の贈与をした場合には、その個人は、贈与税の納税義務の判定にあたっては、その贈与の前10年以内のいずれかの時において日本国内に住所を有していたものとみなされる。

(ロ)　非居住者に対象資産の贈与（(ロ)において「一次贈与」という。）をしたことにより所得税が課され、所得税法第137条の3第1項（同条第3項の規定により納税猶予期間を10年に延長している場合を含む。）の納税猶予の適用を受けている者から一次贈与により財産を取得した者（(ロ)において「一次受贈者」という。）が財産の贈与（(ロ)において「二次贈与」という。）をした場合には、その一次受贈者は、贈与税の納税義務の判定にあたっては、その二次贈与の前10年以内のいずれかの時において日本国内に住所を有していたものとみなされる。ただし、一次受贈者が一次贈与の前10年以内のいずれの時においても日本国内に住所を有していたことがな

い場合には、この規定の適用はない。

(ハ) 居住者（(ハ)において「被相続人」という。）が死亡し対象資産を相続した非居住者である相続人が、被相続人に課された所得税について所得税法第137条の3第2項（同条第3項の規定により納税猶予期間を10年に延長している場合を含む。）の納税猶予の適用を受けていた場合において、その相続人が財産の贈与をした場合には、その相続人は、贈与税の納税義務の判定にあたっては、その贈与の前10年以内のいずれかの時において日本国内に住所を有していたものとみなされる。ただし、その相続人が相続の開始前10年以内のいずれの時においても日本国内に住所を有していたことがない場合には、この規定の適用はない。

(4) **財産の取得の時期**

イ　原　　則

　贈与税の課税時期の項で詳細に検討したので、ここでは、取扱通達を再度掲げるに止める（相基通1の3・1の4共－8）。

　(イ) 書面による贈与は、その契約の効力の発生した時

　(ロ) 書面によらない贈与はその履行の時

ロ　停止条件付の贈与による財産取得の時期

　次の掲げる停止条件付の贈与による財産の取得の時期は、条件が成就した時によるものとして取り扱われる（相基通1の3・1の4共－9）（注）。

　(イ) 停止条件付の遺贈でその条件が遺贈をした者の死亡後に成就するものである場合

　(ロ) 停止条件付の贈与である場合

　　（注）　停止条件とは、法律行為の効力の発生を、将来の不確定な事実の成否にかからしめる法律行為の附款であり、停止条件付法律行為は条件成就の時よりその効力を生ずることとされているから（民法127①）、法律行為である停止条件付贈与も、その条件成就の時に効力を生ずることになる。この取扱いは、それを明らかにしたものである。

ハ　農地等の贈与による財産取得の時期

　農地法第3条第1項若しくは第5条第1項本文の規定による許可を受けなければならない農地若しくは採草放牧地（以下ハで「農地等」という。）の贈与又は同項第3号の規定による届出をしてする農地等の贈与に係るその取得の時期は、許可があった日又は届出の効力が生じた日後に贈与があったと認められる場合を除き、その許可があった日又は届出の効力が生じた日によるものとして取り扱われる（相基通1の3・1の4共－10）。

　ただし、農地等については、次の要件のすべてに該当する場合に限り、農地法第3条若しくは第5条に規定する許可又は届出に関する書類を農業委員会に提出した日に贈与があったものとして取り扱っても差し支えないこととされている（昭和48年3月14日付直資2－26）。

(イ)　当該農地の所有権の移転についての許可等の効力が、当該許可等に係る申請書等を農業委員会に提出した日の属する年の翌年1月1日から3月15日までの間に生じていること。

(ロ)　当該農地に係る贈与税の申告書が、当該農地の所有権の移転についての許可等の効力が生じた日からその年の3月15日までの間に提出されていること。

　上記の原則的取扱いは、農地等についての権利移動の農地法の特例に併せて設けられたものである（注）。

（注）　農地法による所有権移転の規制は、次のとおりである。
　　(イ)　農地等を贈与する場合には、当事者が都道府県知事（個人の場合は、贈与を受ける農地がその住所のある市町村の区域内にあるときは、農業委員会）の許可を要し、その許可がなければ所有権移転の効力は生じない（農地法3①）。
　　(ロ)　農地を農地以外のものに転用するため又は採草放牧地を採草放牧地以外のもの（農業を除く。）に転用するため贈与する場合には、当事者は都道府県知事（これらの権利を取得するものが同一の事業の目的に供するため2ヘクタールを超える農地又はその農地と併せて採草放牧地について権利を取得する場合には、農林水産大臣）の許可を要し、その許可がなければ所有権移転の効力は生じない（農地法5①）。

㈧　市街化区域内にある農地等を農地等以外のものに転用するため贈与する場合には、あらかじめ農業委員会に届出をするときは、㈣の許可は要しない。

　なお、農地等を譲渡した場合の譲渡所得の総収入金額の収入すべき時期については、農地等の引渡しがあった日によるものとされ、例外として、農地等の譲渡に関する契約が締結された日により総収入金額に算入して申告があったときは、これを認めることとして取り扱われている（所基通26-12）が、農地等の贈与に係る取得の時期については、このような例外的な取扱いは認められていない（注）。

（注）　この点について、農地譲渡の許可通知が被相続人の死亡後に到達（許可の決議は生前）したケースについて、その農地が相続財産に属するか否かが争われた。原告側は、農地の譲渡所得課税や贈与税の課税の時期についての上記取扱いがあるのに、相続財産としては弾力的取扱いを認めないのは矛盾であると主張したが、次のような理由をもって退けられている（最高裁昭和61年12月5日判決）。

　「……所論違憲の主張のうち、農地の譲渡に係る譲渡所得課税等における取扱いとの不均衡を前提とする主張は、右取扱いは専ら所得税等の課税時期に関するものであって相続税の課税対象となる財産いかんの問題とは全くその性質を異にするから、その前提において失当というべきであり……」

　ただ、これだけでは、何故性質が異なると判断したのかがよく判らないと思われるので、本件の控訴審である名古屋高裁昭和56年10月28日判決の判決理由（第一審である名古屋地裁昭和55年3月24日の判決理由を一部訂正・付加している。）の要旨を少し長文の引用であるが、参考となると思われるので、次に述べてみよう。

　まず、上記高裁判決は、譲渡所得の課税時期に関する所得税基本通達36-12㈲及び相続税の課税時期について、

　「……右基本通達の趣旨は、その所有権の移転について農地法3条所定の許可を法定条件とする農地の譲渡については、当該所得の帰属年度を決定するための原則的基準として右許可のあった日等をもって収益計上の時期とし、ただし、譲渡所得者より自発的に売買契約締結日を収益計上時期として申告があった場合には、農地の譲渡人については農地法3条所定の適格性の制限がなく、また譲渡益の金額自体には変りがないことから、例

外的に、右申告を認める取扱いをしているものと解される（筆者注・これは平成3年の改正前の通達について述べており、現在はこれと異なっているので注意を要する。）。

一方、相続税は、相続開始という一定時点での相続財産の価額を課税標準として課税されるものであるから、相続、遺贈によって取得されるべき財産が、相続開始時において確定的に相続財産と評価し得るものでなければならない。

買受農地が確定的に相続財産となり得るためには、相続開始時までに農地法3条所定の許可を受けていることが必要であることは、前判示のとおりであって、前記基本通達において、農地の譲渡所得に関し、契約締結日をもって収益計上の時期とすることが認められているからといって、相続税についても右と同様の取扱いをなし得る合理的理由は存在しない」

次に、贈与の時期に関する前記昭和48年直資2-26通達との関連については、次のとおり説示している。

「ところで、贈与によって財産を取得した者は、その年の翌年2月1日から3月15日までに贈与税の申告をしなければならないことになっているが（相続税法28条1項）、相続開始時における確定的な相続財産の価額を課税標準とし、申告期限に関し、贈与税とは別異の定めがなされている相続税においては、贈与税に関する前記通達と同一に取扱うことができないのは明らかである」

ニ　登記・登録を要する財産の取得時期

財産の贈与の時期は、既に述べたとおり、国税庁の取扱いでは、書面によるものは契約の効力発生の時により、書面によらないものは履行の時とされているが（相基通1の3・1の4共-8(2)）、実際には、贈与はほとんど夫婦、親子の間で行われることから、贈与の時期が明確でない場合が少なくない。

そこで、所有権等の移転の登記又は登録の目的となる財産について贈与の時期を判定する場合において、その贈与の時期が明確でないときは、特に反証のない限りその登記又は登録があった時に贈与があったものとして取り扱われることとされている。ただし、鉱業権の贈与については、鉱業原簿への登録をしなければその効力を生じないことになっているので（鉱業法60）、その贈与による取得の時期も、鉱業原簿に登録した日に贈与が

あったものとして取り扱われる（相基通1の3・1の4共-8⑾）（注）。これは、実質的には前述の履行時説（B説）によったのと同様のように筆者には思える。

(注) 書面によらない株式の贈与について相続税法第19条の規定を適用する場合には、株式の名義書替日に贈与により財産を取得したものと認めるのが相当とされた判例（東京高裁昭和56年8月27日判決）を次に掲げておく。
「相続の場合に当該相続の開始前3年以内に贈与により取得した財産の価額を相続税の課税価格に加算することを定めた相続税法19条の規定も、右3年の期間を計算する基準として「贈与により財産を取得した」との文言を用いていることからすると、書面によらない贈与の場合には右加算すべき贈与に当たるか否かは履行終了の時が3年以内か否かによって決すべきものであり、特段の事情の主張立証のない本件においては、贈与にかかる株式の名義書替日に贈与の履行が終了したと認めるのが相当である。」

(5) **財産の所在**

贈与税の制限納税義務者の課税範囲の判定については、取得した財産の所在がどこかという判断が重要になるわけであるが、その財産の所在の詳細は、相続税の項で述べたことと同様である（相法10）。また、財産の所在の判定時期はその財産を贈与により取得した時の現況によるものとされる（相法10④）。

したがって、以上のことから、贈与者が法施行地に住所を有するかどうかは関係がなく、また、贈与により財産を取得した者が、その取得の時において、法施行地内に1年以上の居所を有しているが住所はないという場合は、所得税と異なり、無制限納税義務者ではなく、制限納税義務者となるので注意を要する（相基通1の3・1の4共-5）。

(6) **住所の判断**

制限納税義務者か無制限納税義務者かの判断に当たっての住所の判断に関し、財産取得の時においてその取得者が、国外出張や国外興行のように、一時的に法施行地を離れているに過ぎない者については、その住所地は法施行地にあると判断される（相基通1の3・1の4共-6）。しかし、留学生や国

外にある事務者又は営業所等に勤務する国家公務員や商社の職員等の住所の判定については、必ずしも明確に判断し得ないので、次のような判断基準が設けられている（相基通1の3・1の4共－6）。

すなわち、①日本の国籍を有する者及び②出入国管理及び難民認定法別表第2に掲げる永住者（注）については、その者が贈与により財産を取得した時において法施行地を離れている場合であっても、その者が次に掲げる者に該当するとき（その者の住所が明らかに法施行地外にあると認められる場合を除く。）は、その者の住所は、法施行地にあるものとして取り扱われる（相基通1の3・1の4共－6）。

(注) この「永住者」とは、出入国管理及び難民認定法別表第2に掲げられている外国人の日本在留資格で、法務大臣により永住を認められた者である。この資格を得るためには、同法第22条の規定により法務大臣に永住許可を申請してその許可を受けなければならない。

㈲ 学術、技芸の習得のため留学している者で法施行地にいる者の扶養親族となっている者

これらの者は、その者を扶養する国内の親族からの送金により生活費や養育費を賄っていることから、その者は国内を離れていてもその者を扶養する国内にいる親族と生計を一にしており、その親族の住所地を生活の本拠としていると認めるのが相当であるとされている（「相基通解説」19頁）。

㈹ 国外において勤務その他の人的役務の提供をする者で国外におけるその人的役務の提供が短期間（おおむね1年以内である場合をいうものとする。）であると見込まれる者（その者の配偶者その他生計を一にする親族でその者と同居している者を含む。）。

これは、所得税法においては、国内又は国外に居住することになった者が、それぞれ国内又は国外で継続して1年以上居住することを通常必要とする職業を有する場合には、その者はそれぞれ国内又は国外に住所を有する者と推定されている（所令14・15）こととの整合性を考慮するとともに、このような場合には、通常、国内に生活の本拠地と認められる場所が残されているこ

とが多いであろうと判断されたことによるとされている（「相基通解説」19頁）。

したがって、贈与により財産を取得した時期が国内を離れてから1年以内であるような者であっても、長期間の国外勤務が予定されているような者など明らかに国外に生活の本拠があると認められる者については、上記のとおり、住所は国外にあると判定される（相基通1の3・1の4共－6本文かっこ書）。

なお、所得税の場合は、国家公務員及び地方公務員は、原則として、国内に住所を有しない期間についても、国内に住所を有するものとみなされるが（所法3）、相続税法ではこのような規定がないので、国家公務員及び地方公務員についても、上述したところにより、その住所の所在を判断することになるから注意を要する（注）。

(注)　「住所」は、民法の借用概念であるから、客観的な生活の本拠たる実態を備えているかどうかで判断すべきで、租税回避の意図があるからといって、別異に解釈すべきではないという司法判断が下されている（武富士事件─最高裁平成23年2月18日第2小法廷判決）。

(7)　**住所が国内・国外に移動している場合**

一歴年中に住所が国内から国外へ、又は国外から国内へ移動している者が、国内に住所を有していた時及び国外に住所を有していた時にそれぞれ贈与を受けた場合、すなわち無制限納税義務者であった時及び制限納税義務者であった時の双方に該当する者の課税範囲はどうなるのかという問題がある。

これについては、次の(イ)及び(ロ)に示すように、それぞれの期間において課税対象となる財産のすべてが課税対象となり、その課税価格は、(イ)と(ロ)の財産の価額の合計額となる（相法21の2③）。

(イ)　法施行地に住所を有していた期間内に贈与を受けた財産については、その所在を問わず、そのすべての価額

(ロ)　法施行地に住所を有していなかった期間内に贈与を受けた財産については、そのうち法施行地にあるもののすべての価額（非居住無制限納税義務者に該当する期間内に贈与を受けた財産については、その所在を問わず、その

すべての価額)

2 みなし納税義務者
(1) 総　説
　贈与税の納税義務者は、この税が相続税の補完税であるという性格からいって、一義的には個人である。しかし、相続税におけるケースと同様に、法人又は人格のない社団若しくは財団（以下2において「人格なき社団等」と略称する。）に対して個人から贈与がされることがある。この場合、贈与を受けた法人が会社のようにその所得に対して法人税が課税される法人であれば、贈与による財産の無償取得に対しても法人税が課税されるから特に問題はないが、持分のない法人等や人格のない社団等が収益事業以外の事業について贈与により財産を取得した場合の受贈益は法人税の課税対象にならない。そこで、相続税の項で述べたのと同様に、生前にこれらの持分のない法人等や人格のない社団等に自己の財産を拠出し、しかも自己又はその親族による法人等の支配権を事実上確保することによって、財産の保全と相続税の負担回避を図る事例がしばしばみられたので、このような逋脱を防止するため、一定の場合、これらの法人等を個人とみなして贈与税を課税することとされているものである（注）。

(注)　このうち、公益法人等については、平成20年4月1日から新制度に移行している。大要については、相続税編のみなし納税義務者の項を参照されたい。

(2) 沿　革
　公益法人等を相続税又は贈与税の納税義務者とする制度の創設の経緯と改正の過程は、相続税の項で説いたとおりであり、それを参照されたいが、公益法人等に対する課税方法の特色として、贈与者の異なるごとにその贈与者からの一歴年中の贈与額の合計額から基礎控除を行ってその残額に税率を適用した額の合計額を贈与税の額とするという方法がとられていることは、既に述べた。このような課税方法がとられたことについて、当時の当局者は、次のように述べている（なお、この制度が導入された時は、相続財産及び贈与財

産を一生累積して課税する方法によっていたことに注意してほしい。)。

「課税価額の計算及び税率の適用について右の如き特例を設けたのは、かかる社団又は財団を個人とみなしてその取得財産の累積額の全額を課税価格として税額を算出すると、個人と全く同様になり余りにもその負担が重くなるので、それを緩和するために、贈与者又は遺贈者の異なるごとに課税価格を計算し、基礎控除を行い、且つ、税率を適用して、算出された税額の合計額を納付すべき税額としたのである」(「相続税・富裕税の実務」132・133頁、同趣旨下条解説)

以上の解説によってもこのような特別な課税方式をとったことの真意はあまり明らかではないが、筆者の全くの個人的な見解では、このような人格のない社団等への拠出は、構成員からの各拠出金で構成されており、これを社団等の受贈額全体を合計して課税対象とすることは負担が過重となるので、このような制度を採用したのではなかろうか。

(3) **人格のない社団等が納税義務者となる場合**

代表者又は管理人の定めのある人格のない社団又は財団に対して財産の贈与があった場合には、その社団又は財団を個人とみなして贈与税が課税されることになっている。ただし、贈与に係る財産の価額が、法人税法の規定によりその社団又は財団の各事業年度の所得の金額の計算上益金の額に算入される場合は、それに対する法人税が控除される(相法66①⑤)。また、上掲の社団又は財団を設立するために財団の提供があった場合も同様である(相法66②⑤)(注)。

(注) この規定の適用については、不明な点が多い。例えば、①人格のない社団又は財団の設立の時期はいつか、②この規定は、設立前の社団又は財団に贈与しても、社団等はまだ成立していないので形式上贈与にはならないから、贈与とみなして課税する意義であるという説明(「DHCコンメンタール相続税法(第2巻)」3624頁)があるが、そもそも課税主体がなぜ、成立していない人格のない社団等になるのか不明である、③「財産の提供」とは贈与とは異なるのか否か等々……。

こういった疑問点について解明するに足る文献は、筆者の調べ得た限りで

は見当たらなかったが、関係文献を総合してまとめた筆者の全く個人的な見方は、次のとおりである。誤解があればご叱正を乞う（参考文献・「櫻井相続税」104頁以下、「DHCコンメンタール相続税法（第2巻）」3624頁以下、林良平ほか編「新版注釈民法(2)」（有斐閣）70～118頁、218・219頁）。なお、後述持分の定めのない法人の項も参照されたい。

(イ) この規定は、「……社団又は財団を設立するために」とあるところから、財産の提供があった時において、人格のない社団等がまだ設立されていないことが前提となっていることは法文上明らかである。そこで、人格のない社団等が設立する時期は何によって確定すべきか問題となるが、その時期について明快な学説・判例は見当たらなかったが、最高裁昭和39年10月15日判決によれば、抽象的ではあるが、「団体としての組織をそなえ、多数決の原則が行われ、構成員の変更にかかわらず団体が存続し、その組織において代表の方法、総会の運営、財産の管理等団体としての主要な点が確定している」と認められる状態に至ったときが、成立の時期といえるのではないか。なお、人格のない財団については、目的財産の財団への帰属をもって即財団の生成と考える説もあるが、権利能力なき財団といい得るがためには、目的財産の分離独立、財産管理機構の確立、団体としての社会的活動等を判断基準として挙げる最高裁昭和44年11月4日判決があるので、こうした目的財産の分離独立、管理体制の確立が財団の成立要件として重要である（「新版注釈民法(2)」116頁）ということになろう。

(ロ) 人格のない社団等の成立前に財産の提供があった場合には、相続税法第66条第2項は誰を課税主体として考えているかという問題については、人格のない社団等に関してはもちろん民法上の規定はないが、法人設立前の財産の寄付については民法第42条により「生前の処分で寄附行為をしたときは、寄附財産は、法人の設立の許可があった時から法人に帰属する。」とされている。ただし、人格のない社団等については設立許可もないが、やはり、社団成立までの間は、財産を提供した個人の財産ということになる。そうなると、社団成立までは課税主体がないということになって、この規定自体が無意味になりかねない。私見としては、この規定は、人格のない社団等の成立を停止条件とする課税規定と解するほかはないように思うがどうか。

(ハ) 「財産の提供」が「贈与」と異なるのか否かについては、櫻井四郎氏の次の考え方（「櫻井相続税」110頁）すなわち、その行為は遺言、死因贈与又は生前贈与を包括した用語と考えるのが正当と考えるかどうか。

　㋑ その財産の提供が遺言又は死因贈与でされれば、相続税の課税対象と

(ロ)　その財産の提供が生前贈与でされれば贈与税の課税対象となる。
(4)　持分の定めのない法人が納税義務者となる場合等
①　総　説
　相続税の項で説いたところと同様に、持分の定めのない法人（持分の定めのある法人で持分を有する者がないものを含む。以下第3編で同じ。）に財産が贈与された場合には、(イ)持分の定めのない法人自体を納税義務者として贈与税を課税する場合と(ロ)贈与を受けた持分の定めのない法人から特別の利益を受ける者に対してその法人からの受益について贈与税を課税する場合の2つがある。そして、同じく贈与を受けた持分の定めのない法人から個人が特別の利益を受ける場合の規定の競合についても、まず、(イ)の適用があり、その適用がない場合に(ロ)が適用される点も相続税と同様である。
　この対象となる法人は、従来は「公益法人等」すなわち「法人税法第2条第6号に規定する公益法人等その他公益を目的とする法人」とされていたが、平成20年の改正で「持分の定めのない法人」に改められたものである。この改正の経緯については、相続税の項を参照されたい。
②　持分の定めのない法人が納税義務者となる場合
　持分の定めのない法人に対し財産の贈与があった場合において、その贈与によりその贈与者の親族その他これらの者と特別の関係がある者の相続税又は贈与税の負担が不当に減少する結果となると認められるときは、これらの法人を個人とみなして贈与税が課税される（相法66④）。これらの法人を設立するための財産の提供があった場合も同様である（相法66②④）。
　このうち、「持分の定めのない法人」の前身である「公益を目的とする事業を行う人」及び「負担の不当減少」については、いわゆる不確定概念として、租税法律主義に違反し、ひいては違憲であるという論議（注）が少なくなかったが、東京地裁昭和46年7月15日判決及び東京高裁昭和49年10月17日判決並びに東京地裁昭和49年9月30日判決は、いずれも、この主張を退けていることは相続税の項で既に述べた。

(注) 例えば、北野弘久「医療法人と相続税法66条4項」判例時報658号126頁以下。

ただし、「負担が不当に減少する結果となると認められるとき」の判断について、上記判決といささかニュアンスの異なる判例（東京高裁昭和50年9月25日判決）があるので、次にその要旨を掲げておこう。

「相続税法66条4項にいう、「負担が不当に減少する結果となると認められるとき」に該当するかどうかの判断は、当該立法の趣旨にのっとり、他方公益法人等存置の事由にかんがみ、課税の結果についての影響を考慮したうえ、綿密な調査と慎重な配慮のもとになされるべく、右条項を適用するためには、贈与等をうける公益法人等の人的構成、その組織上の機構、経営の実情等からみて贈与者等又はその同族関係者らの手によって私的支配の行われる虞れが客観的に明白であると認められる場合でなければならないと解するのが相当である。」

③ 持分の定めのない法人から利益を受ける者が納税義務者となる場合

持分の定めのない法人で、その施設の利用、余裕金の運用、解散した場合の財産の帰属等について設立者、社員、理事、監事若しくは評議員、その法人に対し贈与をした者又はこれらの者の親族その他これらの者と特別の関係がある者に対し特別の利益を与えるものに対して財産の贈与があった場合には、相続税法第66条第4項の規定の適用がある場合を除き、その財産の贈与があった時において、その法人から特別の利益を受ける者がその財産の贈与により受ける利益の価額相当額を財産の贈与をした者から贈与を受けたものとみなされて、贈与税が課税される（相法65①）。なお、贈与税の非課税財産（相法21①三…公益事業用財産）については、この相続税法第65条第1項の規定の適用が除外されているが、これらの財産の取得後2年以内に公益事業の用に供していないときは、これを上記規定の対象財産として取り込むこととしている（相法65②）（注）。

(注) 相続税法第65条第2項の規定は、同法第12条第2項の規定を準用するという書き方をしているので、一見、公益事業用に供し得なかった財産の価額そ

のものを課税価格に算入するようにも読めるが、同法第65条全体の趣旨から考えて、上記のように、公益事業に供し得なかった財産からの特別受益額が課税対象となるものと解すべきであろう（同旨「DHCコンメンタール相続税法（第2巻）」3610頁）。

また、持分の定めのない法人の設立があった場合において、その法人から特別の利益を受ける者がその法人の設立により受ける利益についても、上記に準じて贈与があったものとして贈与税が課税される（相法65③）。この設立時に受ける特別の利益とは、設立功労者等に対する謝礼金などを指すものと解される。

④ 「持分の定めのない法人」の要件

「持分の定めのない法人」とは、例えば、次に掲げる法人をいうこととされている（「公益法人に対して財産の贈与等があった場合の取扱いについて」（昭和39年6月9日直審(資)24）「第2　持分の定めのない法人に対する贈与税の取扱い」（以下「66第4項通達」という。）13）(注)。

(イ) 定款、寄附行為若しくは規則（これらに準ずるものを含む。以下「定款等」という。）又は法令の定めにより、当該法人の社員、構成員（当該法人へ出資している者に限る。以下「社員等」という。）が当該法人の出資に係る残余財産の分配請求権又は払戻請求権を行使することができない法人

(ロ) 定款等に、社員等が当該法人の出資に係る残余財産の分配請求権又は払戻請求権を行使することができる旨の定めはあるが、そのような社員等が存在しない法人

　(注)　持分の定めがある法人（持分を有する者がないものを除く。）に対する財産の贈与等があったときは、当該法人の出資者等について法第9条の規定を適用すべき場合がある。

⑤ 法人税との調整規定

平成20年の改正でその贈与又は遺贈に係る財産の価額が法人税法の規定によりその人格のない社団等又は持分の定めのない法人（以下「法人等」という。）の各事業年度の所得の金額の計算上益金の額に算入されるときであっても、その法人等に対して贈与税又は相続税を課税することとされた（相法

66①④)。

　その結果、法人税等（法人税及び法人事業税等をいう。以下同じ。）と贈与税又は相続税の税負担が二重に生じることとなることから、この問題を回避するため、相続税又は贈与税の額から法人税等の額を控除することとされた（相法66⑤）。

　具体的には、次に掲げる税額の合計額（その税額の合計額が贈与税又は相続税の額を超えるときには、当該贈与税又は相続税の額に相当する額）が控除される（相令33①）。

(イ)　法人等が贈与又は遺贈により取得した財産の価額から翌期控除事業税相当額（その財産の価額をその法人等の事業年度の所得とみなして地方税法の規定を適用して計算した事業税（所得割に係るものに限る。以下同じ。）の額をいう。）を控除した価額をその法人等の事業年度の所得とみなして法人税法の規定を適用して計算した法人税の額及び地方税法の規定を適用して計算した事業税の額

(ロ)　(イ)により計算した法人税の額を基に地方税法の規定を適用して計算したその法人等の法人税割に係る道府県民税の額及び法人税割に係る市町村民税の額

　なお、法人等に財産の贈与をした者が二以上あるときは、その法人等が贈与により取得した財産について、その贈与をした者の異なるごとに、その贈与をした者の各一人のみから取得したものとみなすこととされている（相令33②）。

⑥　相続税等の負担が不当に減少する結果となると認められる場合
(イ)　一般社団法人・一般財団法人（一般社団法人等という。）以外の持分の定めのない法人

　　「相続税又は贈与税の負担が不当に減少する結果となると認められるとき」かどうかの判定は、原則として、贈与等を受けた法人が法施行令第33条第3項各号に掲げる要件（以下(ロ)から(ハ)まで）を満たしているかどうかにより行うものとされる。

ただし、当該法人の社員、役員等（法施行令第32条に規定する役員等をいう。以下同じ。）及び当該法人の職員のうちに、その財産を贈与した者若しくは当該法人の設立に当たり財産を提供した者又はこれらの者と親族その他法施行令第33条第3項第1号に規定する特殊の関係がある者が含まれていない事実があり、かつ、これらの者が、当該法人の財産の運用及び事業の運営に関して私的に支配している事実がなく、将来も私的に支配する可能性がないと認められる場合には、同号の要件を満たさないときであっても、同項第2号から第4号までの要件を満たしているときは、法第66条第4項に規定する「相続税又は贈与税の負担が不当に減少する結果となると認められるとき」に該当しないものとして取り扱われる（66条4項通達14(1)）。

㈡ その運営組織が適正であるとともに、その寄附行為、定款又は規則において、その役員等のうち親族関係を有する者及びこれらと次に掲げる特殊の関係がある者（ハにおいて「親族等」という。）の数がそれぞれの役員等の数のうちに占める割合は、いずれも三分の一以下とする旨の定めがあること（相令33③一）（注）。

  ㈠ その親族関係を有する役員等と婚姻の届出をしていないが事実上婚姻関係と同様の事情にある者
  ㈡ その親族関係を有する役員等の使用人及び使用人以外の者でその役員等から受ける金銭その他の財産によって生計を維持しているもの
  ㈢ ㈠又は㈡に掲げる者の親族でこれらの者と生計を一にしているもの
  ㈣ その親族関係を有する役員等及び㈠から㈢までに掲げる者のほか、次に掲げる法人の法人税法第2条第15号に規定する役員（(A)において「会社役員」という。）又は使用人である者
    (A) その親族関係を有する役員等が会社役員となっている他の法人
    (B) その親族関係を有する役員等及び㈠から㈢までに掲げる者並びにこれらの者と特殊の関係のある法人を判定の基礎にした場合に同族会社に該当する他の法人

(注) この「その運営組織が適正である」かどうかの判定は、財産の贈与等を受けた法人について、理事・監事の定数など詳細な規定がある（66条4項通達15）。

(ハ) その法人に財産の贈与若しくは遺贈をした者、その法人の設立者、社員若しくは役員等又はこれらの者の親族等に対し、施設の利用余裕金の運用、解散した場合における財産の帰属、金銭の貸付け、資産の譲渡、給与の支給、役員等の選任その他財産の運用及び事業の運営に関して特別の利益を与えないこと（相令33③二、66条4項通達16）。

(ニ) その寄附行為、定款又は規則において、その法人が解散した場合にその残余財産が国若しくは地方公共団体又は公益社団法人若しくは公益財団法人その他の公益を目的とする事業を行う法人（持分の定めのないものに限る。）に帰属する旨の定めがあること（相令33③三）。

(ホ) その法人につき法令に違反する事実、その帳簿書類に取引の全部又は一部を隠ぺいし、又は仮装して記録又は記載をしている事実その他公益に反する事実がないこと（相令33③四）。

(ヘ) **一般社団法人等**

一般社団法人等が、次に掲げる要件のいずれかを満たさないときは、贈与税又は相続税の負担が不当に減少する結果となると認められるものとされる（相令33④）。

(イ) その贈与又は遺贈の時におけるその定款において次の定めがあること

(A) 上記(ロ)の定めがあること

(B) その法人が解散した場合にその残余財産が国若しくは地方公共団体又は公益社団法人若しくは公益財団法人その他の公益を目的とする事業を行う法人（持分の定めのないものに限る。）に帰属する旨の定めがあること

(ロ) その贈与又は遺贈前3年以内にその一般社団法人等に係る贈与者等に対し、施設の利用、余裕金の運用、解散した場合における財産の帰属、金銭の貸付け、資産の譲渡、給与の支給、役員等の選任その他財産の運

用及び事業の運営に関する特別の利益(以下「特別利益」という。)を与えたことがなく、かつ、その贈与又は遺贈の時におけるその定款においてその贈与者等に対し特別利益を与える旨の定めがないこと
　㈧　その贈与又は遺贈前3年以内に国税又は地方税について重加算税又は地方税法の規定による重加算金を課されたことがないこと

　一般社団法人等については、まず、相続税法施行令第33条第4項によって不当減少要件の該当性を判断し、一つでも該当すると不当減少に該当するものと判定される。この要件を全て満たした場合には、次に相続税法施行令第33条第3項の規定による不当減少要件の該当性の判定を行い、全て満たしていれば、不当減少に該当しないものとされる。

　最後に、相続税法施行令第33条第3項の要件に一つでも該当しない場合には、相続税法第66条第4項の"不当減少"に該当するか総合的に判断される(相法66④)。こちらも全て満たせば課税されない要件だが、時期や行為からの年数が明記されていないので、相続税法施行令第33条第4項の要件を満たしていても相続税法施行令第33条第3項の要件を満たさず、税務署長の判断によっては相続税法第66条第4項の不当減少に該当するものとして課税される可能性もある。

〔不当減少要件の判定のフローチャート〕

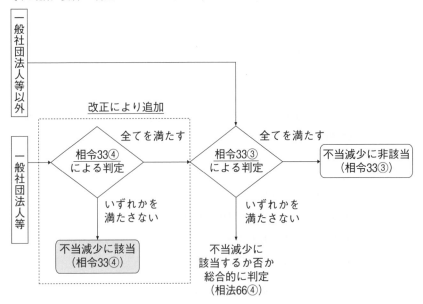

〔「平成30年・改正税法のすべて」578頁〕

⑦ 住　所

　人格のない社団等又は持分の定めのない法人の納税義務の範囲の基本となる住所の判定は、相続税と同様に、その主たる営業所又は事務所の所在地によって行う（相法66③④）。

⑧ 税額計算の特例

　人格のない社団等又は持分の定めのない法人が個人とみなされてその受けた贈与について贈与税を課税される場合の税額は、再三述べたように、贈与者の異なるごとに、これらの贈与者の各1人のみから財産を取得したものとみなして算出した場合の贈与税額の合計額によることとされる（相法66①後段、同④）。

　これを算式で示せば、次のようになる。

　贈与税の額

$$= \begin{pmatrix} 贈与者Aからその年中に贈与 \\ を受けた財産の価額の合計額 \end{pmatrix} - \begin{matrix} 基礎控除 \\ 110万円 \end{matrix} \times 贈与税の税率$$

$$+ \begin{pmatrix} 贈与者Bからその年中に贈与 \\ を受けた財産の価額の合計額 \end{pmatrix} - \begin{matrix} 基礎控除 \\ 110万円 \end{matrix} \times 贈与税の税率$$

$$+ (贈与者C\cdots\cdots) \times 贈与税の税率 + \cdots\cdots etc.$$

〔設例〕

管理人の定めのある人格のない社団甲は、平成27年中に、個人会員Aから150万円、同Bから60万円、同Cから400万円の贈与を受けた。甲社団の納付すべき贈与税額はいくらになるか。

〔解答〕

甲社団の納付すべき贈与税額

= (150万円 − 110万) × 10% + (60万円 − 110万円) × 0%
  + (400万円 − 110万円) × 15% − 10万円
= 4万円 + 0 + 33.5万円 = 375,000円

税率については、803頁を参照のこと。

第3節　課税財産

1　課税財産の意義と範囲

　贈与税の課税財産は、原則として贈与により取得した財産である。このほか、法律的には贈与により取得した財産には該当しないが、実質的には贈与によって取得したものと同様な財産については、いわゆるみなし贈与財産として課税対象に含める。

　「課税財産」の意義及び範囲と問題点の内容については、相続税の項を参照されたい。

2　みなし贈与財産

(1)　総　　説

　上述のように、贈与税の課税対象となる財産は、贈与によって取得した財産であるが、法律上は、贈与によって取得した財産に該当するとはいい難いが、実質的にこれと同様な結果となると認められる一定の取得財産については、これを贈与により取得したものとみなして贈与税が課税される。

　みなし贈与財産に課税する意義については、相続税で説いたところと同様であるが、前にも述べたように、相続税の場合は、本来の相続財産とみなし相続財産とがほとんど区別できて、課税対象財産の範囲について比較的問題が少なかったが、贈与の場合は、典型的な贈与契約でなされればともかく、およそ経済的利益の受益については贈与があったものとして課税することとされているため、贈与事実の認定をめぐって、それが本来の贈与かみなし贈与かの判断あるいは、そもそも課税対象となる「贈与」に該当するのかの判断について問題となることが少なくない。この問題点を拾いあげてみれば、次のことがいえるであろう。

① みなし贈与とされる経済的利益は、個人から経済的利益を受けた事実があればよく、その利益の供与について、利益を与える意思の有無、その方

法、金額の多寡などは問わない広い規定となっている。
② 贈与税の対象となる民法上の贈与及びみなし贈与は、財産又は経済的利益の無償の移転が課税要件事実であり、何らかの対価的利益の反対給付を受けている場合には、贈与とならないので、この点の認定が重要である。
③ 経済的利益の供与であるみなし贈与の事実認定に当たっては、当事者が明確に経済的利益の供与を認識していない場合もあり、その事実の認識をめぐって紛争となることも多い。
④ 財産の所有名義の変更が、真実贈与の意思の下で行われたものであるのか、また、その名義変更により変更後の所有者に所有者としての権能が与えられている実態があるのかという事実認定も困難な面が多い。
⑤ 法人が他から低額又は無償で財産を譲り受けた場合には、その法人の株主に贈与がされたことになるのか、相続放棄後に相続財産の分割協議を行って財産を取得した場合には、相続放棄の撤回として相続による財産の取得とみるのか、あるいは相続人間の贈与とみるのかという事実認定の問題も極めて困難な問題である。

以上のことから、ここでは、まず、みなし贈与財産の内容について、相続税の項でなかったもの及び説明をみなし贈与の項に譲ったものについて主として説明し、その後に、贈与の事実認定をめぐっての問題となる事項について、多少紙数を割いて論じてみたい。

(2) **生命保険金等**（相法5）
① **総　説**

次に掲げる保険事故が発生した場合において、それぞれに示す契約に係る保険料の全部又は一部が保険金受取人以外の者によって負担されたものであるときは、これらの保険事故が発生した時において、保険金受取人が、その取得した保険金（注1）のうち、その受取人以外の者が負担した保険料の保険事故発生までに払い込まれた保険料の金額に対する割合に相当する部分を、保険料負担者から贈与によって取得したものとみなされる（相法5①）（注2）。

(イ) 生命保険契約の保険事故（傷害、疾病その他これらに類する保険事故で死亡を伴わないものを除く。）

(ロ) 損害保険契約の保険事故（偶然な事故に基因する保険事故で死亡を伴うものに限る。）（注3）

(注1) 損害保険契約の保険金のうち、損害賠償金の性質を有する自動車損害賠償責任保険又は自動車損害賠償責任共済の契約、原子力損害賠償責任保険契約その他の損害賠償責任に関する保険又は共済に係る契約に基づく保険金又は共済金は含まれない（相令1の5）。

なお、次に掲げる保険契約等による死亡保険金のうち、契約者の損害賠償責任に充てられることが明らかな部分は、上記の保険金等に該当するものとして取り扱ってもよいとされている（相基通5－4）。

　イ　自動車保険搭乗者傷害危険担保特約
　ロ　分割払自動車保険搭乗者傷害保険担保特約
　ハ　月掛自動車保険搭乗者傷害保険担保特約
　ニ　自動車運転者損害賠償責任保険搭乗者傷害危険担保特約
　ホ　航空保険搭乗者傷害危険担保特約
　ヘ　観覧入場者傷害保険
　ト　自動車共済搭乗者傷害保険担保特約

ただし、これらの保険契約等により、被保険者の相続人が取得する保険金は、通常の死亡保険金と異ならないので、相基通5－4の取扱いを受けるもの以外は相続又は贈与により取得したものとみなされる（相基通5－5）。

(注2) その保険事故が被相続人の死亡で、その保険金受取人が保険事故に係る保険金（生命保険金であるが、退職手当金として取り扱われるもの（相法3①一、二）を含む。）を受け取る場合には、その保険金は相続又は遺贈により取得したものとみなされ、相続税の課税対象になる。（相法5④）。

なお、生命保険契約又は損害保険契約（注3）について返還金その他これに準ずるものの取得があった場合にも、上記と同様に取り扱われる（相法5②）。

(注3) この損害保険契約は、（注1）に掲げる損害賠償責任に関する保険又は共済に係る契約以外の損害保険契約で傷害を保険事故とするもの又は共済に係る契約で一定の傷害共済に係るもの（相令1の2②各号）に限られる。

次に、上述した生命保険契約等の課税に当たっては、その保険料を負担し

た者の被相続人が負担した保険料は、その者が負担した保険料とみなされる。ただし、相続開始の際まだ保険事故が発生していない生命保険契約で被相続人がその保険料の全部又は一部を負担し、かつ契約者が被相続人以外の者である場合において、保険金受取人又は返還金その他これに準ずるものの取得者が保険の契約者であるときで、その者が生命保険契約に係る権利のうち被相続人が負担した保険料の金額に対応する部分を、保険料の負担者である相続人から相続又は遺贈により取得したものとみなされた場合（相法3①三）には、その被相続人の負担した保険料は除かれる（相法5③）。

これを設例によって説明すれば、次のとおりである。

〔設例〕

父である甲の死亡により、その長男乙は3,000万円の生命保険金を受け取った。この生命保険契約に係る保険料で、相続開始の時までに払い込まれたものの合計額は1,800万円で、これを次のとおり負担している。

・父（甲）の負担分（被保険者）　　　　　　　　　　150万円
・長男（乙）の負担分　　　　　　　　　　　　　　　150万円
・乙の妻（丙）の負担分　　　　　　　　　　　　　　600万円
・丙の父（丁）の負担分　　　　　　　　　　　　　　900万円

この場合において、保険契約者が乙であるとき及び丙であるときの課税関係はどのようになるか。ただし、丁は、甲の死亡する前に既に死亡しているものとする。

〔解答〕

(A) 長男乙が契約者である場合

まず、妻の父である丁の死亡に際しては、被保険者は長男の父甲であるので、まだ保険事故が発生していないため、丁の負担した保険料に対応する保険契約に関する権利が、丁からの遺贈（乙は丁の相続人でないため）により取得したものとみなされて既に課税されているので、みなし贈与の対象から除外される。また、乙の父甲が負担した保険料に対応する生命保険金は相続により取得したものとみなされ（相法3①一）、乙自身が負担した保険料に対応する部分は一時所得となるので、乙の妻丙が負担した保険料に対応する次の金額が丙から乙への遺贈とみなされることになる（相法5③ただし書）。

$$3,000万円 \times \frac{丙の負担額\ 600万円}{払込保険料総額1,800万円} = 1,000万円$$

本来なら、丙の負担した保険料のうちに丙の被相続人である丁の負担した保険料が含まれているはずだが、(相法5③本文)、このケースでは、既に乙が丁の負担した保険料に対応する生命保険契約に係る権利について課税が行われているので、二重課税とならないよう、この場合には、丙の被相続人丁の負担した保険料は、丙の負担した保険料に含めないものとされているのである。

(B) 長男の妻丙が契約者である場合

まず、妻の父である丁の死亡に際しては、(A)と同様に保険事故が発生していないため、丁の負担した保険料に対応する保険契約に関する権利が丁からの相続(丙は丁の相続人であるため)により取得したものとして丙に対して既に課税されている。

しかし、父甲の死亡により保険金を受け取った乙は、妻丙の父丁の死亡の際には、保険契約者ではなく、保険契約に関する権利の課税を受けていないので、甲の死亡による保険金の課税に当たっては、本則どおり、妻丙の負担した保険料には、丙の被相続人丁の負担した保険料も含まれることになるため(相法5③本文・ただし書)、このケースでは、贈与により取得したものとみなされる金額は、次のように計算することになる。

$$3,000万円 \times \frac{丙の負担額600万円 + 丁の負担額900万円}{払込保険料総額1,800万円} = 2,500万円$$

なお、乙の父甲が負担した保険料に対応する生命保険金は相続により取得したものとみなされ(相法3①一)、乙自身が負担した保険料に対応する部分は一時所得になることは、(A)と同様である。

② 個別検討

イ 生命保険契約の保険事故

生命保険金のみなし贈与の基因となる「生命保険契約の保険事故」には、傷害、疾病その他これらに類する保険事故で死亡を伴わないものが除かれている。すなわち、単なる傷害により取得した保険金は、みなし贈与の対象とならないということである。したがって、このような傷害による給付は、法人(生命保険会社)からの一時的な給付として、所得税法上の一時所得と考えられるが、一般的には、負傷者又はその配偶者若しくは直系血族若しくは生計を一にするその他の親族が取得するものは非課税となるものと考えられる(所法9①十六、所令30、所基通9−20)。

このように、みなし贈与の基因となる生命保険事故から傷害等が除かれているのは、次のような理由によるものとされる（注）。すなわち、このような傷害による給付は、保険料の負担者と給付の受取人が異なる場合には、形式的には、みなし贈与となるが、その実質は、所得税法第9条第1項第21号及び所得税法施行令第30条の規定によって非課税とされる「生命保険契約に基づく給付金で身体の傷害に基因して支払いを受けるもの」と同じもので、形式的にみなし贈与に該当するからといって贈与税の課税対象とすることは適当でないという考え方から、昭和46年の税制改正の際除外されたものといわれている。

（注）「昭和46年版・改正税法のすべて」124～125頁

　したがって、傷害等の保険事故で死亡を伴うもの（いわゆる傷害特約付の死亡保険金）は、依然として、みなし贈与として課税対象となるので、注意する必要がある。

ロ　損害保険契約の保険事故

　損害保険金のみなし贈与の基因となる「損害保険契約の保険事故」は、偶然の事故に基因する保険事故で死亡を伴うものに限られる。したがって、死亡を伴わない保険事故に基因して支払われる損害保険金は、一時所得として所得税の課税対象となる。ただし、傷害保険金や火災等による損害保険金は、非課税となるものが多いということである。また、収益保険金は、心身に加えられた損害に基づく以外のものは課税対象となる（所令30一、94①）。

　昭和46年の税法改正前は、この規定を欠いていたので、損害保険契約にする死亡保険金はすべて所得税の一時所得として課税対象となっていたが、上述の生命保険の傷害給付金とのバランスから、保険金受取人と保険料負担者が異なる場合は、贈与税の課税対象とすることに改められたものである。

ハ　保険金受取人

　「保険金受取人」の意義については、次のように扱われている（相基通5－2）。

　すなわち、「保険金受取人」とは、その保険契約に係る保険約款等の規定

I 贈与税の課税要件 477

に基づいて保険事故の発生により保険金を受け取る権利を有する者（「保険契約上の保険金受取人」をいう。）とされているが、保険契約上の保険金受取人以外の者が現実に保険金を取得している場合において、保険金受取人の変更の手続がなされていなかったことにつき、やむを得ない事情があると認められる場合など、現実に保険金を取得した者がその保険金を取得することにつき相当の理由があると認められるときは、その現実に保険金を取得した者を保険金受取人とすることに取り扱われている（相基通5-2、3-11、3-12）。

　したがって、保険契約上の保険金受取人以外の者が保険金を受け取ったときは、上述に該当しない限り、保険金受取人がまず保険金を取得し、それを実際の受取人に贈与したものと解されることになろう。

ニ　返還金

　生命保険契約又は損害保険契約（傷害を保険事故とするもので一定のものに限る。）について返還金その他これに準ずるものの取得があった場合において、その返還金等を保険料の負担者以外の者が取得しているときは、その取得者は、その返還金等を保険料負担者から贈与によって取得したものとみなされて贈与税が課税される（相法5②）。

　上記の課税対象となる損害保険契約は、前に説明した損害賠償責任に関する保険又は共済に係る契約以外の損害保険契約で傷害を保険事故とするもの又は共済に係る契約で一定の傷害共済に係るもの（相令1の2②各号）に限られる（相令1の6）。

　上記のように、傷害保険の解約返戻金も返還金としてみなし贈与財産になるものとされているが、実際には、損害保険契約の場合は契約者が保険料負担者とされているので、その負担した保険料に係る返戻金等以外の返戻金を受け取る場合はほとんどないので、事実上は、みなし贈与財産となるケースはほとんど生じないと考えられている。ただし、強制の自動車賠償責任保険では、死亡者の遺族が、直接その保険に係わる損害賠償責任給付金を保険会社に請求し、給付を受けることがあるので、この給付金は返還金に、形式的

には該当するが、上記のように賠償責任保険は、みなし贈与の対象から除外されているので、課税対象にならない。なお、建物更生保険や火災相互保険など蓄積保険料のある長期の損害保険の解約返戻金や満期保険金も、傷害保険ではないから、みなし贈与にならず、所得税の一時所得となる（注）。

（注）「昭和46年版・改正税法のすべて」125頁参照

　なお、「返還金その他これに準ずるもの」の意義については、相続税法第3条第1項第3号によりみなし相続財産とされる生命保険に関する権利から除外される「その生命保険契約から一定期間内に保険事故が発生しなかった場合」において「返還金その他これに準ずるもの」の支払がない生命保険契約」における「返還金その他これに準ずるもの」と同様に解されている。すなわち、その意義を「生命保険契約の定めるところにより生命保険契約の解除（保険金の減額の場合を含む。）又は失効により支払を受ける金額又は一定の事由（被保険者の自殺等）に基づき保険金の支払をしない場合において支払を受ける返戻金をいうもの」とする取扱い（相基通3－39）が準用されることとなっている（相基通5－6）。

　また、いわゆる契約転換制度（注1）により生命保険契約を転換前契約から転換後契約に転換した場合において、その転換に際し転換前契約に係る契約者貸付金等の額が転換前契約に係る責任準備金（共済掛金積立金、剰余金、割戻金及び前納保険料を含む。）をもって精算されたときは、その精算された契約者貸付金等の額に相当する金額（注2）は、転換前契約に係る契約者が取得した「返還金その他これに準ずるもの」に該当するものとして取り扱われる。

（注1）　生命保険契約の転換制度は、生命保険契約において、物価の上昇、契約者の収入の増大、家族の増加等により要保障額が増加した場合に対処するため、昭和51年から設けられたもので、転換前契約に係る契約書の権利（特別配当の権利等）を確保しながら、転換前契約の責任準備金又は転換価格を、転換後契約の責任準備金に引き継ぐもので、保険契約者及び被保険者が変わらないこと等一定の要件が必要とされる。
（注2）　転換前契約について保険会社等が保険契約者に対して契約者貸付金等の

額（契約者に対する貸付金若しくは保険料（共済掛金を含む。）の振替貸付けに係る貸付金又は未払込保険料の額をいい、いずれもその元利合計額をいう。）がある場合には、保険約款（転換特約）において、その契約者貸付金等の額は、転換前に、転換前契約に係る責任準備金と相殺して精算することになっている。

　したがって、この精算により剰余部分を取得した場合において、保険契約者と保険料負担者とが異なるときは、契約者に対して贈与税が課税されることになる。

(3)　定期金（相法6）

　定期金給付契約（生命保険契約を除く。以下(3)で同じ（注）。）の定期金給付事由が発生した場合において、その契約に係る掛金又は保険料の全部又は一部を定期金受取人以外の者が負担しているときは、その事由が発生した時において、定期金受取人が、その定期金の給付を受ける権利のうち、定期金受取人以外の者が負担した掛金又は保険料に対応する部分が、その負担者から贈与によって取得したものとみなされて贈与税が課税される（相法6①）。また、定期金給付契約について返還金その他これに準ずるものの取得があった場合も同様である。（相法6②）。

　(注)　生命保険年金の給付事由が発生した場合には、形式的には、相続税法第5条のほか、この第6条のケースにも該当することになるので、重複適用を排除するため、生命保険契約に基づく定期金は、第6条から除外したもので、この定期金は第5条が適用されることになる。

　次に、保証据置年金契約（相法3①五）（注1）の当初定期金受取人たる相続人が死亡して、その遺族が定期金又は一時金の継続受取人となった場合において、掛金又は保険料の全部又は一部が、定期金受取人、一時金受取人及び被相続人（注2）以外の第三者によって負担されたものであるときは、相続の開始があった時において、その継続受取人が、その取得した定期金給付契約に関する権利のうち、その第三者が負担した掛金又は保険料が、相続開始時までに払い込まれた掛金又は保険料のうちに占める割合に相当する部分を、その第三者から贈与によって取得したものとみなされる（相法6③）。

(注1) この定期給付金契約には、生命保険契約が含まれているので、生命保険契約に係る保証措置年金契約について、上記の第三者が保険料を負担している場合は、この規定が適用される(「昭和46年版・改正税法のすべて」126～127頁参照)。
(注2) 当然のことであるが、上記の「定期金受取人」とは定期金の継続受取人をいい、「被相続人」とは当初の定期金受取人たる被相続人をいうものとされている(相基通6－1)。

　次に、上記の場合において、掛金又は保険料を負担した者の被相続人が負担した掛金又は保険料は、その者が負担した掛金又は保険料とみなされる。ただし、定期金給付事由がまだ発生していない場合の権利がみなし相続財産に該当する場合(相法3①四)において、定期金受取人若しくは一時金受取人又は返還金その他これに準ずるものの取得者が被相続人からその権利を相続又は遺贈により取得したものとみなされたときは、その被相続人が負担した掛金又は保険料は除かれる(相法6④)。この関係を設例によって説明する。

〔設例〕
・父(甲)……当初の掛金負担者(死亡)
・子(乙)……甲死亡後の掛金負担者(生存)
・第三者(丙)……当初定期金受取人(甲死亡後死亡)
・第三者(丁)……契約者・継続受取人(一時金受取人)
　この場合において、当初の甲死亡の場合、丙に定期金給付事由が発生した場合及び丁が継続受取人となった場合の課税関係はどのようになるか。

〔解答〕
(A) 甲が死亡した場合の課税関係
　契約者である丁に対し、甲が負担した掛金額の評価額(相法26)がみなし相続財産として課税される(相法3①四)。
(B) 丙に定期金給付事由が発生した場合
　当初の定期金受取人である丙に対し、乙が負担した掛金(相法6①)及び乙が負担したものとみなされた被相続人甲の負担した掛金(相法6④本文)の評価額がみなし贈与財産として課税される。この場合、丙は契約者でないから、相続税法第6条第4項のただし書は適用されない。

(C) 丁が継続受取人となった場合

継続受取人である丁に対し、丁及び死亡した定期金受取人丙以外の第三者（乙）が負担した掛金に対応する部分がみなし贈与財産として課税される（相法5③）。なお、丁は契約者として（A）で説明したように、既に甲が負担した掛金に対応する部分の権利についてみなし相続財産として課税されているので、甲の負担した掛金を乙の負担した掛金とみなされることはなく（相法6④ただし書）、上記のように、乙負担部分に対応する部分のみがみなし贈与財産となる。

なお、定期金受取人が取得した定期金給付契約に関する権利のうち、その者が既に相続又は遺贈によって取得したとみなされた部分及び自ら負担した掛金又は保険料に対応する部分については、相続税又は贈与税の課税関係は、当然のことながら、発生する余地はない（相基通6－3）。

(4) 低額譲渡（相法7）

① 総　　説

著しく低い価額の対価で財産の譲渡を受けた場合には、その財産の譲渡があった時において、その財産の譲渡を受けた者が、その対価とその譲渡の時におけるその財産の時価（相続税法第3章（財産の評価）に特別の定めがある場合には、その規定により評価した価額）との差額に相当する金額をその財産を譲渡した者から贈与によって取得したものとみなされる。ただし、その財産の譲渡が遺言でされた場合には、遺贈とみなされて、相続税の課税対象となる（相法7本文）。

しかしながら、その財産の譲渡が、その譲渡を受ける者が資力を喪失して債務を弁済することが困難である場合において、その者の扶養義務者（注）から、その債務の弁済に充てるためにされたものであるときは、その贈与又は遺贈によって取得したものとみなされた金額のうちその債務を弁済することが困難である部分の金額は、贈与税又は相続税の課税対象としないこととされている（相法7ただし書）。

（注）　この扶養義務者とは、配偶者及び民法第877条に規定する親族をいうものとされている（相法1の2－1）。これは、配偶者及び民法第877条の規定による直系血族及び兄弟姉妹並びに家庭裁判所の審判を受けて扶養義務者となった三親等以内の親族を指す。しかしながら、特に家庭裁判所の審判を受けて

いなくても、三親等以内の親族といえば、例えば伯父・甥・叔母・姪という間柄で、相互に扶養し合う例は少なくないという実情を考慮して、三親等内の親族で生計を一にする者については、家庭審判所の審判がない場合であっても、扶養義務者として取り扱われることになっている（相基通1の2－1）。（「相基通解説」1～2頁参照）。

この低額譲渡についてみなし贈与（遺贈）として課税することの意義は、次のように説明されている（「相続税・富裕税の実務」60頁参照）。すなわち、財産の譲渡がある場合には、それが有償であって、その反対給付がその対価としての意義を有する場合には、贈与となるものではない。ただ、その対価が著しく低いときは、その財産の時価と対価との差額に相当する部分については、経済的意味においては贈与がなされたこととは何ら択ぶところがない。これがかかる場合に贈与税（相続税）を課税する理由で、けだし、そうしないと贈与税（相続税）を逋脱されることになるからであると説明されている（注）。

(注) 相続税法第7条の規定の趣旨としては、次のような判例がある（横浜地裁昭和57年7月28日判決……控訴審たる東京高裁昭和58年4月19日判決も同趣旨）。

「相続税法7条は、著しく低い価額の対価で財産の譲渡を受けた場合には、法律的には贈与といえないとしても、実質的には贈与と同視することができるため、課税の公平負担の見地から、対価と時価との差額について贈与があったものとみなして贈与税を課することとしている。」

② **個別検討**

イ　低額譲渡と混合贈与・贈与の意思

低額譲渡に類似した形態に「混合贈与」があるが、この両者は、課税上別異のものとして考えるべきか否かがまず問題とされる。

「混合贈与」とは、当事者の一方の給付が価格的に一部分のみ対価関係に立ち、これを超える部分は無償で与えられ、したがって、その限りにおいて双方の間に贈与の合意があるという契約をいう（例えば、甲が自己の時価15,000円のラジオに対して乙より10,000円の支払の約束に甘んじ、不足額5,000円分は乙に対する贈与とする旨の合意があった場合）といわれている（柚木馨ほか編「新

版注釈民法(14)」(有斐閣) 16頁)。

　その特色は、①給付と反対給付との客観的不均衡だけでは混合贈与とはならず、無償出捐についての双方の合意が必要なこと、②2個の独立な契約、すなわち売買又は交換と贈与の2個の契約が存するに過ぎない場合も、混合贈与ではないこと（例えば、甲が乙の時価10,000円のラジオに対して15,000円の支払を約束し、うち10,000円は売買、5,000円は贈与として与える旨の合意がされた場合には、10,000円までは売買、5,000円については贈与に関する規定が適用される。）である。

　このような混合贈与については、無償で財産を与えることについての合意が成立したその無償部分については、本来の贈与として贈与税が課税されるとする見解（「DHCコンメンタール相続税法（第1巻）」1002〜1003頁）があり(注)、筆者も同意見である。

(注)　「北野コンメンタール相続税法」68頁においても「……その低額譲受が実は民法上売買と贈与との混合契約に該当する場合には、本来の適用を待つまでもなく、その混合契約にもとづく受贈分は本来的に贈与税または相続税の課税財産を構成するものとみなければならない」とされており、同じ見解といえるだろう。

　このようなみなし贈与については、「贈与」の意思に関係なく課税が行われることについては、そのことを特に明言した判例・裁決例もあるが（注1、3）、低額譲渡には、任意性も必要であるとする見解もある（注2）。

(注1)　次のような判例・裁決例がある。
　(A)　相続税法第9条に関する判例であるが次のものがある（東京地裁昭和51年2月17日判決）。
　　　「相続税法9条は、対価を支払わないで利益を受けた場合は、贈与の意思の有無に拘わらず、当該利益に相当する金額を、当該利益を受けさせた者から、贈与により取得したものとみなす旨を規定している。」
　(B)　株式の低額譲渡と相続税法7条の適用に関して利益授受の意思が必要かどうかが争点の一となった審査請求事件について、次のような裁決がある（国税不服審判所昭和58年9月29日裁決・東京国税不服審判所裁決事例集V（大蔵省印刷局・裁決事例研究会編）157頁〜158頁）。

「また、相続税法第7条の規定の適用においては、低額譲受けによる利益の授受の意思を法的要件とするものではないから、本件株式の売買の当事者間に低額譲受けによる利益の授受の意思がなかったことをもって相続税法第7条の規定を適用すべきではないとの請求人の主張にも理由がない。」

(注2)　横山茂晴弁護士は、この点で、次のように説く（「相続税法第7条の「みなす贈与」の意義」税務事例研究Vol.2（日本税務研究センター。以下「横山論文」と略称）64～66頁）。

すなわち、横山論文では、低額譲渡が実質的な贈与であるというなら、単に「低い価額の対価」でよく、「著しく低い」という要件は不要のはずと説き、この要件があることについて、次のように述べている。

「すなわち、贈与には、対価の有無の他に、贈与をすることが社会的・経済的に見て、止むを得ないものでないこと、言い換えれば、贈与をするかどうかは、贈与者が全く任意に決定できるという性質（任意性）を持つ場合がある。

時価よりも著しく低い価額での譲渡（「低額譲渡」）も、例えば、急に資金調達の必要が生じたために、財産の投げ売りをしなければならなくなった場合のように、「低額譲渡」をせざるを得ない経済的必要性のある場合もあろう。このような場合における譲渡を受けた者の利益は、実質上相続（遺贈）による財産の取得に代替するものではなく、贈与税を課税する理由を欠くものである。

このことから考えれば、贈与税の課税対象となる「低額譲渡」は、単に対価の不相当性だけではなく、「任意性」も要件としているものと考えられる。」

この見解は、傾聴に値するものであるが、要は、言い換えれば、その低額譲渡に恣意性がない場合には課税すべきではないという考え方であろう。しかし、横山氏自身も認められるように、法文上いささか無理があるように思えるので、後述の相基通7－2《公開の市場等で著しく低い価額で財産を取得した場合》のように、「低額譲渡」の解釈ではなく、取扱いによる緩和という考え方をとる方が法文の解釈上無理がないように思えるがどうか。

(注3)　相続税法第7条は、相続税の租税回避行為に対する課税を目的としたものであり、そのような意図を持たない本件には適用がない点の納税者の主張に対し、同条は著しく低い対価によって財産の取得が行われた場合の実質的贈与に着目して、税負担の公平の見地から贈与とみなす趣旨の規定で

あり、当事者の具体的な意図、目的を問わずに適用されるとした判例がある（仙台地裁平成3年11月12日判決）。
ロ　著しく低い価額の判定
(イ)　総　説

　相続税法は、著しく低い価額の対価で財産の譲渡を受けた場合においては、その財産の譲渡を受けた時において、財産の譲渡を受けた者がその対価と譲渡があった時におけるその財産の時価との差額に相当する金額を贈与によって取得したものとしていることは、上に述べたとおりである（相法7）。

　そこで、この規定の適用要件である「著しく低い価額」とは何か、すなわち「著しく低い」の判断及びみなし贈与となる金額の算定上の「時価」とは何かが問題となるわけである。

(ロ)　「著しく低い価額」
① 総　説

　「著しく低い価額」の判断基準については、その判断の基準となる価額は何か、「著しく低い」という判断は割合をいうのか、金額をいうのかについて、相続税法は何らの基準を定めていない（もっとも、土地建物の低額譲渡については、後述のとおり、取扱いが定められている。）。

　この理由については、「画一的な判定基準を設けることによって、明らかに贈与する意思で高額な利益が授受されるものがあっても、その対価の額が画一的な判定基準以上であるという理由で贈与税の課税ができないことになり、課税上の不公平が生ずるのは、法第7条の規定の趣旨からみて適当でないと考えられたからであろう」（「DHC相続税法コンメンタール（第1巻）1003～1004頁）とする意見がある一方、所得税法施行令第169条において著しく低い価額の対価を「資産の譲渡の時における価額の2分の1に満たない金額」としている等の理由から、時価の2分の1未満と解すべきであるという主張もある（東京高裁昭和58年4月19日判決における控訴人主張）。

　また、低額か否かの基準となる価額については、当然に相続税評価額であるとする主張がある一方、課税庁が前記判決に係る審理で主張しているよう

に、不動産等の相続税評価額と市場価格との乖離の状況からみて、譲渡が相続税法第7条の低額譲渡に該当するか否かの認定については、時価すなわち客観的な取引価格を基準として判定するという考え方がある。
ロ　判例の紹介

　この「著しく低い価額」を争点として正面から争われた判例が幾つかあるので、まず、そのうち2つを紹介し、次にその考え方についての他の学説、関連判例等を挙げて検討する。

A　東京高裁昭和58年4月19日判決（確定）

〔事件の概要〕

　Xは、昭和51年1月10日に、義兄Aから甲土地を500万円（相続税評価額1,140万円）で、また、実兄Bから乙土地を700万円（相続税評価額1,287万円）でそれぞれ買い受けたところ、所轄のY税務署長は、Xの土地譲受けはいずれも相続税法第7条に規定する著しく低い価額の対価で財産の譲渡を受けた場合に該当するとして、譲受け価額と時価（相続税評価額）との差額相当額を、Xが贈与により取得したものとして贈与税を課し、Xはこれを不服として争ったものである。

〔本件の争点とXの主張〕

　本件の主要な争点は、土地の譲受価額が、相続税法第7条の「著しく低い価額の対価に該当するか否か」にあった。

　Xは、この点につき「著しく低い価額の対価」とは、譲受けの対価が相続税評価額の2分の1を下回る場合をいうものと主張した。その論拠は、次のとおりである。

(a)　相続税法第7条にいう「時価」が相続税評価額を指すことは、確定した課税実務の取扱いである。

(b)　所得税法施行令第169条が同法第59条第1項第2号の「著しく低い価額の対価として政令で定める額による譲渡」とする規定を受けて、「資産の譲渡の時における価額の2分の1に満たない金額」と定めている。

(c)　所得税法施行令第169条のごとき規定のない国税徴収法第39条に関する大阪地裁昭和52年12月7日判決が、「時価のおおむねの2分の1に満たない価額をもって『著しく低い額』と解するのが相当である」旨判示している。

(d) Y税務署長の所部係官も相続税評価額の2分の1を下回る売買は低額譲受けに該当する旨を説明している。

〔判旨〕

以上の主張に対し裁判所はXの請求を棄却し、次のとおり判示した（東京高裁昭和58年4月19日判決（確定）・同旨横浜地裁昭和57年7月28日判決（本件の第一審））。

(a) 相続税法第7条の趣旨

相続税法7条は、著しく低い価額の対価で財産の譲渡を受けた場合には、法律的には贈与とはいえないとしても、実質的には贈与と同視できるため、課税の公平負担の見地から、対価と時価との差額について贈与があったものとみなして贈与税を課することとしているのであるから、右規定の趣旨に鑑みると、同条にいう著しく低い価額の対価に該当するか否かは、当該財産の譲受の事情、当該譲受の対価、当該譲受に係る財産の市場価額、当該財産の相続税評価額等を勘案して社会通念に従い判断すべきものと解する。

(b) X主張の(a)について

課税庁は、相続税法7条の適用に当たっては、当該譲受が同条の低額譲受に該当するか否かの認定については時価即ち客観的な取引価格を基準としてこれを判定し、低額譲受と認められた場合、その課税標準の算定については、相続税評価額の定められているものはこれを用いると解していることが認められ、……Xの主張するような課税実務の取扱いがされていたとは認められない。また、不動産の相続税評価額が客観的な取引価格ないし市場価額に比しはるかに低額であることは当裁判所に顕著であるところ、当該譲受の対価を相続税評価額とのみ対比し、相続税評価額よりも著しく低い場合に、はじめて低額譲受けに該ると認定しうるものであると解することは、贈与税の負担公平を図るため、実質的に贈与の性質を有する財産譲受に対して課税するという相続税法7条の趣旨に鑑みれば、相当でないといわなければならない。

(c) X主張の(b)について

所得税法施行令169条は……所得税法59条1項2号の規定を受けて、著しく低い価額の対価として政令で定める額を資産の譲渡の時における価額の2分の1に満たない金額と規定しているが、これらの規定はどのような場合に未実現の増加益を譲渡所得としてとらえ、これに対して課税するものを適当とするかという見地から定められたものであって、どのような場合に低額譲受を実質的に贈与とみなして贈与税を課するのが適当かという考慮とは全く課税の理論的根拠を異にする。

(d) X主張の(c)について

国税徴収法39条はいわゆる無償譲受人等の第2次納税義務を定めた規定であるが、同条は財産の無償譲受等は詐害行為に該当する場合が多いこと、詐害行為取消権の行使は訴訟手続によらなければならないことに照らし、手続を簡略化して財産の譲受人等に第2次納税義務を負わせることにより租税の徴収確保を図った規定であると解される。そうすると、国税徴収法39条の規定と相続税法7条の規定の低額譲渡(受)に関する文言がほぼ同一であることから、直ちに低額譲渡(受)に関する規定が置かれた趣旨の全く異なる右の両規定にいう著しく低い(価)額の意義を同一に解しなければならない理由はない。
(e) X主張の(d)について
　Y税務署長所部係官の説明はYの相続税法7条の低額譲受に関する解釈に反するものと認められ、右説明ないし行政指導がなされたからといってYの課税実務の取扱いがXの前記主張のように確定していたとみることはできない。

B　東京地裁平成19年8月23日判決（確定）

〔事件の概要〕
〔図表1〕　本件関係図

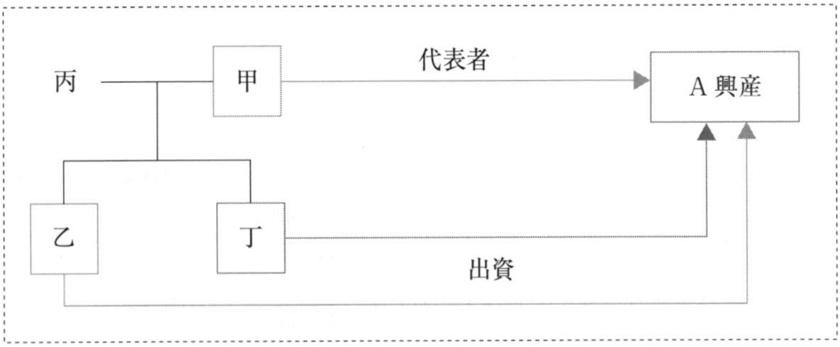

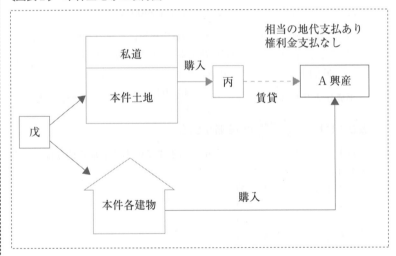

〔図表2〕　本件土地等の取得図

(1)　丙と甲（原告）は夫婦で、乙（原告）と丁はその間の子である。
　　有限会社A興産（以下「A興産」という。）は、甲が代表者であり、乙及び丁が全額出資している会社である（〔図表1〕参照）。
(2)　丙は、平成13年8月23日、戊から、東京都内の宅地857.75m²（以下「本件土地」という。）及びこれに隣接する私道4.13m²を4億4,200万円で買い

取った（〔図表 2 〕参照）。

また、A興産は、同日同じ戊から本件土地上の建物 2 棟（以下「本件各建物」という。）を7,800万円で買い取った。

(3) 丙（後述の分割により共有者となった者を含む。）は、本件土地を取得後、これをA興産に 1 m²当たりおおむね 2 万円の地代で貸し付けたが、権利金の支払はなかった。月 2 万円の算定根拠は、本件土地の路線価 1 m²当たり36万円（平成13年から平成15年まで）を基に計算した本件土地の価額の 6 ％相当額である。

(4) 丙は、本件土地の持分を、次のように贈与又は売買した（〔図表 3 〕参照）。

① 平成14年 8 月 9 日に乙及び丁に対して、$\dfrac{4,000}{85,775}$ずつを贈与した。

② 平成15年 8 月14日に乙及び丁に対して、$\dfrac{4,400}{85,775}$ずつを贈与した。

③ 平成15年12月25日に甲に対し、$\dfrac{32,200}{85,775}$を8,902万6,560円で売り渡し、また、同日に乙に対し、$\dfrac{13,300}{85,775}$を3,677万1,840円で売り渡した。

なお、本件土地の 1 m²当たりの価額の算定根拠は、次のとおりである。

（平成15年度路線価）　（奥行価格補正率）　（借地権減額割合）
　　　36万円　　　×　　　0.96　　　×　　　（1－0.2）　　＝27万6,480円

④ 平成16年 2 月 3 日に、丁に対し、$\dfrac{13,300}{85,775}$を売り渡し、また同日に、乙及び丁に対し、$\dfrac{4,500}{85,775}$ずつを贈与した。

⑤ 以上の贈与及び売買により、甲から丁までの本件土地の持分は、次のとおりとなった。

丙 $\dfrac{1,175}{85,775}$　乙 $\dfrac{26,200}{85,775}$

甲 $\dfrac{32,200}{85,775}$　丁 $\dfrac{26,200}{85,775}$

〔図表３〕 本件土地の持分譲渡経過

(持分合計85,775)

	甲	乙	丁	丙
平14.8.9　贈与		4,000	4,000	
平14.8.14　贈与		4,400	4,400	
平15.12.25　売買	32,200	13,300		
平16.2.3　売買			13,300	
平16.2.3　贈与		4,500	4,500	
計	32,200	26,200	26,200	1,175

(5) 丙は、平成15年分の所得税の確定申告において、(4)の各売買から生じた譲渡損失１億1,611万5,899円を他の所得と損益通算した。
　　また、乙は丙から受けた贈与について、平成15年の贈与税の申告を行った。
(6) 課税当局は、甲に対し、丙からの譲渡価額が時価より低額であるとして、相続税法第７条の規定を適用して、その差額について、平成15年分の贈与税の決定処分を、また乙に対しても、同様な理由で平成15年分の贈与税について更正処分を行った。
(7) 甲及び乙は、上記各処分に不服で、不服申立手続を経て、本件訴えを提起した。

〔本件の争点〕
① 相続税法７条にいう「時価」の意義
② 相続税法７条にいう「著しく低い価額」の判定基準
③ 本件各売買の代金額は、時価より「著しく低い価額」の対価であるか
④ 負担付贈与通達の適用の問題（後述505頁）

1　相続税法７条にいう「時価」の意義
(1) 原告の主張
　「財産の評価は財産評価基本通達によって行われる」という課税実務上の取扱いを前提にすると、相続税法７条（低額譲受）における「時価」は、（同法22条（評価の原則）における時価と同じく）、原則として相続税評価額のことをいうと解すべきであり、特別の事情が認められて初めて、相続税評価額以外

の価額をもって時価ということができる。

租税負担の実質的な公平を実現するためには、評価基本通達の定める画一的な評価方法が形式的にすべての納税者に適用されることこそが必要である。この評価方法によることが、不合理かつ違法となるような特別の事情が認められない限り、それ以外の方法による評価をすることはできない。

(2) 裁判所の判断

相続税法22条にいう「時価」について検討すると、財産評価基本通達により財産評価の一般的基準を定め、これに定められた方法によって画一的に評価をするという課税実務上の取扱いは、納税者の便宜、公平、徴税費用の節減という見地からみて合理的である。したがって、財産評価基本通達の定める画一的な評価方法を形式的にすべての納税者に適用して財産の評価を行うことは、租税負担の実質的公平を実現するものとして是認することができる。

このような合理性がこの実務上の取扱いを正当とするものであって、原告らの主張するように、その正当化のために、同条にいう時価を相続税評価額と同視しなければならないという理由はないと解される。

相続税評価額は、画一的な評価方法によって評価された価額であるという点で合理性が認められるといえる。すなわち、それが客観的交換価値を超えない限りにおいて、課税実務上、同条にいう時価に相当するものとして適用するに過ぎない。

同条は、相続税評価額を課税実務上時価に相当するものとして使用することを許容していると解される。しかし、現実には、「相続税評価額」と「時価（すなわち客観的交換価値）」との間に開差が存在することは否定することができないのであり、これをあえて同じものとみなす必要はないし、そのようにすべきでもないのである。

そうであるからこそ、原告らも主張するように、特別の事情のある場合には、相続税評価額を離れ、時価すなわち客観的交換価値をよりよく反映していると考えられる別の評価方法によって評価を行うべきこととなるものである。

以上のとおり、同条にいう時価を相続税評価額と同視しなければならないとする必要はないのであるから、そこにいう時価は、やはり、常に客観的交換価値のことを意味すると解すべきである。そして、同法7条にいう「時価」と同法22条にいう「時価」を別異に解する理由はないから、同法7条にいう時価も、やはり、常に客観的交換価値のことを意味すると解すべきである。

2 相続税法7条にいう「著しく低い価額」の判定基準

(1) 被告の主張と裁判所の判断（その1）

① 被告（課税当局）の主張

相続税評価額が地価公示価格と同水準の価格の約80％であるとすると、地価が安定して推移している場合や上昇している場合には、この開差に着目し、実質的には、贈与税の負担を免れつつ贈与を行った場合と同様の経済的利益の移転を行うことが可能になる。

このことから、租税負担の公平の見地から相当でないことは明らかである。

② 裁判所の判断

仮に時価の80％の対価で土地を譲渡するとすれば、これによって移転できる経済的利益は当該土地の時価の20％にとどまるのであり（換価することまで考えれば、実際の経済的利益はそれよりさらに低くなるであろう）、被告の主張するように「贈与税の負担を免れつつ贈与を行った場合と同様の経済的利益の移転を行うことが可能になる」とまでいえるのかはなはだ疑問である。

そもそも被告の上記主張は、相続税法7条自身が、「著しく低い価額」に至らない程度の「低い価額」の対価の譲渡は許容していることを考慮しないものであり、妥当でない。

(2) **被告の主張と裁判所の判断（その2）**

① 被告の主張

「著しく低い価額」の対価に当たるか否かは、単に時価との比較（比率）のみによって決するものではなく、「実質的に贈与を受けたと認められる金額」の有無によって判断すべきであり、あるいは、第三者との間では決して成立し得ないような対価で売買が行われ、当事者の一方が他の負担の下に多額の経済的利益を享受したか否かによって判断すべきである。

② 裁判所の判断

相続税法7条は、当事者に実質的に贈与の意思があったか否かを問わずに適用されるものであり、実質的に贈与を受けたか否かという基準が妥当なものとは解されない。

また、この基準によるとすれば、時価よりも低い価額の対価で譲渡が行われた場合、客観的にみて譲受人は譲渡人から一定の経済的利益を無償で譲り受けたと評価することができるのであるから、そのすべての場合において実質的に贈与を受けたということにもなりかねず、単なる「低い価額」を除外し「著しく低い価額」のみを対象としている同条の趣旨に反することになるというべきである。

次に、第三者との間では決して成立し得ないような対価で売買が行われたか否かという基準も趣旨が明確でない。仮に、「第三者」という表現によって、親族間やこれに準じた親しい関係にある者相互間の譲渡とそれ以外の間柄にあ

る者相互間の譲渡とを区別し、親族間やこれに準じた親しい関係にある者相互間の譲渡においては、たとえ「著しく低い価額」の対価でなくても課税する趣旨であるとすれば、同条の文理に反するというほかない。

　また、時価の80％程度の水準の対価であれば、上記の意味での「第三者」との間で売買が決して成立し得ないような対価であるとまでは断言できないというべきである。

(3) 被告の主張と裁判所の判断（その3）
① 被告の主張

　当該財産の譲受けの状況の一要因である「個々の取引の意図、目的その他合理性」といったことが、「著しく低い価額」に当たるか否かを判断する際の一事情として考慮されるべきものである。

② 裁判所の判断

　取引の意図、目的、合理性といった事情を考慮するとなると、結局、当事者に租税負担回避の意図・目的があったか否かといった点が重要な考慮要素になると思われるが、相続税法7条は、親子間や兄弟間で時価より著しく低い価額の対価で財産の移転が行われることとなれば贈与税の負担が回避され、本来負担すべき相続税の多くの負担を免れることを防止するための規定であり、租税負担回避の意図・目的があったか否かを問わず、また、当事者に実質的な贈与の意思があったか否かをも問わずに、同条の適用があるというべきであるから、被告の主張は、同条の趣旨に反するというべきである。

3　本件各売買の代金額の「著しく低い価額」の対価該当性

(1) 被告の主張と裁判所の判断（その1）
① 被告の主張

　権利金の収受がなく、かつ、「相当の地代」が収受されている貸宅地の評価に当たり、当該土地の自用地としての価額から20％相当額を控除するのは、あくまで通常の貸宅地の評価方法との整合性を保つための課税上の配慮に基づくものに過ぎず、時価を評価するに当たっては本来この控除をする必要がない。

② 裁判所の判断

　20％を控除する趣旨は、単なる課税上の配慮ということはできず、借地借家法等の法律上の制約が存在することをも考慮したものであるから、被告の主張は採用することができない。

　被告は本件土地について、賃貸人と賃借人との間に家族関係を基礎とした密接な関係があることをその主張の根拠とするようである。しかし、たとえそのような密接な関係があるとしても、賃借人であるＡ興産が賃貸人である丙な

いしその承継人である原告らから独立した人格を有する会社であることを一概に否定することはできない。特に、本件土地上の本件各建物は、原告ら家族とは全く関係のない第三者に賃貸されていることが認められる。このことからしても、本件土地の取引に当たっては借地借家法等の法律上の制約が存在することが重要な考慮要素となると認められ、自用地としての価額（更地価格）から20％相当額を控除することは正当な評価方法というべきである。

(2) **被告の主張と裁判所の判断（その２）**
① 被告の主張
イ 本件各売買は、丙が、平成15年中に本件土地を親族に譲渡することによって、譲渡所得の損失の額を確定させ、丙の同年分の所得税の計算上、翌年には廃止されると見込まれる損益通算を可能にするとともに、丙の親族間における資産構成を変えることを主目的として行われたものである。
ロ 本件各売買の代金額は平成15年の路線価36万円を基に計算されたものであり、同売買によって丙に生じたとされる損失の額は１億1,611万円余にも上る。本件土地については、平成13年に丙が取得してから若干の地価の下落があったとは認められるものの、本件各売買に際し、その代金額を１億1,611万円余もの損失を伴う価額とする合理的な理由となるほどの下落ではない。
ハ 以上の事実関係を基に検討すると、丙は本件各売買の代金額決定の理由として贈与課税に係る問題を挙げるのみで、その客観的交換価値を調査した形跡すらうかがわれず、本件土地について取得価額を１億円余も下回る価額で売却したことの合理的理由は見当たらない。

そうすると、丙は、第三者との間で売買したとすれば決して成立し得なかったであろう金額で、本件土地持分の売買を原告らとの間で行い、それによって、第三者へ丙が譲渡したとした場合の金額と本件各売買の代金額との差額に相当する経済的利益を原告らに享受させたのであるから、本件各売買は、相続税法７条にいう「著しく低い価額」の対価で財産を譲渡した場合に当たる。

② 裁判所の判断

被告が相続税法７条適用の根拠として指摘しているのは、①本件各売買の売主である丙の側に自己の所得税の負担を軽減しようという明確な意図があったことと、②丙が原告らに対して一定の経済的利益を享受させる意思をもって本件各売買を行ったことである。しかし、既に検討したように、当事者に贈与の意思や租税負担回避の意思があったか否かによって同条の適用が左右されることはないのであるから、丙の側の意思、意図を強調する被告の主張は採用することができない。

なお、被告の主張によれば、丙の意図としては、自己の所得税負担を軽減することに重きが置かれているようであるが、そのような売主側の事情をもって、買主である原告らへの贈与税課税の根拠とすることも疑問である。

また、これも既に検討したとおり、同条は「著しく」低額でない限り、時価より低額での財産の譲渡が行われることを許容しているのであり、丙が原告らに一定の経済的利益を享受させたとしても、それが著しい程度のものと認められない限り、同条は適用されないのである。

さらに、租税の公平負担の要請から実質的にみても、本件各売買の代金額と本件土地の時価や相続税評価額との比較に加え、①丙が平成13年8月に本件土地を購入してから平成15年12月に本件各売買が行われるまで2年以上の期間が経過していること、②本件各売買により原告らが取得したものは土地の持分であり、容易に換価できるものではなく、実際に原告らもこれを換価してはいないこと、③被告の主張を前提としても、丙が本件各売買をしたことには流動資産を増やしたいとの一応合理的な理由があったことなどの事情を考慮すれば、本件各売買が、明らかに異常で不当であるといえるような、専ら租税負担の回避を目的として仕組まれた取引であると認めることはできない。

結局、いずれの見地からしても、被告の上記主張は採用することができない。

(ハ) 他の判例等

(a) 東京地裁昭和44年12月25日判決

原告が相続税法7条に規定する「著しく低い価額」とは時価の2分の1に満たない金額をいうものと解すべきであり、時価1,163万円余の宅地を850万円で買い受けた場合は「著しく低い価額」に該当しない旨主張して争った事件につき、当該宅地の時価は少なくとも1,744万円余を下らないと認定した上で、右原告の主張は、しょせん、独自の見解に基づくものであって、採用の限りでないと判旨した。

(b) 大阪地裁昭和53年5月11日判決

「資産一般についてはともかく、本件のごとき非上場株式について、贈与税における時価より「著しく低い」価額とは、時価の4分の3未満の額を指すと解するのが相当である」(注)

(注) この判例は、低額譲渡の割合の判断について、はじめて具体的数値を示したものといわれる判例で、評価する論者もあるが、時価の4分の3の根拠について、少なくとも判決理由中には何ら示されておらず、参考とはならないように筆者には思える。

なお、この判例は、「法人税においては、時価より低額による資産の譲受があった場合に、それが時価より「著しく低い」か否かを問題にすることなく、時価と譲受差額との差額は当然に所得の計算上益金に算入されると解すべきものである……これに対し、相続税法7条、9条は対価をもって財産の譲渡をうけた場合、「著しく低い」価額の対価で財産の譲渡があったときに限り、時価と対価との差額に相当する金額を贈与により取得した旨規定しており、従って取得財産の時価に比し対価が「著しく低い」といえない場合には贈与税はこれを課さないものと解されるのである。この点において法人税法と相続税法（贈与税を含む）の考え方に差異があるとしても元来それぞれの法の対象とする租税の性質、目的等が異なる以上やむをえないところである」と注目すべき判示を行っているが、その差異を是認する具体的な理由までは残念ながら示されていない。

(c) 国税不服審判所昭和58年9月29日裁決（注）

相続税法第7条には、時価より著しく低いか否かの判定基準について明文の規定はない。

それ故に、対価が時価に比して著しく低いかどうかは、社会通念に照らし判断すべきものと解され、一般的には、時価と対価との差額及び両者の比率などを総合して判断すべきものであり、譲受価額が時価の2分の1未満であるかどうかによって、当該価額が時価に比して著しく低い価額に当たるか否かを判断すべきものとすることは相当でない。

これを本件についてみれば、本件株式の譲受価額12,000,000円は、時価22,174,355円の54パーセントに当たり、時価と対価との差額は10,174,355円となるなど社会通念に照らせば、本件株式の譲受価額は、時価に比して著しく低い価額の対価に当たるものと認めるのが相当である。

(注) 前掲「東京国税不服審判所裁決事例集Ⅴ」147～158頁。なお、本裁決は、本件株式の売買の当事者間に低額譲受けによる利益の授受の意思がなかったことをもって相続税法第7条の規定を適用すべきでないという請求人の主張

を退けていることにも注目すべきである。

また、本裁決は、著しく低いか否かの判断は、<u>時価と対価との差額及び両者の比率</u>などを総合して行うべきとしている。

(d) 国税不服審判所平成15年6月19日判決

(裁決の要旨)

本件の場合、①譲渡人は高齢となり、アパート経営及び管理が煩わしくなったこと及び譲渡人自身の借入金を返済することから本件不動産を譲渡したものであり、請求人（譲渡人の孫）は将来のことを考えて、金融機関から取得資金を借り入れて本件土地を取得したものであること、②売買価額（52,000,000円）は固定資産税評価額を参考に、利用形態を考慮して決定したもので、課税当局が主張するとおり、土地の時価が65,538,875円であるとしても、時価の79.3％であること、③譲渡人は、本件不動産を相続により取得したもので、長期間保有していた本件不動産を譲渡したものであること及び④本件不動産の譲受価額が71,950,000円であるところ、本件不動産の相続税評価額は69,236,309円であり、譲受価額が相続税評価額を上回っていることを総合勘案すると、本件土地の譲受けは相続税法第7条に規定する「著しく低い価額の対価」による譲受けには該当しないとするのが相当である。

㈡ 学説・評釈等

(a) A説

横山茂晴弁護士は、前掲横山論文において低額譲渡は、単に対価の不相当性だけでなく、任意性をも要件とすると説く。また、譲渡価額が相続税評価額を下回れば、当然に「著しく低い価額となるという見解「昭和62年版・資産税質疑応答集」（大蔵財務協会）568頁。（筆者注）」もあるが、相続税評価額が当然に市場価格よりも著しく低くなければならないという根拠はないので、必ずしも妥当ではないとする。

(b) B説

山田熙氏・橋本熊也氏（以下「山田氏ら」という。）は、両氏の共著「贈与の税務」（ぎょうせい）134頁以下において、大要次のように説く。

すなわち、前掲の資産税質疑応答集で、時価は相続税評価額をいうとしていた当局の見解を基として、前掲東京高裁昭和58年4月19日判決で、課税庁及び裁判所が「低額譲渡に該当するか否かの判定には時価即ち客観的な取引価格を基準とし、低額譲渡と認められた場合の課税標準の算定には相続税評価額を採用している」と認めたことを批判している（注）。

また、前掲の資産税質疑応答集で、「譲受価額が相続税評価額より低い場合には、著しく低い価額と判断する」としていることについて、相続税評価額を時価とするならば、対価が時価すなわち相続税評価額より「著しく低い」のでなければ、相続税法第7条の規定は適用できないはずで、質疑応答集の見解は誤りであると批判している（注）。

(注) 筆者は、前掲質疑応答集の回答は説明不足で、著しく低いか否かの判断は、前掲東京高裁昭和58年4月19日判決の課税庁の主張どおり、実際の取引価格すなわち市場価格と比して行うという説明が脱落しているものと考えている。山田氏らは、前掲「贈与の税務」134頁で「時価とは、実勢価額であるという考え方は、この訴訟で被告（筆者注・課税庁）が新たに主張したことで以前からの実務慣行とはかけ離れた見解です」と述べられているが、筆者は、以前からこれが実務慣行となっていたと聞いていたし、某誌上で元国税庁資産税課の某氏がその旨を述べられていたのを読んだ記憶もあり、決して課税庁が、この事件において初めて主張したことではないはずである。次の(c)でも、そのことが裏付けできる。

(c) C説

新井三朗氏は、前掲東京高裁昭和58年4月19日判決の評釈で、次のとおり述べている（注）。

「X（筆者注：原告側）主張の相続税評価額は、課税価格算定上は原則としてこれを時価とする取扱いがなされているが、本来、相続税財産評価基本通達（筆者注・現行財産評価基本通達）は相続・贈与による無償取得の財産の価額を評価するための一般的な基準を定めたものであって（相続財産の時価評価について、被相続人の生前に売買契約が締結されている土地の時価を相続税評価額でなく取引価額によるべきであるとした東京高裁昭和56年1月28日判決

(省略)がある)、市場価格ないし実勢価格の存する財産について相続税評価額を取引価格の指標とすることは相当でない。特に土地の相続税評価額が通常の取引価格よりはるかに低額であることは周知のとおりであり、相続税評価額を比較の基準として譲渡対価が著しく低額か否かを判断するのは、公平負担の見地から定められた相続税法7条の趣旨に反するものといわざるを得ない。」

また、同氏は「著しく低額」の基準について、規定の趣旨から合目的的解釈を行うべきものと説き、次のように述べている。

「そこで、相続税法7条の規定の趣旨に立ち返って、どの程度低額であれば贈与とその実質を同じくするといえるか、課税の公平を害することになるかという観点から考えると、一般に取引価格に影響を与える売買事情等の要素についてはもちろん、無償譲渡との権衡についても考慮すべきことになろう。したがって、あらゆる財産について、取引市場の有無、換価の難易度、取引の事情、対価の額と市場価格ないし実勢価格との開差、相続税評価額等を勘案し、社会通念に従って著しく低額かどうかを判断すべきものと解される。」

(注)「税経通信・Vol.39－No.15・1984年」(税務経理協会)183頁

(d) D説

岩崎政明氏は、相続税評価額が通常の取引価額に比べて、「行政政策的技術的観点から」相当低額に設定されていると認めた上で次のように説く(注)。

「したがって、無償による財産の贈与を受ければ評価額に基づいて低い課税が行われ、低額で財産を譲り受けると取引価額に基づいて高い課税が行われたのでは、通常の贈与よりも、みなす贈与の方がかえって高い課税が行われるという課税の不平等が生ずることになろう。その意味で、みなす贈与も財産課税の一種と考えれば、(中略)低額の判定に当たっては、相続税評価額が基準にされるべきであるという見解も認められるべき余地があるように思われる。」

また、低額の程度の判断については、「低額」は課税要件であるから明確なものでなければならず、したがって、その判定基準は法規により明確に規定されるべきものであるとして、次のように説く。

　「もっとも、相続税法7条にいう低額とは、必ずしもこれらの規定におけるように「時価の2分の1」の価額に限定されるべきものではない。課税客体が株式であるか土地であるかなど財産の種類によって異なる比率を設定することも可能であろうし、また、所得課税と財産課税とではそれぞれの課税の性質を考慮して異なる比率で低額の判定を行うことも可能であろう。しかし、現行相続税法においては、低額を判定するための明確な比率が定められていないのであるから、所得税法施行令169条や国税徴収法基本通達39条関係の7と同様に、土地などの値巾のある財産については、時価の2分の1に満たない価額をもって「著しく低い価額」と判定すべきであると思われる。なぜなら、これらの法規における「時価の2分の1」という比率は、一応社会通念に合致したものという理由から設定されたものと解されるからである。」

(注)　「税務事例（Vol.15－No.10）1983年10月号」（財経詳報社）2～6頁

(e)　E説

　「DHCコンメンタール相続税法第1巻」1005頁では、次のように説かれる（主張）。

　「土地の相続税評価額は、その課税目的に照らして実際に取引されるいわゆる実勢価格より低く定められているため、土地の低額譲受けがあった場合、この実勢価格を基にして低額譲受けに該当するかどうか等が問題になることがあるが、相続税及び贈与税の課税上は、相続税評価額が時価とされているので、たまたま相続税評価額が土地の実勢価格に比べて低いからという理由で実勢価格によることは、課税の公平からいっても適当でないと思われる。」（注1、2）

(注1)　このコメントでは、「著しく低い」の判断については結論を出していないが、かつて存在した旧相続税法基本通達について、次のように述べられて

いる。

「……昭和33年までは、法第7条の低額譲受けの場合の判定基準が定められていたが、このような画一基準を設けたことによって、明らかに贈与する意思で高額な利益が授受されるものであっても、対価の額が時価の2分の1以上であるという理由で贈与税の課税ができないという課税上の不公平が生じたため、昭和34年の相続税法の改正を機に、この判定基準が廃止されたという経緯がある。」

(注2) (注1)のように、昭和34年に、著しく低いか否かの判定を時価の2分の1未満か否かによって行う取扱いが廃止されたが、その後の解説書で、依然として「……「著しく低い価額」とは、その価額が、譲渡をうけた時におけるその財産の価額の2分の1程度に満たない場合を意味する」(庭山慶一郎著「相続税の理論と実務(昭和34年刊)」(税務経理協会)54頁)としているものがある。

(f) F説

奥谷健島根大学准教授の説(税務QA2007年11月号36頁以下)は、㊉Bの判例の評釈で次のように説く。

「たしかに相続税法22条により相続財産は時価によって課税されることになっています。その時価が客観的な交換価値であるという点は問題がないように思われます。

しかしながら、その時価については実務上、財産評価基本通達により地価公示価格の8割程度として扱っているのが現状です。そのことからすれば、相続税法22条における「時価」は地価公示価格の8割程度までの幅をもった概念であると考えられなくもありません。そうであれば、相続税法7条における「時価」も同じように解するべきで、原告らがそれと同水準の価格で取引を行うことは何ら経済的合理性を欠くものだとはいえないと思われます。つまり、客観的交換価値の8割程度の価額を相続税法7条における「著しく低い価額」と認定することは合理性がないと考えられるのです。

このように考えると、裁判所の判断は妥当なものであると思われます。」

(g) G説

佐治俊夫氏の説(T & A master No226-2007年9月10日号18頁以下)は、次

のとおりである。

佐治評釈は、「負担付贈与通達の趣旨は、『不動産の通常の取引価額と相続税評価額との開きに着目しての贈与税の税負担回避行為に対して、税負担の公平を図るための所要の措置』とされており、課税の現場（課税庁・実務家）からは、路線価設定の斟酌率とされる20％程度の乖離であったとしても、親族間で行われる相続税評価額での譲渡については、みなし贈与課税が行われるものと理解されている」として、従来の課税実務を肯定しているようである。

そして、「本判決の判示を援用すれば、『著しく低い価額』は時価の80％程度の水準の対価であれば該当しないことになるので、上場株式の評価にも評価上の斟酌が認められるべきと解することになりかねない。…上場株式は、その資産の性格や評価方法から不動産よりも安易に税負担回避行為が行われやすいので、税負担回避行為の防止という観点からは一層の弊害も懸念されるのである」と判決を批判している。

(ハ)　いわゆる「負担付贈与通達」

㋐　総　説

平成3年ごろまでは、事実として、不動産の通常の取引価格と相続税評価額との間に少なからぬ乖離が見られたことから、この開きに着目して、負担付贈与又は低額譲受けの方法によって、贈与税の負担を回避しようとする行為が頻発するとともに、節税方法として世に喧伝されたため、その弊害がきわめて大きいものとなっていった。そこで、国税庁はこのような税負担回避行為に対して、課税の公平を確保するという考えの下に、平成元年3月29日付直評5、直資2－204「負担付贈与又は対価を伴う取引により取得した土地等及び家屋等に係る評価並びに相続税法第7条及び第9条の規定の適用について」（以下「負担付贈与通達」という。）を発遣したものである。

この取扱通達は、次の2項から成っている。

(a)　まず、第1項は、個人が、土地等及び家屋等を負担付贈与又は対価を伴った取引により取得した場合の価額については、その取得時（課税時

期）において自由な経済取引の下で通常成立すると認められる取引価額によって評価するものとしている。そして、贈与者等が取得又は新築した土地等又は家屋等の取得価額が、課税時期の通常の取引価額に相当する金額として課税上弊害がないと認められる場合には、その取得価額（家屋等については、定率法による減価償却後の金額）相当額で評価することとしている。

(b) 次に、第2項は、対価を伴う取引により取得した土地等又は家屋等の価額は、(a)により、その土地等又は家屋等を取得した時における通常の取引価額に相当する金額によって評価されることになるので、対価を伴う取引による土地等又は家屋等の取得が、相続税法第7条の「著しく低い価額の対価で財産の譲渡を受けた場合」又は後述の同法第9条の「著しく低い価額の対価で利益を受けた場合」に当たる場合には、その取得者がその土地等又は家屋等の通常の取引価額から対価の額を控除した金額相当の贈与を受けたものとみなされて贈与税の課税を行うものとしている。

そして、これらの「著しく低い価額の対価」で財産の譲渡又は利益を受けた場合に該当するかどうかについては、みなし贈与規定の趣旨を踏まえ、個々の取引について取引の事情、取引当事者間の関係等を総合勘案し、実質的に贈与を受けたと認められる金額があるかどうかにより判定するものとしている。

この場合、土地等又は家屋等の実際の取得価額を下回る対価による取引があった場合には、取引当事者の一方が明らかに損をしてまでそのような取引が行われた事情として土地等又は家屋等の価額の下落など合理的な理由があると認められるときを除きみなし贈与の規定を適用するものとしている（注）。

（注） この取扱いは、取引に係る対価の額がその土地等又は家屋等の実際の取得価額を上回れば「みなし贈与」の規定を適用しないというものではないので、対価の額が、実際の取得価額を上回っていても、前述の「著しく低い価額の対価で利益を受けた場合」などに当たれば、当然「みなし贈与」

の規定が適用されることになる（相基通解説766頁）と説明されている。

なお、当然のことではあるが、負担付贈与通達が適用されるケースでは、土地等又は家屋等の評価については、財産評価基本通達の適用が排除されている（負担付贈与通達前文参照）。

したがって、「低額譲渡」の問題のメインの対象である客観的時価と相続税評価額との乖離の大きかった不動産については、著しく低い対価による取得の判断の基礎となる価額は、課税庁側としては、課税時期における通常の取扱価額すなわち実勢価額によることが明らかにされている。また、「著しく低い」か否かの判定についても、一律の割合や金額ではなく個別に判断することが明らかにされているといえるであろう（注）。

(注) この取扱いは、現在、次のような問題があるように思われる。
  ① この取扱いが土地等又は家屋等に限ることの合理的理由が完全には明らかでないこと。
  ② 相続税法第7条は「著しく低い価額の対価」で資産の譲渡等がされたことが要件であるのに、合理的な理由のない限り、取得価額を下回る対価で譲渡がされた場合は、第7条を適用するというのは、税法の明文と抵触すると考えられるが、この点について公式な説明がされていないこと。
  ③ 後でも取り上げることとなると思うが現在の状況は、特に土地については、取引価額と相続税評価額の水準が極めて接近し、一部では逆転現象すら生じているといわれており、この通達の存在意義自体が問われていること。

（判　例）

前述の東京地裁平成19年8月23日判決は、負担付贈与通達についても判示しているので、それを示そう（注）。

(1) **被告の主張**

いわゆる負担付贈与通達（平成元年3月29日付直評5・直資2-204）が本件各売買により適用される結果、相続税法7条が適用されることになる。

(2) **裁判所の判断**

負担付贈与通達1にいう「通常の取引価額」とは、時価すなわち客観的交

換価値のことを意味するものと解される。原告らは、土地について相続税評価額によらずに「通常の取引価額」を基準として評価すること自体許されないとし、したがって同通達は違法不当であると主張する。この点については、既に検討したとおり、相続税法7条にいう時価は客観的交換価値のことを意味するのであるから、原告らの主張は採用することができない。同条の観点からみる限り、同通達1は正当である。

同通達2は、同条にいう「著しく低い価額」の対価による譲渡に当たるかどうかは、個々の取引について取引の事情、取引当事者間の関係等を総合勘案し、実質的に贈与を受けたと認められる金額があるかどうかにより判定するものとしている。既に検討したとおり、ここにいう「実質的に贈与を受けたと認められる金額があるかどうか」という判定基準は、同条の趣旨に沿ったものとはいい難いし、基準としても不明確であるといわざるを得ないほか、「著しく低い」という語からかけ離れた解釈を許すものとなっており、その意味で妥当なものということはできない。しかし、同通達2は、結局のところ、個々の事案に応じた判定を求めているのであるから、上記のような問題があるからといってそれだけで直ちにこれを違法あるいは不当であるとまではいえないというべきである。もっとも、個々の事案に対してこの基準をそのまま硬直的に適用するならば、結果として違法な課税処分をもたらすことは十分考えられるのであり、本件はまさにそのような事件であると位置付けることができる（注）。

（注）　この判決に対し、課税当局は控訴をすることなく、本件は確定している。

しかし、判決は通達が違法であるとはしておらず、また、「土地の売買代金額と土地の時価や相続税評価額との比較に加え、譲渡人が土地を取得してから売買まで2年以上経過していること、売買により譲受人が取得したものは換価性の低い土地の持分で、容易に換価できるものでもなく、また、実際に換価していないこと、譲受人が土地を売買したことには、流動資産を増やしたいという、一応合理的な理由があったこと」などの個々事実関係を総合的に判断している。

このようなことから、国税庁では「今回の判決は、通常取引される価額の

80％相当額以上の取引がすべて『著しく低い価額』には当たらないといった画一的な基準が示されたものではないと認識しており、当局としては、『著しく低い価額』であるか否かは、従来通り個々の事案ごとに取引の事情、取引当事者間の関係など個々の事実関係を総合的にみて判断するものと考えているので、通達の廃止や改正は考えていない」としている（税のしるべ2007年9月17日号1面）。

（評　釈）

(1)　前掲奥谷評釈は、この判示について次のようにコメントしている。

「こうした形で実質的な判断がなされ、この通達の適用が否認されたという点では評価できるように思われます。しかしながら、この負担付贈与通達自体の違法性や不当性は認められていません。そのため、この通達がどのような場合に適用されるのか、不明確なままであるようにも思われます。

本件は控訴されずに確定しました。そのため、この判決の理論と負担付贈与通達がどの程度まで妥当するのかについては最高裁における最終的な判断が示されていません。その意味からも、今後慎重に検討しなければならないでしょう。」

(2)　前掲佐治評釈は、次のようにいう。

「負担付贈与通達は、相続税法上の『時価』の解釈と同法7条および9条を執行するための指示が混合した通達である。…課税庁は、国税庁長官の職務執行命令として相続税法7条の適用が求められていたものである。

ところが、本件判決では、『通達の適用が結果として違法な課税処分をもたらした事例である』と判示した。職務執行命令に忠実に対応した課税処分にこのような判断を示すことは課税の現場をいたずらに混乱させるものといえるだろう。本判決が違法な課税処分であると結論付けるものであれば、負担付贈与通達の問題点や適用の限界点を示すものであるべきと思われる。」とし、「具体的には、路線価の斟酌率が80％で定着し、路線価の評価時点から極端な地価上昇が見られない場合には、相続税評価額で評価された土地等は、『著しく低い価額』には該当しないものとして、負担付贈与通達の適用制限を明らかにするなどの方法も考えられたであろう。」

更に注目すべきは、「負担付贈与通達の発遣時とは状況が様変わりしているものの、『著しく低い価額』の文言に拘泥されずに公平な課税を維持することが、通達の趣旨であったと考えるのが自然であろう」との発言があることで、「本判決は『負担付贈与通達』の発遣までの『節税対策』の横行の痛みを忘れてしまって、『著しく低い価額』の文言解釈に堕してしまっている。」との発言も見過ごせないところである。

(注) 評釈ではないが、品川芳宣・緑川正博両氏の対談「負担付贈与通達判決は、実務上、疑問を残したままだ‼（上）（下）」（速報税理2007年11月11日号20頁以下及び同11月21日号30頁以下。以下「品川・緑川対談」という。）でも、詳細な判決批評が展開されている。

(二) 私　見

まず、相続税法第7条の規定の適用の基礎となる譲渡財産の時価の判断については、従来相続税評価額の水準（特に土地の評価水準）が客観的時価と著しく乖離していた時代においては、租税回避を防ぐために、対価と比較するための時価は、客観的時価によることはやむを得なかったものと考える（前掲東京高裁昭和58年4月19日判決も、このような趣旨で、実務上の取扱いを是認しているものと考える。）。また、「著しく低い」と判断されても、実際に贈与とみなされる金額は、相続税評価額と対価との差額であるから、実際には、それほど問題とされるケースは少なかったものであろう。

しかし、現在のように地価の下落と評価水準の上昇により、取引価格と相続税評価額が近接してきている状況では、法律解釈としていささか問題なしとしない従来の取扱いにこだわることなく、相続税法第7条（したがって第9条も）に規定する時価は、相続税評価額によることとするのが、無理のない解釈であろう。

この問題についての筆者の私見は、次のとおりである（前掲東京地裁平成19年8月23日判決に関する拙稿（税務QA2008年2月号7頁以下））。

「3 相続税法7条の「時価」と「著しく低い対価」について
(1) 時価の解釈について

原告らによる相続税法の「時価」は相続税評価額であるという主張に対し、判決は、「この点については、相続税評価額は画一的に適用されることに合理性があるので、課税実務上相続税法にいう時価として適用するにすぎない。同法の時価は『客観的交換価値』である」と判示して、納税者側の主張を容れませんでした。

上記対談の緑川氏は、相続税法22条は時価でなく、課税価格だと言い切った方がよいとしています。その真意はよく分かりませんが、相続税法22条でいう時価は相続税評価額であって、本来の意義の「時価」は客観的交換価値であるということかと思います。

しかし、筆者は、この点については判決に賛成できません。なぜなら、評価基本通達による評価が時価だという以上、この評価が時価ではないというのは矛盾以外の何物でもないからです。

あるいは、緑川説のように、課税価格の計算は評価通達によることとし、低額かどうかを判断する場合の「時価」は客観的交換価値すなわち取引価格によるとするかつての実務に戻るというのはどうでしょうか。しかし、課税価格は評価通達による、というのは明らかに違法です。相続税法11条の2及び21条の2は、「相続若しくは遺贈又は贈与により取得した財産の価額が課税価格」であるとし、さらに、その財産の価額は「時価による」と同法22条は定めているのですから、時価以外は課税価格たり得ないのです。したがって時価は評価通達によるというのが国税庁の解釈であるとしかいえないはずで、評価通達の価額以外の時価があり、それが客観的交換価値で、評価通達による評価額は客観的交換価値ではないと主張するなら、それこそ法解釈上の矛盾以外の何物でもありません。

以上の観点から、同判決はこの点では誤っており、「著しく低い」の判断の基準となる時価は、納税者の主張どおり相続税評価額であるというのが法律論としては正解であるということになります。

それなら、現実に、相続税評価額の評価レベルが時価（現実には公示価格）の80％であるとすることに対しては、何と説明するのかと問われるかもしれません。しかし、これは、もともと土地の取引については、上場株式のような公開市場はないのですから、専門家によっても評価額は千差万別であり、評価の拠り所となる売買実例についても現実の売買には買い進み、売り急ぎなど個別事情が左右します。したがって、国税庁が一般論として公式に答えるような固めの評価を行わざるを得ないのです。要するに、相続税評価額と公示価格との評価水準の20％は、いわば、時価のアロワンス（allowance：許容値）と説明する外はありません。

(2) 「著しく低い」の解釈について

　したがって、「著しく低い」かどうかの判定基準は相続税評価額によるべきであるということになります。それでは租税回避が頻発するというのなら、相続税評価額をもっと厳密に評価して、現実の時価との開差を縮める努力をするしかありません。それを怠って、ただ「51万円の土地を27万円で売ったから低額譲渡」を決め付けるのは、法治国家における税務行政として問題があると言わざるを得ません。51万円という価額が高すぎる可能性も大いにあるのです。それを無視して、一方的に低すぎるとする考え方には同調できません。

　なお、負担付贈与通達の2項の（注）は、その取引における対価の額がその取引に係る土地又は家屋等の取得価額を下回る場合は、価額下落などの合理的な理由があると認められる場合を除き、著しく低い価額の対価で利益を得た場合に該当するとしています。また、通達2項本文の「個々の事情により判定する」という原則の制約を受けない形になっていて、"一律に否認せざるを得ない"としているとしか読めません。筆者は、少なくとも、この（注）は削除すべきだと言ってほしかったと考えています。

　また、課税当局は、「著しく低い価額の対価」について、実質的に贈与を受けたものと認められる金額の有無によって判断すべきであると主張しましたが、判決では、実質的に贈与を受けたか否かという基準は法文の趣旨に反

すると退けられています。おそらく課税当局は、時価と対価の比率だけでなく、低いとされる部分の金額の大小によっても判断すべきだと主張したかったものと思われます。

この点は、理論としては、多少首肯できるものもありますが、現在の法文からは、そのような解釈は難しいと思います。やはり、これは立法によって解決すべき問題とするのが妥当でしょう。

(3) **相続税評価額による譲渡は低額譲渡か**

前掲対談で、負担付贈与通達が出る前には相続税法7条の時価は評価通達が定める時価という解釈から、評価通達で定める時価で売却すれば著しく低い価額にはならないと取り扱われてきた（品川発言）と言われていますが、その後の実務では、相続税評価額による譲渡は相続税法7条の適用があるとされてきました（同対談の緑川発言もそれを裏付けています）。

この点について判決では、このような解釈が誤りであることを、次のように明瞭に指摘しています。

「相続税評価額と同水準の価額かそれ以上の価額を対価として土地の譲渡が行われた場合は、原則として「著しく低い価額」の対価による譲渡ということはできず、例外として、何らかの事情により当該土地の相続税評価額が時価の80％よりも低くなっており、それが明らかであると認められる場合に限って、「著しく低い価額」の対価による譲渡になり得ると解すべきである。もっとも、その例外の場合でも、さらに、当該対価の時価との開差が著しいか否かを個別に検討する必要があることはいうまでもない」

この判示では、相続税評価額による譲渡は、「著しく低い価額」の対価ではなく、相続税法7条の適用はないことが明らかで、異論の余地はありません。異論があるなら課税当局は控訴して争うべきでした。

4 負担付贈与通達は違法・不当か

この点については、課税当局は「個別事件」として割り切るつもりのようです。判決を子細に読むと負担付贈与通達1項については、この通達の判定基準である「取引価格」は時価すなわち客観的交換価値とし、裁判所もこの

解釈を認めているので、当然の判断でしょう（筆者の見解が異なることは前述しました）。

次に通達2項について判決は、「実質的に贈与を受けたと認められる金額があるかどうかという判定基準は、相続税法7条の趣旨に沿ったものとはいい難いし、基準としても不明確であるといわざるを得ないほか、「著しく低い」という語からかけ離れた解釈となっており、その意味で妥当なものということはできない。」と批判を加えながら、「通達2は、結局のところ、個々の事案に応じた判定を求めているのであるから、上記のような問題があるからといってそれだけで直ちに違法又は不当であるとまではいえない」と竜頭蛇尾の結論になっています。

しかし「妥当でない」なら「違法」…少なくとも「不当」であるというのが常識的な判断ではないでしょうか。実に首尾一貫しない論理展開で、ここでは明確に「不当」であるというべきでしょう。しかも「個々の事案に対してこの基準をそのまま硬直的に適用するならば、結果として違法な課税処分をもたらすことは十分考えられるのであり、本件はまさにそのような事例であると位置付けることができる」という結論になっていますが、既に述べたように、通達2項の（注）は、個々の事情を判断する余地はなく、「硬直的」に適用するしかない書き振りになっているのですから、当然に違法な課税処分となるはずです。この点、何とも不徹底な判決となっているのが惜しまれます。

5　その他

佐治評釈では、この判決を時価の8掛けでの譲歩がよいというなら上場株式の場合はどうするのか、という判決への批判がされていますが、これは、判決をよく読まないことによる誤解です。判決は、相続税評価額での譲渡は低額譲渡に該当しないといっているだけで、上場株式の相続税評価額は時価すなわち市場価格そのものですから、批判は全く当たりません。前掲対談でも、このような議論はされていません。」

㈱ その他

㈰ 譲渡財産が二以上ある場合の「著しく低い価額の判定」

　贈与により譲渡した財産が二以上ある場合には、「著しく低い価額の対価」であるかどうかの判定は、個々の譲渡財産ごとに行うのか、あるいは、一の譲渡契約ごとに行うのかという問題がある。

　これについては、国税庁の取扱通達は、著しく低い価額の対価であるかどうかの判定は、譲渡された個々の財産の価額ごとに行うのではなく、譲渡があった時ごとに譲渡があった財産を一括して判定するものとしている（相基通7－1）。

　この理由について、当局者は、著しく低い価額の判定を個々の譲渡財産ごとに行うものとすれば、全体としては著しく低い価額の対価とはいえない場合でも、個々の譲渡財産の中には著しく低い価額に該当し、贈与税を課税しなければならなくなるが、このようなことは適当でない（相基通解説143、144頁）と説明しているが、なぜ適当でないかの具体的な説明はされていない。筆者は、むしろこのような取扱いは、租税回避に利用されかねないと考えているがどうか。

㈪ 公開市場等で著しく低い価額での財産の取得

　相続税の評価基準である「時価」が市場価額とされているのは、公開市場で、不特定多数の者の当事者間で自由な取引が行われる場合に通常成立すると認められる価額が市場価額であると考えられているからである（評基通1(2)）。

　しかし、強制換価手続により競売が行われる場合などは、公開とはいえ、時として通常形成されるであろう価格より、著しく低い価額で落札されることもあり得よう。このような場合でも、形式的には低額譲渡に該当することにはなるが、このような場合にまで、その差額について贈与税を課税するのは、あまりにも実態とそぐわないことになる。

　そこで、不特定多数の者の競争により財産を取得する等公開された市場において財産を取得したような場合においては、たとえ、その取得価額がその

財産と同種の財産に通常付けられるべき価額に比べて著しく低いと認められる価額であっても、課税上弊害があると認められる場合を除き、低額譲渡はされない（相基通7－2）（注）。

(注)　「課税上弊害があると認められる場合」とは、例えば、不特定多数の者の間における競売という形式を借りて親が子に財産を著しく低額で取得させるなど、この取扱いを適用することが課税の公平を著しく損なうような場合においては、この取扱いは適用しないこととしている（「相基通解説」146頁）と当局者は説明している。

ハ　債務弁済資力喪失者への低額譲渡

(イ)　総　　説

　この低額譲渡の総説で、最初に既に触れたところであるが、財産の低額譲渡が、その譲渡を受ける者が資力を喪失して債務を弁済することが困難である場合において、その者の扶養義務者（相法1の2一を参照）から、その債務の弁済に充てるためにされたものであるときは、その贈与（遺言による譲渡の場合は、遺贈）により取得したものとみなされた金額のうちその債務を弁済することが困難である部分の金額については、贈与とみなされない（相法7ただし書）。すなわち贈与税を課税しないこととされている。

　このような特例が認められている理由は、債務者が経済的に破綻の状態にあるときに、その扶養義務者からされた救済措置についてまで、それにより利益を受けたからといって課税するのは、あまりにも形式にこだわった行為で、常識からいっても、また、社会的にみても、極めて不適当と考えられたことによるものである。

(ロ)　債務の範囲

　「債務を弁済することが困難」の判断に際して、この「債務」に公法上の債務例えば公租公課が含まれるかどうかは必ずしも問題がないとはいえない。というのは、相続税法上「債務」には、「公租公課」を含めようとする場合には、その旨が明文で規定されているからである。

　しかし、相続税法第7条の規定は、債務に公租公課を含めて適用するのが

妥当という見地から、「債務」には、公租公課を含むものとして取り扱われている（相基通7－3）。

(ハ)　「資力を喪失して債務を弁済することが困難である場合」の意義

ところで、この課税除外の要件である「資力を喪失して債務を弁済することが困難である場合」については、その者の債務の金額が積極財産の価額を超えるときのように、社会通念上債務の支払が不能（破産手続開始の原因となる程度に至らないものを含む。）と認められる場合をいうものとして取り扱われている（相基通7－4）（注）。

(注)　このような判断基準を定めた理由について当局者は次のように解説している（「相基通解説」148頁参照）ので、参考までにその要約を紹介する。
　　　すなわち、破産法の破産宣告手続における破産原因は、支払不能（同法16①）と債務超過（同法16①）とがある。前者は、債務者がその者の財産、労務、信用をもってしても債務を完済することが不可能になった状態をいい、主として個人に適用され、後者は、債務者の消極財産が積極財産を超過した状態をいい、専ら法人（存立中の合名会社及び合資会社を除く。破産法16②）に適用される。つまり、個人に対する破産宣告手続上の破産原因は、債務超過の状態に止まらず、債務者の労務、信用をも考慮されることになっているが、相続税法第7条の「資力を喪失して債務を弁済することが困難である場合」についても、同様に厳格に解することについては問題がある。そこで、相続税法の取扱いとしては、その者の債務の金額が積極財産の価額を超えるとき（債務超過の状態）のように社会通念上債務の支払が不能と認められる場合をいうものとし、その場合の「債務の支払が不能」には、破産法上の破産原因（支払不能）となる程度に至らないものを含むこととして取り扱われているものである。

(ニ)　「債務を弁済することが困難である部分の金額」

次に、「債務を弁済することが困難である部分の金額」の判断については、「債務超過の部分の金額」から、債務者の信用による債務の借換え、労務の提供等の手段により近い将来においてその債務の弁済に充てることができる金額を控除した金額をいうものとするが、特に支障がないと認められる場合においては、債務超過の部分の金額を「債務を弁済することが困難である部分の金額」として取り扱っても妨げないものとされている（相基通7－5）

(注)。
(注) この点については、当局者は、次のように述べている(「相基通解説」149頁)。

　すなわち、「債務を弁済することが困難な金額」とは、原則的には、破産法上の破産原因たる債務の支払不能と同様に、債務超過部分の金額から近い将来において債務者の信用による債務の借換え又は労務の提供等において補える部分の金額を控除した部分の金額をいうものとしているが、債務者の信用度や労務の提供度というものは、外部から的確に評価することは容易ではない。

　そこで、特に支障がないと認められる場合においては、債務者の信用による債務の借換え又は労務の提供等の手段による債務の弁済力を考慮しないで、債務超過部分の金額をそのまま「債務を弁済することが困難である部分の金額」として取り扱って差し支えないこととしている。

　これを次のような設例によって説明してみる。

〔設例〕
ある債務者Aの資産状況は、次のとおりである。
① 積極財産　　　　4,000万円
② 消極財産(債務)　5,000万円
　Aは、その扶養義務者Bからその債務の弁済に充てるため、時価2,500万円の財産を1,000万円で譲渡された。Aの贈与税の課税価格に算入される金額は、どのように計算するか。

〔解答〕　次のように計算する。
　イ　低額譲渡によるAの受益額
　　2,500万円(財産の時価)－1,000万円(譲渡対価)＝1,500万円
　ロ　債務を弁済することが困難な金額
　　4,000万円(積極財産)－5,000万円(債務)＝△1,000万円(債務超過額)
　ハ　贈与税の課税価格に算入される金額
　　1,500万円(Aの受益額)－1,000万円(債務超過額)＝500万円
　したがって、500万円が課税対象となる。

(5) 債務免除等

① 総　　説

　対価を支払わないで又は著しく低い価額の対価で債務の免除、引受け又は

第三者のためにする債務の弁済による利益を受けた場合には、その債務の免除、引受け又は弁済があった時において、その債務の引受け又は弁済の利益を受けた者が、その債務の免除、引受け又は弁済に係る債務の金額に相当する金額（対価の支払があった場合には、その価額を控除した金額）をその債務の免除、引受け又は弁済をした者から贈与（債務の免除、引受け又は弁済が遺言によりされた場合には、遺贈）によって取得したものとみなされて贈与税が課税される。ただし、遺贈とみなされる場合には、相続税の課税対象となる（相法8本文）。

しかしながら、その債務の免除、引受け又は弁済が、次のいずれかに該当する場合には、その贈与又は遺贈により取得したものとみなされた金額のうちその債務を弁済することが困難である部分の金額については、贈与税又は相続税の課税対象としないこととされている（相法8ただし書）。

(イ) 債務者が資力を喪失して債務を弁済することが困難である場合において、その債務の全部又は一部の免除を受けたとき。

(ロ) 債務者が資力を喪失して債務を弁済することが困難である場合において、その債務者の扶養義務者によってその債務の全部又は一部の引受け又は弁済がされたとき。

この債務免除等についてみなし贈与（遺贈）として課税することの意義は、次のように説明されている（「相続税・富裕税の実務」61頁参照）。

すなわち、これらの債務の免除、引受け又は第三者のためにする弁済は、債務者の消極的財産を消滅せしめるものであって、その経済的実質においては積極的財産を贈与するのと何ら異ならないから、これらの場合には贈与によってそれらの利益を取得したものとして課税するのである。なお、連帯債務者が自己の負担部分を超えて債務弁済をした場合には、その超える部分については主たる債務者に求償権を有することになるが、これを放棄したときは、その超える部分につき贈与があったものとみなすことになる。しかしながら、債務の免除、引受け又は第三者のためにする債務の弁済は、債務者が資力を喪失したために、やむを得ず、あるいは親族として徳義上の必要から

される場合が普通であろう。かかる場合にまで贈与によって取得したものとして課税するのは適当でないことがある。そこで、このような場合として一定の場合には、その債務を弁済することが困難である部分に相当する金額を限度として、課税しないこととしていると説明されている。

② 個別検討

イ 債務の免除、引受け、第三者のためにする債務の弁済の意義

これらの用語の意義については、民法と特に異なる解釈をとる必要はないので、いわゆる借用概念として、民法の解釈に従うことでよいと考える（「民法(4)第4版増補補訂版」(有斐閣双書) 244、270、329頁参照)。

(イ) まず、「債務の免除」は、債権を無償で消滅させる債権者の一方的意思表示である（民法519)。免除は、要するに債権の放棄である。債権者の単独行為であり、債務者の承諾を必要としない。方式は必要でなく、明示、黙示（借用証書の送付等）を問わない（大審院明治39年2月13日判決)。また、第三者に債権放棄の意思表示をしても債権は消滅しない（大審院大正2年7月10日判決)。

(ロ) 次に、「債務の引受け」は、乙の甲に対する債務を丙が引き受けて甲の債務者となり、乙が債務を免れるというように、債務をその同一性を保持したままで引受人に移転する契約である。この場合には、旧債務者乙が新債務者丙から贈与を受けたものとみなされる。債務引受けについては民法上明文の規定はないが、学説・判例（大審院大正10年5月9日判決）ともに、その有効性を認めている。

債務引受けは、免除と異なって契約である。したがって、債権者と引受人との間の契約によってもなし得るが、債務者の意思に反してすることはできない（前掲大審院大正10年5月9日判決）としている。

(ハ) また、「第三者のためにする弁済」は、債務者以外の第三者が弁済することをいう。弁済の本質は、結局、給付の実現行為であって、必ずしも債務者の行為を待たないでも第三者の行為によって実現できる場合がある。そこで、民法は、「債務の弁済は第三者もすることができる」（民法474①

本文）として、特別の事情がない限り、一般に第三者の弁済を認めている。

この場合の第三者と債務者との関係は、委任関係のこともあり、事務管理あるいは贈与のこともある。

また、債務の性質がこれを許さないとき（一身専属的給付）あるいは当事者が反対の意思表示をしたときは、第三者の弁済は認められず（民法474①ただし書）、利害関係のない第三者は、債務者の意思に反して弁済をすることはできない（民法474②）（注）。

（注）　債権の担保として抵当権を設定した第三者のように、利害関係のある者は債務者の意思に関係なく、弁済が認められる。

　ただ、第三者弁済の場合は、債務を弁償した者は、債務者に対して求償権を取得するから、弁済の段階で、直ちにみなし贈与とみなされるのではなく、その求償権が行使されないことによって、贈与とみなされることになる。

このように、債務の免除、引受け又は第三者のためにする弁済があった場合には、債務者にとって、債務の消滅又は減少の効果を生じ、結果的には債務者の純資産を増加させることになるので、これらによる利益の享受を贈与（遺贈）とみなしているわけである。

ロ　債務弁済資力喪失者への免除等

債務の免除、引受け又は弁済は、相手方に積極的に利益を与える場合に限らず、債務者が資力を喪失したためにやむを得ず、あるいは道義上の見地からされる場合も少なくなく、これについても、その受益を贈与とみなして贈与税を課税するのは適当でないという見地から、既に述べたように、次に掲げる場合には、その債務を弁済することが困難である部分の金額を限度として贈与税又は相続税を課税しないこととしている（相法８ただし書）（注）。

(イ)　債務者が資力を喪失して債務を弁済することが困難である場合において、その債務の全部又は一部の免除を受けたとき。

(ロ)　債務者が資力を喪失して債務を弁済することが困難である場合において、その債務者の扶養義務者によって、その債務の全部又は一部の引受け又は弁済がされたとき。

(注)　通常このような救済は、債務者の扶養義務者によってされることが多いが、債務の免除は、債務者の単独行為なので、その債務者の扶養義務者以外の者が行った債務の免除も含まれることに注意する必要がある（相基通8－1）。

　なお、「著しく低い価額」、「債務」、「資力を喪失して債務を弁済することが困難である場合」及び「債務を弁済することが困難である部分の金額」については、低額譲渡の場合に準ずる（相基通8－4）。

ハ　連帯債務者及び保証人の求償権の放棄

　次に掲げる場合には、それぞれに掲げる金額につき、みなし贈与とされて課税することとされている（相基通8－3）（注）。

(イ)　連帯債務者が自己の負担に属する債務の部分を超えて弁済した場合において、その超える部分の金額について他の債務者に対し求償権を放棄したとき　その超える部分の金額

(ロ)　保証債務者が主たる債務者の弁済すべき債務を弁済した場合において、その求償権を放棄したとき　その代わって弁済した金額

(注)　「連帯債務」とは、数人の債務者が同一内容の給付について各自独立に全部の弁済をなすべき義務を負担し、かつ、債務者の一人が全部を弁済すれば他の債務者の債務もすべて消滅するという多数主体の債務関係である。そして、連帯債務者の一人が自己の出捐によって総債務者の共同の免責を得たときは、他の債務者に対して、その負担部分に応じた償還を求め得る。この権利が求償権である。「負担部分」とは、一定の割合と解されており、その割合は、債務者間の特約又は連帯債務を負担することによって受けた利益の割合によって定まるが、これらの特別の事情のないときは、平等の割合と解されている（民法422）。

　　次に「保証債務」とは、他人（主たる債務者）の債務を保証した者（保証人）が、他人がその債務を履行しない場合に、その債務を他人に代わって履行する保証人の債務をいう。保証人は、自己の出捐によって主たる債務者に免責させたときは、やはり求償権を取得することになる。

　連帯債務者が自己の負担部分を超えて債務を弁済した場合又は保証人が主たる債務者の債務を弁済した場合でも、他の債務者又は主たる債務者に求償権を行使するときは問題はないが、他の債務者又は主たる債務者が資力を喪

失しているため、求償権を行使でぎず、放棄せざるを得ない場合がある。このような求償権の放棄は、その求償権の償還義務のある他の債務者又は主たる債務者からみれば、債務の免除と同じ結果になるので、それによる受益は、みなし贈与として課税されることになる。

ニ　その他

みなし贈与となる債務の免除、引受け又は第三者のためにする弁済は、その内容が何であるかを問わないので、例えば、事業上生じた売掛金の割引又は割戻しも、一種の債務免除ということになる。

しかし、事業取引上生じた売掛金の割引又は割戻しによる利益は、所得税の課税対象となるものであるから、二重課税とならないよう、みなし贈与としては取り扱われないこととされている（相基通8－2）。

なお、これ以外の利益、例えば、買掛金の免除益等は、個別問題として検討されるといわれている（「DHC相続税法コンメンタール（第1巻）」1023頁）。

(6)　その他の経済的利益の享受

①　総　説

イ　趣　旨

以上(2)から(5)までに説明した場合のほか、対価を支払わないで又は著しく低い価額の対価で利益を受けた場合には、その利益を受けた時において、その利益を受けた者が、その利益を受けた時におけるその利益の価額に相当する金額（対価の支払があった場合には、その価額を控除した金額）をその利益を受けさせた者から贈与（その行為が遺贈によりされた場合には、遺贈）により取得したものとみなされて贈与税が課税される。ただし、遺贈とみなされる場合には、相続税の課税対象となる（相法9本文）。

しかしながら、その利益を受けさせる行為が、その利益を受ける者が資力を喪失して債務を弁済することが困難である場合において、その者の扶養義務者からその債務の弁済に充てるためにされるものである場合には、その贈与又は遺贈により取得したものとみなされた金額のうちその債務を弁済することが困難である部分の金額については、贈与税又は相続税の課税対象とし

ないこととされている（相法9ただし書）。

　この課税の趣旨は、低額譲渡・債務免除等をみなし贈与として課税する趣旨と全く同様で、対価を支払わないで又は著しく低い価額の対価で利益を享受した場合には、その利益の享受が実質的に贈与と何ら異ならないので、これにより受ける利益を贈与により取得したものとみなして贈与税を課することとしているのである。例えば、著しく低い価額で又は全然対価なしに他人に家屋を提供して住まわせたとか、あるいは無利子で金銭を貸与した等の如き場合に課税しようというのであると説明されている（「櫻井相続税」183頁、「相続税・富裕税の実務」63頁参照）（注1、2）。

(注1)　相続税法第9条の規定の趣旨に言及した判決例としては、次のものがある（東京地裁昭和51年2月17日判決、同旨東京高裁昭和52年7月27日判決）。
　　　「相続税法9条の規定は、私法上の贈与契約によって財産を取得したのではないが、贈与と同じような実質を有する場合に、贈与の意思がなければ贈与税を課税することができないとするならば、課税の公平を失することになるので、この不合理を補うために、実質的に対価を支払わないで経済的利益を受けた場合においては、贈与契約の有無に拘らず贈与に因り取得したものとみなし、これを課税財産として贈与税を課税することとしたものである。」

(注2)　上記（注1）の判決に係る事件は、原告の夫が原告所有の建物の増改築工事の代金を負担し、原告名義で増築を原因とする変更登記をしたところ、課税方から相続税法第9条のみなし贈与に当たるとして決定処分を受け、争いとなったもので、原告は夫婦間のこのような経済的利益の変動に課税すべきでないとして、要旨次のように主張した。
　　　「婚姻継続中の夫婦というのは、一個の共同体と考えるべきであるから、婚姻の継続中、夫婦間に、経済的利益の変動が生じても、その都度当該利益につき権利義務の帰属を問題とするのは不合理であり、婚姻が終了した時点で、初めて夫婦のいずれか一方に権利義務が確定的に帰属するものとすべきである。従って夫婦間の共同生活中の一時点を把えて金銭的価値が一方から他に移動したからといって、その都度、経済的利益を取得したとしてこれを贈与とみなし、課税するのは繁雑であるばかりでなく、右経済的利益の変動と同時に、これに伴う費用償還、不当利得変換義務の生じていることを無視するものであり不公平、不平等な取扱いをすることになる

から、本件課税処分は違法というべきである。」
　この主張に対し、判決は、次のように判断している（東京地裁昭和51年2月17日判決）。
　「婚姻継続中の夫婦を一個の共同体と考えるべきものとしても、相続税法9条に関し同法が夫婦間の行為について特段の定めもしていない以上、婚姻中の夫婦の間においても、民法の規定に則って経済的な利益の変動があると認められれば同条の適用を受け、これを贈与とみなして課税できると解するよりほかないものというべきである。」

ロ　問題点

　この相続税法第9条の経済的利益の享受のみなし贈与課税の規定については、既に説明したかつての「公益事業を営む法人」（旧相法66④）と同様に、規定としてあまりに漠然としており、租税法律主義、就中課税要件明確主義の原則に反するという批判が加えられている。その幾つかを挙げてみると、次のようである。

(イ)　「北野コンメンタール相続税法」（78・79頁）における批判

　「……本条は、いわゆる「その他の利益の享受」といった概念からして、無償もしくは著しく低い価額の対価で受ける利益については全部に贈与税もしくは相続税の課税対象にするという租税回避行為を防止するために規定された税法上の概括条項のすぐれて顕著な事例の一つであるといえる。……ところで、税法関係を全的に支配する基本原理が租税法律主義の原則（憲法30、84）であることについては多言を要しないものと思われるが、一般に、この原則は、二つの観点から、すなわちその一つは課税要件等法定主義の観点から、その二つは税務行政の法律適合性の観点から展開することが可能である。このような前提にたって、ここで具体的にこの原則から析出できる法理論的諸要請のうち本条と関連して特に強調しておかねばならない点を述べておくならば、"租税法律主義は税法の解釈適用のレベルにおいてその恣意性を排除する"といった要請をクローズ・アップさせておく必要がある。このことから、税法領域においては、当然に、不確定概念、概括条項等の導入は禁止される（中略）。したがって、本条のような、いわゆる租税回避行為（中略）

を防止するために設定された税法上の概括条項（中略）としての意義を有する「その他の利益の享受」というような規定は、租税法律主義の要請に反するものといわねばならない。」

㈺　山田煕・橋本熊也共著「贈与の税務」（189・191頁）の批判（要約）

「相続税法第9条というのは、一口に言えば抽象的で漠然としていて、なんとも得体の知れない、掴みどころがない不可解な規定である。相続税法第4条から第8条までは、問題がないわけではないが、ある程度、規定の趣旨も理解でき、課税の理由も納得ができる。ところが、相続税法第9条の規定は、「無償又は著しく低い価額の対価で、経済的な利益を受けた者は、経済的な利益を与えた者から、その時の価額により贈与を受けたものとみなす」というきわめて抽象的な内容である。」

㈢　通達行政であるという観点からの批判（「北野コンメンタール相続税法」79頁参照）

相続税法第9条の「利益を受けた場合」には、種々な態様が考えられるが、比較的定型的な態様で取扱いを特定しておく必要のある場合については、通達においてその取扱いが定められている。

　㈠　同族会社の株式又は出資の価額が増加した場合（相基通9-2）
　㈡　同族会社の募集株式引受権（相基通9-4、9-5）
　㈢　同族会社の新株の発行に伴う失権株に係る新株の発行が行われなかった場合（相基通9-7）
　㈣　婚姻の取消し又は離婚により財産の取得があった場合（分与の額が過当である場合又は税の逋脱を図ると認められる場合に限る。）（相基通9-8）
　㈤　財産の名義変更があった場合（相基通9-9）
　㈥　無利子の金銭貸与等（相基通9-10）
　㈦　負担付贈与等（相基通9-11）
　㈧　共有持分の放棄（相続の放棄を除く。）（相基通9-12）

このように、通達で相続税法第9条の内容を示しているのは、同条では、

無償又は著しく低い価額の対価で受ける利益については、その全部について相続税又は贈与税を課税しようとするものであるが、その「利益」とは何かについては、上述のように法律上明快な定義が設けられていない。

この点について、所得税法第36条でも経済的利益の額が収入金額となる旨が規定されているが、その内容については、所得税法基本通達で定められているものが多い。相続税法でも、課税対象となる「経済的利益」については規定がないので、相続税法基本通達9－2以下でその具体的な取扱いについて例示しているとされている（注）。

(注)「相基通解説」155頁参照

これについては、次のような批判がある。

「本条は、個別的・具体的な課税内容について現実にはほとんど基本通達に依存しており、あたかも"形式的税法律（9条）が基本通達に対する例外"とみるべきであるがごとき感を呈するにいたっているが、税務通達はあくまで上級行政庁の指揮監督権にもとづく下級行政庁に対する命令示達の形式であり、それは行政規則（中略）にすぎず、原則的には納税者を拘束するものではない。しかしながら、税務通達の現実の姿を分析するならば、それは、税法規範と同等に機能していることには疑問の余地がない（中略）。現状における、このような「法の支配」ならぬ「通達の支配」の普遍化をいう現代税法現象における構造的特質は、租税法律主義の原理的要請としての法的安定性、予測可能性に著しく反し違憲の疑いがもたれる…」（「北野コンメンタール相続税法」79頁）

ハ　検　討

結局、この問題は、相続税法第9条の規定があらゆる無償又は低額の「利益」の受益が課税対象となるという抽象的な規定となっているため、租税法の基本原則である租税法律主義の内容の一つである「課税要件明確主義」に反しているのではないかという議論になると考える。そこで、再びこの問題について検討することとする。

② 　学説と判例

イ　A説（注1）

　金子宏教授は、次のようにいう。すなわち、法律又はその委任のもとに政令や省令において課税要件及び租税の賦課・徴収の手続に関する定めをなす場合に、その定めはなるべく一義的で明確でなければならない。みだりに不明確な定めをなすと、結局は行政方に一般的・白紙的委任をするのと同じ結果になりかねないからである。この原則は、課税要件法定主義のコロラリーとして認められるもので、課税要件明確主義という。したがって、租税法においては、行政庁の自由裁量を認める規定を設けることは、原則として許されないと解すべきであり、また、不確定概念（抽象的・多義的概念）を用いることにも十分慎重でなければならない。

　もっとも、法の執行に際し、具体的事情を考慮し、税負担の公平を図るためには、不確定概念を用いることは、ある程度は不可避であり、また必要でもある。例えば、同族会社について、法は、その行為又は計算でそれを容認した場合には税負担を不当に減少させる結果となると認められるものがあるときは、その行為又は計算にかかわらず税額を計算することができる旨を規定している（cf.所法157、法法132、相法64）が、同族会社においては、所有と経営の分離している会社の場合と異なり、少数の株主のお手盛りにより税負担を減少させるような行為や計算を行うことが可能であり、また実際にもその例が多いから、税負担の公平を維持するため、同族会社の経済的合理性を欠いた行為又は計算について、何らかの不確定概念のもとにその否認を認めることは、不合理であるとはいいきれない（注1～3）。そのほかにも、「不相当に高額」（法法34①）、「相当な賞与」（法法35②）、「不適当であると認められる」（所法18）、「相当の理由」（所法150①三etc.）、「必要があるとき」（所法234①etc.）、「正当な理由」（国税通則法65④etc.）等、不確定概念をもって課税要件その他の法律要件を定めている例が少なくない。

（注1）　金子宏「租税法（第23版）」（84～85頁）
（注2）　法人税法第132条の規定が課税要件明確主義に反しない旨を判示した判例（最高裁昭和53年4月21日判決）がある。その要旨は、次のとおりである。

「法人税法132条の規定の趣旨、目的に照らせば、右規定は、原審が判示するような客観的、合理的基準に従って同族会社の行為計算を否認すべき権限を税務署長に与えているものと解することができるのであるから、右規定が税務署長に包括的、一般的、白地的に課税処分権限を与えたものであることを前提とする所謂違憲の主張は、その前提を欠く」

また、相続税法第66条第4項の規定について、次のような判例がある。

「相続税法66条4項の「公益を目的とする事業を行う法人」との用語は、同条の趣旨、目的に照らして解釈することによって、その意味・内容を客観的に認識しうるから、租税法律主義に反しない」（東京地裁昭和49年9月30日判決、同旨東京高裁昭和49年10月17日判決）

「相続税法66条4項の「親族その他特別の関係のある者の相続税又は贈与税の負担が不当に減少する結果となると認められるとき」との規定に該当するか否かの判断は、税務官庁の裁量に委ねられるものでなく、当該法人と財産提供者等又は同族関係者との関係、当該法人の経理及び財産の運用・管理の実態等に照らし、経験則に従って合理的かつ客観的に行うべきであり、かつ、そのように行い得るから、右用語も適用上明確性に欠けるところはなく、租税法律主義に反しない」（東京地裁昭和49年9月30日判決・同旨東京高裁昭和49年10月17日判決）

また、不確定概念を用いた規定について論じた判例（横浜地裁昭和51年11月26日判決・同旨東京高裁昭和53年12月19日判決）がある。その要旨は、次のとおりである。「租税法律主義のもとでは、租税法規の課税要件・課税除外の要件が一義的明確に規定されることが最も望ましいことであるが、租税法規は複雑にして多様な、しかも、活発にして流動的な経済現象をその規制の対象としているところから、あらかじめ予想されるあらゆる場合を具体的に決定することは、立法技術上限界があり、止むを得ず不確定的な概念を用いて抽象的概括的な規定をすることも許されると言わなければならない」

(注3) 一方、医療法人に対する相続税法第66条第4項の「公益を目的とする事業を行う法人」の適用に関し、同条の規定が租税法律主義に反するとの批判がある（例えば、北野弘久著「税法判例研究」（中央経済社）234～247頁）。

ただ、不確定概念には、2種類がある。その1つは、その内容があまりに一般的ないし不明確であるため、解釈によってその意義を明確にすることが困難であり、公権力の恣意や乱用を招くおそれのあるものである。例えば

「公益上必要のあるとき」とか「景気対策上必要があるとき」というような、終局目的ないし価値概念を内容とする不確定概念が、それである。租税法規が、このような不確定概念を用いた場合には、その規定は課税要件明確主義に反して無効であると解すべきであろう。これに対し、いま1つは、中間目的ないし経済概念を内容とする不確定概念であって、これは一見不明確に見えても、法の趣旨・目的に照らしてその意義を明確になしうるものである。したがって、それは租税行政庁に自由裁量を認めるものではなく、ある具体的な場合がそれに該当するかどうかの問題は、法の解釈の問題であり、当然に裁判所の審査に服する問題であると解される。その必要性と合理性が認められる限り、この種の不確定概念を用いることは、課税要件明確主義に反するものではないと解すべきであろう（金子宏「租税法（第23版）」85～86頁）（注）。

(注) 租税法律主義に反するものとされた租税事件として、次のような例がある（ただし、上告審では、和解したため、最高裁の判断は示されていない。）。
　　すなわち、秋田市の国民健康保険税条例は、国民健康保険税の総額を当該年度の初日における療養の給付及び療養費の支給に要する費用の総額の見込額から、療養の給付についての一部負担金の総額の見込額を控除した100分の65に相当する額以内と定め、この課税総額を所得割総額、資産割総額、被保険者均等割総額、世帯別平均割総額に一定の割合で4分し、この各割ごとに適用すべき税率を一定の方式で算出することとしていた。この条例が租税法律主義に反するものとして争いとなったところ、第一審及び控訴審は、次のように判示している。
　　「この課税総額に関する規定は、一義的明確を欠き、課税総額の認定、税率の推定について課税庁である被告の裁量を許容するものというべく、納税義務者たる被保険者らにおいて、賦課処分前に右課税総額及び税率を確知し得ないため、自己に賦課される課税額を予測することは全く不可能である。……右条例の規定が……租税法律主義の原則に反することは明らかである」（秋田地裁昭和54年4月27日判決）
　　「この規定は課税総額の上限の範囲内で具体的課税総額を決定することを市長の裁量に委ねるもので課税要件条例主義に反し、かつ一義的明確性を欠いている点で課税要件明確主義にも反する」（仙台高裁昭和57年7月23日判決）

ただし、筆者は、これらの判決は、あまりにも「国民健康保険税」の名にこだわり過ぎた判決で、これは、単なる「国民健康保険料」と同じで、保険事業の総見込額で負担するものであって、本来の税でないものに、税の原則を押し付けたものと思われるのに、そのことを理解していない判決で、賛成できない。

ロ　B説（注）

　水野勝氏は、次のように説く（ほぼA説と同旨）。

　「……この関連で、租税法規における不確定概念の使用の問題がある。複雑多岐にわたり変動する経済事象に対応しつつ負担の公平を図るためには、ある程度幅のある不確定的な概念を用いることも避けられないものである。不確定概念を使用することの必要性と合理性が認められる場合は、課税要件明確性の原則に反するものではないと解せられる。具体的な事実がその規定に該当するかどうかは、むしろ法の解釈適用の問題として考えるべきである。」

（注）　水野勝「租税法」（有斐閣）91頁

ハ　C説（注1）

　北野弘久教授は、次のように法人税法第132条等の同族会社の否認規定を取り上げ、租税法律主義に反すると論じている。なお、同教授は、相続税法第66条第4項の規定についても同様な疑義を持っていることは、既に紹介したとおりである。

　「……租税法律主義の要請からいって、租税回避行為の否認の立法措置については、一般的・包括的な否認規定によらずどのような要件をみたす行為が否認の対象となるのか、その否認の結果、どのような課税が行われるのか、などについて個別的・具体的規定を設けるべきであることはいうまでもない。筆者は、法人税法132条等の同族会社の行為計算の否認規定は、あまりにも包括的・一般的であるので、租税法律主義に違反し違憲であると解している。」

　北野教授は、この問題につき、同族会社の行為計算否認事件の判例評釈に

おいて、次のようにも述べている（注2）。

「……しかし、法人税法の規定に対する憲法的評価という観点から考えれば、問題はなくはない。法人税法は、単に「法人税の負担を不当に減少させる結果となると認められるものがあるとき」というにとどまり、いかなる行為計算がどのような基準で否認されるのか、その場合の否認の結果はどうなるのか（利益の配当と認定されるのか、利益処分の賞与と認定されるのか、それ以外のもの（たとえば寄附金・一時所得となる）と認定されるのか）等々については、なんらの尺度も設けていない。それは文字どおり白紙委任的規定であって、憲法の法律主義の原則に反する。現行法の規定によれば、明らかに税務官庁によって「人の支配」が行われることになり、とうてい「法の支配」（Rule of Law）は期待することができないのである。このような規定は、立法論的にも再検討を要するとともに、法解釈論的にも違憲の疑いがもたれるのである。」

(注1) 北野弘久編「日本税法体系・第1巻」（学陽書房）77頁
(注2) 北野弘久著・前掲税法判例研究150頁

二　私　見

本稿の検討対象である相続税法第9条自体の規定の概括性と問題点について論じた文献が少ないため、抽象的な議論となるが、筆者の私見は、次のとおりである。

租税法の規定が、国民の財産権等に直接関連をもつものである以上、課税要件が租税法規にできるだけ明確に示されているべきことは当然であって、何人も異見はないであろうと考える。

しかし、判例や②のA、B説がいうように現代の経済社会は極めて複雑であって、しかも流動的で絶えず社会事象は変化しているところで、これを一々予想して、すべての事例を法律に規定することは到底不可能である。したがって、法律の規定はある程度の概括的な概念を持ち込まざるを得ないことも、一般の人々には納得できることであろうと考える。

しかし、それをどの程度の表現とすれば足りるかについては、税の予測可

能性を重視し、多少の租税回避はあっても、立法府がそれに対応して個別の否認規定を設けるべきであるとする見解（注1）と租税の公平負担を重視し、規定の有無にかかわらず租税回避を否認できるという見解（注2）のいずれかをとるかによって、この問題についての結論も変わることであろう。

　筆者の現在の考えとしては、現在の税務執行にやや問題なしとしないという感想があることから、前者の見解にウエイトを置いた考えを持っている。したがって、将来の相続税法の改正の機会に、もう少し、規定に例示等を挙げて、具体的な表現をとり入れるのが、少なくとも国民に対して親切といえるのではないかと考えている。

　しかし、一方、筆者は、相続税法第9条の規定が抽象的であるからといって、その例示を取扱通達で行っていること自体を批判する説には異論がある。通達は単に当局の考えている例示であるから、予測可能性を重視する立場からは、むしろ課税庁の考え方、解釈が予見できて、好都合ではないのかと考える。もし、課税庁の解釈が不当だというなら、訴訟で争えばよいのであって、当局が通達で例示すること自体を問題視するのは誤っていると筆者は考えている。

（注1）　例えば、金子宏教授は、次のように説く。
　　　「……問題は、否認規定がない場合にも否認が認められるかどうかである。この点については、最高裁判所の判断はまだ示されておらず（筆者注・最近法人税の外国税額控除に関して、明文の規定がないが、これを制限的なものと解して、課税処分を支持した最高裁判例（最高裁平成17年12月19日第2小法廷判決）が出た。この問題は同族会社の行為計算否認規定の検討の際に詳しく論じたい。また、最近、「武富士事件に関する最高裁平成23年2月18日第2小法廷判決」の補足意見では、「明確な根拠が認められないのに、安易に拡張解釈、類推解釈、職権濫用法理の適用などの特別の法解釈や特別の事実認定を行って、租税回避の否認をして課税することは許されないというべきである。」と全く逆の見解が出されている。)、下級審の裁判例は分かれている（中略）。この場合に否認が認められないと解すると、租税回避を行った者が不当な利益を受け、通常の法形式を選択した納税者との間に不公平が生ずることは否定できない。したがって、公平負担

の見地から否認規定の有無にかかわらず否認を認める見解にも一理がある。しかし、租税法律主義のもとで、法律の根拠なしに、当事者の選択した法形式を通常用いられる法形式にひきなおし、それに対応する課税要件が充足されたものとして取り扱う権限を租税行政庁に認めることは、困難である。また、否認の要件や基準の設定をめぐって、租税行政庁も裁判所もきわめて複雑なそして決め手のない負担を背負うことになろう（中略）。したがって、法律の根拠がない限り租税回避行為の否認は認められないと解するのが、理論上も実務上も妥当であろう（中略）。もちろん、このことは、租税回避行為が立法上も容認されるべきことを意味しない。新しい租税回避の類型が生み出されるごとに、立法府は迅速にこれに対応し、個別の否認規定を設けて問題の解決を図るべきであろう。」（金子宏「租税法（第23版）」（弘文堂）137～138頁）

　なお、同様な見解をとるものを次に例示する。
・中川一郎編「税法学体系」（ぎょうせい）95頁
・北野弘久著「税法学の基本問題」（成文堂）63頁
・北野弘久編「日本税法体系1」115頁・116頁

(注2)　例えば、田中二郎教授は、次のように説く。
　「……租税法上、いわゆる実質課税の原則をうたい、同族会社の行為計算の否認その他租税回避行為の禁止に関する規定を設けて、この趣旨を明示しているものがあるが、これらの規定も、租税の公平負担を建前とする租税法の解釈上、規定の有無にかかわらず、当然に認められるべき原則を明らかにした一種の宣言的な規定とみるべきであろう。すなわち、租税の公平負担という見地からすれば、課税の対象となる課税物件の実現及び帰属に関し、その形式又は名義に囚われることなく、その経済的実質に着目し、現実に租税力を有するものと認められる者に対して課税するのが当然の原則でなければならない。」（田中二郎著「租税法（第3版）」（有斐閣）89頁）

　更に、田中教授は、行為計算否認規定について、租税法としては、法律関係を明確にする趣旨に基づき、行為計算の類型を具体的に法令に例示するのが適当であろうとしながらも、この規定の適用対象者の範囲については、次のように説く。

　「大正12年に初めて行為計算の否認規定が租税法に現われて以来、久しく行為計算の否認規定が適用される納税者の範囲は、特殊な企業組合のほか同族会社に限られていた。しかし、否認の対象となる行為の類型からも明らかなように、このような行為計算によって租税負担の軽減を図ること

ができるのは単に同族会社に限らない。例えば、近時、非同族である大法人が、他の競争会社に対して優位に立つため等の理由により、企業の系列を強化して多数の法人を自己の支配下におく傾向があるが、これら系列下にある会社相互間とか非同族である会社とその株主又は役員間というような、いわば特殊な関係にある者の間に、かような行為計算の類型に当たるものが現にしばしば行われており、これにより租税負担の公平が阻害されている事実が見受けられる。また、最近、会社以外の形式で各種の法人が設立されていることからみて、同族「会社」に限定すべき理由はない。その意味で現行の規定は多分に沿革的なものであって、近時の判例に見られるように、非同族会社についてこのような規定がないからといって、経済的合理性を無視した不自然な行為計算をとることにより法人税等を軽減・回避したような場合には、その行為計算の否認が許されるべきであると考える。」(前掲田中「租税法第3版」180頁)

なお、松沢智教授は、租税回避行為については「租税回避行為」とは、当事者において、真実その有効な法律効果を期待するため、私法上は適法であるが、そこに社会通念と一致しない経済的に異常不合理性が認められ、その結果租税回避に結び付くため税法上否認しているとしている(松沢智著「租税実体法」(中央経済社)22頁)。

③ **適用要件**

イ 「利益」の意義

相続税法第9条の規定は、同法第4条から第8条までに規定する場合以外で「対価を支払わないで又は著しく低い価額の対価で利益を受けた場合」には、その利益を受けた時において、その利益を受けた者が、その利益の価額に相当する金額をその利益を受けさせた者から贈与を受けたものとみなして、贈与税を課税するものとしている。この「利益を受けた」という規定が、あまりにも漠然とした抽象的な規定で、租税法律主義の面から問題が多いことは、既に論じたとおりであるが、国税庁の解釈によれば、「利益を受けた」とは、おおむね利益を受けた者の財産の増加又は債務の減少があった場合等をいい、労務の提供等を受けたような場合は含まないものとしている(相基通9-1)。その意義について、当局者は、「これは、所得税においても、自己又は家族のためにする役務提供(自家労働)によって生ずる利益(帰属所

得 Imputed income) については、所得（収入）と考えて課税することとはしていなことと平仄を一致させているものということができる。」と説明している（「相基通解説」155頁）。

ロ　「著しく低い価額」の意義

「著しく低い価額」の意義については、低額譲渡（相法7）の項で検討したところであるので、参照されたい。

ハ　利益の授受の意思

この点についても、低額譲渡の項で、贈与の意思が必要か否かを検討したところであるが、ここで紹介した見解や判例のほかに、利益を受けさせた者と受益者との間に、両者の間で、利益を受けさせ、受けたという関係の存在する場合に限って適用されるという見解が存する（「租税判例百選（第1版）」（有斐閣）111頁（山田二郎氏評釈））。しかし、判例の傾向（cf.東京地裁昭和51年2月17日判決、仙台地裁平成3年11月12日判決）は、みなし贈与については、贈与の意思等を問わないとしていることは、既に検討したとおりであり、筆者も、判例の見解を支持する。何となれば、もし、みなし贈与課税において、贈与の意思が必要とするならば、それは、本来の贈与として課税すれば足り、みなし贈与課税の規定を設けること自体の意味がないからである。ただ、実際問題として、経済的利益の具体的個別的な授受が、果たして、本来の贈与なりや、みなし贈与なりやの判断には困難なことが多いことは理解できる。そこで、次は、取扱通達により例示されているケースを中心に具体的な判断の方法等を検討してみたい。

④　個別問題の検討

イ　同族会社の株式又は出資の価額が増加した場合

(イ)　総　説

法人税法第2条第10号に規定する同族会社（注1）に規定する同族会社（以下「同族会社」という。）の株式又は出資の価額が、例えば、次に掲げる場合に該当して増加したときは、その株主又は社員がその株式又は出資の価額のうち増加した部分に相当する金額を、それぞれ、次に掲げる者から贈与に

よって取得したものとして取り扱われる。この場合における贈与による財産の取得の時期は、財産の提供があった時、債務の免除があった時又は財産の譲渡があった時によるものとして取り扱われる（相基通9－2）（注2）。

(A) 会社に対して無償で財産の提供があった場合　その財産を提供した者

(B) 時価より著しく低い価額で現物出資があった場合　その現物出資をした者

(C) 対価を受けないで会社の債務の免除、引受け又は弁済があった場合
　　その債務の免除、引受け又は弁済をした者

(D) 会社に対し時価より著しく低い価額の対価で財産の譲渡をした場合
　　その財産の譲渡をした者

(注1)　「同族会社」とは、株主等（株主又は合名会社、合資会社若しくは有限会社の社員その他法人の出資者をいう。）の3人以下並びにこれらの同族関係者が有する株式の総数若しくは出資の金額の合計額又は一定の議決権の数がその会社の発行済株式の総数若しくは出資金額又は当該議決権の総数の50％を超える場合その他一定の場合のその会社をいう（詳細は法法2十、法令4を参照）。

(注2)　上記の場合、提供を受けた同族会社には法人税が、また、キャピタル・ゲインの含み益のある財産を提供した者は譲渡所得等の所得税が課税される。

　ただし、同族会社の取締役、業務を執行する社員その他の者が、その会社が資力を喪失した場合において、上記(A)から(D)までの行為をしたときは、それらの行為によりその会社が受けた利益に相当する金額のうち、その会社の債務超過額に相当する部分については、マイナスの財産が減少したに過ぎず、株式等の価額が積極的に増加したわけではないので、贈与によって取得したものとして取り扱わないものとされている（相基通9－3本書）。

　なお、会社が資力を喪失した場合とは、法令に基づく会社更生、再生計画認可の決定、会社の整理等の法定手続による整理のほか、株主総会の決議、債権者集会の協議等により再建整備のために負債整理に入ったような場合をいうのであって、単に一時的に債務超過となっている場合は該当しないもの

とされる（相基通9－3なお書）。

この相基通9－2の株式等の価額の増加の事例で注意すべき点は、次のとおりである。

Ⓐ　まず、(A)の会社に対する財産の無償提供があった場合には、当然、会社はその受贈益に対して法人税が課税されるから、会社の株式又は出資の価額の増加額は、いうまでもなく、その法人税負担を控除して計算することになる。

Ⓑ　次に、(B)の現物出資の場合について、当局者は、複数の現物出資者甲、乙がいて、それぞれの現物出資財産の価額と取得株式の額面額との圧縮比率が等しくない場合を挙げている（「相基通解説」157頁）が、特にこのような場合でなくても、既設の株式会社において、低額の現物出資があれば、その差額は、既存の株主の有する株式の価額の増加を来たすはずであるから、当局者の説明では誤解されるおそれがあるように思えるがどうか。

Ⓒ　(C)又は(D)の会社に対して債務の免除、引受け若しくは弁済があった場合又は時価より著しく低い価額の対価で財産の譲渡がされた場合も(A)と同様に会社の純資産が増加した部分に対応する部分について贈与があったものとするものである。

なお、この取扱いの全体的な考え方を示すものとして、次のような説明がされている（永野重知・菅原恒夫編著「相続税通達100問100答」（ぎょうせい。以下「相通100問100答」という。）119頁）。

「この財産の無償提供等によって直接利益を受けるのは会社（法人）であり、その結果として株式の価額が増加したとしてもそれは株主の受ける間接的な利益ですから、形式的には個人から個人に対する贈与ではありません。しかし、これについて全く贈与税の課税が行われないとすれば、会社というワンクッションを置いた相続税の課税回避が図られるおそれがあります。例えば、子どもたちが株主となっている同族会社に父が財産を無償で提供すると、その会社の1株当たりの含み資産価額は大きくなりますが、父の将来の

相続財産はそれだけ減少することになります。

　そこで、上記の取扱いが定められているわけですが、そのようなことが意図的に行われるのは同族会社に多いことから取扱いにおいてもその対象を同族会社に絞っています。また、利益を受けさせる行為も、個人対個人の贈与とされる範囲、つまり、同族会社に対する財産の無償提供（贈与）や低額譲渡など個人間であれば相続税法の規定により贈与とみなされる範囲とされています。」

　この説明は、通達の趣旨をよく表わしていると筆者は考える。

（注）　相基通9－2の取扱いの考え方を是認した判例（大阪地裁昭和53年5月11日判決）がある。その要旨は、次のとおり（なお、本判決は、非上場株式の時価より著しく低い価額とは、時価の4分の3未満の価額をいうとして、低額の割合を判示した判例としても有名であり、この点は、低額譲渡の項で紹介している。）。

　　「原告会社が本件株式を時価に比し低い価額で譲り受けた結果、譲受価額と時価との差額に相当する金額が原告会社のかくれた資産となり、同社の純資産額が増加したこと、原告会社の株式は純資産増加分だけ価額を増し、従って原告会社の株式の持分数に応じその保有する株式が価値を増したことによる財産上の利益を享受したこと、原告甲も原告会社の発行済株式総数800株中730株を所有する株主として、原告会社の純資産が増加したことに伴ない、所有株式の割合に応じた財産上の利益を享受したことが認められる。そして譲渡の訴外乙から原告甲に対しB会社の経営支配権が移転することを目的としており、右譲渡により原告会社の大半（800分の730）の株式を所有する原告甲は、B会社の株式を間接的に所有する結果となったことに照らすと、原告甲が財産上の利益を得たと認められる限度において訴外乙から原告に対し贈与があったものとみなすのが相当である」（傍点筆者）

　また、注意すべき点として、この相基通9－2の取扱いは、贈与を受けたものとみなされる者が相基通9－4《同族会社の新株引受権》の場合と異なり、同族関係者に限られていないことが挙げられる。この理由については、特に説明されたものはないが、資産の無償提供により利益を享受するのは、同族関係者に限らず、その他の株主でも同じだから、特に同族関係者だけに限るというわけにはいかないということではなかろうか（税務事例研究No.27

（日本税務研究センター）（山田煕氏論文）87頁）という意見があり、筆者も賛成したい。

(ロ) 問題点

この相基通9－2の取扱いについては、強い疑問が寄せられている（前掲税務事例研究No27（山田煕氏論文）77頁以下）。その趣旨には筆者にはやや理解し難い点があるが、その要旨を筆者なりに要約すれば、次のとおりとなろう。

山田氏の論によれば、相基通9－2の例示は、資本取引に当たるもの（同通達(2)の低額現物出資）と損益取引に当たるもの（同通達(1)の無償の財産提供、(3)の債務免除等、(4)の低額財産譲渡）が混在しており、資本取引に当たる低額現物出資（出資財産の時価に比し、法人の受入額が低いもの）では、他の現金出資者に対し含み益の移動が生ずるから、現物出資者から現金出資者への贈与があったものとみなすことには問題がないが、損益取引に当たる財産の無償提供等は、提供等を受けた会社に受贈益を生ずるにすぎず、それによって会社の財産内容が充実して、株式の価値が増加しても、それは、単に反射的利益にすぎず、株主の所有株式の評価益以外の何物でもない。また、この評価益は、無償提供等をした者から株主に対して与えたものではない。税法は、所有株式に評価益が生じたからといって課税するようにはなっていない。

前掲の相通100問100答では、取扱いの趣旨を相続税の課税回避が行われる可能性があるからみなし贈与を課税するので、父親が法人に贈与すれば父の将来の相続財産が減少するというが、父が法人に無償で譲渡すれば、父の将来の相続財産が減少するのは当然で、<u>父が子供に直接贈与した場合に父の相続財産が減少するのと何ら変わらない</u>。法人に贈与すれば法人には法人税が課税され、また父親には譲渡所得が課税されるから、子供に贈与すれば子供に贈与税が課税されるのと同じように、その間に何の租税回避行為があるわけでもないということにあるようである。

しかし、山田氏自身もいわれるように子供に直接贈与しても、法人に財産を贈与して子供の持株の価額が上昇しても、父の将来の相続財産は減少する

のに、前者には贈与税が課税され、後者には課税されないというのは正にアンバランスそのものではないか。氏の所論は評価益という形式にあまりにこだわった議論のように筆者には思える。

　もし、山田氏のいわれるように、父の財産の大半を会社に無償提供すれば、相続税はほとんど課税できないことにならないか。

　あるいは、山田氏は、将来の相続の際、株式評価額が高くなっているから、そこで課税すればよいと考えておられるのかも知れないが、相続前にその株式を譲渡すれば極めて軽度の課税で済むことになり、結局相続税の回避ができることになる。現行法に全く問題なしとは思わないが、氏の論旨には賛成できない。

ロ　同族会社の募集株式引受権

㈠　総　　説

　同族会社が新株の発行（当該同族会社の有する自己株式の処分を含む。以下ハまでにおいて同じ。）をする場合において、当該新株に係る引受権（以下ロにおいて「募集株式引受権」という。）の全部又は一部が会社法（平成17年法律第86号）第206条各号《募集株式の引受け》に掲げる者（当該同族会社の株主の親族等（親族その他法施行令第31条に定める特別の関係がある者をいう。以下同じ。）に限る。）に与えられ、当該募集株式引受権に基づき新株を取得したときは、原則として、当該株主の親族等が、当該募集株式引受権を当該株主から贈与によって取得したものとして取り扱われる（相基通9－4本文）。

　このような取扱いをする理由について、当局者は、「同族会社は株主が少数でしかも特定の同族グループで支配されていることから考えると、その決議を得ることも容易であろうし、また、その決議の手続がとられなかったからといって新株の発行又は自己株式の処分の差止請求（会社法210）などがなされるということも極めて少ないものと思われる」（「相基通解説」160頁）と説明している。要するに、同族会社の場合は、会社の構成が同族関係者で占められていることから、新株引受権の割当てを自由に行うことによって、実質的な財産移動を図ることができるので、これを課税しようという趣旨であ

（注1） この「募集株式引受権」は、平成18年の会社法の創設に伴い、同年5月の相続税法基本通達の改正によって、従来の「新株引受権」が改められたものである。したがって、判例・引用文献等で「新株引受権」とある部分は、そのままとしてあるので、この点お断わりしておく。

（注2） このように、相基通9-4の取扱いを同族会社に限って行うことについて、次のような批判がある（「北野コンメンタール相続税法」82頁）。
「租税回避行為は、非同族会社においても現出することであり、わが国の税法が同族会社に限って一般的否認規定（法人税法132、所得税法157、相続税法64）をおいていることについては、同族会社を一般の非同族会社と対比して、"租税回避もしくは脱税の温床"とみるといった財政権力側の姿勢が多分に作用している、とみることができよう。したがって、基本通達60条、61条（筆者注・現行9-2、9-4）を分析するにあたっては「通達行政」の問題を別としても、かかる財政権力側の同族会社に対する問題意識を、法イデオロギー論のレベルで、検討する必要があるといえる」

もっとも、以上の要件に該当しても、その募集株式引受権の付与についてすべて課税問題が生ずるわけではない。新株の発行価額が会社の純資産を反映した適正な価額であれば、新株引受権の付与による利益は生じないのだから、贈与とみられる部分も当然生じないことになる。問題が生ずるのは、株式の価額より新株の発行価額が低く、その引受権に経済的価値が生ずる場合である。次の設例で説明しよう。

〔設例〕
会社の純資産額（時価）による1株当たりの価額　100,000円
新株の発行価額　50,000円
増資の規模　倍額増資

〔解答〕
増資後の株式の時価＝（100,000円＋50,000円）÷2＝75,000円
したがって、株主以外の者が新株を引き受けて払込をしたとすれば、
引受による利益＝75,000円－50,000円＝25,000円
すなわち、この倍額増資により、旧株主の株式は、25,000円（100,000円－75,000円）減価して、これが新株主の株式に移行し、50,000円の払込みによって75,000円の株式を取得したことになり、25,000円の利益を受けるこ

とになる。

　この相基通9－4の取扱いは、募集株式引受権の付与は、形式としては、法人の行為であるが、その募集株式引受権の付与による利益が給与所得又は退職所得として課税される場合を除き、旧株主から新株主への贈与として課税されるとしているものである。なお、以上のいずれにも該当しなければ、一時所得として課税されることとなろう。

　なお、この取扱いの対象となる親族等の範囲は相続税法第64条の同族会社の行為計算否認規定の適用対象となる者の範囲と同じであり、次の者が含まれることになる。

(i) 　株主の親族
(ii) 　株主と内縁関係にある者及びその者の親族で生計を一にしているもの
(iii) 　株主たる個人の使用人及び使用人以外の者で、その個人から受ける金銭で生計を維持している者並びにこれらの親族で生計を一にしているもの

　また、この取扱いは、同族会社である合同会社又は合資会社の増資の場合にも準用される（相基通9－6）（注1、2）。

(注1)　相基通9－4の取扱いの内容と同趣旨の判例・判決例の要旨を以下に掲げておこう。

　　㋑　一般に、含み資産を有する会社が増資をすれば、旧株式の価額が逆に増加することとなるため増資に当たり増資前の株式の割合に応じて新株の引受けがなされなかったときは、右新株の全部又は一部を引受けなかった者の財産が、旧株式の価額の稀釈に伴いそれだけ減少する反面、右割合を超えて新株を引き受けた者の財産は、それだけ増加するから、後者は前者からその差額分の利益を取得したことと評価しうる。従って、右利益を無償で取得すれば相続税法9条所定の「みなし贈与」に該当すると解すべきである（神戸地裁昭和55年5月2日判決、控訴審である大阪高裁昭和56年8月27日判決も同趣旨。）。

　　㋺　有限会社の増資にも同様の判示をした例として、次の判例がある。

　　　　「有限会社の増資に際し、増資前の出資割合を超えて新出資の引受がなされた場合は、その者は増資前の出資割合に応ずる新出資の引受をし

なかった者から出資引受権の評価額に相当する利益を取得したことになる。そして右利益は、相続税法9条の贈与により利益を取得した場合に該当するということができる」（名古屋地裁昭和51年5月19日判決・控訴審たる名古屋高裁昭和53年12月21日判決も同旨）。

(ハ) 資産内容の良好な合資会社が増資をするに当たり、それまでの出資割合と異なる割合の出資割当てをした場合においては、低い割当てを受けた者から高い割当てを受けた者に対してみなし贈与があったものとする認定を正当と判断している（第一審・長崎地裁昭和36年5月19日判決、控訴審・福岡高裁昭和37年4月19日判決、上告審・最高裁昭和38年12月24日判決）。

(ニ) 増資割当てを超える新株引受権の割当てを受けたことは、他の株主から新株引受権相当額の利益を受けたことになるとした事例——同族会社の増資に当たり、取締役会の決議では、新株について公募することとしながら、実際には同族関係者に新株引受権の割当てが行われ、かつ、請求人が増資による割当て分を超えて親族である他の株主の新株引受権の割当てを受けていることは、当該親族の新株引受権に相当する利益を享受したものと認めるのが相当である（国税不服審判所昭和48年12月24日裁決、裁決事例集No.7-44頁）。

(ホ) (ニ)と同様に会社の増資は公募の方法により、請求人はこれに応募して新株を取得したものであるから経済的利益の生ずる余地はないとする請求人の主張に対して、公募があったことの事実認定はなく、新株引受権を旧株の持株割合を超えて付与されたとして、原処分庁の贈与税課税を支持した裁決例がある（東京国税不服審判所裁決事例集V169～173頁）。

(注2) (注1)の(ロ)の名古屋地裁昭和51年5月19日判決の事例では、同族会社利株主である原告が、会社の業績不振により他に引き受ける者がないためにやむなく出資したものであるから、増資により利益はないと主張したのに対し、「閉鎖的な子会社の同族社員は会社財産との結合が強く、それだけ出資持分は会社の資産に対する持分的性格が強いといえるのであって、出資持分の評価は会社の純資産の持分の評価と同視しうるといってよい」と判示している（税務事例研究No.20（日本税務研究センター）67頁・水野忠恒氏論文）。

(ロ) 問題点

(A) 募集株式引受権と新株の発行価額

現行相続税法基本通達9-4の文言をみると、株主割当増資による失権株

の付与あるいは第三者割当増資による募集株式引受権の付与はすべてみなし贈与の対象になるようにも読めるが、基本通達9－4は、もちろん、そのような場合にすべて適用されるのではなくて、付与された募集株式引受権による新株の発行価額が新株の時価相当額より低い場合に限っていると解される。何となれば、会社の純資産を反映した公正な時価で新株が発行されるのであれば、旧株主と新株主との間の含み益の移動を生じないから、課税すべき対象は発生せず、何ら問題がないことになる。

　ところが、このケースと逆に、新株の発行により、逆に新株主から旧株主へ贈与があったものとされるケースがある。これは、既に述べた基本通達9－2(2)でいう、時価より著しく低い価額で現物出資をした場合である。この場合、現物出資をした資産の時価より著しく低い価額で会社が受け入れているのだから、新株の発行価額は、時価に比し低いはずで、その結果、法人の含み益が増加し、旧株主の有する株式の価額もそれに応じて増加することになるわけである。

　次に、この新株の発行が公募増資の形で行われる場合がある。これは、株主や特定の第三者に募集株式引受権を与えることなく、新株を公募という形式で発行するもので、その発行価額は公正な時価によることになっているので、それである限り、旧株式の有する含み益が新株に移行することはあり得ないから、課税問題も生ずることはないが、実際には公募増資という形式をとっていても額面で発行するといった例が少なくない。このような場合には、やはり、公募によって募集株式引受権（この場合は、「募集株式引受権」そのものではなく、新株に係る引受権による経済的利益を称する。相基通9－4参照。以下同じ。）を与えられたといっても、新株の発行価額が新株の時価より低ければ、その差額は贈与税の課税対象となるのである（注）。

（注）　公募増資に応じたから贈与税課税は不当であるとして争われた裁決事例がある。その要旨は、次のとおりである。

〔裁決例その1〕

(事実関係)

含み益のある同族会社(1株当たり相続税評価額785円)が額面(50円)で公募増資を行い、同族株主甲は、これに応じて新株を引き受け、払込みを行った。所轄税務署長は、親族である他の株主乙らから贈与を受けたものとして、贈与税を課税し、争いとなった。

(納税者の主張)

公募増資の方法で新株の引受者を募集し、これに応じて新株を引き受けたのであるから誰からも新株引受権の贈与を受けていない。

(審判所の判断)

同族会社の増資に当たり、取締役会の決議では新株について公募することとしながら、実際は同族関係者に新株引受権の割当てが行われ、かつ、請求人が増資による割当て分を超えて親族である他の株主の新株引受権の割当てを受けていることは、当該親族の新株引受権に相当する利益を享受したものと認めるのが相当である(国税不服審判所昭和48年12月24日裁決・裁決事例集No.7-44頁)。

〔裁決例その2〕

(事実関係)

同じく含み益のある同族会社(1株当たり相続税評価額(増資後)3,058円)が額面(500円)で公募増資を行い、乙はこれに応じて新株式の割当てを受け、払込みを行った。所轄税務署長は、これを旧株主からの増資であるとして贈与税を課税し、争いとなった。

(納税者の主張)

増資は公募により行われ、これに応じて新株を取得したものであるから、経済的利益は生じていない。

(審判所の判断)

一般に、いわゆる含み益資産を有する会社が増資をすれば、時価発行の場合を除き旧株の価額は発行割合に応じて減少し、新株の価額は、逆に払込金額を超えて増加する。

すなわち、株主が発行割合により計算した数の新株を引き受けなかった場合には、旧株主の財産は、旧株の価額の減少に伴い減少するが、一方、発行割合により計算した数を超える数の新株を引き受けた者の財産は、逆に旧株の価額の減少した分だけ、払込金額を超えて増加し、その差額の利

益を得ることとなる。

これを実質的にみれば、発行割合により計算した数の新株を引き受けなかった株主から、発行割合により計算した数を超える数の新株を引き受けた者に対し財産を移転したのと同様の経済的効果を生ずることになる（国税不服審判所昭和51年4月30日裁決・東京国税不服審判所裁決事例集Ⅴ169頁）。

（なお、この裁決では、公募増資だから課税すべきでないという納税者の主張については何の判断も示していないことに注意すべきである。）

(B) 発行会社の資産の低額譲受けと株主へのみなし贈与

低額譲渡の項で述べるべき事柄かとも思われるが、同族会社への資産の低額譲渡があった場合に、何故に、実際に資産を譲り受けたのでもない株主に対して相続税法第9条の規定によるみなし贈与課税を行うのか、その理論的根拠をここで再度事例に即して検討してみよう。

〔事例：前掲大阪地裁昭和53年5月11日判決に係る事例〕

甲は、A株式会社（資本金40万円・発行済株式800株・同族会社）の株式730株を有する株主である。このA社は、水産物加工・販売を営むB株式会社（資本金80万円・発行済株式総数16,000株・同族会社）の株式保有による経営支配を目的とするものである。

ところで、A社は、甲の祖父で、かつ、B社の大株主である乙から、乙の所有するB社株式7,038株を譲り受けた。この譲受けによるA社と乙との間の売買価額を、中小投資育成会社の保有株式処分価額評価基準、類似会社比準方式、旧相続税財産評価基本通達の類似業種比準方式及び銀行等の金融機関の買取り価額等を参酌して決定し、その価額で譲受けが行われた。

しかしながら、所轄税務署長は、この事例について調査の結果、B社株式の譲渡価額は、純資産価額方式で算定すべきものとして、この方式により計算した価額と実際の乙からA社への譲渡価額の差額を、受贈益としてA社の所得の計算上益金に加算する更正処分を行い、更に、この差額相当額はA社の含み益となってA社の純資産価額を増加させたから、A社の株式もその価値が増加し、A社の株主はその所有株式の価値の増加という財産上の利益を享受することになり、これは実質的に乙からA社株主すなわち甲へ財産の贈与があったものとして贈与税の更正処分（甲は、別に受けた贈与について贈与税の申告をしていた。）を行った。A社及び乙は、この処分を不服として争

うに至った。

〔問題点〕

　この事件は、法人税及び贈与税の双方について種々の問題点を含むものだが、ここでは問題を贈与税に限り、更に、仮に乙からA社へのB社株式の譲渡価額が時価より低かったものとした場合にB社株式を低額で譲り受けたのはA社であって、A社株主である甲ではないのに、甲が贈与を受けたものとみなして、贈与税の課税を行う根拠は何かという点に絞って検討する。

〔検　討〕

　前記の問題点は、結局、乙からA社へのB社株式の譲渡が、甲にとって相続税法第9条の「対価を支払わないで又は著しく低い価額の対価で利益を受けた場合においては、……当該利益を受けた者が、当該利益を受けた時における当該利益の価額に相当する金額（対価の支払があった場合には、その価額を控除した金額）を当該利益を受けさせた者から贈与に因り取得したものとみなす」というみなし贈与の課税要件に該当するか否かという点に帰着する。ところで、この事例のような、会社に対する資産の低額譲渡については、前述のように、相続税法基本通達9－2(4)により、それが「時価より著しく低い価額の対価で譲渡した場合」に該当するときに限り、これにより同族会社の株式等の価額が増加したときは、その株主等の株式の価額が増加した部分に相当する金額を「財産の譲渡をした者」から贈与によって取得したものとして取り扱われることとなっている。

　所轄税務署長の贈与税の更正処分は、この規定及び取扱通達を根拠としているものと考えられるが、これについては、次のような考え方がある。

　　（甲　　説）

　この説は、相続税法第9条及び基本通達9－2(4)によって、本件のようなケースについて、甲に課税するためには、次の2条件が必要であると説くものである（注）。

（注）　山田煕・橋本能也共著・前掲「贈与の税務」145頁以下によっている。

(第1条件) 本件のようなケースでは、相続税法第9条の「時価」とは、B社株式の譲受け後のA社株式の価額（以下「譲受け後のA社株価」という。）を、また、「対価」とはB社株式の譲受け前のA社株式の価額（以下「譲受け前のA社株価」という。）を指す。したがって、譲受け前のA社株価が譲受け後のA社株価に比較して「著しく低い場合に限って、相続税法第9条の規定の対象になりうること。」

(第2条件) 更に、基本通達9－2(4)の「会社に対し時価よりも著しく低い価額で財産（本事例ではB社株式）を譲渡していること。」

すなわち、甲説では、第1条件は通達上は規定されていないが、相続税法第9条の規定の趣旨からして当然だとした上で、本件では、専らA社へのB社株式の譲渡が著しく低い価額か否かすなわち、第2条件についての判断のみで、第1条件については課税庁側は何ら立証していないから、課税処分は誤っているおそれがあると説いている。

しかし、実際に譲渡されているわけではないA社株式について、A社のB社株式の譲受け前後の株価が、なぜ対価になり、時価になると考えるのか、すなわちそれが低額譲渡になる理由について、この甲説の提唱者は、ただ当然だというのみで、法律の条文に即した説得力ある説明を何らしておらず、筆者には到底理解できない。どうも経済的利益の計算の問題と混同しているのではないか。

（乙　説）

この説は、本件のようなケースについての裁判所の判決（前掲大阪地裁昭和53年5月11日判決）の考え方である。

すなわち、この判決はA社がB社株式を時価に比し低い価額で譲り受けた結果、①譲受け価額と時価との差額相当額がA社のかくれた資産となり、同社の純資産価額が増加したこと、②A社株式はその増加分だけ価値を増し、したがって、A社の株主はその所有するA社株式が価値を増したことにより財産上の利益を享受したこと、③甲もA社の株式730株の株主として財産上の利益を享受したことの事実認定を行った上、B社株式のA社への

譲渡が、乙から甲に対してB社の経営支配権を移転することを目的としており、この譲渡によりA社の発行済株式の大半（800株のうち730株）を所有する甲は、B社株式を間接的に所有する結果となったことに照らすと、甲が財産上の利益を得たと認められる限度において、乙から甲に対して贈与があったものとみなすのが相当であるとして、課税庁の贈与税の課税理由を支持している。

しかし、この判決は、贈与税の課税根拠については「相続税法7条は対価をもって財産の譲渡を受けた場合、『著しく低い』価額の対価で財産の譲渡があったときに限り、時価と対価との差額に相当する金額を贈与により取得したものとみなされる旨規定しており、したがって取得財産の時価に比し対価が『著しく低い』といえない場合には贈与税はこれを課さないものと解される」と述べるに止まり、次の丙説が指摘するように、対価を伴う形でのみなし贈与とみているようであるが、甲説あるいは丙説で述べたように、利益の享受者が財産の譲渡をしていない点と相続税法第7条あるいは第9条の規定との関連をどう考えるのか説明が全くない。

また、この判決は「著しく低い」価額を時価の4分の3未満を指すといっているが、その根拠の説明は全くなく、一部の者が礼賛するようなリーディングケースとなるような判例とは筆者には到底思えない。

（丙　説）

丙説（注）は、上記のような問題点を指摘して次のように説く。

(注)　首藤重幸「従業員持株制度のもとでの非上場株式の低額譲渡と贈与税」税務事例研究Vol.13・1992／10（財団法人日本税務研究センター）78頁以下

「法形式的には本件丙会社（筆者注・B社の意）の株式の譲渡者は乙会社（筆者注・A社の意）であるからB（筆者注・甲の意）は株式譲渡については対価を支払っていないし、判決（筆者注・前掲大阪地裁昭和53年5月11日判決の意）も乙会社により対価が支払われたことを前提にしている。このことからすれば本件Bが受けた利益は『対価を支払わない

で』受けたものとなるのではないであろうか。もしそうであれば、Bのみなし贈与の認定につき相続税法上の低額譲渡の判定作業は無用のことになり、本件における差額相当分が、低額譲渡にあたるか否かに関係なく贈与税の対象になる。本件Bが受けた利益を『著しく低い低額の対価』で受けたものと構成するためには、外観はともあれ、本件株式譲渡の実態はC（筆者注・乙の意）からBへの低額譲渡であるとする判定が必要になるのではないだろうか。」

　この説は、本事例における要件事実と相続税法の規定の適用を説明する最も要を得た説明のように筆者は考える。ただ欲をいえば、基本通達9－2(4)については、どのように考えるのかも説明してほしいように思う（注）。

(注)　国税庁当局者は、相続税法基本通達9－2について「法第9条では、対価を支払わないで、又は著しく低い価額の対価で利益を受けた場合には、その利益の価額に相当する金額について相続税又は贈与税を課税することと規定されているが、その例示として、相基通9－2では株式又は出資の価額が増加した場合で贈与税の課税対象とされるときの贈与者、その課税対象となる価額及び課税の時期を明らかにしたものである」（「相基通解説」156～157頁）と述べるのみで、法の規定と通達との関係については何も説明がない。

　（私　　見）

　この事例では、乙がその所有するB社株式を直接譲渡した先はA社であって、甲ではない。しかし、甲は、乙がB社株式をA社に時価より著しく低い価額で譲渡した結果、その差額相当分だけA社の純資産が増加し、A社の株主である甲の所有するA社株式の価値にA社の純資産の増加が反映して、甲の持株の価額の増加という利益を享受することになる。この利益が無償で取得したものか低額譲渡で取得したものかについて、甲説のように、譲受け後のA社株価を時価とし、譲受け前のA社株式を対価として低額譲渡か否かを判定するという考え方は、あまりに擬制があって、譲渡もしていないA社株式の譲受け前株価がなぜ対価になるのか法律の条文に即してみれば到底説明がつかない。また、乙説も、甲の財産の移動が何もないのに低額譲渡と考えるのか何らの説明がなく、この甲・乙両説には筆者は賛成でき

ない。

　筆者としては、丙説のように、甲は何ら資産の譲渡をしておらず、乙のB社株式のA社への低額譲渡によりA社の純資産額が増加して、それが甲の有するA社株式の価額の増加に反映したのであるから、甲は、無償で所有A社株式の価値の増加という利益を享受したものと説明するのが、相続税法第9条の規定に即した最も合理的な考えであると思っている。

　なお、この事例は、具体的には基本通達9－2(4)の応用例といえるが、この場合の会社への資産の低額譲渡という要件は、本来の法の規定の課税要件として直接要求されているものではないが、相続税法第9条の応用としては対価の支払のある場合において利益享受に課税するには、やはり、法の規定と同じく「著しく低い対価」で会社に資産の譲渡をした場合に限ることとするのが、整合性のとれた解釈といえるのではなかろうか。

(C)　贈与があったものとされる募集株式引受権の数の計算

　募集株式引受権の贈与があったものとされる場合において、どの者から何株分の募集株式引受権の贈与があったかは、次の算式によって計算するものとされる。この場合において、その者の親族等が2人以上あるときは、親族等の1人ごとに計算するものとされている（相基通9－5）（注）。

$A \times \dfrac{C}{B} =$ その者の親族等から贈与を受けた募集株式引受権の数

A＝他の株主又は従業員と同じ条件により与えられる募集株式引受権の数を超えて与えられた者のその超える部分の募集株式引受権の数

B＝その法人の株主又は従業員が他の株主又は従業員と同じ条件により与えられる募集株式引受権のうち、その者の取得した新株の数が、その与えられる募集株式引受権の数に満たない数の総数

C＝Bの募集株式引受権の総数のうち、Aの者の親族等（親族等が2人以上いるときは、親族等1人ごと）の占めているものの数

（注）　この取扱通達による募集株式引受権の数の計算方法を合理的として支持した判例として、神戸地裁昭和55年5月2日判決、同旨大阪高裁昭和56年8月

27日判決、また裁決例として国税不服審判所昭和48年12月14日裁決（裁決事例集No.7－44頁）、同平成3年10月18日裁決（裁決事例集No.42－174頁）がある。次にこれを簡単な計算例で示しておこう。

〔設例〕

X株式会社（1株当たり資本金500円・発行済株式総数50,000株）は、1対1の倍額増資を行ったが、その新株式の引受状況は、次のとおりである。

株　主	旧株数Ⓐ	引受けた新株Ⓑ	Ⓑ－Ⓐ
甲	30,000	22,000	△8,000①
甲の妻	5,000	5,000	0
甲の長男	10,000	16,000	6,000②
甲の次男	1,000	5,000	4,000③
甲の弟	4,000	2,000	△2,000④

募集株式引受権の贈与を受けた者と誰からどれだけの募集株式引受権の数の贈与を受けたかを計算せよ。

〔解答〕

贈与を受けた者	贈与を受けた募集株式引受権の数	贈与者
甲の長男	②6,000株×$\dfrac{①8,000株}{①8,000株+④2,000株}$＝4,800株	甲
甲の長男	②6,000株×$\dfrac{④2,000株}{①8,000株+④2,000株}$＝1,200株	甲の弟
甲の次男	③4,000株×$\dfrac{①8,000株}{①8,000株+④2,000株}$＝3,200株	甲
甲の次男	③4,000株×$\dfrac{④2,000株}{①8,000株+④2,000株}$＝800株	甲の弟

ハ　同族会社の新株の発行に伴う失権株に係る新株の不発行

(イ)　総　説

同族会社の新株の発行に際し、会社法第202条第1項（株主に株式の割当てを受ける権利を与える場合）の規定により株式の割当てを受ける権利（以下ハにおいて「株式割当権」という。）を与えられた者が株式割当権の全部若

しくは一部について同法第204条第4項《募集株式の割当て》に規定する申込みをしなかった場合又は当該申込みにより同法第206条第1号に規定する募集株式の引受人となった者が同法第208条第3項《出資の履行》に規定する出資の履行をしなかった場合において、当該申込み又は出資の履行をしなかった新株(以下「失権株」という。)に係る新株の発行が行われなかったことにより結果的に新株発行割合(新株の発行前の当該同族会社の発行済株式の総数(当該同族会社の有する自己株式の数を除く。以下ハにおいて同じ。)に対する新株の発行により出資の履行があった新株の総数の割合をいう。)を超えた割合で新株を取得した者があるときは、その者のうち失権株主(新株の全部の取得をしなかった者及び結果的に新株発行割合に満たない割合で新株の取得をした者をいう。)の親族等については、その失権株の発行が行われなかったことにより受けた利益の総額のうち、親族等である失権株主のそれぞれの所有する株式の価額の減少部分に対応する金額を親族等である失権株主のそれぞれから贈与により取得したものとして取り扱うものとされる(相基通9-7)。その利益の額は、次により計算することとされている(注)。

① その者が受けた利益の総額

$$\text{新株の発行後の1株当たりの価額}(A) \times \left(\text{その者の新株の発行前における所有株式数}(B) + \text{その者が取得した新株の数}(C)\right)$$

$$- \left(\text{新株の発行前の1株当たりの価額}(D) \times \text{その者の新株の発行前における所有株式数}(B) + \text{新株の1株当たりの払込金額}(E) \times \text{その者が取得した新株の数}(C)\right)$$

② 親族等である失権株主のそれぞれから贈与により取得したものとする利益の金額

$$\text{その者が受けた利益の総額} \times \frac{\text{親族等である各失権株主が与えた利益の金額}(G)}{\text{各失権株主が与えた利益の総額}(F)}$$

(留意点)

1 ①の算式中の「A」は、次に計算した価額による。

$$\frac{\left(D \times \text{新株の発行前の発行済株式数}(H)\right) + \left(E \times \text{新株の発行により出資の履行があった新株の総数}(I)\right)}{H + I}$$

2 ②の算式中の「F」は、失権株主のそれぞれについて次により計算した金額の合計額による。

$(D \times B + E \times C) - A \times (B + C)$

3 ②の算式中の「G」は、失権株主のうち親族等である失権株主のそれぞれについて2の算式により計算した金額による。

(注) この取扱いの意味は、次のとおりである。

すなわち、例えば1対1の倍額増資を行って募集株式引受権の付与があったところ、その50％が失権株となり、その失権株について新株発行を取りやめれば半額増資を行ったのと同様になる。これは、実質的には、最初から半額増資の決議を行い、それに伴う募集株式引受権を特定の株主に変則的に付与したのと同じである（「相基通解説」169～170頁参照）。次のような判例もある（長崎地裁昭和36年5月19日判決・同旨福岡高裁昭和37年4月19日判決）。

「含み資産を有する会社が増資をすれば、旧出資価額は増資額との割合に応じて減少し、新出資価値は逆に増加するが、増資に当たり、増資前の出資の割合に応じて新出資の引受けがなされなかった場合には、その新出資の全部または一部の引受けをしなかった者の財産は、旧出資の価値の減少に伴い減少する一方、割合額以上の新出資の引受けをした者の財産は逆にそれだけ増加するから、後者は前者からその差額に相当する利益を取得したことになる。したがって、右の利益および出資の引受けが著しく低い対価でなされたことによる利益はいずれも相続税法9条により、当該利益を取得させた者から贈与によって取得したものとみなされると解するを相当する。」

(ロ) 計算例

この増資に伴う失権株に係る新株の不発行によるみなし贈与についても、簡単な計算例を示しておこう。

〔設例〕

Y株式会社（1株の額面500円・発行済株式総数20,000株）は、1対1の倍額増資を行い、次の表の②のとおり各株主に募集株式引受権を与えた。これに対し、各株主は③のとおり募集株式引受権により新株を引き受けたが、④のとおり失権株を生じた。しかし、この失権株についての新株の発行は行われなかった。

新株の不発行により贈与の受けたものとみなされる者と誰からどれだけの贈与を受けたかを計算せよ。なお、Y社の増資前の1株当たりの価額は3,500

円であり、増資による新株の1株当たりの払込み金額は500円である。

株主	旧株数①	新株引受権②	引き受けた新株の数③	失権株数④
甲	10,000	10,000	1,000	9,000
甲の妻	2,000	2,000	1,000	1,000
甲の長男	5,000	5,000	5,000	0
甲の長女	2,000	2,000	2,000	0
甲の友人	1,000	1,000	1,000	0
合計	20,000	20,000	10,000	10,000

〔解答〕

A 増資後のY社株式の1株当たりの価額

$$(\underset{\text{新株の発行前の発行済株式数Ⓐ}}{20,000\text{株}} \times \underset{\text{新株の発行前1株当たりの価額Ⓑ}}{3,500\text{円}}) + (\underset{\text{取得があった新株の総数Ⓒ}}{10,000\text{株}} \times \underset{\text{新株1株当たり払込み金額Ⓓ}}{500\text{円}}) \div (Ⓐ + Ⓒ)$$

$= 2,500$円Ⓔ

B 受益者及び受益の総額

(a) 受益者

受益者は、自らは失権しなかった、失権株主の親族である甲の長男と甲の長女である。甲の友人は失権株主の親族等でないので、受益者として取り扱われない(相基通9-7参照)。

(b) 受益の総額

ⓐ 甲の長男の場合

$\underset{\text{新株の発行後の1株当たり価額Ⓔ}}{2,500\text{円}} \times (\underset{\text{新株の発行前の所有株数Ⓕ}}{5,000\text{株}} + \underset{\text{取得した新株数Ⓖ}}{5,000\text{株}})$

$- (\underset{\text{新株発行前の1株当たり価額Ⓑ}}{3,500\text{円}} \times \underset{\text{新株発行前の所有株数Ⓕ}}{5,000\text{株}} + \underset{\text{新株1株当たり払込金額Ⓓ}}{500\text{円}} \times \underset{\text{取得した新株数Ⓖ}}{5,000\text{株}}) = 5,000,000$円

ⓑ 甲の長女の場合

$\underset{\text{新株の発行後の1株当たり価額Ⓔ}}{2,500\text{円}} \times (\underset{\text{新株の発行前の所有株数Ⓕ}}{2,000\text{株}} + \underset{\text{取得した新株数Ⓖ}}{2,000\text{株}})$

$- (\underset{\text{新株の発行前の1株当たり価額Ⓑ}}{2,500\text{円}} \times 2,000\text{株} + \underset{\text{新株1株当たり払込金額Ⓓ}}{500\text{円}} \times \underset{\text{取得した新株数Ⓖ}}{2,000\text{株}}) = 2,000,000$円

C 利益を受けた者及び与えた利益の総額
(a) 利益を与えた者
　利益を与えた者は、失権株主で、その親族である甲の長男と長女に失権により、株式の含み益をシフトさせた甲及びその妻である。
(b) 与えた利益の総額
　ⓐ 甲の場合

$$(\underset{\text{新株の発行前の1株当たり価額Ⓑ}}{3,500円} \times \underset{\text{新株の発行前の所有株数Ⓕ}}{10,000株} + \underset{\text{1株当たりの払込金額Ⓓ}}{500円} \times \underset{\text{取得した新株数Ⓖ}}{1,000株})$$

$$- \{ \underset{\text{新株の発行後の1株当たり価額Ⓔ}}{2,500円} \times (Ⓕ+Ⓖ) \}$$

$$= 8,000,000円$$

　ⓑ 甲の妻の場合

$$(\underset{\text{新株の発行前の1株当たり価額Ⓑ}}{3,500円} \times \underset{\text{新株の発行前の所有株数Ⓕ}}{2,000株} + \underset{\text{1株当たりの払込金額Ⓓ}}{500円} \times \underset{\text{取得した新株数Ⓖ}}{1,000株})$$

$$- \{ \underset{\text{新株の発行後の1株当たり価額Ⓔ}}{2,500円} \times (Ⓕ+Ⓖ) \}$$

$$= 0$$

D 贈与を受けたものとみなされる利益

　Cの計算によれば、甲の妻が与えた利益はないことになるので、結局、甲の長男の受益額5,000,000円及び甲の長女の受益額2,000,000円は、いずれも甲からのみなし贈与の額ということになる。

　もし、甲の妻から与えた利益がある場合には、甲の与えた利益の額との合計額を求め、この合計額に対するそれぞれの与えた利益の占める割合によって、上記の受益者をあん分して、各々の利益を与えた者からの受益額を計算することになる。

二　婚姻の取消し又は離婚による財産の取得

(イ) 総　説

　夫婦が、協議による離婚（「協議上の離婚」という。）をした者の一方は、相手方に対して財産の分与を請求することができる（民法768①）。財産分与について協議が調わないとき又は協議ができないときは、当事者は、家庭裁判所に対して、協議に代わる処分を請求することができる（民法768②③）。

この財産分与請求は、裁判上の離婚（民法771）及び婚姻の取消し（民法749）にも認められる。

　この財産分与の制度は、戦後の民法改正によって設けられたもので、おおむね次の三つの性格があるとされている。

(ⅰ)　婚姻中に生じた夫婦財産の清算分配
(ⅱ)　離婚配偶者への将来の扶養料
(ⅲ)　慰藉料

　これらのうち、財産分与が(ⅰ)と(ⅱ)の性格を有していることについては異論は少ないようであるが、(ⅲ)の慰藉料については、財産分与とは別個のものであるとする限定説と財産分与に含まれるとする包括説とに分かれる。両者の区別の実益は、財産分与が決定した後に慰藉料の請求があったような場合にこれを認めるか否かにある。

　判例・通説は限定説といわれる。判例では、例えば、最高裁昭和31年2月21日判決は、財産分与請求権は、有責不法の行為を要件とするものではないから、慰藉料請求権とはその本質を異にし、権利者は、両請求権を選択して行使できると判示した。ただ、両請求権は密接な関係にあり、財産分与の額及び方法を定めるには一切の事情を考慮することを要するのであるから、この事情のなかには慰藉料支払義務の発生原因たる事情も当然斟酌されるとしている。

　次に、最高裁昭和46年7月23日判決は、財産分与は「夫婦が婚姻中に有していた実質上共同の財産を清算分配し、かつ、離婚後における一方の当事者の生計の維持をはかることを目的とするもの」で「財産分与請求権は、……慰藉料の請求権とは、その性質を必ずしも同じくするものではない」と判示している（注）。

(注)　ただし、同判決は、財産分与額の決定に当たっては、慰藉料給付も含めて決定することができるとし、財産分与においてこのような損害賠償部分も含めて給付がされた後に、慰藉料の請求があったときは、財産分与がされた事情を斟酌し、前にされた財産分与により精神的苦痛がすべて慰藉されたと認

められるときは、重ねて慰藉料請求を認めないものとしているところを見ると、完全な限定説をとるともいえないようである。むしろ、逆に、既に財産分与がなされている場合であっても、その額及び方法において請求者の精神的苦痛を慰藉するには足りないと認められるときには、別個の不法行為を理由として離婚による慰藉料を請求することを妨げないとしたもので、実体面では包括説を採用しながら、手続的には財産分与一本建説を採用しないことを明らかにしたものである（久喜忠彦ほか編「家族法判例百選（第5版）」（有斐閣）40～41頁）という評価もある。

更に、最高裁昭和53年2月21日判決は、「裁判上の離婚を請求する者はこれに付帯して離婚に基づく損害賠償及び財産分与の双方を併合して請求することを妨げず、その場合には裁判所は財産分与額を定めるにつき損害賠償の点をその要素として考慮することができなくなるにすぎないものと解する」と判示している。したがって、判例の態度はほぼ定着したとみてよいとされている（前掲「家族法判例百選（第5版）」41頁）。

ところで、財産分与請求権の性格の理論的考察は上記のとおりであるが、現実の給付額のうち、夫婦財産の清算部分、将来の扶養料部分及び慰藉料部分が幾らになるのかは必ずしも明らかにされているとは限らない。ことに、家庭裁判所が財産分与の協議に代わる処分を行うときは、当事者双方がその協力によって得た財産の額その他一切の事情を考慮してその額及び方法（分与をさせるかどうかを含めて）を定めるものとされており（民法768③）、具体的に、前述の部分がどう定められているのかは明確にされていないのが実態だといわれている。したがって、課税実務において上記の部分を区別して取り扱うとすれば、極めて困難な部分に直面することになりかねない（注）。

（注）　後に述べるとおり、財産分与については、分与を受ける者についての課税よりは、むしろ、キャピタルゲインを含んでいる不動産を分与した者についての譲渡所得の課税の当否が大きな問題となっているが、仮に財産分与の内容を上記のように区分し、夫婦財産の清算部分については、夫婦共有財産の持戻しとして課税しないとすれば、事実認定に苦労することになろう（金子宏編「租税判例百選（第2版）」（有斐閣）77頁）という考え方がある。

もし、この区分が可能とすれば、慰藉料部分については本来贈与には該当

しないということは明らかであると思われるが、夫婦財産の清算部分については、相続税法第9条に規定する「利益」に該当するのではないかとの疑問も生ずるところである（「相基通解説」174～175頁）という考え方もある。

しかし、後述のように、現在のところ、財産分与の給付は、その内容を問わず、いずれも離婚によって生じた財産分与請求権に基づいて給付されるものであり（「相基通解説」175頁、最高裁昭和50年5月27日判決、所得税基本通達33-1の4参照）、贈与によって取得したものではないというのが、国税庁の解釈である。したがって、財産分与によって取得した財産は、贈与により取得したものとして取り扱われないこととされているものである（相基通9-8本文）。

ただし、その分与に係る財産の額が婚姻中の夫婦の協力によって得た財産の額その他一切の事情を考慮してもなお過当であると認められる場合におけるその過当である部分又は離婚を手段として贈与税若しくは相続税の逋脱を図ると認められる場合におけるその離婚により取得した財産の価額は、贈与によって取得した財産となるとされている（相基通9-8ただし書）。しかし、これを根拠として贈与税を課税するための具体的な基準は明らかにされていないし、実施には相当な困難が伴うであろう。

(ロ)　問題点

A　贈与税・所得税の面からの問題と私見

財産分与による財産取得を財産分与請求権に基づく取得とみて贈与としては取り扱わないと公式に説明されているが、それなら、後述の最高裁判決のいうように、財産分与請求権の消滅という対価による財産の取得というのであれば所得税の課税対象になるのではないかという疑問が生ずる（もし、贈与であれば、所得税は非課税であるが、贈与ではないという以上は、所得税が課税されるはずである。）。そこで、財産分与請求権による財産分与を受ける者からみると、財産分与の前記の3つの性格を分析すると、私見によれば次のことがいえると考える。

(A)　慰藉料の部分については所得税法第9条第1項第17号及び所得税法施行

令第30条により非課税となる。
(B) 扶養料の部分については、所得税法第9条第1項第15号により非課税となるという説明も考えられるが、相手方は離婚によって親族でなくなったのだから扶養義務者に該当しないという考え方もある。もしそうであるなら、一時所得として課税すべきだということにもなりかねない。
(C) 夫婦財産の清算の部分については、夫の財産を無償で取得するのだから一時所得ないし贈与として課税すべきだという考え方もあろうが、現行取扱いのようにこれを非課税（贈与税のみならず所得税も）とする理由としては、正に夫婦共有財産の清算で、離婚に際し、潜在していた各自の持分を明確にしただけだから所得は発生せず、課税する理由がないとしか説明できないのではなかろうか。

更にさかのぼって、筆者には、そもそも財産分与請求権の発生とその課税について、検討すべきではないかという疑問がある。これについては、次に述べよう。

B 財産分与と譲渡所得の課税問題と私見

この財産分与と譲渡所得の課税問題をあまり詳細に論ずるのは、この稿の趣旨から外れることにもなりかねないが、一応、この議論を整理した形で述べ、筆者の私見を述べてみたい（注）。

(注) なお、拙稿「財産分与」税経通信（税務経理協会）39巻15号62〜65頁及び「離婚に伴う財産分与の課税問題」税務弘報（中央経済社）43巻10号75〜83頁をご参照頂きたい。

(A) 判 例

財産分与として行われたキャピタルゲインの含み益を有する不動産等の譲渡について、そのキャピタルゲインを実現したものしとて課税できるか否かについて、まず判例の傾向は一貫して積極的で、ことに、最高裁判決が3回も重ねられていることは特筆に値する。

○最高裁昭和50年5月27日判決（名古屋地裁昭和45年4月11日判決・名古屋

高裁昭和46年10月28日判決）
- 最高裁昭和53年2月16日判決（東京地裁昭和48年1月25日判決・東京高裁昭和50年11月27日判決）
- 最高裁昭和53年7月10日判決（大阪地裁昭和52年6月28日判決・大阪高裁昭和52年12月23日判決）
- 東京高裁昭和49年10月23日判決（確定）（東京地裁昭和48年3月22日判決）
- 札幌地裁昭和54年3月28日判決（確定）
- 大阪高裁平成4年9月2日判決（確定）（京都地裁昭和平成3年7月19日判決）

　これらの判決のうち、特に昭和50年5月27日の最高裁判決は、財産分与された不動産の譲渡所得を是認したリーディングケースとして、その後のこの種の事件の判決にすべて引用されているものである。その要旨は、次のとおりである。

　「財産分与の権利義務そのものは離婚の成立によって発生し、実体的権利義務として存在するに至るが、その内容は当事者の協議、調停、審判等によって具体的に確定され、これに従い金銭の支払、不動産の譲渡等の分与が完了すれば、財産分与の義務は消滅するが、この分与義務の消滅は、それ自体1つの経済的利益ということができる。従って、財産分与として不動産等の資産を譲渡した場合、分与者は、これによって、分与義務の消滅という経済的利益を享受したものというべきである。」

(B)　学説等

　財産分与課税についての学説は、積極説・消極説の両説であり、論稿も豊富である（注）。消極説は当然ながら上記最高裁判決に批判的であり、その要旨を紹介すると例えば、①経済的利益の収受とは、社会通念では金銭的評価が可能な財産の増加又は財産の減少の防止という事情が特定の者について生じることで、分与の具体的履行によって分与義務が消滅するという法律関係は、贈与契約成立後贈与者が目的物の権利を移転させることによって贈与義務が消滅するという法律関係に類似するものであって、代

物弁済の法律関係とは本質的に異なるとする見解（竹下重人・後掲評釈）、②本判決が財産分与が当事者の協議等によって生じた資産移転の債務の消滅という法律構成をせず、財産分与義務そのものの消滅による経済的利益という理論構成をしたところに理論的進展を認めながら、経済的利益とは、法律上の権利として流入すべき利益を指すもので、財産分与によって資産の流出を結果したものをもって経済的利益を得たものとは解し得ないとする見解（佐藤義行・後掲評釈）③固有の意味の財産分与（慰藉料でない夫婦共通財産の清算の意味における財産分与）としての財産の移転は、その実質は共有財産の分割であって資産の譲渡には当たらないと解すべきであろうとする見解（金子宏「租税法（第23版）」264頁）などがある。

(注)　課税に積極的な説としては、次のようなものがある。
　　○伊藤好之・財産分与としての不動産の譲渡と譲渡所得課税（税務弘報23巻10号）126頁
　　○広瀬正・租税判例研究（税理16巻4号）
　　○樋口哲夫・　〃　（〃17巻4号）135頁
　　○河合昭五・　〃　（〃19巻14号）117頁
　　○増原繁樹・財産分与と譲渡所得（税務通信No.1391－昭和50年9月8日号）15頁
　　○一杉直・税経通信33巻14号
　　なお、消極説（判例批判説）の論稿は上掲のほかかなり多いが、その一部を示せば、
　　○金子宏・所得税とキャピタルゲイン・租税法研究3（有斐閣）52頁
　　○佐藤義行・最新判例批評（判例時報792号）
　　○竹下重人・譲渡所得課税の二、三の問題点（シュトイエル100号）
　　○竹下重人・前掲租税法判例百選・第2版76頁及び租税法判例百選・第3版66頁
　　○吉良実・税法上の課税所得論（税法学304号）29頁・財産分与の課税問題（税法学329、331、332号）
　　○大塚正民・財産分与としての不動産譲渡と譲渡所得課税（税理19巻4号）170頁
　　○横山茂晴ほか・離婚にともなう財産分与と譲渡所得課税（税務事例7巻12号）11頁

なお、最近この問題を論じている文献は、前掲拙稿・税務弘報43巻・10号75頁のほか、次のものがある。
　○金子宏・財産分与と譲渡所得（JTRI税研Vol.12-69号）6頁
　○宮川博史・離婚に伴う贈与・財産分与とそれをめぐる問題（税理39巻13号）27頁

(C)　課税上の取扱い

　課税実務では、従来から民法第768条の規定による財産の分与に伴い取得した財産は、その取得した者がその分与を受けた時においてその時の価額により取得したことになる（所基通38-6）として、間接的表現ではあるが譲渡所得課税を行ってきた。そして、前掲の最高裁昭和50年5月27日判決により、課税がオーソライズされたものとみて、昭和50年直資3-11、直所3-19通達により、財産分与として資産を分与した者は、時価により資産を譲渡したこととなる旨を明らかにした通達（所基通33-1の4）を新設した。

　しかし、その後も、この種の事件の争訟が後を断たないのは、上述のとおりであり、納税者の納得を得ているとは必ずしも言い難いのは事実である。

(D)　私　見

　次にこの問題について若干の私見を述べてみる。財産分与の性格に、夫婦財産の清算的な要素があること自体は否定できないのであるから、慰藉料に相当する部分は別として、清算部分については課税すべきではないとする意見（例えば金子宏教授）は相当の説得力を持っている。これについても、①夫婦共有財産の分割であっても、資産の移転を伴うから資産の移転があったことになるという見解（石井健吾「財産分与としての不動産の譲渡と譲渡所得課税」（法曹時報30巻11号1835頁））あるいは②現実の財産分与の内容を夫婦財産の清算・扶養料・慰藉料に区分させることは困難で実行不可能とする見解（樋口哲夫・河合昭五前掲評釈、植松守雄「法解所得税法第30回」（会計ジャーナル1977年10月号））があり、実務的には首肯できるが、

理論的根拠として説得力に乏しいように思う。

更に、筆者は、被分与者が譲渡の対価となるような価値のある財産分与請求権を離婚によって取得したことを、税務上どう理解するのか検討の必要があるように思う。最高裁判例のいうように分与された財産の譲渡対価であるというなら、そのような価値のあるものは、その請求権の発生の時に課税されていなければならないと思うが、その点については何も論じられていない。

思うに、財産分与請求権は、相続権が相続の開始によって、自動的に発生するのと同様で、いわば生前相続ともいえ、離婚と同時に抽象的に発生しているものと考えるべきではないか。しかし、相続権が発生したからといって、実際に相続により具体的な財産を取得しない以上は、原則として相続税が課税されないのと同様に、分与により財産を取得して初めて課税対象となるのではないか。そして、相続によって不動産を相続したときは、本来みなし譲渡の対象となるものは所得税法第59条、第60条で取得価額の引継ぎをさせて課税を繰り延べることとしているのと同様に、財産分与もみなし譲渡所得の対象とし、かつ、取得価額の繰延べを認めるべきではないかと考えるものである。

(ハ) 事実上の離婚と財産分与

A 事　例

民法第768条の規定による財産分与は、協議上又は裁判上の離婚があった場合に認められるが、法律的には離婚は成立してないが、事実上離婚と同様な状況にある夫婦間で財産の授受がされた事例で、この授受された財産が、贈与か、財産分与か、はたまた慰藉料かで争われた事例があるので、その内容の概要と検討内容を簡単に紹介する（注）。

（注）　詳細については、拙稿・税経通信臨時増刊号35巻16号338～341頁を参照して頂きたい。

事例の内容は、次のとおりである。

すなわち、Xは、昭和43年5月8日死亡した夫から、昭和42年1月27日に

1,800万円の金銭を受領した。これは、夫が生存中、長年にわたり、他の女性と同棲して家庭をかえりみず、放蕩のかたわら、同人が所有する田、畑、山林等の財産を消費し続けたため、Xが「離婚請求及び財産の2分の1の分与請求」並びに「残土地の異動禁止の仮処分」等の訴訟を提起した後、和解によってXが夫から取得したものである。これについて所轄税務署長は、贈与と認定して課税し、争いとなったものである。

B　事例に対する審判所の判断

(A)　財産分与に該当するか否か

　Xの夫は、Xと実質的に離婚状態にあったこと、また、これを起因としてXが昭和41年5月28日付でB地方裁判所に対し、「離婚及び財産分与請求の訴え」を提起したことが認められる。しかし、1,800万円を受け取ることを条件に昭和42年1月27日Xが夫と和解したことが認められる以上、当事者間に法律上の離婚は成立しなかったと認めるのが相当である。

　ところで、民法上、財産分与が請求できるのは、離婚の事実が存在することを要するので、本件のように、婚姻継続中における当該財産の分与については、民法上の財産分与に該当しないというべきである。

(B)　慰藉料に該当するか否か

　Xが1,800万円を受け取る際に「将来、一切の要求をしない」という誓書を夫あてに提出していること、それ以後もXは夫と全く別居生活を続け、かつ、夫の死亡も知らされず、葬儀にも参列していない事実が認められること等を合わせ判断すると、前記和解成立の際に、Xと夫との間には、事実上、離婚の合意があったものと認めるのが相当であり、したがって、1,800万円は、20有余年にわたる悪意の遺棄に対する解決金であったと解する余地も認められる。

　ところで、円満に夫婦関係が継続されている間は、一方の配偶者から他方の配偶者に対し、不法行為を理由として慰藉料を請求することは情宜上許されないが、本件のように婚姻関係が事実上破綻してしまっている特段の事情がある場合には、慰藉料請求が認められるべきである。

(C) 結　　論

　審判所は、以上のように判断して、1,800万円のうち、1,000万円を慰藉料、800万円を贈与と認定するのが相当であると裁決した（国税不服審判所昭和49年2月27日裁決・裁決事例集No.7（昭和48年度第2）－11頁）。

(D) 私　　見

　裁決の考え方には、おおむね同意できるが、慰藉料の部分が幾許かを課税庁側が算定するのは極めて困難で、事実上の離婚が成立していると認定できるのなら、上記の金銭給付も、財産分与と同様に取り扱ってもよいのではないかと考える。

ホ　夫婦間の財産移転

(イ) 総　　説

　財産分与に引き続き、夫婦間の財産移転についてのその他の問題点を検討する。後に述べる財産の名義変更の問題と若干重複する嫌いはあるが、一般の名義変更の場合にはない特色がある。それは、夫婦間で行われる財産の名義変更は、財産分与の項でも検討したように、贈与ではなく、夫婦の共有財産の清算に過ぎないのだから、贈与税を課税するのは不当であるとして争訟に至ることが少なくない。また、これは夫婦間に限ったことではないが、夫婦で財産の名義人と実質所有者が異なっている場合、課税上これをどう取り扱うかをめぐって問題となることも多い。以下幾つかの裁判例を挙げて、若干の検討を行ってみよう。

(ロ) 事例検討

〔事例1〕

　Aは、内縁の妻Xとともに、A名義でラーメン屋を開業して相当の収益を挙げ、その資金で、アパート・店舗兼居宅などを取得するに至ったが、昭和52年Aが死亡した。そこで、Xは、Aの法定相続人に申し出て、A名義の不動産の一部を分けてくれるよう要請し、Aの相続人らも、Xの苦労を多としてこれを了承したので、Xも加わった遺産分割協議書により、Xに与えられる不動産（以下この事例中「本件不動産」という。）がAの遺産でなく、本来

の所有者はXであることを確認し、Aの相続人らは、名義回復のため「真正な登記名義の回復の登記」を行って、本件不動産の所有権をX名義とした。

これについて、課税当局は、本件不動産は、実質的にはAの相続人らからXへ贈与されたものとして贈与税を課税し、これをめぐって争いとなった。

〔Xの主張〕

Xは、内縁関係にあったAと共同で開業したラーメン屋の営業収益により不動産を取得したのだから、登記名義のいかんにかかわらず、すべて民法762条2項の規定により、内部的にはXとAの共有であり、Xが本件不動産を取得したのは分割によるものである。仮にそうでないとしても、右協議はAの死亡による内縁関係の解消に伴うXとAの財産の清算のための財産分与としてされたものである。

〔判決要旨〕

（最高裁昭和60年10月17日判決・第一審・大阪地裁昭和59年2月28日判決・控訴審・大阪高裁昭和60年1月30日判決）

① 本件各物件がXの内縁の夫Aの取得名義になっていることを徴すると、右各物件の取得はAが営業したラーメン屋の収益に依るものであり、Xが右ラーメン屋の営業に多くの寄与をなしたとしても、なお、右各物件はAの特有財産と認めるのが相当であるから、民法762条2項《特有財産、帰属不分明財産の夫婦共有の推定》を準用してXとAの共有と推定することはできない。

② XとAとの内縁関係はAの死亡により解消したのであるから、生前における離婚に関する民法768条《財産分与の請求》を準用してXに財産分与請求権が発生すると解することはできない。

として、Xの請求は棄却された。

〔コメント〕

この判決は、民法第762条は夫婦の一方が婚姻中に自己の名で得た財産はその特有財産とすることとされており、配偶者の一方の財産取得に対して他方が常に協力寄与するものであるとしても、これについては別に財産分与請

求権、相続権ないし扶養請求権が規定されており、これらの権利を行使することにより、結局において夫婦間に実質上の不平等が生じないように立法上の配慮がされているとしており、内縁関係当事者間においてもその関係解消に当たり民法第768条を準用する余地があるという考え方を示している。ただ、本件は、内縁関係の解消が死亡であるため、財産分与請求権の発生は認め得ないとしたものである。さりとて、内縁の妻の相続権については、学説・判例とも消極的といわれており、結局、このようなケースは遺言制度（他に相続人がいなければ、特別縁故者への分与）を活用するしかないであろう（注）。

(注) 村重慶一「内縁の妻に対する登記名義回復登記と贈与の有無」税務事例（財経詳報社）Vol.17-No.8・2頁以下の本件大阪高裁判決評釈を参考とした。

〔事例2〕

Xの夫Aは金融業を営んでいたが、第三者Bに対し金員を貸し付けるに当たり、Aの妻Xが直接この金員を貸し付けたとする書類を作成して、B所有の不動産に妻名義で抵当権の設定登記をした。
所轄のY税務署長はこの事実に基づきXはAから貸付資金の贈与を受けたとして、Xに贈与税を課税した。Xはこれを不服として争った。

〔Xの主張〕

Xは、資金の贈与を受けたことはなく、自分の名で貸付けが行われている事実は知らなかった（Xは無収入でAの扶養親族になっている。）。

〔判決要旨〕

（名古屋高裁昭和38年3月22日判決・第一審金沢地裁昭和37年5月25日判決）

Xは、夫Aが第三者Bに貸し付けて有することとなった貸付債権を取得していたかのようにみられるが、①貸付金の資金は夫が支出していること、②その貸付けも直接夫が行い、妻は全然関係していないこと、③後日、夫名義で貸付金の返済を催告していること、④抵当権の設定登記は、夫が自己の

経理上の都合により、妻の氏名及び印章を妻に無断で一時使用していたのであって、少なくとも、前記催告時までは贈与があったものとは考えられないとして、Y税務署長の贈与税課税処分を取り消した。

〔コメント〕

この例のような場合に、夫から妻に対して贈与があったかどうかについては、①貸付金の資金を誰が支出したか、②その貸付けによる利息収入は誰に帰属しているか、③貸付金の返済の催告は誰が行っているか、④妻を貸付者・抵当権者とした事情等を総合判断して、真実の貸付者を判定した結果、妻が真実の貸付者あるいは抵当権者と認定できたときに、夫から妻に対する資金の贈与又は貸付債権の贈与と考えることができよう。

本件は、裁判所の事実審理の結果、夫は妻名義を単に借用して、貸付け及び抵当権設定を行ったに過ぎず、妻に対する贈与はないと認定したものである（注）。

(注) 松田重幸「夫が妻の名義により金銭の貸付けをした場合の贈与税課税」税務事例Vol.19－No.9・11頁以下を参照。

〔事例3〕

XはAの妻であるが、Aの女性関係から、XとAの夫婦仲が破綻し、別居状態になっており、XはAからの子供の養育費、自己の給与収入及び内職収入で二児を養育している。

ところで、AはU町の土地を第三者Nから買い受けたが、登記手続上の過誤により、その土地の隣接地で同じくNの所有である本件田につきAへの所有権移転登記が行われた。Nはこの登記の誤りに気付いたが、登記手続上、その訂正が困難なので、本件田をも買い取るように、Aに申し入れた。しかし、当時、Aは事業に失敗してこれを買い取る余裕がなかったところ、Xから自分が買い取ってもよい旨の申出があったので、本件田をXに売却した。

しかし、本件田は上記のとおりA名義となっていて、その訂正が困難であったので、N所有のままになっていたU町の土地について便宜、Xへの所有権移転登記を行った。

所轄のY税務署長は、X自身は無職で格別の資産や収入があるとは認められず、Xが本件各物件を購入したと認める余地はなく、一方、Xの夫Aは相

当の事業を経営しているものと認められたので、本件各物件はX名義の所有権移転登記がされたときに、AからXに贈与されたものとして贈与税を課税した。Xは、これを不服として争いとなった。

〔Y税務署長の主張〕

AがU町の土地を買い受けた際、登記手続上の過誤によりその隣地たる本件田につきA名義の所有権移転登記がされたことはX主張のとおりであるが、その後Nが右登記上の過誤に気付いた時は、既に上記田につきAが第三者に対する抵当権を設定しており、訂正が困難な事情になったため、Nはやむなく、本件田をもAに売却したものであり、Xに売却したものではない。したがって、Xが本件田を買い受けたというXの主張は事実に反するが、仮にそうだとしても、U町の土地をAが買い受けたことについてはXも争わないところであるから、これにつき、X名義の所有権移転登記がなされたときに、AからXへ贈与されたものといわねばならず、Xの主張には理由がない。

〔判決要旨〕

（大阪地裁昭和42年9月29日判決）

U町の土地についてX名義の所有権移転登記がなされるについては、上記登記がなされた当時、XとAが既に事実上、夫婦としての共同生活を営んでおらず、また、X自身が全く無資力、無収入でなかったことからすれば、AとXが夫婦であること及びXが無資力、無収入であることを理由としてなされたY税務署長の認定は、にわかに肯認し難いものといわざるを得ず、他に上記登記の際U町の土地を名実ともに、Xの所有とすべき合意があったことを認めさせるに足る証拠のない本件においては、Y税務署長の認定はその判断を誤ったものといわざるを得ない。

〔コメント〕

夫婦が円満な関係にあり、かつ、妻が無資力、無収入で、夫は資力と収入がある場合において、妻名義で財産を取得したときは、一般論としては、夫

から妻に財産の取得資金又は財産そのものの贈与があったと認定され、贈与税が課税されるのが原則である（後述の事例4及び5を参照）。しかし、本件のように、既に夫婦関係が破綻し、夫婦が別居中で、かつ、妻自身にも収入がある場合には、明らかに夫から妻への贈与がされたと認めるに足りる証拠がなければ、夫から妻に対する贈与とは断定できず、上記のような原則だけで課税することは相当でないというのが判旨のように思われる（注）。

(注) 税務事例研究会名義「別居中の夫婦間における贈与の認定が証拠がないとして斥けられた事例」税務事例Vol.19－No.9・14～17頁を参照。

〔事例4〕

　贈与事実の認定につき、①本件建物の建築当時、原告（妻）に格別の所得はなく、所得税の申告はなかったこと、②不動産、預貯金のみるべきものを有していなかったこと、③原告の夫は、製材業、山林売買等を大規模に行い、本件建物敷地を購入したほか、多額の資産と所得があったこと、④原告は本件贈与税の決定に対する再調査、審査の請求における不服の理由において贈与の事実は少しも争っていないこと、⑤本訴において当初は贈与の事実につき主張せず、その後贈与の事実を否認したが、原告が支出した建築費の額は85万余円であると述べ、後に全額原告が支出したと主張したこと、⑥資金源につき、被告（税務署長）調査の際述べたものと、本訴における主張とが一致していないこと等に徴すると、本件建物の建築費は、原告の夫から原告に贈与されたものと推認される（東京地裁昭和37年10月18日判決、同旨本件控訴審・東京高裁昭和39年6月11日判決・本件上告審・最高裁昭和42年2月24日判決）(注)。

(注) 仙台地裁昭和40年2月22日判決（同旨・仙台高裁昭和41年5月24日判決）の事例も、原告（娘）が父と同居し、当時父の旅館業を手伝い、生計を共にし、各種税金を課されるほどの所得もなかったこと等から父から娘への土地の譲渡が、贈与と認められたものである。

〔事例5〕

　原告らの関連会社に対する出資払込金及び所得税納付金は、同人らの父甲名義の預金及び甲の所得・管理する現金から支出されているところ、甲の収入は右出資払込金及び所得税納付金を支出するに十分な程あったのに対し、

原告らの収入は甲程に余裕のあるものではなく、さらに、原告らの資金も混入しているプール金及びプール預金の処分権限が甲に専属し、プール金及びプール預金に組み込まれた原告らの収入金は甲に帰属させる趣旨と推認されること等のことからすると、出資払込金及び所得税納付金は、右甲の資産から支出されたものというべきであるから、甲から原告らに対し、右出資払込金及び所得税納付金に相当する金額の贈与があったものと認めるのが相当である（横浜地裁昭和63年8月8日判決）。

(ハ) 私　　見

　結局、夫婦間の贈与の事実認定は、夫婦のいずれかの名義となった財産について、その財産から生じる収益の帰属、使用、管理の情況、当該財産の取得資金の出所などから、名義上の権利者が真実の権利者として相当であるかということを確認することといえよう。すなわち、妻の名義となった財産につき、妻にその財産を取得するに足る資金を有することの合理的な理由がないと、妻は、その財産の贈与又は取得資金の贈与を受けたものと推察するしかないことになろう。

ヘ　財産の名義変更等があった場合

(イ) 総　　説

　ホに述べた問題と重複する嫌いもあるが、財産の名義変更と贈与の事実確認について、再び検討をしてみよう。

　一般に、不動産、株式等の名義の変更があった場合において、対価の授受が行われていないとき又は他の者の名義で新たに不動産、株式等を取得したときは、これらの行為は、原則として、贈与として取り扱われることになっている（相基通9－9）。

　相続税法においては、所得税法や法人税法のような実質課税の明文の規定は置かれていないが、考え方には変わりはないので、贈与税の課税に当たっても、贈与の事実を確認し、実質を見極めなければならないのは当然であるが、一般的には、財産はその名義人が真実の所有者であること、つまり、外

観と実質が一致するのが通常といえる。実際には、贈与は、おおむね夫婦・親子のような親族間で行われることが多く、事実認定が甚だ困難であることから、課税当局は、一般的には、実質的に贈与でないという反証が特にされない限り、外観によって贈与事実を認定することになる。

このような取扱いを行う理由は、「そうでないと、相続に際し、外観が実質であると主張されると、贈与税も相続税も課税できないという事態になるおそれがあるからである」(「相基通解説」176頁)と説明されている。

そこで、上記に述べたように、財産の名義変更が対価なくして行われた場合や、他の者の名義で新たに財産を取得した場合は、原則として贈与として取り扱われているものである。

しかし、財産の名義変更又は他人名義による財産の取得があった場合でも、それが贈与の意思に基づくものでなく、他のやむを得ないなどの理由によるものであることが明らかなようなときまで、上記の原則を形式的に適用して課税するのは適当でないケースも生じ得る。そこで、こうした場合には、別途「名義変更等が行われた後にその取消し等があった場合の贈与税の取扱いについて」(昭和39年5月23日付直審(資)22、直資68)通達により、一定の要件の下に贈与税を課税しない取扱いがされている。この取扱いの内容等については、後述する。

(ロ) 事例検討

〔事例6〕

原告Xの夫Aは、Xの所有建物の増改築工事を建築請負業者Bに施行させ、昭和44年5月ごろ竣工したが、工事代金は、AとXが協議して、一部減額のうえ、Aの負担で支払った。

その後昭和45年4月2日に、上記増改築(平家建を2階建とした。)後の建物は、X名義で、増築を原因として変更登記を行った結果、増改築部分もXの所有となったが、Xは工事代金額に相当する金員をAに対して支払うことはしていなかった。

これにつき所轄のY税務署長は、Xは対価を支払わないで、建物の増改築部分の所有権を取得したことになるから、Xは、その部分に相当する経済的利益(工事代金相当額)をAから贈与されたものとみなされるので、その経

済的利益の受益につき、相続税法第9条を適用して、贈与税を課税した。Xは、これを不服として争訟となった。

〔Xの主張〕

Xの建物は、X及びAの居住用家屋であったが、Aが法律事務所として賃借していたビルの一室を明け渡さなければならなくなったので、Xの建物の一部を利用してAの弁護士業務を継続するため、増改築をしたものである。この増改築部分は民法242条に規定する附合により、主たる建物の所有者であるXがその所有権を取得したことは否定しないが、AはXに上記増改築部分を贈与する意思もなければ、Xも受贈の意思はない。

Xは、本件建物の増改築部分の所有権を取得したといっても、同時にAに対し、上記増改築部分相当額につき不当利得の返還義務を負い（民法248、703）、その返還業務はまだ放棄等によって消滅していないので、XはAから経済的利益を無償で受けたことにはならない。AがXに対し求償権を直ちに行使しないのは、増改築部分を前記のとおり法律事務所として使用しているからである。

婚姻継続中の夫婦は、一個の共同体と考えるべきだから、夫婦間に経済的利益の変動が生じても、そのつど当該利益につき権利義務の帰属を問題とするのは不合理であり、婚姻が終了した時点で、初めて夫婦のいずれか一方に権利義務が確定的に帰属するものとすべきである。したがって、夫婦間の共同生活中の一時点を把えて金銭的価値が一方から他方へ移動したからといって、そのつど、経済的利益を取得したとして、これを贈与とみなし、課税するのは煩雑であるばかりでなく、経済的利益の変動と同時に費用償還、不当利得償還義務の生じていることを無視するもので、不公平、不平等な取扱いをすることになる。

したがって、本件贈与税課税処分は違法である。

〔判例要旨〕

（東京地裁昭和51年2月17日、同旨・控訴審・東京高裁昭和52年7月27日

判決・上告審・最高裁昭和53年2月16日）

　Xは無職で、夫Aの収入で生活しているものであるから、Aが償還請求権を行使するものとは社会通念上到底認められないから、AのXに対する償還請求権が成立するとしても、これをもって相続税法の前記規定の適用を排除すべき理由とはならない。

　民法は、夫婦別産制を原則としている。ところで、増改築前の本件建物がXの特有財産であること、増築部分が附合によりXに帰属したことは前述のとおりである。もとより、増改築部分は独立の取引の対象とならないから、右部分に関して共有ということも考えられず、また、変更登記も了しているので、増改築後の本件建物全体に関し名義人であるXの特有財産と解すべきことはいうまでもない。

　婚姻継続中の夫婦を一個の共同体と考えるべきものとしても、相続税法9条に関し同法が夫婦間の行為について特段の定めもしていない以上、婚姻中の夫婦の間においても、民法の規定に則って経済的な利益の変動があると認められれば同条の適用を受け、これを贈与とみなし、課税することができると解するよりほかにないものというべきである。

〔コメント〕

　本件判決は、最初に「贈与と同じような経済的実質を有する場合に贈与の意思がなければ贈与税の課税ができないとすれば課税の公平を失することになるから、相続税法第9条は、この不合理を補うために実質的に対価を支払わないで経済的利益を受けた場合には、贈与契約の有無に拘らず、当該利益に相当する金額を当該利益を受けさせた者から、贈与により取得したものとみなしている」と原則論を支持して、本件課税処分を維持した。なお、判決中の「夫Aが償還請求権を行使するものとは社会通念上到底認められない」という意味については、何をもってそのように判断したか明確にされていないが、夫Aの経済力、Xの無資力、XとAが夫婦であるという本件のような場合には、夫Aが償還請求権を行使し、Xにおいて、その償還義務が履行されるとは社会通念上到底認められないから、その償還義務の発生を

もって相続税法第9条に規定する対価を支払ったことにはならないという意味に解すべきではないかという見解がある（注）。

(注)　本件に関する参考文献
　　　○税務事例研究会「妻所有の建物の増改築費用を夫が負担した場合には相続税法9条の経済的利益の贈与に当たるとされた事例」税務事例Vol.9－No.9・5～9頁
　　　○白崎浅吉「経済的利益－増改築費用の出捐」税経通信（税務経理協会）Vol.39－No.15・184～185頁
　　　○小林栢弘「建物の増改築による附合と贈与税」税務事例Vol.17－No.1・17～19頁
　　　○石田猛「夫が妻の建物に増改築を加えた場合の贈与の認定とその価額」税務事例Vol.22－No.10・12～15頁

このほか、名義変更と贈与の認定に関し、若干の判例を参考として紹介しておく。

〔事例7〕
　贈与税の課税の目的となった土地建物の現在の所有者は妻であることについては当事者間に争いがないこと、妻が右物件を取得する以前夫が土地建物の所有者に対し金員を融通し、その担保として当該物件の上に抵当権を設定し、かつ、停止条件付代物弁済契約により所有権移転の仮登記をしていることおよび当該物件の所有者は譲渡の相手方が夫である旨認識していたこと等を併せ考えると、夫がそれぞれ土地建物等を買い受け、これを即日妻に贈与したものと推認するのが相当である（熊本地裁昭和39年8月21日判決、同旨控訴審・福岡高裁昭和39年11月11日判決）。

〔事例8〕
　資金出捐者が対価を得ずに第三者名義で不動産を取得した旨の登記を経た場合には、そのような登記が作出されるについて出捐者の意思が関与しているのが通常であるから、そこに出捐者の第三者に対する贈与意思が顕現されていると見るのが経験則に合致すると思われる。……しかしながら、資金出捐者の意思が関与せず、殊に出捐者の意思に反するような経緯によって第三者名義の登記や状況が作出された場合には、右経験則は必ずしも適用されないというべきである。
　訴外人の妻である原告甲、子である原告乙及び同丙が訴外人から資金の出捐を受けて、原告ら名義の建物を新築していた場合、甲及び丙への建築資金

の贈与の事実は認められるが、乙への贈与は認められないとして、課税庁の納税者らの申請に基づき建築確認通知がなされ、あるいは同人らの名義で所有権移転請求権仮登記がされているから、資金出捐者から同人らに建築資金及び購入資金の贈与があったものとすべきであるとの主張が排斥された（大阪地裁昭和59年12月20日判決）。ただし、この判決は、控訴審（大阪高裁昭和61年10月30日判決）及び上告審（最高裁昭和62年10月6日判決）により覆えされ、訴外人から甲、乙、丙のすべてに建築資金の贈与があったものとされている。

〔事例9〕
① 本件土地建物について、名義変更の事実を根拠に、当初、納税者から長男らに対する譲渡（贈与）があり、その後長男らから納税者への贈与の事実があった旨の課税庁の主張が、本件土地建物の登記名義変更の事実のみをもって、直ちに本件土地建物が納税者から長男らに贈与されたとすることには疑問があるとされた。
② 父親の所有不動産の登記名義が子に移転された場合において、子がこの登記名義移転の事実を知りながらこれを承認していたからといって、そのことから直ちに父と子の間で右不動産の贈与の合意が成立することにはならない。
③ 本件土地建物が納税者から長男らに贈与されていることを前提とし、その後更に、長男らから納税者に当該土地建物の贈与があったとしてなされた贈与税決定処分の適否が争われている本件訴訟においては、納税者から長男らへの贈与の事実についても課税庁に立証責任がある。
④ ……本件のように裁判における証拠調べの結果として、その贈与の事実を認めるのに合理的な疑いが存在する以上、課税実務における取扱い（筆者注・相基通9-9）を理由に名義変更の事実のみをもって贈与の事実を肯定することはできない（東京地裁平成3年9月3日判決）。

(ハ) まとめ

以上のとおり、幾つかの事例を検討してみると、おおむね、名義の変更があった場合には贈与があったものとして課税するという国税庁の方針が支持されているように思われる。ただし、事例9は、課税庁が機械的に、証拠不十分のまま課税した処分が取り消されたもので、単に名義変更があったから

というだけで、相基通9－9を適用すべきものではないことを示しているものといえるだろう。

㈡　名義変更通達

A　通達制定の趣旨

　贈与が行われたことの事実の認定については、贈与の性質及び贈与が親族間等の特別関係がある者相互間で行われることが多いこと等から、かなり困難を伴うことが多い。このため、不動産の所有権移転登記等の財産の名義変更が行われた場合において対価の支払がないとき、又は他人名義により財産の取得が行われた場合においては、一般的には、名義人となった者が当該財産又はその取得資金を贈与により取得したものと推定して課税処分を行うことに取り扱われていることについては既に述べたとおりである。

　しかし、ヘ㈡の検討事例で挙げた事例9のように、財産の名義変更又は他人名義による財産の取得が行われた場合においても、それが贈与の意思に基づくものでなく、他のやむを得ない理由に基づいて行われる場合又はこれらの行為が権利者の錯誤に基づいて行われた場合等においては、その例外となることはいうまでもない。しかし、その名義変更又は他人名義による財産の取得が果たしてそのような事由によるものであるかどうかを判断するためには、これを確認するに足りる客観的な事実の申出又は証拠の提出が不可能な場合が多く、かなりの困難を伴うことになる。

　そのため、財産の名義変更又は他人名義による財産の取得があった場合において、これらの行為が贈与の意思に基づかないで、又は錯誤により行われたかどうかの判断については、財産の権利者の表示を明らかにすることも併せ考え、財産の名義人とその権利者とを一致させることとした前掲の「名義変更等が行われた後にその取消し等があった場合の贈与税の取扱いについて」(昭和39年5月23日、直審(資)22、直資68) 通達（以下「名義変更通達」と略称）が発遣されている。

B　取扱いの概要

　「名義変更通達」の概要を述べると次のとおりである。

(A) 他人名義で不動産等を取得した場合で贈与としないとき

　他人名義により不動産、船舶又は自動車の取得、建築又は建造の登記又は登録をした場合においても、①これらの財産の名義人となった者が、その名義人となった事実を全く知らず、かつ、これらの財産を使用収益していないときには、②これらの財産の名義をその財産に係る最初の贈与税の申告若しくは決定又は更正の日前に真実の取得者の名義としたときに限り、これらの財産の贈与がなかったものとして取り扱われる。ただし、名義人となった者が未成年者である場合には、その未成年者がその事実を知らなくても、その法定代理人がその事実を知っていれば、この取扱いは適用されない。

　なお、名義人が、名義人となっている事実を全く知らなかったことの判断は、そのことが客観的に確認できることを要する。例えば、その当時外国旅行中であったこと又は登記済証若しくは登録済証を保有していないこと等当時の状況等から確認できる場合に限られている（名義変更通達1）。

　また、他人名義による有価証券の取得の株主名義への登載等の場合も、同様の取扱いがされる（名義変更通達2）。

　なお、上記に述べたような場合に該当する事実がある場合において、これらに係る贈与税の申告若しくは決定又は更正の日前に、真実の財産の取得又は建築若しくは建造をした者（以下Bにおいて「取得者等」という。）が死亡したため、その相続人の名義としたときにおいても、上記の取扱いが適用される（『「名義変更が行われた後にその取消し等があった場合の贈与税の取扱いについて」通達の運用について』（昭和39年7月14日直審（資）34（以下「名義変更運用通達」という。））(1))。

(B) 他人名義により取得した財産の処分代金等を取得者の名義とした場合

　他人名義による財産の取得が(A)に該当する場合でも、その財産が、これに係る最初の贈与税の申告、決定又は更正の日前に災害等によって滅失又は処分されているようなときは、これらの財産の名義人を真実の権利者に戻すことはできない。そこで、このようなときは、その財産の滅失等による保険金等又は処分代金を名義人でなく、真実の権利者が取得しており、かつ、そ

のことが処分代金等によって取得した財産の名義を真実の権利者としたこと等によって確認できるときに限り、(A)の取扱いが適用できることとされている（名義変更通達3）。

(C) 取扱いを熟知している者への不適用

この取扱いを無限定に認めることは悪用されるおそれもあるため、この取扱いを利用して贈与税の逋脱を図ろうとしている場合には適用がないこととされ、原則としてその取得者等が既に(A)の取扱いを受けている場合又は受けていると認められる場合には、適用しないものとされている（名義変更通達4）。

(D) 過誤等により取得財産を他人名義とした場合等

他人名義等により財産を取得した場合又は財産の名義変更があった場合においても、そのことが過誤に基づくものであったり、あるいは深く考えず、軽率にされたものであったりするときがある。そこで、このような場合には、その事実が確認できる場合で、かつ、その財産に係る最初の贈与税の申告若しくは決定又は更正の日前にこれらの財産の名義を取得者等又は従前の名義人に変更した場合に限り、贈与として取り扱わないものとされる（名義変更通達5）。

(E) 法令等により取得者等の名義とすることができないため他人名義とした場合

取得した財産の名義を他人の名義とし、又は自己の有していた財産の名義変更をした場合においても、それが法令による所有の制限その他これに準ずるやむを得ない理由に基づいて行われたものである場合においては、その名義人となった者との合意により名義を借用したものであり、かつ、その事実が確認できる場合に限り、これらの財産については、贈与がなかったものとして取り扱うことができるものとされている（名義変更通達6）。

上記の取扱いのうち「その他これに準ずる真にやむを得ない理由に基づいて行われたものである場合」とは、次に掲げる場合がこれに該当するものとして取り扱われる（名義変更運用通達(2)）。

Ⓐ その名義変更等に係る不動産、船舶、自動車又は有価証券の従前の名義人等について、債権者の内容証明等による督促又は支払命令等があった後にその者の有する財産の全部又は大部分の名義としている事実があること等により、これらの財産の名義変更等が、強制執行その他の強制換価手続を免れるために行われたと認められ、かつ、その行為をすることにつき真にやむを得ない事情（例えば、これらの財産を失うときは、通常の生活に重大な支障を来たす等の事情）がある場合（配偶者、三親等内の血族及び三親等内の姻族の名義とした場合を除く。）

Ⓑ 住宅金融公庫その他住宅の建築に関する資金の貸付けを行う者から借入資格のある他の者の名義によって資金を借入れ、その貸付けの条件に従い借入名義人の名義で居住の用に供する土地又は家屋を取得した場合において、その事実が、次の(i)から(v)までに掲げる事実等によって確認できるとき。

(i) 取得者が、土地又は家屋の購入又は建築に要する頭金等の資金を調達し、かつ、住宅金融公庫等からの借入金を返済していること。

(ii) 取得者は、他に居住の用に供することのできる家屋を所有していないこと。

(iii) 土地又は家屋の取得直前において、取得者が住宅金融公庫その他の住宅の建築に関する資金の貸付けを行う者に対して融資の申込みをし、かつ、抽選に外れたことによって融資を受けられなかった事実があること、又はその申込みができなかったことにつき特別の事情があること。

(iv) 取得した土地又は家屋に借入名義人が入居せず、取得者が居住していること。

(v) 取得した土地又は家屋に付属する上下水道、ガス等の設備を取得者が設置していること。

(F) 取得者等の名義とすることが更正・決定後に行われた場合

他人名義による財産の取得又は財産の名義変更が(A)、(B)及び(D)に該当する事実がある場合において、その財産に係る最初の贈与税の申告若しくは決定

又は更正の日前にその名義を真実の取得者等又は変更前の旧名義人の名義としなかったため、その他人名義による財産の取得又は名義変更を贈与とされ、贈与税の更正又は決定を受けたときにおいても、その更正又は決定について異議の申立てがあること、取扱いを知らなかったこと及び名義を真実の権利者に変更したこと等一定の要件に該当するときには、その他人名義による財産の取得又は名義変更は贈与でないものとして、贈与税の課税価格又は税額の減額更正が認められる（名義変更通達7）。

(G) その他

Ⓐ 贈与契約が法定取消権又は法定解除権に基づいて取り消され、又は解除されその旨の申出があった場合には、その取消し等が財産の名義を贈与者の名義に変更したことその他により確認された場合に限り、その贈与はなかったものとして取り扱われる（名義変更通達8）。

この「法定取消権等に基づいて取得され、又は解除されたことが……その他により確認される場合」とは、取消権又は解除権の種類に従い、おおむね、次に掲げる事実が認められる場合をいうものとして取り扱われる（名義変更運用通達(3)）。

(i) 民法第96条《詐欺又は強迫》の規定に基づくものについては、詐欺又は強迫をした者について公訴の提起がされたこと、又はその者の性状、社会上の風評等から詐欺又は強迫の事実が認められること。

(ii) 民法第754条《夫婦間の契約の取消権》の規定に基づくものについては、その取消権を行使した者及びその配偶者の経済力その他の状況からみて取消権の行使が贈与税の回避のみを目的として行われたと認められないこと。

(iii) 未成年者の行為の取消権、履行遅滞による解除権その他の法定取消権又は法定解除権に基づくものについては、その行為、行為者、事実関係の状況等からみて取消権又は解除権の行使が相当と認められること。

Ⓑ 贈与税の申告又は決定若しくは更正の日後に贈与契約がⒶに該当して取り消され、又は解除されたときは、国税通則法第23条第2項の規定により、

その理由が生じた日の翌日から2月以内に更正の請求ができる（名義変更通達9）。

Ⓒ 贈与契約がⒶに該当して取り消され、又は解除された場合において、贈与者が死亡しているため、その財産の名義を贈与者の相続人の名義としたときにおいても、Ⓐの取扱いがある。この場合には、その財産を相続人の相続財産として相続税を課税するものとされている（名義変更通達10）。

Ⓓ Ⓐに該当する場合を除き、贈与契約が成立した後、その贈与契約が当事者の合意により解除され又は取り消された場合でも、贈与税の課税は行われるものとされている（名義変更通達11）。

このように、原則として、贈与契約が合意により取り消され、又は解除された場合においては、その取消し等にかかわらず、その贈与契約に係る財産の価額は、贈与税の課税価格に算入される取扱いとなっているが、実務的には、種々の問題が存するところである（注）。

そこで、国税庁の取扱いでは、当事者の合意による取消し又は解除が次に掲げる事由のいずれにも該当しているときは、税務署長においてその贈与契約に係る財産の価額を贈与税の課税価格に算入することが著しく負担の公平を害する結果になると認める場合に限り、その贈与はなかったものとして取り扱うことができるものとされている（名義変更運用通達(4)）。

(i) 贈与契約の取消し又は解除がその贈与のあった日の属する年分の贈与税の申告書の提出期限までに行われたものであり、かつ、その取消し又は解除されたことがその贈与に係る財産の名義を変更したこと等により確認できること。

(ii) 贈与契約に係る財産が、受贈者によって処分され若しくは担保物権その他の財産権の目的とされ又は受贈者の租税その他の債務に関して差押えその他の処分の目的とされていないこと。

(iii) その贈与契約に係る財産について贈与者又は受贈者が譲渡所得又は非課税貯蓄等に関する所得税その他の租税の申告又は届出をしていないこと。

(ⅳ) その贈与契約に係る財産の受贈者がその財産の果実を収受していないこと又は収受している場合には、その果実を贈与者に引き渡していること。

(注) この契約の解除と贈与税の課税問題については、種々の問題があるので、別項で検討することとする。

Ⓔ 贈与契約の取消し又は解除によりその贈与に係る財産の名義を贈与者の名義に変更した場合には、形式的にはその名義変更についても、相基通9－9によって贈与があったものとされるケースに該当することになる。しかし、この場合の名義変更は、贈与契約の取消し又は解除に基因するものであって、当事者の贈与の意思に基因するものでないことが明らかであるので、その名義変更については、贈与として取り扱われることはない（名義変更通達12）。

ト 無利子の金銭貸与

(イ) 総　　説

　夫婦・親子・祖父母と孫等特殊の関係のある者相互間で、金銭等の授受が行われた場合には、実際は贈与であるにもかかわらず、貸借であると主張する例は少なくなく、その認定をめぐって争訟に至る例もある。

　この点についての国税庁の取扱いは、次のとおりとなっている。

　すなわち、これらの特殊の関係がある者相互間で金銭の貸与等があった場合には、贈与であるのに貸借の形をとったものかどうか念査することとされているが、事実上貸借であることが明らかになった場合でも、無償又は無利子で、土地、家屋、金銭等の貸与があった場合には、賃貸借による場合の各年の地代、家賃、利子等に相当する金額については、相続税法第9条に規定する経済的利益に該当するものとして取り扱われる。ただし、利益を受ける金額が少額である場合又は課税上弊害がないと認められる場合には、しいて課税しなくてもよいことに取り扱われる（相基通9－10）（注1、2）。

(注1)　権利金慣行のある地域で権利金の授受なくして土地の貸付けを受けた借地権者に対しては、かつて、権利金相当額の贈与を受けたものとして課税

が行われていたが、現在はそのような取扱いはない。これについても別の個所で検討する。
(注2) この取扱の趣旨を述べた判例として、次のものがある（横浜地裁昭和38年3月11日判決）。

「相続税法基本通達64条（筆者注・現相基通9－10）は、措辞正確を欠くため、夫と妻、親と子、祖父母と孫等特殊の関係にある者相互間の無利子の金銭貸与については貸与を真実と認めた場合であっても相続税法第9条に規定する利益を受けた場合に該当するものとする取扱いを認めるかの如き誤解を与える虞なしとしないが（傍点筆者）、同通達64条前後段の趣意は、要するに右の如き特殊関係にある者相互間の無償の金銭授与についてはその特殊関係に鑑み、それが貸与であることが明らかな場合でない限り、贈与として取り扱うものとする趣旨と解される。」

なお、相基通9－10の文言中「利益の金額が少額である場合又は課税上弊害がないと認められる場合」の判断基準は、公表されたものはないが、「少額」の判断については、贈与税の基礎控除額が参考になるものと考えられる。また、「課税上弊害がないと認められる場合」の参考事例としては、国税不服審判所平成元年6月16日裁決（裁決事例集No.37－241頁）が「単に請求人の主張する租税回避を意図したり、借入金を本来の借入目的以外に流用したりするような場合にのみ限定されるものではなく、その行為を容認して課税を行わないとした場合には、課税の公平が維持できないというようなものが該当するものであり、請求人が主張するように限定的にとらえるべきでなく請求人の主張は採用できない」と判断している。

なお、他人の土地を無償で（使用貸借により）借り受けた場合に、権利金相当額の経済的利益の贈与の認定を否認した大阪地裁昭和43年11月25日判決（この判決については、別項で説く。）でも、借主が、賃貸借における各年の賃料（地代）相当額の経済的利益を受けていることは認めている。

(ロ) 事　　例

親族間の借入れについての判例も幾つかある。その要旨を次に掲げておく。

〔事例10〕

息子の開業に要した営業資金は、父母から貸与を受けたものであって父親から家庭裁判所に調停の申立てがあり、返済の調停が成立していると主張しても、関連事業並びに家庭関係を考慮し、かつ、右調停は相続税課税調査後

行なわれたもので調停申立てをしなければならない家庭の紛争自体も認められない場合は、父母より贈与を受けたものとするのが相当である（福岡地裁昭和32年1月31日判決）。

〔事例11〕
　原告父と原告との300,000円の授与は、㋑原告の父は弁護士として相当活発に活動しており、相当資産を有していること、㋺原告に建物敷地を贈与していること、㋩原告は右金員授与は貸与であり、返済も約定どおりなされていると主張するが、借用証書は作成されず返済金の領収書も提出されていないこと、㊁父の原告らに対する愛情には一方ならぬものが窺えること等に徴し、貸与というよりむしろ親子間の自然の愛情に基づく贈与と認めざるを得ない（横浜地裁昭和38年3月11日判決）。

〔事例12〕
　親が金融機関等に対する経済的信用や支払能力によって資金を調達し、子の名義で財産を購入している場合（仮りに購入資金の金額でないとしても）、右調達資金について、子が親に対して直ちに返還債務を負っているものと認めるには、特段の明確、確実な事実ならびに資料の存在を必要とする（山口地裁昭和39年2月24日判決）。

〔事例13〕
　原告は、N信用組合から500万円を借り入れて宅地と建物を550万円で取得したところ、原告の保証人K（原告の勤務先）から贈与を受けたものとして贈与税の決定処分を受けた。原告は、K商店で得た給与等の自己資金250万円を出資してN信用組合の組合員となり、この出資を担保として500万円を借りたもので、その際Kが原告のために借入れの交渉をしたため同組合は誤って、Kの借入金として同人の預金口座に500万円を振り込んだ。原告は、Kは組合員ではないから借入れはできないはずで、原告がこの資金により取得した不動産の賃料収入で借入金の返済に充てているから贈与税の決定処分の取消しを求めて争ったところ、裁判所は原告の主張を認め、「不動産取得資金とした金融機関からの借入金は原告の債務であって、保証人から贈与を受けたものではない」と認定した（長野地裁昭和49年2月28日判決）（注）。

（注）　市川深著「相続税贈与税判例コンメンタール」（税務経理協会）306頁参照

〔事例14〕
　原告は、原告が父Oから受けた金員2,000万円は、原告が無利息、弁済は原告の夫が毎月25万円ずつ分割してなす約定のもとに借り受けたもので、現に1,445万円支払った。また、Oは原告に対し残金550万円の貸金請求をめて訴訟を提起し、勝訴の判決を得ている。課税庁は当初の2,000万円をみなし贈与として課税しているが、みなし贈与に該当する弁済は、それが代位弁済等によって本来の債務者がその債務を完全に免れ、実質的に贈与と同一の利益の帰属がある場合であって、後に弁済を要する本件のような場合は含まれていないとして争ったところ、裁判所は、原告の主張を認めず、「原告が父から受けた金員2,000万円は、当事者間の貸金請求事件の判決にかかわらず、消費貸借ではなく贈与を受けたものである」と認定した（福島地裁昭和53年2月13日判決・同旨仙台高裁昭和54年5月7日判決（本件の控訴審））（注）。

（注）　本件は、原告の借入金の返済は実父Oの定期預金の解約払戻金でなされていること、Oは実業家として多方面に活躍し、屈指の財産家であること、また父親として原告の財産を管理運用し、その蓄財に尽力してきたこと、弁護士から訴訟は税を免れるための見せかけである旨の説明を受けていることなどから、本件は原告がOから贈与を受けたものとしたといわれる（前掲「相続税贈与税判例コンメンタール」288～289頁参照）。

(ハ)　まとめ

　親子・夫婦間のような特殊な関係者間の金銭の貸借については、それが貸付けか贈与かの認定をめぐって、上記事例のように紛争するケースが少なくない。このような事例で貸借と認定されるためには、例えば借用証書の作成、借り入れた者の返済能力の証明と返済計画の樹立、返済の確実な実行を行い、かつ、証拠を揃えておくことが、重要であろうと考える。また一方、少なくとも、親子間の貸借であるからといって、これを機械的に否認するということは、適切な執行とは言い難いもので、課税庁も納税者の申立てには十分耳を傾けるべきだと思うし、上に紹介した判例も、それを表わしていると考える。

チ　土地の使用貸借

(イ)　総　　説

現在は、我が国のどの地方でも、宅地を借り受けて建物を建てる場合には、通常は地主と借地人との間で宅地の賃貸借契約が締結され、地代の授受が行われることはもちろんであるが、それとともに権利金の授受が行われることが多い（この借地権の設定に際し、その対価として通常権利金を支払う取引上の慣行がある地域を以下「借地権の慣行のある地域」という。）。

しかし、夫婦、親子等の親族間における土地の使用関係をみると、互いに話し合って地代・賃貸期間等の条件を確認した上で賃貸借契約を締結するのではないといった事例がほとんどで、したがって、貸主も借主もその土地の使用について使用権を設定するという意識も持たず、事実関係が法律関係に先行しているのが実情である。

これは、例えば、親子等の間での金銭貸借について、債権者が裁判に訴えてまで債権の回収を図るという意識がないのが通常であるのと同じで、借地人がその土地使用権について訴訟まで提起して権利を主張することがないのが普通であることを考えれば明らかである。

このように親族間の土地使用については、当事者の意識は、土地使用権も借地権というほどのものは意識されず、逆に土地所有者の権利の制限の度合いも小さいと考えられている。

親族等特殊関係者の間の土地使用については、贈与税と相続税の補完関係を考慮して、土地の無償使用については、その土地の使用について賃貸借関係があると認められる場合（例えば地代の支払がある場合）を除き、土地の使用権設定に伴う使用権の価額は零ということに取り扱われている。しかし、現在こそ、借地権の慣行のある地域は、全国的に広がっているものの、昭和20～30年代は、東京周辺に限られており、借地権についての課税については、この借地権慣行の広がりにつれて、大きな変化を遂げてきた。そこで、現在の課税方式に落ち着くまでの経緯を主として贈与税の面に限って、簡単に振り返ってみたい。また、これは、後に述べるように、借地権者や建物所有者等について相続等による異動があった場合の課税関係を検討する上においても重要である。

A　借地権制度の誕生から昭和39年までの課税

　明治29年に制定された現行民法は、創設の当初から、現在と同様に建物所有のため他人の土地を使用するための権利の態様として、物権としての地上権と債権としての賃借権の二つの制度を設けたが、実際に利用されたのはほとんど賃借権であった。一方、明治38年に制定された相続税法では、地上権については評価の規定を設けていて相続税を課税した（注）。

（注）　既に述べたように、当時は贈与税という制度はないが、被相続人が推定家督相続人又は推定遺産相続人に贈与をしたときは遺産相続とみなして相続税を課税していた。

　その後借地人の保護を重点とした借地法が大正10年に成立し、借地権が財産権として法的に強化されていった。ところで、このような借地権の設定に際し、借地人と地主の間で権利金の授受は、東京地方で明治の中頃から行われ始めたといわれるが、このような取引が一般化して行くのは、借地権の保護が強化されてきた大正末期以降であるとされている。しかし、「借地権」が税法上の課税対象として明文化されたのは、第二次大戦後の昭和21年に制定された財産税法が最初のようである。

　戦前の資料によると、昭和初期において借地権価格の存するのは、東京、横浜両市で、借地権割合は25～60％とされており、当時でも相当高額なものだったようだ。

　権利金の授受の慣行が広がって弊害も生じてきたところから、昭和14年に地代家賃統制令が施行されて権利金の授受が次第に禁止されるようになり、昭和23年には全面禁止となったが、2年後の昭和25年には、これが全面的に解除され、権利金の授受が一段と一般化してきた。これを背景としたのか、昭和25年に制定された富裕税においては、ほとんど全国の主要都市において借地権割合が定められている（注）。

（注）　以上の記述については、白石満彦氏「借地権課税80年のあゆみ」（税大論叢6・210頁以下）を参考とした。

　しかし、現実には、借地権の設定はしてもその際権利金の授受が実際に行

われていたのは、東京とその周辺が中心で、昭和30年代の初めまでは、その他の地域では、一時金の授受はあっても、権利金ではなく、敷金、保証金のように、契約解消後は借地人に返還することとなっている金員であったようである。ちなみに、筆者は大蔵省在職当時、昭和34年の税制改正で権利金の譲渡所得課税に関する規定の創設の参考とするため、同僚職員と大阪、名古屋方面での権利金の授受の慣行の調査をさせられたが、当時は、これらの地域では、ほとんどそうした慣行はないと聞かされた記憶がある。

また、当時の東京国税局の当局者によれば昭和20年代から昭和30年代前半頃までは、借地権の慣行のある地域は、東京都の23区内を中心とした一部の地域に限られ、到底全国的に統一した取扱いができる状況ではなかった。そこで、やむを得ず、東京国税局としては独自に統一的な処理を行うこととしたものだと述べている（注）。

(注) 井口幸英著「税理士のための資産税・第4巻借地権」（有信堂）116頁以降を参照のこと。また、東京国税局の統一的取扱いの詳しい内容は、使用貸借通達の経過的取扱いの項で述べる。

この統一的取扱いは、基本的には、土地の無償貸与があった場合には、借地権相当額の贈与があったものとして贈与税を課税するが、夫と妻、親子、祖父母と孫等特殊関係者の相互間で、居住用建物の所有を目的とした土地の無償貸与があった場合には、借地権相当額の贈与税課税は行わないというものであった。

B 昭和40年から昭和48年まで

昭和30年代の後半に入ると、日本経済は高度成長期に入り、土地の需要も、それまでとは比較にならないほど大きくなり、それにつれて、借地権慣行も全国的に広がっていき、借地権課税の税制も、所得税、法人税と漸次整備されて行った。

そこで、国税庁は、土地の無償使用についての贈与税の取扱いについても、統一的な取扱いを行う必要に迫られ、昭和40年4月27日付けで「土地の無償使用に係る贈与税及び相続税の取扱いに関する暫定執務基準について」と題

する取扱通達が定められた。ただし、この取扱いは、表題のとおり暫定的なものであるとして、公表はされなかった。その内容のポイントは、次のようなものであった。

(A) 借地権の設定に際し、通常その設定の対価として権利金を支払う取引上の慣行がある地域において、建物又は構築物の所有を目的として他人の土地を無償で借り受けた者は、(B)の場合を除き、その借受けの際、土地の所有者からその土地につき通常支払うべき権利金の額に相当する利益を受けたものとして、その利益の額を土地を借り受けた者の贈与税の課税価格に算入する。

(B) 土地の無償借受けが、次のⒶ〜Ⓒのすべてに該当する場合には、(A)の取扱いを適用しない（すなわち、贈与税を課税しない。）。

　Ⓐ　土地を借り受けた者が、土地の所有者の特別近親関係者であること。

　Ⓑ　土地の無償使用の基因となった建物は、土地の借主の居住の用に供されたものであること。

　Ⓒ　「土地の無償使用に関する申出書」を所轄税務署長に提出していること。

　この取扱いが、親子、夫婦間等の特別近親関係者間の借受者の居住用の土地の無償使用に限り課税しないこととした理由は公表されていないが、土地の無償使用により建てた建物が事業用で収益を獲得するものでないもの（すなわち居住用）については、近親者間の貸与であれば、無償使用開始時に権利金相当額の贈与税課税を行わなくても、近親者間での相続の機会に、その土地を更地価額で評価することにより、結局相続税で課税できるという考え方だったようである（注）。

(注)　桜井巳津男他共著「借地権課税の理論と実務（6訂版）」（財経詳報社）261頁を参照

　しかし、原則的には、土地を無償使用して建物を建てたような場合には、「現在贈与税を課税して、家と借地権を糊付けの関係にしておくことが将来の相続税の課税の際におけるトラブル防止のための最上の策（注）」という

当時の執行当局者の考えから、権利金相当額の経済的利益があるものとして土地の借受者に贈与税を課税するものとしたようである。
(注) 井口幸英・「税理士のための資産税・第4巻借地権」117～118頁参照

　ところが、大阪方面では、借地の事例はあっても、権利金授受の慣行があまりなく、したがって、土地の無償使用について権利金相当額の授受があったものとして課税するという取扱いがなかったようである。しかし、この暫定執務基準により、全国的に、土地の無償使用に対する経済的利益を課税することになったが、大阪国税局管内のS市において夫の土地を妻が無償で借り受けてアパートを建てた事案について当時の所轄のI税務署長が経済的利益を認定して贈与税の決定処分を行ったところ、これが争いとなり、第1審の大阪地方裁判所は、昭和43年11月25日課税庁の敗訴の判決を下した。これに対して課税庁は控訴しなかったため、この判決が確定した。次にその内容の要旨を説明する。

C　大阪地裁昭和43年11月25日判決の内容

(納税者側の主張)

ⓐ　本件土地の所在する地域においては、土地の賃貸に際して権利金を授受するような慣行はない。

ⓑ　土地の使用貸借は、無償で相手方に物を使用させるという面で贈与に似ているが、民法は贈与と別に使用貸借という典型契約の成立を認めているから、贈与は成立しない。

ⓒ　相続税法第9条の意味は、世間の常識では、対価を支払うべきであるのに、対価を支払わない場合、あるいは賃料を支払うのが当然であるのに支払わないか、名目だけの僅かの賃料を支払うような場合をいうのであって、使用貸借のように、始めから対価を支払わなくてよい内容の契約には適用されない。

ⓓ　課税庁の権利金に関する主張が問題となりうるのは賃貸借若しくは有償の地上権による土地使用の場合に限られる。

(課税庁の主張)

ⓐ 地上権と賃貸借及び使用貸借との相違は、主として、権利の譲渡性の有無にあるが、本件のように使用関係者に親族その他の特殊関係者がある者相互間では、土地又は家屋が強制執行を受けるような場合は、当事者の利害によって、異なる主張をするであろう。したがって、土地使用によって成立する社会生活関係やその企業組織の存続を重視すべきで、当事者の主張で区別すべきではなく、その使用関係を地上権と認めるのが当事者の意思に合致する。また、本件建物の賃借人の保護という点からも、土地の使用権を地上権と認めるのが相当である。

ⓑ 仮に、無償の地上権設定でないとしても、売買等を機会として私法上の地上権としていずれは顕在化する性質のものである。したがって妻は夫から地上権と経済的実質を同じくする土地の利用権の贈与を受けたもので、その経済的利益は、建物の所有を目的とする地上権の価格そのものである。さらに本件土地の所在するS市及びその隣接地域において、権利金を支払う慣行がある。

ⓒ 我が国民法は夫婦別産制を建前としており、夫婦が各独立に事業を営み所得を得ている場合は、それぞれが事業の主体である。したがって、本件のように、妻がその事業のために夫の土地を利用する場合は、通常支払うべき権利金相当額の経済的利益の移転があったものと認められる。

ⓓ 仮に、この土地の使用関係が使用貸借であるとしても、推定される土地の使用期間の通常の地代の額に相当する定期金給付契約に関する権利の贈与を受けたものとみるべきである。

(判決趣旨)

ⓐ 本件土地使用関係の性質

被告は、本件土地に対する使用関係は、無償の地上権の設定によるものであると主張するが、その事実を認めるに足りる証拠はない。

仮に被告の主張が、夫婦間の土地使用関係は無償の地上権に基づくものと推定すべきであるとの趣旨であるとしても、夫婦間の土地の使用関係が当然地上権を設定するものと解すべき法令上又は理論上の根拠はないばかりでな

く、物権である地上権が債権である賃借権等に比し、土地使用の目的を達するのにより有利であるからといって、親族間における土地使用の関係が常に地上権を設定するものと認めるのは相当ではない。むしろ、親族間における土地利用が愛情等の特殊なきずなによって結ばれ、その基礎の上に成立したものであれば、その間に何ら利害関係の対立はないのであるから、経済的利害について無色というべき使用貸借が最も適合するというべきであって、地上権のような強力な物件を認定する必要性は存しないといわなければならない。……夫との間における本件土地の使用関係は、期間を定めず建物所有の目的をもってする使用貸借に基づくものと認めるのを相当とする。

ⓑ 土地使用による利益の有無

　原告は、本件土地の使用関係が使用貸借であることから、なんらの経済的利益を生じないと主張する。しかし、原告は本件土地を使用して共同住宅を建築し、これを他人に賃貸して賃料収入をあげている事実が認められる。

　夫婦別産制をとるわが法制下においては、原告は、自己の営む事業に独立の経済主体として本件土地を夫から借用することによって相当の経済的利益を受けているものというべく、右利益は、原告が夫から直接贈与を受けたものではないが、贈与を受けたのと同様の経済的効果を有するものであるから対価を支払わないで利益を受けた場合に当たり、相続税法第9条により原告は夫から利益の価額に相当する金額を贈与により取得したものとみなされることになる。……元来、動産、不動産若しくは金銭たるとを問わず、これを貸借した場合において、右貸借に伴う借主の負担は、使用料として貸主に支払うのが原則であり、この関係の成立により物の貸借における交換価値関係が成立する。金銭における利息、動産、不動産における賃料は、正にかかる経済的関係を示すものに外ならない。しかるに使用貸借においては、かかる交換価値の関係は、一方的に貸主の側にのみ存し、借主の側には存しないため、借主の利益を考察する場合においては、対価関係を有する賃貸借における賃料相当額をもって右の使用料すなわち借主の利益と観念するのが相当である。

ⓒ 権利金相当額の認定の可否

　被告は、本件土地の使用関係が、無償の地上権であることを前提として、借地権割合により、本件土地の使用に伴う原告の経済的利益の金額を計算すべきであると主張する。しかしながら、原告の本件土地の使用関係は、前記のように使用貸借に基づくものであるため、借地権の存在を前提とした計算方法をとることはできないから、被告の主張は理由がない。使用貸借は、無償の使用関係として交換経済の埒外にあるため借地権のような諸立法による社会的保護とは無関係であり、きわめて劣弱な保護しか与えられていない。されば、前記のように、使用貸借による土地使用の利益を使用料として把握するなら格別、その他に、所有権に対する使用借権の制約を借地権割合のごときものとして評価することは、その共通の地盤を欠く点において困難であるのみならず、加えて、本件の場合は、夫婦間の使用貸借であるための貸主たる夫は、民法第754条によりいつでも契約の取消しができるから、原告の有する使用借権は、普通の使用貸借の場合に比べて一層薄弱となっており、……借地権割合をもって利益を評価する計算方法は、使用貸借については、そのまま使用に堪えないものといわざるを得ない。

(本判決についての当時の論評)

　この判決は、それまでの国税庁の基本的な取扱いを真向から否定したもので、当時さまざまな話題を呼んだものであり、これに関する判例評釈等も多い（注）。その傾向をみると、本件の夫と妻の土地の使用関係を使用貸借とみることについては、おおむね賛意を表しているが、その使用貸借による土地の使用権の評価については、判決のように、権利金相当額の受益は認めないが、賃貸料相当額の受益を認めるという考えについては、あまり賛意を表する見解は見当たらず、(i)使用貸借は無償であると規定している以上、賃貸料の受益もないとみるべきであるとする見解（例えば(注)の⑧）と、(ii)アパート経営のように事業に利用している以上、権利金的な受益も幾許は評価すべきであるとする見解（例えば(注)の①）に分かれている。

（注）　主な判例評釈等は、次のとおり。

① 木下良平・税務事例1巻2号4頁
② 川村俊雄・税務事例2巻7号4頁
③ 碓井光明・税務事例6巻9号19頁
④ 北谷健一・税務弘報17巻7号120頁
⑤ 真鍋　薫・税理12巻6号110頁
⑥ 広瀬時江・税経通信24巻5号204頁
⑦ 中川一郎・シュトイエル87号12頁
⑧ 管納敏恭ほか著「租税法判例と通達の相互関係」（財経詳報社）295頁

筆者としては、控訴して、使用借権の評価につき司法の明快な判断を求めてほしかった気もする。

D　判決から使用貸借通達の制定まで

　この大阪地裁判決について、課税庁側は、従来の取扱いに問題もあったことを認識し、再検討をする意味から、控訴を見合わせたため、本件判決は確定した。そこで、国税庁は従来の暫定執務基準に代わる通達が公開できるまでの間、暫定執務基準（以下「暫定通達」という。）に抵触する次の部分は、これによることとされた（注1）。

(A)　暫定通達に定める特別近親者間における土地の無償使用に対する課税に当たって、居住用の土地とその他用の土地の取扱上の差を設けずすべて現行の居住用土地と同様の取扱いとする。

(B)　暫定通達に定める特別近親者に当たらない者において土地の無償使用があった場合においても、その無償使用をしたことが周囲の状況からみて合理的であると認められる場合には、(A)に準じて取扱う。

(C)　無償使用による各年の経済的利益（適正地代相当額）については、相続税法基本通達第64条（当時）に定めるところによる（注2）。

（注1）　昭和44年2月13日審理課情報No1による。なお、「無償使用の申出書」の提出は依然要するものとなっていた。

（注2）　相続税法基本通達第64条（現行相基通9－10）は、「その利益を受ける金額が少額である場合」又は「課税上弊害がないと認められる場合」には贈与税を課税しないこととされ、土地、建物の無償借受けに係る経済的利益相当額については、一般的に贈与税の課税は行われていない実情にあり、

本件のようなケースでも同様に取り扱われていたようである。
(ロ) 使用貸借通達の制定

以上のような経緯を経て、昭和48年11月1日付け直資2-189ほか「使用貸借にかかる土地についての相続税および贈与税の取扱いについて」通達(以下「使用貸借通達」という。)が制定された。この通達の要旨及び考え方について以下述べてみる。

㋑ この通達の適用範囲

使用貸借通達は、その前文において、この取扱いは、個人間における土地の使用貸借についてのみ適用され、土地の貸借当事者の一方が法人である場合のその他方の個人については適用しないこととしている。

これは、土地の貸借当事者の一方が法人である場合のその法人については、法人が経済人であることを基調として定められている法人税法の取扱いが適用されることとなっていること及び土地の貸借関係は相対的なものであることから、その土地の貸借当事者の一方が法人である場合のその他方の個人については、原則として、法人税法の取扱いに準拠して取り扱われることによるものと考えられる。

例えば、個人がその土地を無償に法人に貸した場合には、権利金や地代の受贈益があったものとして法人に対して課税される（相当の地代の支払、無償返還届出等により権利金の受贈益の見合わせが行われる余地はある。）。

また、個人が法人からその土地を無償で借りた場合には、法人は権利金相当額の利益を相手に与えたものとして、寄付金、賞与、配当の認定による課税が行われると同時に個人に対しては受贈益について、法人の課税態様に応じた課税が行われることになる。

これらの詳細について論じることは、本稿の目的ではないので割愛する(注)。

(注) 詳細は、拙著「法人・個人の借地権課税のすべて」（税務研究会出版局）107頁以下を参照されたい。

㋺ 使用貸借による土地の借受けがあった場合

建物又は構築物（以下「建物等」という。）の所有を目的として使用貸借による土地の借受けがあった場合においては、その地域が借地権の慣行のある地域であっても、その土地の使用貸借に係る使用権の価額は、零として取り扱われる（使用貸借通達1前段）。

建物の所有を目的とする使用貸借は、親子、夫婦等の特別な関係者間で行われることが多い。例えば親の土地に子が家を建てる場合には、通常、権利金や地代の授受が行われることはないであろう。これらの関係者では、一般に利害の対立があるわけではなく、権利意識も希薄であるといえよう。

ところで、土地の使用貸借は、土地について無償の使用収益権を設定する債権契約で、土地の利用に関する債権という点では賃貸借と同じであるが、その無償性のため、使用貸借は、建物の所有を目的とする場合でも、借地借家法の適用はなく、借地権のような強い法的保護は受けられないほか、当事者間の対人関係を重視し、借主の死亡によって貸借関係が終了する（民法599）など、各種の点で賃貸借とかなり異なっている。

土地の使用借権といえども、それを基として建物を所有し得るという効果においては、借地権と異なるところがないが、上記のように法的保護の面で劣るため、経済的な価値は借地権に比しきわめて低く、これを借地権のような権利の価格としてとらえることは、大阪地裁判決のとおり不合理である。しかし、同判決は、権利金の性格の一部を場所的利益と考えれば、そのような権利金は、使用賃借の場合にも観念され得るという見解も示している（この点については、課税庁がその主張・立証をしないので、裁判所としては採用できないという判断をしている。）。しかも、同判決は、賃料相当額については経済的利益を認めている。したがって、前にも述べたように、使用借権の経済的利益については、筆者は、国税側が控訴して、もう少し議論してほしかったという気持があるが、国税庁としては、議論はあったようだが、割り切って使用借権の価額を零として、贈与税の課税価格に取り込まない取扱いとし、その代わり、将来その土地を相続又は贈与により取得した場合には、自用地として、フルに評価することとしたものである。

なお、この結果、使用貸借により借り受けた土地に借受人が建物を新築した場合や、既存の建物等を取得して、その敷地を使用貸借により借り受ける場合に、従来のように贈与税の課税が行われることが全くなくなったので、従来のような「土地の無償使用に関する申出書」の提出を求める必要もなくなった結果、この申出書の制度は廃止された。したがって、土地の無償借受けについては、貸借の当事者が個人である限り、その建物の用途や当事者間の関係を問わず、一切、課税されないし、その結果、課税庁への届出も一切必要がなくなったわけである。

なお、使用貸借による土地の借受けがあった場合には、その借受人は、以後その土地を無償で使用収益することになるので、理論的には、大阪地裁判決のとおり、毎年の地代相当額については、相続税法第9条の規定による経済的利益として課税することになるが、その受益額が少額である場合又は課税上弊害がないと認められる場合には、しいて課税しなくてもよいことに取り扱われている（相基通9－10）。

次に、この使用貸借通達は、土地の賃貸借には適用されず、上述のように、貸借の当事者の関係、建物の利用に関係なく、土地の使用貸借に適用されるので、「使用貸借」の意義を明確にする必要がある。この「使用貸借」とは、民法第593条に規定する契約すなわち「当事者の一方が無償で使用及び収益をなした後に返還をすることを約して相手方からある物を受け取ることによって、その効力を生ず」る契約を言うものと考えられている。すなわち、この取扱いは、土地を無償で借受人に使用収益させることがポイントであるが、借主は借用物の通常の必要費用を負担する義務があるので（民法595）、例えば、土地の借受者と所有者との間にその借受けに係る土地の公租公課に相当する金額以下の金額の授受があるに過ぎないものは、使用貸借に該当することになる。その一方、土地の借受けについて地代の授受がないものであっても、権利金その他地代に代わるべき経済的利益の授受のあるものは、無償で土地を使用収益させているとはいえないから、このような場合は、使用貸借には該当しないことになる。

この取扱いの具体的適用事例を図示すると、例えば、次のようになる。

A　父Aが所有する宅地を子甲が使用貸借により借り受けて家屋を新築した場合

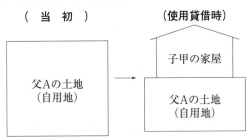

課税関係は発生しない。

B　父Aが所有する宅地のその上の家屋のうち家屋のみ子甲が贈与を受け、その敷地を使用貸借により借り受けた場合

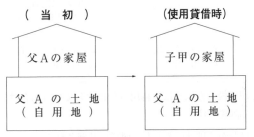

家屋の贈与については当然贈与税が課税されるが、敷地については課税関係は発生しない。

C　A、Bの今後の課税関係
　ⓐ　父Aが先に死亡し、子甲が土地を相続した場合

子甲の相続した父Aの土地は、自用地として評価する（注）。
（注）　土地の取得者が子甲以外の者でも、同様に自用地評価される。㊁参照。
　ⓑ　子甲が先に死亡し、その配偶者乙が家屋を相続した場合

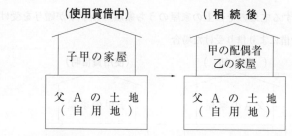

甲の配偶者乙が相続した家屋は、自用（貸付けしている場合は貸付用）として、家屋のみ評価して課税（注）。
（注）　家屋の取得者が乙以外の者でも、同様に評価される。
　　　これらの取扱いについては、後述の使用貸借通達3、4を参照されたい。
㈥　使用貸借による借地権の転借があった場合
　借地権を有する者（以下「借地権者」という。）からその借地権の目的となっている土地の全部又は一部を使用貸借により借り受けて、その土地の上に建物等を新築した場合又は借地権の目的となっている土地の上に存する建物等を取得し、その借地権者からその建物等の敷地を使用貸借により借り受けることとなった場合には、その地域が借地権の慣行のある地域であっても、その借地権の使用貸借による使用権の価額は、零として取り扱われる（使用

貸借通達2前段)。

　借地権者からその借地権の目的となっている土地を無償で転借した場合(例えば、親が借地の上に建物を所有している場合に、その建物を取りこわして子がその親の借地の上に自己の建物を建てたとき又は借地上の建物だけを子に贈与したとき)は、土地の使用貸借と同様に考えられるので、使用貸借による借地権の転貸の場合も、その使用権の価額は零として贈与税の課税を行わず、その代わり、将来、使用貸借により借地権を転貸している借地権者に相続の開始があった場合には、その借地権は自用のものとして、フルに評価して相続税が課税されることになる。

　なお、使用貸借による借地権の転貸があった場合には、その転借人は、以後その借地権を無償で使用することになるので、毎年借地権者が支払う地代相当額については経済的利益を享受したものとして、贈与税の課税が行われるべきであろう。

　ところで、借地権者の所有する借地上の建物が取りこわされ、借地権者以外の者が建物を建築した場合又は借地権者の所有する借地上の建物だけが贈与された場合には、実際には、地主と借地権者との間に締結されていた賃貸借契約の名義が地主と新たな建物の所有者との間の名義に書き換えられる場合が多いと思われる。この場合には、新たに借地権者となった者が、従前の借地権者に何らの対価を支払わなければ、借地権の贈与があったものとして贈与税の課税対象となり得る。また、名義の変更がない単なる転借であっても、それが地代の支払を伴う賃貸借であれば、やはり、転貸人である借地権者に転貸による権利の対価を支払わなければ、転借権に相当する利益を転借人が受けたものとして贈与税の課税対象となり得る。

　そこで、後日の紛議を防ぎ、また、将来この権利関係につき相続、贈与等による異動があった場合の課税上の資料として、借地権の転貸が使用貸借に該当するものであるかどうかについて、その使用貸借による借受人、借地権者及び土地所有者の三者について、それぞれその事実を確認するものとされ、その確認に当たっては、次の「借地権の使用貸借に関する確認書」を用いる

こととされている(使用貸借通達2後段。別紙様式1)。この確認書の内容は、所轄税務署の担当官も確認することとされている。

そして、この確認の結果、その貸借が使用貸借に該当しないものであると担当官が判断すれば、その実態に応じ、借地権又は転借権の贈与として贈与税の課税関係が生ずる場合があるとされている(使用貸借通達2(注2))。

この取扱いの具体的適用事例を図示すると、例えば、次のようになる。

A　借地権者である父Aが自己の所有する借地上の家屋を取りこわし、子甲がその借地権を使用貸借により借り受けて家屋を新築した場合

B　借地権者である父Aが自己の所有する借地上の家屋を子甲に贈与し、子がその借地権を使用貸借により借り受けることとなった場合

A、Bとも、次のようになる。

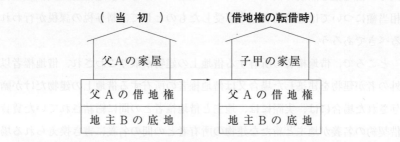

課税関係は発生しない。

ただし、「借地権の使用貸借に関する確認書」により、次のことを確認しておく必要がある。

・　父Aと地主Bとの間の土地の貸借は賃貸借であり、転借があったことにより、Aの借地権者としての従前の地位には何ら変更がないこと。

・　父Aと子甲との間の借地の転貸は、借地権の使用貸借であり、家屋の新所有者である子甲は、土地について何らの権利がないこと。

借地権の使用貸借に関する確認書

① (借地権者)　　　　　　(借受者)

＿＿＿＿＿＿＿＿＿＿は、＿＿＿＿＿＿＿＿＿＿に対し、令和＿＿年＿＿月＿＿日にその借地している下記の土地 { に建物を建築させることになりました。／の上に建築されている建物を贈与（譲渡）しました。 } しかし、その土地の使用

(借地権者)

関係は使用貸借によるものであり、＿＿＿＿＿＿＿＿＿＿の借地権者としての従前の地位には、何ら変更はありません。

記

土地の所在＿＿＿＿＿＿＿＿＿＿＿＿＿＿＿＿＿＿＿＿＿＿＿＿＿＿

地　積＿＿＿＿＿＿＿＿＿＿＿＿㎡

② 上記①の事実に相違ありません。したがって、今後相続税等の課税に当たりましては、建物の所有者はこの土地について何らの権利を有さず、借地権者が借地権を有するものとして取り扱われることを確認します。

令和　　年　　月　　日

借　地　権　者（住所）＿＿＿＿＿＿＿＿＿＿＿＿＿＿（氏名）＿＿＿＿＿＿＿＿＿＿

建物の所有者（住所）＿＿＿＿＿＿＿＿＿＿＿＿＿＿（氏名）＿＿＿＿＿＿＿＿＿＿

③ 上記①の事実に相違ありません。

令和　　年　　月　　日

土地の所有者（住所）＿＿＿＿＿＿＿＿＿＿＿＿＿＿（氏名）＿＿＿＿＿＿＿＿＿＿

※

上記①の事実を確認した。

令和　　年　　月　　日

（確認者）＿＿＿＿＿＿税務署　＿＿＿＿＿＿部門　担当者＿＿＿＿＿＿

(注) ※印欄は記入しないでください。

C　A、Bの今後の課税関係

ⓐ　父Aが先に死亡し、子甲が借地権を相続した場合

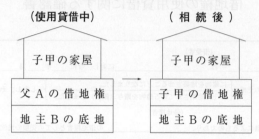

借地権価額で相続税が課税される（㈢参照）。

ⓑ　子甲が先に死亡し、その配偶者乙が家屋のみを相続した場合

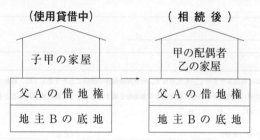

家屋のみに相続税が課税される。

ⓒ　地主Bが死亡した場合

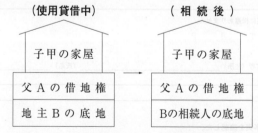

底地価額でBの相続人に相続税が課税される（一般原則）。

㈢　使用貸借に係る土地等を相続又は贈与により取得した場合

(A)　原　　則

㈡及び㈧で述べたところにより、土地又は借地権の使用貸借に係る使用権

の価額はいずれも零として取り扱うものとされているところから、使用貸借に係る土地又は借地権を相続又は贈与により取得した場合の相続税又は贈与税の課税価格に算入すべき価額は、その土地又は借地権が自用のものであるとした場合の価額によることとされ、その土地又は借地権の上に存する家屋が自用か貸付用かは問わないこととされている（使用貸借通達3）。

　この取扱いについては、少なくとも、その家屋が第三者に賃貸されている場合には、その土地等を自用地等でなく、貸家建付地等として評価すべきではないかという批判があり得ると考えられるが、これについては、当局者は、次のように説明している（注）。
（注）「相基通解説」867頁参照。

　「すなわち、一般に、使用貸借により借り受けた土地の上に建物が建築され、その建物が賃貸借により貸し付けられている場合におけるその建物賃借人の敷地利用権は、建物所有者（土地の使用借権者）の敷地利用権から独立したものではなく、建物所有者の敷地利用権に従属し、その範囲内において行使されるにすぎないものであると解されている（筆者注・例えば、幾代通他編集「新版注釈民法⑮増補版」（有斐閣）108頁では「使用貸主の同意した第三者への転貸借が賃貸借の場合には、使用借主と第三者の間は賃貸借契約関係であるが、賃貸人は使用借主としての権利しか持たないから、賃借人（第三者）は使用貸主に対しては、使用借主以上の権利を対抗できない。たとえば賃借人（第三者）は使用貸主に対し借地法・借家法の権利を主張できない」とある。）。したがって、土地の使用借権者である建物所有者の敷地利用権の価額を零として取り扱うこととした以上、その建物賃借人の有する敷地利用権についても零として取り扱うことは当然であり、また、その土地自体の価額も自用であるとした場合の価額によるべきであると考えられるからである。」（注）。
（注）　使用貸借等に係る土地を自用地評価すべきであるとした裁決例を次に示す。
　　（事例1）　親子間の使用貸借について財産価値が認められないところ、被相続人所有の土地に被相続人所有の家屋があったが、土地の使用関係については、相続人に借地権があると認めるに足る証拠もなく単なる使用貸借関

係であったことが認められるから、本件土地の相続財産の評価に当たっては、自用地として評価するのが相当である（国税不服審判所昭和47年12月22日裁決・裁決事例集No.6-57頁）。

（事例2）　建物とその敷地を所有していた父がその土地を子に贈与し、その後父が当該土地を無償使用することとなった場合における当該土地に係る贈与価額の評価に当たっては、自用地として評価するのが相当である（同昭和48年12月8日裁決・裁決事例集No.7-41頁）。

（事例3）　被相続人が相続人たる請求人に使用貸借により貸し付け、請求人が賃貸建物の敷地として利用していた本件宅地の価額は、一般に土地使用借人の敷地利用権が権利性の薄弱なることを理由に零と評価され、借家人の敷地利用権が土地使用借人の敷地利用権に従属し、その範囲内の機能にすぎないところから、本件宅地が自用のものであるとした場合の価額により評価するのが相当である（同昭和61年12月2日裁決・裁決事例集No.32-269頁）。

（事例4）　請求人の家屋が建築されている宅地は、以前請求人が地上権を有していたが、その建築前に地上権は抹消登記されており、かつ、地代の支払もないから、その貸借は使用貸借と認められ、自用地としての価額により評価するのが相当である（同平成元年6月22日裁決・裁決事例集No.37-218頁）。

(B)　貸家を先に贈与し、その後に無償使用させていた敷地を贈与した場合の例外的取扱い

例えば父が自己の所有する宅地の上に自己所有のアパートを建て、このアパートと敷地を同時に子に贈与したとすれば、アパート自体の家屋としての価額と貸家建付地（（自用地価額×借家権割合×借地権割合）に相当する価額を自用地価額から控除）としての価額が贈与税の課税対象になる（後述㋕を参照）。

しかし、先にアパートのみを子に贈与し、その敷地は一旦子に使用貸借により貸し付け、後日その敷地を子に贈与した場合には、上述の原則に従えば、アパートの家屋としての価額（当然、貸家としての価額となる。）とその敷地の自用地としての価額が贈与税の課税対象になり、貸家建付地としての控除を受けられない結果になる。

しかし、このような場合は、建物の贈与が行われる前において、建物所有者である父とその貸借人との間で締結されたアパートの賃貸借契約は、建物所有者と土地所有者とは同一人であったから、その段階では、アパートの賃借人は、土地所有者の権能である土地の利用権を有していることになる。そして、仮にそのアパートが他に譲渡されても、賃貸借は当然承継され（例えば最高裁昭和33年9月18日判決）、承継される賃貸借は従前のものと同じであると解されており、もちろん敷地利用権の内容も全く同一である（注）。

(注)　Aがその所有土地をBに賃貸し、Bがその借地の上に建物を建ててCに賃貸した後、AとBとの借地契約を合意解約しても、特段の事情がない限りは、Aは右合意解除の効果をCに対抗し得ないとした判例がある（最高裁昭和38年2月21日判決）。

　このような考え方からすると、建物が他に譲渡され、建物の新所有者の敷地利用権が使用貸借に基づくものになるなど、その権能が従来の建物所有者の敷地利用権と異なるものになったとしても、建物の貸借人の敷地利用権は変動がないとものと解することができる。したがって、建物の敷地については、賃借人の利用権を控除した貸家建付地として評価されるのが正当と考えられ、実務上も、そのように取り扱われている（「相基通解説」868頁、「資産税質疑応答集」1025頁参照）。

ホ　使用貸借に係る土地等の上に存する建物等を相続等により取得した場合
　使用貸借に係る土地の上にある建物等又は借用貸借に係る借地権の目的となっている土地の上にある建物等を相続又は贈与により取得した場合におけるその建物等の相続税又は贈与税の課税価格に算入すべき価額については、その土地又は借地権の使用借権の価額は零として扱われることから、その建物等の価額に影響を及ぼすことはないので、その建物の自用又は貸付用の用途に応じ、自用又は貸付用の場合の価額によることとされている（使用貸借通達4）（注）。

(注)　昭和43年以前の取扱いが、原則として、建物とその敷地の借地権が「糊付け」として取り扱われていたことから、留意的に定められたものとされている（「相基通解説」870頁）。

㈥ 借地権の目的となっている土地をその借地権者以外の者が取得し地代の授受が行われないこととなった場合

⒜ 経　緯

　借地権の目的となっている土地（いわゆる底地）を借地権者以外の者が取得し、その土地の取得者とその借地権者との間にその土地の使用の対価としての地代の授受が行われなくなる場合がある。最も典型的なパターンは、父が借地権者となっている土地（底地）について地主から買取りの要請があったが、父が老齢で買取りの資金がないため、その子が底地を買い取り、以後、父子間にその土地の地代の授受が行われなくなったような場合であろう。

　ところで、このように借地権の存する土地（底地）の所有者が異動し、新しい所有者と借地権者との間に地代の授受が行われなくなったことをどう考えるか。すなわち、従来の賃貸借が使用貸借に変わったのか又は従来の賃貸借がそのまま継続しているのかによって、課税関係は全く異なってしまうからである。

　この点については、賃貸人が将来の賃料債権を放棄又は免除しても、賃貸借は使用貸借にならないとする見解（「新版注釈民法⒂」82頁）がある一方、賃貸借か使用貸借かの区別はその貸借が対価を伴うか否かによってなされ（同書163頁）、賃料が一般に比し極めて低額の場合使用貸借と判断した判例（最高裁昭和53年7月17日判決）もあって、要は、当事者の個別的事情により、賃貸借が継続しているのか、契約が更改又は消滅したとみるのか当事者の意思の確認か合理的な推定によって判定するほかはないのであろう。

　この点について、昭和43年前の取扱いは、借地権の目的となっている土地（底地）の取得者と従前からの借地権者との間で地代の授受が行われないこととなった場合でも、それはその土地の取得者が借地権者に対し、今後は将来にわたり地代の支払を免除したものであって、従来の賃貸借契約を使用貸借契約に更改したものではないから、土地の取得者への地代の支払がなくなっても、その段階で借地権が消滅して、土地の新取得者は借地権者から借地権価額に相当する利益の贈与を受けたものとみず、その代わり、借地権者

の死亡によるその借地権の相続人に対し、借地権につき相続税を課税していたのである。しかし、前述のように、地代の支払がなくなっても、賃貸借関係はすべて一律に継続すると考えるのは問題であり、事実として、賃貸借関係が消滅した場合もあり得るわけであり除斥期間満了後にそのような主張をされて、トラブルを生じたケースもあったようである。

(B) 現行の取扱いの原則

こうした経緯から現行の取扱いは、借地権の目的となっている土地（底地）を借地権者以外の者が取得し、その土地の取得者とその借地権者との間で地代の授受が行われないこととなった場合は、原則として、その土地の取得者は、その借地権者からその土地に係る借地権の贈与を受けたものとして贈与税の課税対象とすることに取り扱われる（使用貸借通達5本文）こととされたのである。

すなわち、借地権の目的となっている土地（底地）の取得者と借地権者との間で地代の授受が行われなくなる場合におけるその当事者の関係は、おおむね、親子、夫婦等の近親者の関係であろうと考えられる。例えば、先に述べたような借地契約の更新の際、地主から借地権者たる父に対し、底地を買い取ってもらいたい旨の申出があったが、父が老齢で資金がないため、成人して資産のある子に底地を買い取らせ、以後、親子だからということで地代の授受をしなくなるというケースが最も典型的な例であろう。そうすると、このような場合は、賃貸借は継続し、ただ地代の支払を免除したと解するよりは、使用貸借に改められたものとみるのが自然であり、借地権が消滅して、子は借地権相当額の利益を親から受けたと考えるのが合理的であるということから、従来の取扱いが改められたものである。したがって、この取扱いにより借地権の贈与があったものとして贈与税が課税された場合には、その後は、その土地はその取得者の自用地として取り扱われることになる。

(C) 「借地権者の地位に変更がない旨の申出書」の提出による例外的取扱い

(B)の原則の例外として、その土地の取得により地代の授受が行われないこととなった理由が使用貸借に改められたということではなく、借地権は従来

どおり借地権者が保留しているということで、その土地の取得者と借地権者との連署により、借地権者は、従前の土地所有者との間の賃貸借契約に基づく借地権者としての地位を保持している旨の「借地権者の地位に変更がない旨の申出書」を所轄税務署長に提出したときは、(イ)の取扱いが適用されず、土地の取得者に対する借地権の贈与税課税は行われないものとされる（使用貸借通達5ただし書）。この場合には、将来借地権者が死亡したときに、その相続人に対して借地権の相続税課税が行われることになる。

この申出書の様式は、使用貸借通達の別紙様式2として、次頁のように定められている。

(D) 「土地の使用の対価としての地代の授受が行われないこととなった場合」の意義

上記(B)及び(C)で「土地の使用の対価として地代の授受が行われないこととなった場合」とは、もちろん、全く何らの対価の授受がなくなった場合をいうが、土地の公租公課に相当する金額以下の金額の授受がある場合も含まれることに取り扱われる（使用貸借通達5（注1））（注）。

(注) 借主が借用土地の公租公課を負担する場合は、負担付使用貸借とした判例（大審院昭和18年11月11日判決）、更には、借主が借用建物の固定資産税ばかりでなく、その建物と関係のない貸主やその他の者の不動産の固定資産税を支払っている場合でも使用貸借とした判例（最高裁昭和41年10月27日判決）がある。

(E) 具体的適用事例

この取扱いの具体的適用事例を図示すると、例えば、次のようになる。

　Ⓐ　父Aが借地権者である土地（底地）を子甲が買い取り、「借地権者の地位に変更がない旨の申出書（以下「借地権継続申出書」という。）を提出した場合

別紙洋式2

借地権者の地位に変更がない旨の申出書

　　　　　　　　　　　　　　　　　　　　　令和　　年　　月　　日

　　　　　　＿＿＿＿＿税務署長　殿

(土地の所有者)
＿＿＿＿＿＿＿＿＿＿＿＿＿＿＿は、令和　　年　　月　　日に借地権の目的となっている
　　　　　　　　　　　　　　　　　　　(借地権者)
下記の土地の所有権を取得し、以後その土地を＿＿＿＿＿＿＿＿＿＿＿＿に無償で貸し付けることになりましたが、借地権者は従前の土地の所有者との間の土地の賃貸借契約に基づく借地権者の地位を放棄しておらず、借地権者としての地位には何らの変更をきたすものでないことを申し出ます。

　　　　　　　　　　　　　　　　記

　　　土地の所在＿＿＿＿＿＿＿＿＿＿＿＿＿＿＿＿＿＿＿＿＿＿＿＿＿
　　　地　　積＿＿＿＿＿＿＿＿＿㎡

土地の所有者（住所）＿＿＿＿＿＿＿＿＿＿＿＿＿（氏名）＿＿＿＿＿＿＿＿＿＿＿

借 地 権 者（住所）＿＿＿＿＿＿＿＿＿＿＿＿＿（氏名）＿＿＿＿＿＿＿＿＿＿＿

(a) 提出のあった時の課税関係

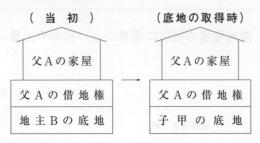

課税関係は生じない。

(b) 今後の課税関係

ⓐ 父Aが先に死亡し、子甲が相続した場合

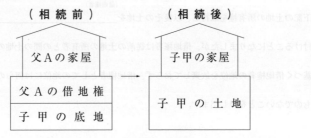

子甲は、父Aの家屋と借地権について相続税が課税される（(c)の取扱い）。

ⓑ 子甲が先に死亡し、その配偶者乙が底地のみを相続した場合

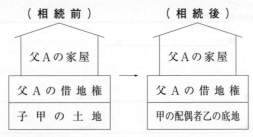

底地価額で相続税課税

Ⓑ 父Aが借地権者である土地（底地）を子甲が買い取ったが、「借地権継続申出書」を提出しなかった場合

(a) 底地を買い取った時の課税関係

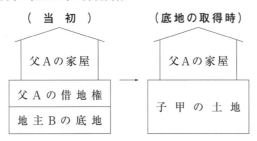

子甲は父Aの借地権を贈与されたものとして贈与税課税。以後父Aと子甲の土地の使用関係は使用貸借となる。

(b) 今後の課税関係

ⓐ 父Aが先に死亡し、子甲が家屋を相続した場合

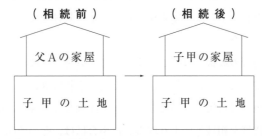

子甲に家屋のみ相続税課税

ⓑ 子甲が先に死亡し、その配偶者乙が土地を相続した場合

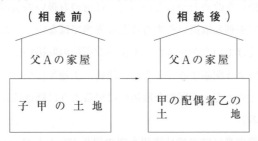

子甲の配偶者乙は、土地のみを自用地としての価額で相続税課税。Aと乙の間は、使用貸借関係が継続する。

(F) 経過的取扱い

a 総　説

　従前の取扱いでは、既に説明してきたように、建物等の所有を目的として無償による土地の借受けがあった時に

(a) その土地の借受者に借地権相当額について贈与税の課税を行ったもの又は

(b) 無償で借り受けている土地の上に存する建物等を相続又は贈与により取得した時にその建物等の取得者に借地権相当額についての相続税若しくは贈与税の課税を行ったもの

については、その土地に係る借地権は建物等の所有者が有するものという（建物と借地権は糊付けになっている。）考え方から、建物についてはその価額に借地権価額を付したところで課税され、土地は貸付地として評価することで取り扱われてきた。

　ところが、現行の取扱いは、このような考え方を全く改めて、土地の使用借権の価額は零として、使用貸借に係る土地等を相続等により取得した場合には、その土地等は自用のものとしてフルに評価して課税し、その土地等の上に存する建物等を相続等により取得した場合には、その建物等のみを課税することとされたことは、これまでに説明したところである。

　しかし、取扱いを改めたからといって、従前の取扱いの適用を受けてきた納税者に対して不利な取扱いをすることは妥当ではない。そこで、従前の取扱いの適用を受けていたケースが、上記の改正後の取扱いによって不利益になることのないよう配慮するとともに、建物、土地等について権利者の異動があるときをとらえて、原則的な取扱いに戻るように経過措置が設けられているものである。

b 土地の無償借受け時に借地権相当額の課税が行われている場合（使用貸借通達6）

(この経過措置が適用される場合)

　従前の取扱いにより、

(a) 建物等の所有を目的として無償で土地の借受けがあった時に、その土地の借受者に対してその土地に係る借地権の価額に相当する利益を受けたものとして贈与税が課税されているもの

(b) 無償で借り受けている土地の上に存する建物等を相続又は贈与により取得した時に、その建物等の取得者に対してその土地に係る借地権に相当する使用権を取得したものとして相続税又は贈与税が課税されているもの

が、この経過措置の対象となる。

(経過措置の内容)

(a) 今後その建物等を相続又は贈与により取得した場合

この場合は、その建物等の自用又は貸付けの区分に応じ、それぞれその建物等が自用又は貸付けのものであるとした場合の価額を相続税又は贈与税の課税価格に算入するものとされ、その建物等の存する土地に係る借地権の価額に相当する金額は含まないものとして取り扱われる。

すなわち、従前の取扱いでは、先に述べたごとく、その建物等の敷地に係る借地権をその建物等の所有者が取得したものとして課税してきたが、使用貸借通達により、使用貸借による土地の使用権の価額は零として取り扱うこととされたので、この取扱いの施行後(昭和48年11月1日以後)に建物等について相続税又は贈与税の課税関係が生じた場合にその課税価格に算入すべき価額は、敷地に係る借地権相当額を含まない建物のみの価額となることが留意的に定められたものである。

なお、ここでいう建物は、土地を無償で借り受けて建てられた建物及び無償借受けに係る土地の上に存する建物で相続又は贈与取得されたものの双方を含むことはいうまでもない。

(b) 今後その土地を相続又は贈与により取得した場合

この場合は、その土地を相続又は贈与により取得する前における前提のいかんにより取扱いが異なる。

ⓐ その土地の相続等の前に

(i) その土地の上に存する建物の所有者が異動している場合で

(ⅱ) その時にその土地に係る借地権の価額相当額について相続税又は贈与税の課税が行われていないとき（使用貸借通達）

　　　この@の場合は、その土地が自用のものであるとした場合の価額による。
ⓑ　その土地の相続等の前に
(ⅰ) その土地の上に存する建物等の所有者が異動している場合で
(ⅱ) その時にその土地に係る借地権の価額相当額について相続税又は贈与税の課税が行われているとき（旧取扱い）
ⓒ　その土地等の相続等の前にその土地の上に存する建物の所有者が異動していない場合

　この⑤及び©の場合は、その土地が借地権の目的となっているものとした場合の価額による。

　この取扱いの基本的な考え方は、次のとおりである。すなわち、建物等の存する無償借受けに係る土地については、使用貸借通達では、建物等の取得があった場合には借地権相当額の課税を行わないのであるから、本来ならばすべて自用地として評価してもよいはずであるが、旧取扱いの適用を受けている場合には、借地権相当額の課税を受けているので、そういった経緯を考えて、そうした場合には、今後その土地について相続税又は贈与税の課税関係を生じたときは、その土地は底地（貸付地）として評価することとし、その上に存する建物等についてその所有者に異動が生じた際、その建物等の取得者には借地権相当額の課税を行わない取扱いとした後、それを契機に既往の課税関係を断ち切って、使用貸借通達を適用して、その土地は自用地として取り扱うというものである。

　ところで、上述の「借地権相当額の贈与税課税」が行われているかどうかは必ずしも明らかでない場合も少なくない。そこで、後述の別表（使用貸借に係る土地についての相続税及び贈与税の経過的取扱い・時期別一覧表）により、「贈与税の課税が行われていたものとして取り扱う」とされている場合は、「贈与税課税が行われている場合」に含まれ、また、「贈与税の課税は行われ

ていなかったものとして取り扱う」とされている場合は、「贈与税課税が行われていない場合」に含まれて、実務が運用されているので注意する必要がある（注）。

(注) この別表は、東京国税局管内における取扱いである。権利金慣行のある地域は従前にも述べたように、全国一律ではなく、地域によってかなり異なっている。したがって、土地の使用貸借に係る既往の取扱いも、全国一律ではないから、東京国税局以外の国税局管内のケースは、この別表と異なる場合もあり得るので、各国税局の資産課税課に確認する必要がある。

この経過措置の具体的適用事例を図示すると、例えば、次のようになる。

(c) 使用貸借通達施行後に建物の所有者が異動している場合

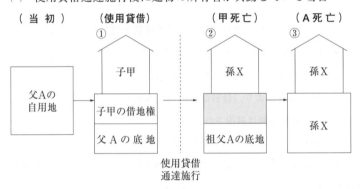

① 父Aの土地を子甲が無償で借り受け、自己の建物を建てた。旧取扱いにより子甲は借地権相当額について贈与税を課税された。

② 使用貸借通達施行後に、子甲が死亡し、孫Xがその建物を相続した。経過措置により孫Xは建物のみ相続税の課税対象とされ、借地権相当額は課税されない。

③ 次いでXの祖父Aが死亡し、孫XがAの土地を相続した。経過措置により、孫Xはその土地の自用地価額が相続税の課税対象となる。

(d) 使用貸借通達施行後に土地の所有者が異動している場合

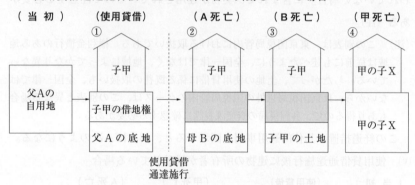

① 父Aの土地を子甲が無償で借り受け、自己の建物を建てた。旧取扱いにより子甲は借地権相当額について贈与税を課税された。

② 使用貸借通達施行後に、父Aが死亡し、母Bが、甲の無償使用に係る土地を相続した。経過措置により、母Bは土地の底地部分の価額が相続税の課税対象とされ、借地権相当額は課税されない。

③ 次いで母Bが死亡し、その土地を子甲が相続した。経過措置により、子甲は②と同様に土地の底地部分の価額が相続税の課税対象とされ、借地権相当額は課税されない。

④ 子甲が死亡し、甲の子Xが、甲の建物及び土地を相続した。この段階で、経過措置により、建物及び土地はいずれも自用のものとした場合の価額が相続税の課税対象とされ、以後は、使用貸借通達が完全に適用されることになる。

(e) 旧取扱い施行時に建物等の所有者が異動し、使用貸借通達施行後に土地の所有者が異動している場合

I 贈与税の課税要件 619

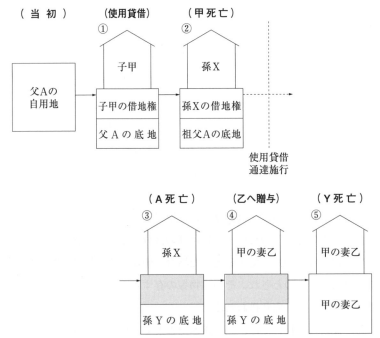

① 父Aの土地を子甲が無償で借り受け、自己の建物を建てた。旧取扱いにより子甲は借地権相当額について贈与税を課税された。

② 子甲が死亡し、孫Xがその建物を相続した。旧取扱いにより孫Xは建物とその敷地に係る借地権相当額について相続税が課税された。

③ 使用貸借通達施行後に祖父Aが死亡し、Aの土地を孫Yが相続した。経過措置により孫Yは土地の底地相当部分が相続税の課税対象とされ、借地権相当額は課税されない。

④ 孫Xが死亡し、Xには妻子がなかったのでXの母に当たる甲の妻乙がXの建物を相続した。経過措置により乙は、建物のみ相続税の課税対象とされ、借地権相当額は課税されない。

⑤ 次いで孫Yが死亡し、Yにも妻子がなかったのでYの母にも当たる乙がYの土地を相続した。経過措置により、乙はYの土地は自用のものとした場合の価額が相続税の課税対象とされ、以後は、使用貸借通達が完全に適用され

(f) 借地権の目的となっている土地を使用貸借通達の施行前に借地権者以外の者が取得している場合（使用貸借通達7）

（この経過措置が適用される場合）

　従前の取扱いの施行時に、借地権の目的となっている土地を、借地権者以外の者が取得し、その者と借地権者との間にその土地の使用の対価としての地代の授受が行われないこととなったものが、この経過措置の対象となる（使用貸借通達の施行後に処理するものは除かれる。後述（注）を参照のこと。）。

（経過措置の内容）

(a) 今後、その建物等を相続又は贈与により取得した場合

　この場合は、その建物等の自用又は貸付けの区分に応じ、それぞれその建物等が自用又は貸付けのものであるとした場合の価額を相続税又は贈与税の課税価格に算入するものとされ、その建物等の存する土地に係る借地権の価額は含まないものとして取り扱われる。

　すなわち、従前の取扱いでは、先に述べたごとく、借地権の目的となっている土地（底地）をその借地権者以外の者が地主から取得し、その土地の取得者と借地権者との間に地代の授受が行われないこととなった場合には、借地権者としての地位に変更がないものとして、取得時に借地権相当額についての贈与税の課税は行わないものとされてきたが、使用貸借通達では、この取扱いを改めて、原則として、借地権者の地位に変更があったものとして、その土地の取得時に借地権の贈与があったものとして課税することとされ、また、使用貸借による土地の使用権の価額は零として取り扱うこととされたことから、既往において借地権の目的となっている土地（底地）を借地権者以外の者が取得し、以後底地の取得者と借地権者との間の地代の授受が行われないこととなっている場合には、本則どおり、その建物等を相続又は贈与により取得した者の相続税又は贈与税の課税価格に算入すべき価額は、建物のみの自用又は貸付けの区分に応じた価額とされ、建物の存する土地に係る借地権の価額は含まないものとされている。

(b) 今後、その土地を相続又は贈与により取得した場合

この場合は、その土地を相続又は贈与により取得する前における前提のいかんにより取扱いが異なる。

ⓐ その土地の相続等の前に
 (i) その土地の上に存する建物等の所有者が異動している場合で
 (ii) その時にその土地に係る借地権の価額相当額について相続税又は贈与税の課税が<u>行われていないとき</u>（使用貸借通達）

このⓐの場合は、その土地が自用のものであるとした場合の価額による。

ⓑ その土地の相続等の前に
 (i) その土地の上に存する建物等の所有者が異動している場合で
 (ii) その時にその土地に係る借地権の価額相当額について相続税又は贈与税の課税が<u>行われているとき</u>（旧取扱い）

ⓒ その土地等の相続等の前にその土地の上に存する建物の所有者が異動していない場合

このⓑ及びⓒの場合は、その土地が借地権の目的となっているものとした場合の価額による。

この取扱いの基本的な考え方は、次のとおりである。すなわち、建物等の存する無償借受けに係る土地については、使用貸借通達では、建物等の取得があった場合にその建物に併せてその敷地に係る借地権相当額の課税を行わないのであるから、本来ならばすべて自用地として評価してもよいはずであるが、旧取扱いの適用を受けている場合には、その土地は貸付地として取り扱われていたという経緯を考えて（建物の取得時に、借地権相当額が糊付けされて課税されている。）、そうした場合には、貸付地として取り扱い、この土地について本則どおり自用地としての取扱いに戻す時点についても、bと同様に取り扱うこととされたものである。

以上に述べた既往に借地権の目的となっている土地（底地）を借地権者以外の者が取得し、以後地代の授受がされなかった場合の経過的取扱いを図示すると、次のとおりである。

622　第3編　贈与税

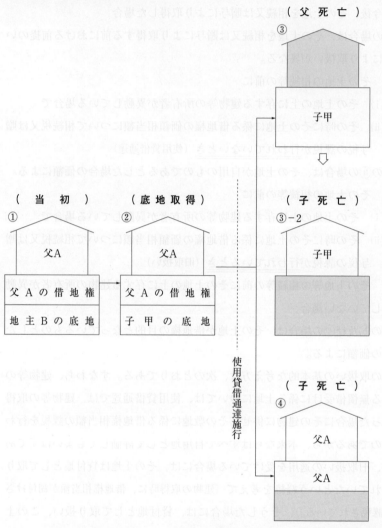

① 父Aは第三者である地主Bの土地に借地権の設定を受け、賃貸借契約を締結して、その借地権に基づき自己の建物を建てた。

② Aは、地主Bから底地を買い取るよう要請されたが、資力がなかったので、その子甲がBから底地を買い取り、以後甲とAとの間では地代の授受がされな

くなった。旧取扱いにより、Aは借地権者の地位に変更がないものとして、甲に対する課税は行われていない。

(使用貸借通達施行後父が死亡した場合)

③　父Aが死亡し、子甲が建物を相続した。経過措置により子甲は建物のみ相続税の課税対象とされ、借地権相当額は課税されない。

③－2　次いで、子甲が死亡し、孫Xがその建物と敷地を相続した。経過措置により、③のとおり孫Xの土地の相続の前に、建物を甲が相続した際、その敷地に係る借地権相当額の課税が行われていないので、孫Xの相続税の課税対象は、建物のほか、土地が自用のものとして、フルに評価されて課税される。

(使用貸借通達施行後子が死亡した場合)

④　子甲が先に死亡し、孫Xが建物の敷地を相続した。経過措置により、建物の所有者に異動がないので、孫Xの相続税の課税対象となるのは、土地の底地部分の価額となる。この後、父Aが死亡した場合は、③と同様の課税が行われることになる（注）。

(注)　以上の経過的取扱いは、使用貸借通達の施行後に処理するものを除くことに取り扱われている（使用貸借通達7本文かっこ書）。その理由については、前掲桜井己津男ほか著「借地権課税の理論と実務（六訂版）」（財務詳報社）291頁参照。したがって、このように、使用貸借通達施行前に、底地所有者が異動し、地代の授受が行われなくなったケースについて、同通達施行後に処理されたものは、地代の授受が行われないこととなった時に、借地権の贈与があったと認識しているか否かによって、本則に従い課税関係が処理されることになるから、注意を要する。

(c)　使用貸借に係る土地についての相続税及び贈与税の経過的取扱いの時期別の内容

　　使用貸借に係る土地についての相続税及び贈与税の経過的取扱いの時期別の内容（東京国税局の場合）を一覧表にして掲げておく（注）。

(1) 土地の無償使用の開始があった場合

時　期	既往における課税上の取扱い	今後相続・贈与があった場合の取扱い
昭和22. 5. 2以前	借地権相当額の贈与税の課税は行われていなかった。	(1) 建物の所有者の異動 　　……建物のみの価額 (2) 土地の所有者の異動 　　……自用地価額
昭和22. 5. 3〜昭和33.12.31	借地権相当額の贈与税の課税は行われていたものとして取り扱う。	(1) 建物の所有者の異動 　　……建物のみの価額 (2) 土地の所有者の異動 　イ　建物の所有者が異動していない場合……底地価額 　ロ　建物の所有者が異動している場合 　　(イ) 借地権相当額の課税が行われている場合……底地価額 　　(ロ) 借地権相当額の課税が行われていない場合 　　　　……自用地価額
昭和34. 1. 1〜昭和39.12.31	イ　夫と妻、親と子、祖父母と孫等特殊関係のある者相互間における居住用の建物の所有を目的とした土地の無償借受けがあった場合には、借地権相当額の贈与税の課税は行われなかったものとして取り扱う。ただし、納税者の申出により贈与税を課税した事実が明らかなものについては、この限りでない。	(1) 建物の所有者の異動 　　……建物のみの価額 (2) 土地の所有者の異動 　　……自用地価額 (注)「既往における課税上の取扱い」欄のただし書に該当するものについては、次のロによるものであるから留意する。
	ロ　イ以外の土地の無償借受けがあった場合には借地権相当額の贈与税の課税は行われていたものとして取り扱う。	(1) 建物の所有者の異動 　　……建物のみの価額 (2) 土地の所有者の異動 　イ　建物の所有者が異動していない場合……底地価額 　ロ　建物の所有者が異動している場合 　　(イ) 借地権相当額の課税が行わ
	ハ　土地の使用貸借の開始時において贈与税を課税した事案に係る建物等を	

Ⅰ　贈与税の課税要件　625

	相続又は贈与により取得した場合における相続税又は贈与税の課税は行われていたものとして取り扱う。	れている場合……底地価額 (ロ)　借地権相当額の課税が行われていない場合 　　　　　　　　……自用地価額
昭和40.1.1 ｜ 昭和42.12.31	イ　配偶者、直系血族及び推定相続人である直系血族の配偶者など特別近親関係者（以下「特別近親関係者」という。）で、かつ、自己の居住の用に供する家屋の所有を目的とした土地の無償借受け（借地権の一部について無償借受けがあった場合を含む。）があった場合には、借地権相当額の贈与税の課税は行われなかったものとして取り扱う。ただし、納税者の申出により、贈与税を課税した事実が明らかなものについては、この限りでない。	(1)　建物の所有者の異動……建物のみの価額 (2)　土地の所有者の異動……自用地価額
	ロ　イに掲げる特別近親関係者に該当する場合であっても、建物と当該建物に係る敷地を併せ所有する者から建物のみの贈与を受け、土地の使用貸借の開始があったものについては借地権相当額の贈与税の課税が行われていたものとして取り扱う。	(1)　建物の所有者の異動 　　　　　　　……建物のみの価額 (2)　土地の所有者の異動 　　イ　建物の所有者が異動していない場合……底地価額 　　ロ　建物の所有者が異動している場合 　　　(イ)　借地権相当額の課税が行われている場合……底地価額 　　　(ロ)　借地権相当額の課税が行われていない場合 　　　　　　　　……自用地価額
	ハ　イ及びロ以外の土地の無償借受けがあった場合には、借地権相当額の贈与税の課税を行ったかどうかにかかわらず、すべて贈与税の課税は行われ	

時期		
昭和43. 1. 1 〜 昭和46.12.31	イ　すべて借地権相当額の贈与税の課税は行われていなかったものとして取り扱う。	(1) 建物の所有者の異動……建物のみの価額 (2) 土地の所有者の異動……自用地価額
	ロ　例外として、土地の無償使用開始時に、借地権相当額の贈与税を課税した事案に係る建物等を相続又は贈与により取得した場合における相続税又は贈与税の課税は行われていたものして取り扱う。	(1) 建物の所有者の異動……建物のみの価額 (2) 土地の所有者の異動 　イ　建物の所有者が異動していない場合……底地価額 　ロ　建物の所有者が異動している場合 　　(イ) 借地権相当額の課税が行われている場合……底地価額 　　(ロ) 借地権相当額の課税が行われていない場合……自用地価額
昭和47. 1. 1以降	現行（使用貸借通達）の取扱いと同じ取扱い	現行の取扱いと同じ取扱い

(2) **底地の取得があった場合等**

時　期	現行通達前の事実関係	今後相続・贈与があった場合の取扱い
昭和46.12.31以前	イ　借地権の設定されている底地を借地権者以外の者が取得し以後地代の授受が行われなくなった場合	(1) 建物の所有者の異動……建物のみの価額 (2) 土地の所有者の異動 　イ　建物の所有者が異動していない場合……底地価額 　ロ　建物の所有者が異動している場合 　　(イ) 借地権相当額の課税が行われている場合……底地価額 　　(ロ) 借地権相当額の課税が行われていない場合……自用地価額
	ロ　建物及び借地権を土地（底地）の所有者以外の者が取得し以後地代の授受が行われなくなった場合 (注)　現行通達では、このような場合の取扱いを定めていないので地代の授受が行われなくなった原因が借地権の贈与によるのか地代の免除によるのか	

	は事実認定の問題となる。例えば、建物所有者の相続について相続人等が借地権の存在を主張し、土地の所有者もこれを認めているような場合には使用貸借ではなく、地代の免除が行われていたものと認められる。 　しかし、地代の授受が行われなくなった原因が、いずれによるものであるかの事実認定が困難な場合には、イの場合と何等異ならないので、イの取扱いと同等に取り扱うのが相当と認められる。	
昭和47.1.1以降	現行（使用貸借通達）の取扱いと同じ取扱い	現行（使用貸借通達）の取扱いと同じ取扱い

（注）　この別表については、東京国税局資産税課長編「新訂版・借地権等の課税上の取扱い」（日本税務研究会）199頁による。

(ハ)　使用貸借に係る土地を譲渡した場合の譲渡収入金額の帰属

　相続税と直接の関連はないが、上述のような使用貸借の対象となっている土地の譲渡による譲渡収入金額の帰属についてしばしば実務上問題となるので、参考までに、当局側の見解を次に示しておく（前掲「借地権等の課税上の取扱い」206頁以下を参照）。

A　使用貸借通達施行後に使用貸借が行われた土地を譲渡した場合（使用貸借通達1のケース）

　使用貸借による土地の借受けがあった場合の土地の使用権の価額は、前述のとおり零として取り扱われるので、その土地を譲渡した場合の譲渡収入金額は、すべて地主である土地の所有者に帰属することになる。

B　使用貸借通達施行前から使用貸借が行われていた土地を譲渡した場合

(A) 土地の借受けの際借地権相当額について贈与税の課税が行われているとき（既往における課税上の取扱いを含む。）は、その土地の譲渡収入金額を地主と借地人とで合理的な割合により配分することになる。

(B) (A)以外の場合（贈与税の課税が行われないこととなっている場合）は、Aと同様になる。

C 使用貸借通達施行前から使用貸借が行われていた土地につき、同通達施行後に借地権部分又は底地部分の相続又は贈与があった場合の当該土地を譲渡した場合（使用貸借通達3又は4のケース）

その土地の貸借に係る借地権相当額について贈与税の課税が行われていたかどうかにかかわりなく、その土地の譲渡収入金額を土地所有者と借地権者との間で合理的な割合をもって配分することになる。

D 借地権者以外の者が底地を取得し、借地権者との間に使用貸借が行われていた場合の土地を譲渡した場合（使用貸借通達5のケース）

(A) 使用貸借通達施行後に借地権者以外の者が底地を取得している場合は、原則として、土地（底地）の所有者に譲渡収入金額のすべてが帰属することになる。

ただし、その底地の取得に際して、「借地権者の地位に変更がない旨の申出書」の提出があったことにより贈与税の課税が行われていなかったときは、その土地の譲渡収入金額を借地権部分の金額と底地部分の金額とに区分して、それぞれの権利者に配分することになっている。

(B) 使用貸借通達施行前に借地権者以外の者が底地を取得している場合で、その取得者に対し借地権部分に係る贈与税の課税がされていないときは、その土地の譲渡収入金額を土地の所有者と使用者との間で合理的な割合をもって配分することになる。

(C) (B)の場合で、底地の取得者に対し借地権部分に係る贈与税の課税がされていることが明らかなときは、(A)の原則と同様となる。

(二) 問題点と私見

土地の無償使用に関する検討に予想外の紙数を費した感もあるが、この

テーマは、贈与税課税上、次に述べる相当の地代の支払があった場合の贈与税等の課税問題と同様に最も難解で理解しにくいテーマであり、実務において我々税理士、納税者はもとより、時として税務職員をも悩ませる難問であって、しかも取扱いが裁判の結果全く逆転したという因縁もある。もともとこの稿は、重要なテーマを中心として徹底的に検討するという方針で記述してきたので、今後の参考ともなるよう、敢えて、詳しい検討を行ったものである。

ところで、この使用貸借通達の問題点といえば、使用貸借に係る土地を全くの自用地評価を行い、一切の減額を認めないという点が最大の問題であろう。もっとも、この問題は、次に述べる相当の地代の支払のある場合の贈与税等の課税の問題とも共通するので、この検討の最後に併せて検討してみたいので、ここでは詳細に論じないこととするが、筆者としては、少なくとも、建物の存する土地の評価が、いかに使用貸借であるからといって、全く減額を認めないことには、いささか疑問を感じている。現に建物がある以上は、民法の規定はともあれ、何らかの制約はあると考えるのが社会通念というものではないだろうか。そういった点からも、昭和43年11月25日の大阪地裁判決のケースは、課税当局が控訴して、問題を掘り下げるべきだったように筆者は考えている。

リ 相当の地代等の支払がある場合の利益

(イ) 総　説

いわゆる借地権慣行のある地域において、権利金の支払をしないか又は低額の支払のみで土地の貸借が行われた場合には、借地人に対しては権利金相当額の受益があったものとして課税が行われ、また、地主側に対しては地主が個人の場合は課税されないが、地主が法人の場合は権利金相当額を収入し、かつ、それを借地人に贈与（寄付）したものとして課税されることになっている。

ところで、権利金はいわば土地権の譲渡の対価とも考えられ、したがって、地代の額と厳密な関係をもつことから、昭和40年の所得税法及び法人税法の

全文改正に先立つ一連の税法整備の一環として昭和37年に法人税法施行規則第16条の2（現法人税法施行令第137条）が創設され、借地に際し、権利金の支払の慣行のある地域において、権利金の授受なしに土地の貸借が行われても、その土地の価額に照らし使用の対価として相当の地代が収受されていれば、その取引は正常な取引条件で行われたものとして（すなわち権利金の認定なしで）所得計算を行うものとされた（もとより、この取扱いは、法人が地主の場合であって、個人が地主の場合には及ばないことは当然である。）。

しかし、この法人税法施行令の規定では、「相当の地代」の内容が明らかでないため、当初の法人税法基本通達13－1－2（旧昭和38年2月5日直審（法）12－11）においては、原則として、次の算式により計算した金額を相当の地代の下限とし、この計算が困難であるときは、その土地の更地価額に対しておおむね8％程度の地代を収受していれば、その地代は、相当の地代として取り扱うものとされた。

$$\left(土地の更地価額 - \frac{収受した権利金の額及び特別の経済的利益の額}{}\right) \times \frac{通常収受すべき権利を収受した場合に通常収受すべき地代の年額（固定資産税相当額を除く。）}{土地の更地価額 - その土地について通常収受すべき権利金の額} + 固定資産税相当額$$

しかし、基本的には、相当の地代を収受しておらず、かつ、権利金の授受がなければ、権利金の認定課税が行われることになる。

その後、昭和55年の法人税法基本通達の改正により、この算式が削除され、現在は、土地の更地価額の8％（平成元年3月30日直法2－2により、当分の間6％とされる。したがって、以後の記述では6％とする。また、更地価額は、設定時の相続税評価額又はその過去3年間の平均額によってもよいこととされている。）とされている。

ただし、この算式が削除された理由については、旧算式は、理論的な意味における相当の地代はどのように計算されるべきかということを示したものであったが、その計算要素に極めてむずかしい点があって、この計算方法で相当の地代を計算している例はほとんどなかったので、昭和55年の一連の法

人税基本通達の改正の際かかる実行困難な算式はむしろない方がわかりやすいということで、理論的な相当の地代の額の計算に関する方程式は、通達上これを表現しないこととした（渡辺淑夫ほか「第3次改正逐条解説法人税基本通達等の一部改正について」（大蔵財務協会）112頁）と説明されており、この算式の理論までを放棄したものではないことがうかがえる。

それはさておき、このように、相当の地代が支払われている場合等についての法人税の取扱いは、昭和55年の法人税基本通達の改正によって明らかにされているが、相続税及び贈与税における取扱いがどうなるのかその当時は明らかにされず、実務上種々の問題が生じていた。

そこで、昭和60年6月5日付直資2-58による「相当の地代を支払っている場合等の借地権等についての相続税及び贈与税の取扱いについて」という通達（以下「相当の地代通達」という。）が発遣され、ここに、ようやく、「相当の地代」に関する法人税及び資産税の考え方が明らかにされたものである。

以下、取扱いの内容及び必要に応じて法人税の取扱いとの比較、問題点について述べてみる。

㈡　相当の地代通達の制定及び適用範囲

この通達は、借地権の認定された土地について、権利金の支払に代え、相当の地代を支払う等の特殊な場合の取扱いを定めたものである。したがって、借地権の設定に際し通常権利金を支払う取引上の慣行のある地域（「権利金慣行のある地域」という。）において、通常の地代（注）を支払うことにより借地権の設定があった場合又は通常の地代が授受されている借地権若しくは貸宅地の相続、遺贈又は贈与があった場合には、この通達ではなく、相続税法基本通達及び財産評価基本通達等の従来の取扱いが適用される（相当の地代通達前文（趣旨））。

（注）　この通達の「通常の地代」とは、その地域において通常の賃貸借契約に基づいて通常支払われる地代をいう。もし、その地代の額が不明である場合には、次の算式によって算定した金額を通常の地代の年額としても差し支えないこととされている（「資産税質疑応答集」1037頁）。

$$\left\{\begin{array}{l}\text{自用地とし}\\\text{ての価額}\end{array}\times(1-\text{借地権割合})\right\}\times 6\%$$

なお、この「自用地としての価額」とは、過去3年間の評価通達による自用地としての価額の平均額によることになる(「相基通解説」775頁)。

(ハ) 相当の地代を支払って土地の借受けがあった場合

④ 総　説

　権利金慣行のある地域において、その権利金の支払に代え、その土地の自用地としての価額に対し、おおむね年6%程度の地代(以下「相当の地代」という。)を支払っている場合には、借地権を有する者(以下「借地権者」という。)については、その借地権の設定による利益はないものとして取り扱われる(相当の地代通達1)。すなわち権利金を支払わないことによる経済的利益は取得していないものとして贈与税の課税は行わないものとされる。

　ここで、相当の地代の判断基準を「その土地の自用地としての価額の過去3年間における平均額のおおむね6%程度」としたのは、そもそも「相当の地代」は権利金に代えて収受するものであり、その地代率は地主が権利金を収受してこれを運用すると仮定した場合にどれだけの利回りを予定しておけばよいかということであるから、国債の利回りに固定資産税等を加味し、併せて地価事情等も考慮したもの(「相基通解説」771頁)と説明されている。

　この取扱いの理由は、借地権の設定に際し、通常権利金を支払う取引上の慣行のある地域において、権利金の授受に代え相当の地代を授受している場合には、土地の所有者からみれば、その土地の地代収受権としての経済的価値はいささかも侵食されておらず、維持されているものと考えられたことによる(安島和夫「相当の地代を支払っている場合等の借地権等についての相続税及び贈与税の取扱いについて」(税理Vol28-No22・85頁以降。以下「相当地代通達解説」という。))とされている(注)。

(注)　ちなみに、法人税においても、権利金慣行のある地域において、権利金の授受をせず、相当の地代を徴して土地の貸付けが行われた場合は、権利金の認定課税を行わないが、その理由については、次のように説明されている(桜井巳津男ほか共著「六訂版・借地権課税の理論と実務」(財経詳報社)33

頁）。

「……土地の所有権を分解すると、土地処分権のほかに、使用収益権（上地権）と地代収受権（底地権）とからなり、土地の価額はこの使用収益権と地代収受権との合計額によって構成されると考えるのである。

そこで、従来の考え方は、他に土地を賃貸した場合には、使用収益権を借地人に事実上譲渡することになって地主の土地所有権は地代収受権のみの価額に転落するため、使用収益権の価額に相当する金額を借地権利金として収受するというのが従来の考え方である。

もとより、現在でも、このような実態の場合には、権利金相当額の授受が行われるべきものとして課税関係を律しなければならないが、他面、土地の賃貸借としては、このような形態が普遍的に行われているわけではなく、全国的にみると、その土地（更地）の経済的価値との比較において相当の地代を徴することにより、その土地の経済的価値は地主になんら損なわれることなくなお十分に維持されているということから、権利金の収受に代えて相当の地代を収受するという取引形態も見受けられたのである。

そこで、従来の使用収益権を独立させ、その事実上の譲渡対価である権利金の授受がなければ権利金を認定するという考え方を改め、たとえ借地権利金収受の慣行のある地域においても、権利金と地代とを総合的に判定し、土地の価額に照らしその使用の対価として相当の地代を収受しているときは、その取引は正常な取引条件でされたものとして取り扱うこととした。つまり権利金の認定はしないということである。」

すなわち、相当の地代通達の考え方は、基本的には、法人税の借地権課税に関する取扱いと同一の基盤に立つものであるということができる。

㊁　関係判例・裁決例

このような高額な地代の支払がされている貸宅地の評価について、この相当の地代通達のような考え方を支持した判例があるので、それを引用してみる。

(判例要旨１)

本件宅地のうち原告の取得したＡ部分は、権利金等の授受がなく、地代の額を3.3㎡当たり年額66,000円（宅地の自用地としての価額3.3㎡当たり416,000円に対する割合は15.8％）と定められ、他方その余の原告らの取得した残余Ｂ部分については、権利金の授受が行われ、その地代の額が3.3㎡当

たり年額6,600円（宅地の自用地としての価額3.3㎡当たり416,000円に対する割合は1.58％）と定められていたことは、原告らの自ら認めて争わないところであり、しかも、Ａ部分の地代の資本還元額が、市中金利を８％とみて複利年金現価率によって計算すると、借地権の存続期間を20年と考えても、ほぼ宅地の自用地としての価格に相当することは、計数上明らかである。それ故、原告ら主張のごとく、Ａ・Ｂいずれの部分も、一筆の土地の一部であって、同一幅員で道路に面しておりその利用価値はもとより、自用地としての価格も同一であるとしても、相続税の課税価格の決定に当たっては、両地を区別して取り扱うことは相当であるというべく、原告ら主張のごとくＢ部分に適用された評価通達25・27による評価方法は、東京国税局長が本件宅地の属する地域においては宅地の自用地としての価格の約８割に相当する権利金の授受が行われるところからその地代率が宅地の自用地としての価格がおおむね1.5％と定められているという調査結果に基づき、借地権割合を８割と定めて行うものであることは、証人の証言によって明らかであるから、かかる前提条件を欠くＡ部分については、右の評価方法を適用する余地がないものというべきである（東京地裁昭和45年７月29日判決、同旨東京高裁昭和48年３月12日判決、最高裁昭和49年６月28日判決）。

（判例要旨２）

　借地人たるＡ不動産は、本件土地を利用するために近隣の多くの借地権の地代率を10％以上、市中金利を４％も上回る著しく高額な地代の支払を必要とするのであって、借地権価額を評価する基礎となる経済的利益を享受しているものとみることはできず、一方、土地所有者としては、右高額な地代を収受することによって投下資本に相当する利益をあげることが可能なものということができる。してみると、このような異例の借地権の評価については、国税局長の定めた標準的借地権割合80％をそのまま運用する余地はないものというべきであり、借地人に帰属する経済的利益のみを基準として右借地権を評価する限りは、これに価額を認めることは困難であって、底地価額が自用地としての価額とほぼ等しくなるとみるほかない。しかしながら、こ

のような借地権であっても、その法的保護等のゆえに土地の価額の評価になんらかの影響を及ぼすものであるし、また、権利金授受の慣行のない地域についても従来から一般に借地権割合が20％とみられているという証人の証言をも勘案すれば、本件において、被告が借地権割合を20％とし底地価額を自用地としての価額の80％と評価したことは相当として首肯しうるものというべきである（東京地裁昭和54年6月25日判決、同旨東京高裁昭和55年10月21日判決、最高裁昭和56年10月30日判決）。

（判例要旨3）

借地権設定当時、相当な地代の支払があるものとして、税務上資産計上すべき借地権の取得はないとされた土地を、その後借地人が遺贈により取得した場合、右土地の価額は更地価額によって評価すべきである（最高裁平成4年11月16日判決）。

（裁決例要旨）

被相続人が、相続人所有の土地の賃借に当たり権利金等の一時金を支払わずに相当の地代を支払っていた場合、借地法等法律上借地権が設定されたことは否定し得ないとしても、経済的にみて当該借地権に財産的価値の存在を認めることは困難であると認められる。すなわち、税務上相当の地代の授受をもって権利金の授受に代えることを認めているのは、土地の収益還元評価の思想が背景にあるもので、更地の時価に比して十分の利回り採算がとれるほどの高い地代のとれる土地は借地権の設定によりその経済的価値が下落しないという考え方によるものと認められ、この考え方によれば、少なくとも相当の地代の授受が維持されている限り、土地所有者においては土地を更地のまま評価し、逆に借地人においては借地権価額が零又は無視してもよい程度に低いものとされるところ、本件借地権については、相当の地代の授受が維持されているのであるから相続税の課税価格に算入される価額はないとするのが相当である（昭和57年3月18日裁決、裁決事例集No.23-186頁）。

㈥　その他・問題点

（法人税の「相当の地代」との比較）

この相当の地代とされる「おおむね年6％」は、法人税の相当の地代の計算の場合と同じである。もっとも法人税における6％の割合は、当初8％となっているが（法基通13－1－2）、昭和60年代からの急激な地価上昇によって実態に合わなくなったため、平成元年3月30日付直法2－2「法人税の借地権課税における相当の地代の取扱いについて」通達によって当分の間の措置として6％とされているもので、相当の地代通達でもこれにならったものと考える。

なお、既に述べたように、法人税の場合の相当の地代の6％は一つの例示であって、他に合理的な計算による相当の地代（例えば旧通達による算式による計算）によることもできるのに、資産税の場合は6％をもって「相当の地代」としているのは、納税者の選択権を奪うものではないかという批判がある。

(自用地としての価額)

相当の地代の計算の基礎となる「土地の自用地としての価額」は、評価基本通達25(1)（貸宅地の評価）に定める「自用地としての価額」すなわち更地価額をいうが、通常支払われる権利金に満たない額の権利金を支払っている場合又は通常の場合の金銭の貸付けの条件に比し特に有利な条件による金銭の貸付けその他特別の経済的利益を与えている場合は、その権利金の額又は特別の経済的利益の額を控除して、その土地の「自用地としての価額」を計算する。この場合、控除対象の土地の価額は相続税評価額であるから、この控除すべき金額も、次の算式によって、相続税評価額レベルに圧縮して計算することとされている（相当の地代通達1（注2））。

$$\text{その権利金又は特別} \atop \text{の経済的な利益の額} \times \frac{\text{その土地の自用地としての価額}}{\text{借地権の設定時のその土地の通常の取引価額}}$$

なお「相当の地代」を計算する場合に限って、この「自用地としての価額」は、評価基本通達25(1)の自用地としての価額の過去3年間（借地権の設定又は借地権若しくは貸宅地の相続、遺贈又は贈与の年以前3年間をいう。）における平均額によるものとすると定められている（相当の地代通達1（注1））。

この点は、法人税の取扱いにおいて「相当の地代」の計算の基礎となる「土地の更地価額」が、次のいずれかによることができることとなっているのと著しく異なっている（法人税基本通達13－1－2、前掲平成元年3月30日直法2－2通達）。

(a) 借地権の設定時におけるその土地の更地としての通常の取引価額（実勢価額）
(b) 課税上弊害のない限り、次のいずれかの価額
　(i) 財産評価基本通達の例により計算した価額
　(ii)（i）の価額の過去3年間（借地権の設定又は地代改訂の年以前3年間）における平均額

　このように、相続税及び贈与税の「自用地価額」が法人税の「更地価額」と異なっている理由として、相続税及び贈与税における財産評価については、相続税法第22条において「時価」によると定められ、時価の具体的な算定基準については、取扱いの統一と課税の公平を図るための評価通達が定められていることによるものである（「相当地代通達解説」86頁）と説明されている。しかし、元来過去3年間の平均額によるという取扱いは、過去のバブル期において地価が右肩上りに上昇することの緩和措置としてとられたはずであり、土地神話が崩壊して、むしろ、地価が右下りにある現状では、理論はともかく、法人税と同様に、借地権設定の年の相続税評価額又は過去3年間の相続税評価額の平均によることを認めるべきであり、早急な見直しを求めたい。

　なお、法人税の取扱いでは、相続税評価額のほかに、公示価格によることも認めているが、相当の地代通達では、公示価格によることは認められていない。しかし、これについては、この通達が相続税・贈与税に関する取扱いであることからいって、やむを得ないものであろう。

　次に、相当の地代の計算例を示しておく。

（計算例1）
　権利金を支払っていない場合又は特別の経済的利益を供与していない場合
土地の自用地としての価額　　1億円

相当の地代　1億円×6％＝600万円

（計算例2）

支払われた権利金の額が通常の権利金の額に満たない場合

土地の自用地としての価額　8,000万円

借地権設定時の通常の取引価額　1億円

支払われた権利金　3,000万円

通常の権利金　7,000万円

相当の地代＝

$$\left\{8,000万円 - \left(3,000万円 \times \frac{8,000万円}{1億円}\right)\right\} \times 6\% = 336万円$$

なお、「特別の経済的利益の額」の計算については、所得税法施行令第80条（特別の経済的な利益で借地権の設定等による対価とされるもの）第2項及び所得税基本通達33－14（複利の方法で計算した現在価値に相当する金額の計算）の定めによることが考えられる（「相当地代通達解説」86頁）とする国税庁当局者の見解がある。これについては、特に問題はないであろう。

㈡　相当の地代に満たない地代を支払って土地の借受けがあった場合

㋑　総　説

権利金慣行のある地域において、借地権の設定により支払う地代の額が相当の地代の額に満たない場合、借地権者は、借地権の設定時において、次の算式により計算した金額から実際に支払っている権利金の額及び供与した特別な経済的利益の額を控除した金額に相当する利益を土地の所有者から贈与により取得したものとして取り扱われる（相当の地代通達2）。

$$\text{自用地としての価額} \times \left\{\text{借地権割合} \times \left(1 - \frac{\text{実際に支払っている地代の年額} - \text{通常の地代の年額}}{\text{相当の地代の年額} - \text{通常の地代の年額}}\right)\right\}$$

この取扱いの考え方は、次のようなものと考えられる。すなわち権利金慣行のある地域において借地権が設定された場合において、

(a)　通常の地代が支払われる場合には、通常の権利金相当額（自用地として

の価額×借地権割合）の支払があるべきものと考えられ、それに対して権利金の額の支払がない場合には、権利金相当額の利益が借地人に贈与されたものとして取り扱われる。

(b) 相当の地代が支払われる場合には、(ハ)で説明したとおり、借地人に対する経済的利益即ち権利金相当額の受益は全くないものとして取り扱われる。

次に、この(a)と(b)の中間のケースとして、相当の地代には満たないが、通常の地代を超える地代が支払われる場合には、借地人の受ける経済的利益はどのようにして求めればよいかという問題が生ずるわけであるが、この相当の地代通達は、これを地代の額によって調整することとしたものである。すなわち、権利金の支払がなく、通常の地代が支払われる上記(イ)の場合を借地人に生ずる利益の上限とし、相当の地代が支払われる上記(ロ)の場合を借地人に生ずべき利益の下限として、相当の地代と通常の地代との差額に占める相当の地代と実際の支払地代との差額の割合によって借地権割合を調整し、その調整後の借地権割合を自用地価額に乗じたものが、相当の地代と通常の地代の中間の地代（実際支払地代）の支払がされている場合に支払われるべき権利金相当額と考えているもので、それより実際支払われた権利金が少なければ、その差額が借地人が取得した経済的利益の額とされるものである（前掲「相当地代通達解説」87頁、「相基通解説」775頁、前掲「借地権課税の理論と実務」339・340頁を参照されたい。）。

この考え方を図示すると次頁のようになろう。

また、借地権割合の調整の考え方を算式で示せば次のようになる。

$$その地域の通常の借地権割合 \times \frac{相当の地代－実際支払地代}{相当の地代－通常の地代}$$

次に、この借地権価額（権利金相当額）の法人税の場合と比較して検討してみる。

法人税の場合の借地権価額の計算は、資産税のような標準的な借地権割合という観念がないので、極めて簡単な次の算式によって行われる。

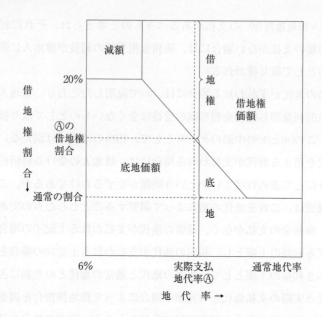

$$\text{土地の更地価額} \times \left(1 - \frac{\text{実際の地代}}{\text{相当の地代}}\right)$$

これに比し、評価通達では、借地権割合によって借地権価額を計算する建前になっているので、相当地代と通常地代の中間の地代の場合は借地権割合の修正によって借地権価額を求めるという方法によらざるを得ない。このことは、法人税と資産税の建前の相違からくることでやむを得ないものであると考えられる。

しかしながら、相続税評価による場合の算式の最大の問題は「通常の地代」の算定方法であって、これを実際に算定することは極めて困難であって、納税者に不可能を強いるのと同様ではないかと考えられる。

もっとも、実務的には、前にも述べたとおり、実質的な底地価額に6％を乗じたものをもって通常地代として取り扱われているので、実際にはトラブルは生じないのであろうが、筆者としては、せめて、便法として通達に明記すべきであると思う。

ハ その他・問題点
　次に、イで示した算式の計算上留意すべき点を示せば、次のとおりである。
(a)　まず、「自用地としての価額」は、原則として、借地権の設定時における相続税評価額によるもので、過去3年間における評価額の平均によるのではない。過去3年間の平均額によるのは、相当の地代を計算する場合だけであることに注意する必要がある。
　次に、この原則の例外として、借地権の設定時において権利金（特別の経済的利益の供与を含む。）の支払があった場合には、その権利金の額が借地権の設定時における通常の取引価額を基として決定されるものであることから、価額レベルを同じくするため、「自用地としての価額」とあるのは、上述の借地権の設定時における通常の取引価額によることとされている。
(b)　「借地権割合」は、評価基本通達27に定める割合による。
(c)　「相当の地代の年額」は、実際に支払っている権利金の額又は供与した特別の経済的利益の額がある場合であっても、これらの金額がないものとして計算した金額によるものとされる。
(d)　「通常の地代の年額」は、既に述べたように、自用地としての価額から評通27の定めにより評価した借地権の価額を控除した金額の過去3年間の平均額に6％を乗じて計算した地代の年額によることができるものとされている。
　この算定の細目で問題と思われる点は、次のとおりである。
ⓐ　権利金等の支払がある場合に限り、土地の自用地としての価額が取引価額によることとされているが、取引価額と相続税評価額に乖離がある場合には、不公平にならないのか。
　この点については、「これは不動産の負担付贈与若しくは低額譲渡の場合における不動産の時価評価の特例（平成元年直評5、直資2-204通達参考）の考え方と軌を一にするものです」（高木文雄「法人・個人をめぐる借地権の税務（平成5年版）」（清文社。以下「高木・借地権の税務」という。）237

頁）という説明があるが、既に指摘したとおり、この通達自体に種々の問題があり、加うるに上述のとおり、なぜ権利金の支払がある場合に限り、取引価額レベルで課税するのか、換言すれば、相続税評価額レベルへの改訂をなぜ行わないのか、納得のいかないものがある。

ⓑ　既に指摘したとおり、地価が依然下落傾向にある現在、相当の地代の計算の基礎となる価額は、3年間の平均と現在の評価額とのいずれか低い方を選択することを認めるべきではないか。

ⓒ　「相当の地代」を計算する場合の地代率6％は、現在の社会の実情に照らして高すぎるように思われる。この6％の地代率は、当初、法人税の取扱いにおいて8％とされていたものが、平成元年直法2－2通達により6％に引き下げられたものであるが、この当初の8％の考え方について、次のような説明がされている（注）。

　「当時、どの程度の地代率をもって権利金に代えて収受する相当の地代を計算すべきかという点については基本的に二つの対立した意見がありました。

　その一つの意見は、底地価額に対する通常の地代の率というのは、精通者の意見によって多少の相違はあるけれども、大体4％から5％の地代率によって「相当の地代」の額を算定すべきであるという意見でありました。しかし、他方において、年4％ないし5％とかの地代率は、年の経過とともに上昇傾向にある地価に対していつの時点をとってみても底地価額の平均利回りとしてみられる割合であって、通達で定めようとしている「相当の地代」は少なくともその当時においては借地権設定当初において権利金の収受に代えて収受している地代が相当かどうかを判定する基準を示すものでありましたから、両者は別の基準で考えるべきものではないかという意見がありました。つまり「相当の地代」の率は、底地価額の通常利回りを基準に考えるのではなく、権利金の額に換算される土地の上地権の価額を資本として運用する場合、どれだけの利回りを予定しておけばよいかという考え方で求めるべきものではないかという意見です。年8％という

基準は後者の意見によって算定されたものです。

　それでは、8％がどのようにして算定されたかといいますと、その当時の最低の利回りをみてみますと、国債の応募者利回りが年6.2％となっていましたので、これに固定資産税等の租税公課を加え、年8％という線に落ち着いたものです」

(注)　「高木・借地権の税務」123－124頁。

　　　その後、平成元年直法2－2通達により、<u>当分の間の取扱いとして</u>、相当の地代率を8％から6％に改めたほか、地価の上昇を踏まえて、算定時期の相続税評価額に代えて当該評価額の過去3年間の平均額によることができることとされた。これは地価の上昇が「相当の地代」にハネ返る度合を緩和する手当であるとされている（「高木・借地権の税務」99頁）。

　このような背景からすれば、新発10年国債発行回り（平成26年5月現在）が0.6％まで低下している現在、当然地代率の引下げが考慮されるべきである（注）。

(注)　現在は国債の応募者利回りは公表されていない。

㈥　通常の地代が支払われている場合の利益

　参考として、通常権利金を支払う取引上の慣行のある地域において、通常の賃貸借契約に基づいて通常支払われる地代を支払うことにより借地権の設定があった場合の利益の額は、次によることになる（相当の地代通達2(注)）。

(a)　実際に支払っている権利金の額又は供与した特別な経済的利益の額がない場合は、評通27の定めにより計算した借地権の価額相当額

(b)　実際に支払っている権利金の額又は供与した経済的利益の額がある場合は、通常支払われる権利金の額から実際支払っている権利金の額及び供与した特別の経済的利益の額を控除した金額

㈦　相当の地代を支払っている場合の借地権の評価

　借地権が設定されている土地について、相当の地代を支払っている場合のその土地に係る借地権の価額は、次により評価することとされている（相当の地代通達3）。

(イ) 権利金を支払っていない場合又は特別の経済的利益を供与しない場合…零
(ロ) (イ)以外の場合…原則として相当の地代通達2に定める算式に準じて計算した金額

この(イ)の考え方は、相当の地代を支払っている場合には、権利のすべてが地主に留保されているという(ハ)で述べた考え方から、借地人には何らの権利がないものという結論である。

次に、(ロ)の考え方は、借地権の設定に際し、通常の権利金の額に満たない権利金の支払又は特別の経済的利益の供与があった場合には、相続の際支払われている実際の地代を基として(ニ)で示した算式に準じて計算した金額すなわち調整計算した借地権の価額で評価するというものである。この(ニ)で示した算式をもう一度掲示すると次のとおりである。

$$自用地としての価額 \times \left\{借地権割合 \times \left(1 - \frac{実際支払地代 - 通常の地代}{相当の地代 - 通常の時代}\right)\right\}$$

ところで、この算式に準じた計算とは、どのように行うのか、特に「相当の地代」の意義はどうなのか、課税当局の説明が今一つ分かり難いのであるが、筆者の私見としては、次のように考えるべきであると思っている。

まず、この(ロ)の取扱いが適用される前提として「相当の地代」を支払って借地権を設定し、しかも「権利金の支払又は特別の経済的利益の供与がある」ことが要件となっているが、ここでの「相当の地代」とは、その土地の自用地価額（過去3年間の平均）から、支払われた権利金の額を控除した残額の6％となるはずである（相当の地代通達1ただし書）。しかるに、上記算式中の分母の「相当の地代」は、権利金の支払があっても、その支払がなかったものとした場合の自用地価額（いわゆる更地価額）の6％によって計算するはずである（相当の地代通達2(3)）。したがって、権利金の支払があり、かつ、相当の地代の支払があるという場合の「相当の地代」と、本算式中の「相当の地代」とは意義が異なり、(ロ)の取扱いの前提である「相当の地代」は、自用地価額から権利金の支払額を控除した残額の6％相当額であると考

えないと辻褄が合わないことになる。この点、相当の地代通達の文言は整理ができていない感じが強い。どのように「準じて計算する」のかもっと明確に説明すべきではないか。

なお、算式中の「自用地としての価額」、「借地権割合」及び各地代の年額は、相続等の時における金額又は割合によることになる。

㈭ 相当の地代に満たない地代を支払っている場合の借地権の評価

借地権が設定されている土地について、支払っている地代の額が相当の地代の額に満たない場合のその土地に係る借地権の価額は、原則として相当の地代通達2に定められる算式に準じて計算した金額によって評価することとされる（相当の地代通達4）。

もっともその支払っている地代が通常の地代に相当する額であれば、もともとこの取扱いの適用はないのだから（相当の地代通達前文）、この相当の地代通達4が適用されるのは、支払われている地代の額が、相当の地代には満たないが、通常の地代を超える場合に限られることになる。したがって、この場合の借地権の評価は、㈱の㋺のケースと同様に、次の算式によって評価することになる（注）。

$$自用地としての価額 \times \left\{ 借地権割合 \times \left(1 - \frac{実際支払地代 - 通常の地代}{相当の地代 - 通常の地代} \right) \right\}$$

（注） 通達の書き方としては、むしろ相当の地代通達3⑴と4を一緒に書いた方が理解しやすいのではないかと思う。この辺の考え方については、当局の通達解説では何も説明されておらず、納税者にとっては極めて分かりにくいところである。

なお、このように相当の地代には満たないが通常の地代を超える地代が支払われているというケースは、実務ではどのようなケースかというと、一つは、㈱の㋺のケースのように、支払われた権利金が何らかの事情によって通常の権利金の額より少ないため、その差に対応して通常の地代より高額な地代が支払われるという場合も考えられるが、そのようなケースよりも、当初は土地の自用地価額に見合う相当の地代が支払われていたが、その後の物価の上昇に応じた地代の改訂がされていないときは、その地代の上昇に伴って、

その自用地としての価額に対する実際の支払地代の年額の割合は徐々に低下し、その低下につれて、いわば自然発生的に借地人に借地権価額が帰属して行くと考えられるところから、こうした当初の相当の地代が、相続等の発生の時には、相当の地代に達しないことになっているケースを想定しているようである。これを設例によって示してみよう。

〔設例〕
① 土地の自用地としての価額 ………………………………… 2億円
② 土地の課税時期以前3年の平均 ……………………… 1億6,000万円
③ 借地権割合 ……………………………………………………… 70%
④ 相当の地代年額（②×6％）………………………………… 960万円
⑤ 実際に収受している地代年額 ………………………… 859万2,000円
⑥ 通常の地代の年額 ……………………………………………… 288万円

〔解答〕
(借地権の価額)

$$2億円 \times 70\% \times \left(1 - \frac{859.2万円 - 288万円}{960万円 - 288万円}\right) = 2,100万円$$

〔貸宅地の価額〕

　　2億円 − 2,100万円 = 1億7,900万円

しかしながら、この金額は、次のとおり、その土地の自用地としての価額の80％を超えているので、自用地としての価額の80％相当額まで減額されることになっている（この点については、後述の㈀を参照されたい。）。

　　1億7,900万円 ＞ 2億円×80％ = 1億6,000万円

　　∴貸宅地の価額 = 1億6,000万円

(ト) 土地の無償返還に関する届出書が提出されている場合の借地権の価額

　借地権が設定されている土地について、平成13年7月5日（課法3−57ほか）「法人課税関係の申請、届出等の様式の制定について」通達の「土地の無償返還に関する届出書」（以下「無償返還届出書」という。）が提出されている場合のその土地に係る借地権の価額は零として取り扱われる（相当の地代

通達5)。

　すなわち、法人税の取扱いにおいては、法人が借地権の設定等により他人に土地を使用させた場合（権利金を収受した場合又は特別の経済的利益を受けた場合を除く。）に収受する地代の額が、相当の地代の額に満たない場合であっても、その借地権の設定に係る契約書において、将来借地人がその土地を無償で地主に返還することを明らかにするとともに、その旨を連名の書面により遅滞なく税務署長（国税局の調査課所管法人にあっては、国税局長）に届け出たときは、その土地の使用期間を含む各事業年度において、相当の地代の額から実際に収受している地代の額を控除した残額に相当する金額を借地人等に対して贈与したものとして取り扱われ、収受すべき権利金を認定して課税することは行わないものとしている（法人税基本通達13－1－7）。

　この「連名の書面」が、前述の「土地の無償返還に関する届出書」であって、その書式を次頁に掲げておく（注）。

（注）　この無償返還届出書を提出できる土地の所有者は、法人に限らず、個人でも差し支えない。ただし、土地所有者及び借地人が共に個人である場合には、この無償返還届出者の取扱いは適用されない。これは、個人間では使用貸借契約を締結することで目的を達することができるからであると説明されている（「相基通解説」779頁参照）。

　ところで、地主が法人で借地人が個人である場合において、無償返還届出書が提出されているときは、実際の支払地代と相当の地代との差額について、地主である法人に対して地代の認定課税が行われることは、結果としては相当の地代が支払われている場合と実質的な差異はないことになる。

　このことから、法人から土地を借りて無償返還届出書を提出している個人につき、その借地権の相続又は贈与があった場合の借地権の評価については、相当の地代を支払っている場合の借地権と同様に、経済的にはその土地に対する権利のすべてを地主が留保しているとみることができるので、無償返還届出書の提出されている土地に係る借地権価額は零として取り扱われる（相当の地代通達5）。

土地の無償返還に関する届出書

2通提出（添付書類含む）

※整理事項
1 土地所有者
2 借地人等

整理簿
番号
確認

受付印

令和　年　月　日

国税局長
税務署長 殿

　土地所有者 ＿＿＿＿＿＿ は、（借地権の設定等／使用貸借契約）により下記の土地を令和　年　月　日から ＿＿＿＿＿＿ に使用させることとしましたが、その契約に基づき将来借地人等から無償で土地の返還を受けることになっていますので、その旨を届け出ます。

　なお、下記の土地の所有又は使用に関する権利等に変動が生じた場合には、速やかにその旨を届け出ることとします。

記

土地の表示

所　在　地　＿＿＿＿＿＿＿＿＿＿＿＿＿＿＿＿＿＿＿＿＿＿＿＿

地目及び面積　＿＿＿＿＿＿＿＿＿＿＿＿＿＿＿＿＿＿＿＿＿㎡

	（土地所有者）	（借地人等）
住所又は所在地	〒　　　　電話（　）－	〒　　　　電話（　）－
氏名又は名称		
代表者氏名		

	（土地所有者が連結申告法人の場合）	（借地人等が連結申告法人の場合）
連結親法人の納税地	〒　　電話（　）－	〒　　電話（　）－
連結親法人名等		
連結親法人等の代表者氏名		

借地人等と土地所有者との関係　＿＿＿＿＿＿

借地人等又はその連結親法人の所轄税務署又は所轄国税局　＿＿＿＿＿＿

02.12 改正

(契約の概要等)

1　契約の種類　＿＿＿＿＿＿＿＿＿＿＿＿＿＿＿＿＿＿＿
2　土地の使用目的　＿＿＿＿＿＿＿＿＿＿＿＿＿＿＿＿＿
3　契約期間　令和　　年　　月　〜　令和　　年　　月
4　建物等の状況
　(1)　種　　類　＿＿＿＿＿＿＿＿＿＿＿＿＿＿＿＿＿＿
　(2)　構造及び用途　＿＿＿＿＿＿＿＿＿＿＿＿＿＿＿＿
　(3)　建築面積等　＿＿＿＿＿＿＿＿＿＿＿＿＿＿＿＿＿
5　土地の価額等
　(1)　土地の価額　＿＿＿＿＿＿＿＿　円　(財産評価額　＿＿＿＿　円)
　(2)　地代の年額　＿＿＿＿＿＿＿＿　円
6　特　約　事　項　＿＿＿＿＿＿＿＿＿＿＿＿＿＿＿＿
　　　　　　　　　　＿＿＿＿＿＿＿＿＿＿＿＿＿＿＿＿

7　土地の形状及び使用状況等を示す略図

8　添付書類　(1)　契約書の写し　(2)　＿＿＿＿＿＿＿＿＿

(チ) 相当の地代を収受している場合の貸宅地の評価
(イ) 原　則
　借地権が設定されている土地について、相当の地代を収受している場合のその土地に係る貸宅地としての評価額は、次によるものとされている（相当の地代通達6）。
　ⓐ　権利金を収受していない場合又は特別の経済的利益を受けていない場合……その土地の自用地としての価額の80％相当額
　ⓑ　ⓐ以外の場合……その土地の自用地としての価額から(ホ)の(ロ)による借地権の価額を控除した金額（以下「相当の地代調整貸宅地価額」という。）
　　　ただし、その金額が土地の自用地としての価額の80％相当額を超えるときは、当該80％相当額
　このⓐの考え方は、次のとおりである。すなわち借地権の設定されている土地（貸宅地）を相続又は贈与により取得した場合の貸宅地としての評価額は、自用地としての価額から、借地権の価額を控除した金額で行う（評基通25(1)）。この原則からみると、相当の地代を収受している場合の貸宅地については、控除すべき借地権の価額は零（相当の地代通達3(1)）とされているところから、結果として、自用地の価額によって評価すべきであると一応は考えられる。
　しかし、相当の世代を収受している場合の貸宅地は、経済的には、相当の地代を収受している地主に、その貸宅地の権利のすべてが留保されているのと同様ではあるが、一応は、賃貸借契約が締結されている土地である以上は、その賃貸借については旧借地法ないしは借地借家法の適用があり、また、地主がその土地を処分する場合にも、相当の制約を受けることを考慮して、権利金慣行のない地域における貸宅地についても借地権割合を20％として評価する取扱いとなっている（評通25(1)）ことのバランスから相当の地代が支払われ、かつ、権利金の支払のない土地の貸宅地の評価についても、自用地としての価額の80％相当額で評価することとされているものである。
　ⓑのただし書は、ⓑの本文の計算式では、相当の地代と実際支払地代及び

通常の地代にあまり開きがない場合には、結果的に調整された借地権割合が20％に満たない場合も考えられるが、ⓐとのバランスも考慮して、上記のように取り扱われることとされている（注）。

（注）　従来は、借地権割合が30％未満の地域にある借地権については、相続税等の課税価格には算入しない取扱いとなっていた（平成3年課評2－4通達による改正前の旧相続税財産評価基本通達32）。これは、このような地域にある借地権が財産権として取引の対象になるかどうかをみると、必ずしもその取引慣行が熟しているとはいえず、課税対象とすることには無理があるという考え方によるものであるが、評価通達にこのような課税価格に関する定めを置くことはふさわしくないという考え方もあり、また、果して、30％で線を引くことが妥当かどうか等についても疑問があった。

そこで、上記旧通達32は平成3年の評価通達の大改正の際削除され、借地権の取引の実際に即し、借地権の設定に際し、通常権利金等の授受がないなど借地権の取引慣行がないと認められる地域にある借地権は評価しないこととされたものである（財産評価基本通達（以下「評基通」）27ただし書）。

そうすると、このような借地権の評価をしない地域にある貸宅地の評価は、その土地の自用地価額で行うべきではないかという考え方もあるが、現にその土地には他人の家があり、借地借家法等の制約もある以上、何らかの斟酌をすべきという考え方から、このような貸宅地については、借地権割合を20％として計算した価額を控除して評価することとされたものである（北本高男著「財産評価基本通達早わかり」（大蔵財務協会）33～34頁）。

ロ　同族会社に土地を貸し付けている場合の特例

被相続人が、相当の地代を収受して、自己が関係者となっている同族会社に土地を貸し付けている場合には、昭和43年10月28日付直資3－22ほか「相当の地代を収受している貸宅地の評価について」通達（以下「43年直資3－22通達」という。）の適用があるとされている（相当の地代通達6（注））。

すなわち、被相続人が同族会社に貸し付けている土地について、相当の地代を収受している場合には、上記43年直資3－22通達は、相当の地代通達6(1)及び(2)のただし書と同様に、その土地の自用地としての価額からその価額の20％相当額（借地権の価額）を控除した金額により、その貸宅地を評価することとしているが、一方、その借地権の価額（自用地の額の20％相当額）を

被相続人所有の同族会社の様式の評価上、その同族会社の純資産価額に算入して計算することとしている。これは、このようなケースは、土地の価額が個人と法人を通じて100％顕現することが課税の公平上適当と考えられたことによるものといわれている（前掲「借地権課税の理論と実務」345頁）。

なお、相当の地代通達3(2)により評価した借地権価額（すなわち借地権割合が20％を超える借地権）は、その割合が30％未満であっても、その借地権は、同族会社本来の借地権として株式等の評価上純資産価額に算入されるべきもので、相当の地代通達6の注書きによって算入するものではないことに注意する必要がある（「相基通解説」782頁参照）（注）。

(注) なお、上記④ⓑのただし書に該当する場合、すなわち権利金を収受している場合で相当の地代調整貸宅地価額が自用地としての価額の80％を超えるため貸宅地の評価額が自用地としての価額の80％に抑えられるときは、上記48年直資3－22通達中「自用地としての価額」とあるのは「相当の地代調整貸宅地価額」と、「その価額の20％に相当する金額」とあるのは「その相当の地代調整貸宅地価額と当該土地の自用地としての価額の100分の80に相当する金額との差額」に読み替えられるものとされている（相当の地代通達6（注）後段参照）。

　(i) 貸宅地の評価額

$$\cdots 相当の地代調整貸宅地価額 - \left(\begin{array}{c} 相当の \\ 地代調 \\ 整貸宅 \\ 地価額 \end{array} - \begin{array}{c} その土地 \\ の自用地 \\ としての \\ 価額 \end{array} \times 80\% \right)$$

　(ii) 会社の純資産価額に加算される金額

…相当の地代調整貸宅地価額－その土地の自用地としての価額×80％

なお、前述したとおり、借地権価額すなわち土地の自用地価額から相当の地代調整貸宅地価額を控除した価額（自用地価額の20％を超えるものに限る。）は、本来会社が有していた借地権の価額として、当然会社の純資産価額に加算されるべきものである（飯田隆一編「土地評価の実務〔令和2年版〕」350頁）とされている。

しかし、この辺の考え方は、通達の文言上は明確であるとは、到底いえな

い。

以上の㈤、㈹を設例によって示してみよう。

〔設例1〕権利金を収受していない場合
① 土地の自用地価額 …………………………………………… 2億円
② 借地権割合 …………………………………………………… 70%
③ 相当の地代の年額 …………………………………………… 1,200万円
④ 実際収受地代の年額 ………………………………………… 1,200万円
⑤ 通常の地代の年額 …………………………………………… 360万円

(貸宅地の価額)

2億円×80%＝1億6,000万円

(同族関係者たる被相続人がその土地を貸し付けている場合に、その株式評価上純資産価額に算入すべき金額(以下「同族会社の純資産算入額」と略称))

2億円×20%＝4,000万円(借地権の価額ではない。)

〔設例2〕権利金を一部収受している場合
(1) ケース1(貸宅地の価額が自用地の価額の80%以下の場合)
① 土地の自用地の価額 ………………………………………… 2億円
② 借地権割合 …………………………………………………… 70%
③ 収受した権利金 ……………………………………………… 6,000万円
④ 相当の地代の年額 …………………………………………… 1,200万円
⑤ 実際収受地代の年額 ………………………………………… 948万円
⑥ 通常の地代の年額 …………………………………………… 360万円

(借地権の価額)

$$2億円 \times 0.7 \times \left(1 - \frac{948万円 - 360万円}{1,200万円 - 360万円}\right) = 4,200万円$$

(これは、同族会社に貸し付けた土地であれば、当然同族会社の純資産に加算されるものである。)

(貸宅地の価額)

㋑ 2億円−4,200万円＝1億5,800万円

㋺　2億円×80％＝1億6,000万円
　　㋑＜㋺　∴貸宅地の価額　1億5,800万円
(2)　ケース2（貸宅地の価額が自用地の価額の80％を超える場合）
　①　土地の自用地の価額 ……………………………………… 2億円
　②　借地権割合 ………………………………………………… 70％
　③　収受した権利金 …………………………………………… 3,000万円
　④　相当の地代の年額 ………………………………………… 1,200万円
　⑤　実際収受地代の年額 ……………………………………… 1,032万円
　⑥　通常の地代の年額 ………………………………………… 360万円
（借地権の価額）

$$2億円 \times 0.7 \times \left(1 - \frac{1,032万円 - 360万円}{1,200万円 - 360万円}\right) = 2,800万円$$

（貸宅地の価額）
　㋑　2億円－2,800万円＝1億7,200万円
　㋺　2億円×80％＝1億6,000万円
　　㋑＞㋺　∴貸宅地の価額　1億6,000万円
（同族会社の純資産算入額）
　①　本来の借地権の価額＝2,800万円
　②　同族会社の純資産算入額＝1億7,200万円－1億6,000万円＝1,200万円
　　∴　この借地につき同族会社の純資産価額に算入されるべき金額（43年直資3－22通達による加算額）
　①2,800万円＋②1,200万円＝4,000万円

(リ)　相当の地代に満たない地代を収受している場合の貸宅地の評価
㋑　原　　則
　借地権が設定されている土地について、収受している地代の額が相当の地代の額に満たない場合のその土地に係る貸宅地の価額は、その土地の自用地としての価額から㈻に述べた相当の地代に満たない地代を支払っている場合

の借地権の価額を控除した金額（以下「地代調整貸宅地価額」という。）によって評価するものとされる（相当の地代通達7）。

　ただし、その金額がその土地の自用地としての価額の80％相当額を超える場合には、その土地の自用地としての価額の80％相当額で評価するものとされる（相当の地代通達7ただし書）。

　この取扱いの考え方は、前記(チ)で述べたのと同様である。

(ヌ)　同族会社に土地を貸し付けている場合の特例

　相当の地代に満たない地代により土地を貸し付けている場合において、その土地が、被相続人が同族関係者となっている同族会社に貸し付けられているときは、(チ)の(ロ)と同様に、43年直資3－22通達の適用がある（相当の地代通達7なお書）。

　すなわち、上記通達により、その同族会社の株式の評価上、純資産価額に算入される金額は、次のとおりとなる。

$$\text{地代調整貸宅地価額} - \left(\text{地代調整貸宅地価額} - \text{その土地の自用地としての価額} \times 80\% \right)$$

　なお、(チ)の(ロ)でも述べたとおり、土地の自用地としての価額から地代調整貸宅地価額を控除した残額は、同族会社の本来有している借地権の価額として、当然に会社の純資産価額に算入されるべきものであるとされている。しかし、そうした考え方は、通達の文言上は到底読みとれない。結局借地権割合が20％に満たない場合でも、この場合に限っては、同族会社の純資産価額の計算上加算すべきであるとして、相当の地代通達が43年直資3－22通達に書くべきではないか（注）。

　同族会社の純資産価額の計算等の考え方を図示すれば、次のようなことがいえるであろう。

(a) 通常の地代を収受している場合

(b) 相当の地代を収受している場合

ⓐ 権利金等の収受がない場合

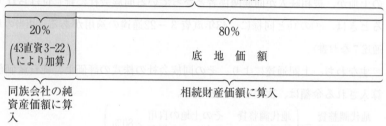

ⓑ 一部権利金等の収受がある場合

(i) 貸宅地の価額が自用地価額の80%以下の場合

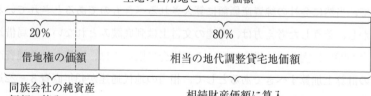

(ⅱ) 貸宅地の価額が自用地の80％を超える場合

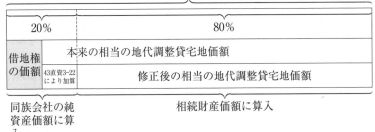

ⓒ 通常の地代を超え相当の地代に満たない地代を収受している場合

(ⅰ) 貸宅地の価額が自用地価額の80％以下の場合

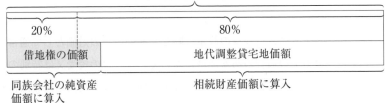

(ⅱ) 貸宅地の価額が自用地価額の80％を超える場合

(注) 上の図にみるように、被相続人が同族関係者となっている同族会社に土地を貸し付けている場合には、土地の価額が個人と法人を通じて100％顕現することが課税の公平上適当と考えられるとされているところであるが、通常な

ら課税されない20％相当の部分まで、なぜ同族会社の借地の地主が同族関係者である場合に限って課税しようとするのか。合理的な理由があるとは考え難い。むしろ、課税の公平を害するのではないか。

このような同族会社は、たとえオーナーの土地を借りていても、借地権の意識はほとんどないはずであり、実質的にも、そのような強力な権利があるとは思われない。

もし、明らかに租税負担の回避が認められるのであれば、個別の行為計算の否認規定（相法64）を行使すればよいことであり、法律上の根拠もないのに、このような差別的取扱いをするのは疑問を持つ。

(ヌ)　土地の無償返還に関する届出書が提出されている場合の貸宅地の評価

(イ)　原　　則

借地権が設定されている土地について、(ト)で説明した無償返還届出書が提出されている場合のその土地に係る貸宅地の価額は、土地の自用地としての価額の80％相当額によって評価するものとされている（相当の地代通達8本文）。

既に述べたように、借地権の設定に際し、その設定の対価として通常権利金を支払う取引上の慣行のある地域において、権利金の授受又は特別の経済的利益の供与がない場合においてその設定に係る土地の無償返還届出書が提出されているときは、この届出書は、当事者間において将来無償で借地権の返還が行われることを約している旨を明らかにしたものであり、経済的にはその土地に関する権利のすべてを地主が留保しているとみることができるので、このような無償返還届出書の提出されている土地に係る借地権の価額は零として取り扱われている（相当の地代通達5）。

この取扱いからみれば、逆に、評価額が零である借地権が設定されている土地の価額は、自用地としての価額によって評価してもよいはずであるが、無償返還届出書が提出されている土地といえども、借地借家法等による制約があること、また、相続があったときには無償返還されるわけではないこと等を勘案すれば、借地権の慣行のない地域であっても、貸宅地について20％の借地権を認容していることとのバランスから、無償返還届出書が提出され

ている貸宅地の評価についても、その自用地としての価額から20％を控除して評価することが適当であるという考え方によるものである（「相基通解説」786頁参照）（注）。

(注) なお、無償返還届出書の提出に係る土地であっても、使用貸借に係る土地についての貸宅地の価額は自用地としての価額によって評価する（相当の地代通達8（注））。その理由は、使用貸借に係る土地は借地借家法等の制約を受けないこと、個人間で使用貸借により貸し付けられている土地の価額は、自用地としての価額により評価することとされているものである（前掲使用貸借通達（昭和48年直資2－189）参照）。

㋺ 同族会社に土地を貸し付けている場合の特例

無償返還届出書の提出されている貸宅地についても、その土地を被相続人が同族関係者となっている同族会社に貸し付けられている場合には、その土地の自用地としての価額の20％相当額をその同族会社の株式等の価額の評価上、会社の純資産価額に算入する43年直資3－22通達の適用があるとされている（相当の地代通達8なお書）。この理由は、既に述べてきたとおり、土地の価額が個人と法人を通じて100％顕現することが課税の公平上適当と考えられたことによるとされている（注）。

(注) しかし、もともと土地の貸付けに際し無償返還届出書を提出するのは、ほとんど地主と同族会社との間の土地の貸借であり、これについて100％土地の自用地価額で課税するのであれば、相当の地代通達8の取扱いは、ほとんど空文化してしまうのではないか。

㋩ 相当の地代の引下げ等があった場合

㋑ 相当の地代の引下げがあった場合

借地権の設定に際し、相当の地代を支払った場合においても、その後その地代を引き下げたときは、その引き下げたことについて相当の理由があると認められる場合を除き、その引き下げた時における借地権者の利益については相当の地代通達2（相当の地代に満たない地代を支払って土地の借受けがあった場合）の定めに準じて取り扱うものとされている（相当の地代通達9前段）。

この取扱いは、借地権の設定に際し、通常権利金を支払う慣行のある地域

において、相当の地代を支払うことにより、借地権者に利益が生じないものとする取扱い（相当の地代通達1）の適用を受けた後、その後地代の額を相当の理由もなく引き下げたものは、課税の公平の見地から、その引下げの時に利益が生じたものと課税することとしたものと説明されている。すなわち、借地権の設定時にのみ相当の地代を支払い、その後地代を引き下げて、借地権の価額相当額を借地人に帰属させることにより、課税を免れることを防ぐ意義があるということである。

なお、地代を引き下げることについて「相当の理由があると認められる場合」とは、地代を引き下げる代わりに権利金を授受した場合、あるいは借地権の設定当時に比して土地の価額が下落した場合が想定される。

〔設例1〕
① 自用地としての価額　　3,000万円
② 借地権割合　　　　　　70%
③ 相当の地代（年額）　　180万円
④ 引下げ後の地代（年額）　68万円
⑤ 通常の地代（年額）　　40万円
⑥ 利益の額

$$3{,}000万円 \times \left\{ 70\% \times \left(1 - \frac{68万円 - 40万円}{180万円 - 40万円} \right) \right\} = 1{,}680万円$$

ロ　相当の地代に満たない地代の引下げがあった場合

相当の地代に満たない地代を支払って土地の借受けがあった場合又は(A)により利益を受けたものとして取り扱われた場合（相当の地代を引き下げた場合）において、その後その地代を引き下げたときは、引き下げたことについて相当の理由があると認められる場合を除き、引き下げた時における借地権者の利益については、④と同様に取り扱われる。ただし、相当の地代通達2又は上記④によって受けた利益の額は控除したところにより計算する（相当

の地代通達9後段)。

〔設例2〕

① 自用地としての価額　　3,000万円
② 借地権割合　　70%
③ 相当の地代(年額)　　180万円
④ 設定時の地代(年額)　　120万円
⑤ 引下げ後の地代(年額)　　68万円
⑥ 通常の地代(年額)　　40万円
⑦ 設定時の利益

$$3,000万円 \times \left\{ 70\% \times \left(1 - \frac{120万円 - 40万円}{180万円 - 40万円} \right) \right\} = 900万円$$

⑧ 引下げによる利益

$$3,000万円 \times \left\{ 70\% \times \left(1 - \frac{68万円 - 40万円}{180万円 - 40万円} \right) \right\} = 1,680万円$$

⑨ 課税される利益

⑧ − ⑦ = 780万円

〔設例3〕

(地代の引下げの時において土地の価額が変動している事例)

① 設定時の自用地としての価額　　3,000万円
② 地代引下げ時の自用地としての価額　　3,600万円
③ 借地権割合　　70%
④ 設定時の相当の地代(年額)　　180万円
⑤ 引下げ後の相当の地代(年額)　　216万円
⑥ 設定時の地代(年額)　　120万円
⑦ 引下げ後の地代(年額)　　68万円
⑧ 設定時の通常の地代(年額)　　40万円

⑨ 引下げ後の通常の地代（年額）　　48万円
⑩ 設定時の利益

$$3,000万円 \times \left\{ 70\% \times \left(1 - \frac{120万円 - 40万円}{180万円 - 40万円} \right) \right\} = 900万円$$

⑪ 引下げによる利益

$$3,600万円 \times \left\{ 70\% \times \left(1 - \frac{68万円 - 48万円}{216万円 - 48万円} \right) \right\} \fallingdotseq 2,220万円$$

⑫ 課税される利益

⑪－⑩＝1,320万円

㋻　相当の地代を支払っている場合の貸家建付借地権等の価額

④　相当の地代を支払っている場合の借地権等が設定されている土地に係る貸家建付借地権等の評価

　相当の地代通達3から5までに定める借地権（以下「相当の地代を支払っている場合の借地権等」という。）が設定されている土地について、貸家の目的に供された場合又は相当の地代の支払、相当の地代に満たない地代の支払若しくは無償返還届出書の提出により借地権の転貸があった場合の財産評価通達28《貸家建付借地権の評価》から31《借家人の有する宅地等に対する権利の評価》までに定める貸家建付借地権、転貸借地権、転借権又は借家人の有する権利の価額は、相当の地代を支払っている場合の借地権等の価額を基として、相当の地代通達1から9までの定めにより評価するものとされている（相当の地代通達10(1)）。

㋺　借地権等が設定されている土地に係る転貸借地権等の評価

　④に該当する借地権以外の借地権が設定されている土地について、相当の地代の支払、相当の地代に満たない地代の支払又は無償返還届出書の提出により借地権の転貸があった場合の財産評価通達29《転貸借地権の評価》から31《借家人の有する宅地等に対する権利の評価》までに定める転貸借地権、転借権又は借家人の有する権利の価額は、財産評価通達27《借地権の評価》

の定めにより評価した借地権の価額を基として、相当の地代通達1から9までの定めにより評価することとされている（相当の地代通達10(2)）。

(7) 私　見

既に、これまでの説明で、随時私見を挿入してきたことでもあり、改めて、私見を述べることもないとは思うが、要点だけを簡単に再説しておきたい。

① 相当の地代について

現行の相当の地代は、土地の自用地価額に相当の地代率を乗じて計算することとされているが、借地人が利用している権利は借地権であるから、借地権に相当の地代率を乗ずる方法で相当の地代を計算すべきではないか。

また、相当の地代率6％は、導入の経緯からみても高すぎる。2％位に引き下げるべきであろう。地代率を乗ずる土地の価額も、過去3年の平均と現在の価額とのいずれか低い方を選択できることとすべきである。

② 同族会社に貸し付けた土地の評価について

既に述べたように、一律に被相続人が同族関係者である同族会社に土地を貸し付けた場合には、どのような場合であれ100％自用地の価額で課税するという考え方には賛成しかねる。明らかな負担回避については、個別に行為計算否認規定で対処すべきではないか。

3　信託に関する特例（相法9の2〜9の6）

(1) 総　説

① 信託法の改正

わが国の信託制度は、大正11年に制定された旧信託法によって導入された。しかし、信託という制度が英米法系の考え方で作られたものであるため、独仏法系などの大陸法系による法制度のわが国にはなじみ難く、戦前はあまり利用されなかった。

戦後も合同運用信託や証券投資信託など、主として金融商品としての利用が大半であったが、最近に至って各種の新しい形態の信託が生まれ始めるとともに、個人が遺言等で信託を利用することが多くなってきた。

こうした信託の利用の多様化に応じ、導入以来ほとんど見直しが行われてこなかった信託法制の整備を図るとともに、新しいニーズに対応する信託類型の整備を柱として、旧信託法を全文改正した新しい信託法が、平成18年12月8日に国会の審議を経て成立し、翌平成19年9月30日から施行された。

> **（参考）**
>
> **信託の性格**（注）
> 〔債権説〕
> 　通説といわれるもので、信託行為、特に信託契約は、原因行為と処分行為からなる複合行為である。処分行為は、委託者が受託者に対し財産権の移転その他の処分をなす行為であり、原因行為は、処分行為を基礎付けつつ、同時に処分行為を制限する（財産権を一定の目的のために管理処分すべき義務を生じさせる）効果を有する債権行為である。また、処分行為は無因であって、原因行為が無効であっても当然には影響を受けず、ただ不当利得の問題を生ずるに過ぎないとする。
> 　この説は、信託法第1条の文理解釈としては無理がないが、財産権の移転行為を原因行為としての債権契約と履行行為としての処分行為とに分析し、更に処分行為の無因性を認めることは、物権変動に関して意思主義をとる我が国の民法176条の建前に反するという批判がある。
> （注）　松本崇ほか著「信託法・信託業法・兼営法」（第一法規）による。
> 〔非債権説〕（実質的法主体説）
> 　信託行為を一つの法律行為とみる説で、「ある者（受託者）が法律行為（信託行為）によって、相手方（受託者）に財産権（信託財産）を帰属させつつ、同時に、その財産を、一定の目的（信託目的）に従って、社会のために又は自己若しくは他人－受益者－のために、管理処分すべき拘束を加えるところに成立する法律関係」（四宮和夫著「信託法・法律学全集33Ⅱ」（有斐閣）7頁）とされている。

② 信託課税（特に課税時期）の沿革

イ　大正11年の制度創設

　信託課税に関する規定は、大正11年の信託法の制定に伴い創設されたもので、その趣旨は、「現行相續税法中には財産を與して相續税の課税を免れんとする者を防がんが爲に二三の規定を存するも、新に信託法制定の結果、

信託に依り委託者が他人を受益者と爲すことは、恰も其の財産を贈與すると同一の結果を來すこととなるを以て、相續税法に於ては右の信託行爲を贈與と同一に取扱ふこととし爲し、以て相續税の逋脱を防ぐの必要あり、即ち此の目的の爲に相續税法中に左の如き改正を加ふることと爲せしものなり」(明治大正財政史第6巻243頁)とされている。

この創設当時の信託の課税方法は、委託者が他人に信託受益権を有させたときは、その時において信託受益権を贈与又は遺贈したものとみなして相続税(当時は、贈与税はなかった。)を課税する(当時の相続税法第23条ノ2)というもので、課税時期の原則は、現行と同じである。

ロ　昭和13年の改正

当初信託受益権の課税時期は、上記のように、信託受益権を有せしめた時とされたが、昭和13年の改正において、受益者が元本又は収益を現実に受けた時(数回にわたって受益するときは、最初に現実に受けた時)に課税することに改められた。その理由については、「信託受益権ノ贈與ガ何時アリタルモノト見ルベキカニ付テハ種々ノ見解ガアリ得ルデアラウ。昭和13年ノ改正前ニ於テハ凡テ信託ノ利益ヲ受クベキ権利ヲ有セシメタル時贈與アリタルモノト看做シテ居タガ之デハ未ダ受益者ハ現実ニ権利ヲ行使シ得ザルニ拘ラズ納税ヲ要スルコトトナリ、又委託者ガ受益者ノ変更権ヲ留保スル場合ニ於テ受益権ノ評価ニ困難ニ來ス場合ガ多イト言フガ如キ不合理ガアッタノデ昭和13年ノ改正ニ依リ受益者ガ現実ニ利益ヲ受ケタ時又ハ受ケ初メタ時ニ贈與アリタルモノト看做スコトトセラレタ」(平田敬一郎述「相續税法講義案(昭和18年)」大蔵省税務講習會・105、106頁)といわれている。

ハ　昭和22年の改正

昭和13年の改正で、現実の受益の時に受益権の課税時期が改められたが、昭和22年の改正で、再び創設当時と同様な、信託受益権の付与の時に課税する方式に戻った。この理由については、従来現実受益課税をとっていたのは、「従来の相続税法においては贈与を受けた者を納税義務者とする建前をとっていたからである。しかるに贈与税においては贈与者を納税義務者としてい

るから、かかる場合は受益の発生するまで待つ必要はなく、信託行為があった時直ちに贈与があったものとみなして課税すればよい」(「DHCコンメンタール相続税法(第1巻)」883頁引用・松井静郎「改正相続税法の解説」税務協会雑誌第4巻第5号・昭和22年)といわれている。

ニ　昭和25年の改正

　今回の改正前の信託課税に関する規定は、シャウプ勧告に基づく昭和25年の相続税法の全文改正によって設けられたが、受益権付与の時を課税時期とする考え方の原則は従来のままである。この昭和25年の改正では、それまでの贈与者課税の考え方を受贈者課税の方式に改められているのだから、上述の昭和22年改正の時の考え方からいえば、再び現実の受益時に改められるべきではないかとも考えられるが、課税時期の原則は変更されていない。この間の経緯について明らかにする文献は筆者は見出し得なかったが、わずかに、「相続税・富裕税の実務」54頁では「……本来の規定によって贈與に因り取得したものとみなされるのは、信託行爲のあった時であって、現實に受益した時ではない。しかし受益の時期が遅れる場合については、別に規定があるから、實際上は信託行爲の時と受益の時とは原則として一致する」といわれているが、その「別の規定」が何を指すかは不明であった。

ホ　従来の課税時期とその理由

　このように、従来の規定が、信託受益権の課税時期を信託行為の時としていたことについての公的な説明がないことは、上述のとおりであるが、次のような理由によるものとする説(「北野コンメンタール相続税法」57頁を参考とする。)がある。

　　㋑　旧信託法第7条は、「信託行爲ニ依リ受益者トシテ指定セラレタル者ハ当然信託ノ利益ヲ享受ス但シ信託行爲に別段ノ定アルトキハ其ノ定ニ從フ」として、受益権の発生時期は、受益者として指定された時としている(注)。

　　(注)　四宮「信託法(新版)」317頁

　　㋺　受益取得の効果として、別段の定めがない限り、委託者又はその相続

人は受益者を変更したり受益権を消滅・変更させたりすることは許されず（民法538）、委託者などに留保された受益者変更権や解除権の行使によってその効力を遡及させることも受益者の既得権を害することになるから許されないと解すべきである（注）と考えられている。

（注）　四宮「信託法（新版）」319・320頁

ヘ　課税時期についての批判等と私見

このように、課税時期を信託行為による受益権付与の時とする従来の法制に対しては、次のような批判がある（注）。

「これに対しては、通常の契約においては、「委託者は受託者の承諾を得て、受益者を指定または変更することができる」（指定合同13条、特定10条）という条項が認められるため、そのコロラリーとして、受益者が信託財産を確実に使用収益できる時点を、信託終了日、つまり信託財産交付日以降に限定する論者がいる（小林一夫「信託税制の問題点について」『信託』復刊91号昭和47社団法人信託協会118頁）。右の論者によれば、受益権確定の時期としては、①委託者が受益者を指定若しくは変更する権利を有する、という条項を削除した信託契約の場合、②あるいは、信託契約時に受益権を当初受益者の一身専属とする、という条項を記載した場合にのみ、確定すると解されるのである（小林・前掲118頁）。右の論者は、更に、基本通達6条（筆者注……現行基通1の3・1の4共－9に相当）の「……停止条件附の贈与については、その条件が成就した時」を論拠として、他益信託契約締結の時に一応その効力は発生するが、他面当該受益者の地位は信託終了の時まで不安定の状態にあり、信託期間満了という条件が成就して初めて実質的に信託の利益を享受しうるのであるから、その時点において受益権は確定したものと解するのである。」

（注）　「北野コンメタール相続税法」57～58頁

この考え方に対しては、「理論的に厳格に権利確定主義の考え方を適用すれば、右の論者のような考え方もあるいは成立つであろうが、現行法の建前は、そうした場合をむしろ「別段ノ定アルトキ」として当事者の意思による

例外の設定と解しているのである。したがって、相続税法上、受益者が信託利益をどの時点で享受するかによって課税適状時をきめるのは、立法政策の問題であるといえよう」とする反論がある（注1、2）。
(注1)　「北野コンメンタール相続税法」58頁
(注2)　この批判説の意味はよく分からないところがあるが、要は、原則的な課税時期は受益権付与の時とし、「別段ノ免アルトキ」すなわち停止条件付等の特約のある信託受益権については旧相続税法第4条第2項で特則を設けている制度で特に不都合はないということで理解するべきであろう。

(2) 信託の効力が生じた場合（相法9の2①）

① 総　　説

　新しい信託税制では、信託の効力が生じた場合に、適正な対価を負担せずにその信託の受益者等（受益者としての権利を現に有する者及び特定委託者をいう。以下同じ）となる者があるときは、次のように規定された。すなわち、その信託の効力が生じた時において、その信託の受益者等となる者は、その信託に関する権利をその信託の委託者から贈与により取得したものとみなされる。ただし、その信託の効力の発生が委託者の死亡に基因する場合には、遺贈とみなされる（相法9の2①）（注）。

(注)　なお、退職年金の支給を目的とする信託その他の信託で一定のものは、この信託課税の適用から除外されている（相法9の2①）。この「退職年金の支給を目的とする信託その他の信託で一定のもの」とは、次の信託をいう（相令1の6）。

　　イ　確定給付企業年金法第65条第3項《事業主の積立金の管理及び運用に関する契約》に規定する資産管理運用契約に係る信託

　　ロ　確定拠出年金法第8条第2項《資産管理契約の締結》に規定する資産管理契約に係る信託

　　ハ　相続税法施行令第1条の3第3号に規定する適格退職年金契約に係る信託

　　ニ　上記イ～ハに掲げる信託に該当しない退職給付金に関する信託で、その委託者の使用人（法人の役員を含む。）又はその遺族を当該信託の受益者とするもの

　これは、このような退職金支給を目的とする信託でも、形式的には相続税法

第4条第1項の規定に該当するので、念のために、設定の段階でみなし贈与課税は行わず、給付の段階で課税することを明らかにしたものである（「昭和46年版・改正税法のすべて」123頁参照）。

いわゆる生命保険信託については、その信託に関する権利は信託財産として取り扱わないで、生命保険契約に関する規定（相法3及び5）を提供することに取り扱われている（相基通9の2－7）。

これに対応する旧相続税法での規定は、次のようになっていた（旧相法4①）。

「信託行為があった場合において、委託者以外の者が信託（退職年金の支給を目的とする信託その他の信託で政令で定めるものを除く。以下同じ。）の利益の全部又は一部についての受益者であるときは、当該信託行為があった時において、当該受益者が、その信託の利益を受ける権利（受益者が信託の利益の一部を受ける場合には、当該信託の利益を受ける権利のうちその受ける利益に相当する部分。以下この条において同じ。）を当該委託者から贈与（当該信託行為が遺言によりなされた場合には、遺贈）により取得したものとみなす。」

この従来の規定と今回の規定とを比較すると、次のようなことが分かる。

イ　信託の課税時期が、「信託行為があった時」から「信託の効力が生じた時」に改められていること。

ロ　贈与等があったものとみなされる場合が、従来は「委託者以外の者が信託の利益の受益者である場合」とされていたが、今回の改正では、そのような要件が付されていないこと。

ハ　従来なかった「適正な対価を負担せずに」という要件が付されていること。

ニ　旧相続税法第4条で「受益者」とされていたのが、新相続税法第9条の2では「受益者等」と改められていること。

以下、この4点について検討してみる。

② 検　討

イ　信託の課税時期の改正

まず、信託の課税時期を「信託行為があった時」から「信託の効力が生じ

た時」に改められたことについて、当局者の説明は見当たらない。

そこで、新しい信託法で「信託」、「信託行為」、「信託の方法」及び「信託の効力」について、信託法の規定を検討する。

(イ) 信託とは、次の(ハ)の㋑から㋩までの方法のいずれかにより、特定の者が一定の目的（専らその者の利益を図る目的を除く。）に従い財産の管理又は処分及びその他の当該目的の達成のために必要な行為をすべきものとすることをいう（信託法２①）。

(ロ) 信託行為とは、次の信託の区分に応じ、それぞれに定めるものをいう（信託法２②）。

　㋑ (ハ)の㋑の方法による信託……㋑の信託契約

　㋺ (ハ)の㋺の方法による信託……㋺の遺言

　㋩ (ハ)の㋩の方法による信託……㋩の書面又は電磁的記録によってする意見表示

(ハ) 信託は、次に掲げる方法のいずれかによってする（信託法３）。

　㋑ 特定の者との間で、当該特定の者に対し財産の譲渡、担保権の設定その他の財産の処分をする旨並びに当該特定の者が一定の目的に従い財産の管理又は処分及びその他の当該目的の達成のために必要な行為をすべき旨の契約（以下「信託契約」という。）を締結する方法

　㋺ 特定の者に対し財産の譲渡、担保権の設定その他の財産の処分をする旨並びに当該特定の者が一定の目的に従い財産の管理又は処分及びその他の当該目的の達成のために必要な行為をすべき旨の遺言をする方法

　㋩ 特定の者が一定の目的に従い自己の有する一定の財産の管理又は処分及びその他の当該目的の達成のために必要な行為を自らすべき旨の意思表示を公正証書その他の書面又は電磁的記録（電子的方式、磁気的方式その他人の知覚によっては認識することができない方式で作られる記録であって、電子計算機による情報処理の用に供されるものとして法務省令で定めるものをいう。以下同じ。）で当該目的、当該財産の特定に必要な事項その他の法務省令で定める事項を記載し又は記録したものによってする方法

㈡㋑　㈥㋑に掲げる方法によってされる信託は、委託者となるべき者と受託者となるべき者との間の信託契約の締結によってその効力を生ずる（信託法4①）。

　㋺　㈥㋺に掲げる方法によってされる信託は、当該遺言の効力の発生によってその効力を生ずる（信託法4②）。

　㋩　㈥㋩に掲げる方法によってされる信託は、A又はBに掲げる場合の区分に応じ、それぞれに定めるものによってその効力を生ずる（信託法4③）。

　　A　公正証書又は公証人の認証を受けた書面若しくは電磁的記録（以下「公正証書等」と総称する。）によってされる場合　当該公正証書等の作成

　　B　公正証書等以外の書面又は電磁的記録によってされる場合　受益者となるべき者として指定された第三者（当該第三者が2人以上ある場合にあっては、その1人）に対する確定日付のある証書による当該信託がされた旨及びその内容の通知

　㋥　㋑から㋩までにかかわらず、信託は、信託行為に停止条件又は始期が付されているときは、当該停止条件の成就又は当該始期の到来によってその効力を生ずる（信託法4④）。

　以上の信託法上の定義からみると、典型的な信託契約の場合である「信託行為」は、「信託契約」であり、「信託の効力の発生」は、「信託契約の締結」によるということになるから、旧法と新法とで、特別の差異はないといってよいであろう。

ロ　「委託者以外の者が信託の利益の受益者である場合」という要件が外された理由についても、立案当局者の説明はない。このままでは、自益信託まで、贈与税が課税されるように法文上は認めるが、自益信託では、信託財産の移転がないから、当然課税も起こり得ないということで除外したものではないかと推測される。

ハ　「適正な対価を負担せずに」という要件の付加

従来なかった「適正な対価を負担せずに」という要件が付されている点について、立案当局者は次のように述べている（「平成19年版・改正税法のすべて」475頁）。

　「「適正な対価を負担せず」の趣旨は、信託に関する権利を売買等で取得した場合には、この規定の適用がないことを条文上、明らかにしたものです。従来は、規定の趣旨から明らかであるとして、同様に取り扱われていましたが、今回の改正により、規定の上でも明確化が図られたところです。」

　しかし、この説明には納得できないものがある。そもそも、信託に関する権利を売買するような事例が、それほど実務上多いのだろうか。筆者は寡聞にして聞いたことがない。「適正な対価を負担して信託の受益者となる」というのが信託の代表的イメージとは、どうしても考えられない。

　筆者は、このような改正をした真意は、現在の相続税法第7条ないし第9条の贈与税の課税対象とされる「著しく低い価額の対価の支払による利益」の表現を改めるための布石ではないかと思っている。というのも、周知のとおり、いわゆる負担付贈与通達の適用をめぐる訴訟事件で、当局側が「著しく低い価額の対価」の意義について「実質的に贈与を受けたものと認められる金額の有無」によって判断すべきものと主張したが、裁判所によりそのような基準は法文の趣旨に反すると退けられているからである（東京地裁平成19年8月23日判決（確定）TAINS・Z888-1280）。

　当局のこの主張の真意は、「著しく低い」の判断は、時価と対価の比率だけでなく、低いとされる部分の金額の大小にもよるべきであるということだったと思われる。この主張が容れられなかったことから、将来的に法文上「著しく低い対価」を「適正な対価を負担せず」と改めようと考えていると推測できる。この表現であれば、比率だけでなく、金額の大小でも適正な対価の判断ができる可能性が出てくるからである。

　しかし、そのような判断を認めることが当局の課税処分の恣意性を助長することにならないかという懸念はある。金額の大小の判断は、比率の判断以上に判断基準の困難さがあり、争いになりやすいからである。したがって、

I 贈与税の課税要件 673

筆者は、この改正には賛成しかねる。
ニ 「受益者」から「受益者等」へ
　次に、旧相続税法第4条で「受益者」とされていたのが、新相続税法第9条の2では「受益者等」と改められていることについて考えてみる。
　原則として受益者が信託に関する権利を有することは、従来も改正後も同様である。しかし、受益者が存しない場合、これまでは委託者（その相続人を含む。）が信託に関する権利を有することとして取り扱われていた（旧相基通4－1）。これは、旧信託法では、信託終了の場合において、信託行為で定められた帰属権利者がないときは、その信託財産は委託者又はその相続人に帰属する旨が定められていたことから、このように取り扱うことが妥当と考えられたことによるものである（香取稔編『相続税法基本通達逐条解説（改訂新版・平成18年）』139頁）。
　しかし、今回の改正信託法では「遺言によって信託行為が行われた場合には、原則として、委託者の相続人は、委託者の地位を相続により承継しない旨の規定（新信託法147）が設けられるなど、委託者は、基本的には何らの権利も有さないことがより明確化された。」とされている（「「相続税法基本通達」（法令解釈通達）の一部改正のあらまし（情報）」資産課税課情報第14号・平成19年7月4日付（以下「19年情報」という。）相基通9の2－1関係）（注）。
(注)　ただし、契約に基づく信託における委託者の地位及び遺言信託でも、別段の定めがある場合の委託者の地位については、相続が認められていることに注意する必要がある（寺本昌広著「逐条解説・新しい信託法」（以下「新信託法」という。）334～336頁）。
　こうしたことから「信託課税においても単に委託者であるということで課税関係を生ぜしめていた従来の方式から、受託者等に対して一定の行為を求めることができる権限と財産的な権利を有するか否かをメルクマールとして課税関係を生ぜしめることとされました。」（「平成19年版・改正税法のすべて」476頁）と説明されている。ところが、前記（注）のとおり、むしろ一般的には、新しい信託法は原則的に委託者の地位の相続性を認めることとしており

（認めないのは遺言信託で、しかも特約のない場合のみ）、当局の説明とは喰い違っている。したがって、少なくとも「19年情報」にある「委託者は、基本的には何らの権利も有さないことがより明確化された」という見解には疑問がある。

ともあれ、こうした考え方から、信託の効力が発生して、課税対象となる「受益者等」は、次の者をいうものとされている。(相法9の2①⑤、相基通9の2－1)。

　㋑　受益者としての権利を現に有する者
　㋺　特定委託者

以下これらについて検討しよう。

(イ)　受益者としての権利を現に有する者

これは、信託行為において受益者と位置づけられている者のうち、現に権利を有する者を指す（「19年情報」相基通9の2－1関係）。

ここでいう「受益者」とは、「受益権」（下記㋑、㋺）を有する者とされている（信託法2⑥⑦）。

　㋑　信託行為に基づいて受託者が受益者に負う債務であって信託財産に属する財産の引渡しその他の信託財産に係る給付をすべきものに係る債権（以下「受益債権」という。）
　㋺　これを確保するために信託法の規定に基づいて受託者その他の者に対し一定の行為を求めることができる権利

このことを前提にすると、信託法第182条第1項第1号に規定する残余財産受益者（以下「残余財産受益者」という。）（注）は、残余財産の給付を内容とする受益債権を有する者であり、かつ、信託の終了前から受益債権を確保するための権利を有することから、「受益者として現に権利を有する者」に含まれると解されている（「19年情報」相基通9の2－1関係）。

(注)　上記「19年情報」では、「残余財産受益者が、信託が終了し、当該信託に係る残余財産に対する権利が確定するまでは残余財産の給付を受けることができるかどうか分からないような受益債権しか有していない場合には、現に権

利を有しているとはいえないことから、このような残余財産受益者については、当該権利が確定するまでは受益者として権利を現に有する者に該当しないことは言うまでもない」とされている。しかし、実務的にどのような基準でそのような判断をするのかは何ら触れていない。このことは、信託設定時に課税されるかどうかに関わる問題であるから、このようなあいまいな文言では、適切な実務執行が難しくなると考えられる。

なお、次の(i)〜(iv)に掲げる者は、それぞれに掲げる事由により受益者に該当しないため、「受益者としての権利を現に有する者」には、当たらないこととして取り扱われる（相基通9の2、「19年情報」相基通9の2−1関係）。

(i) 停止条件が付された信託財産の給付を受ける権利を有する者…受益債権ないし受益債権を確保するための権利に停止条件が付されていることから、受益権を有していない。

(ii) 信託法第90条第1項第1号《委託等の死亡の時に受益権を取得する旨の定めのある信託等の特例》に規定する受益者…この者は、委託者の死亡の時に受益者となるべき者として指定された者が受益権を取得する旨が定められている信託の場合は、委託者が死亡する前はまだ受益者となっていない。

(iii) 信託法第90条第1項第2号に規定する受益者…委託者の死亡の時以後に受益者が信託財産に係る給付を受ける旨の定めのある信託の場合は、その受益者は、信託行為に別段の定めがあるとき以外は、委託者の死亡までは受益者としての権利を有しないこととされている。

(iv) 信託法第182条第1項第2号に規定する帰属権利者（以下「帰属権利者」という。）…この「帰属権利者」は、信託行為において残余財産の帰属すべき者となるべき者として指定された者であるが、残余財産受益者と異なり、信託の終了前は受益者としての権利を有さず、信託の終了後にはじめて受益者としての権利を有することとされている（信託法183①⑥、「新信託法」382頁）。

しかし、これだけの形式的な理由で帰属権利者には信託設定時に課しないのに、残余財産受益者に対しては課税するというのは納得し難いものがある。

法律的に異なるとはいえ、いずれにせよ、信託終了後でなければ信託財産の給付を受けられないのは同様であるし、帰属権利者として指定された者は、当然に残余財産の給付をすべき債務に係る債権を取得するとされているから（信託法183①）、実質的には、残余財産受益者と同じことになる。

　これらのことを考え合わせると、むしろ残余受益者の課税時期を信託終了の時期とすべきではないか。仮に、信託設定時に課税するとしても、ごく軽度の課税とするのが妥当ではないかと考える。

(ロ)　特定委託者

　「特定委託者」の定義については、法制上、次のようになっている（相法9の2①⑤、相令1の7、1の12④）。

　まず、「特定委託者」とは、信託の変更をする権限（軽微な変更をする権限として一定のものを除く。）を現に有し、かつ、当該信託の信託財産の給付を受けることとされている者（受益者を除く。）とされている。この「一定のもの」は、信託の目的に反しないことが明らかである場合に限り信託の変更をすることができる権限とされ、また、「信託の変更をする権限」には、他の者との合意により信託の変更をすることができる権限を含むものとされている（相令1の7①②）。さらに、停止条件が付された信託財産の給付を受ける権利を有する者は、上記の「信託財産の給付を受けることとされている者」に該当するものとされている（相令1の12④）。

　一方、「19年情報」相基通9の2－2関係の解説では、委託者は、例えば次のような権限を有しているから、原則として、委託者は信託を変更する権限を有していることになると解し、相基通9の2－2(1)で、委託者が同(1)に該当すれば、委託者を課税対象とすることをうたっている。

①　受託者の辞任に対する同意権（信託法57①）

②　裁判所に対する受託者の解任請求権（信託法58④）

③　裁判所に対する新受託者の選任請求権（信託法62④）

④　信託の変更、併合、分割又は終了する場合の同意権（信託法149①、151①、155①、159①、164①）。

すなわち、「特定委託者」とは、公益信託（公益信託ニ関スル法律第１条に規定する公益信託をいう。）の委託者（その一般承継人を含む。）を除き、原則として、次に掲げる者をいうものとされている（「19年情報」相基通９の２－２関係）。

(i) 以下の各場合における委託者
　　イ　委託者が信託行為の定めにより委託者を帰属権利者とした場合
　　ロ　信託行為に残余財産受益者等（残余財産受益者又は帰属権利者）の指定に関する定めがない場合
　　ハ　信託行為の定めにより残余財産受益者等として指定を受けた者のすべてがその権利を放棄した場合

(ii) 停止条件が付された信託財産の給付を受ける権利を有する者（相法９の２⑤に規定する信託の変更をする権限を有する者に限る。）

　なお、上記以外の者であっても、例えば信託法第89条第１項に規定する受益者指定権等（受益者を指定し、又は変更する権利）を有する者が、信託財産の給付を受ける権利を有している場合には、特定委託者に該当することとされている（注）。

(注) 公益信託の委託者（その相続人その他の一般継承人を含む。）は、特定委託者に該当することとされている（相法附則㉔）。したがって、前記「19年情報」相基通９の２－２関係の解説は、このことを頭に入れて読む必要がある。なお、この附則第24項は平成19年の改正の際挿入されたものであるが、その理由について、当局者の説明はない。これについては、後述「(6)公益信託に係る課税」の項で説明する。

　これを見ると、通達相互間が必ずしも整合性がとれておらず、受益者としての権利を現に有する者と特定委託者との関係がよく分からない所がある。例えば、帰属権利者として指定された者は「受益者としての権利を現に有する者」に含まれないとされているが（相基通９の２－１）、一方で、委託者が帰属権利者として指定されていれば「特定委託者」に該当するとされている（相基通９の２－２）。それらを見る限り、通達相互間に齟齬が生じているのは明らかである。課税対象者をどのように考えるのかについて、原則的な考

(3) **受益者等の有する信託について新たに信託の受益者等が存するに至った場合**

受益者等の存する信託について、適正な対価を負担せずに新たに当該信託の受益者等が存するに至った場合（後述(4)の場合を除く。）には、当該受益者等が存するに至った時において、当該信託の受益者等となる者は、当該信託に関する権利をその信託の受益者等であった者から贈与により取得したものとみなされる。ただし、その受益者等であった者の死亡に基因して受益者等が存するに至った場合には、遺贈とみなされる（相法9の2②）。

これに対応する旧法の規定はない（注）。また、具体的にどのようなケースが想定されていたのかについて、当局側から何の説明もない（「平成19年版・改正税法のすべて」475頁）。筆者の推定であるが、信託行為において、受益者を指定し、又は変更する権利を有する者（一般的には委託者だが、受託者又は第三者がこれらの権利を有することを定めることもできる。）を定めることができる規定（信託法90、「新信託法」253頁以下）が新設されたことによる頭の体操で考え出された規定ではないかと思う。

そのためか、この規定に関する相基通9の2－3及び「19年情報」の解説も、「信託の受益者等が存するに至った場合」とは、例えば、次に掲げる場合をいうとして、それ以上は何らの説明も加えていない。

① 信託の受益者等（相法9の2①に規定する受益者等をいう。以下同じ。）として受益者Aのみが存するものについて受益者Bが存することとなった場合（受益者Aが並存する場合を含む。）

② 信託の受益者等として特定委託者Cのみが存するものについて受益者Aが存することとなった場合（特定委託者Cが並存する場合を含む。）

③ 信託の受益者等として信託に関する権利を各々半分ずつ有する受益者A及びBが存する信託についてその有する権利の割合が変更された場合

（注） 受益者が不確定等の場合、旧相続税法では、次の信託について、それぞれに掲げる事由が生じたため、委託者以外の者が信託の利益の全部又は一部の

受益者となった場合には、その事由が生じた時において当該受益者となった者が、その受益権を委託者から贈与（特定の場合は、遺贈）により取得したものとみなすこととされていた（旧相法4②一～四）。

イ　委託者が受益者である信託について、受益者が変更されたこと（その変更が遺言によりされた場合には、遺贈とされる。）。

ロ　信託行為により受益者として指定された者が受益の意思表示をしていないため受益者が確定していない信託について、受益者が確定したこと。

ハ　受益者が特定していない、又は存在していない信託について、受益者が特定し、又は存在するに至ったこと。

ニ　停止条件付で信託の利益を受ける権利を与えることとしている信託について、その条件が成就したこと（その条件が委託者の死亡である場合には、遺贈とみなされる。）。

　この規定の奇妙さは、新しい受益者等がその信託に関する権利を「その信託の受益者等であった者」（仮に「前受益者等」という。）から「贈与」によって取得したものとみなす点にある。いくら「みなし規定」であるといっても、全く新しい受益者等の権利の取得に何らの行為もしなかった前受益者からの贈与とみなすというのは、法理からみてあまりにも強引すぎると思われる。新しい受益者が信託に関する権利を取得するのは、前受益者からではなく、委託者等が受益者指定権等（信託法89①）を行使して、受益者を変更したから、と考えるのが妥当ではないか。この点に関して、規定の再検討が必要のように思われる。このことは、以下の(4)、(5)でも同じである。

(4)　**受益者等の存する信託について一部の受益者等が存しなくなった場合**

　受益者等の存する信託について、その信託の一部の受益者等が存しなくなった場合において、適正な対価を負担せずに既に当該信託の受益者等である者が当該信託に関する権利について新たに利益を受けることとなるときは、その信託の一部の受益者等が存しなくなった時において、その利益を受ける者は、その利益をその信託の一部の受益者等であった者から贈与によって取得したものとみなされる。ただし、その受益者等であった者の死亡に基因してその利益を受けた場合には、遺贈によって取得したものとみなされる（相法9の2③）。

この規定についても「平成19年版・改正税法のすべて」（476頁）では、条文をそのまま掲げるのみで何らのコメントもない。この規定に関する通達（相基通9の2-4）でも、「受益者等の存する信託の権利の一部について放棄又は消滅があった場合には、原則として、当該放棄又は消滅後の当該信託の受益者等が、その有する信託に関する権利の割合に応じて、当該放棄又は消滅した信託に関する権利を取得したものとみなされることに留意する」と書いているだけである。そのかわり「19年情報」相基通9の2-4関係において、次のように説明されている。「法第9条の2第3項では、受益者等の存する信託について、当該信託の一部の受益者等が存しなくなった場合において、適正な対価を負担せずに既に当該信託の受益者等である者が当該信託に関する権利について新たに利益を受けることとなるときは、当該信託の一部の受益者等が存しなくなった時において、当該利益を受ける者は、当該利益を当該信託の一部の受益者等であった者から贈与（当該受益者等であった者の死亡に基因して当該利益を受けた場合には遺贈）により取得したものとみなされ、贈与税（遺贈の場合は相続税）が課税されることとされた。

ところで、受益者は、信託行為の当事者（委託者が受益者である場合のいわゆる自益信託）である場合を除き、受託者に対し受益権を放棄する旨の意思表示をすることにより、受益権を放棄することができる（新信託法99①）。また、信託行為で受益者指定権等を自己（委託者）又は第三者に与えたときは、当該受益者指定権等の行使により、受益者を指定し、変更することができることとされており、当該受益者指定権等が行使された場合には、旧受益者は受益権を失うこととなる（新信託法89①）。

したがって、その結果、受益者等の存する信託に関する権利の一部について受益者等が存しない場合が生じることとなるが、このような場合には、令第1条の12第3項の規定により、①当該信託についての受益者等（当該放棄又は受益者指定権等行使後の受益者等に限る。以下②において同じ。）が一であるときには、当該受益者等が当該信託に関する権利を全部を有するものと、また、②当該信託についての受益者等が二以上存するときには、当該信託に

関する権利の全部をそれぞれの受益者等がその有する権利の内容に応じて有するものとされている（筆者注：下記〔図1〕を参照）。

〔図1〕 信託の一部について受益者等が存しなくなった場合
（「19年情報」相基通9の2－4関係より）

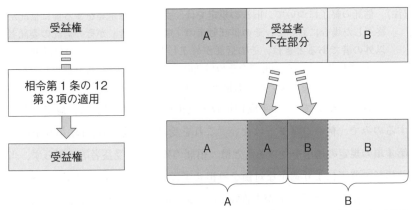

そこで、相基通9の2－4では、信託に関する権利について放棄又は消滅があった場合に利益を受けたものとみなされる受益者等及び受けた利益の算定方法について留意的に明らかにした。

なお、受益者等の存する信託に関する権利の全部について放棄があった場合にも、上記と同様な課税関係が生ずることとなるが、信託に関する権利のすべてが放棄されたときは、信託の終了事由に該当することもあることなどから、相基通9の2－4では、当該権利の一部の放棄又は消滅の場合について課税関係を示したものである。」

(5) **受益者等の存する信託が終了した場合**
① **原　則**

受益者等の存する信託が終了した場合において、適正な対価を負担せずに当該信託の残余財産の給付を受けるべき、又は帰属すべき者となる者があるときは、当該給付を受けるべき、又は帰属すべき者となった時において、当該信託の残余財産の給付を受けるべき、又は帰属すべき者となった者は、当該信託の残余財産（当該信託の終了の直前においてその者が当該信託の受益者等

であった場合には、当該受益者等として有していた当該信託に関する権利に相当するものを除く。）を当該信託の受益者等から贈与（当該受益者等の死亡に基因して当該信託が終了した場合には、遺贈）により取得したものとみなされる（相法9の2④）(注)。

(注) 信託の終了について、旧法の規定では、受益者が確定等をする前に信託が終了した場合において、その信託財産の「帰属権利者」がその信託の委託者以外の者であるときは、その信託が終了した時において、その信託財産の「帰属権利者」が、その財産をその信託の委託者から贈与により取得したものとみなすこととされていた（旧相法4③）。

　この規定についても、「平成19年版・改正税法のすべて」は、規定を引用するのみで、何らコメントはない。これを受けた通達でも、「法第9条の2第4項の規定の適用を受ける者とは、信託の残余財産受益者等に限らず、当該信託の終了により適正な対価を負担せずに当該信託の残余財産（当該信託の終了直前においてその者が当該信託の受益者等であった場合には、当該受益者等として有していた信託に関する権利に相当するものを除く。）の給付を受けるべき又は帰属すべき者となる者をいうことに留意する」（相基通9の2－5）と、これも当然のことを述べているだけである。そして、「19年情報」相基通9の2－5関係の説明でも次のように述べているに過ぎない。

　「ところで、法第9条の2第4項では、贈与税又は相続税の課税対象とされる者を残余財産受益者等に限定していないことから、信託の終了により適正な対価を負担せずに当該信託の残余財産の給付を受けるべき又は帰属すべき者となる者、例えば、受益権が複層化された信託（受益者連続型信託以外の信託に限る。）の元本受益者が、信託の終了により元本受益権相当部分以外の残余財産の給付を受けた場合には、同項の規定の適用があることになる。そこで、相基通9の2－5では、信託が終了した場合において、法第9条の2第4項の規定の適用を受ける者の範囲を留意的に明らかにした。」

　以上(1)から(5)までの信託に対する課税関係を図解したものが、「19年情報」相基通9の2－1関係の箇所に掲げられている（〔図2〕参照）。

Ⅰ 贈与税の課税要件 683

〔図2〕 信託に対する相続税・贈与税の課税関係
（「19年情報」相基通9の2-1関係より）

1 他益信託の設定（相法9の2①）

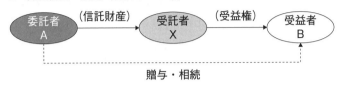

2 受益者の変更等（相法9の2②）

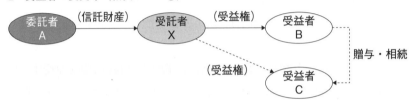

3 受益者の一部不存在（相法9の2③）

4 信託の終了（相法9の2④）

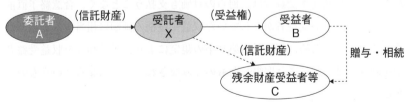

② 信託が合意等により終了した場合

　以後で検討する受益者連続型信託以外の信託（退職年金信託等、相続税法施行令1の6に規定する信託を除く。以下同じ。）で、当該信託に関する収益受益

権（信託に関する権利のうち信託財産の管理及び運用によって生ずる利益を受ける権利）を有する者（収益受益者）と当該信託に関する元本受益権（信託に関する権利のうち信託財産自体を受ける権利）を有する者（元本受益者）とが異なる信託（以下「受益権が複層化された信託」という。）が信託法第164条《委託者及び受益者の合意等による信託の終了》の規定により終了した場合には、原則として、当該元本受益者が、当該終了直前に当該収益受益者が有していた当該収益受益権の価額に相当する利益を当該収益受益者から贈与によって取得したものとされる（相基通9-13）。

これについての当局者の説明は、次のとおりである（「19年情報」相基通9-13関係）。

すなわち、旧信託法では、委託者が信託に関する利益の全部を享受する場合、すなわち委託者と受益者が一致するとき（自益信託）は、信託を解除することとされていた（旧信託法57）が、現在の信託法では、自益信託に限らず、委託者と信託に関する利益を享受する受益者全員が共同して信託終了の意思表示をすれば、信託を終了することができることとされた（信託法164）。

ところで、受益者連続型信託以外の「受益権が複層化された信託」が、信託法第164条の規定により合意終了された場合には、①元本受益者は当初予定された信託期間の終了を待たずに信託財産の給付を受けることになり、その反面、②収益受益者は、当初予定された収益受益権を失うこととなる。したがって、当該元本受益者は、何らの対価も支払うことなく、合意終了直前において当該収益受益者が有していた収益受益権の価額に相当する利益を受けることとなるため、相続税法第9条の規定により、当該利益を収益受益者から贈与又は遺贈により取得したものとみなされることになるというものである。

この点について当局は、次のような設例を用いて課税関係を説明している（〔図3〕参照）。

〔図3〕 受益権が複層化された信託が合意等により終了した場合
（「19年情報」相基通9－13関係より）
〔設例〕 貸地を30年間信託し、収益受益権は父、元本受益権は子が取得した場合（数字は「19年情報」のままである。）

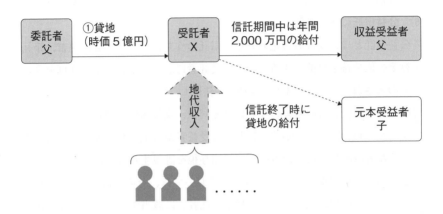

【受益権の価額（信託期間30年）】

	《設定時》	《5年後に信託契約の解除》
②収益受益権の価額	（2,000万円×22.396）＝4.5億円	（2,000万円×19.523）＝3.9億円
③元本受益権の価額	（①－②）＝0.5億円	（①－②）＝1.1億円

【課税関係】
《設　定　時》　　父⇒子　0.5億円の贈与
《5年後解除時》　父⇒子　3.9億円の贈与

　設定時の収益受益権の価額は、年額2,000万円の給付に、年2％、年数30年の複利年金現価率22.396を乗じて算出する。また、5年後に終了した時の失われた収益受益権の価額は、同じく年額2,000万円の給付に年2％、年数25年（30年－5年）の複利年金現価率19.523を乗じて計算している（「平成20年7月3日課評2－17「平成20年分の基準年利率について」の一部改正について

この設例のように、収益受益者と元本受益者が異なる場合には、まず、収益について受益の時期までの複利現価率によりその価額を評価し、元本については信託財産の価額から収益の現価を控除して計算する（評基通202(3)）。

(6) **公益信託に係る課税**

公益信託とは、受益者の定めのない信託のうち、学術、技芸、慈善、祭礼、宗教その他公益を目的とするもので、受託者において主務官庁の許可を受けたものとされている（公益信託ニ関スル法律1、2①）。この公益信託については、一般の受益者の定めのない信託と同様、課税関係が明確でないとされてきたが、昭和63年の税制改正において受益者が特定された場合に、委託者から受益者に贈与があったものとして贈与税を課税することに改められた。

しかるに今回の改正では、公益信託においては、その委託者（その相続人その他の一般継承人を含む。）は、「特定委託者」に該当するものとみなされて、相続税法の規定を適用するものとされた。すなわち、信託の効力が生じた時において、委託者から贈与により、信託に関する権利を取得したものとみなされて贈与税が課税されることになる（相法9の2①）。ということは、「委託者が委託者に贈与したものとみなされる」という珍妙なことになるわけである。

ただし、公益信託のうち所得税法施行令第217条の2第1項各号に掲げる要件を満たすもの（以下「特定公益信託」という。）については、合意により終了できないものであり、かつ、信託が終了した場合において信託財産が国若しくは地方公共団体に帰属し、又は当該特定公益信託と類似の目的のための公益信託として継続する。こういったことから、特定委託者の有する当該特定公益信託に関する権利は、極めて弱いものであると考えられて、特定公益信託の委託者の地位が異動した場合は、当該信託に関する権利の価額は零として取り扱われる（相基通9の2－6、「19年情報」相基通9の2－6関係説明）。

それを踏まえると、特定公益信託については、従来もその権利の価額は零

として取り扱うこととされていたので、実質的にはこの点は変わりがないといえるであろう（旧相基通4－1）。しかし、従来どおり、信託の課税は受益者が確定したときに行い、それまでに相続があったら委託者の相続人に相続税を課税する方がはるかに整合性があるように思われるが、どうか。

(7) **信託に関する権利と信託財産との関係の明確化**

信託に関する権利又は利益を贈与又は遺贈により取得したものとみなされた者は、その信託の信託財産に属する資産及び負債を取得し、又は承継したものとみなされて相続税法の規定が適用される（相法9の2⑥）。これは、従来国税庁通達で土地信託について適用されていた取扱い（旧土地信託通達（昭和61年直審5－6））で、今回の改正で、土地以外の信託財産にも適用されることが明らかとなったものである。

ただし、法人税法における集団投資信託、法人課税信託及び退職年金等信託については、受益者等が信託財産を所有しているとは言えないことから、この規定の対象外とすると説明されている（相法9の2⑥ただし書）。

(8) **受益者連続型信託**

① **受益者連続型信託の意義**

イ　後継ぎ遺贈と受益者連続型信託

受益者連続型信託は、いわゆる「後継ぎ遺贈」と同様の効果がある制度といえる。後継ぎ遺贈には法律上の明確な定義はないようであるが、例えば「受遺者（受益者）甲の受ける遺贈利益が、ある条件が成就し、又は期限が到来した時から、別の受遺者乙に移転する」という内容の遺贈を行うことを後継ぎ遺贈とされているようである。このような遺贈は、均分相続とは異なる財産承継の方法であり、生存配偶者その他の親族の生活保障や個人企業における有能後継者の確保のために有効な方法として、一定のニーズがあるとされていた。

ただし、この方法には法的な問題があった。例えば、遺贈の効力発生後、条件成就又は期限到来までの期間が長期にわたるとき、その間は、受遺財産をめぐる法律関係につき甲を拘束することになる。しかし、その間に甲が受

遺財産を処分したとき、あるいは甲の債権者がそれを差し押えたとき、乙は後継ぎ受遺者として、これらにどう対処できるのか、法律関係が必ずしも明らかではない。また、乙は甲から財産を承継するのではなく、当初の甲への遺贈が失効し、乙は甲への遺贈者から直接に遺贈を受けるものと解されている。

このように、後継ぎ遺贈は法律的に問題が多く、そのために、後継ぎ遺贈を実際に行い得るかどうかは疑問が伴うという批判もあった（中川善之助・加藤永一編集「新版注釈民法(28)・相続(3)」（有斐閣）173頁、中川善之助・泉久雄「相続法（第4版）・法律学全集24」（有斐閣）569、577頁）。

そこで、後継ぎ遺贈と同様の効果のある後継ぎ遺贈型の受益者連続型信託の制度が、このたび法制化されることとなったものである（信託法91、「新信託法」258頁以下を参照）。

ロ　信託法における受益者連続型信託

新しい信託法で創設された「受益者連続型信託」は、受益者の死亡により、その受益者の有する受益権が消滅し、他の者が新たな受益権を取得する旨の定め（受益者の死亡により、順次他の者が受益権を取得する旨の定めを含む。）のある信託をいう（信託法91）。

この信託は、信託がされた時から30年を経過した時に現に存する受益者に限って、受益権を取得することができる（信託法91）。

例えば、第1次受益者の死亡により第2次受益者が受益権を取得し、第2次受益者の死亡により第3次受益者が受益権を取得するというように、受益者の死亡により順次他の者が受益権を所得する定めのある信託がこれに該当する。なお、この第2次以降の受益者は、先順位の受益者からその受益権を承継取得するのではなく、委託者から直接に受益権を取得するものと法律構成されると解されている（「新信託法」260頁）。

ハ　相続税法上の「受益者連続型信託」

相続税法上は、次のとおり、信託法第91条の受益者連続型信託のみならず、同様の効果を有する信託を、「受益者連続型信託」として取り扱うこととさ

れている（相法9の3①、相令1の8）。
(イ) 信託法第91条に規定する信託

これは、受益者の死亡により、当該受益者の有する受益権が消滅し、他の者が新たな受益権を取得する旨の定め（受益者の死亡により順次他の者が受益権を取得する旨の定めを含む。）のある信託が相当する。

この信託に関しては、信託がされた時から30年を経過した時に現に存する受益者に限り、受益権を取得できることとされている。
(ロ) 信託法第89条第1項に規定する受益者指定権等を有する者の定めのある信託

これは、受益者を指定し、又はこれを変更する権利（「受益者指定権等」という。）を有する者の定めのある信託を指す。
(ハ) その他(イ)又は(ロ)の信託に類するものとされる次の信託（相令1の8）
　④ 受益者の死亡その他の事由により、当該受益者等の有する信託に関する権利が消滅し、他の者が新たな信託に関する権利（当該信託の信託財産を含む。(ロ)まで同じ）を取得する旨の定めのある信託

　　ここでいう定めには「受益者等の死亡その他の事由により順次他の者が信託に関する権利を取得する」旨の定めも含まれる。また、ここで規定する信託からは、信託法第91条に規定する信託は除かれる。
　(ロ) 受益者等の死亡その他の事由により、当該受益者等の有する信託に関する権利が他の者に移転する旨の定め（受益者等の死亡その他の事由により順次他の者に信託に関する権利が移転する旨の定めを含む。）のある信託
　(ハ) 信託法第91条に規定する信託及び同法第89条第1項に規定する「受益者指定権等を有する者」の定めのある信託並びに上記④又は(ロ)に掲げる信託以外の信託でこれらの信託に類するもの

② **受益者連続型信託の課税の特例**
イ 特例の概要

受益者連続型信託に対する権利を、受益者等が適正な対価を負担せずに取得した場合においては、次のような課税が行われるとされている（「平成19

年版・改正税法のすべて」478頁、相法9の2①～③)。
(イ)　最初の受益者は、委託者から贈与により取得したものとみなされて贈与税が課税される。ただし、その委託者であった者の死亡に基因して最初の受益者が存するに至った場合には、遺贈とみなされて、相続税が課税されることになる（相法9の2①)。
(ロ)　二番目の受益者は、最初の受益者から贈与により取得したものとみなされて贈与税が課税される。ただし、最初の受益者の死亡に基因して次の受益者が存するに至った場合には、遺贈により取得したものとみなされて相続税が課税される（相法9の2②③)。
(ハ)　二番目以降の受益者については、(ロ)と同様に課税されることになる。

　この規定は、極めて分かりにくいといわざるを得ない。また、第9条の3のタイトルは、「受益者連続型信託の特例」（「課税の特例」ではない。）となっていながら、内容は信託の権利の価額の評価であって、課税そのものについては何のコメントもなく、解説を読んではじめて分かるというものである。もし、受益者連続型信託の課税が原則の第9条の2の規定を受けるものというなら、むしろ同条の第1項として第9条の3の内容を規定すべきではなかったか。そうすれば、受益者連続型信託の課税は、原則方式によるということが一目瞭然であったと考えられる。何を意図して、敢えて分かりにくい立法をしているのか、疑念が残る。

　次に問題なのは、当初の受益者の次の受益者が、前の受益者から信託の権利を「贈与」により取得したものとみなしていることである。生命保険や死亡退職金がみなし相続財産になっているのとは訳が違う。前述したように、信託法上は、後順位の受益者は受益権を先順位の受益者から承継取得するのではなく、委託者から直接取得すると解されている（「新信託法」260頁）。後順位の受益者が信託の権利を取得することについて、前の受益者は何の行為もしていない。これを「贈与」とするのは、いくらみなし規定といっても疑問があり、むしろ所得税の一時所得として課税すべきだと思う。

ロ　権利の評価

(イ) 趣　旨

　ここで、受益者連続型信託に関する権利を、受益者（受益者が存しない場合にあっては、特定委託者）が適正な対価を負担せずに取得した場合について見てみよう。まず、当該受益者連続型信託に関する権利（異なる受益者が性質の異なる受益者連続型信託に係る権利（当該権利のいずれかに収益に関する権利が含まれるものに限る。）をそれぞれ有している場合にあっては、収益に関する権利が含まれるものに限る。）で、当該受益者連続型信託の利益を受ける期間の制限その他の当該受益者連続型信託に関する権利の価額に作用する要因としての制約が付されているものについては、当該制約は付されていないものとみなして権利の価額を計算することとされている（相法9の3）。

　この理由について、立案当局は次のように説明している（「平成19年版・改正税法のすべて」477、478頁）。

　「受益者連続型信託とは、いわゆる後継ぎ遺贈型信託のことであり、代表例としては、委託者Aの相続人である受益者B、C、Dが順番に受益権を取得する信託をいいます。

　この場合において、信託の受益権でなく他の財産（100）を相続人B、C、Dが順番に相続したとすると、先ずBは100の財産を相続し、その後CはBが費消しなかった50を相続し、最後にDはCが費消しなかった20を相続することになります。

　同様のことを信託法第91条に規定する信託により行うこととすると受益者Bは一旦は100の受益権を取得しますが、その死亡とともに受益権は消滅してしまうことから受益者Bが取得した受益権の価額が100となるかが問題となります（受益者Cについても同様です。）。

　相続税では、受益者Bが相続した財産の価額に基づき相続税課税が行われており、その後受益者が財産をいくら残そうと相続税の負担は変わりません。

　そこで、この受益者連続型信託についても他の相続財産と同様の課税とするためには、受益者B、Cが取得する信託の受益権を消滅リスクを加味しな

い価額で課税する必要があることから本特例が措置されました。

これにより、上記の例で言えば、委託者Aから受益者Bに50、受益者Cに30、受益者Dに20の受益権をそれぞれ取得したものとして相続税が課されるのではなく、受益者Bが100、受益者Cが50、受益者Dが20の受益権を取得したものとして課税されることとなります。」

この解説も極めてわかり難いが、その要旨は、次のようなものだといえよう。

すなわち、当初受益者が死亡して、受益権が次の受益者に移転すれば、結局当初取得した受益権価額のうち、次の受益者に移転した受益権価額しか当初受益者は享受していないから、その差額だけ課税すべきではないという考え方もあるが、一般の相続財産では相続後何かの理由で減額しても当初の相続税額は減額されないから、受益者連続型信託においても信託受益権の減額をする必要はないということだと思う。

なぜこんな持って回った説明をするのか。それに、後継ぎ遺贈型信託における受益権の移動のようなケース（当初取得した受益権の価額が移動時には減額する）は、一般の財産ではあり得ないケースだから、受益権の減額をしない理由の説明にはなっていないように思える。

(ロ)　評価額

いわゆる、受益権が複層化された受益者連続型信託（(イ)及び後述(ロ)(ハ)を参照）の収益受益権（信託に関する権利のうち信託財産の管理及び運用によって生ずる利益を受ける権利）を個人Ｘ１が、元本受益権（信託に関する権利のうち信託財産自体を受ける権利）を個人Ｙ１が有するものについて、収益受益権が個人Ｘ２に、元本受益権が個人Ｙ２に移転した場合における課税上のそれぞれの受益権の価額については、収益受益権の価額は、受益者連続型信託の信託財産そのものの価額と等しいとして計算され、当該元本受益権の価額は零となると説明されている（「平成19年版・改正税法のすべて」478頁、「19年情報」相基通９の３－１関係）。

しかし、筆者には、相続税法第９条の３第１項の規定から、どうしてその

ように読み取れるのか理解できない。筆者の全くの推測であるが、この相続税法第9条の3の規定は、受益権が複層化し、受益者がそれぞれ異なる受益者連続型信託の受益権の収益の受益権に関する規定であって、その収益受益権については何らの制約がないから、その評価額は信託財産の価額と等しくなるというつもりである（「平成19年版・改正税法のすべて」478頁）。しかし、評価通達202(3)では、元本受益者と収益受益者とが異なるときは、それぞれの受益権を評価することとされており、期間の制約がないとしたところで、それが直ちに収益受益権の価額が信託財産の価額と等しくなり、その結果、元本受益権の価額が零ということにはならないと考える。もしそうでないというなら、少なくとも「19年情報」で、その理由をもっと詳細に説明すべきではないか。

なお、この規定は、受益者連続型信託に関する権利を有することとなる者が法人（人格のない社団等を含む。）である場合には、適用されないこととされている（相法9の3①ただし書）。上記の例でいえば、収益受益権が個人Ｘ１から法人Ｚに、元本受益権が個人Ｙ１から個人Ｙ２に移転した場合には、個人Ｙ２が有する元本受益権の価額は零とはならず、財産評価基本通達202《信託受益権の評価》により評価した上で課税関係が生ずると説明されている（「平成19年版・改正税法のすべて」478頁、「19年情報」相基通9の3－1関係）。しかし、この点についても、解説等にその理由の説明はない。

次に、受益者連続型信託に関する権利の価額が、次のように例示されている（相基通9の3－1）。

㋑ 受益者連続型信託に関する権利の全部を適正な対価を負担せずに取得した場合…信託財産の全部の価額

㋺ 受益者連続型信託で、かつ、受益権が複層化された信託に関する収益受益権の全部を適正な対価を負担せず取得した場合…信託財産の全部の価額

㋩ 受益権が複層化された受益者連続型信託に関する元本受益権の全部を適正な対価を負担せず取得した場合（当該元本受益権に対応する収益受益権を法人が有している場合又は当該収益受益権の全部若しくは一部の受益者等が存

しない場合を除く。)…零

　このように、受益権が複層化された受益者連続型信託の元本受益権は、価値を有しないとみなされることから相続税又は贈与税の課税関係は生じないこととされている。ただし、信託が終了した場合において、当該元本受益権を有する者が当該信託の残余財産を取得したときは、贈与税又は相続税の課税関係が生ずることとなる（相法9の2④、相基通9の3－1（注））。

　以上の課税関係を図示すると、下記〔図4〕のようになる。

〔図4〕　受益権連続型信託に関する権利の価額
（「19年情報」相基通9の3－1関係より）

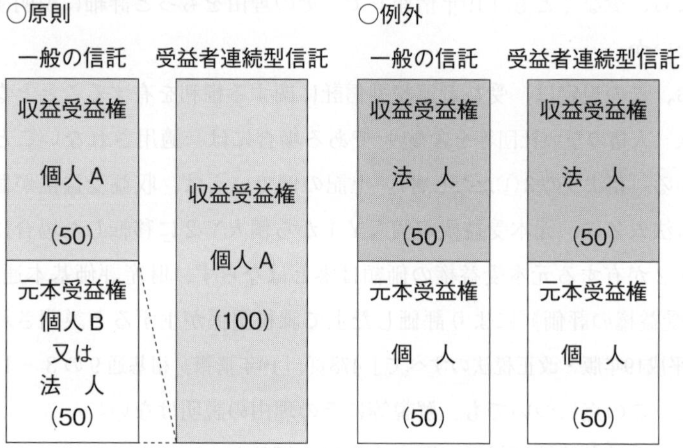

　○原則　　　　　　　　　　　　○例外

一般の信託	受益者連続型信託	一般の信託	受益者連続型信託
収益受益権 個人A (50)	収益受益権 個人A (100)	収益受益権 法人 (50)	収益受益権 法人 (50)
元本受益権 個人B又は法人 (50)		元本受益権 個人 (50)	元本受益権 個人 (50)

③　法人の株式の評価の特例

　受益権が複層化された受益者連続型信託で、個人がその収益受益権の全部又は一部を、法人（当該収益受益権を有する個人が当該法人の株式（出資を含む。）を有する場合に限る。）がその元本受益権の全部又は一部をそれぞれ有している場合において、当該個人の死亡に基因して、当該個人から当該法人の株式を相続又は遺贈により取得した者の相続税の課税価格の計算に当たっては、当該株式の時価の算定における財産評価基本通達185《純資産価額》の計算上、当該法人の有する当該受益者連続型信託に関する元本受益権（当該

死亡した個人が有していた当該受益者連続型信託に関する収益受益権に対応する部分に限る。）の価額は零とされる（相基通9の3－2）。

　なぜこのような規定になったかについては、次のように説明されている（「19年情報」相基通9の3－2関係）。

　すなわち、受益権が複層化された受益者連続型信託については、原則として収益受益者が受益権のすべてを有するものとみなされていると解されている（相法9の3①）（注）。したがって、個人が収益受益権の全部を、法人が元本受益権の全部をそれぞれ有しており、かつ、当該収益受益権を有する個人が、当該元本受益権を有する当該法人の株式（出資を含む。）を有している場合において、当該個人が死亡し、相続が開始したときにおけるその相続人の相続税の課税価格に算入される元本受益権を有する当該法人の株式の価額には、当該元本受益権の価額が算入される。しかし、当該元本受益権の価額は、収益受益権の価額（信託財産そのものの価額）に折込み済みであることから、二重課税となる。そこで、二重課税を回避するために、このような元本受益権を有する法人の株式の評価に当たっては、当該法人の資産として計上されている元本受益権の価額を零として取り扱うこととされたと説明している。

(注)　しかし、相続税法第9条の3第1項の規定をどう読めば、収益受益権の価額は信託財産の価額となり、元本受益権の価額は零になるのか、筆者には理解できない。

(9) **受益者等が存しない信託**

① **「受益者等が存しない信託」とは**

　「受益者等が存しない信託」について、特に税法上の定義は設けられていない。受益者も特定委託者もない信託のことをいうものと考えられる。しかし、詳細に見ると、次の二つの型に分けられよう。

イ　信託の設定時には受益者等が存しないが、将来受益者等が確定することが予定されているもの。

ロ　いわゆる「目的信託」のように、受益者の存在を予定せず、信託行為で

定められた信託の目的の達成のために管理処分等がされるもの。信託法上は、「受益者の定めのない信託」（信託法258）と呼ばれている。

しかし、いずれのタイプでも、信託の効力発生時には受益者等が存在しないことは同様なので、法人課税信託として、法人税が受託者に課税され（法法4の6①）、信託財産にキャピタルゲインが生じていれば、委託者から受託者へのみなし譲渡課税が行われること（所法6の3七）は、イもロも同じである。ただ、前者は、受益者が確定した段階で贈与税等が課税される可能性があり、後者は受益者等が存在する可能性がないため、相続税・贈与税の課税関係が生ずることはないという違いがあるということである。

② **受益者等が存しない信託等の課税**

「受益者等が存しない信託」については、①で述べたように、特に税法上の定義はない（法法2二十九ロ、相法9の4①）。文字どおり受益者も特定委託者もいない信託のことをいうと考えてよいであろう。例えば、AとBのうち早く税理士試験に合格した者を受益者とする信託などが考えられる。

イ　従来の課税

従来、受益者が存しない信託に対する課税は、次のようになっていた。

(イ)　信託財産に帰せられる収入及び支出については、委託者がその信託財産を有するものとみなされて所得税法又は法人税法を適用することとされていた（旧所法13①二、旧法法12①二）。すなわち、委託者がその信託財産から生ずる収益について所得税又は法人税を課税されていた。

(ロ)　受益者が信託設定の際に不確定ないし不存在であり、その後受益者が確定し又は存在するに至った場合には、次のような課税が行われることとされていた。

　㋑　受益者不存在等における信託の設定による財産の移転については、特に課税は行われていない。これは、受益者不存在等の場合は、(イ)のとおり信託財産を委託者（実質的な信託財産の所有者）が所有しているものとみなして税法が適用されるからである（「旧土地信託に関する所得税、法人税、相続税及び贈与税の取扱いについて」昭和61年直審5－6通達2－2

Ⅰ 贈与税の課税要件　697

参照)。
　㋺　受益者が特定又は存在するに至った場合の課税は、次のようになっていた。
　A　信託財産は受益者が有しているものとみなされて、受益者に収益課税が行われる(旧所法13①一、旧法法12①一)。
　B　受益者が特定又は存在するに至った場合の受益権の取得については、それぞれ次の時に委託者から贈与により取得(⒞の場合で条件が委託者の死亡である場合には、遺贈)により取得したものとみなされて贈与税(遺贈の場合は相続税)が課税される(旧相法4②二～四)。
　　⒜　信託行為により受益者として指定された者が受益の意思表示をしていないため受益者が確定していなかった場合…受益者が確定した時
　　⒝　受益者が特定していない、又は存在していなかった場合…受益者が特定し、又は存在するに至った時
　　⒞　停止条件付で信託の利益を受ける権利を与えることとしていた場合…その条件が成就した時
　C　受益者が確定若しくは特定していない又は存在していない信託の委託者について相続の開始があった場合には、その信託に関する権利は、委託者の相続人が相続によって取得する財産として取り扱われていた(旧相基通4－1)。従来のこの課税方式は、元本受益権の評価の問題はあったが、ほぼ妥当なものだった。
ロ　改正後の課税
　これに対し、今回の改正により「受益者等の存しない信託(法人税では「法人課税信託」の一つ(法法二十九の二ロ)とされる。)」についての課税は、次のように行われることとなった(「19年情報」相基通9の4－2関係参照)。
㈦　受益者等の存しない信託が設定された場合には、委託者において、信託財産の価額に相当する金額による譲渡があったものとみなされる(所法6の3七、「平成19年版・改正税法のすべて」322頁)。したがって、受託者はその譲渡を受けたことによる受贈益に対して法人税が課税され、他方、譲渡

財産にキャピタルゲインが発生していれば、委託者に対してそのキャピタルゲインが課税されることになるとされている（所法59、法法2二十九の二、4の6、4の7八、22、「平成19年版・改正税法のすべて」322～323頁）（注）。

(注) 委託者のキャピタルゲイン課税や受託法人の受贈益課税について明確な根拠条文の指摘が改正税法の説明中にないことに注意が必要である。

(ロ) 受託者に対しては、信託財産から生ずる所得について、その受託者の固有資産から生ずる所得とは区別して法人税が課税される（法法4の6）。受託者が個人であるときでも、法人課税信託の引受けを行うときは、信託財産から生ずる収益については法人税が課税される（法法4④）（注）。

(注) 「19年情報」相基通9の4－2関係の解説では、受託者が個人の場合は法人とみなされる旨の記載があるが、そのような規定は見当たらない。

(ハ) 受益者等の存しない信託について、受益者等が存することとなった場合には、その受益者等の取得による受贈益については、所得税又は法人税は課税されない。そのような場合には、他の法人課税信託（法法2二十九の二イ又はハに掲げる信託）に該当する場合を除き受託法人の解散があったものとされる（所法6の3五、法法4の7八）、また、法人である受益者は、信託財産を受託法人の帳簿価額で引き継ぎ、受贈益の発生がない仕組みとなっている（法法64の3②③）、一方、受益者が個人である場合の課税関係についても、同様の規定が設けられている（所法67の3）。これを図示すると〔図5〕のとおりである。

(ニ) 受益者等の存しない信託が終了した場合にも(ハ)と同様に、受託法人の解散があったものとみなされる（法法4の6八）。

本稿は、信託についての法人税・所得税の課税についての検討を目的としたものではないので、受益者等の存しない信託の課税の全般的な説明は、この程度に止めておき、これからは受益者等が存しない信託等についての相続税・贈与税の検討に入る。

ハ 受益者等が存しない信託に対する相続税・贈与税の課税
(イ) 従来の課税方法との比較・課税の趣旨

Ⅰ 贈与税の課税要件 699

〔図5〕 受益者が個人である場合

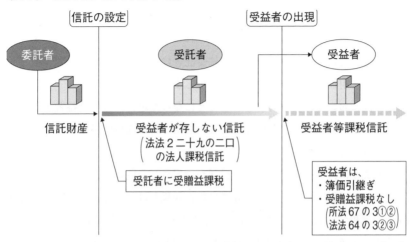

(出典「平成19年版・改正税法のすべて」323頁の図を一部修正)

　従来の税制では、イで述べたとおり、受益者が受益の意思表示をしない、あるいは受益者が特定若しくは存在しない又は停止条件が成就しないため受益者がない状態で信託が設定された場合には、その設定の段階では、委託者からの信託財産の受託者の移転については課税を行わず、受益者が存在することとなった段階で、受益権の取得について委託者からの贈与（停止条件の成就が委託者の死亡である場合には、遺贈）とみなして贈与税（遺贈の場合は相続税）が課税されるというものであった。

　ところが、改正後は、設定の段階で、まず受託者が信託財産の取得をしたことによる受贈益に対して法人税を課税し、その上信託財産が土地のようにキャピタルゲインが生じている場合には、その価額による譲渡があったものとして譲渡所得課税を行う。

　正にダブル課税である。このように、「受益者等が存しない信託」の設定は、別に、信託法の改正で新たに認められた訳ではないのに、課税は、信託の設定で行うという過酷な課税方式に改められたのである。このような課税方式をとった理由について、当局者は、次のようにコメントしている（「平

成19年版・改正税法のすべて」478頁以下)。

「受益者等が存しない信託における受託者への法人課税は、その後存在することとなる受益者等に代わって課税されるという考えによるものです。具体的には、受益者等が存しない場合に受託者に対し受贈益について課税し、その後の運用益についても受託者に課税します。

その後において、受益者が存することになった場合には、受益者が受託者の課税関係を引き継ぐことになり、この段階で特に課税関係は生じさせないこととされています。」

このように、受益者が存しない信託が設定された段階で従来のように委託者への収益課税で済まさず、受託者に収益課税だけでなく、信託財産の受贈益まで課税することとしたのは、前述のように、受益者の定めのない信託(目的信託)が遺言で設定された場合には、原則として、委託者の地位を承継しないこととされたこと(信託法147)を、さも、信託全体がそうなったかのように話をすり替えて、委託者の相続人に課税できないから財産が信託された段階での受託者課税に切り替えるのは必然であるかのように誤解させようとしているとしか思えない。

目的信託という受益者不存在の信託のごく一部について委託者の地位の相続がないこと(これも委託者の意思表示で変更できる(信託法147ただし書))とされているからといって、それだから委託者課税が全面的にできないこととなったということにはならない。そもそも受託者が信託財産を自由に処分できるわけでもないのに、なぜ受贈益が発生するのか。受託者は、単に将来の受益者のために信託財産を管理しているだけだから、仮に課税するとしても、収益課税だけで必要かつ十分である。信託財産元本に受贈益課税をするのはどう考えても行き過ぎである。元本課税は、受益者が存することとなった時に課税するという従来の課税の方法で十分であると考える。発生もしていない受贈益を受託者に課税する合理的な理由はない。

(ロ) 存在しない受益者が委託者の親族である場合の課税

① 課税の趣旨

この課税の趣旨について、当局者は次のように述べている（「平成19年版・改正税法のすべて」479頁）。

「…このような仕組みを使った相続税の課税回避策としては、例えば、相続人Aに半年後受益権が生ずる停止条件を付した信託をすることにより、相続税（最高税率：50％）ではなく、法人税（実効税率：約40％）の負担で済ませてしまうことが考えられます。

課税の公平を確保する観点からこのような租税回避に対応するため、受託者への受贈益が生じる段階において、将来、受益者となる者が委託者の親族である場合等において、受託者に課される法人税等に加えて相続税等を課することとされました。」

しかしこのような信託も従来から設定が可能で信託法の改正ではじめて認められたものではないのに、従来の確定段階での課税でなく、設定の段階で下記のように法人税・贈与税を課税しようというのである。これでは、受益者不存在の信託など怖くて使えないという声が出るのも当然である。

② 信託の受益者等が委託者の親族等である場合

受益者等が存しない信託の効力が生ずる場合において、その信託の受益者等となる者がその信託の委託者の親族等（④を参照）であるときは、その信託の効力が生ずる時において、その信託の受託者は、その委託者からその信託に関する権利を贈与によって取得したものとみなされて贈与税が課税される（相法9の4①）。ただし、信託の効力の発生が委託者の死亡に基因するものである場合には、遺贈により取得したものとみなされて相続税が課税される。

なお、受益者等となる者が明らかでない場合にあっては、その信託が終了した場合にその信託の委託者の親族等がその信託の残余財産の給付を受けることとなるときにも、同様の課税が行われる。

これらの場合、ロで述べたように、受益者等の存しない信託が設定されたときは、受託者に法人税（事業税・住民を含みます）が課税されているので、ダブル課税を排除するため、受託者に課される贈与税（相続税）から、

上記の法人税相当額の控除が行われる（相法9の4④、相令1の10⑤）。その詳細と、ここでいう親族等の範囲については、下記③④で説明する。

これらの関係を図示すると〔図6〕のとおりである。

〔図6〕 受益者等が委託者の親族等である場合

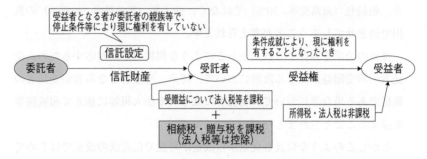

（出典「平成19年版・改正税法のすべて」480頁）

③ 受益者等が存しなくなった場合の次の受益者が委託者等の親族等であるとき

信託の受益者が存しないこととなった場合において、その受益者等の次に受益者等となる者が次のA又はBのいずれかの者の親族等であるときは、受益者等が存しないこととなった時において、その信託の受託者は、当該次の受益者の前の受益者等からその信託に関する権利を贈与により取得したものとみなされて贈与税が課税される（相法9の4②）。

　　A　その信託の効力が生じた時の委託者

　　B　次に受益者等となる者の前の受益者等

ただし、次に受益者等となる者の前の受益者等となる者の前の受益者等の死亡を基因として、当該前の受益者等が存しないこととなった場合には、遺贈とみなされて、次の受託者に相続税が課税される。

なお、次の受益者等となる者が明らかでない場合にあっては、その信託が終了した場合にその信託に係る上記A又はBの者の親族等がその信託の残余財産の給付を受けることとなるときにも、同様の課税が行われる。

これらの場合②で述べたのと同様に、設定に際して受託者に課税される

法人税等相当額は、上記の贈与税（相続税）から控除される（相法9の4④、相令1の10⑤）。

ところで、上記②又はこの③の将来の受益者については、複数名存することもあり得る。そのような場合には、相続税法第9条の4の規定が適用されるのは、当該複数名の受益者等全員が委託者等の親族等である場合に限られるのではないかという疑念が当然生じる。

これについて当局者は「19年情報」相基通9の4－3関係の説明において、次のように述べている。

「…条文上、そのような条件は付されていないのは明らかであることから、当該複数名の受益者等のうち1人でも委託者の親族等が存すれば上記の規定が適用されることになる。

そこで、相基通9の4－3は、そのことを留意的に明らかにした。」

④　親族の範囲

上記②及び③の「親族」とは、委託者又は前の受益者等と次の関係にある者をいう（相法9の4①、相令1の9①）。

 A　6親等内の血族

 B　配偶者

 C　3親等内の姻族

 D　その信託の受益者等となる者（信託の残余財産の給付を受けることとなる者及び次に受益者等となる者を含む（相法9の4①②）。）が信託の効力が生じた時（受益者等が不存在となった場合に該当することとなった時及びニの「契約締結時等」を含む。Eでも同じ。）において存しない場合には、その者が存するものとしたときにおいて、AからCまでの者に該当する者

 E　信託の委託者（次に受益者等となる者の前の受益者等を含む。）が信託の効力が生じた時において存しない場合には、その者が存するものとしたときにおいて、AからCまでの者に該当する者

⑤　法人税等相当額の贈与税等からの控除

二重課税を排除するため、信託の受託者について課される贈与税又は相続税から次のA・Bの額の合計額を控除することとされている（相法9の4⑤、相令1の10⑤）。なお、その合計額が贈与税又は相続税の額を超過しても、控除できるのは贈与税又は相続税を限度とされる。したがって超過額の還付はない。

 A 受託者が贈与又は遺贈により取得したものとみなされる信託に関する権利の価額から翌期控除事業税相当額(注)を控除した残額をその信託の受託者の事業年度の所得とみなして、法人税法の規定を適用して計算した法人税の額及び地方税法の規定を適用して計算した事業税の額

 (注) 「翌期控除事業税相当額」とは、贈与又は遺贈により取得したものとみなされる信託に関する権利の価額を信託の受託者の事業年度の所得の金額とみなして地方税法の規定を適用して計算した事業税の額をいう（相令1の10⑤二）。

 B 上記Aによって計算された法人税の額を基として地方税法の規定を適用して計算した受託者の道府県民税の額及び市町村民税の額

⑥ 受託者に課税される贈与税・相続税

 A 納税義務者

  上記により受託者が贈与税（相続税）を課税される場合において、受託者が個人以外の者（法人、人格のない社団等）であるときは、個人とみなされる（相法9の4③）。

 B 贈与税の課税方法の特例

  信託の受託者として贈与により取得したものとみなされる財産とそれ以外の贈与により取得した財産があるときは、それらの財産ごとに別の者とみなして贈与税を計算することとされている（相令1の10①）(注)。また、委託者が異なる信託を受託している場合には、それぞれの信託ごとに別の者とみなして贈与税を計算することとされている（相令1の10②）。

(注) 受託者が法人の場合、通常の贈与でも個人とみなして贈与税を課税するようであるが、通常の贈与には、法人税を課すべきではないか。

また、贈与税課税を受ける信託が2以上あり、受託者も2以上ある場合には、これらの受託者を1人とみなして贈与税を計算して、これを各受託者の課税価格の割合に応じて贈与税を按分して課税することとされている（相令1の10③）。

以上の関係を図示すると〔図7〕のようになる。

〔図7〕 法人課税信託に対する贈与税の課税（第1条の10①～③関係）

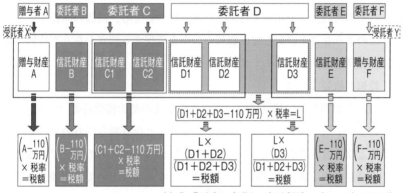

（出典「平成19年版・改正税法のすべて」482頁）

C　相続税の課税方法の特例

信託の受託者として遺贈により取得したものとみなされる財産とそれ以外の相続又は遺贈により取得した財産は、それぞれ別のものとみなして相続税を計算する（相令1の10④）。受託者が2以上いる場合も同様である。

ニ　受益者等が未出生の親族である信託に対する相続税・贈与税の課税の特例

(イ)　趣　旨

この特例の創設の趣旨について、当局者は、次のように述べている（「平成19年版・改正税法のすべて」480頁以下）。

「未だ生まれていない孫等を受益者とする信託を設定した場合等には受託者段階での負担（相続税法9条の4による贈与税等の負担を含みます。）だけで孫等への財産移転が可能となります。

ところで、通常の相続では生まれていない孫等へ財産を承継させるためには、少なくともその前に誰かに一旦財産を帰属させ、その後に、生まれてきた孫等に承継することとなります。このような場合に少なくとも2回の相続を経る必要がありますが、上記のように信託で行うと相続の回数を減らすことができ、その分の相続税負担を免れることとなります。また、受益者指定権を有する者を定め、信託の設定時において相続税法第9条の4の課税を回避し、その後親族等を指定するような場合についても、同様の問題が生じます。このようなことに対して、課税の公平を確保する観点から、本特例により適正化措置を講ずるものです。」

(ロ) 特例の概要

受益者等が存しない信託について、その信託の契約締結時等（注1）において存しない者（注2）がその信託の受益者等となる場合において、その受益者等となる者がその信託の契約締結時等における委託者の親族であるときは、当該存しない者が当該信託の受益者等となる時において、当該受益者となる者は当該信託に関する権利を個人から贈与により取得したものとみなされて、贈与税が課税されることとなっている（相法9の5）。

(注1)　「契約締結時等」は、次による（相令1の11）。
　　イ　契約による信託…信託契約締結の時
　　ロ　遺言による信託…遺言者の死亡の時
　　ハ　自己信託による信託（信託法3三）…次に掲げる時
　　　A　公正証書又は公証人の認証を受けた書面若しくは電磁的記録（「公正証書等」という。）によってされる場合…当該公正証書等の作成の時
　　　B　公正証書等以外の書面又は電磁的記録によってされる場合…受益者となるべき者として指定された第三者（2人以上のときはその1人）に対する確定日付のある証書による当該信託がされた旨及びその内容の通知の時
(注2)　「存しない者」とは、契約締結時において出生していない者のほか、養

子縁組前の者、受益者として指定されていない者などが含まれ、単に条件が成就していないため受益者としての地位を有していない者などは除かれるとされている(「平成19年版・改正税法のすべて」481頁(注3))。しかし、養子縁組前の者をどう「存しない者」に結び付けて課税できるのか筆者には分からない。そのためか、この点については、通達も「19年情報」も何も触れていない。

「個人からの贈与」とみなされることについて、「平成19年版・改正税法のすべて」481頁(注4)は、次のように述べている。

「この課税において、贈与する者を特定する必要性がないことから、個人からの贈与と規定されていますが、この個人の住所は、その信託の委託者の住所にあるものとされています(相令1の12②)。」

しかし、贈与とみなす以上は、誰からの贈与とみるのかが課税要件の一つではないだろうか。贈与は契約なのだから当事者が必要である。贈与者が特定できない贈与というのは筆者は理解できない。贈与者が特定できないのなら一時所得として所得税を課税する方がまだ筋が通るように思う。

この課税関係を図示すると、〔図8〕のようになる。

〔図8〕 受益者等がまだ存しない場合

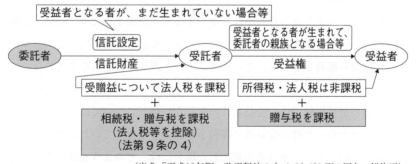

(出典「平成19年版・改正税法のすべて」481頁の図を一部修正)

(ハ) 相続税法第9条の4と第9条の5の適用関係

上記で述べたように、受益者等の存しない信託の効力が生ずる場合において、将来受益者となる者が委託者の親族等であるときは、受託者に贈与税

（相続税）が課税される（相法9の4）。その一方で、信託の契約締結時等において存しない者が信託の受益者とされ、かつ、その者が信託の契約締結時等における委託者の親族等であるときは、受益者となった時において贈与税が課税される（相法9の5）。

ところで、例えば、まだ生まれていない子を受益者とする信託を設定し、信託の効力が生じた時に信託の受託者に対して贈与税（相続税）が課税されたもの（相法9の4）について、その"生まれていない子"が出生し、当該信託の受益者となった時に相続税法第9条の5が適用されるのか疑問が生じるが、「19年情報」相基通9の5－1関係の解説では、「法第9条の5の規定の適用については、条文上、法第9条の4の規定の適用があったものについて適用しない旨の規定がないことからすれば、当該生まれていない子が出生し、当該信託の受益者となった時に贈与税が課税されるのは明らかである」としている（相基通9の5－1を参照）。

(二) 委託者又は受託者が死亡した場合の課税

　㋑　受益者等が有しない信託の委託者が死亡した場合

　　受益者等が存しない信託については、上述のように受託者に対して代替課税が行われるほか、受益者等が受益権を取得した場合には、原則として課税されず、また受益者等が存しないまま信託が終了した場合には、帰属権利者が信託財産を取得する。したがって、委託者は信託財産に関し原則的には何ら権利を有しないという考え方で、課税が行われることになっている。

　　従前の信託税制では、受益者等の存しない信託については、受益者が存することとなった時に受益者に課税されることとなっていたため、受益者が存しないうちに、委託者が死亡した場合には、どのような課税を行うか明確ではなかった。そのため、このような場合には、その信託に関する権利は、委託者の相続人が取得したものとして取り扱われていた（旧相基通4－1）。

　　しかし、改正後の信託税制では、委託者が原則として信託に関して何ら

の権利も有しないという前提での制度の構成となっているので、旧相基通4－1は削除され、受益者等が存しない信託の委託者が死亡した場合には、その信託に関する権利は委託者の相続財産を構成しないという解釈に改められた。ただし、信託の効力の発生が委託者の死亡に基因している場合には、信託に関する権利は遺贈によって受益者等が取得するので、例外的に委託者からの相続財産として受託者に相続税が課税されることになる（「平成19年版・改正税法のすべて」479頁、相基通9の4－2）。

　しかし筆者は、くり返し述べるとおり、信託財産について何の利益も受けていない受託者に課税することに疑問を持っている。

㋺　受益者等が存しない信託の受託者が死亡した場合

　受益者等の存しない信託の効力が生ずる場合等は、その受託者について信託財産の受贈益課税（法人税）が行われるほか、将来の受益者が委託者等の親族等であるときは、更に受託者に贈与税（相続税）が課税されることは既に述べたが、こうしたことから、受託者が個人である場合には、その受託者が死亡した場合には、当該信託に係る信託財産は、受託者の相続財産を構成するのではないかという疑問が当然生ずる。この疑問について、当局者は、次のように説明している（「19年情報」相基通9の4－4解説）。

　「…旧信託法第15条は、「信託財産ハ受託者ノ相続財産ニ属セス」と定めており、また、新信託法では当該規定は削除されているが、受託者の死亡によってその任務は終了し（新信託法56①）、信託財産は法人とみなす旨の規定（新信託法74①）が設けられていることからすれば、信託財産が受託者の相続財産を構成しないのは明らかである。

　そこで、相基通9の4－4は、そのことを留意的に明らかにした。」

　論旨そのものは理解できるが、それなら受託者の相続財産にならない信託に関する権利を委託者からの受贈益として法人税を課税する根拠はないということにならないだろうか。

⑽ **目的信託の課税**
① **目的信託とは**
　「目的信託」(Purpose Trust) は、現行信託法の改正要綱をとりまとめた法務大臣の諮問機関である法制審議会信託法部会の中間試案では「受益者を確定し得ない信託（いわゆる目的信託）」と呼ばれ、信託法第258条では、「受益者の定めのない信託」とされている。

　目的信託は、受益者の定め又は受益者を定める方法の定めのない信託すなわち受益権を有する受益者の存在を予定しない信託のこととされている。したがって、信託財産は、受益者の利益のためではなく、信託行為で定められた信託の目的の達成のために管理処分等がされることになるとされている（「新信託法」447頁）。このような、受益者の定めのない信託は、我が国の法制では、公益信託を除いて認められないものとされてきたが、信託の先進国である英米では「動物の世話のための信託」や「特定できる受益者が存在しない非公益信託」が法制上認められており、我が国でも、信託法改正の際のパブリックコメントでも、公益目的とまではいえなくとも、非営利活動への民間資金の導入や資産流動化の取引等における様々な有用性を指摘する声が多く、目的信託の導入に踏み切ったものである。

　この目的信託すなわち受益者の定め（受益者を定める方法の定めを含む。）のない信託の濫用を防ぐための主な要件は、次のとおりである（信託法258）。
イ　契約又は遺言の方法によってすることができる。自己信託の方法（信託法3三）では認められない。
ロ　受益者の定めのない信託においては、信託の変更によって受益者の定めを設けることはできない。
ハ　受益者の定めのある信託においては、信託の変更によって受益者の定めを廃止することはできない。
　また、受益者の定めのない信託の存続期間は20年を超えることはできない（信託法259）。

② 目的信託に対する課税

　目的信託で、かつ、特定委託者の存しないものは、受益者等が存しない信託に該当するので、受託者に法人税が課税される（法法4の6①）。信託の終了後は、信託財産の帰属権利者に課税されるが、帰属権利者が個人である場合、受託者は法人（個人でも法人とみなされる。）であるから法人から個人への贈与により所得税の課税関係が生ずる。しかし、相続税・贈与税の課税関係が生じることはない（相基通9の4－1）。

　目的信託に係る課税関係を図示すると〔図9〕のとおりである。

　しかし、目的信託は、特定の受益者は存在せず、信託の目的遂行のための信託なのであるから、設定当初のキャピタルゲイン課税や受託者への受贈益課税を行う必要性はないのではないだろうか。信託財産から生ずる収益だけを課税しておけば十分ではないかと思う。

〔図9〕　目的信託に対する課税

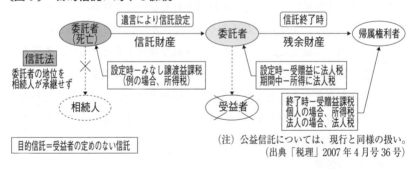

（注）公益信託については、現行と同様の扱い。
（出典「税理」2007年4月号36号）

(11) まとめ

① 従来の信託課税

　これまでに見てきたように、信託課税に対する従来の税制は、基本的には次のように組み立てられていた。

イ　委託者が信託財産を受託者に移転させた場合は、所有権は移転するが、その移転は形式的なものと考え、信託の受益者が信託の設定当時は存在しない場合には、委託者が信託財産を依然として所有しているものとして、

信託財産から生ずる収益は委託者のものとして課税していた。したがって、受益者が存在するに至る前に、委託者について相続が開始すれば、委託者の相続人が信託財産を相続したものとして、相続税を課税することとされていた。
ロ　そして、受益者が存在するに至った場合は、その存在するに至った時に、受益者は、その受益権を委託者から贈与（遺言により取得したときは遺贈）により取得したものとして贈与税（遺贈の場合は相続税）が課税されることになっていた。

② 改正後の信託課税

これに対して改正後は、特に信託の設定時に受益者が存在しない信託に対する課税の方法が、次のように大きく変わっている。
イ　まず、遺言による信託の場合、委託者の相続人は、原則として委託者の地位を承継しないという規定（信託法147）が設けられたことを理由として、委託者は信託財産について何らの権利も有しないとされる。この基本的認識の上に立って、受益者が委託者の親族で、かつ、不存在の場合には、受託者の受贈益を認定して法人税及び贈与税を課税するとともに、委託者に信託財産を譲渡したことについてキャピタルゲイン課税を行う。
ロ　受益者が存在するに至ったときには、受益者については課税を行わない。ただし、受益者が未だ存在しない親族であるときは、存在することとなった時において贈与税が課税される。

③ 新制度の評価

以上を見ると、受益者（親族）が不存在の場合の信託課税が全く変わっていることが分かる。すなわち、従前は、受益者が存在するに至った段階での課税で終わったのに、改正後は、受益者と受託者（信託の受託で何の権利も受けていない）に所得税と法人税のダブル課税（法人税を控除するとはいえ、受託者には贈与税も課税するのであるからトリプル課税）という重課税がされ、その上、未出生の親族が出生した場合には更に贈与税を課税するというのだから、受益者不存在の信託の場合、信託財産の大半は課税で失われてしまう

ことになりかねない。

　いくら、信託による租税回避を防止するといっても、ここまで課税をするのが妥当なのかどうか筆者は疑問に思う。これでは、受益者の不存在の信託の設定をする人はいないのではなかろうか。制度のすみやかな再検討を要望する。筆者は従来の税制の方が無理のない分かり易い制度だと思っているので、これを基本として考え直すべきだと思う。

4　贈与税の非課税財産

(1)　総　　説

　贈与税は、贈与により取得した財産を課税対象としているもので、その性格上、非課税とすべきものは少ないが、財産の性質、受贈者の公益性、人間の感情からみて幾つかの非課税財産が規定されている。ただ、法人からの贈与は、非課税といっても、贈与税が課税されない代わりに所得税が課税されるもので、他の非課税規定とは趣旨が異なっている点、注意する必要があるだろう。この他、香典等のように、取扱通達で非課税としているものもある。以下、非課税財産とされているものに検討を加えてみよう。

(2)　法人からの贈与

　法人からの贈与により取得した財産については、贈与税は課税されない（相法21の3①一）。ただし、この非課税措置は、既に述べたとおり、贈与税は課税しないというに止まり、贈与も所得の一種であるから、本来の性格に従って、それが所得税法上の非課税所得に該当しない限り、所得税が課税されることになるのである（注）。

（注）　所得税は、非課税所得の一として相続、遺贈又は個人からの贈与により取得するもの（相続税法の規定により相続、遺贈又は個人からの贈与により取得したものとみなされるものを含む。）を挙げている（所法9①十五）。これは、本来、贈与は所得であるという考えが前提となっていることを示すとともに、この非課税規定に挙げられていない法人からの贈与については、所得税が課税されることを明らかにしているものである。

　贈与税は、相続税の補完税としての性格があるとされる。即ち、被相続人

が相続税の負担回避を図るため、生前に贈与を行うことに対して贈与税を課税して、負担回避を防ぐのが贈与税の趣旨である。しかしながら個人と異なって、死亡即ち相続ということがない法人については、もちろん贈与による相続税の負担回避もあり得ないから、法人からの贈与に対しては、相続税の補完税としての贈与税を課税する理由がない。そこで、法人からの個人に対する贈与には、贈与税を課税しない（即ち、所得税を課税する）こととされているのである。

ところで、ここにいう「法人」については、特に定義はおかれていない。その理由は、「この規定の設けられている趣旨からも、また、規定上から何ら制限を設ける必要がない」（「相基通解説」410頁）と説明されている。しかし、規定上何らの説明がないため、疑問の生ずることも考えられるので、この「法人」には通常の私法人のみでなく、公法人である国、地方公共団体、あるいは内国法人のほか外国法人も含まれることが留意的に明らかにされている（相基通21の3－1）。

また、代表者又は管理者の定めのある人格のない社団又は財団は、税法上は法人格を有しないが、所得税法、法人税法、消費税法等では、これを法人とみなして各税法を適用している（所法4、法法3、消法3）。こうした代表者等の定めのある人格のない社団等は、個々の構成員を超えた単一性を有するし、もちろん相続もあり得ない。そこで、こうした人格のない社団等から個人への贈与は、法人からの贈与に準じ、贈与税が課税されないこととして取り扱われる（相基通21の3－2）（注）。

(注) 一方、個人からの人格のない社団等への贈与は、原則として、人格のない社団等を「個人」とみなして贈与税の納税義務者としているが、これは、個人には、相続があり得るから、個人から人格のない社団等への贈与には贈与税を課して負担の回避を防ぐ意味があると理解すべきであろう。

なお、法人からの贈与が贈与税の課税対象にならないことに関連して注意すべきは民法上の組合から個人が贈与を受けた場合である。もっとも、民法上の組合は、法人ではないから、民法上の組合から受けた贈与は、「法人か

ら受けた贈与」に該当せず、その組合の組合員から、その組合員の組合に対する出資の価額に応じて、財産を取得したことに取り扱われているので、注意を要する（相基通21の2－2）。

(3) **扶養義務者相互間において生活費又は教育費に充てるためにした贈与**
① **総　　説**

　扶養義務者相互間において生活費又は教育費に充てるためにした贈与により取得した財産のうち通常必要と認められるものについては、贈与税は課税されない（相法21の3①二）。

　扶養義務者相互間の扶養のための金品の授受は、いわば人間生活上の義務として行われるもので、そもそも贈与には該当しない（特に扶養義務の履行と認められるものは、もとより贈与ではないと考えるべきである。）というべきであろうが、仮にこれらの行為が利益供与の意思をもってなされ、贈与に該当する場合においても、贈与税は非課税となる（櫻井四郎著「相続と相続税法」（財経詳報社）303頁）とする考え方がある。著者もこの考え方に賛成する。「贈与」に対する非課税規定である以上、当然の解釈と考えるからである。これに対しては、生活費等の贈与に名を借りた負担回避のための贈与を誘発するという反論もあろうが、非課税とされるのは、「通常必要と認められるもの」という限定があるのであるから、実務上での弊害を生ずることはないと考える。なお、この点に関しては若干の問題があるが、後で検討することとする。

② **個別問題**
イ　「扶養義務者」の意義

　「扶養義務者」の意義については、既に述べたところであるが、非課税規定の解釈上重要なので、再度説明しておく（相法1の2一、相基通1の2－1を参照）。

　すなわち、ここでいう「扶養義務者」とは、配偶者及び民法第877条に規定する親族をいうものとされている（相法7ただし書）。即ち、配偶者及び民法第877条の規定による直系血族及び兄弟姉妹並びに家庭裁判所の審判を受

けて扶養義務者となった三親等以内の親族を指す。しかし、三親等内の親族で生計を一にしている者については、家庭裁判所の審判がない場合であっても、扶養義務者として取り扱われる（相基通1の2－1）。

なお、所得税法でも、扶養義務者相互間において扶養義務を履行するため給付する金品は、非課税とされている（所法9①十九）。

ロ 「生活費」の意義

「生活費」とは、その者の通常の日常生活を営むのに必要な費用（教育費を除く。）をいい、治療費、養育費その他これらに準ずるものも含むものとして取り扱われる。ただし、治療費、養育費等で保険金又は損害賠償金により補てんされる部分があるときは、その部分は生活費の範囲から除かれる（相基通21の3－3）。

具体的に生活費としてどの程度のものが認められるかについては、受贈者の個々の事情に応じて個別に判断すべきであって、一律な基準を設けるにはなじまないものと考える（注）。

(注) 生活費の程度について、「憲法25条1項によって保障されている「健康で文化的な最低限度の生活を営む」ことができる程度の費用に限定されるものではなかろう」とする意見がある（「北野コンメンタール相続税法」226頁）。理念としては賛成するが、具体的にどの程度のものを「最低限度」と考えるかは極めて難しいのではないか。

ハ 「教育費」の意義

次に、「教育費」については、被扶養者の教育上通常必要と認められる学資、教材費、文具費等をいい、義務教育費に限らないものとして取り扱われる（相基通21の3－4）。即ち、小学校、中学校の義務教育のための費用はもちろん、幼稚園、高等学校、大学等の一般教育及び各種学校・職業訓練所等における費用も含まれると考えてよいであろう。やや問題と思われるのは外国への留学費用であるが、現状では、特段の事情のない限り、教育費に含まれると解すべきであろう（注）。

(注) 「北野コンメンタール相続税法」226頁では、外国留学費用も含むと解すべきであろうとしている。

「教育費」の非課税規定に関して、しばしば問題になるのは入学のための寄付金を親が負担した場合の贈与税の課税についてである。例えば親が医科大学に入学することとなった子のために、医科大学に対して高額な寄付を行った場合は、この寄付は教育費とはいえないから、子に対する贈与として贈与税を課税すべきではないかという議論がよく行われるのであるが、親が行った寄付は、医科大学に対して行われたものであって、その寄付による利益も医科大学が享受するもので、親が子に対して贈与をしたものとは解し得ないと考える。もっとも、その寄付を親が行ったことにより、子が医科大学に入学して、教育を受ける利益を享受したとみることはできるかも知れないが、こうした子が学校に入学して教育を受ける利益について、これを経済的利益として贈与税を課税するという考え方はできないように思う（注）。

(注) 永野重知ほか著「相続税通達100問100答」（ぎょうせい）242頁参照。なお、同書241頁では、「生活費」の範囲に関し、借地権者である親のその借地上の親所有の建物に同居して、親を扶養している子が、老齢のため無収入である親のために地代を支払っている事例について、同居している家屋は居住用であるから、親が地主に支払うべき地代は、被扶養者である親にとって日常生活を維持して行く上で必要な費用と考えられる。したがって、その地代に相当する金額については「通常必要と認められるもの」に該当し、贈与税は課税されないものとする見解が示されている。

ニ　生活費又は教育費とされる贈与財産

次に、生活費又は教育費に充てるものとして贈与税の課税価格に算入しない財産は、生活費又は教育費として必要な都度これらの用に充てるために贈与によって取得した財産をいうものとして取り扱われる（相基通21の3－5）。即ち、生活費又は教育費に充てることを直接の目的として必要な都度なされたものであって、実際にも生活費又は教育費に直接充てられるものでなければならないということを、法の規定は意味しているものというのが、当局者の見解である（注）。

(注)　「相基通解説」413頁参照。

基本的な考え方としては、筆者も反対するものではないが、この「必要な

都度これらの用に充てるため」の贈与に限ることをあまりに強調すると、種々の問題が生ずることにもなりかねない。例えば、教育費を例にとれば、受贈者が小学生で親と同居していれば、日々必要に応じて所要の金額を与えられるであろうが、遠隔地の大学に入学し、その地で下宿している大学生に教育費を与える場合に、厳密に「その都度」与えるものしか対象にしないとすれば、実態にそぐわない結果となるのではないか。また、海外留学者のケースであれば、なお、一層、実態に応じて判断すべきではないか。即ち、生活費や教育費の支払の回数だけでなく、扶養義務者の資金の状況、海外生活者の生活の状況等をも総合的に判断した上で、贈与税の課税の有無を判断すべきものとする見解（注１）があるが、筆者もその考え方に賛成したい（注２）。

(注１)　「相続税通達100問100答」245頁参照。
(注２)　離婚に伴い一括して養育料が支払われる場合の贈与税の課税の取扱いについての次のような個別回答例（昭和57年６月30日直審５－５）がある。
　　　　この回答は、次のような内容のものである。即ち、離婚による子への養育料の支払は、通常長期間にわたるため、毎月の支払の履行の確保が困難な場合には、まとめて支払を受ける必要が生ずる場合があるが、まとめて支払われた養育料を監護養育者に費消されることを防止するため、これを金銭信託して、毎月均等に支払うこととした場合には、その一括して支払われた養育料には、贈与税は課税しないというもので、極めて当然のようにも思えるが、一括支払という形式に、当局があまりにこだわったことによる照会であったのではなかろうか。

　次に、生活費又は教育費の名義で取得した財産を預貯金した場合又は株式の買入代金若しくは買入代金に充当したような場合におけるその預貯金又は買入代金の金額は通常必要と認められるもの以外のものとして取り扱うものとされている（相基通21の３－５）。しかし、このような預貯金等や買入代金はむしろ、生活費や教育費に充てられなかったものというべきではなかろうか。

ホ　生活費等で通常必要と認められるもの
　「生活費等に充てるためにした贈与により取得した財産で通常必要と認め

られるもの」の意義は、被扶養者の需要と扶養者の資力その他一切の事情を勘案して社会通念上適当と認められる範囲の財産をいうものとして取り扱われる（相基通21の3-6）。

　ところで、この取扱いの解釈として、例えば、被扶養者が、多少の収入があって、それを生活費・教育費に充てることができるような場合には、「通常必要と認められるものの判定にあたりそれを考慮する必要がある、ということになるであろう（「北野コンメンタール相続税法」227頁）」とする見解があり、課税当局でも、このような考え方から、例えば、生計を一にする家庭で、収入のある者が数人いて、生活費を共同で負担している場合において、収入の少ない者が生活費の多くを負担し、高額収入者の負担が少ない場合、課税庁は、これは少額収入者から高額収入者への贈与部分があるとして課税を主張する事例があるやに聞いている。この課税庁の主張の根拠は次のような点にあると推察される。すなわち、

(イ)　取扱通達は、「扶養者の資力」を考慮せよとしていることから、非課税となるべき生活費負担は、このような事例の場合、その拠出者の収入に対応して定めるべきである。そうでないと、少額負担者の財産が相対的に高額負担者より増加して、贈与が行われたのと同様の結果になる。

(ロ)　この非課税措置は、扶養義務者相互間の生活費等の贈与に限られているから、当然非課税となる生活費等は民法上の扶養義務として負担を要求されている限度に限られるべきである（注）。

(注)　この扶養義務の程度については多くの裁判例があるが、老親扶養についての多数例は、次のように、生活扶助義務説によっている（於保不二雄ほか編集「新版注釈民法⑮」（有斐閣）499～504頁参照）。

　　(イ)　生活扶助義務説をとる判例
　　　　この説をとる判例は多いが、例えば、和歌山家裁昭和39年11月30日審判では「老齢の親に対する成熟者（有職者）たる子の扶養の程度は、子が従来の社会生活、社会的地位を害しない範囲で生活を節して生じた余裕をもって、これに充てるべきものと解するを相当とする」としている。

　　(ロ)　生活保持義務説をとる判例

この「生活保持義務」は、生活扶助義務よりも強度の義務でこれをとる判例は少ないが、傾向としては、新しいもので、例えば広島家裁平成2年9月1日審判では、「老親扶養は、過去における養育の事実、相続権の有無、扶養義務者と扶養請求者とのこれまでの交渉の程度などの点を考慮して、他の一般の親族扶養の場合とやや異なり、生活保持義務的な配慮をすることも許される」としている。

　しかし、筆者は、次の理由から、課税庁の考え方には同意できない。

(イ)　まず、法が非課税としているのは「扶養義務者相互間」において、生活費等に充てるためにした「贈与」により取得した財産のうち「通常必要と認められるもの」であって、民法の規定による扶養義務の履行とはしていない。しかも、問題としている事例は、生活費の共同拠出であって、このような拠出が単に収入とバランスがとれていないからといって、それが「贈与」になるといえるであろうか。また、万一それが「贈与」であるとしても、法の規定は、「贈与」を非課税としているのだから、「贈与」を理由として課税はできないはずである。

(ロ)　これに対しては、法の趣旨からみて、非課税となる贈与は、「通常必要と認められるもの」に限られており、その範囲は民法の要求する扶養義務の履行に限られるべきであるという主張が予想される。しかし、①にも述べたように、そのような解釈は法文上筆者は到底読みとれない。法文の規定は、非課税となるのは、生活費等として通常必要な金額と規定しているのみである。「通常」という言葉が使われている以上、一般的に必要な生活費そのものの金額を規定しているものと解すべきである。この規定の文面から当局のいうような、その必要な金額は、被扶養者の収入金額を考慮して決定すべきというような解釈はでてこない。この点通達自体にも問題があり、民法の扶養義務の範囲に引きずられ過ぎているのではないか。そう考えなければ、「贈与」を非課税とする法の意味は全くなくなってしまうことになる。

(ハ)　百歩譲って、当局の考え方どおりだとしても、非課税となる扶養義務の範囲を実務上どう判定するのか。前述のようにその範囲については、生活

扶助義務説、生活保持義務説に分かれ、具体的金額の算定についても判例は全く一致していない（前掲「新版注釈民法⑸」504頁）。このような定説のない扶養義務の判断を納税者や課税庁に強いるのは、酷というものではないか。

㈡　筆者の意見については、それでは資力のある者が生活費を他から受けても課税されないことになって、負担の公平が保てないという反論がされるであろう。しかし、法が非課税にしているのは「生活費等で通常必要と認められるもの」で、かつ、それが実際に生活費等に充てられているものに限られるのであるから、実際には、それほどの弊害が生ずるとは思われない。最も微妙である生活費の負担の穿鑿で、善良な納税者の感情を害するような税務執行は、当局のためにもならないものと考える。そのような配慮のためにこの非課税規定が設けられたのではないか。

㈢　以上に述べたことのほか、筆者は、この生活費等の非課税規定の解釈について根本的な疑問があり、当局の見解を示してほしいと考えている。

即ち、当局が、この非課税規定の対象と考えているらしい民法の扶養義務は、裏返せば、被扶養者の扶養請求権であるが、この権利は、一定の親族間において親族たる地位に基づいて発生し、存続する権利であり、親族権の一種にほかならず、一身専属権である。もっとも、その性質上、譲渡、担保権の設定、放棄などの「処分」はできないものとされているが（民法881）、権利の内容は、生活の保持又は扶助を目的とし、財産的内容を有するから、財産権の一種にほかならない。扶養請求権は、請求権としては、同性質を有するから、債権に関する規定が適用され、扶養請求権の侵害は不法行為とされる（大審院大正3年10月29日判決）（注）。したがって、この扶養請求権は、離婚による不動産をもってする財産分与が、財産分与請求権の消滅の対価として有償譲渡であり、所得税法第59条の適用対象である無償譲渡即ち贈与でないと判断された事例（cf.最高裁昭和50年5月27日判決）と同様な性質を持つものと解すべきではないか。

（注）　以上の記述は、前掲「新版注釈民法⑸」477頁以下を参考とした。

そうであるとすれば、当局の考え方によると、本来贈与でないものを非課税として規定したことになって、全く無意味な規定になりかねない。したがって、この規定を意味のあるものとするためには、筆者のような解釈しかないと考えるがどうか。

ヘ　生活費等に充てるために財産の名義変更があった場合の取扱い

　贈与税が課税されない生活費等は、既に述べたように、必要な都度これらの用に充てるために贈与によって取得した財産を指すものである。したがって、預貯金、株式等を贈与して、それを基金としてその果実である利子、配当等を生活費に充てている場合には、その預貯金、株式等自体を生活費等に充てているということにはならないから、預貯金、株式等は、非課税の対象とすることはできないことになる。したがって、財産の果実等を生活費に充てるため名義の変更があった場合には、一般の対価の授受のない不動産や株式の名義変更の場合と同様に（相基通9－9）、その名義変更の時に、その利益を受ける者がその財産を贈与によって取得したものとして取り扱われる（相基通21の3－7）。

③　判　例

　生活費等の非課税に関する判例を若干列挙しておく。

イ　義妹を多年にわたって養育した対価として土地の贈与を受けたもので、有償取得であるとの主張に対して、単純に土地を移転する意志に出たものであって原告が義妹から贈与によって右土地を取得したことを認めることができるとされた（広島地裁昭和37年6月18日判決）。

ロ　原告は、住居の新築費用70万円のうち自己資金40万円以外の不足分30万円を父より借用した。父は、この金は、自己の老後の生活費及び原告の養育費として貸与し、利息を付けて返済を受けているとの主張に対して、Ⓐ原告の父は弁護士として相当活発に活動しており、相当資産を有していること、Ⓑ原告に建物敷地を贈与していること、Ⓒ原告は右金員授受は貸与であり、返済も約定どおりなされていると主張するが、借用証書は作成されず、返済金の領収書も提出されていないこと、Ⓓ父の原告に対する愛情

は一方ならぬものが窺えること等に微し、貸与というよりむしろ親子間の自然の愛情に基づく贈与と認めざるを得ないとして、扶養義務の履行によるものとはいえないと判示した（横浜地裁昭和38年3月11日判決）。

ハ 親権者が子の所有建物に対して修繕を施すことは親権者の財産管理行為というべきであるが、修繕の程度を越脱した増改築が行われた場合には、これをもって親権者の財産管理行為とはいい得ず、更に右増改築が親権者の費用をもって行われたときは、右増改築により増加した建築価額は親権者が子に贈与したものというべきであるとされた（宇都宮地裁昭和36年10月13日判決、同旨東京高裁昭和37年12月20日判決）。

(4) **公益事業用財産**

① 総　説

宗教、慈善、学術その他公益を目的とする事業を行う者が贈与により取得した財産で、その公益を目的とする事業の用に供することが確実なものは、贈与税の非課税財産とされている（相法21の3①三）。ただし、これらの財産を取得した者がその財産を取得した日から2年を経過した日において、なおその財産を公益を目的とする事業の用に供していない場合には、この非課税措置はなくなり、贈与税を課税することとされている（相法21の3②、相法12②）。

② **公益を目的とする事業を行う者**

イ 範　囲

既に、相続税の非課税財産の項で述べたところと同様であるが、再度簡単に説明しておくこととする。

即ち、この特例の対象となる公益を目的とする事業を行う者は、専ら社会福祉法第2条に規定する社会福祉事業、更生保護事業法第2条第1項に規定する更生保護事業、学校教育法第1条に規定する学校を設置し、運営する事業その他の宗教、慈善、学術その他公益を目的とする事業で、その事業活動により文化の向上、社会福祉への貢献その他公益の増進に寄与するところが著しいと認められるものを行う者とされる（相令4の5、2）。

ただし、その者が個人である場合にはイに掲げる事実、その者が人格のない社団又は財団（ロ及びハで「社団等」と略称）である場合には、ロ及びハに掲げる事実がない場合に限られる（相令4の5、相令2ただし書）。

(イ) その者にその財産の贈与をした者又はその者若しくはその贈与者の親族その他これらの者と特別関係（相法64①、相令31参照）がある者に対してその事業に係る施設の利用、余裕金の運用、金銭の貸付け、資産の譲渡、給与の支給その他財産の運用及び事業の運営に関し特別の利益を与えること

(ロ) 社団等の役員その他の機関の構成、その選任方法その他その社団等の事業の運営の基礎となる重要事項について、その事業の運営が特定の者及びその親族その他その特定の者と特別関係がある者の意思に従ってなされていると認められる事実があること

(ハ) 社団等の機関の地位にある者若しくはその財産の贈与をした者又はこれらの者の親族その他これらの者と特別関係がある者に対してその社団等の事業に係る施設の利用、余裕金の運用、解散した場合における財産の帰属、金銭の貸付、資産の譲渡、給与の支給、その社団等の機関の地位にある者への選任その他財産の運用及び事業の運営に関し特別の利益を与えること

次に、公益事業用財産の贈与が非課税とされる「公益を目的とする事業を行う者」は、<u>財産を取得した時において</u>、上記の要件に該当する公益事業を行っている者をいうものとされるが、次に掲げる者も、これに該当するものとして取り扱われる（公益事業用財産通達1。相続税の非課税財産の項を参照）。即ち、財産の取得の時には要件をクリアしていなかった者についても、その年の年末までに要件を満たしたときは弾力的に取り扱われるということである。

① 財産取得の時には、上記の要件に該当する公益事業（以下「法施行令第2条に該当する事業」という。）以外の公益を目的とする事業を行っていた者で、財産取得の日の属する年の末日までに、その財産をその事業の用に供することにより法施行令第2条に該当する事業を行うことと

なったもの
　ロ　財産取得の日の属する年の末日までに、その財産をもって法施行令第2条に該当する事業を開始した者
③　**公益事業**
　「公益を目的とする事業」の範囲について、必ずしも法律上明確ではないため、しばしば争訟の対象となっていることは、既に述べたとおりである。また、個別の法律で、公益事業とされているもの（例えば労働関係調整法第8条は、運輸事業、郵便若しくは通信の事業、水道、電気若しくはガス供給の事業又は医療若しくは公衆衛生の事業で、公衆の日常生活に欠くことのできないものとしている。）が個人で行っていた場合、贈与税の非課税対象となるとは限らないし、営利性・収益性があっても、幼稚園や保育園は、公益事業とみられている。そこで、一応の判断基準として、取扱通達は、公益事業について、事業の種類、規模及び運営が、次のイからハまでに該当すると認められる事業は、相続税法施行令第2条の「公益の増進に寄与するところが著しいと認められる事業」に該当するものとして取り扱われる（公益事業用財産通達2）ものとしている。
イ　事業の種類
　これは、令第4条の5において準用する令第2条に規定する事業及びその他社会一般において公益事業と評価されるものを例示的に掲げたものであるとされる。即ち限定列挙ではないということである。
　イ　公益社団法人及び公益財団法人の認定等に関する法律第2条第4号に規定する公益目的事業
　ロ　社会福祉法第2条第2項各号及び第3項各号に掲げる事業
　ハ　更生保護事業法第2条に掲げる更生保護事業
　ニ　学校教育法第1条に規定する学校教育又は学校教育に類する教育を行う事業
　ホ　育英事業
　ヘ　科学技術に関する知識の普及又は学術の研究に関する事業

(ト) 図書館若しくは博物館又はこれらに類する施設を設置運営する事業
(チ) 宗教の普及その他教化育成に寄与することとなる事業
(リ) 保健衛生に関する知識の普及その他公衆衛生に寄与することとなる事業
(ヌ) 政治資金規正法第3条に規定する目的のために政党、協会その他の団体の行う事業
(ル) 公園その他公衆の利用に供される施設を設置、運営する事業
(ヲ) (イ)から(ル)までに掲げる事業を直接助成する事業

ロ 事業の規模

　事業の内容に応じ、その事業を営む地域又は分野において社会的存在として認識される程度の規模を有しており、かつ、その事業を行うために必要な施設その他の財産を有していること。

ハ 事業の運営

(イ) 事業の遂行により与えられる公益が、それを必要とする者の現在又は将来における勤務先、職業等により制限されることなく、公益を必要とするすべての者（やむを得ない場合においては、これらの者から公平に選出された者）に与えられるなど公益の分配が適正に行われること

(ロ) 公益の対価は、原則として無料（事業の維持運営についてやむを得ない事情があって対価を徴収する場合においても、その対価は事業の与える公益に比し、社会一般の通念に照らし著しく低廉）であること

④ 高度の公益事業を行う者

　この公益事業への贈与について非課税の適用を受ける者は、相続税法施行令第2条に規定する「専ら……公益の増進に寄与するところが著しいと認められる事業（以下「高度の公益事業」という。）」を行うものであるが、具体的には、次のとおり扱われる（公益事業用財産通達3）。

イ　個人の場合は、高度の公益事業のみを専念して行う者をいう。

ロ　社団等の場合は、高度の公益事業のみをその目的事業として行う社団等をいう。

⑤ **特別の利益（個人が公益事業者の場合）**

個人が公益事業を行う者である場合の非課税規定の適用は、贈与者又は公益事業を行う者若しくはその親族その他特別の関係のある者について特別な利益を与えることのない場合に限られるが、その「特別の利益を与えること」の意義は、次のとおりとされている（公益事業用財産通達4）。

イ これらの者が役務を提供し、又はこれらの者の財産を利用に供している等の有無に関係なく、高度の公益事業に係る金銭その他の財産の支給を受けていること。

ロ これらの者が高度の公益事業に係る余裕金を生活資金に利用し、又はその施設を居住の用に供している等これらの財産を無償又は有償で利用していること。

ハ これらの者が利息の有無に関係なく、高度の公益事業に係る金銭の貸付けを受けていること。

ニ これらの者が対価の有無に関係なく、高度の公益事業に係る資産を譲り受けていること。

この取扱いは、このようにかなり厳格なものであるが、その趣旨について、国税庁当局者は、要旨次のように説明する。すなわち、この非課税規定は、個人帰属のままで、贈与財産を非課税とするものであるから、一般の課税財産と区別する必要がある。贈与者又は特別関係者が、贈与した公益事業に対し、役務提供又は資金の貸付けにより給付を受ければ、一般の私企業からの利益享受と何ら異ならず、特別関係者等が受ける給付は公益事業の余裕金の先取りになるから、財産は法形式では個人帰属でも、その公益事業は私的支配を脱却した一の事業体として独立したものとする必要がある。また、ロの要件である施設の利用については有償であれば、その対価が適正であるならよいではないかという考え方もあろうが、有償であれば非課税となるのでは、容易に租税回避に用いられ、そうでなくても、私的支配が残ることになるというものである（「相基通解説」803～804頁参照）(注)。

(注) この原則に対する例外として、既に述べた幼稚園等の教育用財産の相続税

の非課税の特例がある。これは幼稚園の学校法人化の促進策として、適正な家事充当金が支出されている場合でも、相続税の場合に限り非課税措置が講じられているものであるが、特例とはいえ、現行の取扱いに対してどのような理由付けができるのか極めて難しい問題があるといわざるを得ない。

⑥ **事業運営等（社団等が公益事業者の場合）**

社団等が公益事業を行う者である場合の非課税規定の適用は、㋑事業運営の基礎となる重要事項が特定の者又はグループによって決定され、運営されている事実がないこと及び㋺特定の者又はグループに特別な利益を与えないことの二つの要件を満たしている場合に限られる（相令2二、三、四の五）。これらの要件の内容は次のイ及びロのとおりである。

イ　その社団等の役員その他の機関の構成、その選任方法その他その社団等の事業の運営の基礎となる重要事項について、その事業の運営が特定の者及びその親族その他その特定の者と特別関係がある者の意思に従ってなされていると認められる事実がないこと（相令4の5、2二）。

　ここにいう「事業の運営の基礎となる重要事項」とは、役員その他の機関の構成、その選任方法のほか、次に掲げる事項がこれに該当するものとして取り扱われる（公益事業用財産通達5）。

㋑　その事業の遂行により与えられる公益を受ける者の選任、与えられる公益の種類及びその程度の決定

㋺　事業の運営に関する諸規則の制定

㋩　事業計画及び予算の決定並びに決算の承認

㋥　事業の廃止又は縮少

㋭　㋥により不用となった財産の処分

　また、「特別関係がある者の意思に従ってなされていると認められる事実」とは、社団等の運営の基本となる規則、規約その他の規定（以下このイにおいて「規約等」という。）に次の㋑から㋥までの事項が定められていないこと、又は社団等の事績に、㋭から㋣までの事実が認められることをいうものとして取り扱われる（公益事業用財産通達6）。

㋑　特定の者及びその者と特別関係がある者が社団等の構成員又は役員その他の機関の地位にある者の総数の3分の1以下であること
　㋺　社団等の機関の地位にある者の選任は、社団等の代表者の指名又は委嘱によるなど恣意的に選任されることなく、例えば、社団等の総会若しくは公正に選任されている評議員会の選挙により選出されるなど、その行う事業の種類に応じ、機関の地位にあることが適当と認められる者がその地位に選任されること
　㋩　事業の種類に応じ相当数の評議員、運営委員又はこれらの者に準ずるもの（以下「評議員等」という）を置くこと
　㊁　イの最初で述べた重要事項の決定又は変更は、評議員等の意見を聴き、役員の全部又は大部分の賛成を得てされること
　㋭　公益が主として特定の者及びその者と特別関係がある者に与えられること
　㋬　高度の公益事業のために支出される費用の額が社団等の収入からみて過少であるなど社団等の経理がその事業の目的に照らし適正でないこと
　㋣　社団等の運営がその規約等に違反して行われたこと
ロ　その社団等の機関の地位にある者又はその財産の贈与をした者又はこれらの者の親族その他これらの者と特別関係がある者に対してその社団等の事業に係る施設の利用、余裕金の運用、解散した場合における財産の帰属、金銭の貸付、資産の譲渡、給与の支給、その社団等の機関の地位にある者への選任その他財産の運用及び事業の運営に関し特別の利益を与えること（相令4の5、2三）。

　この「特別の利益を与える」とは、社団等の機関の地位にある者、贈与をした者又はこれらの者の特別関係がある者について例えば、次に掲げる事実がある場合又はその事実があると認められる場合がこれに該当するものとして取り扱われる（公益事業用財産通達7）。
　㋑　社団等の施設その他の財産を居住、担保、生活資金その他私的の用に利用していること

ロ 社団等の余裕金をこれらの者の行う事業に運用していること

ハ その社団等が解散した場合に残余財産がこれらの者に帰属することとなっていること

ニ 当該社団等の他の従業員に比し有利な条件で、これらの者に金銭の貸付けをしていること。

ホ 当該社団等の所有する財産をこれらの者に無償又は著しく低い対価で譲渡していること。

ヘ これらの者が過大な給与の支給を受け、又はその社団等の機関の地位にあることのみに基づき報酬を受けていること。

ト これらの者の債務が社団等によって保証、弁済、免除又は引受けされていること。

チ その社団等の事業の廃止等により不用に帰す財産がこれらの者に帰属することとなっていること

リ 当該社団等がこれらの者から金銭その他の財産を過大な利息又は賃貸料で借り受けていること。

ヌ 当該社団等がこれらの者からその所有する財産を過大な対価で譲り受けていること、又はこれらの者から公益を目的とする事業の用に供するとは認められない財産を取得していること。

ル 契約金額が少額なものを除き、入札等公正な方法によらないで、これらの者が行う物品の販売、工事請負、役務提供、物品の賃貸その他事業に係る契約の相手方となっていること。

ヲ 事業の遂行により供与する公益を主として、又は不公正な方法で、これらの者に与えていること。

この「特別の利益」についての取扱いは、基本的な考え方は同一であるが、個人と社団等の要件を比較すると、大きく異なっている点が一つある。それは、個人の場合には、幼稚園の特例を除き、公益事業について個人が役務を提供したり、個人財産の貸付けを行っているときであっても、一切その反対給付を受けてはならないことに取り扱われていることは、⑤で説明したとお

りであるが、人格のない社団等の場合には、特別関係者が役務を提供したときは、それが過大でなければ給与の支給を受けてもよいことに取り扱われていることである。

その理由について、当局者は、次のように説明している（「相基通解説」810頁）。

「これは、個人の場合には、財産はあくまでも個人帰属であるのに対し、人格なき社団等の場合には、その経理も個人とは区別されており、かつ、財産は社団等の所有に帰属し、社団等が解散してもその残余財産は特別関係者に帰属させないこととなっているからである」

しかし、⑤で述べたように、幼稚園等の場合には、家事充当金が適正な額であれば、非課税とされているところであり、これは幼稚園の学校法人化促進策の一つであるということで説明ができるのかどうかは現状では必ずしも問題なしとはいえず、現行取扱いの再検討の時期に来ているのではないか。

⑦ **贈与により取得した財産の範囲**

この非課税規定の適用を受ける「贈与により取得した財産」は、原則として、贈与により取得した財産そのものをいうことは当然であるが、公益を目的とする事業に該当する事業を行う者が社団等である場合には、次に掲げる財産は、「贈与により取得した財産」に該当するものとして取り扱われる（公益事業用財産通達8）。

イ 贈与により取得した財産を譲渡して得た譲渡代金の全部又はその譲渡代金及び譲渡代金により取得した財産の全部をその事業の用に供することが確実である場合におけるその財産

ロ 贈与により取得した財産との交換により取得した財産（交換差金を取得した場合には交換差金の全部を含む。）をその事業の用に供することが確実である場合のその財産

ハ 贈与により取得した財産の果実の全部をその事業の用に供することが確実な場合におけるその財産

なお、この取扱いは、上に述べたとおり、人格のない社団等が贈与を受け

た場合にのみ適用されるもので、個人が贈与財産を譲渡した場合や、果実のみを公益事業の用に供した場合には適用されないこととなっているが（「相基通解説」811・812頁）、その理由については、当局者の説明は公表されていないし、他の非課税措置（措法70）の取扱いと比較して納得し難いところがある。

⑧ 公益を目的とする事業の用に供することが確実なもの

次に、贈与された財産が非課税となるためには、その財産が公益を目的とする事業の用に供されることが確実なものであることが必要なのであるが（相法21の3①三）、その判断は、次によって行われることに取り扱われる（公益事業用財産通達9）。

イ 調査時において、贈与により取得した財産が公益を目的とする事業に該当する事業の用に供されている場合には、その時までにその事業以外の用に供されたことがなく、かつ、最初にその事業の用に供した日から調査時まで引き続きその事業の用に供されていること

ロ 調査時において、贈与により取得した財産が公益を目的とする事業に該当する事業の用に供されていない場合には、事業計画等から判断して財産を取得した日から2年を経過した日までにその事業の用に供されることが確実と認められること

⑨ 贈与財産が2年経過日に公益事業に供されていない場合の取扱い

①で述べたように、贈与を受けた財産が公益事業の用に供されることが確実であると認められ、贈与税が非課税とされた場合であっても、その贈与のあった日から2年を経過した日において、なおその財産が公益事業の用に供されているか否かの見直しが行われることになっている。そして、見直しの結果、その2年経過日において贈与財産が公益事業の用に供されていない場合には、遡及してその財産の価額を贈与時の贈与税の課税価格に算入して贈与税の課税が行われることとされている（相法21の3②、12③）（注）。

(注) この2年を経過した日において、「現に公益を目的とする事業の用に供されていること」を非課税の要件としていることについて、このことは、公益を

目的とする事業の用に「確実」に供されることを担保すると同時に、この非課税規定が租税回避のために利用されないことを担保するものであり、合理的な立法措置であるとして支持する見解がある（「北野コンメンタール相続税法」127頁参照）。

　ところで、この「2年を経過した日において、なおその財産が公益を目的とする事業の用に供されていない場合」とは、当然に、財産を取得した日から2年を経過した日（以下「2年を経過した日」という。）において、贈与により取得した財産を公益を目的とする事業の用に供していない場合をいうが、そのほか、次のいずれかの事実があると認められる場合もこれに該当するものとされている（公益事業用財産通達10）。

イ　財産取得の日から2年を経過した日までに、贈与により取得した財産の全部又は一部を公益事業以外の用に供した事実がある場合

　この考え方は、前述⑧で述べたとおり「公益事業の用に供されることが確実」の判断基準の一つとして、贈与財産が公益事業の用に供された以後、調査時まで引き続きその事業の用に供され、かつ、他の用に供されたことがない場合を挙げていることと軌を一にするもので、理念としては理解できるが、現行条文上、そのように解釈できるのかは疑問がある。

ロ　贈与により取得した財産を最初に公益事業の用に供したが、その後2年を経過した日までの間引き続き公益事業の用に供していなかった事実がある場合

```
(贈与                                              (2年を経
 の日)                                              過した日)
  ○────────────────────────────○──→
   ⎴──────────⎴──────────⎴──────────
     公益事業        公益事業以外       公益事業
```

　この「公益事業以外」とは、贈与財産を公益事業の用以外の用に供していた期間と他の用には供しなかったが遊休のまま放置して公益事業の用に供しなかった期間とを指す。

　この取扱いについても、イと同様法文の解釈としては問題があるように思われる。

ハ 2年を経過した日以後も事業計画等によって贈与等により取得した財産を公益事業に該当する事業の用に供すると認められないこと。

この場合は、仮に2年を経過した日においてはその財産が公益事業の用に供されていても、事業計画等によって判断した結果、将来も継続して公益事業の用に供される見込みがないときは、2年を経過した日において公益事業の用に供していること自体が仮装的あるいは一時的なものであり、これを認めることは、この制度の趣旨に照らし、また、租税回避の防止の見地から適当でないからであると当局者は説明している（「相基通解説」814頁）。

この取扱いも、上記と同様法文の解釈としては問題と考える。

⑩ 2年経過日において公益事業の用に供されていた場合の更正の取扱い

⑧ロで述べたように、贈与の日から2年を経過する日前の調査において、贈与財産がまだ公益事業の用に供されておらず、かつ、事業計画等から判断して、その財産が2年を経過する日までに公益事業の用に供されることが確実と認められないときは、非課税の適用がなく、贈与税の課税が行われることとされている（公益事業用財産通達8(2)）。

しかし、その後2年を経過した日において贈与財産を公益事業の用に供しており、かつ、前掲⑨のイからハまでの事業（贈与財産を公益事業以外の事業に供したこと等）が認められないときは、その事業を行う者からその旨の申出がある場合に限り、その財産は公益を目的とする事業の用に供することが確実であったものとして課税価格及び税額を更正することができることに取り扱うものとされている（公益事業用財産通達11）。

この取扱いをする理由について、当局者は、「贈与により取得した財産が公益事業の用に供されたかどうかの判定は、法第21条の3第2項の規定により、贈与により財産を取得した日から2年を経過した日現在において行うこととなっている」からであると説明している（「相基通解説」815頁）。

しかし、法第21条の3第1項第3号及び同条第2項が準用する法第12条第2項の法文を併せ読んでも、そのような解釈はでてこないように思う。何となれば、公益事業の用に供することが確実かどうかすなわち非課税規定が適

用されるか否かの判断の時期は、明文の特則がない以上、課税時期即ち贈与の時期で判断すべきであって、仮に課税時期においては確実でないと認められなかったからには、例え2年を経過する日において結果的には公益事業の用に供していても、遡及して非課税とする理由はないし、法文すなわち準用される法第12条第2項もそのような規定振りにはなっていない。同項は、単に、公益事業の用に供することが確実と認められて非課税とされていたものが、2年を経過する日において公益事業の用に供されていなければ遡及して課税されることを規定しているだけで、当局者のいうようなその裏返しの解釈即ち公益事業の用に供されることが確実と認められないで課税されたものが、2年を経過する日において公益事業の用に供されていたため遡及して非課税となるというような規定の読み方は無理であると考える。

したがって、この公益事業用財産通達11項の取扱いは、法文の規定を超えたものと解せざるを得ないので、速やかに規定の改正を関係当局に要請すべきではないか。

⑪ **持分の定めのない法人等との関連**

持分の定めのない法人が財産の贈与を受けた場合に、その贈与が贈与者の親族その他これらの者の特別関係者の相続税又は贈与税の負担が不当に減少すると認められるときは、この持分の定めのない法人等は個人とみなされて贈与税が課税されることは既に述べたとおりである。

ところで、この場合、持分の定めのない法人等が個人とみなされた結果、その贈与財産が改めて、法第21条の3第1項第3号の規定に該当するかどうかの判断をする必要がないかどうかは必ずしも疑問がないわけではないが、法第66条第4項は、税負担の減少があると認められる場合には贈与税を課税するという規定振りになっていることから、法第21条の3第1項第3号の規定にはね返ることなく、法第66条第4項の規定自体で判断する形式になっていると考えられる。したがって、⑩までに述べた公益事業用財産通達①～⑪の適用はなく、別に同通達第2の「持分の定めのない法人に対する贈与税の取扱い」第12項から第21項の適用があることとされているが、基本的な考え

方は同一と考えてよい。ただし、2年を経過する日における事業の用に供されているか否かの法の規定は、持分の定めのない法人等についてもこれを適用する旨の規定を欠いていることに注意を要する。

(5) **特定公益信託からの学術研究奨励金又は学資金の給与**

① **総　説**

次の特定公益信託（注1、2）から交付される金品については、贈与税は課税されない。

イ　学術に関する顕著な貢献を表彰するものとして又は顕著な価値がある学術に関する研究を奨励するものとして財務大臣の指定するものから交付される金品で財務大臣の指定するもの

ロ　学生又は生徒に対する学資の支給を目的とする特定公益信託から交付される金品

(注1)　特定公益信託とは、公益信託（信託法66）で信託終了の時における信託財産がその信託財産に係る信託の委託者に帰属しないこと及びその信託事務につき次に掲げる要件を満たすことにつき、その公益信託に係る主務大臣の証明を受けたもののうち、その目的が教育又は科学の振興、化学の振興、文化の向上、社会福祉への貢献その他公益の増進に著しく寄与するものとして、一定の要件（注2）に該当するものをいう（所法78③、所令217の2①～④）。

　Ⓐ　受託者が信託会社（金融機関の信託業務の兼営に関する法律第1条第1項に規定する信託業務を営む金融機関を含む。）であること。

　Ⓑ　次に掲げる事項が信託行為において明らかであること。

　　ⓐ　公益信託の終了時の残余財産は、国若しくは地方公共団体に帰属するか又は類似の目的のための公益信託として継続するものであること。

　　ⓑ　信託の解除ができないものであり、かつ、信託条項の変更は、原則として主務大臣の認可を受けるものであること。

　　ⓒ　信託財産として受け入れるものは金銭に限られること。

　　ⓓ　信託財産の運用は、預貯金、公社債等に限られること。

　　ⓔ　信託管理人が指定されるものであること。

　　ⓕ　受託者が信託財産の処分を行う場合は、学識経験者の意見を聴かなければならないこと。

ⓖ　信託管理人及び学識経験者に支払う報酬は任務遂行のため通常必要な費用を超えないこと。
　　　ⓗ　信託報酬は、信託事務の処理に通常必要な費用を超えないこと。
（注2）　非課税の対象となる特定公益信託は、次に掲げるものの一又は二以上のものをその目的とする特定公益信託で、その目的に関し、相当と認められる業績が持続できることにつきその特定公益信託に係る主務大臣の認定を受け、かつ、その認定を受けた日の翌日から5年を経過していないものに限られる（所法78③、所令217の2③）。
　　Ⓐ　科学技術（自然科学に係るものに限る。）に関する試験研究を行う者に対する助成金の支給
　　Ⓑ　人文科学の諸領域について、優れた研究を行う者に対する助成金の支給
　　Ⓒ　学校教育法第1条に規定する学校における教育に対する助成
　　Ⓓ　学生又は生徒に対する学資の支給又は貸与
　　Ⓔ　学術の普及向上に関する業務（助成金の支給に限る。）を行うこと。
　　Ⓕ　文化財保護法第2条第1項に規定する文化財の保存及び活用に関する業務（助成金の支給に限る。）を行うこと。
　　Ⓖ　開発途上にある海外の地域に対する経済協力（技術協力を含む。）に資する資金の贈与
　　Ⓗ　自然環境の保全のため野生動植物の保護繁殖に関する業務を行うことを主たる目的とする法人でその業務に関し国又は地方公共団体の委託を受けているもの（一定のこれに準ずるものを含む。）に対する助成金の支給
　　Ⓘ　すぐれた自然環境の保全のためその自然環境の保存及び活用に関する業務（助成金の支給に限る。）を行うこと。
　　Ⓙ　国土の緑化事業の推進（助成金の支給に限る。）
　　Ⓚ　社会福祉を目的とする事業に対する助成

② 規定の意義

　公益法人等や各種の基金、公益信託（委託者が法人の場合）から交付される金品については、一時所得として所得税が課税されるが、学術に関する顕著な貢献を表彰するものとして又は顕著な価値がある研究を奨励するための一定の奨励金等については、財務大臣の指定を受けたものに限り、所得税が課税されない（所法9①十三ニ）。

ところで、公益法人等から支給される奨励金等は、法人からの贈与ということでそもそも贈与税が非課税となり、所得税も上記の規定によって課税されない。しかし、信託から支給される金品については、信託自体は人格を持たないので、委託者が財産を有するものとして取り扱われるから、委託者が法人の場合は、上記公益法人等と同様に法人からの贈与となって、所定の要件に該当するものは、贈与税はもちろん、所得税も非課税となるが、委託者が個人の場合には、給付を受ける金品は個人からの贈与とみなされ、しかも、これに対する非課税規定がないため問題が生ずるおそれがあったので、昭和63年12月のいわゆる税制の抜本改正の際、現行のような規定が設けられたものといわれている。

③ その他

なお、本制度による財務大臣の指定の実例は未だない。

(6) **心身障害者共済制度に基づく給付金**

条例の規定により地方公共団体が精神又は身体に障害のある者に関して実施する共済制度で一定の要件に該当するものに基づいて支給される給付金を受ける権利については、贈与税が非課税とされている（相法21の3①五）。同様の規定は、相続税の非課税規定においても設けられている（相法12①四）。

この両規定の使い分けについては、特に公的な説明は見出し難いが、給付が開始した時点において、この共済制度の掛金の負担者が死亡した場合には、一旦共済金の受給権はみなし相続財産とされ、また、掛金負担者が生存している場合には、共済金の受給権はみなし贈与財産とされたうえ、上記の非課税規定によって非課税となるものと解される（注）。なお、具体的に、この共済制度によって給付を受けた金品は、所得税の課税対象となるが、所得税法第9条第1項第3号ハの規定によって非課税とされている。

（注） すなわち、掛金負担者死亡の場合はこの共済制度は、生命共済契約（相法3①一、相令1①五）とされて、その受給権は一旦みなし相続財産となる。また、掛金負担者が生存している場合はこの共済制度は同じく生命共済契約（相法5①、3①一）とされて一旦みなし贈与財産となるという構成になって

いる。
(7) **選挙資金等**
① **総　説**

　公職選挙法の適用を受ける選挙における公職の候補者が選挙運動に関し贈与により取得した金銭、物品その他の財産上の利益で同法第189条の規定による報告がされたものについては、贈与税は課税されない（相法21の3①六）。

　この理由については、公職の選挙が公共性を有するものである点に鑑み、公職の候補者が選挙運動の際に政治資金として寄付を受けたものでその金額を選挙管理機関に報告したものに対してこれを非課税にしようとするものであると説明されている（「相続税・富裕税の実務」72〜73頁）。

　ここにいう「公職選挙法の適用を受ける選挙」とは、衆議院議員、参議院議員並びに地方公共団体の議会の議員及び長の選挙をいう（公職選挙法2）。また、「公職」とは、衆議院議員、参議院議員並びに地方公共団体の議会の議員及び長の職をいう（同法3）。

　そして、公職の候補者は、その選挙運動に関する収入及び支出の責任者（「出納責任者」という。）を1名選任することを要し（同法180）、出納責任者は、公職の候補者の選挙運動に関しなされた寄付及びその他の収入並びに支出について、所定の事項を記載した報告書を、選挙期日から15日以内に、その選挙に関する事務を管理する選挙管理委員会に提出しなければならないことになっている（同法189）。この報告書に記載された選挙資金の収入が非課税とされるわけである。

② **選挙費用・政治資金の取扱い**

　選挙費用や政治資金については、次のように取り扱われることとなっている（相基通21の3－8）（注1〜3）。

イ　公職選挙法の適用を受ける公職の候補者が選挙運動に関し金銭、物品その他の財産上の利益を取得した場合

㋑　個人からの贈与によって取得した金銭、物品その他の財産上の利益については、その取得した金銭、物品その他の財産上の利益のうち、公職選挙

法第189条の規定による報告がなされたものは、①のとおり贈与税は課税されない（相法21の3①六）。

㋺ 法人からの贈与によって取得した金銭、物品その他の財産上の利益については、贈与税は前述のとおり課税されず（相法21の3①一）、一時所得として所得税の課税対象となるが、別途所得税法の規定により、法人から贈与を受けたもので、公職選挙法第189条の規定による報告がなされたものは、㋑と同様に所得税は課税されない（所法9①十七）。

ロ　政治資金規制法の適用を受ける政党、協会その他の団体が政治資金として金銭、物品その他の財産上の利益を取得した場合

㋑　個人からの贈与によって取得した金銭、物品その他の財産上の利益については、その政党、協会その他の団体が公益を目的とする事業を行う者（相法21の3①三）に該当し、かつ、その取得した財産を政治資金に供することが確実であるときは、贈与税は課税されない。

　すなわち、法人格を有しない政党、協会その他の後援団体は、管理者又は代表者の定めのある人格なき社団又は財団に該当するものと解される（注2、3）。ところで、このような人格なき社団等が個人から財産の贈与を受けた場合には、これらの人格なき社団等は個人とみなされて贈与税が課税されることになる。しかし、人格なき社団等が公益事業を営んでおり、その事業の用に贈与財産が供されるときは、贈与税は課税されないこととされている（相法21の3①三、66①）。したがって、人格のない社団等である政党、協会等が、政治資金として個人からの財産の贈与を受けた場合には、これらの団体は個人とみなされて贈与税の納税義務を負うが、その財産の取得が相続税法第21条の3第1項第3号の公益事業用財産としての非課税要件を満たすときは、贈与税は課税されないことになる。

㋺　法人からの贈与によって取得した金銭、物品その他の財産上の利益については、贈与税は課税されない（相法21の3①一）。

　一方、人格のない社団等は、法人税法上は法人とみなされるが、人格のない社団等は収益事業以外は課税されないから、実際上、法人税の課税対

象にもならないものと解される（法法10）。

(注1) 国会議員個人の政治献金による収入は、一般的には雑所得の収入金額と解されている（この（注1）後述参照）。政治家の活動は「事業」ではないので、このように取り扱われているものと考えられる。なお、余談であるが、政治献金で賄われる政治活動の費用は、政治献金による収入から控除されて雑所得の金額を計算することになるが、その費用には個人的費用（家事費ないし家事関連費）としての性格があって、雑所得の金額の計算上赤字が出ても、それを他の所得と通算することは適当でないと考えられ、更に、雑所得全体としてみても、その費用には、上述のような性格があるとして雑所得計算上の損失は他の所得との損益通算が認められていない（注解所得税法研究会編「六訂版・注解所得税法」（大蔵財務協会）980頁参照）。

　ところで、政治家の受ける政治献金の収入が雑所得の収入であるとすれば、上述の選挙資金の収入が贈与とされていることとの説明は、どのように考えるのかが明確でない。この問題について、当時の当局者は、次のように述べている（塩崎潤ほか共著「所得税法の論理」（税務経理協会）121頁以下）。やや長文であるが、参考になるので引用する。「政治献金の課税の問題については、税法上、政治献金は、通常、寄付として従来は贈与と考えていたわけです。贈与ということになると、現行税法の上では法人からの贈与は普通一時所得、個人からの贈与は所得税の領域ではなくて贈与税の課税対象という考えになっているわけですね。現在所得税法にも、相続税法にも公職の候補者が選挙運動に関して受けた収入金で、公職選挙法に基づいて届け出がなされたものは、非課税にするという規定がありますが、これは税法自体がいまのような考えに立っていることの一つの裏づけになるかと思います。しかし、法律的な側面から見れば、確かに政治献金は贈与ということになるかもしれませんが、これは一般の贈与とは多分に性格が違っています。つまり通常の贈与ですと贈与を受けた人にとっては、贈与を受けた金額はまるまるの利得でそのまま担税力の増加をもたらします。したがってその金額が課税の対象になるというのが贈与に対する課税のたてまえで、そこには経費という観念はありません。ところがこと政治献金については、法律的には贈与であるかもしれないが、実際には政治献金は政治家の政治活動の経費に充てられるわけですから、その点を無視して、その全額を課税しろといっても実際問題として無理な話です。

　そこで、従来政治献金については、税の理屈の上ではいまのように理解

されていたけれども、現実には課税は行なわれていなかったという状態であったわけです。それがいわゆる"黒い霧"問題でにわかに政治献金の課税の問題がクローズ・アップされてきました。そこで現実に即した課税ということを考えるためには、従来のように贈与ということで処理するわけにはいかないということになったわけです。現在では政治資金収入は原則として雑所得の収入というように理解しています。そこで政治活動に伴う諸経費は必要経費として控除し、なお、剰余が生じたときにこれを課税の対象にするというように改められております。このように雑所得として課税するという方向に転換したこと自体は現実的な処理だと思うわけですね。……」

　この説明によれば、従来政治献金収入は贈与と考えられていたものが、昭和40年代初めに上述のような事情で雑所得の収入として取り扱われるようになったということだが、選挙資金等の所得税・贈与税の非課税規定がそのまま残っていることについては、依然説明がされていない。

(注2)　原則として、所属する国会議員が5人以上ある政治団体は、「政党」として、政党助成法第3条第1項の規定により政党交付金を受けることができるが、この交付金は、その政党が政党交付金の交付を受ける政党等に対する法人格の付与に関する法律（以下「政党法人化法」と略称）第4条第1項の規定により中央選挙管理委員会の確認等を受けて登記された法人である場合に限られる。この政党法人化法により法人となった政党等（以下「法人である政党等」という。）については、法人税法上は公益法人等とみなされるほか、消費税法及び地価税法についても、所要の措置が講じられているが、（政党法人化法13①～③）、相続税法については特に手当てがされていない。その理由は定かではないが、現在の相続税法では、人格のない社団等のままでも、特に問題がないということであろうか。

(注3)　政治資金規制法第3条に規定する目的のために政党、協会その他の団体の行う事業は、相続税法施行令第2条（同令第4条の5において準用する）の「公益の増進に寄与するところが著しいと認められる事業に該当するものとして取り扱われる」（公益事業用財産通達2①リ）。

〔参考〕　政治資金規制法第3条第1項
「この法律において「政治団体」とは、次に掲げる団体をいう。
一　政治上の主義若しくは施策を推進し、支持し、又はこれに反対することを本来の目的とする団体
二　特定の公職の候補者を推薦し、支持し、又はこれに反対することを本来

の目的とする団体
　三　前二号に掲げるもののほか、次に掲げる活動をその主たる活動として組織的かつ継続的に行う団体
　　イ　政治上の主義若しくは施策を推進し、支持し、又はこれに反対すること。
　　ロ　特定の公職の候補者を推薦し、支持し、又はこれに反対すること。」

(8) **社交上必要と認められる香典等**

　最後に、相続税法上の明文規定はないが、社交上必要な香典や贈答品などについて非課税とする取扱いがある。

　すなわち、個人から受ける香典、花輪代、年末年始の贈答、祝物又は見舞い等のための金品で、法律上贈与に該当するものであっても、社交上の必要によるもので贈与者と受贈者との関係等に照らして社会通念上相当と認められるものについては、贈与税を課税しないものとして取り扱われる（相基通21の3－9）。

　その理由について、当局者は、「社交上必要と認められる香典等は、社会的な相互扶助あるいは儀礼的な性格のものであり、これに贈与税を課税するのは、国民感情の面からみても適当でないという考え方のもとにこの取扱いが定められている」（「相基通解説」425頁）と説明している。

　一方、所得税の取扱いにおいても、葬祭料、香典又は災害等の見舞金で、その金額がその受贈者の社会的地位、贈与者との関係等に照らして社会通念上相当と認められるものについては、所得税法施行令第30条の規定により課税しないものとする（所基通9－23）とされているので、この取扱いに該当するものについては、個人からのもの、法人からのものを問わず、贈与税も所得税も課税されないことになる（注1、2）。

(注1)　この所得税基本通達9－23にいう金品については、必ずしも所得税法施行令第30条第3号にいう「心身又は資産に加えられた損害につき支払を受ける相当の見舞金」といえるかどうかが疑問の余地もないわけではないが、同令第30条の規定の趣旨からみると、この種のものについて「所得」として課税するのは必ずしも妥当ではないと認められることから、この取扱いを明らかにしていると当局者は説明している（樫田明・今井慶一郎・佐藤

誠一郎・木下直人共編「所得税基本通達逐条解説（令和3年版）」（大蔵財務協会）（以下「所基通解説」という。）80頁を参照のこと）。
(注2)　なお、①社葬で葬儀を行ったため、葬儀に伴う個人的な支出はほとんどなかった場合の取扱い、また、②故人の霊前に供された香典を会社の収入とせず、個人が取得した場合の取扱い、③更に会社が負担した香典返しの費用について、当局者は、次のような回答をしている（前掲「相続税通達」100問100答240〜241頁）。参考までに、その回答を掲げる。「故人の経歴、会社に対する貢献度、地位、会社の規模等からみて、その故人の葬儀を会社として行うことが相当であると認められる場合には、その社葬に要した費用のうち社葬に通常要する金額は法人税の計算上損金の額に算入することができます。」

　「……葬式とは、死の前後における儀礼をさすものですが、……どのような費用が葬式費用といえるのかは結局は個々の具体的な事例について社会通念に即して判断する以外に方法はありません。例えば墓碑及び墓地の購入費や借入費、法会に要する費用等は一般的な故人の遺族が負担すべき費用であることから葬式費用には当たりません。会社がこのような葬式費用に当たらない費用を負担した場合や、社葬のために通常要する費用を超えて負担したと認められる場合のその超える部分の費用、又は単に故人が会社の役員の親族等であることのみの理由により葬式費用を負担したと認められる場合には、これらの負担額は故人の遺族に対する贈与（遺族が会社の役員又は使用人である場合には賞与の支給）をしたものとして取り扱われることになります。したがって、その遺族に対しては一時所得（遺族が会社の役員又は使用人である場合には給与所得）としての課税が生ずることになります（法人からの贈与については、贈与税が課税されることはありません。）。

　なお、香典は、故人の野辺の送り費用の分担金としての性格や、遺族に対する弔意のしるしとして故人の霊前に捧げるものとしての性格を持っているものであるともいわれています。したがって、社葬を行った場合であっても香典を会社の収入に計上せずに遺族が取得したとしても、会社にも遺族にも課税関係は生じないものと思われます。ただし、この場合に会社が負担した香典返しの費用は、遺族に対する所得税の課税関係が生じます。」

5 特別障害者扶養信託の受益権に対する贈与税の非課税
(1) 総　説
① 制度の骨子と趣旨

　個人（委託者）が、特別障害者を受益者とする特別障害者扶養信託契約に基づいて、受託者（信託銀行）の営業所等において、金銭、有価証券その他の財産を信託することにより、その特別障害者がその信託の受益権を取得することとなる場合に、特別障害者が信託の際に「障害者非課税信託申告書」を受託者の営業所等を通じて納税地の所轄税務署長を通じて納税地の所轄税務署長に提出したときは、その信託受益権の価額のうち、6,000万円までは贈与税を課税しないというものである（相法21の4）。

　この制度は、昭和50年の相続税制度の大改正の際創設されたもので、当時の立案関係者は、次のように述べている（「昭和50年版・改正税法のすべて」173頁）。

　　「心身障害者に対する相続税については、従来より障害者控除が設けられ、その親などの扶養義務者が死亡した後の生活の安定のための相続財産の取得について配慮されてきているところです。しかし、親の死亡の際に心身障害者が一般の者と同様に財産を相続するかどうかの保証がありません。そこで、特に生活能力に乏しい重度の心身障害者に対しては、むしろ親がその生前に財産を贈与して親の死亡後におけるその生活の安定を確保してやりたいと考える場合があると予想されますが、そのような場合にまで贈与税が課税されることとなるのは酷ではないかと考えられますので、今回、贈与された財産について重度の心身障害者の受益が確実に保証される等一定の条件を満たしたときは、贈与税を非課税とする制度を創設することとされたものです。」

② 制度の概要

イ 仕組み

この制度の仕組みを図示すると、右のようになっている。これを順次説明すると、

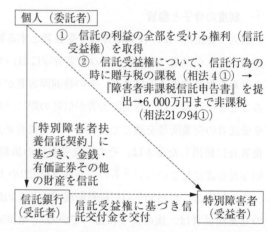

(イ) 個人（委託者）が、1人の特別障害者をその信託の利益の全部の受益者とする特別障害者扶養信託契約に基づいて、受託者（信託銀行）の営業所等において、金銭、有価証券その他の財産を信託することにより、その特別障害者が信託受益権を有することとなる場合において、

(ロ) その特別障害者が、その信託の際、その信託受益権について相続税法第21条の4第1項の規定の適用を受ける旨その他必要な事項を記載した「障害者非課税信託申告書」を、その受託者の営業所等を経由して、納税地の所轄税務署長に提出したときは、

(ハ) その信託受益権の価額のうち、6,000万円までの金額に相当する部分については、贈与税の課税価格に算入されない。すなわち、贈与税が非課税になるということである。

(ニ) 特別障害者は、その信託受益権に基づいて、受託者である信託銀行から、生活の安定に資するため、定期的に、信託交付金の交付を受けることになる。

ロ 非課税額を6,000万円としている理由

前述のように、この制度は、親などがその生存中に特別障害者の生活の安

定に必要な財産を確保しようという目的の贈与を非課税とするものであるから、特別障害者の生活費等を十分カバーできることが望ましく、また、非課税限度額も、同水準であることが望ましい。しかし、このような贈与は、財産の相続に代えて行われることも多いと思われるので、その非課税限度額も、相続税の障害者控除とのバランスも配慮する必要がある。このような点を考慮して、非課税限度が6,000万円と定められている（注）。

(注) この制度創設当時（昭和50年）の非課税限度額は3,000万円とされていたが、当時のレベルでは、3,000万円を仮に全額貸付信託で運用するとした場合の所得税・住民税引きの年間手取額は約230万円（月額約20万円）となるので、特別障害者が一般の人に比べ生活費がかさむとしても、相当な水準となると考えられていた（前掲「昭和50年版・改正税法のすべて」174頁）。ところが、現在の超低金利では、6,000万円の元本といえども、これによる収益で生活費をカバーするのはほとんど不可能であり、制度自体の見直しをすべき時期ではないか。

ハ　適用対象者を特別障害者に限定した理由

　この制度は、生活能力に乏しい障害者に対して親などが生前贈与した場合には、その障害者の生活安定の見地から贈与税を課税しないこととするものであるから、その対象となる障害者は、その障害の程度が著しく、自活する能力の著しく乏しい者に限定されるべきものと考えられる。ところで、従来から、所得税や相続税の障害者控除制度では、「精神又は身体に重度の障害がある者を特別障害者として一般の障害者より優遇しているので、この特例の適用となる障害者も、同様に特別障害者に限ることとされたものである。

ニ　非課税の対象を信託受益権に限った理由

　この制度は、特別障害者の生活の安定に資するためのものであることから、①贈与された財産の利益が確実に特別障害者に交付されること、②その財産が第三者により確実、かつ、安全に、しかも長期間にわたり運用されること、③特別障害者の生活費等を賄うため、財産及び運用益ができるだけ年々安定的に交付されることが望ましいことの要件が確保されることが必要となる。このような要件を満たすような財産の運用方法は、信託方式によるものが

最も望ましいと考えられたことから、非課税対象を信託の受益権に限ることとされたものである。

ホ　その他の特色とその理由

(イ)　他益信託に限ることとした理由

　この特例の対象となる信託は、特別障害者が贈与を受けた財産を自ら信託する自益信託の方式は対象にならず、特別障害者以外の者が委託者となり、特別障害者が受益者となる他益信託に限られている（相法21の4①）。

　これは、贈与税の非課税措置が、特別障害者の生活の安定等に資するこの信託制度のためにとられたものであることを制度的に確実にし、かつ、明らかにするためである。

(ロ)　委託者は個人に限るが扶養義務者に限られない理由

　委託者は、受益者となる特別障害者以外の個人であればよく、親などの扶養義務者に限らない（相法21の4②）。これは、扶養義務者でなくても、特別障害者のための財産の信託があることは望ましいと考えられたことによる。また、一の特別障害者のため2人以上の個人が財産を信託することも認められる（相法21の4③、相令4の12）。

(ハ)　受託者は信託銀行に限る理由

　受託者は、信託会社又は信託業務を兼営する銀行に限られる（相法21の4①、相令4の8）。現実には、我が国には、信託会社はないので、受託者は信託銀行に限られる。現在の我が国の信託実務や財産の確実、かつ、安全な運用を考えると、当面は、受託者は信託銀行に限らざるを得ないという考えによるものである。

(ニ)　特例の適用の対象となる営業所等が一行一店舗に限られる理由

　この制度による特例は、一の信託銀行の国内にある営業所、事務所その他これらに準ずるものの一において信託された財産に係る信託受益権のみに適用される（相法21の4①③、相令4の12）。

　これは、特別障害者の生活の安定のために長期間にわたり信託交付金が交付できるようにするためには、信託財産は1か所でまとめて、なるべく大き

いロットにして運用されるようにするのが適当と考えられたことによる。

(2) **特別障害者扶養信託契約・信託財産**

① **特別障害者扶養信託契約の意義**

　この特例の対象となる「特別障害者扶養信託契約」とは、委託者たる個人が受託者と締結した金銭、有価証券その他の特定の財産の信託に関する契約で、その個人以外の1人の特別障害者を信託の利益の全部についての受益者とするもののうち、次に掲げる要件を備えたものをいう（相法21の4②、相令4の11）。

イ　その特別障害者扶養信託契約（以下(2)において「信託契約」と略称）に基づく信託は、その信託契約の締結の際における信託の受益者である特別障害者の死亡後6か月を経過する日に終了することとされていること。

ロ　その信託契約に、その契約に基づく信託は、その取消し又は解除をすることができず、かつ、その信託の期間及びその契約に係る期間及びその契約に係るイの受益者は変更することができない旨の定めがあること。ただし、その契約に係るイの特別障害者の死亡後、その特別障害者の債務でその契約においてその信託に係る信託財産から弁済すべきこととされているもの及びその特別障害者の遺贈でその信託財産に係るものの弁済が終了した後においては、その特別障害者からの相続又は遺贈によりその信託に係る信託受益権を取得した旨又はその信託の受託者が解除できる旨を定めることは差し支えない。

ハ　その信託契約に基づくイの特別障害者に係る信託財産の交付に係る金銭（収益の分配を含む。）の支払は、その特別障害者の生活又は療養の需要に応じるため、定期に、かつ、その実際の必要に応じて適切に行われることとされていること。

ニ　その信託契約に基づき信託された財産の運用は、安定した収益の確保を目的として適正に行うこととされていること。

ホ　その信託契約に、その契約に基づく信託に係る信託受益権については、その譲渡に係る契約を締結し、又はこれを担保に供することができない旨

の定めがあること。
② 信託財産の範囲

信託契約に基づいて信託できる財産は、次に示すものに限られる（相法21の4②、相令4の10）。

- ㋑ 金銭
- ㋺ 有価証券
- ㋩ 金銭債権
- ㋥ 立木及びその立木の生立する土地でその立木とともに信託されたもの
- ㋭ 継続的に相当の対価を得て他人に使用させる不動産
- ㋬ 信託契約に基づく信託の受益者である特別障害者の居住の用に供する不動産（その契約に基づいて㋑から㋭までに掲げる財産のいずれかとともに信託されたものに限られる。）

(3) 特例の適用を受けるための手続

この特例の適用を受ける場合には、信託の際に、信託受益権について非課税の適用を受けようとする旨その他必要な事項を記載した障害者非課税信託申告書を受託者を経由して納税地の所轄税務署長に提出しなければならない（相法21の4③、相令4の12）。この申告書の提出先は受託者の営業所等のうちいずれか一つ、すなわち一行一店舗に限られ、6,000万円の非課税枠に余裕がある場合以外は、新たに追加して申告書を提出できない。その理由については、前述したとおりである。

なお、既に提出した申告書に関し、異動があった場合には、それぞれ次のような申告書の提出が必要とされる（相法21の4④、相令4の13〜4の15、4の19）。

(イ) 既に申告した信託受益権の価額が一定の事由により減少することとなった場合……障害者非課税信託取消申告書
(ロ) 既に申告した信託受益権が一定の事由によりないこととなった場合……障害者非課税信託廃止申告書
(ハ) 申告書の提出後、特別障害者が、その住所、氏名等を変更した場合又は

依頼により信託に関する事務を他の営業所等に移動させた場合……障害者非課税信託に関する異動申告書

また、信託者の手続としては、①受託者の更迭があった場合の申告、②障害者が提出する障害非課税信託申告書の税務署長への送付、③障害者非課税信託に関する帳簿書類の整理保存等が規定されている（相令4の16～4の19）。

6 直系尊属から住宅取得等資金の贈与を受けた場合の贈与税の非課税

(1) 総　説

この制度の趣旨について、立案当局者は、次のように説明している（「平成27年版・改正税法のすべて」576頁）。

「直系尊属から住宅取得等資金の贈与を受けた場合の贈与税の非課税（以下「非課税特例」といいます。）は、高齢者層から若年世代への資産の早期移転を通じて、裾野の広い住宅需要を刺激する観点から、経済対策として平成21年度から措置されているもので、直近では、平成24年度改正において、3年間の措置として延長拡充され、平成26年末に適用期限が到来したところです。平成27年度改正においては、適用期限が到来したこの特例について、①平成26年4月の消費税率の8％への引上げに伴う駆込み需要の反動の影響が続く住宅市場の活性化、②平成29年4月に延期された消費税率の10％への引上げによる（8％への引上げ時と同様に起こると想定される）駆込み需要の反動への対策、という2つの視点から検討がなされました。

まず、平成26年4月の消費税率の8％への引上げ後の足下の住宅市場は、消費税率引上げに伴う経過措置（新税率の施行日の6か月前までに請負契約を締結すれば、引渡しが施行日を過ぎた場合であっても旧税率を適用できる措置のことをいいます。以下同じです。）が終了する平成25年9月末にかけて駆込み需要があり、その後、その反動の影響が続いていましたが、他方、下げ止まりの兆しもみられており、先行きについても、当面、消費税率引上げに伴う駆込み需要の反動の影響が残るものの、下げ止まりに向かうことが期待され

る(「月例経済報告」平成26年11月)という状況でした。こうした状況を踏まえ、足下の住宅市場を活性化させるため、平成27年の非課税限度額については、改正前の非課税限度額より拡大することとされました。

　次に、消費税率の10％への引上げ時の反動減対策として、改正前のこの特例は3年間の措置でしたが、同様に3年間延長した場合には、消費税率の引上げ時期がその適用期限の到来間近となることとなり、このことが住宅市場に与える影響も考慮して措置の全体像が検討されました。具体的には、上記の消費税率8％への引上げ後の住宅市場の状況、すなわち、

　① 消費税率引上げに伴う経過措置が終了する平成25年9月末にかけて駆込み増
　② 経過措置終了後、1年間程度は反動減の影響が大きい
　③ その後、下げ止まりに向かうが、しばらくは反動減の影響が残る

これらを踏まえ、消費税率10％への引上げに際しては、

　① 経過措置が終了する平成28年9月末にかけての駆込み需要に対して平準化を図ること
　② 経過措置終了後、1年間程度の反動減の影響が大きい時期において、住宅需要を喚起するためのインセンティブ措置を集中させること
　③ その後も、しばらく反動減の影響が残ることも考慮した仕組みとすること
　④ 十分な期間の反動減対策を実施することが関係者の予見可能性を高め、住宅市場の安定化に資するものとなること

といった点を考慮に入れて検討がなされた結果、この特例については、その適用期限を平成31年6月まで延長し、更に、非課税限度額は消費税率10％が適用される住宅を購入する者が適用できる特別非課税限度額を設け、反動減が大きくなると考えられる平成28年10月から平成29年9月までについては、これを3,000万円とするといった改正が行われることになりました。」

　なお、消費税率の引上げが、平成28年11月28日付で公布・施行された「社会保障の安定財源の確保等を図る税制の抜本的な改革を行うための消費税法

の一部を改正する等の法律等の一部を改正する法律(平成28年法律第85号)」により2年半延長された。それに伴い、本特例も2年半後ろ倒しになっている。

(2) 概　　要

　平成27年1月1日から令和3年12月31日までの間に父母や祖父母など直系尊属からの贈与により、自己の居住の用に供する住宅用の家屋の新築、取得又は増改築等(以下「新築等」という。)の対価に充てるための金銭(以下「住宅取得等資金」という。)を取得した場合において、一定の要件を満たすときは、次の1又は2の表の非課税限度額までの金額について、贈与税が非課税となる。

〔受贈者ごとの非課税限度額〕

1　下記2以外の場合

住宅用の家屋の新築等に係る契約の締結日	省エネ等住宅(注)	左記以外の住宅
平成27年12月31日まで	1,500万円	1,000万円
平成28年1月1日から令和2年3月31日まで	1,200万円	700万円
令和2年4月1日から令和3年12月31日まで	1,000万円	500万円

2　住宅用の家屋の新築等に係る対価等の額に含まれる消費税等の税率が10%である場合

住宅用の家屋の新築等に係る契約の締結日	省エネ等住宅(注)	左記以外の住宅
平成31年4月1日から令和2年3月31日まで	3,000万円	2,500万円
令和2年4月1日から令和3年12月31日まで	1,500万円	1,000万円

(注)　省エネ等住宅

　省エネ等住宅とは、エネルギーの使用の合理化に著しく資する住宅用の家屋、

大規模な地震に対する安全性を有する住宅用の家屋又は高齢者等が自立した日常生活を営むのに特に必要な構造及び設備の基準に適合する住宅用の家屋をいう。

具体的には、省エネ等基準（①断熱等性能等級4若しくは一次エネルギー消費量等級4以上であること、②耐震等級（構造躯体の倒壊等防止）2以上若しくは免震建築物であること又は③高齢者等配慮対策等級（専用部分）3以上であることをいう。）に適合する住宅用の家屋であることにつき、証明がされたものをいう。

(3) 受贈者の要件

① 贈与を受けた時に受贈者が日本国内に住所を有していること。

(注) 贈与を受けた時に日本国内に住所を有しない方であっても、次のa又はbに該当するときは対象となる。

　a 贈与を受けた時に受贈者が日本国籍を有しており、かつ、受贈者又は贈与者のいずれかがその贈与前5年以内に日本国内に住所を有していたこと。

　b 贈与を受けた時に受贈者が日本国籍を有していないが、贈与者がその贈与の時に日本国内に住所を有していたこと。

② 贈与を受けた時に贈与者の直系卑属（贈与者は受贈者の直系尊属）であること。

③ 贈与を受けた年の1月1日において、20歳以上であること。

④ 贈与を受けた年の年分の所得税に係る合計所得金額が2,000万円以下であること。

⑤ 贈与を受けた年の翌年3月15日までに、住宅取得等資金の全額を充てて住宅用の家屋の新築等をすること。

⑥ 贈与を受けた年の翌年3月15日までにその家屋に居住すること、又は同日後遅滞なくその家屋に居住することが確実であると見込まれること。

⑦ 受贈者の配偶者、親族などの一定の特別の関係がある方から住宅用の家屋を取得したものではないこと、又はこれらの方との請負契約等により新築若しくは増改築等をしたものではないこと。

⑧ 平成26年分以前の年分において、旧非課税制度（平成22・24・27年度の

各税制改正前の「住宅取得等資金の贈与税の非課税」のことをいう。）の適用を受けたことがないこと。

(4) **住宅用の家屋の新築、取得又は増改築等の要件**

「住宅用の家屋の新築」には、その新築とともにするその敷地の用に供される土地等又は住宅用の家屋の新築に先行してするその敷地の用に供されることとなる土地等の取得を含み、「住宅用の家屋の取得又は増改築等」には、その住宅用の家屋の取得又は増改築等とともにするその敷地の用に供される土地等の取得を含む。

また、対象となる住宅用の家屋は、日本国内にあるものに限られる。

イ 住宅用の家屋の新築又は取得をした場合の要件

 (イ) 新築又は取得をした住宅用の家屋の登記簿上の床面積（マンションなどの区分所有建物の場合はその専有部分の床面積）が50㎡以上（注）240㎡以下で、かつ、その家屋の床面積の２分の１以上に相当する部分が受贈者の居住の用に供されるものであること。

 (ロ) 建築後使用されたことのない住宅用の家屋、建築後使用されたことのある住宅用の家屋で、その取得の日以前20年以内（耐火建築物の場合は25年以内）に建築されたもの、耐震基準に適合するものであることにつき証明がされたもの等

ロ 住宅用の家屋の増改築等をした場合の要件

 (イ) 増改築等をした後の住宅用の家屋の登記簿上の床面積（マンションなどの区分所有建物の場合はその専有部分の床面積）が50㎡以上（注）240㎡以下で、かつ、その家屋の床面積の２分の１以上に相当する部分が受贈者の居住の用に供されるものであること。

 (ロ) 増改築等の工事に要した費用の額が100万円以上であること等

　　（注）受贈者の贈与を受けた年分の所得税に係る合計所得金額が1,000万円以下である場合に限り、床面積要件の下限は40㎡以上となる。

(5) **贈与税の計算（他の控除との併用可能）**

新非課税制度適用後の残額には、暦年課税にあっては基礎控除（110万円）、

相続時精算課税にあっては特別控除（2,500万円）が適用できる。

7 直系尊属から教育資金の一括贈与を受けた場合の贈与税の非課税措置

(1) 制度創設の背景

　この制度の創設の趣旨、特に従来の教育費の非課税措置との関連について参考となると思われるのでこの措置の創設当初の考え方を示しておく（平成25年版「改正税法のすべて」642・643頁）。

「1　制度創設の背景

(1)　背景

　　現在、家計資産の約6割を60歳以上の世代が保有している状況にあります。この割合は平成元年においては約3割でした。わずか20年もの間に2倍の規模となりました。この家計資産をより早期に若年世代へ移転することで、経済を活性化させることは重要な課題と考えられます。

　　こうした要請に応えるため、前述のとおり平成25年度税制改正においては、贈与が最も行われる祖父母から子・孫といった直系卑属への贈与について一部税率が引き下げられ、加えて、贈与の活用を促す相続時精算課税制度についても、その要件を緩和するなどの措置が講じられました。

　　しかし、単に贈与を促すだけでは、預金口座の名義が祖父母から親・孫に付け替わるだけに終わってしまう可能性があります。経済活性化を促すには、単に贈与が行われるだけでなく、更にその先、贈与された資金が有効に使われることまでを視野に入れた税制措置を設けることが有効と考えられます。

　　このような問題意識から、本年1月11日に閣議決定された「日本経済再生に向けた緊急経済対策」に「教育資金の一括贈与に係る贈与税の非課税措置」が盛り込まれました。

　　教育については、特に高等教育を中心に、わが国は私学の占める割合が

比較的高く（学生数では日本75%、米28%、英0.1%、独5%（教育指標の国際比較））、また塾・習い事なども含めるとトータルとしての教育費用は多額に上るケースが多く、それだけ若年世代の家計の負担感も重い状況にあります。加えて、わが国の成長力・競争力の強化の観点からは教育機会の充実・人材育成は極めて重要であることから、贈与税制上の優遇措置を設ける必要性が高いと判断されました。

(2) **趣旨**

　相続税法では、教育資金については、扶養義務者間で、その都度、必要な範囲内で贈与されるものは贈与税が非課税とされています。つまり、入学金や毎年毎年の授業料などに充てる資金を、必要とされるタイミングで贈与されるのであれば、非課税となります。その意味で贈与税と教育資金については、そもそも制度的な結び付きがあり、税制上の特例措置になじむものです。

　逆に、その都度の贈与が非課税であるならば、敢えて一括贈与について新たに特例を設ける必要性は低いとも考えられます。

　この点、私学入学のケースなど、長期間に多額の支出が見込まれる場合も多いのですが、その資金を一括して贈与した場合、例えばその年の授業料など、その都度贈与に当たるものは非課税となるものの、それ以外の部分については、基礎控除を差し引いた上で贈与税が課税されることになります。毎年その都度贈与を行えばよいのですが、それも手間がかかる場合や、受贈者側としては将来必要なときにタイミング良く贈与してもらえるかどうか見通しが不確実な場合もあります。こうした点を考慮すると、一括して贈与する場合にも非課税とする要請は高く、世代間の資産移転の後押しの一助になると判断されました。

　また、子供を持つ家庭では教育資金をそれぞれ積み立てているケースが多いと想定されますが、仮に教育資金が一括して贈与されれば、積み立てを維持する必要性が低くなり、それを取り崩して他の支出に回すことで消費を活性化させるといった効果も期待できます。」

(2) 概　要

受贈者（30歳未満の者に限る。）の教育資金に充てるためにその直系尊属（注）が金銭等を拠出し、金融機関（信託会社（信託銀行を含む。）、銀行及び金融商品取引業者（第一種金融商品取引業を行う者に限る。）をいう。）に信託等をした場合には、信託受益権の価額又は拠出された金銭等の額のうち受贈者1人につき1,500万円（学校等以外の者に支払われる金銭については、500万円を限度とする。）までの金額に相当する部分の価額については、平成25年4月1日から令和5年3月31日までの間に拠出されるものに限り、贈与税を課さないこととする（措法70の2の2）。

※　信託受益権等を取得した日の属する年の前年分の受贈者の所得税に係る合計所得金額が1,000万円を超える場合には、この非課税制度の適用を受けることができない（平成31年4月1日以後に取得する信託受益権等に係る贈与税について適用される。）。

教育資金とは、文部科学大臣が定める次の金銭をいう。

イ　学校等に支払われる入学金その他の金銭
ロ　学校等以外の者に支払われる金銭のうち一定のもの

(注)　「直系尊属」とは、曾祖父母、祖父母、父母などをいう。したがって、義父母は含まれるが、配偶者の直系尊属は含まれない。ただし、民法727条に規定する養子縁組による親族関係が生じている場合はこの限りでない。
　　　また、叔父母、伯父母、兄弟からの贈与は、対象にならない。

(3) 制度の仕組み

祖父母等（贈与者）は、子・孫（受贈者）名義の金融機関の口座等に、教育資金を一括して拠出する。この資金について、子・孫ごとに1,500万円までを非課税とする。

※学校等以外の者に支払われるものについては500万円を限度とする。

教育資金の使途は、金融機関が領収書等をチェックし、書類を保管する。

孫等が30歳に達する日に口座等は終了する。

I 贈与税の課税要件　759

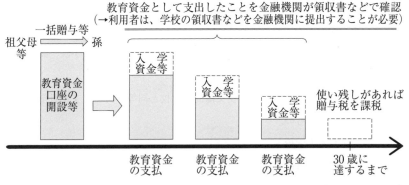

〔出典：文部科学省ホームページ〕

(4) 対象となる教育施設（学校等）の範囲

具体的には、以下のものが含まれる。
・幼稚園、小学校、中学校、高等学校、中等教育学校、特別支援学校
・大学、大学院
・高等専門学校
・専修学校、各種学校
・保育所、保育所に類する施設、認定こども園
・外国の教育施設のうち一定のもの
・水産大学校、海技教育機構の施設（海技大学校、海上技術短期大学校、海上技術学校）、航空大学校、国立国際医療研究センターの施設（国立看護大学校）
・職業能力開発総合大学校、職業能力開発大学校（※）、職業能力開発短期大学校（※）、職業能力開発校（※）、職業能力開発促進センター（※）、障害者職業能力開発校

(注1)　※印の施設は、国、地方公共団体・職業能力開発促進法に規定する職業訓練法人が設置するものに限る。

(注2)　外国の教育施設で一定のものは、次のとおりである。

〔外国にあるもの〕

　イ　その国の学校教育制度に位置づけられている学校（日本の幼稚園、小学校、中学校、高等学校、特別支援学校、大学、大学院、高等専門学校、専修学校に相当する学校）

　ロ　日本の小学校、中学校又は高等学校と同等であると文部科学大臣が認定したもの

　　・日本人学校

　　・私立在外教育施設

　　http://www.mext.go.jp/a_menu/shotou/clarinet/002/002/001/htm

〔国内にあるもの〕

　ハ　インターナショナルスクール（国際的な認証機関に認証されたもの）

　　http://www.mext.go.jp/a_menu/koutou/shikaku/07111314/006.htm

　ニ　国内にある外国の教育施設で、日本の学校への入学資格が得られるもの

　　・外国人学校（文部科学大臣が高校相当として示したもの）

　　http://www.mext.go.jp/a_menu/koutou/shikaku/07111314/003.htm

　　・外国大学の日本校

　　http://www.mext.go.jp/b_menu/shingi/chukyo/chukyo4/027/siryo/attac

　ホ　国際連合大学

(5) 学校教育費の範囲

　1,500万円まで贈与税非課税となる範囲は、次のとおりである。

　学校等（上記(4)参照）に対して支払われたことが、学校等からの領収書等により確認できる費用が対象であり、例えば、入学金、授業料、入園料、保育料、施設設備費、教育充実費、修学旅行・遠足費などが挙げられる（学校

等が費用を徴収し、業者に支払う場合も含む。）。

　また、学校等で必要な費用は、①学校等（学校等の設置者）に支払う場合、②業者等に支払う場合、の両方が考えられるが、このうち①の場合（学校等に支払ったことが領収書等で確認できる場合）のみが、1,500万円までの非課税枠の対象となる。他方、個人が直接業者等に費用を支払った場合（②の場合）は、一定の条件の下、500万円までの非課税枠の対象となる場合がある。

　学校等（上記(4)参照）で使用する教科書代や学用品費、修学旅行費、学校給食費などであっても、業者等に支払いがなされる場合は1,500万円までの非課税枠の対象にはならない。

　ただし、学校等における教育に伴って必要な費用で、学生等の前部又は大部分が支払うべきものと当該学校等が認めたものは、500万円までの非課税枠の対象になる。

　この場合には、領収書等に加え、学校等が認めたものであるとわかるものを、金融機関に提出する必要がある。

　保育所の保育料は、児童福祉法上、個々の保育所ではなく市町村が保護者から徴収することとされている。こうした手続であることに鑑み、保護者が市町村に支払う保育所の保育料についても、「教育資金」に含まれるものと取り扱うこととしている。

(6)　**500万円までの非課税枠**

　以下のような費用が対象となる。

イ　塾や習い事など、学校等以外のものに支払われる費用

　　下記の④〜㊂の教育活動の、指導の対価（月謝、謝礼、入会金など）として支払う費用や、施設使用料。

　　下記の④〜㊂の活動で使用する物品の費用。ただし、上記の指導を行う者を通じて購入するもの（＝指導を行う者の名で領収書が出るもの）に限る。（※個人で購入した場合（例：塾のテキストを一般書店で購入、野球のグローブを専門店で購入）は、対象とならない。）

　④　学習（学習塾・家庭教師、そろばんなど）

(ロ)　スポーツ（スイミングスクール、野球チームでの指導など）
　　(ハ)　文化芸術活動（ピアノの個人指導、絵画教室、バレエ教室など）
　　(ニ)　教養の向上のための活動（習字、茶道など）
　ロ　上記イ以外（物品の販売店など）に支払われるもの
　　(ホ)　学校等（上記(4)参照）で必要となる費用を業者に直接支払った場合で、学校等における教育に伴って必要な費用で、学生等の全部又は大部分が支払うべきものと当該学校等が認めたもの
　　　この場合は、領収書等に加え、学校等が認めたものであるとわかるものを、金融機関に提出する必要がある。
　　(ヘ)　通学定期券代、留学のための渡航費などの交通費
　（注）　令和元年7月1日以後に支払われる上記イの金銭で、受贈者が23歳に達した日の翌日以後に支払われるものについては、教育給付金の支給対象となる教育訓練を受講するための費用に限る。

(7)　申　　告

　受贈者は、本特例の適用を受けようとする旨等を記載した教育資金非課税申告書を金融機関を経由し、受贈者の納税地の所轄税務署長に提出しなければならない。

(8)　払出しの確認等

　教育資金口座からの払出し及び教育資金の支払を行った場合には、教育資金口座の開設等の時に選択した教育資金口座の払出方法に応じ、その支払に充てた金銭に係る領収書などその支払の事実を証する書類等を、次のイ又はロの提出期限までに金融機関等の営業所等に提出等する必要がある。

　　イ　教育資金を支払った後にその実際に支払った金額を口座から払い出す方法を選択した場合
　　　領収書等に記載等がされた支払年月日から1年を経過する日
　　ロ　イ以外の方法を選択した場合
　　　領収書等に記載等がされた支払年月日の属する年の翌年3月15日

(9) 贈与者が死亡した場合

① 令和3年3月31日以前の贈与に係るもの

契約期間中に贈与者が死亡した場合において、その死亡前3年以内に（旧措法70の2の2⑩、令和3年税制改正法附則75③）、受贈者が平成31年4月1日以後にその贈与者から取得した信託受益権等についてこの非課税制度の適用を受けたことがあるときは、贈与者が死亡した旨の金融機関等の営業所等への届出が必要となり、原則として、管理残額（※）が相続等によって取得したものとみなされる。その計算に際して、相続税額の2割加算は適用されない（旧措法70の2の2⑩四、令和3年税制改正法附則75③）。

ただし、受贈者が贈与者の死亡日において、①23歳未満である場合、②学校等に在学している場合又は③教育訓練給付金の支給対象となる教育訓練を受けている場合（②又は③に該当する場合は、その旨を明らかにする書類を上記の届出と併せて提出した場合に限る。）は、相続等によって取得したものとはみなされない（旧措法70の2の2⑪）。

※　管理残額の計算方法等

㋑　平成31年4月1日以後に非課税拠出がある場合

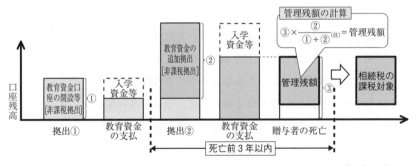

（注）　平成31年3月31日以前にも非課税拠出がある場合、贈与者の死亡前3年以内のものであっても、その非課税拠出額は分母には含めるが分子には含めない。

ロ 平成31年4月1日以後に非課税拠出がない場合

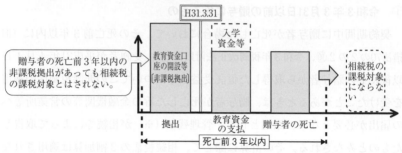

※ 贈与者が1人で、口座から払い出された金銭が全て教育資金の支払いに充てられている場合。

② **令和3年4月1日以後の贈与に係るもの**

契約期間中に贈与者が死亡した場合（その死亡の日において、受贈者が次のいずれかに該当する場合を除く。）には、その死亡の日までの年数にかかわらず、同日における管理残額（注）を、受贈者が当該贈与者から相続等により取得したものとみなされる（措法70の2の2⑫⑬）。

イ 23歳未満である場合

ロ 学校等に在学している場合

ハ 教育訓練給付金の支給対象となる教育訓練を受講している場合

（注）「管理残額」とは、非課税拠出額から教育資金支出額を控除した残額をいう。

相続等により取得したものとみなされる管理残額について、贈与者の子以外の直系卑属に相続税が課される場合には、当該管理残額に対応する相続税額が、相続税額の2割加算の対象となる（措法70の2の2⑫二）。

(10) 終了時

　教育資金口座に係る契約は、次の㋑〜㋭の事由に応じそれぞれに定める日のいずれか早い日に終了する（※）。

契約の終了事由	終了の日
㋑　受贈者が30歳に達したこと（その受贈者が30歳に達した日において学校等に在学している場合又は教育訓練を受けている場合（これらの場合に該当することについて取扱金融機関の営業所等に届け出た場合に限る。）を除く。）	30歳に達した日
㋺　受贈者（30歳以上の者に限る。㋩において同じ。）がその年中のいずれかの日において学校等に在学した日又は教育訓練を受けた日があることを、取扱金融機関の営業所等に届け出なかったこと	その年の12月31日
㋩　受贈者が40歳に達したこと	40歳に達した日
㋥　受贈者が死亡したこと	死亡した日
㋭　口座の残高がゼロになり、かつ、その口座に係る契約を終了させる合意があったこと	合意に基づき終了する日

　上記の事由（㋥の事由を除く。）に該当したことにより、教育資金口座に係る契約が終了した場合に、非課税拠出額から教育資金支出額を控除（管理残額がある場合には、管理残額も控除する。）した残額があるときは、その残額が上記の事由（㋥の事由を除く。）に応じそれぞれに定める日の属する年の受贈者の贈与税課税価格に算入される（㋥の事由に該当した場合には、贈与税の課税価格に算入されない。）。

※　令和元年7月1日以後にこれらの終了事由に該当することとなった場合に適用される。

8　直系尊属から結婚・子育て資金の一括贈与を受けた場合の贈与税の非課税措置

(1) 制度創設の趣旨

　この制度の趣旨について、立案当局者は次のように説明している（「平成27年版・改正税法のすべて」548頁）。

「わが国においては、家計金融資産の6割を高齢者層が有しており、その資産を早期により消費意欲が旺盛な若年層に移転することにより経済の活性化につなげることが重要であると考えられます。

また、人口減少社会にあって少子化対策も現下の重要な課題とされています。地方創生のために創設された「まち・ひと・しごと創生法」においても、結婚、出産又は育児についての希望を持つことができる社会が形成されるよう環境の整備を図ることが基本理念の一つとされています。(中略)

少子化の背景については結婚・妊娠・出産・育児等の各段階において様々な要因が考えられますが、主な要因として経済的理由が挙げられています。例えば、国立社会保障・人口問題研究所「出生動向基本調査」(2010年)によれば、「1年以内に結婚することとなった場合、何か障害になることはあるか」という質問に対する回答（複数回答）として、「結婚資金」を挙げた者が4割に上り、最も多い回答となっています。また、「理想の子ども数を持たない理由」について、「子育てや教育にお金がかかりすぎるから」という回答（複数回答）が6割に達し、最大の理由となっています。

高齢者層が有する家計金融資産を若年世代に移転することにより経済活性化を図るとともに、将来の経済的不安が若年層に結婚・出産を躊躇させる大きな要因の一つとなっていることを踏まえ、祖父母や両親の資産を早期に移転することを通じて、子や孫の結婚・出産・子育てを後押しするため、今般、結婚・子育て資金の一括贈与を受けた場合の贈与税の非課税措置が講じられました。

他方、このような贈与税の非課税措置を創設することは、他の非課税制度とも相まって格差の固定化につながる可能性もあるため、本特例は経済活性化のための時限措置として創設されています。」

(2) 概　要

平成27年4月1日から令和5年3月31日までの間に、20歳以上50歳未満の方（以下「受贈者」という。）が、結婚・子育て資金に充てるため、金融機関等との一定の契約に基づき、受贈者の直系尊属（父母や祖父母など。以下「贈

与者」という。）から①信託受益権を付与された場合、②書面による贈与により取得した金銭を銀行等に預入をした場合又は③書面による贈与により取得した金銭等で証券会社等で有価証券を購入した場合（以下「結婚・子育て資金口座の開設等」という。）には、信託受益権又は金銭等の価額のうち1,000万円までの金額に相当する部分の価額については、金融機関等の営業所等を経由して結婚・子育て資金非課税申告書を提出することにより贈与税が非課税となる（注1）。

　契約期間中に贈与者が死亡した場合には、死亡日における非課税拠出額（注2）から結婚・子育て資金支出額（注3）（結婚に際して支払う金銭については、300万円を限度とする。）を控除した残額（以下「管理残額」という。）を、贈与者から相続等により取得したこととされる。

　また、受贈者が50歳に達することなどにより、結婚・子育て口座に係る契約が終了した場合には、非課税拠出額から結婚・子育て資金支出額を控除（管理残額がある場合には、管理残額も控除する。）した残額があるときは、その残額はその契約終了時に贈与があったこととされる。

(注1)　信託受益権又は金銭等を取得した日の属する年の前年分の所得税に係る合計所得金額が1,000万円を超える場合には、この非課税制度の適用を受けることができない（平成31年4月1日以後に取得する信託受託権又は金銭等に係る贈与税について適用される。）。
(注2)　「非課税拠出額」とは、結婚・子育て資金非課税申告書又は追加結婚・子育て資金非課税申告書にこの制度の適用を受けるものとして記載された金額の合計額（1,000万円を限度とする。）をいう。
(注3)　「結婚・子育て資金支出額」とは、金融機関等の営業所等において、結婚・子育て資金の支払の事実を証する書類（領収書等）により結婚・子育て資金の支払の事実が確認され、かつ、記録された金額の合計額をいう。

(3) 結婚・子育て資金とは

イ　結婚に際して支払う次のような金銭（300万円限度）をいう。

　(ｲ)　挙式費用、衣装代等の婚礼（結婚披露）費用（婚姻の日の1年前の日以後に支払われるもの）

㊁ 家賃、敷金等の新居費用、転居費用（一定の期間内に支払われるもの）
ロ　妊娠、出産及び育児に要する次のような金銭をいう。
　㊈　不妊治療・妊婦健診に要する費用
　㊁　分べん費等・産後ケアに要する費用
　㊎　子の医療費、幼稚園・保育所等の保育料（ベビーシッター代を含む。）
　など

(4) **申　　告**

この非課税制度の適用を受けるためには、結婚・子育て資金口座の開設等を行った上で、結婚・子育て資金非課税申告書をその口座の開設等を行った金融機関等の営業所等を経由して、信託や預入などをする日までに、受贈者の納税地の所轄税務署長に提出しなければならない。

(5) **払出しの確認等**

結婚・子育て資金口座からの払出し及び結婚・子育て資金の支払を行った場合には、結婚・子育て資金口座の開設等の時に選択した結婚・子育て資金口座の払出方法に応じ、その支払に充てた金銭に係る領収書などその支払の事実を証する書類を、次の㋑又は㋺の提出期限までにその金融機関等の営業所等に提出する必要がある。

　㋑　結婚・子育て資金を支払った後にその実際に支払った金額を口座から払い出す方法を選択した場合
　　　領収書等に記載された支払年月日から1年を経過する日
　㋺　㋑以外の方法を選択した場合
　　　領収書等に記載された支払年月日の属する年の翌年3月15日

(6) **贈与者が死亡した場合**

① **令和3年3月31日以前の贈与に係るもの**

贈与者が死亡した旨の金融機関等の営業所等への届出が必要となる。

管理残額を贈与者から相続等により取得したものとみなされる。したがって、その贈与者の死亡に係る相続税の課税価格の計算に当たっては、その管理残額を含めて課税価格の計算をする必要がある。その際には、相続税額の

２割加算は適用されない（旧措法70の２の３⑩四、令和３年税制改正法附則75⑤）。

贈与者が死亡した場合の課税関係について、「教育資金の一括贈与を受けた場合の贈与税の非課税制度」とは次の２点が異なると考えられると、立案当局者は説明している（「平成27年版・改正税法のすべて」567頁）。

「・　教育資金は祖父母から孫への贈与が大半（信託協会調べによれば、93％以上）であるのに対し、結婚・出産等の資金はその資金が必要な時期及び年齢からすれば、親から子への贈与が中心になると考えられ、「相続財産の前渡し」としての性格が強いこと

・　教育資金は支出時期等があらかじめ決まっている学校の授業料等が主な使途であるのに対し、結婚・出産等の資金は住居費、医療費、保育費など多様な使途があるため、相続税回避に使うことが容易であること

このように相続直前の駆け込み的な贈与など相続税回避を助長する面もあることから、これを防止するため本特例では、贈与者が死亡した場合には、その時点における口座で管理されている残額について受贈者が相続又は遺贈により取得したものとみなして相続税の課税対象とすることとしています。」

② 　令和３年４月１日以後の贈与に係るもの

契約期間中に贈与者が死亡した場合において、贈与者から相続等により取得したものとみなされる管理残額について、当該贈与者の子以外の直系卑属に相続税が課される場合には、当該管理残額（注）に対応する相続税額が、相続税額の２割加算の対象となる（措法70の２の３⑫二）。

(注)　「管理残額」とは、非課税拠出額から結婚・子育て資金支出額を控除した残額をいう。

(7)　終了時

結婚・子育て資金口座に係る契約は、次の㋑～㋩の事由に該当したときに終了する。

㋑　受贈者が50歳に達したこと

ロ 受贈者が死亡したこと

ハ 口座の残高がゼロになり、かつ、その口座に係る契約を終了させる合意があったこと

　上記イ又はハの事由に該当したことにより、結婚・子育て資金口座に係る契約が終了した場合に、非課税拠出額から結婚・子育て資金支出額を控除した残額があるときは、その残額が受贈者の上記イ又はハの事由に該当した日の属する年の贈与税の課税価格に算入される（ロの事由に該当した場合には、贈与税の課税価格に算入されるものはない。）。

Ⅱ 贈与税の課税価格

第1節 贈与税の課税方式

1 総説

　現行相続税法は、贈与税については、相続税と異なり、課税方式については、相続時精算課税の特例を除き、特別な規定はおかれていない。これは、贈与税が相続税の補完税としての性格を有することと、相続税のような特殊な課税方式をとっておらず、単に課税財産額から基礎控除額を控除して税率を乗ずる極めて単純な課税方式をとっているため、敢えて相続税法第11条《相続税の課税》のような宣言規定を設ける必要がないと判断されたものかと考える。

　なお、相続時精算課税制度における贈与税については、別途説明する。

2 税制特別調査会の答申

　昭和32年の政府税制特別調査会のいわゆる相続税答申においては、贈与税の課税体系及び控除、税率についても検討し、答申を行っている。この答申の考え方は、その後の平成13年までの税制調査会の相続税・贈与税についての基本的考え方に引き継がれているので、以下長文ではあるが引用してみる（相続税答申70頁以後）。

「第5　検討と結論

　　（検討の結果の要約）

(1)　贈与税は、相続税の補完税として位置付けられている。相続税を完全な
　　形において課税するためには、その者の一生を通ずる贈与財産の価額を相

続財産に加算して課することが考えられるが、<u>一生を通ずる贈与財産の累積課税の制度をとること</u>は、税務の現状においては到底とりえないと思われる。

　したがって贈与税の課税体系としては、相続税負担との関連を考慮して、一定期間内の贈与財産の価額を合計して課税するとともに、税務執行の可能な範囲においてある程度の累積課税を行う体系をとることが、現在においては最も適当であると認めた。

　次に、贈与税の納税義務者については、相続税の課税体系により、相続税が遺産税体系をとる場合には贈与者を納税義務者とし、相続税が遺産取得税体系をとる場合には受贈者を納税義務者とする課税の体系が通常とられていることは、前述のとおりである。しかし、贈与税の体系は相続税の体系と必ずしも不可分の関係をもつものではなく、現に、わが国相続税制度においても、昭和21年以前においては、相続税が遺産税体系をとっていたのに対し、贈与税は財産の取得者に対し取得財産の価額を標準として課税する体系をとっていた。また、贈与者に対して贈与税を課することは現在の社会情勢からは受け入れ難いものと見受けられる。

　当調査会は相続税の課税体系について遺産取得税体系をとることとしており、また、贈与者に対して贈与税を課税することの受け入れ難いことを考えあわせ、贈与税の体系としては受贈者に対して課税する制度をとることが適当であるとの結論に達した。

　なお、贈与税の負担については、別項に述べたように、相続税の負担が中小財産階層において大巾に軽減されることに伴い、少額の財産の贈与に対してはある程度の軽減が必要である。特に、僅少な贈与に課税することによりいたずらに税務行政を煩雑にすることは厳に避けるべきであろう。ただ、贈与税が個人の意思により分割贈与を行うことによって相続税負担の回避が行われやすいことにかえりみ、贈与税についての大巾の軽減はむしろ慎重であるべきであろう（注）。」

（注）このような考え方から、その後の贈与税負担の軽減は相続税負担回避の

防止の点から、相続税の軽減よりはるかに低いペースで行われている。
「**(結　論)**
(2) 当調査会は、以上のような観点に基づいて、贈与税の課税体系及び控除、税率について、次のような結論に達した。

　まず、贈与税は、一歴年中に贈与により取得した財産の価額の合計額を標準として財産の取得者に対して課するものとし、中小財産階層の相続税負担が大巾に軽減されたことに伴って、基礎控除を20万円に引き上げ、税率を最低税率の適用階級を30万円までの金額に引き上げて少額財産の贈与に対する負担を軽減し、反面相続税負担との関連においてある程度以上の贈与財産に対する税率を引き上げることが適当である。

　　　　（中間省略）

　さらに、当調査会は、贈与税について少額財産に対する負担を軽減する反面、少額贈与を繰り返すことによる贈与税負担の軽減又は回避を図ることを防止するための措置として、5年以内の同一人からの贈与は累積して課税することが適当であるとの結論に達した。

　　　　（表省略）

　贈与税の控除及び税率の決定に当って考慮すべき基準については、各種の考え方があると思われるが最も重要な要素としてとり上げられるものは、相続税負担との関連である。

　当調査会は、贈与税の控除及び税率の決定に当り、遺産の額に応じて通常考えられる分割贈与の状態及び贈与財産の額を考慮し、分割贈与を行った場合の負担と、贈与を行わなかった場合の相続税負担とが、できるだけ均衡するような考え方のもとに検討を行った。

　当調査会が答申する贈与税の控除及び税率によるときは、第43表（省略）に示すように、おおむね贈与税の負担と相続税の負担とは均衡がとれることとなるものと考えている（注）。」

（注）　上記の第43表（表は省略）は、答申による改正案によって、生前贈与を
　　　行った場合の総合負担率と生前贈与を行わなかった場合の相続税負担率を

比較したもので、財産額が500万円から10億円までの間（昭和32年当時）の負担がおおむねバランスがとれている。この計算の前提は、同表の「備考」によると、次のとおりである。

「生前贈与を行った場合の総合負担率は、財産額1,000万円までは、財産の3分の1を3人に各1回ずつの生前贈与があり、うち1回分が遺産に加算され、財産額5,000万円までは財産額の2分の1を3人に各2回ずつ生前贈与があり、うち1人につき、各1回分が遺産に加算され、財産額1億円以上は、財産額の2分の1を3人に各5回ずつの生前贈与があり、うち1人につき各3回が贈与税を累積課税され、さらに1人につき各1回分が遺産に加算されるものとして計算した。なお、生前贈与は、すべて均分額によるものとした。」

なお、上記備考中にある累積課税は現在はない。

3 贈与税の課税体系に関する私見

上記相続税答申では、贈与税の累積課税について、5年間の累積課税を行うことを提案しているが、実際の改正では3年間の累積課税を行うに止まった。しかも、これとても、昭和50年の改正で贈与税の基礎控除が60万円に引き上げられた時に、制度の簡素化を理由に廃止された。したがって、生前贈与を累積課税するのは、現在では、既に説明したとおり相続開始前3年以内の贈与を相続財産に加算して相続税を課税する制度と後述の相続時精算課税制度があるのみである（注）。

(注) この廃止前の3年間累積課税制度は、各年20万円を超える部分の贈与を累積課税の対象としており、基礎控除が40万円であったため、世間では「3年間40万円、20万円、20万円の贈与を繰り返して行けば、贈与税は非課税」として有名な制度であった。昭和50年の改正では、贈与税の基礎控除を80万円〜100万円に引き上げてはどうかという意見もあったようだが、累積課税が廃止されると、控除の引上げは相続税回避に利用されやすいという考え方から結局控除は60万円とされるに止まったといわれる。

筆者の考えるところでは、贈与税の課税については、次の2つの考え方といずれをとるかに帰着するように思われる。

① **生前贈与の課税強化説**

これは、贈与税は相続税の補完税であるという性格を重視して、贈与税の基礎控除の引上げ、税率の緩和はできるだけ抑制する。つまり、生前贈与を利用して相続税負担の回避を図ることを防ぐというものである。世の資産家は、このほとんど抑制的ともいえる贈与税の負担をいかにすれば免れるかに腐心し、いわゆる節税策なるものに浮身をやつすことになり、また、それを当局の通達が規制するというイタチごっこを繰り返しているのが現状である（注）。

(注) この現状を某税理士などはイタチごっこといって歎いて見せるが、アメリカでは、このような租税回避は半ばゲーム化しており、専門家達のIRC（Internal Revenue Code）のLoop Holeの発見と、IRS（内国歳入庁）によるLoop Holeの穴ふさぎの繰り返しだという。また、余談であるが筆者が耳にした話では、米国の弁護士に節税策の立案を依頼すると「法律がOutといっていない以上はOKである」と日本人では考え付かないような節税策を持ち込まれるという。

したがって、このような生前贈与による租税負担回避を徹底するのであれば、かつて、シャウプ税制により一度は採用された一生ないし長期間の贈与等の累積課税を行うしかない。この方式は、コンピューターの発達した現在においては、対象となる贈与の額をある程度限定すればできないことではないと考える。現在のような中途半端な税制では、世のいかがわしい節税屋を肥らせるだけである。財産分散計画のシミュレーションなど行ったところで鬼が笑うだけで、この変転極まりない世で、税制が不変でいられる訳はないのに空しい努力としか思えない。

ところで、この一生ないし長期間の累積課税方式をとるとすれば、現行のように贈与時には累積課税を行わず、相続開始時に過去の贈与を加算して相続税を課税する方式が簡単である（英国もこの方式である。）であるが、相続開始時に遺産がなくなってしまうと効果がないので、やはり、贈与時にある程度の累積課税を行わざるを得ないであろう。

② **負担軽減説**

筆者は、むしろ、相続税や贈与税の負担を軽減して、トラブルの原因とな

る節税策を無用のものとする方が却ってよいように最近は思えてきた。相続税の基礎控除を大巾に引き上げ、税率を軽くして、贈与税も同様とすれば、節税策などに狂奔せず、蓄財に励むことができて、却って世道人心に益することになるのではないか。いつまでも、金持ち優遇反対とか勝ち組が怪しからんと叫んで、Jealousy税制にこだわるべきではない。

しかし、そうはいっても、既に述べたように、相続時精算課税の適用を受けて、高額な贈与を行い、相続時にその時における控除、税率で相続税を課税して精算するという制度は、将来相続税制度がどのようになるのか何人も予測できないというリスクを侵すものであって、繰り返し述べるように筆者は賛成できない。世代間の財産移転を促進したいのなら、控除を引き上げ、税率を軽減して一生累積課税しか方法はないと考えるものである。結局、①、②いずれの考え方をとっても、相続、贈与の一生累積課税が制度自体としてはベストであると考える。

なお、相続時精算課税については第4編で説明する。

第2節　課税価格

1　総　説

贈与税の課税価格の計算は、相続税のそれとは大いに異なっている。すなわち、現行の相続税は、個々の相続ごとに相続財産の額を課税標準として課税されるのに対し、贈与税は、一歴年中のあらゆる贈与による取得財産の額の合計額を課税標準としているからである。

我が国の贈与税の課税価格は、次のように定められている（相法21の2）。
イ　贈与により財産を取得した者がその財産の取得の時において、居住無制限納税義務者又は非居住無制限納税義務者である場合には、その者の贈与税の課税価格は、その年中において贈与により取得した財産の価額の合計額による（相法21の2①）。すなわち、一歴年中に個人からの贈与（法人か

らの贈与は、一時所得として所得税が課税される。）により受けた財産は、その贈与者が個人である限り、いかなる個人からの贈与財産でも、その所在地のいかんを問わず、贈与税の課税対象となり、その合計額に贈与税が課税されることになる（注）。

(注)　税法の条文上は「贈与」には個人からの贈与だけでなく、法人からの贈与も含まれているが、既に述べたとおり、法人からの贈与については、贈与税が非課税とされているので、結果的に、贈与税の課税価格には、法人からの贈与は含まれないことになる。

ロ　贈与により財産を取得した者がその財産の取得の時において、制限納税義務者である場合には、その者の贈与税の課税価格は、その年中において贈与により取得した財産で日本の国内にあるものの価額の合計額による（相法21の2②）。日本の国内にある財産か否かは、贈与の時で判定する。所在地の判定の基準は相続税と同様である（相法10）。

ハ　その年中に住所を日本の国から国外へ、あるいは国外から日本の国内へ移し、それぞれの期間内に贈与を受けた場合の贈与税の課税価格は、次のようになる。

　すなわち、贈与により財産を取得した者がその年中における財産の取得について、日本の国内に住所を有していた期間と国外に住所を有していた期間とがある場合には、その者の贈与税の課税価格は、その者が日本の国内に住所を有していた期間内に贈与により取得した財産（所在地を問わない。）の価額並びに日本の国内に住所を有していなかった期間内に贈与により取得した財産でその者が非居住無制限納税義務者に該当するときは、その贈与によるすべての取得財産の価額及びその者が制限納税義務者に該当するときはその取得財産のうち日本の国内にあるものの価額の合計額による（相法21の2③、相令4の2の2）（注）。

(注)　これを図示すると、次のようになる。

日本に住所を有していた期間	日本に住所を有しないが非居住無制限納税義務者に該当する期間	その者が制限納税義務者に該当し、かつ、日本に住所を有していなかった期間
日本にある財産	日本にある財産	日本にある財産
国外にある財産	国外にある財産	国外にある財産

☐ で囲まれた範囲が課税対象になる。

もちろん、国外財産すなわち外国にある財産について、その外国により贈与税に相当する税が課税されている場合には、その調整が必要となることは、相続税と同様である。

これについては、在外財産に対する贈与税額の控除の項でも説明する。

なお、贈与により財産を取得した者が、無制限納税義務者に該当するか制限納税義務者に該当するかは、それぞれ財産の取得の時ごとに判断することに注意する必要がある（相基通21の2-1）。例えば、平成A年5月にロンドンに住所があった者が同年7月に東京に住所を移し、更に同年10月ニューヨークに住所を移して、それぞれ贈与を受けた場合には、ロンドン及びニューヨークで贈与を受けた財産は、その取得の時に非居住無制限納税義務者に該当しない限り日本国内にあるもののみが課税されることになる。

2 相続開始の年における贈与税の課税価格の計算の特例

(1) 総　説

相続又は遺贈により財産を取得した者がその相続の開始前3年以内にその相続に係る被相続人からの贈与により取得した財産については、既に説明したように、その財産の価額を相続等により財産を取得した者の相続税の課税価格に加算して相続税を課税するものとされている（相法19）。そして、その者の相続税額からは、相続税の課税価格の加算の対象となった贈与財産について課された贈与税額に相当する金額を控除することとされている（相法19）。

このように、相続又は遺贈により財産を取得した者が、相続開始の前に被相続人から生前に贈与により財産を取得した場合には、その財産の価額が相

続税の課税価格に加算されて相続税が課税されるため、相続開始の年の被相続人からの贈与に一旦贈与税を課税して、それを相続税から控除するというような余分な手続を強いる必要はないことになる。

そこで、相続又は遺贈により財産を取得した者がその相続開始の年にその被相続人から贈与によって取得した財産の価額は、相続税の課税価格に加算され、贈与税の課税価格には算入しないこととされている（相法21の4）。即ち、贈与税の課税は行われないことになっている。

(2) 注意点

この相続開始の年の贈与税の課税価格の計算の特例については、次のことに注意する必要がある。

① 相続開始の年において、その被相続人からの贈与により財産を取得した者であっても、相続の放棄等のため、その被相続人からの相続又は遺贈により財産を取得していない場合には、その受贈財産の価額を相続税の課税価格に加算することは、当然あり得ないから、原則どおり、その受贈財産の価額は、贈与税の課税価格に算入することになる（相基通21の2-3）。

② 相続開始の年において、その被相続人からの贈与により財産を取得したほか、被相続人以外の者からも贈与により財産を取得した者が、その被相続人から相続又は贈与により財産を取得している場合に、相続税の課税価格に加算されるのは、その被相続人からの贈与により取得した財産の価額のみであって、他の者からの贈与により取得した財産については、当然贈与税が課税されることになる。

③ 後述の配偶者控除の対象となる贈与が相続開始の年に行われた場合には、次のように取り扱われることになる（相法19②、相令4②）。

すなわち、婚姻期間が20年以上である配偶者（被相続人）から、相続開始の年において居住用不動産又はこれを取得するための金銭の贈与を受けた場合において、その贈与を受けた配偶者が、過去にその被相続人からの贈与について贈与税の配偶者控除の適用を受けたことがなく、かつ、相続税の申告書（期限後申告書を含むことに注意を要する。）にこれらの財産を贈

与税の課税価格に算入する旨を記載したとき（これらの要件に該当する財産を「特定贈与財産」という。）は、贈与税の配偶者控除の適用があるとした場合に控除されることとなる金額に相当する部分は、相続税の課税価格に加算されないこととなっている。

したがって、相続税の課税価格に加算されない相続開始の年における特定贈与財産の価額は、その年における贈与税の課税価格に算入することになるので、贈与税の申告書を提出して、配偶者控除の適用を受けることなるわけである。なお、注意すべきことは、特定贈与財産に該当することとなった居住用不動産又は金銭の価額は、贈与税の申告後贈与税の配偶者控除の適用がない場合であっても、相続税の課税価格に加算されることはない点である（相基通19－8）(注)。

(注) 相続税の項で述べるべきことであるが、被相続人の配偶者が被相続人から相続開始の年の前年、前々年又は前々々年に贈与を受けた居住用不動産又は金銭について、贈与税の配偶者控除の適用を受ける旨を申告した後、その特例の適用が認められないこととなったときは、その財産は特定贈与財産に該当しないことになるためその財産の価額は相続税の課税価格に加算されることになり、相続開始の年の場合とは異なるから注意する必要がある。

以上のことを設例によって示してみる。

〔設例〕
婚姻期間25年の妻が夫から居住用不動産2,100万円と株式300万円の贈与を受けた場合において、その年に夫が死亡した場合に相続税の課税価格に加算される金額はいくらか。

〔解答〕
次の金額が相続税の課税価格に加算される。
2,100万円－2,000万円＋300万円＝400万円
なお、配偶者控除相当部分については、贈与税の申告書を提出する必要がある（納付すべき贈与税は生じない場合でも申告は必要である。）。

3 負担付贈与があった場合の贈与税の課税価格の計算
(1) 総　説
　負担付贈与については、既に低額譲渡の項で説明を加えているが、ここで、もう一度簡単に述べておきたい。

　負担付贈与とは、贈与の一種で、受贈者が一定の給付をする債務を負担する「贈与」である。例えば、AがBに対して不動産を贈与するに際し、AがCに対して負う債務の支払をBに肩代わりさせるような場合である。ただし、その負担は、贈与者の出捐の補償、言い換えれば贈与者の給付に対する対価ではないとされている（注）。

（注）　この点については、債務引受けの負担付贈与について、税法上は贈与の文書にとらわれず、債務引受けを対価とする譲渡所得が生ずるとみるべきであるとした判例がある（最高裁昭和63年7月19日判決）。

　このような負担付贈与に係る贈与財産の価額は、負担がないものとした場合におけるその贈与財産の価額からその負担額を控除した価額によるものとされている（相基通21の2－4）。したがって、その負担が経済的な価値として評価されない場合は、負担額は零として評価される。しかし、具体的にどのようなものが該当するかは、判断に難しく、一義的な基準は困難である（注）。

（注）　贈与に係る負担が控除すべきものでないと認定された裁決例がある（昭和59年12月14日裁決・裁決事例集No.28－289頁）。
　　　「贈与税の課税価格の計算上、贈与財産の価額から控除すべき負担は、贈与時において負担すべき経済的な負担が具体的に確定していること、又はその確定が推認し得る状態にあることが必要であると解すべきところ、本件贈与の負担である債務保証は、主たる債務者が債務履行できない状態にあるとは認められず、今後債務の履行ができない状態に至る可能性を推認し得る事情も全く認められないのであるから、課税価格の計算上贈与財産の価額から控除すべき債務に該当しない。」

(2) 負担付贈与通達による取扱い
　負担付贈与通達による財産の価額は、次によることとされている（負担付贈与通達1）（注）。

即ち、個人が土地及び家屋等を負担付贈与又は対価を伴った取引により取得した場合の価額については、その取得時即ち課税時期において自由な経済取引の下で通常成立すると認められる取引価額によって評価するものとされている。この場合において、贈与者等が取得又は新築した土地等又は家屋等の取得価額が、課税時期の通常の取引価額に相当する金額として課税上弊害がないと認められる場合には、その取得価額に相当する金額によって評価することができるものとされている。

なお、この取得価額は、土地等又は家屋等の取得に要した金額並びに改良費及び設備費の額の合計額とされ、家屋等については、その合計額から家屋等の取得の日から贈与等の日（課税時期）までの期間に係る定率法により計算した減価償却費の額又は減価の額を控除した金額によるものとされている。

この通達は、既に述べたように、数年前のバブル期における不動産の取引時価と相続税評価額との乖離に着目して、負担付贈与により、租税回避行為がしばしば見られたことに対し、税負担の公平を図るため所要の措置を講ずる（負担付贈与通達前文）という趣旨がうたわれていたため、不動産の取引時価が下落して、この通達が実効の少ないものとなっている現在、これを廃止すべきではないかという批判があるが、当局者は「負担付贈与については、通常の取引価額を認識した上でなされる通常の取引行為と同視できるものであり、このような移転行為に係る財産についてまで相続の性格を考慮して「かため」の評定をしている路線価等をそのまま適用することは適切でないことから、たな卸資産の「時価」の指標となる「仕入価額」や「販売価額」による評価を準用した考え方による「通常の取引価額」により評価することとしたものである」（「相基通解説」763頁）と説明し、この取扱いは、相続税法第22条に規定する時価の解釈の許容範囲内での措置であるとしている。

なお、通常の贈与であっても、贈与の時期は選択できるのに負担付贈与通達の適用がないことについては、単純贈与は贈与額そのままで税負担の回避がないからという意味のことを当時の当局者が述べている（前掲「相続税財産評価の論点」44頁）。その述べる意味は今一つ明確ではないが、要するに、

単純贈与については、債務負担を付して租税回避を図るということがないからということであろうか。

(注)　なお、負担付贈与通達に関する前掲東京地裁平成19年8月23日判決を参照されたい。

Ⅲ 贈与税額の計算

第1節 総　説

　我が国の贈与税の税額計算は、Ⅱで述べたところにより1暦年中に贈与を受けた財産で課税対象となるものの額を合計して贈与税の課税価格を計算し、この課税価格から基礎控除及び贈与税の配偶者控除の額を控除した残額に贈与税の税率を乗じて贈与税の額を算出する（相法21の5～21の7）。税額控除としては、在外財産の贈与を受けた場合の外国税額の控除制度がある。
　その他、税額計算の特例として、次のような制度がある。
① 　住宅取得資金の贈与を受けた場合の相続時精算課税制度の特例（措法70の3、70の3の2）
② 　持分の定めのない法人等が2人以上の個人から贈与を受けた場合の贈与税額の計算の特例（相法66①④）

　なお、農地の生前贈与があった場合の贈与税の納税猶予の特例（措法70の4）も、一種の税額計算の特例ともいえようが、これについては農地の相続税等の納税猶予の解説のところで触れることとする。また、①の特例は、相続時精算課税制度の検討において触れることとする。
　なお、昭和33年の改正で設けられた贈与税の3年累積課税の制度は、先に述べたように昭和50年の改正の際、制度の簡素化を理由として廃止され、現在は存在しない。

第2節　贈与税の基礎控除

　贈与税の課税価格から控除される基礎控除は60万円であるが、臨時的な措置として平成13年の改正で110万円に引き上げられている（相法21の5、措法70の2の2）。この基礎控除は申告の有無にかかわらず認められる。

　したがって、1暦年中に贈与によって取得した財産の額の合計額が110万円を超えなければ、贈与税の申告は必要でない（注1～3）。

(注1)　贈与税の基礎控除の引上げは、相続税のそれに比して、極めて少ない。例えば、相続税の遺産に係る基礎控除は、昭和33年の改正により、相続人5人の場合300万円（150万円＋法定相続人5人×30万円）であったのが、それから56年後に当たる平成26年現在で1億円（5,000万円＋法定相続人5人×1,000万円）と約33.3倍（平成27年から6,000万円（3,000万円＋法定相続人5人×600万円）、20倍になる。）になっているのに対し、贈与税の基礎控除は、昭和33年20万円であったものが、平成26年現在でわずか110万円（しかも昭和50年からは26年も据え置かれ平成13年にようやく110万円に引き上げられたものである。）と5.5倍にしか引き上げられていない。

　　　もっとも、贈与税の基礎控除は、他の税の控除のように、最低生活への考慮とか担税力への配慮よりも、少額不追及の考慮と分割贈与による相続税の負担回避の防止の面を重視して定められているので、相続税の課税最低限の引上げのペースと同一という訳には行かないであろうが、それにしても、引上げ幅が少な過ぎるように思われる。

(注2)　現在は、どのようになっているか分からないが、かつて、贈与税の基礎控除が60万円だったころいわゆる「六一申告」なるものが話題になった。これは60万円をわずかに超える61万円の贈与を行ったとして1,000円の贈与税を申告納付するもので、これを通年行うことにより、有効に相続財産の分散を図って行くというものである。これは、贈与税の申告をすることにより、除斥期間を短縮し（無申告なら6年、申告があれば3年）、かつ、課税庁に贈与の実行を主張できるメリットがあるといわれ、一時かなり行われ、今でも、実行している例があると聞く。

(注3)　この贈与税の基礎控除が110万円に引き上げられた理由及びこれを本法でなく租税特別措置法に設けた理由について、当局者は、次のように説明し

ている(「平成13年版・改正税法のすべて」415・416頁)。

「贈与税の基礎控除については「執行当局の事務処理は納税者の申告に要する手間を勘案し、少額不追求の観点から設けられているものであること、安易な引上げは、相続税の課税回避を防止するという贈与税の機能を損なうこととなるほか、相続税の課税ベースの縮小につながり、相続税の今後のあり方にも反してくるなどの問題があることに留意しなければならない」との考え方が示される一方で、同調査会の平成13年度の税制改正に関する答申でも示されているように「昭和50年以来その水準が据え置かれてきていること、若年・中年世代への早期の財産移転の促進を通じ経済社会の活性化に資すると考えられることから、当面の措置として引き上げられてもよいのではないか」との意見が多く見られました。

贈与税は、被相続人の生存中に財産を分割して贈与することにより、相続税の負担回避が図られることを防ぐという趣旨から設けられている相続税の補完税ともいうべき性格の税です。したがって、その安易な引上げは、相続税の課税回避を防止するという贈与税の基本的機能を損なうこととなることに留意しなければなりません。

平成13年度の税制改正においては、上記の贈与税の基本的考え方を踏まえ、更に上記の意見等に配慮し、相続税の抜本的見直しまでの臨時的な措置として、贈与税の基礎控除を引き上げることとされました。この場合の基礎控除の額については、勤労所得に対する所得税の課税最低限とのバランスや昭和50年からの物価上昇の水準、若年・中年世代への早期の財産移転の促進を通じた経済社会の活性化等を考慮しつつ、110万円に引き上げることとされました。」

※所得税の課税最低限(独身者の場合) 114万円
　昭和50年の引き上げからの物価上昇　約1.8倍(昭和50年→平成11年)
　60万円(改正前の基礎控除)×1.8＝108万円

　この贈与税の基礎控除は、制限納税義務者に対しても、また、年の中途で死亡した受贈者に対しても、一律に110万円が控除される。

　また、基礎控除の効果としては、前述のとおり課税最低限つまり贈与税がかからない贈与額の最高限度であるとともに、基礎控除後の課税価格に税率を適用して税額を計算するため、低額贈与に対する税の累進度を強めることになる。もっとも、これは、贈与税に限った現象ではなく、所得税でも同様といえよう。

なお、後述の贈与税の配偶者控除の適用がある場合には、この配偶者控除が先に適用され、次いで基礎控除が適用される（相基通21の6－6）。したがって、配偶者控除の適用が受けられる場合の贈与税の課税最低限は、2,110万円ということになる。ただし、この場合は、後述のとおり、贈与税額は零であっても、贈与税の申告書の提出が必要であるから注意する必要がある。

(参考) 贈与税の基礎控除額の推移

年	基 礎 控 除
昭和33年 〜 昭和38年	20万円
昭和39年 〜 昭和49年	40万円
昭和50年 〜 平成12年	60万円
平成13年 〜	110万円

第3節　贈与税の配偶者控除

1　総　説

　贈与税の配偶者控除は、①婚姻期間が20年以上である配偶者相互間で、②配偶者の居住用不動産又は居住用不動産を取得するための金銭の贈与を行い、③その居住用不動産又は贈与を受けた金銭で取得した居住用不動産を翌年3月15日までに居住の用に供し、④その後引き続いて居住の用に供する見込みである場合には、所定の書類を添付した贈与税の申告書を提出することを要件として、贈与税の課税価格から2,000万円の控除を行うものである（相法21の6）。

この贈与税の申告書は、課税価格が2,000万円未満であっても、この配偶者控除の適用を受けるためには提出が必要で、納付すべき贈与税額がなくても提出しなければ、配偶者控除の適用は受けられない。

なお、贈与税の配偶者控除は、同一の配偶者からの贈与については重ねて適用されない（相法21の6①）。

この贈与税の配偶者控除を行う趣旨は、当時の当局者の説明（「昭和41年版・改正税法のすべて」109頁）では、次のようにいわれいている。「……夫婦間における財産形成のあり方について今後検討しなければなりませんが、夫婦間の贈与の実情は概して贈与の認識が薄く、しかも最近における親子相互間の扶養義務の観念が薄らぐ傾向から夫の死後における妻の生活保障の意図で行われることが少なくありません。そこでこのような実情に即応するさしあたりの措置として、今回新に贈与税の配偶者控除の制度が設けられました。」

すなわち、おおむねは、夫の死後妻が残る場合が多いが、その生活の根拠を残してやりたいという夫の意思を酌んで、このような制度が設けられたとされている（注）。

(注) なお、この制度の創設時に、生前に居住用不動産の贈与がなく、贈与税の配偶者控除の適用がなかった場合のバランスを考慮して、遺産に係る基礎控除のほか、遺産に係る配偶者控除の制度が相続税について設けられたが、結果的には、配偶者の財産の取得の有無にかかわらず適用され、遺産に係る基礎控除と同一の効果を持つものであること、配偶者がいない場合には、相続税が重課され、バランスがとれないこと等を理由として、昭和50年の改正で、遺産に係る基礎控除に吸収されている。

2　個別事項

(1)　この特例の適用を受けられる者

この贈与税の配偶者控除の適用を受けられる者は、その者との婚姻期間が20年以上である配偶者から、次の(2)で説明する居住用不動産又はこれを取得するための金銭の贈与を受けた者であることとされる。この「配偶者」が民

法の規定による届出をして配偶者となった者に限られることは当然である（婚姻期間の算定が民法の届出があった日からされることになっている（相令4の6））。

　次に婚姻期間の算定は、贈与をした配偶者とその配偶者からの贈与により居住用不動産等を取得した者との婚姻につき民法第739条第1項の届出があった日からその居住用不動産等の贈与があった日までの期間により計算する。この場合、届出をした日から期間を起算することになる（注）。また、その計算した婚姻期間に1年未満の端数があるときは、切上げは行わない。したがって、その婚姻期間が19年を超え20年未満であるときは、贈与税の配偶者控除の適用がないことになる（相基通21の6－7）。

(注)　「昭和41年版・改正税法のすべて」110頁、日本税理士会連合会編集「三訂版・相続・贈与実務必携」289頁を参照。

　なお、生存配偶者が被相続人といったん離婚した後再婚した場合すなわち生存配偶者がその贈与をした者の配偶者でなかった期間がある場合には、その配偶者でなかった期間は除かれる。具体的には、最初の婚姻届出の日から相続開始の日までの期間を計算し、それから離婚の日の翌日から再婚の届出の日の前日までの期間を控除して計算するものとされている（注）。

(注)　「昭和41年版・改正税法のすべて」106頁

　また、この贈与税の配偶者控除は、その贈与をした配偶者から贈与を受け、配偶者控除の適用を受けている場合は、重ねてその配偶者から受ける贈与について配偶者控除の適用を受けられないが、その配偶者と離婚した後別の配偶者と婚姻して、その配偶者から居住用不動産等の贈与を受けた場合には、これについても贈与税の配偶者控除の適用を重ねて受けることができる。

(2)　**対象となる居住用不動産又は金銭**

① 　**原　　則**

　この特例の対象となるものは、次のとおりである。

(イ)　居住の用に供する土地若しくは土地の上に存する権利で国内にあるもの

(ロ)　居住の用に供する家屋で国内にあるもの（(イ)及び(ロ)を併せて「居住用不動

(ハ) 居住用不動産を取得するための金銭

ただし、①居住用不動産を取得した場合には、その取得の日の翌年3月15日までに居住の用に供し、かつ引き続いて居住の用に供する見込みであること、②金銭の場合には、その金銭をもってその取得の日の翌年3月15日まで居住用不動産を取得し、同日までに居住の用に供し、かつ、引き続いて居住の用に供する見込みであることが要件となっている。

この居住用の不動産の「取得」には、家屋の増築を含むことに取り扱われる（相基通21の6-4）。

また、居住用不動産の取得は、本来は、居住の用に供する家屋又は家屋とその敷地を取得することで、土地だけの取得は、本来は対象にならないと考えられるが、実情を考慮して、次の土地若しくは土地の上に存する権利（「土地等」という。）又は家屋は、居住用不動産に該当するものとして取り扱われる（相基通21の6-1）。

(イ) 受贈配偶者が取得した土地等又は家屋がその取得の翌年3月15日現在で店舗兼住宅のように、専ら居住の用とそれ以外の用に供される部分がともにある場合には、その専ら居住の用に供されている部分の土地等又は家屋が居住用不動産とされる。

なお、この場合で居住用の部分の面積がその土地等又は家屋の面積のおおむね90％以上であるときは、その土地等又は家屋の全部が居住用不動産として取り扱われる。

(ロ) 受贈配偶者が専ら居住の用に供する家屋の存する土地等のみを取得した場合で、その家屋の所有者がその受贈配偶者の配偶者又は受贈配偶者と同居するその者の親族であるときにおける当該土地等

なお、この土地等には、受贈配偶者の配偶者又は受贈配偶者と同居するその者の親族の有する借地権の設定されている土地（いわゆる底地）が含まれる。（次の(ハ)において同じ。）

この取扱いは、家族生活の実情及び配偶者控除の趣旨を考慮して設けら

れたもので、土地のみの贈与であっても、その土地の上の居住用家屋が受贈者の配偶者又は受贈者と同居するその者の親族の所有するものであれば、その土地を居住用不動産として取り扱うというものである。この取扱いに該当するケースとしては、次の例が挙げられる。

㋑　居住用家屋（受贈者の配偶者又は受贈者と同居するその者の親族が所有するものに限る。以下㋭までにおいて同じ。）の敷地の全部の贈与を受けた場合

㋺　居住用家屋の敷地の共有持分の贈与を受けた場合

㋩　居住用家屋の敷地の一部を分筆して贈与を受けた場合（この場合、贈与を受けた分筆土地の上に居住用家屋が存することが必要であろうと考える。）

㋥　贈与をした配偶者（例えば夫）の所有する居住用家屋の敷地として夫が借りていた土地（底地）を取得するため夫から資金の贈与を受け、その金銭で地主から底地を取得した場合（注）

㋭　受贈配偶者の親族（例えば長男）の所有する居住用家屋（受贈配偶者がその親族（長男）と同居している場合に限る。）の敷地として夫が借りていた土地（底地）を取得するため夫から資金の贈与を受け、その金銭で地主から底地を取得した場合（注）

（注）　この㋥又は㋭の場合、借地権者は依然として夫であるが、底地の所有者（地主）は妻になったので、地代の授受は行われなくなることがほとんどであろう。そうなると、借地権者たる夫は、その借地権を地主である妻に贈与したものとして取り扱われる（使用貸借通達5本文）。

そこで、この贈与課税を免れるためには、「借地権者の地位に変更がない旨の申出書」を所轄税務署長に提出すれば、夫からの借地権の贈与はないこととして取り扱われ、その代わり、夫の相続の際相続財産として相続税の課税対象となる。

㋥　受贈配偶者が店舗兼住宅の用に供する家屋の存する土地等のみを取得した場合で、その受贈配偶者がその家屋のうち住宅の部分に居住し、かつ、その家屋の所有者が受贈配偶者の配偶者又は受贈配偶者と同居するその者

の親族であるときにおけるその居住の用に供している部分の土地等

この取扱いの考え方は(ロ)と同じといってよい。

② **店舗兼住宅の場合の居住部分の判定**

受贈配偶者の居住している家屋のうちに居住用以外の用に供されている部分がある家屋及びその敷地の用に供されている土地等(以下「店舗兼住宅等」という。)について居住の用に供している部分は、次によって判定するものとされる(相基通21の6-2)。なお、これによって求めた居住用部分の面積がそれぞれ、その土地又は家屋の面積のおおむね90％以上となるときは、相基通21の6-1(1)の取扱いによりその土地又は家屋の全部が居住用不動産として判定されることになる。

(イ) 家屋の居住用部分の面積

$$\text{家屋のうち専ら居住の用に供している部分の床面積(A)} + \text{家屋のうち居住用とその他の用に併用されている部分の面積(B)} \times \frac{A}{\text{その家屋の床面積} - B}$$

(ロ) 土地等の居住用部分の面積

$$\text{土地等のうち専ら居住の用に供している部分の面積} + \text{土地等のうち居住用とその他の用に併用されている部分の面積} \times \frac{\text{家屋の面積のうち(イ)の算式により計算した面積}}{\text{その家屋の床面積}}$$

これを簡単な設例で説明してみよう。

〔設例〕

妻Aは夫Bから次のような店舗兼住宅の贈与を受けた。居住用不動産の価額及び贈与税の配偶者控除の額はいくらになるか。

(区分)	(家屋)	(土地等)
① 居住専用部分の面積	80㎡	110㎡
② 併用部分の面積	24㎡	36㎡
③ 店舗部分の面積	40㎡	64㎡
④ 総面積	144㎡	210㎡
⑤ 価額	216万円	2,730万円

〔解答〕

① 家屋のうち居住の用に供している部分

　(イ) 面積

$$80㎡ + 24㎡ \times \frac{80㎡}{144㎡ - 24㎡} = 96㎡$$

　　ロ　価額

$$216万円 \times \frac{96㎡}{144㎡} = 144万円$$

②　土地のうち居住の用に供している部分

　　イ　面積

$$110㎡ + 36㎡ \times \frac{96㎡}{144㎡} = 134㎡$$

　　ロ　価額

$$2,730万円 \times \frac{134㎡}{210㎡} = 1,742万円$$

③　贈与財産の価額

　　　（家屋）　　（土地）
　　216万円 + 2,730万円 = 2,946万円

④　贈与税の配偶者控除などの対象となる居住用不動産の価額

　　　（家屋）　　（土地）
　　144万円 + 1,742万円 = 1,886万円

⑤　贈与税の配偶者控除

　　1,886万円＜2,000万円　　∴1,886万円

⑥　贈与税の課税価格

　　（贈与価額）　（配偶者控除）　（基礎控除）
　　2,946万円 − 1,886万円 − 110万円 = 950万円

③　店舗兼住宅等の持分の贈与があった場合の居住用部分の判定

　家屋とその敷地である土地等について持分の贈与があった場合は、家屋及び敷地は共有の状態になる。共有物の使用については、民法では各共有者は共有物の全部について、その持分に応じて使用することができる（民法249）。

　したがって、店舗兼住宅の持分を配偶者に贈与した場合には、贈与配偶者と受贈配偶者の共有状態となり、共有持分は、店舗兼住宅のすべてに及ぶから、受贈配偶者が贈与を受けた共有持分のうち、次の算式によって求めた部分が贈与により取得した持分のうち居住の用に供している部分ということになる（相基通21の6 − 3本文）。

相基通21の6 − 2による店舗
兼住宅の居住用部分の割合　× 贈与を受けた持分割合

しかし、贈与税の配偶者控除が生存配偶者の老後の生活安定に対する配慮から設けられたこと等から考えれば、贈与された持分の割合が店舗兼住宅のうち夫婦双方が居住の用に供している部分の割合以下であるときは、贈与の当事者が夫婦の間では、居住の用に供している部分からまず贈与するという認識に立って贈与が行われたものとみるのが、実情に即した見方であると考えられる。

こうした見地から、国税庁の取扱いでは、次のように取り扱うものとしている（相基通21の6-3ただし書）。

(イ) 店舗兼住宅について持分の贈与があった場合には、受贈配偶者と贈与配偶者の双方の持分割合を合計して居住の用に供している部分の割合を求め、贈与を受けた持分の割合が、夫婦双方の持分を併せて判定した居住の用に供している部分の割合以下であるときで、かつ、贈与を受けた持分の全部が居住用不動産に該当するものとして申告があったときは、これを認めて贈与税の配偶者控除を適用することとされている。

(ロ) また、贈与を受けた持分の割合が夫婦双方の持分の割合を合わせて判定した居住の用に供している部分の割合を超えている場合においても、贈与を受けた持分のうち夫婦双方の持分の割合を合わせて判定した居住の用に供している部分を居住用不動産に該当するものとして申告があったときは、同じくこれを認めて贈与税の配偶者控除を適用することとされている。

これを簡単な設例で説明してみよう。

〔設例〕

夫であるAは、次の家屋と敷地を所有していたが、その一部を妻Bに共有持分の贈与として与えた。

　　家屋　延床面積　240㎡　価額　　600万円
　　土地　面　積　200㎡　〃　　2,400万円

なお、家屋のうち妻Bの居住の用に供されている部分は160㎡、残り80㎡は、Aの事業の用に供されている。AからBに贈与した持分が次のようになっている場合のそれぞれの贈与財産の価額、居住用不動産の部分の価額及び贈与税の配偶者控除はどのようになるか。

（ケース１）家屋及び土地をそれぞれ２分の１ずつ贈与した場合
　　（ケース２）家屋及び土地をそれぞれ５分の４ずつ贈与した場合

〔解答〕
（ケース１）家屋及び土地を２分の１ずつ贈与した場合
(1) 贈与を受けた土地家屋のうち居住用不動産に該当する部分の価額
　① 原則
　　(イ) 家屋　$600万円 \times \dfrac{160㎡}{240㎡} \times \dfrac{1}{2} = 200万円$
　　(ロ) 土地　$2,400万円 \times \dfrac{160㎡}{240㎡} \times \dfrac{1}{2} = 800万円$
　② 配偶者控除の場合の特例
　　(イ) 家屋
　　　㋑ 贈与を受けた持分の割合　２分の１
　　　㋺ (居住用部分の割合)　　（A 持分）（B 持分）
　　　　$\dfrac{160㎡}{240㎡} \times \left(\dfrac{1}{2} + \dfrac{1}{2} \right) = \dfrac{2}{3}$
　　　㋩ ㋑＜㋺　∴㋑の割合による。
　　　㋥ 居住用不動産の価額
　　　　$600万円 \times \dfrac{1}{2} = 300万円$
　　(ロ) 土地
　　　㋑ 贈与を受けた持分の割合　２分の１
　　　㋺ (居住用部分の割合)　　（A 持分）（B 持分）
　　　　$\dfrac{160㎡}{240㎡} \times \left(\dfrac{1}{2} + \dfrac{1}{2} \right) = \dfrac{2}{3}$
　　　㋩ ㋑＜㋺　∴㋑の割合による。
　　　㋥ 居住用不動産の価額
　　　　$2,400万円 \times \dfrac{1}{2} = 1,200万円$
　③ 配偶者控除額
　　　(居住用不動産の価額)
　　　$300万円 + 1,200万円 = 1,500万円（<2,000万円）$
　　　　∴　控除額　1,500万円
　④ 贈与税の課税対象額
　　　(贈与財産の価額)　　　　　　(控除額)
　　　$(600万円 + 2,400万円) \times \dfrac{1}{2} - 1,500万円 = 0$

（ケース２）家屋及び土地を５分の４ずつ贈与した場合

(1) 贈与を受けた土地家屋のうち居住用不動産に該当する部分の価額
　① 原則
　　(イ) 家屋　　$600万円 \times \dfrac{160㎡}{240㎡} \times \dfrac{4}{5} = 320万円$

　　(ロ) 土地　　$2,400万円 \times \dfrac{160㎡}{240㎡} \times \dfrac{4}{5} = 1,280万円$

　② 配偶者控除の場合の特例
　　(イ) 家屋
　　　㋐ 贈与を受けた持分の割合　5分の4
　　　㋑ (居住用部分の割合)　　(A持分)　(B持分)
　　　　　$\dfrac{160㎡}{240㎡} \times \left(\dfrac{1}{5} + \dfrac{4}{5} \right) = \dfrac{2}{3}$

　　　㋒　㋐＞㋑　∴㋑の割合による。
　　　㋓　居住用不動産の価額
　　　　　$600万円 \times \dfrac{2}{3} = 400万円$

　　(ロ) 土　地
　　　㋐ 贈与を受けた持分の割合　5分の4
　　　㋑ (居住用部分の割合)　　(A持分)　(B持分)
　　　　　$\dfrac{160㎡}{240㎡} \times \left(\dfrac{1}{5} + \dfrac{4}{5} \right) = \dfrac{2}{3}$

　　　㋒　㋐＞㋑　∴㋑の割合による。
　　　㋓　居住用不動産の価額
　　　　　$2,400万円 \times \dfrac{2}{3} = 1,600万円$

　③ 配偶者控除額
　　(居住用不動産の価額)
　　$400万円 + 1,600万円 = 2,000万円 (= 2,000万円)$
　　　∴　控除額　2,000万円

　④ 贈与税の課税対象額
　　(贈与財産の価額)　　　　　　(控除額)
　　$(600万円 + 2,400万円) \times \dfrac{4}{5} - 2,000万円 = 400万円$

　(備考)　その年中に他に贈与を受けた財産がなければ、贈与税の課税対象額は
　　　　　　(基礎控除)
　　　　$400万円 - 110万円 = 290万円$

〔設例〕

夫であるCとその子Dとは、次の家屋と敷地を共有している。CとDとの持分は家屋・敷地のいずれもCが5分の4、Dが5分の1となっている。Cは家屋及び敷地に対する持分2分の1を妻Eに共有持分の贈与として与えた。

家屋　延床面積　300㎡　　価額　　600万円
土地　面　　積　300㎡　　価額　3,000万円

なお、家屋のうち妻Eの居住の用に供されている部分は200㎡、残り100㎡はCの事業の用に供されている。この場合、妻Eに贈与された贈与財産の価額、居住用不動産の価額及び贈与税の配偶者控除の額はどのようになるか。

〔解答〕

(1) 贈与を受けた土地家屋のうち居住用不動産に該当する部分の価額

① 原則

　(イ)　家屋　　$600万円 \times \dfrac{200㎡}{300㎡} \times \dfrac{1}{2} = 200万円$

　(ロ)　土地　$3,000万円 \times \dfrac{200㎡}{300㎡} \times \dfrac{1}{2} = 1,000万円$

② 配偶者控除の場合の特例

　(イ)　家屋

　　㋑　贈与を受けた持分の割合　　2分の1

　　㋺　(居住用部分の割合)　　(A持分)　　(B持分)
$$\dfrac{200㎡}{300㎡} \times \left\{ \dfrac{1}{2} + \left(\dfrac{4}{5} - \dfrac{1}{2} \right) \right\} = \dfrac{8}{15}$$

　　㋩　㋑＜㋺　∴㋑の割合による。

　　㋥　居住用不動産の価額

$$600万円 \times \dfrac{1}{2} = 300万円$$

　(ロ)　土　地

　　㋑　贈与を受けた持分の割合　　2分の1

　　㋺　(居住用部分の割合)　　(E持分)　　(C持分)
$$\dfrac{200㎡}{300㎡} \times \left\{ \dfrac{1}{2} + \left(\dfrac{4}{5} - \dfrac{1}{2} \right) \right\} = \dfrac{8}{15}$$

　　㋩　㋑＜㋺　∴㋑の割合による。

　　㋥　居住用不動産の価額

$$3,000万円 \times \dfrac{1}{2} = 1,500万円$$

③ 配偶者控除額

$\underset{(居住用不動産の価額)}{300万円}+1,500万円=1,800万円(<2,000万円)$

∴ 控除額 1,800万円

④ 贈与税の課税対象額

$\underset{(贈与財産の価額)}{(600万円+3,000万円)} \times \frac{1}{2} - \underset{(控除額)}{1,800万円} = 0$

④ 店舗兼住宅等の敷地の持分の贈与について贈与税の配偶者控除の適用を受けた場合の小規模宅地等の特例

　措置法第69条の4第1項の規定の適用がある店舗兼住宅等の敷地の用に供されていた宅地等で相続の開始の年の前年以前に被相続人からのその持分の贈与につき相続税法第21条の6第1項の規定による贈与税の配偶者控除の適用を受けたもの（相基通21の6－3のただし書の取扱いを適用して贈与税の申告があったものに限る。）であっても、措置法令第40条の2第4項に規定する被相続人等の居住の用に供されていた部分の判定は、当該相続の開始の直前における現況によって行うことになる（措通69の4－9）。

　これについて、当局者は次のように説明している（措法通達解説71～72頁）。

　店舗兼住宅の敷地等については、被相続人が相続開始の前にその持分の一部を被相続人の配偶者に贈与した場合において、持分の贈与を受けた配偶者が、その持分は居住用部分から優先的に贈与を受けたものであるとして、その持分に係る居住用部分の判定を相基通21の6－3のただし書の取扱いを適用し、贈与税の配偶者控除の適用（相続開始の前年以前の贈与に限る。）を受けているケースが考えられる。このような場合において、贈与しなかった持分に係る被相続人等の居住の用に供されていた部分の範囲の確定は、その宅地等の持分の贈与につき相基通21の6－3のただし書の取扱いを受けているということを前提として行うのか否かという疑義がないわけではない。

　しかしながら、①特例の対象となる宅地等の判定は相続開始の直前の現況で行うこと（措法69の4①）、②相基通21の6－3のただし書の取扱いの適用は、贈与税の配偶者控除を適用する場合の計算に限った取扱いであること、

及び③相基通21の6-3のただし書の取扱いを受けて共有となった店舗兼住宅の土地建物であっても、これを譲渡した場合に生ずる譲渡所得の金額の計算は、それぞれの者がそれぞれその持分について居住用及び事業用の割合に応じ土地建物を譲渡したものとして計算するのが相当であるとされていることから、店舗兼住宅の持分に係る被相続人等の居住の用に供されていた部分の範囲の確定に当たっても、相基通21の6-3のただし書の取扱いを受けているということを前提として判定するのは適当でないと考えられる。

そこで、措通69の4-9は、特例の適用に当たり被相続人が贈与しなかった持分のうち被相続人等の居住の用に供されていた部分の範囲の確定は、相続開始の直前における現況で行うことを明らかにしたものである。

〔設例〕 相続開始の年の前年以前にその贈与があった場合
(1) 甲は、平成〇年7月に店舗兼住宅（店舗部分の割合1／2、住宅部分の割合1／2）の土地建物に係る持分1／3を配偶者乙に贈与した。乙は相続税法基本通達21の6-3のただし書の取扱いを適用し、贈与を受けた部分に相当する部分は全て居住用部分であるとして、この全部について贈与税の配偶者控除を適用して贈与税の申告を行った。
(2) 甲は、令和△年3月に死亡した。

〔解答〕
店舗兼住宅に係る被相続人の持分 $\frac{2}{3}$ のうち、被相続人の居住の用に供されていた部分は、次の割合に相当する部分である。

$$\left(\begin{array}{c}\text{店舗兼住宅のうち被相続人等の}\\ \text{居住の用に供されていた部分}\end{array}\right) \quad \text{〔被相続人の持分〕}$$

$$\frac{1}{2} \quad \times \quad \frac{2}{3} \quad = \quad \frac{1}{3}$$

(3) 居住用不動産とその他の財産を受贈金銭で同時に取得した場合の取扱い

① 総説

贈与税の配偶者控除の適用を受けようとする者が、居住用不動産と同時に居住用不動産以外の財産をも取得した場合において、その取得資金が、配偶者から贈与を受けたものと、自己資金又は配偶者以外の者から贈与を受けた

ものとから成るときは、居住用不動産の取得には、いずれの資金から充てられたかを定めないと、贈与税の配偶者控除の額が定められないことになる。そこで、贈与税の配偶者控除の適用上受贈者が有利になるように、配偶者から贈与を受けた金銭は、まず居住用不動産の取得に充てられたものとして取り扱うことができるものとされている（相基通21の6－5）。

② 「同時」の意義

この「居住用不動産と同時に居住用不動産以外の財産を取得した場合」の「同時」とは、文字通り同じ日ということか、それともどの位のズレまでは認められるということか疑念があるが、この特例が、贈与を受けた金銭をもって居住用不動産を取得することが適用の前提となっており、受贈金銭と居住用不動産の取得がひも付きであることが基本であるということを考えれば、この取扱いは、その金銭が居住用不動産の取得に充てられたか、それともそれ以外の財産の取得に充てられたか、どちらともいえるような場合に限って適用されるものと思われる。そうであれば、この取扱いが適用されるためには、贈与を受けた金銭とその他の資金とのいずれによっても財産を取得できることが可能な状態にあり、かつ、居住用不動産の取得にそのいずれの資金をも充てられる状況にあることが必要と考えられる。即ち、贈与を受けた金銭の実際の使途のいかんにかかわらず、一定期間内に居住用不動産を取得しさえすれば、この取扱いが適用になるということではない。

要するに、この取扱いにおける「同時」とは、同じ日とか半年以内というように一律に決められるものではなく、「同時期」という程度の意味合いであって、具体的には、個々のケースごとに、事実関係を基として、上に述べたような状況にあったかどうかにより判断すべきものであろうとされている（注）。

(注) 前掲「相続税通達100問100答」250～251頁を参照。なお、同書では、次のような設例が挙げられている（同書248～249頁）。

　　すなわち、妻が自己資金4,000万円と夫から贈与を受けた資金3,000万円によって妻名義の居宅（建築費5,000万円）と店舗（建築費2,000万円）を

取得した。いずれも夫から資金贈与を受けた年に完成したが、居宅の建築費の支払には自己資金4,000万円と受贈金銭1,000万円を充て、店舗の建築費の支払には残りの受贈金銭2,000万円を充てたが、この居住用不動産の取得に関して2,000万円の贈与税の配偶者控除が認められるかという趣旨で、その回答としては、適用があると思われるとの答えである。

　その理由は、筆者の考えるところでは、いずれの財産も、自己資金と受贈金銭のいずれからでもその建築費の支払が可能な状況で支払われているから、実際の支払の資金源がいずれであっても、この取扱いが適用できるという趣旨であろうと思われる。

第4節　税額の計算

1　計算の方法

　贈与税の税額計算方法は極めて単純であって、1暦年中の個人からの贈与（法人からの贈与は所得税が課税される。）による所得財産の価額の合計額（非課税財産の額は含めない。）から基礎控除及び配偶者控除を控除した残額に次表の贈与税の税率を乗じて計算した額が税額となる。後述の在外財産に対する贈与額相当額が課税されていれば、これを控除する。

　次に、贈与税の税率を速算表で掲げておく。

(1) 平成26年12月31日まで

課税価格	税率（%）	控除額（万円）
200万円以下	10	—
200万円超～ 300万円以下	15	10
300万円超～ 400万円以下	20	25
400万円超～ 600万円以下	30	65
600万円超～1,000万円以下	40	125
1,000万円超～	50	225

(2) 平成27年1月1日以後

【直系尊属からの贈与（措法70の2の3）】

〈特例贈与〉

基礎控除後の課税価格	税率（%）	控除額（万円）
200万円以下	10	—
200万円超～ 400万円以下	15	10
400万円超～ 600万円以下	20	30
600万円超～1,000万円以下	30	90
1,000万円超～1,500万円以下	40	190
1,500万円超～3,000万円以下	45	265
3,000万円超～4,500万円以下	50	415
4,500万円超～	55	640

（注） この税率は、贈与の年1月1日現在で年齢20歳（令和4年4月1日以後は18歳となる。）以上である者について適用される（措法70の2の3）。

【一般の贈与（相法21の7）】

〈一般贈与〉

基礎控除後の課税価格	税率（％）	控除額（万円）
200万円以下	10	―
200万円超～ 300万円以下	15	10
300万円超～ 400万円以下	20	25
400万円超～ 600万円以下	30	65
600万円超～1,000万円以下	40	125
1,000万円超～1,500万円以下	45	175
1,500万円超～3,000万円以下	50	250
3,000万円超～	55	400

〔設例── 一般贈与と特例贈与がある場合〕

長男A（30歳）は、令和A年中において、父から宅地3,000,000円及び伯父から現金2,000,000円の贈与を受けた。このときの贈与税はいくらか。

〔解答〕

① 課税価格

　（父からの贈与）（伯父からの贈与）　（課税価格）
　3,000,000円 + 2,000,000 = 5,000,000円

② 合計贈与価額

　　　　　　　（基礎控除額）　（合計贈与価額）
　5,000,000円 - 1,100,000円 = 3,900,000円

③ 一般贈与財産に対する金額

　　　　　　　　（一般税率）
　(3,900,000円 × 20% - 250,000円) × 2,000,000 / 5,000,000 = 212,000円

④ 特例贈与財産に対する金額

　　　　　　　　（特例税率）
　(3,900,000円 × 15% - 100,000円) × 3,000,000 / 5,000,000 = 291,000円

⑤ 贈与税額

　212,000円 + 291,000円 = 503,000円

2 例　外

以上の原則に対して、次のような例外がある。

① 人格のない社団等又は持分の定めのない法人に対する贈与税額計算の特例
② 住宅取得資金の贈与に係る相続時精算課税制度の特例
③ また、税額計算の特例ではないが、農地等の贈与をした場合の贈与税の納税猶予の特例がある。

以上のうち②は相続時精算課税制度の項で、また、③の贈与税の納税猶予の特例も別項で説明する。

(人格のない社団又は持分の定めのない法人に対する贈与税額の計算の特例)

この特例の対象となるものは、次の者である（以下「人格のない社団等」と総称する。）。

① 人格のない社団又は財団
② 持分の定めのない法人（その贈与によりその贈与者の親族その他これらの者と特別の関係がある者の相続税又は贈与税の負担が不当に減少する結果となると認められる場合に限る。）

既に再三にわたって説明したとおり、これらの人格のない社団等は、個人からの贈与（この贈与には、人格のない社団又は財団からの贈与は、個人からの贈与とみなされず、含まれない（相基通21の3－2）。）により財産を取得した場合には、個人とみなされて、贈与税が課税されるが、その贈与税の額の計算は、次のとおり、極めて特異な方法によっている。

即ち、人格のない社団等が個人から贈与を受けて贈与税の納税義務者となる場合の贈与税額は、その贈与者の異なるごとに、その贈与者のみから財産を取得したものとして、それぞれ1歴年中にその者から贈与を受けた財産の価額の合計額から贈与税の基礎控除110万円を控除した残額に税率を適用して計算した贈与税額を合計したものが、その人格のない社団等に課される贈与税の額とされている（相法66①④）。

〔設例〕
　管理人の定めのある人格のない社団Ｘは、平成26年中に、個人会員Ａから200万円、同Ｂから60万円、同Ｃから5月に120万円、10月に300万円の贈与を受けた。Ｘ社団の納付すべき贈与税の額はいくらか。

【解答】

　Ｘ社団の納付すべき贈与税額＝（200万円－110万円）×10％＋（60万円－110万円）＋（120万円＋300万円－110万円）×20％－25万円＝9万円＋0＋37万円＝46万円

(注)　なお、贈与が平成27年に行われた場合の贈与税額は、次のようになる。
　　（200万円－110万円）×10％＋（60万円－110万円）＋（120万円＋300万円－110万円）×20％－25万円＝9万円＋0＋37万円＝46万円
　　（26年と同額）

　人格のない社団等の贈与税額の計算に、このような特異な計算方法を採用した理由については、既にⅠの第2節の2（贈与税のみなし納税義務者）の項でも検討したが、その際の筆者の個人的な見解として述べたことを再度引用させて頂く。

　「以上の解説によってもこのような特別な課税方式をとったことの真意はあまり明らかではないが、筆者の全くの個人的な見解では、このような人格のない社団等への拠出は、構成員からの各拠出金で構成されており、これを社団等の受増額全体を合計して課税対象とすることは負担が過重となるので、このような制度を採用したのではなかろうか。」

第5節　在外財産に対する贈与税額の控除

　相続税と異なり、贈与税の税額控除制度としては、唯一のものが、この在外財産に対する贈与税額の控除である。

　この控除に関する詳細は、相続税の在外財産に対する相続税額の控除の項で述べられているので、贈与税については、制度の骨子だけを簡単に述べておく。

即ち、贈与により、この法律の施行地外にある財産を取得した場合において、その財産についてその地の法令により贈与税に相当する税が課せられたときは、その財産を取得した者については、これまでの説明による計算をした金額からその課せられた税額に相当する金額を控除した金額をもってその納付すべき贈与税とされる。ただし、その課せられた税額が、下記の算式により計算した金額を超えるときは、その超える金額は控除されない（相法21の8）。

$$\text{住宅取得資金の特例適用後の贈与税額} \times \frac{\text{国外に所在する財産の価額}}{\text{贈与により取得した財産の価額のうち課税価格の計算の基礎に算入された部分の金額}}$$

第4編
相続時精算課税

第1節 制度の導入の背景

相続時精算課税制度は、平成15年の税制改正で設けられた制度で、いわば贈与税の特例で、相続税自体の特例ではないことが、重要なポイントである。

これについては、第1編「総論」に述べてあるが、再説すると次のとおりである。

(1) **従来の税制調査会答申の論調**

平成13年までの税制調査会の答申では、今回のような贈与税の負担軽減による世代間の財産移転の促進に対して、極めて消極的であった。例えば、相続時精算課税の導入を勧告した「平成15年度における税制改革についての答申（以下「15年改正答申」という。）」の直前の、「平成14年度の税制改正に関する答申」では、次のように述べている。

「現在、高齢者の保有する多額の個人金融資産を若年・中年世代へ早期に移転させて消費拡大等を図る視点から、贈与税の軽減を求める意見がある。しかしながら、現行制度の下で、既に相当の金額の贈与を毎年非課税で行うことが可能となっている。また、贈与税は相続税の課税回避を防止するという基本的な機能を有しており、相続税の課税対象者がごく一部の資産家に限られていることから、贈与税の軽減が世代間の財産移転を促進する効果も非常に限定的と考えられる。こうしたことから、贈与税については、相続税の幅広い見直しの一環として検討することが適当である。」

このように、税制調査会はそもそも贈与税は、富の再分配を目的とする相続税の補完税であるという伝統的な考えに立ち、贈与税の負担軽減に慎重だったのである。

(2) **従来の路線を変えた15年改正答申**

ところが、平成14年に至り、税制調査会は従来の態度を一変、同年6月14日にとりまとめられた「あるべき税制の構築に向けた基本方針」で、資産移転の時期の選択の中立性、世代間の財産の早期移転による経済の活性化を目

的とした相続税・贈与税の一体化の方向の検討を打ち出し、続いて同年末に出された15年改正答申では、相続税・贈与税の改正について、次のように提言した。

「相続税・贈与税については、高齢者の保有する資産の次世代への移転の円滑化に資する視点から、相続税・贈与税の一本化措置を導入する。これにあわせて、相続税について最高税率の引下げを含む税率構造の見直し及び課税ベースの拡大を図るとともに、贈与税について相続税に準じた見直しを図る。」

そして、相続税・贈与税の一体化措置として「相続時精算課税制度」なるものの創設を提言し、その目的について15年改正答申は、次のように述べている。

「高齢化の進展に伴って、相続による次世代への資産移転の時期が従来より大幅に遅れてきている。また、高齢者の保有する資産（住宅等の実物資産も含む。）の有効活用を通じて経済社会の活性化にも資するといった社会的要請もある。かかる状況の下、相続税・贈与税の改革については、生前贈与の円滑化に資するため、生前贈与と相続との間で資産移転の時期の選択に対して税制の中立性を確保することが重要となってきている。こうした状況を踏まえ、相続税・贈与税の一体化措置を平成15年度税制改正において新たに導入する。この一体化措置は、従来の相続税と贈与税との関係を大きく見直すものであり、両税の抜本的改革として位置付けられるものである。」

そして、この提言に基づいた「相続時精算課税制度」が平成15年度の相続税法の改正により実現され、施行されるに至った。

(3) 制度の趣旨

当局者はこの制度の趣旨について、次のように説明している（「平成15年版・改正税法のすべて」500頁）。

「贈与税については、相続税の補完税として生前における贈与を通じた相続税の課税回避を防止するという側面と所得税・相続税に類する機能として無償の財産移転に対する利得に担税力を見いだし負担を求めるという様々な

機能を併せ持っている税として構成されているところです。このような機能を持つ贈与税においては、将来において相続関係に入る親からの贈与のほか、個人である第三者からの贈与についてもこれらを区分することなくこれからの贈与を合計したところで累進税率により課税をしてきました。

また、相続税の補完税としての機能についても暦年による課税が行われてきたことから、一生に一度課税される相続税と比べて暦年に分割できる贈与税については、基礎控除、税率の累進度などが相続税と比べると当然ながら、控除は小さく、税率の累進度は急となっていました。

この結果、親から子への資産移転に係る税負担については、生前贈与を毎年計画的に行う他は、一般に生前に贈与する方が相続により移転させる方よりも税負担が重いことから、生前に贈与することに対して禁止的に作用してきました。

従来の贈与税の仕組みからは当然の結果ではありますが、

(1) 高齢化の進展に伴い、相続による次世代への資産移転の時期が従来よりも大幅に遅れてきていること。
(2) 高齢者の保有する資産の有効活用を通じて経済社会の活性化にも資するといった社会的要請などを踏まえて、将来において相続関係に入る一定の親子間の資産移転について、生前における贈与と相続との間で、資産の移転時期の選択に対する課税の中立性を確保すること。

により、生前における贈与による資産の移転の円滑化に資することを目的として、平成15年度税制改正において、相続時精算課税制度が創設されました。」

第2節 当初の制度の概要

この制度の導入当初の概要は、以下のとおりである。すなわち、65歳以上の親(贈与者・住宅資金に係る特例の適用を受ける場合は、年齢制限なし)から

の贈与により財産を取得した20歳以上の子（受贈者）は、従来の贈与税の課税方式（暦年課税方式）の適用を受けることに代えて、その受贈者の選択により、贈与時に贈与財産に対する贈与税（非課税枠：累積で2,500万円、税率：一律20％）を支払い相続時にその贈与財産と相続財産とを合計した価額を基に計算した相続税額から既に支払った贈与税相当額を控除した額をもって納付すべき相続税額とする相続時精算課税制度の適用を受けることができる。

(1) **相続時精算課税制度の適用者**
  ① 贈与者　65歳以上の者（住宅取得資金に係る特例の適用を受ける場合は65歳未満でも可）
  ② 受贈者　贈与者の推定相続人である直系卑属のうち20歳以上である者

(2) **選　択**

相続時精算課税制度の適用を受けようとする者は、贈与税の申告期間内に贈与者ごとに相続時精算課税選択届出書を提出する必要がある。なお、この選択の取消しはできない。

(3) **贈与税額の計算**
  ① 贈与税の課税価格
    贈与者ごとにその年中において贈与により取得した財産の価額の合計額が課税価格となる。
  ② 相続時精算課税に係る贈与税の特別控除
    贈与者ごとに相続時精算課税に係る贈与税の特別控除として2,500万円まで控除することができる。なお、この特別控除は一定の記載事項のある期限内申告書の提出があった場合に適用することができる。
  ③ 税率
    一律20％

(4) **相続税額の計算**

相続時精算課税制度の適用を受ける贈与財産については、相続財産に加算して相続税額を計算する。ただし、贈与税の申告時において既に支払った贈

与税については、相続税額から控除する。なお、支払った贈与税額が控除しきれない場合には還付を受けることができる。

(5) 納税義務の承継

相続時精算課税適用者等の相続人は、贈与者の相続に係る相続税について納税に係る権利又は義務を承継することになる。

第3節 現行制度の内容

1 相続時精算課税制度の適用対象者

① 贈与者

贈与をした年の1月1日において60歳以上の者であれば、相続時精算課税に係る贈与者となることができる（相法21の9①）。

ただし、第4節で述べる「住宅取得等資産に係る相続時精算課税制度の特例」にあっては60歳未満の者でも適用できる（措法70の3①）。

② 受贈者

上記の贈与者の推定相続人である直系卑属のうち、贈与を受けた年の1月1日において20歳以上である者が相続時精算課税に係る受贈者となることができる（相法21の9①）。したがって、贈与者の配偶者は推定相続人ではあるが、直系卑属ではないので相続時精算課税制度に係る受贈者となることはできない。

ただし、平成27年1月1日以後にその年1月1日において上記①の贈与者の孫（その年1月1日現在において20歳以上である者に限る。）が上記①の贈与者から贈与を受けたときは、精算課税の適用がある（措法70の2の5①）。

推定相続人であるか否かについては贈与の時において判定することになる。例えば、養子縁組を行ったことで年の中途で贈与者の推定相続人となった者は、その年の中途から相続時精算課税制度に係る受贈者となる資格ができる。この場合には、同年中であっても養子縁組前の贈与については暦年課税が適

用され、相続時精算課税制度については、養子縁組後の贈与が対象となる。

さらに、父が祖父より先に死亡したことにより、父を代襲して祖父の推定相続人たる地位を取得した孫についても、この受贈者となることができる。

2 制度の適用を受けるための選択

(1) 贈与を受けた者の選択

相続時精算課税制度の適用を受けようとする受贈者は、贈与を受けた財産に係る贈与税の申告期間内（贈与を受けた日の属する年の翌年2月1日から3月15日までの期間内）に贈与者ごとに一定の必要事項を記載した相続時精算課税選択届出書を作成し、贈与税の申告書に添付して、贈与税の納税地の所轄税務署長に提出する必要がある（相法21の9②、相令5①、相規10①）。なお、この相続時精算課税選択届出書には、戸籍の謄本その他の一定の書類を添付する必要がある（相令5②、相規11①）。

(2) 贈与を受けた者の相続人の選択

贈与により財産を取得した者が、相続時精算課税の適用を受けることができる場合において、その相続時精算課税選択届出書の提出期限前にその相続時精算課税選択届出書を提出しないで死亡した場合には、その財産を取得した者の相続人（包括受遺者を含む。）は、その相続の開始があったことを知った日の翌日から10か月以内に次に掲げる必要事項を記載した相続時精算課税選択届出書を贈与税の申告書に添付して、その財産を取得した者の納税地の所轄税務署長に提出する必要がある（相法21の18、相令5の7①、相規10②）。なお、この相続時精算課税選択届出書には、一定の書類を添付する必要がある（相令5の7②、相規11②）。

また、贈与により財産を取得した者の相続人が2人以上ある場合には、相続時精算課税選択届出書の提出は、これらの者が一の相続時精算課税選択届出書に連署して行う必要がある（相令5の7③）。

(3) 選択の取消しの不可

この選択については、取消しを認める規定がなく、宥恕規定もないので、

取消しができない（相法21の9⑥）。したがって、選択については慎重な考慮が必要である。

3 贈与税額の計算

相続時精算課税制度に係る贈与税額の計算は、次のとおり、相続時精算課税制度に係る贈与税の課税価格から相続時精算課税制度に係る贈与税の特別控除額を控除した後の金額に一律20％の税率を乗じて計算する。

(1) 相続時精算課税制度に係る贈与税の課税価格

相続時精算課税選択届出書を提出した受贈者（以下「相続時精算課税適用者」という。）がその相続時精算課税選択届出書に係る贈与者（以下「特定贈与者」という。）からの贈与により取得した財産については、特定贈与者ごとにその年中において贈与により取得した財産の価額を合計し、それぞれの合計額をもって相続時精算課税制度に係る贈与税の課税価格とする。言い換えれば、特定贈与者ごとに贈与税の課税価格が計算されることになり、特定贈与者が2人いれば、相続時精算課税に係る贈与税の課税価格も2つできることになる（相法21の10）。

なお、その他の課税価格の計算においては、贈与税の基礎控除及び贈与税の配偶者控除（相法21の5、21の6）の規定が適用されないことを除き、従来と同様となる（相法21の11）。したがって、贈与税の非課税財産（相法21の3）、特別障害者に対する贈与税の非課税（相法21の4）などの規定の適用がある。

(2) 相続時精算課税制度に係る贈与税の特別控除

相続時精算課税適用者がその年中において特定贈与者からの贈与により取得した財産に係るその年分の贈与税については、特定贈与者ごとの相続時精算課税制度に係る贈与税の課税価格からそれぞれ次に掲げる金額のうちいずれか低い金額を控除することができる（相法21の12①）。

① 2,500万円（既にこの相続時精算課税制度に係る特別控除により控除した金額がある場合には、その金額の合計額を控除した残額）

② 特定贈与者ごとの相続時精算課税に係る贈与税の課税価格

なお、この相続時精算課税に係る贈与税の特別控除は、贈与税の期限内申告書に控除を受ける金額等一定の事項の記載がある限り、適用される（相法21の12②、相規12）。

(3) やむを得ない事情がある場合の特例適用

税務署長は、特定贈与者からの贈与により取得した財産について、上記の必要事項の記載がない期限内申告書の提出があった場合において、その記載がなかったことについてやむを得ない事情があると認めるときは、その記載をした書類の提出があった場合に限り、相続時精算課税制度に係る贈与税の特別控除を適用することができる（注）（相法21の12③）。

(注) 相続時精算課税制度に係る贈与税の特別控除の翌年以降に繰り越される金額については、国税通則法の規定の改正により、その金額が過大である場合に修正申告書を提出して修正すべき純損失等の金額とすることとされた（通則法2六ハ(3)、19①二）。

(4) 税　　率

相続時精算課税適用者がその年中において特定贈与者からの贈与により取得した財産に係るその年分の贈与税の額は、特定贈与者ごとに上記(1)により計算した相続時精算課税制度に係る贈与税の課税価格（上記(2)の相続時精算課税制度に係る贈与税の特別控除の適用がある場合には、相続時精算課税制度に係る贈与税の特別控除を控除した金額）にそれぞれ20％の税率を乗じて計算した金額となる（相法21の13）。

(5) 申　　告

相続時精算課税適用者（相続時精算課税制度の適用を受けようとする者を含む。）が、特定贈与者からの贈与により財産を取得した場合には、上記のとおり暦年課税の贈与税とは別に計算を行うのであるが、最終的には、暦年課税の贈与税と相続時精算課税に係る贈与税とをまとめて申告することになる。

また、贈与があった年の中途において特定贈与者が死亡した場合については、贈与税の課税価格を構成することにはなるが、贈与税の申告は不要とな

る（相法21の10、28④）。この場合においては、相続税の課税価格を構成することになり、相続税の申告が必要な場合には、相続税の申告をすることとなる。

4 相続時精算課税制度における相続税額の計算
(1) 総説
　従来の相続税は、相続又は遺贈により財産を取得しないと相続税の納税義務自体が生じないこととされていたが、相続時精算課税制度においては、相続開始前に贈与によりすべての財産を取得して相続時点においては相続又は遺贈により何も相続財産を取得しない相続人が出てくる可能性があることから、相続時精算課税適用者にあっては、相続又は遺贈により財産を取得しなくとも相続税の納税義務が生ずることとされている。

　すなわち、特定贈与者から相続又は遺贈により財産を取得した者及び当該特定贈与者に係る相続時精算課税適用者の相続税の計算については、相続時精算課税制度を選択した年分以後の年に当該特定贈与者からの贈与を受けた財産の贈与時における価額と相続財産の価額を合計した価額（相続時に何も財産を取得しない場合には、贈与を受けた財産の贈与時における価額を合計した価額）を相続税の課税価格とし、従来どおりの課税方式により計算した相続税額から、相続時精算課税制度における贈与税の税額に相当する金額を控除することにより、納付すべき相続税額を算出することとされている（注）（相法21の14～21の16）。

(注)　なお、その年1月1日現在で20歳以上の孫がその年1月1日現在で60歳以上の者から贈与を受けた場合（平成27年1月1日以後の贈与に限る。）（措法70の2の5①）に精算課税の適用を受けたときにおいて、贈与者から遺贈により財産を取得しなかった者は、贈与を受けた財産を遺贈により取得したものとみなして精算する（相法21の16①）。

(2) 相続税の課税価格
　特定贈与者から相続又は遺贈により財産を取得した相続時精算課税適用者

については、当該特定贈与者からの贈与により取得した財産で相続時精算課税制度の適用を受けるものの贈与時の価額を、相続又は遺贈により取得した財産の価額に加算した価額が相続税の課税価格となる（相法21の15①）。

この場合、精算課税の適用を選択した時以後の特定贈与者からの贈与は、その額のいかんを問わず、すべて贈与税の申告が必要である（相法28①）。

また、特定贈与者から相続又は遺贈により財産を取得しなかった相続時精算課税適用者については、当該特定贈与者からの贈与により取得した財産で相続時精算課税制度の適用を受けるものを当該特定贈与者から相続（当該相続時精算課税適用者が当該特定贈与者の相続人以外の者である場合には、遺贈）により取得したものとみなして相続税の課税価格を計算することになる（相法21の16①）。ただし、相続又は遺贈により所得したものとみなされて相続税の課税価格に算入される相続時精算課税制度に係る贈与により取得した財産の価額は、その贈与時の価額によることになる（相法21の16③）。

(3) **債務控除**

① 相続税法第１条の３第１号又は第２号に規定する納税義務者については、相続又は遺贈により取得した財産及び相続時精算課税制度の適用を受ける財産の価額から同法第13条第１項に規定する債務控除を行うことになる（相法21の15②）。

② 相続税法第１条の３第３号又は第４号に規定する納税義務者については、相続又は遺贈により取得した財産で相続税法の施行地に相続時精算課税制度の適用を受ける財産の価額から同法第13条第２項に規定する債務控除を行うことになる（相法21の15②）。

③ 相続税法第１条の３第５号に規定する納税義務者については、相続時精算課税制度の適用を受ける財産の価額から、次に掲げる区分に応じそれぞれに定める債務控除を行うことになる（相法21の16①、相令5の5①）。

　イ　その納税義務者が相続に係る被相続人の相続開始の時において相続税法の施行地に住所を有する場合　　同法第13条第１項に規定する債務控除

ロ　その納税義務者が相続に係る被相続人の相続開始の時において相続税法の施行地に住所を有しない場合　　同法第13条第2項に規定する債務控除

(4) 相続開始前3年以内の贈与加算（相法19）

　相続時精算課税適用者が特定贈与者からの贈与により取得した相続時精算課税制度の適用を受ける財産については相続税法第19条第1項の規定の適用はない（相法21の15②、21の16②）。ただし、相続時精算課税適用者が贈与を受けた財産のうち相続時精算課税制度の適用を受ける以前に贈与を受けた財産については、その財産が相続開始前3年以内に被相続人からの贈与により取得したものである場合には、相続税法第19条1項の規定の適用を受けることになり、その財産の価額は相続税の課税価格に加算することになる。

(5) 相続時精算課税制度における贈与税の税額に相当する金額の控除及び還付

　相続時精算課税制度の適用を受ける財産について課せられた贈与税があるときは、相続税額からその贈与税の税額（外国税額控除（相法21の8）前の税額とし、延滞税、利子税、過少申告加算税、無申告加算税及び重加算税に相当する税額を除く。）に相当する金額を控除する（相法21の15③、21の16④）。

　なお、この控除は、相続税法第15条から第20条の2まで（第19条の2を除く）の規定により算出された金額から控除することになる（相令5の4）。

　さらに、上記により相続税額から控除する場合において、なお控除しきれない金額があるときには、その控除しきれない金額（外国税額控除（相法21の8）の適用を受ける財産に係る贈与税について外国税額控除（相法21の8）の適用を受けた場合にあっては、当該金額から外国税額控除額（相法21の8）を控除した残額）に相当する税額の還付を受けることができる。ただし、この還付を受けるためには、相続税の申告書を提出しなければならない（相法27③、33の2①、相規15、16）。

〔相続時精算課税制度に係る税額計算の流れ〕

《前提》
夫婦子2人の家族で、父(被相続人)が遺産を残して死亡。なお、長男は父から、相続時精算課税制度に係る生前贈与(2回)を受けていた。

贈与者
(被相続人)
父──母
├─長男
└─次男

相続時精算課税制度を選択

父(被相続人)⇒長男への生前贈与
〔相続時精算課税制度に係る贈与〕

選択1年目　贈与A　贈与Aに係る納付税額a　⇒　a
選択後△年目　贈与B　贈与Bに係る納付税額b　⇒　b

① 相続時精算課税制度に係る贈与財産(A+B)　相続又は遺贈に係る相続財産
　長男(α)　：　次男(β)　：　配偶者(γ)
　基礎控除　課税遺産総額
　長男(1/4)　次男(1/4)　配偶者(1/2)
　(税率)　(税率)　(税率)
　⇒課税遺産額を法定相続分で相続したと仮定し按分する。
　超過累進税率
　(税額の算出)

② 相続税の総額
　〔α'〕〔β'〕〔γ'〕
　②を①に占める各人の実際の相続割合(α：β：γ)によって按分する。
　各人の算出税額
　〔α'〕〔β'〕〔γ'〕から、税額控除(配偶者控除、贈与税額控除等)を行う。

　a＋b　　配偶者控除
　⇒納付　⇒納付　0円
　(長男)　(次男)　(配偶者)

　各人が実際に納付する相続税額

5　相続時精算課税制度における相続税の納税に係る権利又は義務の承継

(1)　相続時精算課税適用者が特定贈与者よりも先に死亡した場合

　特定贈与者に係る相続時精算課税適用者がその特定贈与者が死亡する以前に死亡した場合には、その相続時精算課税適用者の相続人(包括受遺者を含む。以下5において同じ。)はその相続時精算課税適用者が有していた相続時精算課税制度の適用を受けていたことに伴う納税に係る権利又は義務を承継することになる(相法21の17①)。

　この場合において、相続時精算課税適用者の相続人が2人以上いる場合には、各相続人(相続人のうちに特定贈与者がいる場合には、その特定贈与者を除く。)が納税する税額又は還付を受ける税額については、実際にどのように遺産分割したかは関係がなく、民法第900条から第902条までに規定する相続

分(相続人のうちに特定贈与者がいる場合には、その特定贈与者がいないものとして相続分を計算する。)により按分した金額となる(相法21の17③、相令5の5)。

また、相続時精算課税適用者の相続人が特定贈与者より先に死亡した場合には、当該相続人の相続人(相続人のうちに特定贈与者がいる場合には、その特定贈与者を除く。)は、その相続時精算課税適用者が有していた相続時精算課税制度の適用を受けていたことに伴う納税に係る権利又は義務を承継することになる(相法21の17④)。

さらに、相続時精算課税適用者の相続人が限定承認をしたときは、その相続人は、相続により取得した財産(相続時精算課税適用者からの遺贈又は贈与により取得した財産を含む。)の限度においてのみ上記の納税に係る権利又は義務を承継することとなる(相法21の17②)。

なお、相続時精算課税適用者の相続人のうちに特定贈与者がいる場合には、その特定贈与者は上記の相続時精算課税適用者が有していた相続時精算課税制度の適用を受けていたことに伴う納税に係る権利又は義務を承継しないこととされている。したがって、相続時精算課税適用者の相続人が特定贈与者しかいない場合には、相続時精算課税制度の適用を受けていたことに伴う権利又は義務は誰にも承継されないことになり、納税に係る相続時の精算の必要はなくなる(相法21の17①ただし書)。

(2) **贈与により財産を取得した者が「相続時精算課税選択届出書」の提出前に死亡した場合**

贈与により財産を取得した者が相続時精算課税制度の適用を受けることができる場合において、その受贈者が贈与税の申告期限前に「相続時精算課税選択届出書」を提出しないで死亡したときは、その死亡した受贈者(以下5において「死亡受贈者」という。)の相続人(包括受遺者を含み、相続人のうちに特定贈与者がいる場合には、その特定贈与者を除く。)は、その相続の開始があったことを知った日の翌日から10か月以内に「相続時精算課税選択届出書」をその死亡受贈者の贈与税の納税地の所轄税務署長に共同して提出する

ことができる（相法21の18①）。

　なお、これにより、相続時精算課税選択届出書を提出した相続人は、被相続人が有することになる相続時精算課税制度の適用を受けることに伴う納税に係る権利又は義務を承継することになる（相法21の18②）。

　また、相続人が2人以上いる場合には、相続時精算課税選択届出書の提出は、これらの者が一の相続時精算課税選択届出書に連署して行う必要がある（相令5の7③）。

(3)　上記(1)又は(2)により相続時精算課税適用者又は死亡受贈者に係る相続時精算課税制度の適用を受けたことに伴う納税に係る権利又は義務を承継した者の中には、代襲相続人として特定贈与者の相続人たる地位を取得する者も出てくることになるが、このような代襲相続人として特定贈与者からの贈与を受け、その贈与により取得した財産についての相続時精算課税制度の適用は、この納税に係る権利又は義務の承継とは別に選択するか否かを判断することとなる。

6　相続時精算課税等に係る贈与税の申告内容の開示制度

(1)　創設の背景

　この制度の創設の趣旨について、当局者は、次のように説明している（「平成15年版・改正税法のすべて」514頁）。

　「わが国の相続税制度については、各相続人等が相続又は遺贈（贈与をした者の死亡により効力を生ずる贈与を含む。以下同じ）により取得した財産の合計を一旦法定相続分で分割したものと仮定して相続税の総額を算出し、それを実際の遺産の取得額に応じて按分する計算の仕組みをとっていることから、一人の相続人の相続税額を算出するためにも相続人等の全員の遺産の取得額に加えて、相続開始前3年以内に被相続人から贈与を受けた財産で相続財産への加算制度の対象となる財産の価額をも把握しないと正確な相続税の計算はできない仕組みとなっている。

　このように、他の相続人の贈与財産の価額が分からないと正確な相続税の

計算ができないということは今回の相続時精算課税制度の導入により生じたことではないが、今回、相続時精算課税制度が導入されたことから、従来より贈与の回数も金額も増加する上に、加算すべき計算期間も長期化することが容易に想定されるところである。相続人同士がこのような贈与の情報を互いに連絡し合えば相続税の申告に支障をきたすことはないということも考えられるが、必ずしもそのような場合だけとは限らないことから、今回の相続時精算課税制度の導入を機に、他の相続人等に対して贈与税の申告内容を税務署長が開示する制度が設けられている。

しかしながら、この制度においても、贈与の申告が適正に行われていない場合など真実の贈与内容が開示されるとは限らないことなど、この制度においても限界があることに留意する必要がある。」

(2) **制度の概要**

相続若しくは遺贈又は相続時精算課税に係る贈与により財産を取得した者は、他の共同相続人等（その相続若しくは遺贈又はその相続に係る被相続人からの相続時精算課税に係る贈与により財産を取得した他の者をいう。）がある場合には、その被相続人に係る相続税の期限内申告書、期限後申告書若しくは修正申告書の提出又は更正の請求に必要となるときに限り、他の共同相続人等が被相続人から相続開始前3年以内に取得した財産又は他の共同相続人が被相続人から取得した相続時精算課税制度の適用を受けた財産に係る贈与税の申告書に記載された贈与税の課税価格（贈与税について修正申告書の提出又は更正若しくは決定があった場合には、その修正申告書に記載された課税価格又は更正若しくは決定後の贈与税の課税価格）の合計額について、税務署長に対し開示の請求をすることができる（相法49①）。

なお、この贈与税の申告内容の開示請求をできる者には、
① 相続税の申告書を提出すべき者がその申告書を提出する前に死亡した場合における国税通則法5条の規定により相続税の納税義務を承継した者
② 相続税法21条の17第1項又は21条の18第1項の規定により納税に係る権利又は義務を承継した者も当然に含まれる。

この贈与税の申告内容の開示請求については、被相続人に係る相続の開始の日の属する年の３月16日以後に、原則として、被相続人の死亡の時における住所地の所轄税務署長に行うことになる（相法49①、相令27③④）。
　また、贈与税の申告内容として開示されるものは、次に掲げる金額ごとに開示されることになる（相令27⑤）。
① 被相続人に係る相続の開始前３年以内にその被相続人からの贈与により取得した財産の価額（②の価額を除く。）の合計額（相続税法第19条第２項に規定する特定贈与財産を除く。）
② 被相続人からの贈与により取得した財産で相続時精算課税制度の適用を受けたものの価額の合計額
　なお、この贈与税の申告内容の開示請求を受けた所轄税務署長は、請求後２か月以内に開示をしなければならないこととなっている（相法49②）。

7　その他
(1)　年の中途において推定相続人となった場合
　その年の１月１日において20歳以上である者が同日において65歳以上である者からの贈与により財産を取得した場合において、受贈者である20歳以上の者がその年の中途においてその贈与者の養子となったことその他の事由によりその贈与者の推定相続人である直系卑属となったときには、推定相続人である直系卑属となった時前にその者からの贈与により取得した財産については、その贈与を受けた年に相続時精算課税制度を選択し、他の財産について相続時精算課税制度の適用を受ける場合においても、相続時精算課税制度は適用されない。言い換えれば、贈与者の推定相続人である直系卑属となった時以後においては、特定贈与者からの贈与により取得した財産について相続時精算課税制度の適用を受けることができることになる（注）（相法21の９④）。
（注）　その年１月１日現在で20歳以上の者が同日において60歳以上の者から贈与を受けその年の中途で贈与者の孫となったときにも同様となる（措法70の２

(2) 特定贈与者の推定相続人でなくなった場合

相続時精算課税適用者が、その特定贈与者の推定相続人でなくなった場合においても、当該特定贈与者からの贈与により取得した財産については相続時精算課税制度が適用される（相法21の9⑤）。

(3) 相続時精算課税に係るその他の適用関係

相続時精算課税選択届出書を提出した場合には、その相続時精算課税選択届出書に係る贈与者からの贈与により取得する財産については、相続時精算課税制度を適用した年分以降、すべて相続時精算課税制度の適用を受けることになる（相法21の9③）。

なお、相続時精算課税制度は、相続時精算課税選択届出書を提出して選択した場合には、以後その選択を取り止めることはできない（相法21の9⑥）。

(4) 農地等を贈与した場合の贈与税の納税猶予制度と相続時精算課税制度の調整

① 調整の趣旨

この調整の趣旨について当局者は、次のように説明する（「平成15年版・改正税法のすべて」564頁以下）。

「今般、相続時精算課税制度が創設されたことに伴い、農地についても当然に相続時精算課税制度の適用を受けることが可能となりますが、この制度では相手（受贈者＝推定相続人）が一人に限定されないため、農業経営（農地）の細分化防止の観点からは、一括贈与することにより維持されてきた細分化の防止機能が損なわれる可能性があります。細分化の防止機能が損なわれるのでは贈与税の納税猶予制度の存在意義が失われるため、農地について相続時精算課税制度の適用を受けた（受けようとする）場合には、その贈与者からの贈与については贈与税の納税猶予を適用しないこととする制度改正が行われました。」

② 両制度の適用関係

相続時精算課税適用者又はその年中の農地等以外の財産の贈与について相

続時精算課税選択届出書を提出しようとする者が、特定贈与者又はその年中に相続時精算課税の適用を受けようとする贈与をした者から贈与により取得した農地等について、納税猶予の適用を受ける場合には、その農地等については相続時精算課税の適用を受けることはできない（措法70の4③）。

　すなわち、相続時精算課税適用者であっても農地等の生前一括贈与であること等の一定の要件を満たせばその農地等について納税猶予の適用は可能であるが、納税猶予の適用を受ける農地等については、相続時精算課税の対象とせず、別枠で扱うことなる。

③　贈与者の要件の特例

　次に掲げる場合に該当する者からの贈与については、一括贈与による細分化防止の観点から、贈与税の納税猶予を適用することはできない（措令40の6①）。

イ　その贈与の年（以下「対象年」という。）の前年以前において、農地を推定相続人に対し贈与した場合で、その農地について相続時精算課税が適用されているとき

ロ　対象年において、その贈与以外の贈与で農地及び採草放牧地並びに準農地を贈与している場合

　また、採草放牧地及び準農地についても、原則として上記と同様に過去に相続時精算課税の適用を受けた贈与がある場合には適用対象とならないが、これらの土地については、従来からそれぞれの3分の2以上を贈与すれば足りることとされているから、改正後においても、過去からの累積で3分の1未満の採草放牧地又は準農地について相続時精算課税の適用を受ける贈与がされていた場合であっても他の部分が一括贈与されれば納税猶予の適用対象となることとされている（措令40の6③⑤）。

(5)　非上場株式等についての贈与税の納税猶予制度と相続時精算課税制度の調整

①　納税猶予制度導入当初

　相続時精算課税適用者又はその年中の特例受贈非上場株式等以外の財産の

贈与について相続時精算課税選択届出書を提出しようとする者が、特定贈与者又はその年中に相続時精算課税の適用を受けようとする贈与をした者から贈与により取得した非上場株式等について、納税猶予の適用を受ける場合には、その適用に係る特例受贈非上場株式等については相続時精算課税の適用を受けることはできなかった（旧措法70の7③）。

② **相続時精算課税の適用除外規定の削除**

平成29年1月1日の贈与から、納税猶予制度と相続時精算課税の適用と併用できるようになった（措法70の7②五ロ、70の7の5②ハロ）。

この理由について、当局者は次のように説明している（「平成29年版・改正税法のすべて」617～618頁）。

「これまで……相続時精算課税の適用を受けることができないこととされていました。そのため、猶予期限の確定事由に該当した場合には、相続税よりも累進度の高い暦年課税に基づく税率により計算された猶予税額の納付が必要となることから、その税負担の可能性が制度の利用を躊躇させる一因となっているとの指摘がありました。

そこで、……この税負担に対する不安を軽減することで本制度の利用を促し、生前贈与による事業承継の更なる円滑化を図る観点から、その非上場株式等について本制度の適用を受ける場合であっても相続時精算課税の適用を受けることができることとされました。」

第4節　住宅取得等資金に係る相続時精算課税制度の特例

1　制度創設の趣旨

この制度の創設の趣旨について、当局者は次のように説明している（「平成15年版・改正税法のすべて」553頁）。

「現下の厳しい経済情勢の中、昨年10月に経済財政諮問会議で取りまとめられた「改革加速のための総合対応策」において、金融、産業の再生と並び重要なテーマである"経済活性化に向けた構造改革加速策"の中心として位置づけられた"持続的な経済社会の活性化のための税制改革"のひとつに住宅税制があります。その中では「住宅取得（リフォームを含む。）に係る贈与税の特例を拡充するなど、住宅投資に係る税制上の優遇措置を検討する」ことが提言されていました。

今年度の税制改正で創設された相続時精算課税制度では、贈与により取得する財産の種類、数量には制限が設けられていません。したがって、住宅取得のための資金であっても、もちろんその対象となります。しかしながら、相続時精算課税制度では、贈与者の年齢が贈与の年の１月１日において65歳以上であること、かつ、受贈者の年齢が贈与の年の１月１日において20歳以上であることといういわゆる年齢要件が付されています。これは、高齢化の進展に伴う相続による次世代への財産移転時期の遅れへの対処という一体化の趣旨及び現在の執行体制を踏まえた適正な長期管理等に配慮して設けられた要件です。

一方、ライフサイクルを考えてみると、現在、自己の住宅を取得しようとするのは30代の者（いわゆる団塊ジュニアと称される世代前後の者）も数多くおり、その親はおおむね60歳前後の者（団塊の世代）であることから、今回創設された相続時精算課税制度における贈与者は65歳以上であるという要件により、これらの世代間の贈与については同制度が適用できないこととなります。

しかしながら、団塊ジュニア世代による住宅投資の促進は現在の経済情勢の下では重要な政策と考えられること、住宅は他の資産に比べ一生に一度の大きな買い物であり一度に多額の資金を必要とすること、また、実物資産であるがゆえに執行上の管理も比較的容易であること等を勘案し、相続時精算課税制度の贈与者の年齢要件を緩和し、住宅投資信託のための特例が創設されることとなりました。」

2 制度の概要

平成15年1月1日から平成26年12月31日までの間に住宅の取得又は増改築に充てるための資金を贈与により取得した場合には、65歳未満の親からその資金の贈与を受けた場合についても相続時精算課税制度を選択できる。

平成27年1月1日以後は、相続時精算課税制度が孫まで拡大され、特定贈与者も60歳以上となったことから、60歳未満の親、祖父母から贈与を受けた場合に拡充された（措法70の3①③）。

3 制度の内容

(1) 住宅取得等資金に係る相続時精算課税の特例

一定の要件を満たす受贈者（以下「特定受贈者」という。）が、その年の1月1日において60歳未満の者から贈与により住宅の取得等の対価に充てるための金銭（以下「住宅取得等資金」という。）を取得し、次の条件を満たす新築、取得又は増改築等を行った場合には、その贈与により取得した住宅取得等資金について、相続時精算課税制度を適用することができる（措法70の3①）。

したがって、住宅取得等資金の贈与を受ける場合には、贈与者が60歳に達していなくても相続時精算課税制度を適用することができることとなる（贈与者が60歳以上であれば、当然住宅取得等資金であるか否かを問わず相続時精算課税制度の対象となる。）。なお、この特例は平成15年1月1日から令和3年12月31日までの間にされた贈与により取得した住宅取得等資金について適用される。

① 住宅用家屋の新築又は建築後使用されたことのない住宅用家屋の取得の場合（措法70の3①一）

イ 住宅取得等資金を贈与により取得した年の翌年3月15日（通常の場合の贈与税の申告期限）までにその住宅取得等資金の全額により住宅用家屋を新築（注）するか、建築後使用されたことのない住宅用家屋を取得し、その日までに特定受贈者の居住の用に供していること。

(注) 新築には、新築に準ずる一定の状態を含む（措規23の6①）。

また、住宅取得等資金には、住宅用家屋と同時に取得するそれぞれの敷地の用に供する土地（借地権等を含む。以下「土地等」という。）の対価に充てる部分を含む。

ロ　住宅取得等資金を贈与により取得した年の翌年3月15日までにその住宅取得等資金の全額により住宅用家屋を新築するか、建築後使用されたことのない住宅用家屋を取得し、その日後遅滞なく特定受贈者の居住の用に供することが確実と見込まれること。

② 既存住宅用家屋の取得の場合（措法70の3①二）

イ　住宅取得等資金（注）を贈与により取得した年の翌年3月15日までにその住宅取得等資金の全額により既存住宅用家屋を取得し、その日までに特定受贈者の居住の用に供していること。

(注) 住宅取得等資金には、既存住宅用家屋と同時に取得するその敷地の用に供する土地等の対価に充てる部分を含む。

ロ　住宅取得等資金を贈与により取得した年の翌年3月15日までにその住宅取得等資金の全額により既存住宅用家屋を取得し、その日後遅滞なく特定受贈者の居住の用に供することが確実と見込まれること。

③ 増改築等の場合（措法70の3①三）

イ　住宅取得等資金を贈与により取得した年の翌年3月15日までにその住宅取得等資金の全額を特定受贈者が居住の用に供している家屋の増改築の対価に充てて増改築等（注）を行い、その日までに特定受贈者の居住の用に供していること。

(注) 増改築等には、増改築等の工事の完了に準ずる一定の状態を含む。

住宅取得等資金には、増改築等と同時に取得するその敷地の用に供することとなる土地等の対価に充てる部分を含む。

ロ　住宅取得等資金を贈与により取得した年の翌年3月15日までにその住宅取得等資金の全額を特定受贈者が居住の用に供している家屋の増改築の対価に充てて増改築等を行い、その日後遅滞なく特定受贈者の居住の

用に供することが確実と見込まれること。

○ 贈与者年齢要件　〔一般〕60歳以上　⇨　〔住宅取得資金〕60歳未満でも可

○ 適用対象となる住宅の主な要件

区分	床面積	築後経過年数・工事費用
住宅の新築・取得、買換え・建替え	50㎡以上	既存住宅の場合のみ 耐火建築物：築後25年以内 非耐火建築物：築後20年以内 耐震建築物：築後制限なし
住宅の増築、改築、大規模修繕	（増改築後）50㎡以上	工事費用　100万円以上

(2) 特定受贈者の範囲（措法70の3③一）

特例の適用を受けることができる者は、以下の要件をすべて満たす者とされる。

① 相続税法第1条の4第1項第1号又は第2号に該当する個人であること。
② 住宅取得等資金の贈与をした者の直系卑属である推定相続人（孫を含む。）であること。
③ 住宅取得等資金の贈与を受けた年の1月1日において20歳以上であること。

(3) 住宅取得等資金の範囲

次の新築、取得又は増改築等の対価に充てるための金銭をいう（注）。

① 上記(1)①新築又は取得
② 上記(1)②の取得
③ 上記(1)③の増改築等

（注）いずれも同時に取得する土地等の対価に充てる部分を含む。

なお、取得又は増改築等が推定贈与者の配偶者その他特定贈与者と一定の特別の関係がある者から取得又は増改築等をする場合は除かれる。

(4) 対象となる住宅、増改築等の範囲

　この特例の対象となる住宅用の家屋、住宅の増改築等は、第3編で述べた「直系尊属から住宅取得等資金の贈与を受けた場合の贈与税の非課税」(730頁) とほぼ同じであるが、家屋の床面積の上限240㎡が設けられていない点で異なる (措法70の3③、措令40の5①～⑤、措規23の6③～⑤)。

(5) 申告要件 (措法70の3⑦、措法70の3の2⑥)

　この特例は、その適用を受けようとする者の適用を受けようとする旨を記載した贈与税の申告書に計算の明細書等の書類を添付した場合に限り適用される。

(6) その後の適用関係 (措法70の3②)

　この特例の適用要件を満たし、かつ、所定の手続を経て、住宅取得等資金について相続時精算課税制度の適用を受けることとなった者は、相続税法に規定する相続時精算課税適用者と、住宅取得等資金の贈与をした者は同法に規定する特定贈与者とそれぞれみなされることとなる。したがって、両者間で行われる以後の贈与については、贈与者が60歳に達する以前の贈与であっても相続時精算課税の適用を受けることとなり、贈与者が60歳に達した後に行われる両者間の贈与についても、引き続き相続時精算課税の適用を受けることとなる。

(7) 居住の用に供しなかった場合の修正申告等

　住宅取得等資金の贈与を受けた後、居住の用に供する見込みでこの特例の適用を受けていた特定受贈者、すなわち上記(1)①ロ、②ロ又は③ロに該当する者が、贈与を受けた年の翌年12月31日までに、居住の用に供することが確実と見込まれた家屋を居住の用に供していなかったときは、相続時精算課税選択届出書は提出していなかったものとみなされ、相続時精算課税に係る贈与税ではなく通常の暦年単位の贈与税 (110万円の基礎控訴及び累進税率の適用) となることから、2か月以内に修正申告書を提出し、その提出により納付すべき税額を納付しなければならないこととされている (措法70の3④～⑥)。

第5節　制度の検証

1　総説

この相続時精算課税制度の問題点の詳細は、筆者に別に論じたものがあるが（注）、新しい視点からの問題点を含めて、そのあらましを検証してみよう。

（注）　拙稿「相続時精算課税制度の問題点」（税務QA）（税務研究会）2004年2月号16頁以下

（相続税法本法に2つの課税体系を持ち込んだのはなぜか）

この相続時精算課税制度は、高齢化に伴う若年層への財産移転の遅れを早期移転の方向へ促進することをもって経済の活性化に資することが目的であり、従来の富の集中を排除し、相続税負担の軽減を図る生前贈与を重課するという相続税・贈与税の基本思想とは全く異なるものである。

このように、基本的思想の全く異なる課税体系を2つとも相続税法本法に規定したことについて、当局者は何の説明もしていない。このような例が他の税にもあるのかどうか寡聞にして筆者は知らない。相続時精算課税制度は、財産の早期移転の促進（ついでながら、相続税にこのような役割があるとする論も筆者は知らない。）という極めて政治的、政策的意図のために設けられたものであるから、せめて、租税特別措置として制度化すべきではなかったのか。

それと、結局、この相続時精算課税制度の適用を受けても、最終的には、生前贈与の額と遺産の額が基礎控除を超えれば、相続税で取り戻されるから、この制度によるメリットは、財産が相続税の基礎控除以下という階層しか享受できないことになり、贈与税の税率が低い位のことで、狙いとする高額財産階層がこの制度を利用するのかといった疑問を禁じ得ない。

2 実質的に遺産税である現行相続税に取得者課税的手法を持ち込んだことによる問題点

相続時精算課税制度では、贈与を受けた者（20歳以上の推定相続人）は、特定贈与者（65歳以上の親）ごとにこの制度を選択でき、また、同一の特定贈与者に係る推定相続人は、各人ごとにこの制度を選択できる。もちろん、選択しないことも自由である。そうすると被相続人の財産額が同一の額であっても、推定相続人がどのような選択をするかによって、各推定相続人の相続税負担は全く異なったものになり得る。

例えば被相続人甲にＡ、Ｂ、Ｃ３人の子がいた場合に、Ａだけが精算課税の適用を受け、Ｂ、Ｃが従来の制度の適用を受けることとしたときは、甲が死亡したときの相続税の課税価格は、Ａの受贈財産と相続財産の合計額に、ＢとＣの相続財産の額を加算したものになり、これによって相続税の総額を計算することになるわけである。

ところが、この例でＢも精算課税の適用を選択したとすると、相続税の課税価格は、Ａ及びＢのそれぞれの受贈財産と相続財産の合計額にＣの相続財産の額を加算したものとなり、これによって相続税の総額を計算することに変わってしまう。

したがって、Ａの受贈財産と相続財産の合計額が一定であっても、他の相続人が精算課税を選択するか否かで相続税の課税価格が異なるため、相続税の総額も異なり、当然Ａの相続税負担も異なることになる。これでは、各相続人の相続財産の額が同一であっても、遺産の額が異なれば各相続人の相続税負担は異なる、という現行制度の問題点が一挙に増幅して露呈されてしまう。更にこの差異は、制度の選択をいつ行ったかによっても生じ得る、という分かりにくさを抱え込んでしまっている。

このような問題が生ずるのは、既に述べたように、現行相続税が基本的には遺産税体系でありながら、取得者課税を加味した"ねじれた"制度となっていることに原因があり、精算課税制度は、各相続人ごとの制度の選択を許

すことによって、この"ねじれ"を更に大きくしてしまう。

筆者がこのようにいうと、多分、「アメリカ、イギリスは遺産税制度であるが、生前贈与の加算制度を導入しており、別に問題は生じていないではないか」という反論が出てくると思われる。しかし、アメリカやイギリスの遺産税は、我が国のように相続人が納付するのではなく、遺産管理人が納付するものであることを考慮すべきである。つまり、遺産税は、遺産そのものが負担し、遺産管理人（ほとんど弁護士）が遺産から遺産税のほか、遺産に係る負担をすべて精算し、その上で各相続人にその残りを分配する形式であるため、問題が起こるはずがない（注）。

(注) しかも、我が国のような選択制ではないようなので、相続人の選択によって生前贈与が遺産に含まれたり、含まれなかったりすることによって遺産税が異なるということもあり得ない。いわば、純粋な意味での累積課税と同じことだからである。

しかし、我が国の相続は、遺産管理人が関与する慣行はなく、遺言もまだ行われる例は少ないため、稀に遺産管理人がいても、相続人の意向に動かされることが多いのが現状である。

つまり我が国の相続税は、遺産税体系をとっていながら、遺産が各相続人に分配され、その中から各自納付することになるところに、制度の矛盾がある。精算課税制度は、このような矛盾を一層増幅させ、"他の相続人の制度の選択いかんで、自分の相続税負担が変わる"といういわば欠陥税制といってもよいであろう。このような結果は、いわば木に竹を接いだような制度にしたためといえる。

このように見ていくと、答申のいうように世代間の生前の財産移転の促進策として理論的に問題がないのは、かつてシャウプ勧告により創設された徹底的な取得者単位の累積課税方式による相続・贈与等の取得者課税方式しかないのは明らかである。ただし、この方式では、控除額あるいは免税点は低いものとならざるを得ないため、我が国のように、事業承継の優遇措置の要望の強いところでは、控除引上げの要望に耐え得ないものとなるであろう。

また、仮想分割の難問にも再び直面することになって、税務執行の負担も大きくなるものと考えられる。

したがって、筆者は、現実問題としては、現行相続税をそのまま存置して贈与税の基礎控除を徐々に引き上げて行く以外にはないのではないかと考える（注）。

(注) 学説には、取得者課税への切替えを提唱するものが多いようだが、これらは執行上の問題を軽視しているように思える。

3　相続時精算課税制度は節税策として利用できるものか

この制度は、いったん選択したら、取消しが認められないことになっている。そこで、この制度の選択には、事前に慎重なシミュレーションが必要であるとして、節税コンサルタントの方々が盛んに「各種の節税策」を発表している。しかし、財産の価額というのは常に変わるもので、先がどうなるかは誰も分からないことは、バブルの崩壊で我々は十分知らされている。それなのに、予想と違って、時価が贈与時の価額より下がったとしたら、相続税負担は、この制度を利用しなかった場合より大きいことになる。

そうでなくても、この制度は、すでに述べたように、生前贈与の税負担が軽減されても、相続税ですべて取り戻される仕組みになっている。そのため、メリットのあるのは遺産が相続税の基礎控除の範囲であるケースだけであり、それほど利用価値があるとは思えない。しかも、基礎控除の引下げでもあったらなおさらである。平成25年の税制改正は正にそれであったではないか。

4　その他の問題点

(1)　申告書開示の問題

他に共同相続人がいる人(A)が精算課税制度の適用を選択した場合において、これら他の相続人の申告、制度の選択の有無等が分からなければ、相続税の申告はできないので、(A)は、他の相続人でこの制度の適用を選択した者の贈与税の申告書（更正又は決定を含む。）の課税価格等の開示を税務署長に請求

できる旨の規定が設けられている。

しかし、これは「争族」といわれるほどトラブルの多い相続の紛争に税務署を巻き込むことにならないだろうか。たとえ、税務署側が規定があるから開示したといっても、他の相続人は納得せず、税務署を相手とする争訟が起こることにもなりかねない。

(2) **相続財産がないのに相続税がかかる**

相続時精算課税の選択をした推定相続人が被相続人の生前贈与を受け、結局のところ特定贈与者である被相続人からの相続においては、相続すべき財産がないというケースはあり得る。しかし、精算課税制度では、相続財産がなくても贈与財産は相続によって取得したものとみなされて相続税が課税されることになる。つまり、"相続財産がないのに相続税がかかる"ことになるのである。この場合、生前贈与を受けているからそれで納税できるはずだというのは机上の理屈であって、既に贈与を受けた財産が消費されているか、又は換価不能若しくは困難な財産に化体されていれば、納付は事実上不可能であり、相続人は全く納得しないであろう。

実際には、相続税の連帯納付義務の規定により、結局財産のある他の共同相続人が追及を受けることになり、これも相続人間のみならず当局とのトラブルの種にもなるであろう。

(3) **精算課税制度の適用を受けない受贈者は贈与税の過納が還付されない**

相続時精算課税制度の適用を受けた者の相続財産が少なく、結果として相続税額よりも納付済みの贈与税額が多い場合には、その差額は、場合によっては還付加算金まで付けて還付されることになっている。

ところが、精算課税制度の適用を受けない推定相続人が、相続開始前3年以内に被相続人から贈与を受けた場合には、同様に相続財産に加算されて相続税が計算され、既に納付した贈与税額が控除されて差額を納付することになる。しかし、この場合は、たとえ贈与税の額が多くても、その差額は還付されることはない。

このような取扱いの差について、当局からの公式説明は何もない。おそら

く、「相続時精算課税を選択した場合は、相続時に精算するのだから、過納があれば還付する」という形式的な説明をするのであろう。しかし、同じく相続税から控除するのになぜ一方だけ還付するのかと追求されたときに、そのような説明をしても到底納得は得られないであろう。

(4) **精算課税制度の適用者が先に死亡した場合**

　相続時精算課税制度の適用を受けることを選択した子が特定贈与者である親より先に死亡した場合には、その子（孫）の相続財産に特定贈与者から贈与によって取得した財産が含まれて相続税が課税されることになっている。ところが、次に特定贈与者である親が死亡した場合には、孫が相続時精算課税による納税義務を承継するため、既に課税された贈与財産が再び相続財産（代襲相続）に加算されて相続税が課税されてしまう。したがって、精算課税を選択しなければ1回の課税で済むものが、精算課税を選択したために2回の課税を受け、相続税負担が大きくなるということになってしまう。この点についても、納税者からの納得が得られないであろう。

第5編
農地、非上場株式等の納税猶予及び免除制度

I 農地の贈与税・相続税の納税猶予及び免除制度

I 総説

第1節 制度の導入の経緯

1 農地等の生前贈与に係る贈与税の納期限の延長制度の創設

　この納税猶予制度が導入される前の昭和39年の税制改正により、農地等の生前贈与に係る贈与税の納期限の延長の制度が創設された。

　我が国の農業は、周知のように耕作規模の小さい農家が圧倒的に多い。加えて我が国の農地法は農地の所有と経営を不可分とする原則を固守する一方、我が国の民法は、戦前の家督相続、長子相続の基本原則に訣別して、相続人の権利の平等を基本として例外を許さないという基本原則が採られた。

　しかし、ただでさえ零細規模農家の多い我が国の農家では、この両原則を守ろうとすれば、相続が発生することにより、農地を中心とする農業用資産を更に分割により細分化せざるを得なくなって、ますます生産力、競争力を低下させることになる。このため、現行民法が施行された直後、農業資産の継承者に相続上の特例を認める農業資産相続特例法案が国会に2回提案されたが、結局実現しなかった。

　その後、昭和36年に制定施行された農業基本法では、農家の相続に際しては、農業経営の細分化を防ぐため、農業経営をなるべく共同相続人の1人が引き継いで担当することができるように必要な施策を講ずるものと定められ

た。しかし、このように農業基本法にいうところの農地の細分化防止と後継者育成の見地から、農業経営に不可欠であり、しかも既に述べたように農地法上所有と経営とが不可分とされる農地等を特定の後継者に一括して継承させるには、旧民法のような隠居（一種の生前相続）の制度がない現行民法の下では、生前贈与という手法を採るしか方法はないという結論に農林当局は達したごとくである。

しかし、農地を生前贈与すれば、原則に従えば、極めて高額の贈与税を納付しなければならなくなって、農業経営の円滑な移譲に大きな障害となる。

そこで、農林・大蔵両者の折衝の結果、農地を生前贈与した場合には、その農地の贈与者が被相続人となって開始する相続に係る相続税の納期限まで、その農地に係る贈与税の納期限を延長し、その農地を相続財産に含めて計算した相続税からその贈与税を控除し、なお納付すべき相続税があれば、贈与税と共に納付させるという贈与税の納期限の延長制度が昭和39年の税制改正で設けられたのである。これにより、農地を贈与しても、結局は、課税最低限が高く、税率が低い相続税で精算されることから、大半のケースは、ほとんど贈与税を納付することなく終った。

2　農地に係る相続税の納税猶予制度の創設

ところが、昭和40年代ごろから、農地相続に新たな問題が生じてきた。すなわち、相続税における農地の評価は、基本的に農地の売買実例を基にして行うが、農地のうちでも、いわゆる三大都市圏（東京、大阪、名古屋）にある農地については、都市区域の拡大の影響を受けて、将来の宅地化を期待した価額高騰の現象が生じ、本来その土地が農業にしか使用できないとすれば到底成立し得ないような高水準での売買が行われることが少なくなく、そのため、これを反映して、農地の評価水準が急激に上昇するに至った。その農地について、いわば宅地化期待益を含んだ高い売買実例を基として評価されて相続税が課税されるため、その納付のため農地の一部を手放さざるを得なくなって、農業の経営規模が更に縮小し、経営が成り立たなくなるといった問

題が提起されるに至った。そして、この点について何らかの対策をとることについて、農林当局から再び強い要望が出るに至った。

そこで、再び農林・大蔵両当局の折衝の結果、昭和50年の税制改正において、今後とも永続的に農業を続ける意思のある農業相続人に対しては、その相続農地等に係る相続税額のうちその農業に恒久的に使用される農地としての価格（農業投資価格）を超える部分、いわば宅地化期待益というべき価額の部分に対する相続税額については、その納税を猶予し、その農地等につき次の後継者に対し、一括生前贈与が行われた場合又は申告期限から20年を経過した場合において、それまで農業経営を続けてきたときは、猶予税額は免除され、結局農業投資価格部分の相続税を納付すればよいとする相続税の納税猶予制度が設けられるに至った。

なお、この際、贈与税の納期限の延長制度も、この相続税の納税猶予制度と整合性を持った農地等の一括生前贈与の場合の納税猶予制度に内容を改めて、同じく昭和50年からスタートするに至った。

ところで、農業経営者の世代交替を促進するという政策から、昭和45年に農業者年金制度が設けられ、昭和51年から経営移譲年金の支給が開始された。この年金は、農業経営の移譲を条件として60歳（国民年金は65歳）から支給されるが、その移譲は、その有する農地をすべて譲渡するか、使用収益権を設定するかのいずれかの方法により農業経営を廃止することが要件となっている。

しかし、このようなことは、贈与税の納税猶予の打切りの条件に該当し、折角贈与者の死亡まで猶予されるはずの贈与税を納付しなければならなくなる。そこで、これについてもかなりの折衝がされた結果、最小限、使用貸借権の設定の場合に限り納税猶予を継続することとして、昭和53年の税制改正で実施された。

3 三大都市圏の特定市の市街化区域内農地等に対する納税猶予制度の適用除外と経過措置

　この農地等の相続税の納税猶予制度は、創設当初から大きな問題点があった。すなわち、もともと、相続税評価額の急騰という問題は、大都市圏の市街化区域内の農地に主として発生したわけであるが、都市計画法上の市街化区域は、「すでに市街地を形成している区域及びおおむね10年以内に優先的かつ計画的に市街化を図るべき区域」とされている（都市計画法7②）。それに対し、相続税の納税猶予制度により相続税の免除を受けるためには、20年間の農業経営の継続を要することとされ、政策としての整合性がない旨の指摘が当初からあり、バブルの発生とともに、その問題が広がって行った。そして、本来の目的ではない相続税の回避手段として利用され、地価の高い都市部では形だけの農業経営を図って資産の保全を図るのに利用されるといった弊害も生じていた。

　そこで、この納税猶予の改正を求める平成2年10月の政府税制調査会の「土地税制のあり方についての基本答申」に基づき、平成3年の税制改正において、相続税及び贈与税の納税猶予制度について、次のような改正が行われた。

　すなわち、

① 三大都市圏の特定市の市街化区域内農地等については、生産緑地内の農地等（20年営農による免除は廃止）のみ対象とし、他は制度の適用対象外とする。

② これに伴い、市街化区域内の農地について特例の適用を受けている者に対し、一定の住宅用のための転用を行う場合の特例の継続適用を認める経過措置を設ける。

　したがって、この改正により現行の農地の相続税及び贈与税の納税猶予は、実際問題として、かなりメリットの減少した制度となったといわざるを得ない。

4 その後の改正

　その後、平成12年3月改正において、贈与税の納税猶予の特例の適用を受ける受贈者が、その特例の適用を受ける農地又は採草放牧地（農地等）を農業経営基盤強化促進法第20条に規定する農用地利用集積計画の定めるところによる使用貸借による権利又は賃借権（賃借権等）の設定に基づき貸し付けた場合において、その貸し付けた農地等（貸付特例適用農地等）に代わるものとしてその受贈者の農業の用に供する農地等を農用地利用集積計画の定めるところによる賃借権等の設定に基づき借り受けており、かつ、その借り受けている農地等の面積のその貸付特例適用農地等の面積に対する割合が100分の80以上であることなど一定の要件を満たすときは、その貸付特例適用農地等に係る賃借権等の設定はなかったものとみなし、納税猶予の特例の猶予期限とはしないこととされるなど部分的な改正はほとんど毎年のように行われているが、基本的な仕組みは改正されていない。

第2節　制度の考え方

1　贈与税の納税猶予制度の考え方

(1)　制度の骨子

　農業を営む個人（贈与者）がその推定相続人のうちの1人（受贈者）に、農地の全部及び採草放牧地と準農地のそれぞれ3分の2以上の面積を贈与した場合において、贈与税の申告期限（翌年3月15日）までに必要な書類を添付した贈与税の申告書を提出するとともに、申告期限までに担保を提供したときに限り、その贈与者の死亡の日まで贈与税の納税猶予が認められる。ただし、いわゆる特定市街化区域農地は、この特例の対象にならない。

　次に、贈与者が死亡した場合には、納税猶予を受けていた贈与税が免除され、その贈与を受けていた農地等は、贈与者の死亡時に受贈者が相続したものとみなされて相続税が課税される。もちろん、農地等の評価は、相続時の

時価による。

　また、受贈者が贈与者より先に死亡した場合にも贈与税は免除される。この場合は、受贈者の相続人に対して、通常の相続が開始し、相続税が課税される。

　贈与者の死亡前に、農地等の任意譲渡、農業経営の廃止等があれば、納税猶予は打ち切られ、猶予税額の全部と年3.6％の利子税を納付しなければならない。ただし、任意譲渡の面積が累計で20％以内なら、譲渡した部分だけの猶予が打ち切られる。

(2) **考 え 方**

　以上の制度の骨子から分かるように農地の全部（採草放牧地等は3分の2以上）を特定の1人に贈与するという要件が付されているのは、旧民法における隠居と同様に、農業経営者の交替があった場合が考えられているわけで、そのような経営者の交替があった場合には、事実上贈与税を課税せず、旧経営者の死亡の時に相続があったものとして相続税を課税することとして、大半のケースを救済しようとするものである。

　しかし、相続の時の評価が高いと、相続税が課税されるケースもあり得るので、そのような場合には、次の相続税の納税猶予を利用して、受贈者が死亡の日まで又は一定の場合相続後20年間農業経営を続ければ、結局後述のとおり相続税も免除されて、全く農地の移動について一度も実際に納税することなく終わることになる（もっとも、正確にいえば、農地等の価額のうち農業投資価格に相当する部分については課税対象になる。）。つまり、営農を続ける限り、農地等については、ほとんど贈与税も相続税も課税されることがないというシステムになっている。

2　相続税の納税猶予制度の考え方

(1) **制度の骨子**

　農業相続人（贈与税の納税猶予の場合と異なり、2人以上でもよい。）が、農業を営んでいた被相続人から相続又は遺贈により農地及び採草放牧地並びに

準農地を取得し、その者の農業の用に供する場合において、相続税の申告期限までに、相続税の申告書にこの特例の適用を受ける農地等(「特例農地等」という。)を記載して提出するとともに、申告期限までに担保を提供したときに限り、特例農地等の価額のうち農業投資価格を超える部分の相続税について、次のいずれか早い日まで納税猶予が認められる。ただし、贈与税の場合と同様に、特定市街化区域農地は、この特例の適用対象にならない。

① 相続税の申告期限から20年を経過する日(都市営農農地等が特例農地等に含まれている場合を除く。)
② 農業相続人の死亡の日
③ 特例農地等を後継者に一括生前贈与した日

以上の①から③までのいずれか早い日まで特例農地等につき農業経営を継続していた場合には、その日において納税猶予を受けていた相続税は免除される。

また、上記による猶予税額の免除の日の到来前に、農地等の任意譲渡、農業経営の廃止等があれば、納税猶予は打ち切られ、猶予税額の全部と年6.6％の利子税を納付しなければならない。ただし、任意譲渡の面積が累計で20％以内なら、譲渡した部分だけの猶予が打ち切られる。

(2) 考え方

農地の評価は、他の土地と同様に近傍農地の売買価格を基礎として行われるが、都市近郊農地の場合は、都市化の進展の結果、宅地としての転売期待益を含んだ売買価格となって、現在においても、農業の継続を前提とすれば到底成立し得ない水準となっている。このため、農業を継続する意思を持ちながら、宅地転用を前提とした売買価格で農地を評価されるため、農地の一部を売却して相続税を納付しなければならない事態に至ったとされ、昭和40年代の末期には、この事態の改善が強く要望されるに至ったことは、前にも述べたとおりである。

そこで、農業については、その経営と農地の所有が原則として分離できないという点を考慮して、相続した農地において、恒久的に農業を継続するこ

とを表明した農業相続人に対して、農地の価額のうち農業投資価格に対応する部分の相続税額の納付を求め、宅地化期待益分に対応する部分の相続税額の納税を猶予して、農業経営の20年継続等の要件に達したときは、これを免除する制度が設けられたのである。

そして、贈与税の項でも述べたように、相続した農地を後継者に生前一括贈与した場合にも猶予された相続税が免除され、また贈与を受けた後継者は贈与税の納税猶予が受けられ、次いで、贈与者が死亡した段階で相続税の納税猶予に切り替えることにより、後継者へ移転していく農地については、農業投資価格対応分の相続税課税以外は全く相続税・贈与税の課税が行われないというシステムとなっている。

この制度は、確かに、真面目に営農を続ける農家については極めて有利な制度であるが、他の中小企業やサラリーマンとのバランスからも問題があり、また、都市開発の妨げとなり、租税回避にも利用され易いという批判も強いことから、市街化区域農地については、都市営農農地（生産緑地）以外は適用されないこととされたため、現在では、事実上あまりメリットのない制度となっている。

そのため、制度の解説は、ごく基本的な事項だけを説明する。

II 農地等を贈与した場合の贈与税の納税猶予の特例

第1節　特例の適用要件

　農地等を贈与した場合の贈与税の納税猶予の特例の適用を受けるためには、次の要件のすべてを満たしていることが必要である（措法70の4①本文）。

イ　贈与者は、農地等を贈与した日まで、引き続き3年以上農業を営んでいた個人であること。

ロ　贈与者は、①その農業の用に供していた農地の全部、②その農業の用に供していた採草放牧地の面積の3分の2以上及び③準農地（注）の面積3分の2以上を贈与すること。

（注）「準農地」とは、農用地区域（農業振興地域の整備に関する法律8②一）内にある農地及び採草放牧地以外の土地で、農業振興地域整備計画（同法8①）において農業上の用途区分が農地又は採草放牧地とされているもので、農地又は採草放牧地に開発し、受贈者の農業の用に供することが適当であるものとして市町村長が証明したものをいう。なお、準農地は、現に農業の用に供されているものではないため、農地及び採草放牧地とともに贈与する場合に限り、特例が適用されることになっている（措法70の4①、措令40の6③）。

ハ　受贈者は、贈与者の推定相続人のうちの1人で、次の要件のすべてを満たす個人であることについて農業委員会（農業委員会が置かれていない市町村にあっては、市町村長）が証明した者であること（措令40の6⑥）。

　(イ)　農地等を取得した日における年齢が18歳以上であること。

　(ロ)　農地等を取得した日まで、引き続き3年以上農業に従事していたこと。

　(ハ)　農地及び採草放牧地を取得した日後、すみやかにこれらについて農業

経営を行うと認められること。
　㈡　効率的かつ安定的な農業経営の基準として農林水産大臣が定めるものを満たす農業経営を行っていること

　なお、贈与される農地及び採草放牧地は、特定市街化区域農地等に該当するもの及び農地法第32条第1項又は第33条第1項の規定による同法第32条第1項に規定する利用意向調査に係るもののうち一定のものは除かれる（注1～2）。

　（注1）　特定市街化区域農地等とは、市街化区域（都市計画法7①）内に所在する農地又は採草放牧地で、平成3年1月1日現在において次に掲げる区域内に所在するものをいう。ただし（注2）の都市営農農地等に該当するものは除かれる（措法70の4②三）。
　　　㋑　東京都の特別区の存する区域
　　　㋺　首都圏、近畿圏又は中部圏の政令指定市の区域
　　　㋩　㋺の市以外の市で、その区域の全部又は一部が首都圏の既成市街地若しくは近郊整備地帯、近畿圏の既成都市区域若しくは近郊整備区域又は中部圏の都市整備区域内にあるものの区域
　　　　なお、平成3年1月1日現在では上記に該当しない市町村が、その後併合や行政区画の変更等で、上記㋑～㋩に該当することとなっても、その区域内の農地は特定市街化区域農地等には該当しないことに注意する必要がある。
　（注2）　都市営農農地等とは、生産緑地地区（都市計画法8①十四）内にある農地又は採草放牧地で、平成3年1月1日現在において、（注1）の区域内に所在するものをいう。ただし、生産緑地法の規定による買取りの申出がされたものは除かれる（措法70の4②四）。

ニ　贈与者が、既にこの特例の適用に係る贈与をしていないこと（措令40の6⑦）。

ホ　贈与税の申告期限までに、納税猶予分の贈与税の額に相当する担保を提供すること。

【参考】 営農継続要件のイメージ

都市計画区分 \ 地理的区分		三大都市圏		地方圏
		特定市	特定市以外	
市街化区域	生産緑地地区	営農：終身	営農：終身	
		貸付：認定都市農地貸付、農園用地貸付		
	田園住居地域	営農：終身 （貸付：−） 【都市営農農地等】	営農：20年 （貸付：−）	
	上記以外			
市街化区域外 （市街化調整区域、 非線引き区域）		営農：終身 （貸付：特定貸付）		

（出典：国税庁ホームページ）

第2節　納税が猶予される贈与税の額

　納税猶予が受けられる贈与税の額は、その贈与があった年分の贈与税のうち、その農地等の価額に対応する部分の税額であるが、その計算は、次の算式により行う。すなわち、農地の価額を他の財産の額に上積みする上積税額が猶予税額となる（この考え方は、後述の相続税の猶予税額と異なるので、注意していただきたい。）。

　　贈与税の納税猶予額 = A − B
　　A = その年分の贈与税の額
　　B = その農地等の贈与がなかったものとして計算した場合のその年分の
　　　　贈与税の額

Ⅱ　農地等を贈与した場合の贈与税の納税猶予の特例　851

第3節　納税猶予の期限

1　原　　則

　贈与税の納税猶予の特例の適用を受けた贈与税は、原則として、その贈与者の死亡の日まで、納税を猶予される（措法70の4①）。そして、猶予されていた税額は、所定の届出書を税務署長に提出することにより、免除される。ただし、贈与者の死亡による相続により、農地を取得したものとして、相続税による清算が行われる（措法70の4㉞、70の5）。
　なお、受贈者が贈与者の死亡前に死亡した場合にも、同様に猶予税額が免除される。この場合は、受贈農地の相続に係る相続税は、通常のとおり課税される（措法70の4㉞）。

2　猶予税額の全額の猶予が打ち切られる場合

　受贈者が、贈与者の死亡の日前において、次のイからニまでに掲げる場合のいずれかに該当することとなったときは、それぞれ次に掲げる日から2か月を経過する日が猶予の期限となる（注）。また、ホに掲げる場合に該当することとなったときは、ホに掲げる日が猶予の期限となる（措法70の4①ただし書、㉟）。これは、事実上は猶予の打切りで、猶予税額の全部と猶予期限までの年3.6％の利子税額を納付しなければならない（第5節の特例あり）。
（注）　以下のイ～ニまでに掲げる場合に該当することとなった後、猶予期限以前にその受贈者が死亡した場合には、その猶予期限は、受贈者の相続人が、受贈者の死亡による相続の開始があったことを知った日の翌日から6月を経過する日とされる。
イ　贈与により取得した農地等の譲渡、贈与若しくは転用等（収用交換等による譲渡を除く。）をされた農地等の面積の累計が、特例適用当時の農地等の面積の20％を超えることとなった場合……その事実が生じた日
ロ　贈与により取得した農地等に係る農業経営を廃止した場合……その廃止

の日
ハ　贈与者の推定相続人に該当しないこととなった場合……その該当しないこととなった日
ニ　毎3年ごとの「引き続いて納税猶予の適用を受けたい旨の届出書」を提出しなかった場合……届出書の提出期限の日
ホ　特例の適用を受けることをやめようとする場合において、納税猶予を受けていた贈与税の額及びこれに係る利子税を納付してその旨を記載した届出書を税務署長に提出したとき……その届出書の提出の日

3　猶予税額の一部の猶予が打ち切られる場合

受贈者が、贈与者の死亡の日前において、次に掲げる場合のいずれかに該当することとなったときは、猶予税額のうち、その該当することとなった農地等の価額に対応する部分として、次の算式により計算した贈与税については、それぞれ次に掲げる日の翌日から2月を経過する日が猶予の期限とされる（措法70の4④⑤、措令40の6⑬⑭）。

この場合には、次の算式により計算した贈与税額と年3.6％の利子税を猶予期限までに納付しなければならない（第5節の特例あり）。

$$\text{納税猶予が打ち切られる贈与税額} = A \times \frac{C}{B}$$

　　A＝納税を猶予された贈与税の額
　　B＝納税猶予の対象となったすべての農地等の贈与時の価額
　　C＝打切り事由に該当した農地等の贈与時の時価

(イ)　特例の適用を受けた農地等が、収用交換等による譲渡等をされた場合……その譲渡等があった日
(ロ)　特例の適用を受けた農地等の一部について譲渡等がされた場合において、その譲渡等をした面積が累計で20％を超えていないとき（20％を超えると、特例の適用を受けた農地等の全部が猶予を打ち切られる。）……その譲渡等があった日

(ハ) 特例の適用を受けた準農地が、贈与税の申告書の提出期限後10年を経過する日において受贈者の農業の用に供されていない場合……その10年を経過する日

(ニ) 特例の適用を受けた農地等のうち都市営農農地等について生産緑地法第10条又は第15条第1項の規定による買取りの申出があった場合……その買取りの申出があった日

(ホ) 特例の適用を受けた農地等が都市計画法の規定に基づく都市計画の決定若しくは変更又は生産緑地地区に関する都市計画の失効により特定市街化区域農地等に該当することとなった場合……都市計画法第20条第1項の規定による告示があった日又はその失効の日

第4節　猶予の対象農地等の買換えの場合の特例

　納税猶予を受けている受贈者が農地等の譲渡等をした場合には、第3節で述べたとおり、納税猶予の適用を受けていた贈与税額の全部又は一部の猶予が打ち切られるのであるが、受贈者が、その譲渡等をした日から1年以内にその譲渡等の対価の全部又は一部をもって農地又は採草放牧地（その譲渡が三大都市圏の一定の区域内にある農地等の収用等による譲渡である場合には、1年以内に農地等に該当する見込の土地を含む。）を取得する見込であることについて税務署長の承認を受けたときは、次によりその譲渡等の全部又は一部はなかったものとみなされる（措法70の4⑮、措令40の6㉙㉚）。

　イ　その承認に係る譲渡等はなかったものとみなされる。

　ロ　その譲渡等があった日から1年を経過する日において、その承認を受けた譲渡等の対価の額の全部又は一部が農地又は採草放牧地の取得に充てられていない場合には、その譲渡等に係る農地等のうち、その充てられていないものとして次の算式により計算した部分は、その1年を経過する日に

おいて譲渡等があったものとみなされる。

$$\text{その譲渡等をされた農地等の贈与時価額} \times \frac{\text{その取得に充てられなかった対価の額}}{\text{譲渡等の対価の額}}$$

ハ　その譲渡等があった日から1年を経過する日までに、その承認に係る譲渡等の対価の額の全部又は一部が農地又は採草放牧地の取得に充てられた場合には、その取得に係る農地又は採草放牧地は、この贈与税の納税猶予の特例の適用を受ける農地等とみなされる。

第5節　猶予税額の納付に伴う利子税

　第3節の2から3に該当して猶予されていた贈与税額の全部又は一部を納付することとなった場合には、その納付することとなった贈与税額を基礎とし、その贈与税に係る申告期限の翌日から猶予税額の猶予期限までの期間に応じ、年3.6%の割合を乗じて計算した利子税を、贈与税と併せて納付しなければならない（措法70の4㉟）（注）。

（注）　なお、特例基準割合が7.3%に満たない場合には利子税の割合が軽減される。
　　　詳細は、「第8編　雑則」の利子税の項を参照のこと。

　なお、猶予対象農地の全部又は一部を収用交換等により譲渡したことにより、農業経営の廃止又は特例農地等の一部の譲渡に該当して贈与税の猶予が打ち切られた場合には、その利子税の額は2分の1に軽減される（平成26年4月1日から令和8年3月31日までの間に譲渡した場合には、全額免除）（措法70の8①）。

第6節　納税猶予の手続の留意点

　贈与税の納税猶予の適用を受けるために必要な手続の要点を挙げると、次

のとおりである。

(1) **申告の際の手続**

　農地等を贈与した場合の贈与税の納税猶予の特例の適用を受けるためには、その適用を受けようとする受贈者の農地等の贈与を受けた日の属する年分の贈与税の申告書に、特例の適用を受けようとする旨、並びに農地等の明細及び贈与税の額の計算に関する明細その他所要の事項を記載した書類を添付して、申告期限内に提出することが必要である（措法70の4①、㉖）。提出が遅れた場合等の宥恕規定は設けられていないので、特に注意しなければならない。

(2) **継続適用の届出書**

　この特例の適用を受けた受贈者が、贈与税の納税猶予の期限が確定するまで引き続き特例の適用を受けたい場合には、その期限が確定するまで、猶予に係る贈与税の申告書の提出期限の翌日から起算して3年を経過するごとの日までに引き続きこの特例の適用を受けたい旨、その他所要の事項を記載した届出書に、所定の書類を添付して、これを納税地の所轄税務署長に提出することが必要である（措法70の4㉗、措令40の6㉖）。

　この届出書がその提出期限までに提出されない場合には、猶予に係る贈与税額のすべてにつき、その提出期限の翌日から2か月を経過する日をもって納税猶予が打ち切られる（措法70の4㉚）。ただし、この届出書が提出期限内に提出されなかった場合でも、税務署長がそのことについてやむを得ない事情があると認めた場合において、その届出書が提出されたときは、その届出書は提出期限内に提出されたものとみなされる（措法70の4㉘）。

　すなわち、この届出書の遅延については、宥恕規定が設けられていることに注意が必要である。

第7節　計算例

─〔設　例〕─

　30年間農業を営んできたAは、令和2年に自分とともに農作業に5年間従事してきた子のB（40歳）に、その所有農地（特定市街化区域農地等には該当しない。）2ヘクタールをすべて贈与した。このほか、資金として預金・株式等500万円も併せてBに贈与している。

(1)　Bは、この農地の贈与に係る贈与税について納税猶予を受けることとした。Bが猶予を受けることができる税額及び納付を要する税額はいくらか。

(2)　Bは、納税猶予を受けた翌年に、受贈農地のうち20アールを国道用地として収用され、30アールを知人の要請で譲渡した。この譲渡により納付すべきこととなる税額は、猶予税額の全部が一部か。一部とすれば、どれほどの税額の納付を要するか。

　なお、贈与の時における農地の相続税評価額は1ヘクタール当たり1,000万円であった。

[解　答]
(1)　猶予税額・納付税額
　　(イ)　贈与税額
　　　　　　　　　　　　　　　　　　　　　　　　　　（税率）
　　　　（農地2ha×@1,000万円＋預金等500万円－基礎控除110万円）×0.50
　　　　－250万円＝945万円
　　(ロ)　農地の贈与がなかったものとした場合の贈与税額
　　　　　　　　　　　　　　　　　（税率）
　　　　（預金等500万円－基礎控除110万円）×0.20－25万円＝53万円
　　(ハ)　猶予税額　(イ)945万円－(ロ)53万円＝892万円
　　(ニ)　納付税額　(ロ)53万円

(2)　譲渡等により納付すべき税額
　　収用交換等による譲渡は、20％超の譲渡をしたかどうかの判定に加えない。また、任意譲渡のみでは、次のとおり受贈農地の面積の20％を超えない。
　　　　　受贈農地2ha×0.2＞任意譲渡農地30a
　　ただし、納付すべき税額の計算には、次のとおり、収用交換等による譲渡を含める（措令40の6⑪）。

$$8{,}920{,}000円 \times \frac{20a + 30a}{200a} = 2{,}230{,}000円$$

(100円未満切捨て…措令40の6⑭)

Ⅲ 贈与税の納税猶予に係る農地等の贈与者が死亡した場合の相続税の課税の特例

第1節 総 説

　Ⅱで説明した農地等の贈与があった場合の贈与税の納税猶予の特例の適用を受けていた農地等の贈与者が死亡した場合には、その農地等に係る相続税の課税については、受贈者がその相続の開始により、その農地等を相続により取得したものとみなされて相続税が課税される。したがって、その農地等の価額はその贈与者の死亡時の価額によることとされる（措法70の5①）。

　この制度の趣旨は、既に述べたとおり、農地等を贈与により取得した受贈者の贈与税の納付をその農地等の贈与者の死亡の時まで猶予し、贈与者の死亡によりその贈与税の納付を免除して、改めてその農地等を贈与者から相続により取得したものとして、相続税を課税して精算しようとするものである（措法70の4㉞）。したがって、大都市の近郊農地等以外は、農地等の生前贈与により、実際に課税される例は少ないものと考える。また、仮に課税される事態になっても、次に述べる相続税の納税猶予を利用すれば、ほとんど実際に相続税を納付することにはならないことは、既に繰り返し説明したところである。

Ⅲ 贈与税の納税猶予に係る農地等の贈与者が死亡した場合の相続税の課税の特例

第2節　留意点

　この制度は、いうまでもなく、受贈者の死亡までに、任意譲渡、権利の設定、継続適用届出書の不提出等の理由によって猶予期限が確定した贈与税については適用されない。

　農地等の受贈者が、農地等の譲渡等について税務署長の承認を受け、その譲渡等の対価の額の全部又は一部をもって、その譲渡等のあった日以後1年以内に農地又は採草放牧地を取得しているときは、その買換えにより取得した農地又は採草放牧地は、その贈与者から相続又は遺贈により取得したものとみなされる（措法70の5②）。すなわち、一般の場合と同様に相続税の課税対象となり、贈与税は免除されることになる。

Ⅳ 農地等についての相続税の納税猶予の特例

第1節　特例の適用要件

　農地等についての相続税の納税猶予の特例の適用を受けるためには、次の要件のすべてを満たしていることが必要である（措法70の6、措令40の7）。

イ　被相続人は、次のいずれかに該当していること。
　① その有する農地及び採草放牧地について、死亡の日まで農業を営んでいた個人（農業委員会の証明書の添付が必要（措規23の8③三））。
　② 農地等を贈与した場合の贈与税の納税猶予の特例（注）の適用に係る贈与をした個人。
　　（注）　昭和50年の改正前の贈与税の納期限の延長の特例（旧措法70の4）を含む。

ロ　相続人は、イの被相続人の相続人で、次のいずれかに該当する者であることについて農業委員会が証明した者であること。
　① 相続税の申告期限までに相続、遺贈又は死因贈与により取得した農地又は採草放牧地に係る農業経営を開始し、その後引き続きその農業経営を行うと認められる者
　② 贈与税の納税猶予の特例の適用を受けた受贈者が、独立行政法人農業者年金基金法の規定に基づく特例付加年金の支給を受けるため、受贈者の推定相続人の1人（以下「後継者」という。）に対し、納税猶予の適用を受けている農地等について使用貸借による権利を設定し、かつ、納税猶予の適用上はその設定がなかったものとみなされた場合（措法70の4⑤）において、その受贈者が贈与者の死亡によりその農地等をその贈与

者から相続又は遺贈により取得したとみなされるとき（措法70の5）は、その受贈者でその使用借権の設定後引き続き後継者にその農地等を使用させ、その後継者が営む農業に現に従事している者であり、かつ、その相続後も引き続いてその農地等を後継者に使用させ、その農業に従事する者であると認められる者（注）

(注)　この②は昭和53年の改正の際設けられたもので、当初贈与税の納税猶予の適用を受けて、農業経営を行っていた受贈者（以下「第1後継者」と仮称）が、特例付加年金の支給を受けるため、経営を第1後継者の推定相続人のうちの1人（以下「第2後継者」と仮称）に移譲し、そのために使用借権を第2後継者に設定させたときは、引き続き第1後継者が第2後継者の営む農業に従事することを要件として贈与税の納税猶予の継続適用が認められる（措法70の4⑥）。そして、第1後継者の被相続人（贈与者）が死亡すれば、第1後継者は受贈農地を相続等により取得したものとみなされるが（措法70の5）、引き続き同様の情況で、第2後継者に農地等を使用させ、その営む農業に第1後継者が引き続き従事する限りにおいて、第1後継者に相続税の納税猶予をも適用するものとする趣旨である。

ハ　納税猶予の対象となる農地等は、次に掲げる農地、採草放牧地及び準農地のうち、その農業相続人の選択により、相続税の期限内申告書にこの特例の適用を受ける旨の記載のあるもの（以下「特例農地等」という。）に限られること。

①　被相続人から相続又は遺贈により取得した農地、採草放牧地及び準農地（特定市街化区域農地等に該当するものを除く。）。

②　農地等を贈与した場合の贈与税の納税猶予の特例(注)の適用を受けていた農地、採草放牧地及び準農地で、贈与者の死亡によりその農地等をその贈与者から相続又は遺贈により取得したものとみなされたもの（特定市街化区域農地等に該当するものを除く。）(注)。

(注)　イ②の(注)を参照

③　相続税の納税猶予の特例の適用を受けることができる相続人が、被相続人から生前贈与により、農地の全部、採草放牧地及び準農地の各3分

の2以上の部分を取得している場合において、その贈与の日の属する年においてその被相続人の相続が開始し、かつ、被相続人からの相続等により財産を取得したことにより、相続税法第19条の規定によりその生前贈与によって取得した農地、採草放牧地及び準農地の価額が相続税の課税価格に加算されることとなるときにおけるその農地、採草放牧地及び準農地(注)。

(注) 上記の農地等は、相続税の納税猶予の制度の適用上は、その相続人が被相続人から相続等により取得したものとみなされる(措令40の7③)。

ニ 相続税の申告期限までに、納税猶予分の相続税の額に相当する担保を提出すること。

第2節　相続税の計算の特例

1　総　説

相続税の納税猶予に係る猶予税額とその計算の基礎となる相続税の総額の計算は、極めてユニークな方法によっている。すなわち、同一の被相続人からの相続等により財産を取得した者のうちに、相続税の納税猶予の特例の適用を受ける者(農業相続人)がいる場合には、農業相続人のみならず、それ以外の相続人についても、通常の方法と異なる方法で計算した相続税が課税されるのである。

その基本的な考え方は、相続財産のうちに特例農地等がある場合には、特例農地等について、通常の相続税評価額を基にした相続税の総額をまず計算し、次に特例農地等の価額を農業投資価格(恒久的に農業の用に供されるとした場合の価格)によったものとした場合の相続税の総額を計算して、農業相続人以外の相続人は後者の相続税の総額を基として求めた相続税額により、農業相続人は、同じく同様に求めた相続税額と、前者の相続税の総額から後者の相続税の総額を控除した額(猶予税額)とを合計した相続税額が課税されるのである。換言すれば、正確さはやや欠けるが農業相続人以外の相続人

は、特例農地等の価額を農業投資価格によった場合の相続税額が課税され、農業相続人は、通常の方法によった場合の相続税額が課税されると考えればよいだろう。すなわち、特例農地等の価額のうち農業投資価格と通常の価額との差額に対応する税額（上積部分）はすべて農業相続人が負担することになるのである（ただし、その部分が猶予税額になる。）。

以下の説明は、上記のことを念頭において読んで頂きたい。

2　相続税の総額の計算

相続人のうちに相続税の納税猶予の適用を受けようとする農業相続人がいる場合には、次の(1)及び(2)の2種類の相続税の総額をまず計算する（措法70の6②）。

(1)　原則による相続税の総額

特例農地等の価額を他の相続財産と同様に通常の相続税評価額で評価して計算した相続税の総額（以下「原則による相続税の総額」という。）を求める。

(2)　農業投資価格による相続税の総額

農業相続人の取得した特例農地等については、農業投資価格を基として評価した価額により、特例農地等以外の財産については、通常の相続税評価額により計算した各人の課税価格（以下「農業投資価額による課税価格」）の合計額を基として計算した相続税の総額（以下「農業投資価格による相続税の総額」という。）を求める（注）。

(注)　「農業投資価格」とは、特例農地等に該当する農地、採草放牧地又は準農地につき、それぞれ、その所在する地域において恒久的に耕作又は養畜の用に供されるべき農地法第2条第1項に規定する農地若しくは採草放牧地又はその農地若しくは採草放牧地に開発されるべき土地として自由な取引が行われるものとした場合におけるその取引において通常成立すると認められる価格として、その地域の所轄国税局長が決定した価格をいう（措法70の6③）。端的にいえば、将来宅地として転売すれば高く売れるであろうという潜在的な転売期待益ともいうべき部分を除いた、本来の農地としての取引価格といってよいであろう。

※ 令和2年分農業投資価格
　　東京都　田　　　　　900千円／10アール
　　　　　　畑　　　　　840千円／10アール
　　　　　　採草放牧地　510千円／10アール

3　各人の相続税額の計算

(1) 農業相続人の相続税額

イ　農業相続人の算出相続税額は、次の①と②の合計額による（措法70の6②二）。

① 原則による相続税の総額－農業投資価格による相続税の総額

② 次の算式により求めた金額

$$\text{農業投資価格による相続税の総額} \times \frac{\text{その農業相続人の農業投資価格による課税価格}}{\text{農業投資価格による課税価格の合計額}}$$

ロ　農業相続人の納付すべき税額

　　農業相続人の相続税の申告期限までに納付すべき相続税額は、イの税額のうち②で計算した税額（①の部分が納税猶予の対象となる。）を基として、相続税の2割加算、贈与税額控除、配偶者に対する税額軽減、未成年者控除等の加算・減算を行ったものによる。この場合、留意すべき点は、次のとおりである。

① 被相続人の配偶者が農業相続人である場合の配偶者の税額軽減額は、原則による課税価格及び原則による相続税の総額を基として計算する。

② 相次相続控除額の計算上、相次相続控除の総額を各相続人に配分する割合（相法20①二）は、農業投資価格による課税価格の割合による。

(2) 農業相続人以外の者の相続税額

イ　農業相続人以外の者の算出相続税額は、次の算式によって求めた金額による（措法70の6②一）。

$$\text{農業投資価格による相続税の総額} \times \frac{\text{各人の課税価格}}{\text{農業投資価格による課税価格の合計額}}$$

ロ　農業相続人以外の者の納付すべき税額

農業相続人以外の者の相続税の申告期限までに納付すべき相続税額は、イの算出税額を基として、相続税の2割加算、贈与税額控除、配偶者に対する税額軽減、未成年者控除等の加算・減算を行ったものによる。この場合、配偶者の税額軽減の規定（相法19の2）については、農業相続人の場合と異なり、同規定の「課税価格の合計額」及び「相続税の総額」は、「農業投資価格による課税価格の合計額」及び「農業投資価格による相続税の総額」によることとされていることに注意を要する。

第3節　納税が猶予される相続税の額

農業相続人の納税猶予が受けられる相続税額は、次の算式によって求めた金額（第2節3⑴イ①の金額）による。

$$\frac{原則による}{相続税の総額} - \frac{農業投資価格による}{相続税の総額} = 猶予税額$$

ただし、農業相続人について相続税の2割加算、諸控除の適用がある場合には、次による（措法70の6④、措令40の7⑮）。

イ　相続税額の2割加算の適用がある場合には、猶予税額にその20％相当額が加算される。

ロ　贈与税額控除、未成年者控除等の適用がある場合は、まず、相続税の申告期限までに納付すべき相続税額（第2節3⑴イ②）から控除し、控除しきれない金額がある場合には、その控除しきれない金額を猶予税額から控除し、その控除後の金額が猶予税額となる。

第4節　納税猶予の期限

1　原則

　農業相続人の死亡の日又はその申告書の提出期限の翌日から20年を経過する日のいずれか早い日（市街化区域以外の農地等の場合は、農業相続人の死亡の日）とされる（措法70の6⑥）。

2　猶予税額の全額の猶予が打ち切られる場合

　農業相続人が、1の死亡の日等、原則的な猶予期限の確定する日前において、次のイからハまでの場合のいずれかに該当することとなった場合には、それぞれ、次に掲げる日から2か月を経過する日が猶予の期限となる。これは、事実上は猶予の打切りで、猶予税額の全部と猶予期限までの年3.6%の利子税額を納付しなければならない（措法70の6①ただし書、㊵）。

イ　相続等により取得した特例農地等の譲渡、贈与若しくは転用等（収用交換等による譲渡等を除く。）された特例農地等の面積が、特例適用当初の農地等の面積の20%を超えることとなった場合……その事実が生じた日

ロ　相続等により取得した特例農地等に係る農業経営を廃止した場合……その廃止の日

ハ　毎3年ごとの「引き続いて納税猶予の適用を受けたい旨の届出書」を提出しなかった場合……その届出書の提出期限の日

3　猶予税額の一部の猶予が打ち切られる場合

　農業相続人が、1の死亡の日等、原則的な猶予期限の確定する日前において、次の①から⑤までの場合のいずれかに該当することとなった場合には、猶予税額のうち、その該当することとなった特例農地等の価額に対応する部分として、次の算式により計算した納税額については、それぞれ次に掲げる日の翌日から2月を経過する日が猶予の期限とされる（措法70の6⑦、⑧、

措令40の7⑬～⑰)。

この場合には、次の算式により計算した相続税額と年3.6%の利子税を猶予期限までに納付しなければならない。

$$\text{納税猶予が打ち切られる相続税額} = A \times \frac{C}{B}$$

A = 納税を猶予された相続税の額
B = その農業相続人のすべての特例農地等の相続時の農業投資価格控除後の価額の合計額
C = 打切り事由に該当した特例農地等の相続時の農業投資価格控除後の価額

① 特例農地等が、収用交換等による譲渡等をされた場合……その譲渡等があった日
② 特例農地等の一部について譲渡等がされた場合において、その譲渡等がされた面積が累計で20%を超えていないとき（20%を超えると、特例の適用を受けた農地等の全部が猶予を打ち切られる。）……その譲渡等があった日
③ 特例の適用を受けた準農地が、相続税の申告書の提出期限後10年を経過する日において農業相続人（後継者を含む。）の農業の用に供されていない場合……その10年を経過する日
④ 特例農地等のうち都市営農農地等について生産緑地法第10条又は第15条第１項の規定による買取りの申出があった場合……その買取りの申出があった日
⑤ 特例農地等が都市計画法の規定に基づく都市計画の決定若しくは変更又は生産緑地地区に関する都市計画の失効により特定市街化区域農地等に該当することとなった場合……都市計画法第20条第１項の規定による告示があった日又はその失効の日

第5節　猶予の対象特例農地等の買換えの場合の特例

　納税猶予を受けている農業相続人が特例農地等の譲渡等をした場合には、第4節で述べたとおり、納税猶予の適用を受けていた相続税額の全部又は一部の猶予が打ち切られるのであるが、農業相続人が、その譲渡等をした日から1年以内にその譲渡等の対価の全部又は一部をもって農地又は採草放牧地を取得する見込みであることについて税務署長の承認を受けたときは、次によりその譲渡等の全部又は一部はなかったものとみなされる（措法70の6⑲、70の4⑮）。

イ　その承認に係る譲渡等はなかったものとみなされる。

ロ　その譲渡等があった日から1年を経過する日において、その承認を受けた譲渡等の対価の額の全部又は一部が農地又は採草放牧地の取得に充てられていない場合には、その譲渡等に係る特例農地等のうち、その充てられていないものとして、次の算式により計算した部分は、その1年を経過する日において譲渡等があったものとみなされる。

$$\text{その譲渡等をされた特例農地等の相続時の時価額} \times \frac{\text{その取得に充てられなかった対価の額}}{\text{譲渡等の対価の額}}$$

ハ　その譲渡等があった日から1年を経過する日までにその承認に係る譲渡等の対価の額の全部又は一部が農地又は採草放牧地の取得に充てられた場合には、その取得に係る農地又は採草放牧地は、この相続税の納税猶予の特例の適用を受ける特例農地等とみなされる。

第6節　猶予税額の納付に伴う利子税

　第4節の2から3に該当して猶予されていた相続税額の全部又は一部を納

Ⅳ　農地等についての相続税の納税猶予の特例　869

付することとなった場合には、その納付することとなった相続税額を基礎とし、その相続税に係る申告期限の翌日から猶予税額の猶予期限までの期間に応じ、3.6％の割合を乗じて計算した利子税を、相続税と併せて納付しなければならない（措法70の6㊵）。なお、Ⅱの第5節の（注）を参照されたい。

　なお、猶予対象農地等の全部又は一部を収用交換等により譲渡したことにより、農業経営の廃止又は特例農地等の一部の譲渡に該当して相続税の納税猶予が打ち切られた場合には、その利子税の額は2分の1に軽減される（平成26年4月1日から令和8年3月31日までの間の譲渡については免除される。）（措法70の8③）。

第7節　納税猶予に係る相続税額の免除

　農地等について相続税の納税猶予の特例の適用を受けている場合において、農業相続人が次に掲げる場合のいずれかに該当することとなったときは、次のそれぞれに掲げる相続税は、所定の届出書を所轄税務署長に提出することにより免除される。ただし、第4節の2から3に該当して、猶予税額の期限が確定しているときは、その部分の相続税額は、免除の対象から除かれる（措法70の6㊴、措令40の7㊻㊽）。

① 　農業相続人が死亡した場合……納税猶予に係る相続税額の全部
② 　農業相続人が特例農地等の全部について、農地等を贈与した場合の贈与税の納税猶予の特例の適用を受ける贈与をした場合……納税猶予に係る相続税額の全部
③ 　農業相続人が特例農地等の一部について、農業等を贈与した場合の贈与税の納税猶予の特例の適用を受ける贈与をした場合……納税猶予に係る相続税額のうち、贈与をした特例農地等の農業投資価額控除後の価額に対応する部分の金額として、次の算式により計算した金額に相当するもの

$$\frac{免除される税額}{} = 納税猶予税額 \times \frac{贈与した特例農地等の取得時における農業投資価格控除後の価額}{その農業相続人のすべての特例農地等の取得時における農業投資価格控除後の価額の合計額}$$

④ 納税猶予に係る相続税の申告期限後の翌日から20年を経過した場合（特例農地等のうちに都市営農農地等を有する場合を除く。）……納税猶予に係る相続税額の全部

第8節　納税猶予の手続の留意点

相続税の納税猶予の適用を受けるために必要な手続の要点を挙げれば、次のとおりである。

(1) 申告の際の手続

農地等に係る相続税の納税猶予の特例の適用を受けるためには、その適用を受けようとする農業相続人のその農地等の相続等に係る相続税の申告書に、特定の農地等についてこの特例の適用を受けようとする旨並びにその特例農地等の明細及びその特例農地等に係る納税猶予分の相続税額の明細その他所要の事項を記載した書類を添付して、申告期限内に提出することが必要である（措法70の6①）。提出が遅れた場合等の宥恕規定は、贈与税の納税猶予の場合と同様設けられていないので特に注意しなければならない（措法70の6㉛）。

(2) 継続適用の届出書

この特例の適用を受けた農業相続人が、相続税の納税猶予の期限が確定するまで引き続き特例の適用を受けたい場合には、その期限が確定するまで、猶予に係る相続税の申告書の提出期限の翌日から起算して3年を経過するごとの日までに引き続きこの特例の適用を受けたい旨、その他所要の事項を記載した届出書に、所定の書類を添付して、これを納税地の所轄税務署長に提出することが必要である（措法70の6㉜、措令40の7㊳）。

この届出書がその提出期限までに提出されない場合には、猶予に係る相続税額のすべてが、その提出期限の翌日から2月を経過する日をもって納税猶予が打ち切られる(措法70の6㉟)。ただし、この届出書が提出期限内に提出されなかった場合でも、納税署長がそのことについてやむを得ない事情があると認めた場合において、その届出書が提出されたときは、その届出書は提出期限内に提出されたものとみなされる(措法70の6㉝)。すなわち、この届出書の提出の遅延については、贈与税の納税猶予の場合と同様に、宥恕規定が設けられていることに注意が必要である。

第9節　計算例

相続税の納税猶予について、簡単な設例を設けて、猶予税額及び納付税額の計算を示してみる。

〔設　例〕

30年間農業を営んできたAが令和2年に死亡し、相続財産は、次のとおり相続税の申告期限までに分割されている。なお、農地は、特定市街化区域農地には、該当しない。

配偶者B　預金　6,000万円
長男　甲　農地　38,000万円　その他　8,000万円
　　　　　　計　46,000万円
次男　乙　有価証券　3,000万円
長女　丙　預　金　2,000万円
財産合計　57,000万円

(1) 甲は、農地の相続に係る相続税について納税猶予の適用を受けることとした。なお、猶予の適用を受けるための要件は、すべて充たしている。
(2) 相続した農地の農業投資価格は、14,000万円である。

[解　答]（概算）

(1) 原則による相続税の総額

① 課税価格の合計額

(B)6,000万円+(甲)46,000万円+(乙)3,000万円+(丙)2,000万円=57,000万円

② 基礎控除額

3,000万円+4×600万円=5,400万円

③ 課税遺産額 ①－②

57,000万円－5,400万円=51,600万円

④ 法定相続分による各人の取得額

配偶者B　51,600万円×1/2=25,800万円

子甲乙丙　51,600万円×1/2×1/3=8,600万円

⑤ 相続税の総額

　㋑　配偶者B　25,800万円×45％－2,700万円=8,910万円

　㋺　子甲乙丙（8,600万円×30％－700万円）×3=5,640万円

　㋑＋㋺　8,910万円+5,640万円=14,550万円

(2) 農業投資価格による相続税の総額

① 課税価格の合計額

（B)(6,000万円)+(甲)(14,000万円+8,000万円)
+(乙)3,000万円+(丙)2,000万円=33,000万円

② 基礎控除額

3,000万円+4×600万円=5,400万円

③ 課税遺産額 ①－②

33,000万円－5,400万円=27,600万円

④ 法定相続分による各人の取得額

配偶者B　27,600万円×1/2=13,800万円

子甲乙丙　27,600万円×1/2×1/3=4,600万円

⑤ 相続税の総額

　㋑　配偶者B　13,800万円×40％－1,700万円=3,820万円

　㋺　子甲乙丙（4,600万円×20％－200万円）×3=2,160万円

　㋑＋㋺　3,820万円+2,160万円=5,980万円

(3) 農業相続人でない乙・丙の納付税額

① 配偶者B　㋑　$5,980万円 \times \dfrac{6,000万円}{33,000万円} \fallingdotseq 1,087.3万円$

　　　　　　㋺　配偶者の税額軽減額　1,087.3万円

　　　　　　㋩　申告期限までに納付すべき税額　0

② 次男乙　　$5,980万円 \times \dfrac{3,000万円}{33,000万円} \fallingdotseq 543.6万円$

③ 長女丙　　$5,980万円 \times \dfrac{2,000万円}{33,000万円} \fallingdotseq 362.4万円$

(4) 農業相続人であるB・甲の猶予税額・納付税額

① 農業投資価格による各農業相続人の算出税額

　　長男　甲　$5,980万円 \times \dfrac{22,000万円}{33,000万円} \fallingdotseq 3,986.7万円$

② 原則による相続税の総額と農業投資価格による相続税の総額の差額の各農業相続人への配分

　㋑　差額　$14,550万円 - 5,980万円 = 8,570万円$

　㋺　各農業相続人への配分

　　長男　甲 $= 8,570万円 \times \dfrac{24,000万円}{24,000万円} = 8,570万円$

③ 長男甲の猶予税額及び納付税額

　㋑　長男甲の納付税額

　　$3,986.7万円 + 8,570万円 = 12,556.7万円$

　㋺　長男甲の猶予税額

　　8,570万円

　㋩　申告期限までに納付すべき税額

　　㋑ − ㋺ $= 12,556.7万円 - 8,570万円 = 3,986.7万円$

[まとめ]

〈納税猶予を受けない場合〉

(万円)

相続人	B	甲	乙	丙	合 計
課税価格	6,000	46,000	3,000	2,000	57,000
相続税額	1,532	11,742	766	511	14,550
配偶者軽減額	1,532	–	–	–	1,532
納税猶予税額	–	–	–	–	–
納税額	0	11,742	766	511	13,018

〈納税猶予を受ける場合〉

(万円)

相続人	B	甲	乙	丙	合 計
課税価格	6,000	22,000	3,000	2,000	33,000
相続税額	1,087	3,987	544	362	5,980
配偶者軽減額	1,087	–	–	–	1,087
納税猶予税額	–	8,570	–	–	8,570
納税額	0	3,987	544	362	4,893

　農業相続人ではない乙、丙は、甲が納税猶予を適用しないと、それぞれ766万円、511万円の税負担になるところが、Aが納税猶予を適用することによりそれぞれ544万円、362万円の税負担と軽減されることになる。合計371万円の節税効果である。甲は1億1,742万円の相続税を納付すべきところを3,987万円の相続税で済んでおり納税猶予の特例のメリットを大きく受けている。しかし、納税猶予の厳しい継続要件を守り続けなければいけないのは甲であるのにもかかわらず、乙、丙の納付すべき相続税が減額されるのは不合理といえる。また甲が納税猶予の要件を満たさなくなった場合には、もともと乙、丙の負担すべき税額(371万円)も含め、1億2,557万円の税額を負担することになり、甲が納税猶予を適用しない場合の税額1億1,742万円の相続税を815万円多く負担することになるという不合理な制度であると思われる(松岡意見)。

V 農地等についての相続税の納税猶予を適用している場合の特定貸付けの特例

　農地等についての相続税の納税猶予の適用を受ける農業相続人が、その適用を受ける農地又は採草放牧地のうち市街化区域外に所在するものの全部又は一部について、農地中間管理事業の推進に関する法律第2条第3項に規定する農地中間管理事業等のため一定の貸付け（以下「特定貸付け」という。）を行った場合において、特定貸付けを行った日から2月以内に特定貸付けを行った旨の届出書を納税地の所轄税務署長に提出したときは、その特定貸付けを行った農地又は採草放牧地について、引き続き相続税の納税猶予を適用することができることとされている（措法70の6の2①）。

　また、特定貸付けを行っていた者（以下「特定貸付者」という。）が死亡した場合において、その特定貸付者の相続人がその特定貸付けに係る農地又は採草放牧地を相続により取得したときは、その農地等を特定貸付者が死亡の日まで事業の用に供していたものとみなして相続税の納税猶予の適用を受けることができる（措法70の6の3①）。

Ⅱ 非上場株式等に係る贈与税・相続税の納税猶予及び免除制度（一般措置）

Ⅰ 総説

第1節 制度の導入の経緯

1 非上場株式等についての相続税の納税猶予の特例の創設（措法70の7の2）

　非上場株式等の納税猶予制度の導入の経緯と趣旨について、当時の当局者は、次のように説明している（「平成21年版・改正税法のすべて」310頁以下）。
　「相続税については、すべての財産を公平に金銭価値に置き換えて評価し、その価値に応じて課税をすることが原則とされており、被相続人が所有していた事業用の資産を相続等により取得した場合も、その資産の時価を評価して相続税が課税されることになります。もっとも、実際に相続税が課税される財産は相続税の基礎控除を上回るものに限られており、この基礎控除の水準は、中間層の個人生活の経済的基盤を損なわないよう、これまでの所得水準の向上や地下の高騰等に伴う個人資産の蓄積に併せて引き上げられてきたところです。さらに、一定の規模以下の事業用の宅地や非上場株式等の事業用の資産については課税価格を減額する特例措置が講じられるなど、相続税の負担は相当緩和されてきました。
　ところで、わが国の中小企業は、経営上の意思決定を迅速化し、安定的な経営を行うため、経営者とその同族関係者で株式（議決権）の大半を保有し

ている同族経営の会社が多数を占めている実態にあり、こうした中小同族会社の経営者の死亡等に伴う事業の承継に際しては、経営資源としての議決権株式の分散を防止し、安定的な経営の継続を確保することが重要となります。加えて、近年、少子高齢化社会の到来等を背景に中小企業の経営者の高齢化が進展する中、事業承継を理由とした廃業が毎年約7万社にのぼるとともに、それにより失われる雇用が毎年20〜35万人と推計されるようになり（2006年版中小企業白書）、事業経営を次世代へ円滑に承継できる環境を整備することが一層重要な政策課題として認識されるようになりました。特に中小の法人企業の事業の承継については、これらの企業が多くの雇用を抱え、様々な技術を有するなど地域経済の中核を担っている一方で、事業規模の大きい企業の場合にはその企業の資産価値等に応じて株式の価額が相対的に高額となり、株式以外の資産がほとんどない場合でも多額の相続税を納税することもあるため、後継者がこれを避けるために、株式を分散して相続することになり、安定的な事業の継続に支障をきたすことになります。そこで、地域経済の活力を維持し、雇用を確保する観点から、このような非上場会社の株式に係る相続税の特例の大幅な拡充が求められるようになりました。

　こうした中で、税制調査会は、平成19年11月20日の「抜本的な税制改革に向けた基本的考え方（以下「抜本答申」）」において、事業承継税制について次のように答申しました。

　「中小企業の事業承継においては、事業の将来性に対する不安や後継者不足などの問題が生じているが、これに関連して、相続税負担についても、雇用確保や経済活力の維持の観点から一層の配慮が必要であるとの意見がある。他方、事業用資産を持たない者との課税の公平性や親族間の相続（世襲）による事業承継を支援することの必要性の観点から、十分な吟味が必要であるとの指摘もある。また、同族株式を遺産として残す者は、平均的にみれば、相続税の課税対象者の中でも富裕層に属していることにも留意する必要がある。加えて、事業承継における相続税負担の影響等に関する実態の分析も必要である。

こうした点も踏まえれば、事業承継税制については、課税の公平性等の観点からも許容できる、経済活力の維持のために真に効果的な制度とする必要がある。」

ここで指摘されているように、中小企業の事業の承継には、相続税の問題に限らず、相続時の資金需要や遺産分割など、様々な課題があるため、事業承継の問題を相続税制の面からのみ捉えて議論することは必ずしも適当ではありません。また、事業承継を支援することの必要性という点についても、事業の継続に不可欠な資産とは何か、安定的な事業の継続には何が重要かといった産業政策的な見地から、検討を深めていくこととなりました。さらに、課税の公平性の観点や、経済活力の維持のための効果といった点について税制調査会は、これまでも小規模宅地等の課税価格の特例について、「事業等の継続に配慮するという趣旨に適った制度の利用が担保される仕組みとなっているか」などの観点から仕組みを見直していかなければならないとの意見もあるとしており（平成12年7月「わが国税制の現状と課題」）、事業承継税制については、事業の継続が担保される仕組みを講ずることが求められました。

ところで、税制調査会は、前述の抜本答申で、現行の相続税の課税方式についても次のように答申しました。

「現行課税方式（法定相続分課税）は、導入当時（昭和33年度税制改正）の財産相続の状況を踏まえ、仮装分割への対応や分割相続が困難な農家及び中小企業における相続にも配慮する趣旨から導入された。

しかしながら、必ずしも個々の相続人の相続額に応じた課税がなされず、また、一人の相続人の申告漏れにより他の共同相続人にも追徴税額が発生する、といった問題も指摘されている。

また、居住等の継続に配慮した現行の各種特例は、現行課税方式の下では居住等を継続しない他の共同相続人の税負担をも軽減する効果があるため、制度の趣旨や課税の公平性の面からも問題と考えられる。これら特例の拡充はこの問題の増幅につながることにも留意する必要がある。

課税方式のあり方については、こうした点を踏まえ、導入当時からの相続

の実態の変化や各種特例の整備状況も考慮し、さらに具体的かつ実務的な検討が必要である。」

　このように、現行の相続税の課税方式では、相続税の総額が遺産総額と法定相続人等により計算されるため、特定の財産の課税価格を減額すると、その財産を相続しなかった相続人等の相続税額も減少することとなることから、事業承継税制の拡充に当たっては、事業の継続への配慮という制度の趣旨を踏まえ、事業の継続とは無関係な他の共同相続人に税負担の軽減効果が及ばないようにすることが必要とされました。そして、現行の相続税の課税方式についても、財産取得者の水平的公平を損なうおそれがあることや、一人の相続人等の申告漏れにより他の共同相続人等にも追徴税額が発生するといった問題点があることを踏まえ、そのあり方の検討が求められました。

　このような広範な議論を踏まえ、平成20年度税制改正の要綱（平成20年1月11日閣議決定）において、「事業承継税制の抜本見直しについては、中小企業の経営の承継の円滑化に関する法律（仮称）の制定を踏まえ、平成21年度税制改正において、（中略）事業の後継者を対象とした「取引相場のない株式等に係る相続税の納税猶予制度」を創設する。（中略）この新しい事業承継税制の制度化にあわせて、相続税の課税方式をいわゆる遺産取得課税方式に改めることを検討する」こととし、経済産業大臣の認定を受けた一定の中小企業の経営を承継する者が取得する非上場株式に係る相続税の納税猶予制度の平成21年度税制改正における創設が決定されました。

　これを受け、経済産業省においては、計画的な事業承継を促進し、株式の集中による安定的な事業の継続を図る、との基本的考え方に基づいた中小企業の事業承継の円滑化のため、金融支援措置や遺留分の特例の創設を含む法的枠組みを整備することとなり、第169回通常国会において、「中小企業における経営の承継の円滑化に関する法律」（平成20年5月9日成立）が制定されました。この法律及びその施行規則により、中小企業者における経営の承継に伴い、当該中小事業者の事業の実施に不可欠な資産を後継者が取得するために多額の費用を要すること等を理由に事業の継続に支障が生じているもの

を経済産業大臣が認定するとともに、経営の承継後も後継者が経営を継続しているかを確認する、といった、事業承継税制の導入の前提となる仕組みが整備されました。

〔事業承継の円滑化に関する基本的考え方〕

《事業承継の円滑化の基本的考え方》
○ 株式の分散の防止と、株式の集中による安定的な事業の継続が重要
　株式を集中させ、経営権を確立することで、後継者が安定的に経営を行うことが可能
○ 計画的な事業承継が重要
　経営者が予め後継者を決め、後継者に自社株式や事業用資産を計画的に取得させることで、相続紛争を未然に防止し、中小企業が雇用を確保しつつ、安定的に事業を継続することが可能

民法特例
○「後継者」とは、発行済議決権株式の総数の過半数を有する者（即ち1人）
相続人間での株式の分散を未然に防止し計画的な事業承継を促進することで、事業承継円滑化を図るための特例であることから議決権の過半数を有する者、即ち1人に限定。

金融支援の特例（経済産業大臣の認定）
○株式の分散防止と株式の集中のために必要な資金について支援
①非後継者からの遺留分減殺請求による株式の分散を防止するための資金、②相続により分散した株式を買い取り、株式の集中化を図るための資金など。

ただ、現行の相続税額の計算方式については、税制調査会は、「平成21年度の税制改正に関する答申（平成20年11月28日）」において、次のとおり答申しました。

「昨年の答申で指摘した各種特例がさらに拡充されることは、現行の課税方式のままでは、課税の公平性からみた不平等の増大を招く。また、現行方式については、同じ額の財産を取得しても税額が異なる可能性がある（財産取得者の水平的公平が損なわれる）という問題や、一人の相続人等の申告漏れにより他の共同相続人等にも追徴税額が発生するという問題があることも、昨年の答申で指摘したとおりである。

したがって、現行方式を見直し、本来の遺産取得課税方式に改めることによって、各人の相続税額が、取得した財産に基づき、他の共同相続人等の財産取得や税務申告の状況に左右されずに算出される方式とすべきであるとの

議論がなされた。

　他方、現行方式については、相続税の総額が遺産総額と法定相続人数等により一義的に定まり、遺産分割のされ方に対して中立的であることなどから、肯定的に評価する意見もあった。

　このように、課税方式の見直しについては、課税の公平性や相続のあり方に関する国民の考え方とも関連する重要な問題であることから、幅広い国民の合意を得ながら議論を進める必要がある。」

　このように、相続税の課税方式のあり方は、課税の公平性や相続のあり方に関する国民の考え方とも関連する重要な問題であり、さらに議論を深める必要があることから、その見直しについては平成21年度税制改正では行わないこととされました。

　以上の経緯を経て、平成21年度税制改正においては、中小企業の事業承継の円滑化を通じた雇用の確保や地域経済活力の維持を図る観点から、「非上場株式等に係る相続税の納税猶予」の制度が創設されることとなりました。

　また、近年、高度経済成長期に大量に創業した経営者世代が引退する時期に差しかかっていること等に伴い、相続以前の段階での早期の事業承継に取り組むことが重要となってきていることを踏まえ、生前贈与による事業の承継を支援する必要性についても議論がなされました。これを受け、基本的には相続による経営の承継と同様、経営資源としての議決権株式の分散を防止し、安定的な経営の継続を確保するとの考え方に基づき、単なる財産としての株式の贈与ではなく、経営の完全な承継に伴う株式の贈与について、贈与税の特例措置を講ずることとされました。具体的には、相続税の納税猶予制度の導入に併せて、「非上場株式等に係る贈与税の納税猶予」の制度が創設されました。この制度では、贈与者の死亡時には、猶予対象株式等を相続により取得したものとみなして、贈与時の時価により他の相続財産と合算して相続税額を計算することとしており、その際、受贈者が引き続き経営を継続しているものと経済産業大臣により確認された場合には、相続税の納税猶予を適用することができることとされています。」

2 非上場株式等についての贈与税の納税猶予の特例の創設（措法70の7）

　非上場株式等についての贈与税の納税猶予制度の導入についても、前記「平成21年版・改正税法のすべて」351頁以下は、次のようにいう。

　「上記一「非上場株式等についての相続税の納税猶予の特例」の1⑴に記述したとおり、相続以前の段階での早期の事業承継に取り組むことが重要になってきていることを踏まえ、（基本的には、相続による経営の承継と同様に）単なる財産としての株式等の贈与ではなく、経営の完全な承継に伴う株式等の贈与について、贈与税の特例措置を講ずることとされました。

　ところで、この場合の贈与税の納税猶予としては、贈与税と相続税の負担のバランスも考慮すれば、例えば次のような方法が考えられるところです。

A案：贈与時に、相続時の税負担（すなわち、非上場株式等の課税価格の2割に対応する相続税）と同額となるよう贈与税を納付し、残額（猶予した贈与税額）については、贈与者の死亡後も引き続き納税を猶予する方法

B案：将来贈与者が死亡した際に相続税で調整することを前提に、贈与時には実質的に税負担を求めず（贈与税の全額の納税を猶予）、相続時には相続税の納税猶予につなげる方法（現行の「農地等についての贈与税の納税猶予」と同様）

　これらの案についてみると、
　A案は、
① 贈与時に（将来の）相続時の税負担と同程度となるような税額を具体的にどのように計算するのかという困難な問題があるほか、
② 贈与時以降（贈与者の死亡後も）長期間にわたって、（相続税に比べて）相対的に高額な贈与税を納税猶予することになるため、確定事由が発生した場合には利子税を含めた税負担が高額になるという懸念がありました。
　他方、B案は、現行の「農地等についての贈与税の納税猶予」と同様の仕

組みであることから、比較的一般の理解も得やすく、税務執行上のトラブルも最小限に抑えられると考えられますが、その一方で、

① 贈与者の死亡時に、その時の非上場株式等の時価を相続税の課税価格に算入することとすると、(贈与後の)受贈者(後継者)の経営努力による株式価値の上昇分が相続税の課税対象となり、経営意欲を阻害するおそれがあること

② 相続による事業の承継とのバランスを考慮すれば、受贈者(後継者)が事業を継続する期間(事業継続期間)は、(相続税の納税猶予と同様に)5年とすることが整合的である一方、贈与者が死亡した時点で受贈者(後継者)が会社を経営していないような場合にまで相続税の納税を猶予すれば、もはや経営資源ではない単なる個人財産にすぎない株式の相続税負担を軽減する結果となること

といった点について解決が求められました。

そこで、非上場株式等についての贈与税の特例については、B案を採用しつつ、そのデメリットを解決するための措置を講ずることとされました。具体的には、

① 受贈者(後継者)が5年間経営を継続しその後もその株式の保有を継続することを条件に贈与税の全額の納税を贈与者の死亡時まで猶予し(措法70の7)、贈与者の死亡時には、その株式等の「贈与時の時価」を相続財産に合算して相続税で精算するとともに(措法70の7の3)、

② その時点(相続開始時)において、受贈者(後継者)が会社を経営している(すなわち、その時点でもなお株式等が経営資源である)と認められる場合には、その株式等の課税価格の80%に対応する相続税の納税を猶予する(措法70の7の4)仕組みを講ずることとされました。」

第2節　制度の考え方

1　贈与税の納税猶予制度の概要

　経済産業大臣認定を受けた一定の中小企業（以下「認定贈与承継会社」という。）の後継者で一定の個人（以下「経営承継受贈者」という。）が、その認定贈与承継会社の代表権（制限が加えられた代表権を除く。）を有していた一定の個人（その認定贈与承継会社の非上場株等について既にこの特例の適用に係る贈与をしているものを除く。以下「贈与者」という。）からその認定贈与承継会社の非上場株式等を一括して贈与（次の①又は②の場合の区分に応じ次に掲げる贈与をいう。以下「特例対象贈与」という。）により取得をし、その認定贈与承継会社の経営を行っていく場合には、その非上場株式等のうち一定のもの（以下「特例受贈非上場株式等」という。）に係る納税猶予分の贈与税額に相当する贈与税については、贈与税の申告書の提出期限までに一定の担保を提供した場合に限り、当該贈与者の死亡の日まで納税を猶予するとともに、その特例受贈非上場株式等につき、次の相続又は贈与者の死亡があるまでの間、保有し続けてきた場合等には、その猶予税額は免除するという、非上場株式等についての贈与税の納税猶予制度が創設され、平成21年4月1日以後の贈与により取得する非上場株式に対する贈与税について適用することとされた。

① 　A≦Bの場合……A以上の数又は金額に相当する非上場株式等(注)の贈与
② 　A＞Bの場合……Bのすべての贈与
　　A：贈与の直前における認定贈与承継会社の議決権に制限のない発行済株式又は出資の総数又は総額×2／3－贈与の直前において経営承継受贈者が有していた当該認定贈与承継会社の非上場株式等（注）の数又は金額
　　B：贈与の直前において贈与者が有していた認定贈与承継会社の非上場株式等（注）の数又は金額

(注) 「非上場株式等」とは、次に掲げる株式等をいう（措法70の7②二、措規23の9⑥、⑦）。
　1　その会社の株式に係る会社の株式のすべてが、次に掲げる要件を満たす株式
　　①　金融商品取引所に上場されていないこと。
　　②　金融商品取引所への上場の申請がされていないこと。
　　③　金融商品取引所に類するものであって、外国に所在するものに上場がされていないこと又は当該上場の申請がされていないこと。
　　④　金融商品取引法第67条の11第1項に規定する店頭売買有価証券登録原簿（⑤において「店頭売買有価証券登録原簿」という。）に登録がされていないこと又は当該登録の申請がされていないこと。
　　⑤　店頭売買有価証券登録原簿に類するものであって、外国に備えられるものに登録がされていないこと又は当該登録の申請がされていないこと。
　2　合名会社、合資会社又は合同会社の出資のうち上記1の③及び⑤に掲げる要件を満たす出資

（参考）

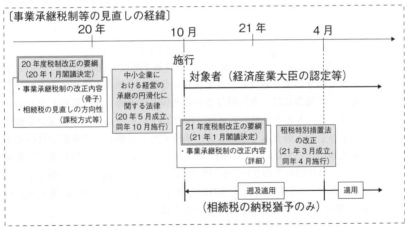

〔出典：「平成21年版・改正税法のすべて」313頁〕

2　相続税の納税猶予制度の概要

　中小企業における経営の承継の円滑化に関する法律（平成20年法律第33号。以下「円滑化法」という。）第12条第1項第1号の経済産業大臣の認定（以下

「経済産業大臣認定」という。）を受けた一定の中小企業（以下「認定承継会社」という。）の後継者で一定の個人（以下「経営承継相続人等」という。）が、その認定承継会社の代表権（制限が加えられた代表権を除く。以下同じ。）を有していた一定の個人（以下「被相続人」という。）から相続又は遺贈によりその認定承継会社の株式等の取得をし、その認定承継会社の経営をしていく場合には、当該経営承継相続人等が納付すべき相続税額のうち、その非上場株式等（注１）で一定のもの（以下「特例非上場株式等」という。）に係る課税価格の80％に対応する相続税額（納税猶予分の相続税額）については、相続税の申告書の提出期限までに一定の担保を提供した場合に限り、その納税を猶予するとともに、その特例非上場株式等につき、次の相続又は次の後継者に対する生前一括贈与があるまでの間、保有し続けてきた場合等には、その猶予税額は免除するという、非上場株式等についての相続税の納税猶予制度が、租税特別措置法において創設され、平成20年10月１日以後の相続又は遺贈により取得する非上場株式等に対する相続税について適用することとされた（注２）。

(注１) 「非上場株式等」については、贈与税の場合と同じ。
(注２) 「非上場株式等についての贈与税の納税猶予制度」（措法70の７）の適用を受けて贈与により取得した非上場株式等は、当該非上場株式等の贈与者が死亡した場合には、当該贈与者から相続又は遺贈により取得したものとみなされることとされている（措法70の７の３①）。この「相続又は遺贈により取得したものとみなされる非上場株式等」に係る認定承継会社の非上場株式等については、この特例（非上場株式等についての相続税の納税猶予制度（措法70の７の２））の適用は受けられない（措法70の７の２①カッコ書。ただし、「非上場株式等の贈与者が死亡した場合の相続税の納税猶予」（措法70の７の４）の適用対象となり得る。）。

I 総　説

【非上場株式等に係る相続税の納税猶予制度（措法70の7の2）】

```
「中小企業における経営の承継の円滑化に関する法律」
（平成20年10月1日施行）に基づく経済産業大臣の関与
```

```
猶予税額が免除される「死亡」以外の場合
○後継者への贈与
○会社の倒産
○猶予対象株式等の事業再生のための任意譲渡等
```

[フロー図]
- 10ヶ月間：事業承継の計画的な取組み（経産大臣の認定：先代経営者、会社、後継者に関する要件の判定）→ 相続開始 → 申告、担保提供
- 5年間：事業の継続（・代表者であること ・株式等の保有継続 ・雇用の8割維持 等）→ 申告期限
- 株式等の保有継続等
- 後継者の死亡等 → 猶予税額の免除

- 後継者の相続税額のうち議決権株式等（相続後で発行済議決権株式等の2/3に達するまで）の80%に対応する相続税の納税を猶予
- 要件を満たさなくなった場合 → 全額納付
- 株式等を譲渡等した場合 → 譲渡等した部分に対応する猶予税額を納付

※遺留分特例の大臣確認とは別制度

〔出典：「平成21年版・改正税法のすべて」315頁〕

　なお、この両制度は、適用継続の要件が厳格なため、適用事例は、あまり多いとはいえない状況であることと、制度が農地の場合とともに、政策上の産物であり、理論的な問題の検討になじまない。したがって、本書では、ごく基本的な事項の説明に止める。

Ⅱ 非上場株式等についての贈与税の納税猶予及び免除

第1節 特例の適用要件

　非上場株式等を贈与した場合の贈与税の納税猶予の特例の適用を受けるためには、次の要件のすべてを満たしていることが必要である（措法70の7①）。

(1) **贈与者の要件**

　この納税猶予の特例の適用を受けるための「贈与者の要件」は、次の①から④を満たす者又は⑤を満たす者である（措法70の7①、措令40の8①）。

① 贈与の時前に、認定贈与承継会社（(3)を参照）の代表権を有していた個人であること（注）。

　（注）　代表権を「贈与の直前」に有していることを要しない。②を参照。

② 贈与の直前（贈与の直前に代表権を有しない場合は、代表権を有していた期間内のいずれかの時及び当該贈与の直前をいう。③でも同じ。）において、次に該当すること（注）。

　（B÷A）＞50％

　A＝対象会社に係る株主議決権総数

　B＝贈与者及びその同族関係者の有する株主議決権数の合計

　（注）　贈与の直前において、贈与者が会社の代表権を有しない場合には、代表権を有していた期間内のいずれかの時と贈与直前で共に②、③の要件を満たしていることが必要である。

③ 贈与の直前において、贈与者が有する対象会社の株主議決権の数が、経営承継受贈者（(2)を参照）以外の同族関係者のうちのいずれの者の有する議決権の数をも下回らないこと。

④ 贈与の時において、贈与者が対象会社の代表権を有していないこと（措令40の8①一ハ）。

⑤ ①～④を満たす贈与者からの贈与の日から経営贈与承継期間の末日までの間に贈与税の申告書の提出期限が到来する贈与を行う者で、贈与の時において代表権を有していないもの。

(2) 経営承継受贈者の要件

この納税猶予の特例の適用を受けるための「受贈者」（「経営承継受贈者」という。）の要件は、次の7点である（措法70の7②三）。

(注) なお、この要件を満たす者が2人以上ある場合には、会社が経済産業大臣に書類を提出することにより定めた1人の者が特例の対象となる。

① その受けた贈与が、認定贈与株式会社の非上場株式等（注）の贈与（以下「特例対象贈与」という。）で、次のイ又はロのいずれかに該当すること（措法70の7①）。

(注) 「非上場株式等」とは、次に掲げる株式等をいう（措法70の7②二、措規23の9⑦⑧）。

1 その会社の株式に係る会社の株式のすべてが、次に掲げる要件を満たす株式
① 金融商品取引所に上場されていないこと。
② 金融商品取引所への上場の申請がされていないこと。
③ 金融商品取引所に類するものであって、外国に所在するものに上場がされていないこと又は当該上場の申請がされていないこと。
④ 金融商品取引法第67条の11第1項に規定する店頭売買有価証券登録原簿（⑤において「店頭売買有価証券登録原簿」という。）に登録がされていないこと又は当該登録の申請がされていないこと。
⑤ 店頭売買有価証券登録原簿に類するものであって、外国に備えられるものに登録がされていないこと又は当該登録の申請がされていないこと。
2 合名会社、合資会社又は合同会社の出資のうち上記1の③及び⑤に掲げる要件を満たす出資

イ $A \leq B$ の場合……A以上の数に相当する非上場株式等の贈与
ロ $A > B$ の場合……贈与者の有する対象会社の非上場株式等のすべての贈与

A＝贈与の直前における対象会社の発行済株式（議決権に制限のないものに限る。）の総数×2／3－贈与の直前において受贈者が有していた対象会社の株式の総数

B＝贈与の直前において贈与者が有していた対象会社の株式

これを図示すると次のとおりである（「平成21年版・改正税法のすべて」353頁の図を引用）。

【贈与税の納税猶予の適用要件となる贈与株式数】

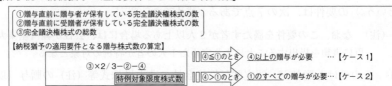

〔出典：「平成21年版・改正税法のすべて」353頁〕

② 贈与の日において、年齢が20歳以上であること。

③ 贈与の時において、対象会社の代表権を有していること。

④ 贈与の時において、受贈者及びその同族関係者の有する対象会社の非上場株式等の議決権の数が当該対象会社の総株主等の議決権数の50％を超えていること。

⑤ 贈与の時において、受贈者が有する対象会社の株主議決権の数が、その受贈者の同族関係者のうちいずれの者の有する議決権の数をも下回らないこと。

⑥ 受贈者が、贈与の時からその贈与に係る贈与税の申告書の提出期限まで、

Ⅱ 非上場株式等についての贈与税の納税猶予及び免除 891

贈与を受けた対象会社の非上場株式のすべてを保有していること。
⑦ 受贈者が、その贈与の日まで引き続き3年以上継続して対象会社の役員であること。

(3) 「認定贈与承継会社」の要件

この特例の適用対象となる「認定贈与承継会社」の要件は、次の2点である（措法70の7②一イ～ヘ、措令40の8⑩一～三）。
① 円滑化法第2条に規定する中小企業者のうち、経済産業大臣の認定を受けた会社であること。
② 贈与の時において、次の要件のすべてを満たしていること。
　イ　その会社の常時使用従業員（注）の数が1人以上であること。
　　（注）「常時使用従業員」とは、次のいずれかの者をいう（措規23の9④）。
　　　㈠　厚生年金保険法、船員保険法、健康保険法に規定する被保険者
　　　㈡　高齢者の医療の確保に関する法律に規定する被保険者でその会社と2月を超える雇用契約を締結している者
　ロ　その会社が資産保有型会社又は資産運用型会社（事業実態がないものに限る。）に該当しないこと。
　ハ　その会社及びその会社の特別関係会社等（注1）のうち特定特別関係会社（注2）の株式等が非上場株式等に該当すること。
　　（注1）「特別関係会社等」とは、経済産業大臣認定を受けた会社並びに当該経済産業大臣認定を受けた会社の代表権を有する者及び当該代表権を有する者と次に掲げる特別の関係がある者が有する他の会社の株式等に係る議決権の数の合計が、当該他の会社に係る総株主等議決権数の50％を超える数である場合における当該他の会社をいう（措令40の8⑥）。
　　　㈠　当該代表権を有する者の親族
　　　㈡　当該代表権を有する者と婚姻の届出をしていないが事実上婚姻関係と同様の事情にある者
　　　㈢　当該代表権を有する者の使用人
　　　㈣　当該代表権を有する者から受ける金銭その他の資産によって生計を維持しているもの（上記㈠から㈢までに掲げる者を除く。）
　　　㈤　上記㈡から㈣までに掲げる者と生計を一にするこれらの者の親族

ヘ　次に掲げる会社
　　　　(イ)　当該代表権を有する者（上記④から㋭までに掲げる者を含む。以下ヘにおいて同じ。）が有する会社の株式等に係る議決権の数の合計が、当該会社に係る総株主等議決権数の50％を超える数である場合における当該会社
　　　　(ロ)　当該代表権を有する者及び(イ)に掲げる会社が有する他の会社の株式等に係る議決権の数の合計が、当該他の会社に係る総株主等議決権数の50％を超える数である場合における当該他の会社
　　　　(ハ)　当該代表権を有する者及び(イ)又は(ロ)に掲げる会社が有する他の会社の株式等に係る議決権の数の合計が、当該他の会社に係る総株主等議決権数の50％を超える数である場合における当該他の会社
　（注２）　「特定特別関係会社」とは、（注１）の要件のうちイの「の親族」を「と生計を一にする親族」と読み替えた場合の（注１）の要件を満たしたものをいう（措令40の８⑦）。
　ニ　その会社及びその特定特別関係会社が風俗営業会社に該当しないこと（注）。
　　（注）　ハと異なり、ニのケースは、後継者と生計を一にする親族が風俗営業会社の50％超の議決権を有すると特例の適用がないことに注意する必要がある。
　ホ　特例受贈非上場株式等に係る認定贈与承継会社の特別関係会社が会社法第２条第２号に規定する外国会社に該当する場合（その会社又はその会社との間に支配関係がある法人がその特別関係会社の株式等を有する場合に限る。）には、当該会社の常時使用従業員の数が５人以上であること。
　ヘ　その会社の贈与の日の属する事業年度の直前の事業年度の収入金額が零を超えること。
　ト　その会社が発行する拒否権付株式（いわゆる黄金株。会社法108①八）を経営承継受贈者以外の者が有していないこと。
　チ　その会社の特定特別関係会社が円滑化法に規定する中小企業者に該当すること。

第2節　納税が猶予される贈与税の額

　納税猶予の適用に係る特例受贈非上場株式等の価額を経営承継受贈者に係るその年分の贈与税の課税価額とみなして計算して贈与税の額が猶予される（措法70の7①、②五）。ただし、当該特例受贈株式等に係る認定贈与承継会社又はその特別関係会社であって当該認定贈与承継会社との間に支配関係がある法人（以下「認定贈与承継会社等」という。）が外国会社（当該認定贈与承継会社の特別関係会社に該当するものに限る。）その他一定の法人の株式等を有する場合には、当該認定贈与承継会社等が当該株式を有していなかったものとして計算する。

第3節　納税猶予の期限

1　原　　則

① 　経営承継受贈者が特例受贈非上場株式等を死亡の時まで保有していた場合又はその贈与者が死亡した場合には、現に猶予されている贈与税額（「猶予中の贈与税額」という。）の納付は免除される（措法70の7⑮）。ただし、その猶予に係る特例受贈非上場株式等は、その贈与者の死亡時に経営承継受贈者が相続により取得したものとみなされて、贈与時における価額により相続税が課税される（措法70の7の3）。

② 　経営贈与承継期間（贈与税の申告期限の翌日から5年を経過する日（ただし、受贈者又は贈与者がその前に死亡している場合には、その死亡の日の前日（措法70の7②六））までの期間）が経過した後において、次の場合に該当することとなったときは、それぞれに掲げる猶予税額が免除される（措法70の7⑯～⑳）。

　イ　特例受贈非上場株式等に係る会社について、破産手続開始の決定又は

特別清算開始の命令があった場合……猶予税額の全額
ロ　経営承継受贈者が、その保有する特例受贈非上場株式等の全部を特別関係者以外の者へ譲渡した場合においてその譲渡対価又は譲渡時の時価のいずれか高い額が猶予税額を下回るとき……その差額分の猶予税額

2　猶予税額の全額の猶予が打ち切られる場合

経営贈与承継期間内に、経営承継受贈者等が次に掲げる場合その他の一定の場合に該当したときは、その該当することとなった日から2月以内に猶予税額の全部と贈与税の申告期限からの期間に係る年3.6%の利子税を納付しなければならない（注）(措法70の7④㉗㉘)。

① 経営承継受贈者が認定贈与承継会社の代表権を有しないこととなった場合
② 経営贈与承継期間中の第1種贈与基準日（贈与税の申告期限の翌日から1年を経過するごとの日をいう。）において認定贈与承継会社の常時使用従業員の数が一定の数を下回ることとなった場合
③ 経営承継受贈者とその特別関係者の有する議決権の数の合計が総株主等議決権数の50％以下となった場合
④ 経営承継受贈者が特例受贈非上場株式等の一部又は全部の譲渡等（譲渡及び贈与をいう。）をした場合
⑤ 経営承継受贈者が納税猶予の適用を受けることをやめる旨の届出書を税務署長に提出した場合

(注)　経営承継受贈者が、第1種贈与基準日又は第2種贈与基準日（経営贈与承継期間の末日の翌日から3年を経過するごとの日をいう。）から届出期限（第1種の場合は5月、第2種の場合は3月を経過する日）までに納税猶予の継続届出書の提出をしなかった場合（措法70の7⑨⑪）あるいは税務署長の担保変更命令に応じない場合等（措法70の7⑫）も同様である（措法70の7㉗四、五）。

3 猶予税額の一部の猶予が打ち切られる場合

経営贈与承継期間経過後において、特例受贈非上場株式等の一部の譲渡等一定の事実があった場合には、猶予中贈与税額のうち、譲渡等をした特例受贈非上場株式等の数等に対応する部分の額についてその譲渡等の日から2月以内に年3.6%の利子税と併せて納付しなければならない（措法70の7⑥）。

第4節　計算例

〔設　例〕
① A株式会社の発行済株式総数　60,000株（非上場株式）
② A株式会社の株式の1株当たりの評価額　3,000円
③ 贈与直前のA株式の保有状況
　　A株式会社の代表者甲　　45,000株
　　甲の配偶者乙　　　　　　5,000株
　　甲の長男丙　　　　　　　6,000株
　　甲の次男丁　　　　　　　4,000株
④ 甲は平成27年6月30日に、後継者として長男丙（25歳）に40,000株を贈与した。丙の納付すべき贈与税額及び納税猶予の適用を受けられる贈与税額を計算しなさい。

〔解答〕
① 納税猶予の対象となる株式数　$60,000株 \times \frac{2}{3} - 6,000株 = 34,000株$
② 贈与税の課税価額＝40,000株×3,000円＝1億2,000万円
③ ②に対する通常の贈与税額＝（1億2,000万円－基礎控除額110万円）
　　　　　　　　　　　　　　×55％－640万円＝5,899万5,000円
④ ①に対する納税猶予額
　　（34,000株×3,000円－基礎控除額110万円）×55％－640万円＝4,909万5,000円
⑤ 要納付税額　③－④＝5,899万5,000円－4,909万5,000円＝990万円

III 贈与税の納税猶予に係る非上場株式等の贈与者が死亡した場合の相続税の課税の特例

第1節　総　　説

　上記 II の「非上場株式等についての贈与税の納税猶予及び免除」(措法70の7)の適用を受ける経営承継受贈者に係る贈与税が死亡した場合(その死亡の日前に猶予中贈与税額に相当する贈与税の全部につき納税の猶予に係る期限が確定した場合及びその死亡の時以前に当該経営承継受贈者が死亡した場合を除く。)には、当該贈与者の死亡による相続又は遺贈に係る相続税については、当該経営承継受贈者が当該贈与者から相続(当該経営承継受贈者が当該贈与者の相続人以外の者である場合には、遺贈)により上記 II の制度の適用を受ける特例受贈非上場株式等(猶予中贈与税額に対応する部分に限り、合併により当該特例受贈非上場株式等に係る認定贈与承継会社が消滅した場合等の場合には、当該特例受贈非上場株式等に相当する株式等とされる。下記 IV において同じ。)の取得をしたものとみなすこととされている(措法70の7の3①)。
(注)　相続又は遺贈により取得したものとみなされる点は、農地等の納税猶予制度(措法70の5①前段)と同様である。

　また、上記の場合において、その死亡による相続又は遺贈に係る相続税の課税価格の計算の基礎に算入すべき当該特例受贈非上場株式等の価額については、当該贈与者から特例対象贈与により取得をした特例受贈非上場株式等の当該贈与の時における価額を基礎として計算することとされた(措法70の7の3①)。

　この点について立案当局者は、次のように説明している(「平成21年版・改

正税法のすべて」372頁以下）。

「農地等の納税猶予制度においては、相続又は遺贈により取得したものとみなされた農地等については、「贈与者の死亡の日における価額」により相続税の課税価格に算入することとされています（措法70の5①後段）。

この点については、特例受贈非上場株式等について（農地等の納税猶予制度と同様に）相続又は遺贈により取得したとみなすのであれば、その価額についても（農地等の納税猶予制度と同様に）その相続時の時価とすることが自然とも考えられるところです。

しかしながら、農地の価額（時価）と異なり、認定贈与承継会社の株価は後継者の経営努力により変動するものです。そのため、贈与により取得した非上場株式等について贈与税の納税猶予制度の適用を受けた後、後継者が自己の経営努力（後継者の貢献）によってその非上場株式等に係る会社の業績を上げたことにより非上場株式等の価額が上昇したものの、贈与者の死亡による相続に伴う相続税の課税価格の計算の基礎に算入される当該非上場株式等の価額が「贈与者の死亡の日における価額」とされれば、後継者となった者の経営意欲を阻害することにもなりかねず、本制度の政策目的である経済活力を削ぐことにもなりかねません。

そこで、上記二の非上場株式等について贈与税の納税猶予を受けている受贈者に係る贈与者が死亡した場合には、その相続税の課税価格の計算の基礎に算入される当該非上場株式等の価額は、「贈与の時における価額」とされました。

この措置は、円滑化法第4条第1項第2号に規定する遺留分に関する民法の特例（固定合意）と同様の考え方によるものです。」

※　「固定合意」とは、先代経営者から生前贈与により取得した株式等について、先代経営者の推定相続人全員の合意及び所要の手続（経営産業大臣の確認、家庭裁判所の許可）を経ることを要件に、遺留分算定基礎財産に算入すべき価額をあらかじめ固定することです。この固定合意により、後継者の貢献による株式価値上昇分が遺留分減殺請求の対象外となるため、経営意欲が阻害されないこととなります。

第2節　留意点

　財産課税である相続税は、一定の要件を満たせば、その者の申請により、物納を選択することができることとされている（相法41①、48の2⑥）。しかしながら、第1節で相続等により取得したものとみなされた特例受贈非上場株式等については、物納財産にすることはできないこととされている（措法70の7の3②）。

　この理由について立案当局者は次のように説明する（「平成21年版・改正税法のすべて」372頁）。

　「贈与と相続との間が長期間に及ぶことを踏まえると、他の資産に比べ相対的に価格変動リスクが大きいと考えられる非上場株式等については、贈与時の価額と相続時の価額が乖離している可能性が高いと考えられます。仮に、贈与税の納税猶予制限（措法70の7①）の適用を受けた特例受贈非上場株式等について物納を認めた場合には、贈与時の価額による物納が可能となりますが、それが不適当でない場合が想定されることから（例．特例受贈非上場株式等の贈与時の価額が著しく高かったものの、贈与者が死亡した時における価額が著しく低かった場合には、その経営承継受贈者にとって物納選択が極端に有利になり得ます。）、これを防止するため、特例受贈非上場株式等については、物納財産にはできないこととされました。」

Ⅳ 非上場株式等の贈与者が死亡した場合の相続税の納税猶予及び免除

　上記Ⅲ「贈与税の納税猶予に係る非上場株式等の贈与者が死亡した場合の相続税の課税の特例（措法70の7の3）」により贈与者から相続又は遺贈により取得をしたものとみなされた特例受贈非上場株式等につきこの特例の適用を受けようとする経営承継受贈者で一定の個人（以下「経営相続承継受贈者」という。）が、当該相続に係る相続税の申告書の提出により納付すべき相続税の額のうち、その特例受贈非上場株式等で一定のもの（以下「特例相続非上場株式等」という。）に係る納税猶予分の相続税額に相当する相続税については、当該相続税の申告書の提出期限までに一定の担保を提供した場合に限り、当該経営相続承継受贈者の死亡の日まで、その納税を猶予することとされる（措法70の7の4①）。

　なお、経営相続承継受贈者が、認定相続承継会社に係る株式等について、この特例の規定の適用を受けようとする場合において、当該経営相続承継受贈者以外の者が当該認定相続承継会社の株式等について措置法第70条の7第1項《非上場株式等についての贈与税の納税猶予》、措置法第70条の7の2第1項《非上場株式等についての相続税の納税猶予》又は措置法第70条の7の4第1項《非上場株式等の贈与者が死亡した場合の相続税の納税猶予》のいずれかの規定の適用を受けているときは、その経営相続承継受贈者はこの特例の規定の適用を受けることができないこととされている（注）（措法70の7の4⑤）。

（注）　農地に係る贈与税の納税猶予の適用を受けた後、贈与者が死亡した場合におけるその受贈農地について相続税の納税猶予を受けるときには、このような特例は特にない。この相違について、立案当局者は説明していないので、

公式には理由は不明である。筆者は、農地の場合は、相続時の時価で猶予税額を計算するのに対し、非上場株式等の場合は、贈与時の価額で課税することとしていることに理由があるように思っている。

【非上場株式等に係る贈与税の納税猶予制度と相続税の納税猶予】

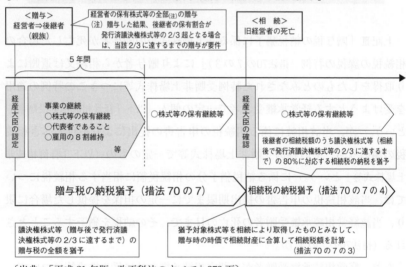

〔出典:「平成21年版・改正税法のすべて」373頁〕

Ⅴ 非上場株式等についての相続税の納税猶予及び免除

第1節 特例の適用要件

　非上場株式等を相続した場合の相続税の納税猶予の特例の適用を受けるためには、次の要件のすべてを満たしていることが必要である（措法70の7の2①）。

(1) **被相続人の要件**

　この納税猶予の特例の適用を受けるための(2)の「経営承継相続人等」に係る「被相続人」の要件は、次の①から③を満たす者又は④を満たす者である（措法70の7の2①、措令40の8の2①）。

① 相続の開始前に認定承継会社（(3)を参照）の代表権を有していた個人であること（注）。

　（注）　代表権を「相続開始の直前」に有していることを要しない（②を参照）。

② 相続開始の直前（相続開始の直前において代表権を有しない場合には、代表権を有していた期間内のいずれかの時及び相続開始の直前をいう。③でも同じ。）において、次に該当すること（注）。

　（注）　相続開始の直前において、被相続人が会社の代表権を有しない場合には、代表権を有していた期間内のいずれかの時と相続開始の直前とで共に②、③の要件を満たしていることが必要であることに注意を要する。
　　　$(B \div A) > 50\%$
　　　A＝対象会社に係る株主議決権総数
　　　B＝被相続人及びその同族関係者の有する株主議決権数の合計

③ 相続開始の直前において、被相続人が有する対象会社の株主議決権の総数が、経営承継相続人等（(2)を参照）以外の同族関係者のうちいずれの者

の有する議決権の数を下回らないこと。
④ ①～③を満たす被相続人からの相続の日から経営承継期間の末日までの間に相続税の申告書の提出期限が到来する相続に係る被相続人

(2) **経営承継相続人等の要件**

この納税猶予の特例の適用を受けるための「経営承継相続人等」の要件は次の5点である（措法70の7の2②三）（注）。

（注） なお、この要件を満たす者が2人以上ある場合には、会社が経済産業大臣に書類を提出することにより定めた1人の者が特例の対象となる。

① 相続開始の日から5月を経過する日において、対象会社の代表権を有していること。

② 相続開始の時において、次の算式を満たすこと。

（B÷A）＞50％

A＝対象会社に係る総株主等議決権数

B＝当該個人及びその同族関係者等の有する対象会社の非上場株式等の議決権の数の合計

③ 相続開始の時において、その個人が有する対象会社の非上場株式等に係る議決権の数がその個人の同族関係者等のうちいずれの者が有する対象会社の非上場株式等に係る議決権の数をも下回らないこと。

④ その個人が、相続開始の時から、相続税の申告書の提出期限まで、引き続き相続又は遺贈により取得した対象会社の特例非上場株式等のすべてを有していること。

⑤ ①から④までのほか、対象会社の経営を確実に承継すると認められるための一定の要件を満たすこと（注）。

（注） この「要件」とは、原則として相続開始の時において、円滑化省令の経済産業大臣の確認を受けた特定後継者であること及び相続開始の直前において対象会社の役員であったこと（被相続人が70歳未満で死亡した場合は除く。）をいう（措規23の10⑧）。

(3) 「認定承継会社」の要件

この特例の適用対象となる「認定承継会社」の要件は、次の2点である。

① 円滑化法第2条に規定する中小企業者のうち、経済産業大臣の認定を受けた会社であること。

② 相続開始の時において、次の要件のすべてを満たしていること。

　イ　その会社の常時使用従業員の数が1人以上であること。

　ロ　その会社が資産保有型会社又は資産運用型会社（事業実態のないものに限る。）に該当しないこと。

　ハ　その会社及びその会社の特別関係会社等のうち特定特別関係会社の株式が非上場株式等に該当すること。

　ニ　その会社及びその特定特別関係会社等が、風俗営業会社に該当しないこと。

　ホ　その会社の相続開始の日の属する事業年度の直前の事業年度の収入金額がゼロを超えること。

　ヘ　その会社が発行する拒否権付株式（いわゆる黄金株）を経営承継相続人等以外の者が有していないこと。

　ト　その会社の特定特別関係会社が円滑化法に規定する中小企業者に該当すること。

第2節　納税が猶予される相続税の額

①の金額から②の金額を控除した残額が猶予される（措法70の7の2①②五）。

① 特例非上場株式等の価額を経営承継相続人等の相続税の課税価格とみなして計算した場合の経営承継相続人等の相続税額

ただし、当該特例非上場株式等に係る認定承継会社又はその特別関係会社であって当該認定承継会社との間に支配関係がある法人（以下「認定承

継会社等」という。）が外国会社（当該認定承継会社の特別関係会社に該当するものに限る。）その他一定の法人の株式等を有する場合には、当該認定承継会社等が当該株式を有していなかったものとして計算する。②でも同様
② 特例非上場株式等の価額の20％相当額を経営承継相続人等の相続税の課税価格とみなして計算した場合の経営承継相続人の相続税額
　なお、経営承継相続人等以外の相続人の相続財産については、不変として①及び②の計算を行う。

（参考）　納税猶予分の相続税額の計算についての考え方

　この非上場株式等に係る相続税の納税猶予制度が、農地に係る相続税の納税猶予制度と異なる大きな点の一つは、猶予税額の計算である。
　すなわち、後者は、後継者の猶予税額は、農地の価額を通常の評価額とした場合の相続税額と農地の価額を農業投資価格とした場合との相続税額の差額、すなわちいわゆる上積み税額とされているのに対し、前者は、後継者が株式等のみを相続した場合の相続税額と株式の20％を相続したとした場合との相続税額の差額、すなわち、いわゆる下積み税額が猶予税額とされている。
　このように同じ納税猶予制度でありながら猶予税額の計算の考え方が全く異なったものとなった理由について、当局側の明確な説明はない。わずかに、「平成21年版・改正税法のすべて」327頁において、非上場株式等の相続税の納税猶予額の計算を下積みにした理由について、次のように述べているのみである。
　「イ　経営承継相続人等の非上場株式等に係る納税猶予分の相続税額は、特例非上場株式等以外の財産の価額に影響を受けずに計算され、また、
　　ロ　その他の者の相続税額は、相続税の納税猶予の適用の有無に影響されないこととなります。」
　また、非上場株式等の軽減割合を80％とした理由は、小規模宅地等の課税特例の軽減割合80％とバランスをとったものとしている。

第3節　納税猶予の期限

1　原　　則

　経営承継相続人等が次のいずれかの場合に該当することとなった場合には、それぞれに掲げる猶予税額が免除される（措法70の7の2⑯）。
① 　経営承継相続人等が死亡した場合　納税猶予分の相続税額
② 　経営承継期間（相続税の申告期限の翌日から5年を経過する日（ただし、経営承継相続人等がその前に死亡している場合には、その死亡の日（措法70の7の2②六））までの期間）が経過した後において、経営承継相続人等が上記Ⅱ（864頁）の贈与税の納税猶予の適用を受ける贈与をした場合　納税猶予分の相続税額のうち贈与に係る特例非上場株式等に対応する部分に相当する税額

2　猶予税額の全額の猶予が打ち切られる場合

　経営承継期間内に、経営承継相続人等が次に掲げる場合その他の一定の場合に該当したときは、その該当することとなった日から2月以内に猶予税額の全部と相続税の申告期限からの期間に係る年3.6％の利子税を納付しなければならない（注）（措法70の7の2③㉘）。
① 　経営承継相続人等が認定承継会社の代表権を有しないこととなった場合
② 　経営承継期間中の第1種基準日（相続税の申告期限の翌日から1年を経過するごとの日をいう。）において認定承継会社の常時使用従業員の数が一定の数を下回ることとなった場合
③ 　経営承継相続人等とその特別関係者の有する議決権の数の合計が総株主等議決権数の50％以下となった場合
④ 　経営承継相続人等が特例非上場株式等の一部又は全部の譲渡等をした場合
⑤ 　経営承継相続人等が納税猶予の適用を受けることをやめる旨の届出書を

税務署長に提出した場合

(注) 経営承継相続人等が第1種基準日又は第2種基準日（経営承継期間の末日の翌日から3年を経過するごとの日をいう。）から届出期限（第1種の場合は5月、第2種の場合は3月）までに納税猶予の継続届出書の提出をしなかった場合（措法70の7の2⑩⑫）あるいは税務署長の担保変更命令に応じない場合等（措法70の7の2⑬）も同様である（措法70の7の2㉘四、五）。

3 猶予税額の一部の猶予が打ち切られる場合

経営承継期間経過後において、特例非上場株式等の一部の譲渡等をした場合には、猶予中相続税額のうち、譲渡等をした特例非上場株式等の数等に対応する部分の額についてその譲渡等の日から2月以内に年3.6％の利子税と併せて納付しなければならない（措法70の7の2⑤二）。

第4節　計算例

〔設　例〕

① A株式会社の代表者社長である甲は、平成27年9月15日に死亡した。甲の遺産は、次のとおりである。

　イ　A株式会社の株式（非上場）　　40,000株（1株当たり相続税評価額1万円）

　ロ　不動産　　　　5億円

　ハ　その他の財産　3億円

② 甲の相続人は、配偶者乙と長男丙及び長女丁の3人で、協議の結果長男丙がA株式会社の代表者社長に就任し、経営承継相続人として相続税の納税猶予の適用を受けることとなった。

③ 相続開始直前における甲、乙、丙及び丁のA株式会社の株式の保有状況は、次のとおりであった。

　A株式会社の発行済株式の総数　60,000株

　甲　40,000株　乙　15,000株　丙　4,000株　丁　1,000株

④ 遺産分割協議の結果、各相続人は、次のとおり相続財産を取得した。

各人の課税価格

乙　不動産　5億円　その他の財産　1億円　　　　　　＝6億円
丙　A株式会社の株式　40,000株
　　その他の財産　8,000万円　　　　　　　　　　　　＝4億8,000万円
丁　その他の財産　1億2,000万円　　　　　　　　　　＝1億2,000万円

乙、丙及び丁の納付すべき相続税額及び丙の納税猶予の適用を受けられる相続税額を計算しなさい。

【解答】

(1) 納税猶予の対象となる株式数　$60,000株 \times \dfrac{2}{3} - 4,000株 = 36,000株$

(2) 原則計算による各人の相続税額
① 課税価格の合計額＝A社株式40,000株×1万円＋不動産5億円
　　　　　　　　　＋その他の財産3億円＝12億円
② 課税対象遺産額＝12億円－遺産に係る基礎控除4,800万円
　　　　　　　　　（＝3,000万円＋3×600万円）＝11億5,200万円
③ ②を各相続人の法定相続分で分割したとした場合の各相続人の取得金額

乙＝$11億5,200万円 \times \dfrac{1}{2} = 5億7,600万円$

丙及び丁＝$11億5,200万円 \times \dfrac{1}{2} \times \dfrac{1}{2} = 2億8,800万円$

④ 相続税の総額
（乙・5億7,600万円×50％－4,200万円）＋（丙及び丁・2億8,800万円×45％－2,700万円）×2＝4億5,120万円

⑤ 各人の算出税額
　乙　4億5,120万円×（6億円÷12億円）＝2億2,560万円
　丙　　〃　　　×（4億8,000万円÷12億円）＝1億8,048万円
　丁　　〃　　　×（1億2,000万円÷12億円）＝4,512万円

⑥ 各人の原則による納付税額
　乙＝2億2,560万円－4億5,120万円×（6億円÷12億円）＝0
　丙＝1億8,048万円　丁＝4,512万円

(3) 納税猶予額
① 経営承継相続人丙が納税猶予対象株式36,000株のみを相続したものとした場合の丙の相続税額
　イ　課税価格の合計額＝乙・6億円＋丙・36,000株×1万円

　　　　　　　　　　　＋丁・1億2,000万円＝10億8,000万円
　　ロ　課税遺産額＝10億8,000万円－基礎控除4,800万円＝10億3,200万円
　　ハ　ロを各相続人の法定相続分で分割したとした場合の各相続人の取得
　　　金額

$$乙 = 10億3,200万円 \times \frac{1}{2} = 5億1,600万円$$

$$丙及び丁 = 10億3,200万円 \times \frac{1}{2} \times \frac{1}{2} = 2億5,800万円$$

　　ニ　相続税の総額
　　　　（乙・5億1,600万円×50％－4,200万円）＋（丙及び丁・2億5,800万円×45％－2,700万円）×2＝3億9,420万円
　　ホ　丙の算出税額
　　　　3億9,420万円×3億6,000万円÷10億8,000万円＝1億3,140万円
②　経営承継相続人丙が納税猶予対象株式の20％のみを相続したものとした場合の丙の相続税額
　　イ　課税価格の合計額＝乙・6億円＋丙・36,000株×1万円×20％
　　　　　　　　　　　＋丁・1億2,000万円＝7億9,200万円
　　ロ　課税遺産額＝7億9,200万円－基礎控除4,800万円＝7億4,400万円
　　ハ　ロを各相続人の法定相続分で分割したとした場合の各相続人の取得
　　　金額

$$乙 = 7億4,400万円 \times \frac{1}{2} = 3億7,200万円$$

$$丙及び丁 = 7億1,200万円 \times \frac{1}{2} \times \frac{1}{2} = 1億7,800万円$$

　　ニ　相続税の総額
　　　　（乙・3億7,200万円×50％－4,200万円）＋（丙及び丁・1億7,800万円×40％－1,700万円）×2＝2億5,240万円
　　ホ　丙の算出税額
　　　　2億5,240万円×7,200万円÷7億9,200万円≒2,295万円
③　丙の納税猶予税額・納付税額
　　イ　納税猶予税額≒①ホ・1億3,140万円－②ホ・2,295万円＝1億845万円
　　ロ　要納付税額≒(2)⑥・1億8,048万円－イ・1億845万円＝7,203万円

〔まとめ〕
〈納税猶予を受けない場合〉

(万円)

相続人	乙	丙	丁	合 計
課税価格	60,000	48,000	12,000	120,000
相続税額	22,560	18,048	4,512	45,120
配偶者軽減額	22,560	−	−	22,560
納税猶予税額	−	−	−	−
納税額	0	18,048	4,512	22,560

〈納税猶予を受ける場合〉

(万円)

相続人	乙	丙	丁	合 計
課税価格	60,000	48,000	12,000	120,000
相続税額	22,560	18,048	4,512	45,120
配偶者軽減額	22,560	−	−	22,560
納税猶予税額	−	10,845	−	10,845
納税額	0	7,203	4,512	11,715

　農地の納税猶予の計算とは大きく違うところに注目をしてもらいたい。

　農地の納税猶予は、農業相続人ではない者の相続税も軽減されていたが、非上場株式の納税猶予は、後継者ではない者の相続税は、納税猶予を適用しない場合と比べると、相続税が軽減されないことがわかる。

Ⅲ 非上場株式等に係る贈与税・相続税の納税猶予及び免除制度（特例措置）

Ⅰ 制度の導入の経緯

　非上場株式等の納税猶予制度（特例措置）の導入の経緯と趣旨について、当時の当局者は、次のように説明している（「平成30年版・改正税法のすべて」596頁以下）。

　「この制度は、平成21年度税制改正において創設され、以下のように累次の改正により、適用要件の緩和等が行われてきましたが、その適用件数は、相続税及び贈与税合わせて年間500件程度（平成27年分）に留まっています。

　一方で、中小企業の経営者の高齢化が進展しており、中小企業庁によれば、2025年頃までの10年間に平均引退年齢の70歳を超える中小企業・小規模事業者の経営者は約245万人に達する見込みで、このうち約半数の127万人が後継者未定と考えられています。さらに、この現状を放置すれば、中小企業等の廃業の急増により、この10年間で約650万人の雇用と約22兆円のGDPが失われる可能性があるとされています。

　このように事業承継の問題は、単なる企業の後継ぎの問題ではなく、日本経済全体の問題であるとの認識のもと、中小企業の円滑な世代交代を集中的に促進し、生産性向上に資する観点から、この制度についても、10年間の贈与・相続に適用される時限措置として、抜本的に拡充することとされました。

　具体的には、
・　猶予対象株式の制限撤廃により、贈与・相続時の納税負担が生じない制度とされ、

・　複数名からの承継や、最大3名の後継者に対する承継にも対象が拡大されました。
・　また、足元の人手不足の中で、雇用確保要件については、承継後5年間で平均8割の雇用を維持できなかった場合でも、その理由を都道府県に報告した上で、一定の場合には、猶予が継続できることとされました。

　なお、この新しい特例制度は、この10年間で中小企業の世代交代を集中的に促進するために創設されたものですから、今後、新たに事業承継をする者（非上場株式等の贈与等を受ける者）が適用対象となります。したがって、既に…改正前の制度の適用を受けた者（既に非上場株式等の贈与等を受けた者）については、事業承継は終わっていることから、この新しい特例制度の適用を受けることはできません。」

Ⅱ 非上場株式等についての贈与税の納税猶予及び免除の特例

第1節 平成30年度税制改正の内容

従来の一般措置（888頁以下Ⅱ参照）と比べた特例措置の内容は以下のとおりである。

内　容	従来の制度	2018年4月1日施行	
		一般措置	特例措置（10年時限措置）
納税猶予制度	納税猶予 ※ 免除は後継者死亡、破産等の場合のみ	従来どおり	・特例承継計画の提出（施行後5年以内）が必要 ・従来の免除要件（後継者死亡又は破産等）に加えて、経営環境変化に応じた減免制度を創設
適用期限	なし	従来どおり	2018年1月1日から2027年12月31日までの相続又は贈与
雇用要件	5年平均で80％維持 ※ 維持できない場合は、利子税付きで全額納付	従来どおり	5年平均80％を下回った場合、理由書を都道府県知事へ提出すれば、猶予打切りとならない ※ 理由が経営悪化の場合、認定経営革新等支援機関による指導助言が必要
対象株式割合の上限	議決権総数2/3まで	従来どおり	2/3→3/3へ引上げ
納税猶予割合	贈与税額100％を猶予	従来どおり	従来どおり （相続への切替え時も猶予は100％）
	相続税額80％を猶予	従来どおり	80％→100％へ引上げ

対象者の拡大	〈先代要件〉 代表者・筆頭株主	代表者・筆頭株主以外も対象	
	〈後継者要件〉 代表者・筆頭株主	従来どおり	代表取締役3人まで対象（議決権割合1～3位）（それぞれ株式保有割合10％以上が条件）
相続時精算課税の適用	20歳以上の推定相続人又は孫が適用可	従来どおり	20歳以上の者に対する贈与の贈与者が60歳以上の場合、適用可

第2節　特例の内容

　以下、一般措置と異なる取扱いのところのみ説明する。相続税と贈与税に共通するものはここで述べていく。

　なお、平成29年12月31日までに一般措置を適用して贈与した者が、平成30年1月1日以後に死亡した場合であっても特例措置の適用を受けることはできない。

　平成30年度税制改正の内容は以下のとおりである。

(1)　**適用株数の拡大**

　特例後継者が、特例会社の代表権を有していた者から、贈与又は相続若しくは遺贈（以下「贈与等」という。）により当該特例会社の非上場株式を取得した場合には、その取得した全ての非上場株式が対象になる。原則、平成30年1月1日から令和9年12月31日までの贈与等が対象となる。

(2)　**納税猶予割合の拡大**

　対象株式に係る課税価格に対応する贈与税又は相続税の全額について、その特例後継者の死亡の日等までその納税が猶予される。

(3)　**特例後継者**

　特例会社の特例承継計画に記載された特例会社の代表権を有する後継者（同族関係者と合わせて特例会社の総議決権数の過半数を有する者に限る。）であっ

て、同族関係者のうち、特例会社の議決権を多く有する者(特例承継計画に記載された後継者が2名又は3名以上の場合には、議決権数において、それぞれ上位2名又は3名の者(総議決権数の10%以上を有する者に限る。))をいう。

(4) 特例承継計画の策定・提出

　認定経営革新等支援機関の指導及び助言を受けた特例会社が作成した計画であって、特例会社の後継者、承継時までの経営見通し等が記載された特例承継計画を、特例会社は、平成30年4月1日から令和5年3月31日までの間に都道府県に提出し、中小企業における経営の承継の円滑化に関する法律第12条第1項の認定を受ける必要がある。

(5) 代表者以外の贈与者

　特例後継者が特例会社の代表者以外の者から贈与等により取得する特例会社の非上場株式についても、特例期間(5年)内に当該贈与等に係る申告書の提出期限が到来するものに限り、特例措置の対象となる。

(6) 雇用確保要件の緩和

　特例措置では、一般措置の事業承継税制における雇用確保要件(承継後5年間平均8割の雇用維持)を満たさない場合であっても、納税猶予の期限は確定しない。ただし、この場合には、その満たせない理由を記載した書類(認定経営革新等支援機関の意見が記載されているものに限られる。)を都道府県に提出しなければならない。

　なお、その理由が、経営状況の悪化である場合又は正当なものと認められない場合には、特例会社は、認定経営革新等支援機関から指導及び助言を受けて、提出書類にその内容を記載しなければならない。

(7) 減免要件の追加

　経営環境の変化を示す一定の要件(直前の事業年度終了の日以前3年間のうち2年以上、特例会社が赤字である場合など)を満たす場合において、特例期間経過後に、特例会社の非上場株式の譲渡をするとき、特例会社が合併により消滅するとき、特例会社が解散をするとき等には、譲渡対価等をベースに再計算した金額との差額を免除するなどの規定が新設された。

(8) 相続時精算課税適用者の拡大

特例後継者が贈与者の推定相続人以外の者（その年1月1日において20歳以上である者に限る。）であり、かつ、その贈与者が同日において60歳以上の者である場合には、相続時精算課税の適用を受けることができるようになった。

第3節　贈与者・被相続人の要件（共通）
（措法70の7の5、70の7の6①）

【原則】（最初の贈与等に係る贈与者等）〈第1種特例贈与・相続〉

その会社について最初に特例措置の適用を受ける場合の特例措置の適用対象となる贈与者・被相続人は、次のいずれにも該当する者となる。

(1) 時限措置

平成30年1月1日から令和9年12月31日までの間に特例措置の適用を受ける贈与等を行う者。

贈与者については、既に措法70の7の5①の規定の適用に係る贈与をしているものが除かれるので、特例後継者が1人の場合は一回での贈与が対象となる（措法70の7の5①かっこ書）。なお、特例後継者が2人又は3人のときは、同一年中に贈与が行われれば、同時に贈与を行わなくてもいいという取扱いがある（措通70の7の5－2（注））。

(2) 代表権保有要件

特例会社の代表権（制限が加えられたものを除く。）を有していた個人であること。

先代経営者が生前のいずれかの時点で代表権を有していたことがあるかどうかにより判定する。したがって、贈与等の直前に限らず過去に会社の代表権を有していたことがある先代経営者であれば、この要件を満たすことになる。

なお、贈与税について、特例措置の適用を受けるためには、当該贈与の時

において、当該贈与者が特例会社の代表権を有していないことが必要となる。

(3) **議決権保有要件**

先代経営者が、その贈与等の直前（贈与等の直前において代表権を有していないときは、代表権を有していた期間内のいずれかの時及び贈与等の直前）において、先代経営者に係る同族関係者と合わせて特例会社の総株主等議決権数の100分の50を超える議決権の数を有し、かつ、先代経営者が有する当該特例会社の株式等に係る議決権の数が当該同族関係者（当該特例会社の特例後継者となる者を除く。）の中で筆頭株主であること。

Ⅱ 非上場株式等についての贈与税の納税猶予及び免除の特例 917

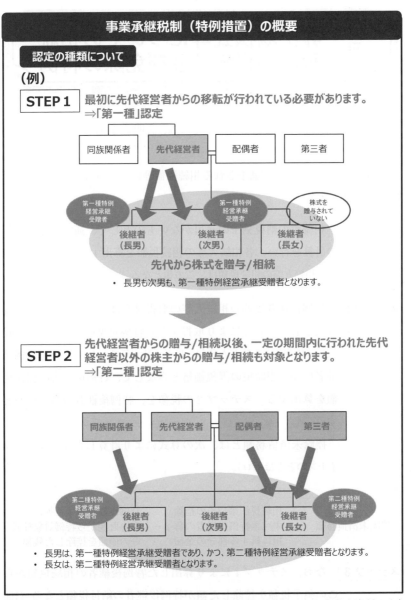

(出典：中小企業庁資料より)

Ⅲ 非上場株式等についての相続税の納税猶予及び免除の特例

ここでは、納税猶予分の計算についてのみ、説明する（措法70の7の6②ハ、措令40の8の6⑯～㉒）。

特例後継者につき納税が猶予される相続税額等は、次のステップにより計算した金額となる。

| ステップ1 | 相続税の納税猶予の適用がないものとして、通常の相続税額の計算を行い、各相続人等の相続税額を算出する（特例後継者以外の相続人等の相続税額は、この額となる。）。

| ステップ2 | 特例後継者以外の相続人等の取得財産は不変とした上で、特例後継者が相続等により取得をした特例対象株式等の価額（控除未済債務額を控除した残額。以下「特定価額」という。）を特例後継者に係る相続税の課税価格とみなして、特例後継者の相続税額を算出する。ステップ2の税額を、特例後継者の猶予税額とする。

控除未済債務額とは、次の算式により計算した額となる（マイナスのときはゼロ）。

〈算式〉

控除未済債務額 ＝ 相続税法第13条の控除すべき特例後継者の負担に属する部分の金額 － 特例後継者の相続等による取得財産から特例対象株式等の価額を控除した残額

| ステップ3 | なお、ステップ1により算出した特例後継者の相続税額からこの猶予税額を控除した額が特例後継者の納付税額となる（100円未満切捨て）。

Ⅲ 非上場株式等についての相続税の納税猶予及び免除の特例　919

〈事例1　相続人が子2人で特例後継者が1人の場合〉

　相続人は子A・子Bの2人、遺産総額は10億円とする。子Aは特例後継者で、取得相続財産は6億円でその内3億円は特例措置の対象となる非上場株式であり、その全てについて特例措置の適用を受ける。子Bは経営を承継しない相続人であり、相続財産は4億円とする。

| ステップ1 | 通常の方法により計算した相続税額

　子A（6億円）＋子B（4億円）－（3,000万円＋600万円×2）
　＝9億5,800万円

　9億5,800万円×$\frac{1}{2}$＝4億7,900万円
　4億7,900万円×50％－4,200万円＝1億9,750万円
　1億9,750万円×2＝3億9,500万円

　子A：3億9,500万円×$\frac{6億円}{10億円}$＝2億3,700万円

　子B：3億9,500万円×$\frac{4億円}{10億円}$＝1億5,800万円

| ステップ2 | 特例後継者の課税価格を特定価額のみとして計算した場合の相続税額

　子A（3億円）＋子B（4億円）－（3,000万円＋600万円×2）
　＝6億5,800万円

　6億5,800万円×$\frac{1}{2}$＝3億2,900万円
　3億2,900万円×50％－4,200万円＝1億2,250万円
　1億2,250万円×2＝2億4,500万円

　2億4,500万円×$\frac{3億円}{(3億円＋4億円)}$＝1億500万円

相続人	子A	子B	合　計
課税価格	6億円	4億円	10億円
相続税額	2億3,700万円	1億5,800万円	3億9,500万円
納税猶予税額	1億500万円	—	1億500万円
納税額	1億3,200万円	1億5,800万円	2億9,000万円

〈事例2　相続人が妻と子1人で子が特例後継者の場合〉

　相続人は妻A・子Bの2人、遺産総額は10億円とする。子Bは特例後継者で、取得相続財産は5億円でそのすべては特例措置の対象となる非上場株式であり、その全てについて特例措置の適用を受ける。妻Aは経営を承継しない相続人であり、相続財産は預金5億円とする。

ステップ1　通常の方法により計算した相続税額

　妻A（5億円）＋子B（5億円）−（3,000万円＋600万円×2）
　＝9億5,800万円

　9億5,800万円×$\frac{1}{2}$＝4億7,900万円
　4億7,900万円×50％−4,200万円＝1億9,750万円
　1億9,750万円×2＝3億9,500万円

　妻A：3億9,500万円×$\frac{5億円}{10億円}$＝1億9,750万円⇒同額が配偶者の軽減額となり納付税額はゼロとなる。

　子B：3億9,500万円×$\frac{5億円}{10億円}$＝1億9,750万円

ステップ2　特例後継者の課税価格を特定価額のみとして計算した場合の相続税額

　妻A（5億円）＋子B（5億円）−（3,000万円＋600万円×2）
　＝9億5,800万円

Ⅲ 非上場株式等についての相続税の納税猶予及び免除の特例

9億5,800万円 × $\frac{1}{2}$ = 4億7,900万円

4億7,900万円 × 50% − 4,200万円 = 1億9,750万円

1億9,750万円 × 2 = 3億9,500万円

3億9,500万円 × $\frac{5 億円}{(5 億円 + 5 億円)}$ = 1億9,750万円

相続人	妻A	子B	合　計
課税価格	5億円	5億円	10億円
相続税額	0万円	1億9,750万円	1億9,750万円
納税猶予税額	―	1億9,750万円	1億9,750万円
納税額	0万円	0万円	0万円

Ⅳ 個人の事業用資産に係る贈与税・相続税の納税猶予及び免除制度特例

Ⅰ 制度の導入の経緯

　個人の事業用資産の納税猶予制度の導入の経緯と趣旨について、当時の当局者は、次のように説明している（「令和元年版・改正税法のすべて」510頁以下）。

　「わが国では、中小企業の経営者の高齢化が進展しており、中小企業庁によれば、2025年頃までの10年間に平均引退年齢の70歳を超える中小企業・小規模事業者の経営者は約245万人に達する見込みで、このうち約半数の127万人が後継者未定と考えられています。さらに、この現状を放置すれば、中小企業等の廃業の急増により、この10年で約650万人の雇用と約22兆円のGDPが失われる可能性があるとされています。

　こうした問題意識のもと、平成30年度の税制改正では、10年間の贈与・相続に適用される時限措置として、法人の事業承継税制を抜本的に拡充し、承継時の贈与税・相続税負担をゼロとする措置が講じられたところです。

　一方、約358万者の中小企業の半数以上を占める個人事業者の事業承継については、既に事業用の宅地について特例措置が講じられており、相続税負担の大幅な軽減が図られていること等から、個人事業者に対する新たな事業承継税制の創設に当たっては事業の継続に不可欠な事業用資産の範囲を明確にするとともに、その承継の円滑化を支援し代替わりを促進するための枠組みが必要といった指摘があり、慎重な検討が求められてきました。

　中小企業における事業承継を巡る問題は、承継時の税負担のみならず、先

代事業者の事業用資産を特定の相続人等に承継させることで、先代事業者の相続時に、他の相続人から遺留分侵害額の請求がされ、後継者に一旦承継された事業用資産が分散し、事業承継に支障を来すといった民法上の問題もあります。

　こうした問題に対処するため、法人経営者の事業承継については中小企業における経営の承継の円滑化に関する法律において遺留分の特例措置が講じられているところですが、今般、この法律が改正され、遺留分の特例措置が個人事業者の事業承継にも拡充されることになりました。

（注）　中小企業における経営の承継の円滑化に関する法律は、「中小企業の事業活動の継続に資するための中小企業等経営強化法等の一部を改正する法律」（令和元年法律第21号）により改正されています。

　令和元年度税制改正では、平成30年度税制改正における法人の事業承継税制に続き、個人事業者についても、高齢化が急速に進展する中で、円滑な世代交代を通じた事業の持続的な発展の確保が喫緊の課題となっていることや遺留分の特例の拡充により個人事業者の事業承継を促進するための法的枠組みが整備されたことを踏まえ、個人事業者の事業承継を促進するための相続税・贈与税の新たな納税猶予制度を創設することとされました。」

　「個人事業者の事業承継税制は、従来の事業用の小規模宅地特例との選択適用を前提に、10年間の時限措置として、従来から特例の対象である事業用の宅地（面積上限400㎡）に加え、事業用の建物（床面積上限800㎡）及び一定の減価償却資産を対象に、相続のみならず生前贈与にも適用することとし、対象資産の課税価格の100％に対応する相続税・贈与税額の納税が猶予されます。

　また、この制度の適正性を確保するため、終身の事業・資産保有の継続要件を設けるとともに、債務控除を利用した制度の濫用の防止を考慮した猶予税額の計算方法を採り、法人の事業承継税制と同様、後継者以外の相続人の税額に影響を及ぼさない仕組みとする一方、個人事業者の特性も考慮した緩和措置を設けています。

このように、個人事業者の納税猶予制度は、従来の事業用の小規模宅地特例とのバランスを踏まえつつ、可能な限り非上場株式等についての納税猶予制度に準じた制度設計となっています。」

Ⅱ 個人の事業用資産についての納税猶予制度の創設

第1節 贈与税の納税猶予制度

1 概要

　特例事業受贈者（注1）（20歳以上である者に限る。）が、平成31年1月1日から令和10年12月31日までの間に、贈与により特定事業用資産（注2）を取得し、事業を継続していく場合には、担保の提供を条件に、その特例事業受贈者が納付すべき贈与税額のうち、贈与により取得した特定事業用資産の課税価格に対応する贈与税の納税が猶予される（措法70の6の8）。

(注1) 上記の「特例事業受贈者」とは、個人事業承継計画（注4）に記載された後継者であって、中小企業における経営の承継の円滑化に関する法律の規定による認定を受けた者をいう。

(注2) 上記の「特定事業用資産」とは、贈与者の事業（不動産貸付事業等を除く。）の用に供されていた土地（面積400㎡までの部分に限る。）、建物（床面積800㎡までの部分に限る。）及び建物以外の減価償却資産（地方税法341条4号に規定する償却資産、自動車税又は軽自動車税において営業用の課税標準が適用される自動車その他これらに準ずるもの（注3）に限る。）で青色申告書に添付される貸借対照表に計上されているものをいう。

(注3) 「その他これらに準ずるもの」とは、次に掲げる資産となっている（措規23の8の8②）。

　　イ　所得税法施行令第6条第8号に掲げる無形固定資産（鉱業権、漁業権など）及び同条第9号に掲げる生物（牛、馬、かんきつ樹、茶樹など）

　　ロ　自動車税又は軽自動車税において営業用の標準税率が適用される自動車以外の自動車で、普通自動車にあってはそのナンバーが1、2、4、6又は8であるもの、軽自動車にあってはそのナンバーが4、6又は8であるもの

ハ　原動機付自転車、二輪の軽自動車、小型特殊自動車（四輪以上のもののうち、乗用のもの及び営業用の標準税率が適用される貨物用のものを除く。）

ニ　ロ、ハ以外の自動車（取得価額が500万円を超える場合には500万円に相当する部分に限る。）

なお、上記イからニまでの資産に該当しても、主として趣味又は娯楽の用に供する目的で保有するものや事業の用に供されていた部分以外の部分があるときはその部分が除かれる。

(注4)　上記の「個人事業承継計画」とは、認定経営革新等支援機関の指導及び助言を受けて作成された特定事業用資産の承継前後の経営見通し等が記載された計画であって、平成31年4月1日から令和6年3月31日までの間に都道府県に提出されたものをいう。

2　猶予税額の計算

特例受贈事業用資産の価額を特例事業受贈者に係るその年分の贈与税の課税価格とみなして、贈与税の基礎控除及び税率を適用して猶予税額を計算する。

3　猶予税額の免除

イ　全額免除

次の場合には、猶予税額の全額が免除される。

(イ)　特例事業受贈者が、その死亡の時まで、特例受贈事業用資産を保有し、事業を継続した場合

(ロ)　特例事業受贈者が一定の身体障害等に該当した場合

(ハ)　特例事業受贈者について破産手続開始の決定があった場合

(ニ)　相続税の申告期限から5年経過後に、次の後継者へ特例受贈事業用資産を贈与し、その後継者がその特例受贈事業用資産について贈与税の納税猶予制度の適用を受ける場合

ロ　一部免除

次の場合には、非上場株式等についての贈与税の納税猶予制度の特例に

準じて、猶予税額の一部が免除される。
  (イ) 同族関係者以外の者へ特例受贈事業用資産を一括して譲渡する場合
  (ロ) 民事再生計画の認可決定等があった場合
  (ハ) 経営環境の変化を示す一定の要件（注）を満たす場合において、特例受贈事業用資産の一括譲渡又は特例受贈事業用資産に係る事業の廃止をするとき
   (注) 上記の「経営環境の変化を示す一定の要件」は、非上場株式等についての贈与税の納税猶予制度の特例に準じた要件とされる。

 なお、上記イ(ハ)又はロの場合には、過去5年間に特例事業受贈者の青色事業専従者に支払われた給与等で必要経費として認められるもの以外のものの額は免除されない。

4 猶予税額の納付

イ 特例事業受贈者が、特例受贈事業用資産に係る事業を廃止した場合等には、猶予税額の全額を納付しなければならない。

ロ 特例事業受贈者が、特例受贈事業用資産の譲渡等をした場合には、その譲渡等をした部分に対応する猶予税額を納付しなければならない。

5 利子税の納付

 上記4により、猶予税額の全部又は一部を納付する場合には、その納付税額について贈与税の法定申告期限からの利子税（年3.6％）（利子税の特例（貸出約定平均利率の年平均が0.6％の場合）を適用した場合には、年0.7％）を併せて納付しなければならない。

6 その他

イ 贈与者は贈与前において、特例事業受贈者は贈与後において、それぞれ青色申告の承認を受けていなければならない。

ロ 特例事業受贈者は、贈与税の申告期限から3年毎に継続届出書を税務署

ハ 特例事業受贈者が、贈与税の申告期限から5年経過後に特例受贈事業用資産を現物出資し、会社を設立した場合には、その特例事業受贈者がその会社の株式等を保有していることその他一定の要件を満たすときは、納税猶予が継続される。

ニ 事業に係る債務を引き継いだ場合には特定事業用資産の価額からその債務の額を控除した額を猶予税額の計算の基礎とする、非上場株式等についての贈与税の納税猶予制度における資産管理会社要件を踏まえた要件を設定する等の租税回避行為を防止する措置が講じられた。

ホ 特例事業受贈者が贈与者の直系卑属である推定相続人以外の者であっても、その贈与者がその年1月1日において60歳以上である場合には、相続時精算課税の適用を受けることができる。

ヘ 贈与者の死亡時には、特例受贈事業用資産（既に納付した猶予税額に対応する部分を除く。）をその贈与者から相続等により取得したものとみなし、贈与時の時価により他の相続財産と合算して相続税を計算する。その際、都道府県の確認を受けた場合には、相続税の納税猶予の適用を受けることができる。

第2節 相続税の納税猶予制度

1 特例事業相続人等が、平成31年1月1日から令和10年12月31日までの間に、相続等により特定事業用資産を取得し、事業を継続していく場合には、担保の提供を条件に、その特例事業相続人等が納付すべき相続税額のうち、相続等により取得した特定事業用資産の課税価格に対応する相続税の納税が猶予される。

2 猶予税額の納付、免除等については、贈与税の納税猶予制度と同様であ

る。

3 この納税猶予の適用を受ける場合には、特定事業用宅地等について小規模宅地等についての相続税の課税価格の計算の特例の適用を受けることができない。

Ⅴ 山林に係る相続税の納税猶予及び免除制度

Ⅰ 制度の導入の経緯

〇 山林についての相続税の納税猶予の特例の創設（措法70の6の6）

　山林の納税猶予制度の導入の経緯と趣旨について、当時の当局者は、次のように説明している（「平成24年版・改正税法のすべて」439頁以下）。

　「我が国の森林は、戦中戦後の木材需要の増加に伴う乱伐等により著しく荒廃したが、戦後造成された人工林により森林資源は回復に向かい、現在では1,000万haに及ぶ人工林資源の6割が今後10年間で50年生以上となるなど、森林資源が量的に充実し、本格的な木材利用が可能となりつつあります。しかしながら、小規模零細な森林所有構造の下、森林施業の集約化・路網整備・機械化の立ち後れによる林業採算性の低下等から森林所有者の林業離れが進み、森林資源が十分に活用されないばかりか、施業放棄による森林の有する多面的機能の低下や（持続的な森林経営の理念がない）無秩序な伐採の進行により、戦後築いてきた森林の荒廃が危惧される状況になっています。

　こうした森林・林業を巡る厳しい情勢の中、「緊急雇用対策（平成21年10月23日緊急雇用対策本部決定）」において「森林・林業の再生に向けた中長期的な政策の方向を明示し、森林・林業を基軸とした雇用の拡大を図るため、年内を目途にプランを作成する」とされたのを受け、農林水産省から「森林・林業再生プラン（平成21年12月25日）」が公表されました。

　この「森林・林業再生プラン」では、10年間を目途に路網整備の徹底（ド

イツ並みの路網密度を達成)、森林施業の集約化の促進及び必要な人材の育成を軸として、効率的な森林経営の基盤づくりを進めるとともに、木材の安定供給と利用に必要な体制を構築し、儲かる林業の実現を目指すこととしています。」

　「この「森林・林業再生プラン」を着実に推進するための具体的な方策として、「森林・林業の再生に向けた改革の姿(平成22年11月30日農林水産省)」が取りまとめられましたが、これに続き、「森林・林業再生プラン」を法制面で具体化するものとして、森林法の一部を改正する法律案(平成23年3月1日閣議決定)が国会に提出されました。

　この政府提出法案は、衆議院農林水産委員会において、(外国資本などによる日本の森林買収に一定の歯止めをかけるため)新たに森林の土地の所有者となった者に届出義務を課す等の改正事項の追加等を内容とする修正が行われた後、平成23年3月31日に衆議院本会議、同月15日に参議院本会議において、それぞれ全会一致をもって可決・成立し、同月22日に公布(平成23年法律第20号)されました。

　このように、森林・林業の再生に関しては、農林水産省において、森林法の一部を改正する法律による改正後の森林法に基づき、森林所有者又は森林所有者から森林経営の委託を受けた者が策定する、規模拡大目標等を記載した森林経営計画に従った森林の整備及び保護並びに「森林・林業再生プラン」を推進し、木材自給率の向上等を図ることとしているところです。

　この「森林・林業再生プラン」が目指す森林の多面的機能の発揮、林業再生及び木材供給の拡大のためには、森林施業の集約化や路網整備等による林業経営の効率化(採算性の向上)・継続確保等を通じた森林整備を推進することが不可欠です。

　平成24年度税制改正では、こうした政策を支援する観点から、森林法による森林経営計画に基づく施業の継続を条件とし、施業の集約化及び路網の整備を行う山林について、その評価額の80%に対応する相続税の納税を猶予する制度を創設することとされました。」

Ⅱ 特例の内容

1 概 要

特定森林経営計画が定められている区域内に存する山林（立木又は土地をいう。）を有していた個人のうち一定の被相続人から相続又は遺贈により特例施業対象山林の取得をした林業経営相続人が、その相続に係る相続税の期限内申告書の提出により納付すべき相続税額のうち、特例山林に係る納税猶予分の相続税額に相当する相続税については、その相続税の申告書の提出期限までにその納税猶予分の相続税額に相当する担保を提供した場合に限り、その林業経営相続人の死亡の日まで、その納税が猶予される（措法70の6の6①）。

なお、この制度は、相続税の申告書の提出期限までに、その相続又は遺贈により取得をした山林の全部又は一部が共同相続人又は包括受遺者によって分割されていない場合には適用されない（措法70の6の6⑧）。

2 納税猶予分の相続税額の計算

「農地等についての相続税の納税猶予（措法70の6①）」の適用がある者がいない場合の納税猶予分の相続税額の計算は、原則次の通りとなる。

次のaに掲げる金額からbに掲げる金額を控除した残額（100円未満の端数は切捨て）が、納税猶予分の相続税額となる（措法70の6の6②五、措令40の7の6⑤～⑦）。

a 特例山林の価額（相続税法第13条の規定により控除すべき債務がある場合には、控除すべき林業経営相続人の負担に属する部分の金額を控除した残額（以下「特定価額」という。））を林業経営相続人に係る相続税の課税価格とみなして、相続税法第15条から第19条まで、第21条の15第1項及び第2項並

びに第21条の16第1項及び第2項の規定を適用して計算した林業経営相続人の相続税の額

b 特定価額に100分の20を乗じて計算した金額を林業経営相続人に係る相続税の課税価格とみなして、相続税法第15条から第19条まで、第21条の15第1項及び第2項並びに第21条の16第1項及び第2項の規定を適用して計算した林業経営相続人の相続税の額

3 納税猶予期間中の継続届出書の提出義務

　この制度の適用を受ける林業経営相続人は、相続税の申告期限の翌日から猶予中相続税額の全部につき納税の猶予に係る期限が確定する日までの間に経営報告基準日（注）が存する場合には、届出期限（経営報告基準日の翌日から5月を経過する日をいう。）までに、引き続きこの制度の適用を受けたい旨及び一定の事項を記載した届出書に所定の書類を添付して納税地の所轄税務署長に提出する必要がある（措法70の6の6⑪、措令40の7の4⑯、措規23の8の4⑳㉑）。

(注)　「経営報告基準日」とは、
　　① 施業整備期間にあっては、当初認定起算日から1年を経過するごとの日をいい（措法70の6の6②七イ）、
　　② 施業整備期間の末日の翌日（当初認定起算日以後10年を経過する日の翌日以後にこの特例の適用に係る被相続人について相続が開始した場合には、その翌日）から猶予中相続税額の全部について納税の猶予に係る期限が確定する日までの期間にあっては、その末日の翌日から3年を経過するごとの日（措法70の6の4②七ロ）をいう。

Ⅵ 特定の美術品に係る相続税の納税猶予及び免除制度

Ⅰ 制度の導入の経緯

○ 特定の美術品についての相続税の納税猶予の特例の創設(措法70の6の7)

　特定の美術品の納税猶予制度の導入の経緯と趣旨について、当時の当局者は、次のように説明している(「平成30年版・改正税法のすべて」612頁以下)。

　「高齢化社会が進行する中、相続を機に美術品等の適切な保存と公開活用が途絶え、価値ある美術品等が次世代へ確実に継承されず、海外流出や散逸を招く懸念が指摘されています。また、新たな有望成長市場の創出・拡大のためには、わが国で所有されている美術品等の良質な文化ストックを戦略的に活用し、美術館等での公開を促進することを通じて、文化と観光、産業とが一体となった新たな市場創出や地域経済活性化等を図っていくことが極めて効果的であると考えられます。

　こうした考え方のもと、「経済財政運営と改革の基本方針2017」や「未来投資戦略2017」において、成長戦略の加速化に資する新たな有望成長市場の創出・拡大という観点から、文化芸術資源を活用した経済活性化、即ち「稼ぐ文化」への展開を推進していく方針が閣議決定されました。併せて「未来投資戦略2017」においては、文化財保護制度について持続的活用の観点から見直しを進めることとされました。

　文化審議会文化財分科会企画調査会においては、文化財は地域振興の貴重な資源でもあり、個人所有を含め計画的な取組の継続的実施が必要であるこ

とから、個々の文化財の保存活用計画の作成推進等が検討されました。保存活用計画が作成された文化財については、個人所有であっても、公的な財産としての性質が一層強まりますが、このような公益的な取組の計画的推進が図られることで、文化財の未来への継承が確実となるとともに地域振興等にも一層貢献することが可能となると考えられます。

　平成29年12月に文化審議会は、文化財ごとに保存・活用の考え方や保存・活用のために必要な事項等を明確にし、所有者等の文化財の維持・管理・活用・伝承等の自主性・的確性向上が必要であり、このため現在も国指定重要文化財建造物等で作成を推奨している個々の文化財の「保存活用計画」を制度上に位置付けることを答申し、国が認定した場合には、認定計画の中に記載された保存活用の具体的な行為については、計画認定後に要する諸手続を弾力化することとされました。

　これらを受けた文化財保護法の改正案は、「文化財保護法及び地方教育行政の組織及び運営に関する法律の一部を改正する法律案」として第196回国会に提出され、平成30年6月1日に可決・成立し、同月8日に法律第42号として公布されました。

　以上の議論を踏まえ、平成30年度税制改正においては、美術品・文化財の次世代への確実な継承と美術館等のコンテンツ充実による観光拠点やインバウンドの促進を実現し、あわせて、美術品・文化財の海外流出や散逸を防ぎ、その計画的な保存・活用を促進することを目的として、重要文化財及び世界文化の見地から特に優れた登録有形文化財を対象に、保存活用計画の認定を受けて美術館に寄託している間にその所有者が死亡した場合には、その相続人の相続税について、その相続人が寄託を継続すること等を条件に、その納税を猶予する仕組みが創設されました。」

Ⅱ 特例の内容

1 概　要

寄託先美術館の設置者と特定美術品の寄託契約を締結し、認定保存活用計画に基づきその特定美術品を寄託先美術館の設置者に寄託していた者からその特定美術品を相続又は遺贈により取得した相続人(以下「寄託相続人」という。)が、その特定美術品の寄託先美術館の設置者への寄託を継続する場合には、寄託相続人が相続税の申告書の提出により納付すべき相続税の額のうち、その特定美術品に係る納税猶予分の相続税額に相当する相続税については、相続税の申告書の提出期限までに納税猶予分の相続税額に相当する担保を提供した場合に限り、寄託相続人の死亡の日まで、その納税が猶予される(措法70の6の7①)。

2 納税猶予分の相続税額の計算

納税が猶予される税額(納税猶予分の相続税額)は、次の①と②の税額の差額となる(措法70の6の7②六、措令40の7の7③～⑥)。

① 特定美術品の価額(相続税法第13条の規定により控除すべき債務がある場合において控除未済債務額があるときは、その特定美術品の価額から控除未済債務額を控除した残額をいう。以下②において「特定価額」という。)を寄託相続人に係る相続税の課税価格とみなして、相続税法第13条から第19条までの規定等を適用して計算したその寄託相続人の相続税の額

② 特定価額に100分の20を乗じて計算した金額を寄託相続人に係る相続税の課税価格とみなして、相続税法第13条から第19条までの規定等を適用して計算したその寄託相続人の相続税の額

3 継続届出書の提出（措法70の6の7⑨、措令40の7の7㉒㉓）

　寄託相続人は、相続税の申告書の提出期限の翌日から納税の猶予に係る期限が確定する日までの間、相続税の申告書の提出期限の翌日から起算して3年を経過するごとの日（以下「届出期限」という。）までに、引き続き本制度の適用を受けたい旨を記載した届出書に、寄託先美術館の設置者が発行する一定の事項を証する書類を添付して、納税地の所轄税務署長に提出しなければならない。

Ⅶ 医療法人の持分に係る経済的利益についての贈与税の納税猶予及び医療法人の持分についての相続税の納税猶予

第1節　医療法人制度の改正

いわゆる第5次医療改革に基づき大きな改正が行われ、さる平成19年4月1日から施行されている。この改正により医療法人制度は次のように変わっている。

1　従来の医療法人

従来の医療法人制度は、次のとおりであった。
(1)　財団医療法人
(2)　社団医療法人
　①　持分の定めのないもの
　②　持分の定めのあるもの
　　イ　1人医師医療法人
　　　(イ)　出資額限度法人
　　　(ロ)　(イ)以外の1人医師医療法人
　　ロ　イ以外の持分の定めのある医療法人
(3)　この他、財団医療法人及び持分の定めのない医療法人は、次のように分類されていた。
　①　特定医療法人
　②　特別医療法人
　③　①、②以外の財団医療法人及び持分の定めのない医療法人

2 平成19年改正後の医療法人

(1) 原則

平成19年4月1日以後は、持分の定めのある社団医療法人の設立は認められなくなり（(2)の経過措置を参照のこと。）、新規設立が認められるのは、次の医療法人に限られる。

① 社会医療法人（財団医療法人又は持分の定めのない社団医療法人で、公益性の高いサービスを提供するものとして都道府県知事が認定したもの）

② ①以外の持分の定めのない次の医療法人

　イ 財団医療法人

　ロ 社団医療法人のうち基金拠出型法人

　ハ ロ以外の社団医療法人

(2) 経過措置

(1)で述べたとおり、持分の定めのある社団医療法人は、平成19年4月1日以後は設立できないが、同日前に設立されたものは、当分の間存続が認められる。なお、平成19年3月31日現在、医療法人数は44,027あり、そのうち社団医療法人で持分の定めのあるものは、43,627と全医療法人の99％に達する（厚生労働省資料）とされる。

この経過措置の適用期限は、前述のとおり「当分の間」とされており、一般の持分の定めのある医療法人のほか、1人医師医療法人も出資額限度法人もそのまま存続が認められる。もちろん定款の改正を行って、新しい制度の一般の持分の定めのない社団医療法人に移行することはできるが、これは強制ではなく、あくまで自主的移行である。

この点、本年12月1日から施行される公益法人制度の改革により、従来の旧民法第34条法人である社団法人及び財団法人（いわゆる「特例民法法人」）が5年間の移行期間内（平成25年11月30日まで）に、一般社団法人若しくは一般財団法人の認可又は公益社団法人若しくは公益財団法人の認定のいずれかの手続をとらない限り、移行期間の満了の日に解散したものとみなされることになっていることと異なっていることに注意する必要がある。

第2節　各種医療法人の内容

前節の「1人医師医療法人」等の意義は、次のとおりである。

1　旧制度によるもの
(1)　**1人医師医療法人**

　常勤の医師又は歯科医師が1人又は2人（原則は3人以上）である医療法人の便宜上の名称である。前述のとおり、平成19年3月31日までに設立した1人医師医療法人は、持分の定めのある社団でもそのまま存続できるが、同年4月1日以後は、持分の定めのある社団医療法人の設立はできず、財団医療法人の形でしか設立が認められないので、新しい1人医師医療法人の設立は激減すると見込まれている。

(2)　**出資額限度法人**

　社団医療法人で「持分の払戻しについては、出資した金額を限度とする」という定款の規定を有するもので、平成16年8月13日付厚生労働省医務局長からの各都道府県あての通知（いわゆる「出資額限度法人」について）により運用面で制度化されたものである。

　この出資限度法人は、上記(1)と同様、平成19年3月31日までに設立されたものは、そのまま存続できるが、平成19年4月1日以後は持分の定めのある社団医療法人の設立ができないことから、出資限度額法人の新規設立も認められないことになった。

(3)　**特別医療法人**

　平成10年の医療法改正で創設された制度で、財団医療法人又は持分の定めのない社団医療法人で、公的な運営を確保するための一定の要件を満たしたものは、特別医療法人として認可を受けることができる。この特別医療法人は、一定の範囲で収益事業を行うことが認められる。

　この制度自体は、平成19年4月1日以後は廃止されたため、新規の特別医

療法人は設立できなくなったが、同年3月31日までに設立された特別医療法人は5年間存続が認められた。この期間内に後述の社会医療法人に移行するか又は収益事業を廃止して後述の特定医療法人とならない限り、一般の社団医療法人又は財団医療法人となる。

(4) **特定医療法人**

特定医療法人は、医療法等に基づく法人でなく、租税特別措置法第67条の2の規定による国税庁長官の承認を受けた医療法人である。この承認を受けられる医療法人は、財団医療法人又は社団医療法人で持分の定めのないもののうち、その事業が医療の普及及び向上、社会福祉への貢献その他公益の増進に著しく寄与し、かつ、公的に運営されていることにつき一定の要件を備えていることが必要である。これらの要件は特別医療法人に類似しているが、収益事業を行うことは認められない。メリットとしては、法人税率の軽減等の税制上の優遇措置がある。

この特定医療法人制度は、医療法の改正とは関係なく、従前どおり存続する。

2 新制度によるもの

(1) **社会医療法人**

従来の特別医療法人と特定医療法人との統合を目指したもので、これらの法人の要件をクリアし、かつ、救急医療等確保事業など公益性の高い医療業務を行っていることを要件としており、一定の収益事業を営むことができる。

(2) **基金拠出型法人**

社団医療法人で持分の定めのないものは、基金制度を採用できる。「基金」とは、法人に拠出された金銭その他の財産で、法人が拠出者に対して定款の定めるところにより返還義務を負うものである。

実質的には、従来の出資限度額法人と似たものであるが、医療法上の制度として法定されたものである。

第3節　医業継続に係る相続税・贈与税の納税猶予等

1　贈与税

　認定医療法人（注1）の持分を有する個人（以下1において「贈与者」という。）がその持分の全部又は一部の放棄をしたことにより、その持分がその認定医療法人の持分を有する他の個人（以下1において「受贈者」という。）に帰属することとなり、その持分の増加という経済的利益について受贈者に対して贈与税が課される場合には、その放棄により受けた経済的利益の価額に係る納税猶予分の贈与税額に相当する贈与税については、認定移行計画（注2）に記載された移行期限まで、納税が猶予される。また、移行期限（注3）までに受贈者が有している認定医療法人の持分の全てを放棄した場合等には、納税猶予されている贈与税は免除される（措法70の7の9①⑪）。

　なお、受贈者が贈与者による放棄の時からその放棄により受けた経済的利益に係る贈与税の申告期限までの間に、その認定医療法人の持分の全部又は一部を放棄した場合には、通常の計算による贈与税額から上記の納税猶予分の贈与税額に相当する額を控除した残額が申告期限までに納付すべき贈与税額となる（措法70の7の10①）。

（注1）「認定医療法人」とは、平成26年10月1日から令和2年9月30日までの間に、持分なし医療法人に移行する計画を作成し、その計画について厚生労働大臣の認定を受けた医療法人をいう。

（注2）「認定移行計画」とは、持分なし医療法人に移行するための取組みの内容などが記載された計画で厚生労働大臣の認定を受けたものをいう。

（注3）「移行期限」とは、認定移行計画に記載された持分なし医療法人に移行する期限をいい、認定の日から3年以内とされている。

2 個人の死亡に伴い贈与又は遺贈があったものとみなされる場合の特例

　経過措置医療法人（注）（贈与税の申告期限において認定医療法人である法人に限る。）の持分を有する個人の死亡に伴い他の個人の持分の価額が増加した場合には、その持分の価額の増加による経済的利益に係る相続税法第9条本文の規定の適用については、同条本文中「贈与（当該行為が遺言によりなされた場合には、遺贈）」とあるのは「贈与」と読み替えられ、遺言により経済的利益を受けた場合であっても贈与税が課税されるとともに、その経済的利益については、相続税法第19条第1項の規定は適用されず、相続税の課税対象ではなく贈与税の課税対象となる（措法70の7の11①）。

（注）「経過措置医療法人」とは、良質な医療を提供する体制の確立を図るための医療法等の一部を改正する法律（平成18年法律第84号。以下「平成18年医療法等改正法」という。）附則第10条の2に規定する経過措置医療法人をいい、具体的には持分あり医療法人を指す。

3 相続税

　個人が持分あり医療法人の持分を有していた他の個人から相続又は遺贈によりその持分あり医療法人の持分を取得した場合において、その持分あり医療法人が相続税の申告期限において認定医療法人であるときは、その持分を取得した個人（以下3において「相続人等」という。）が相続税の申告書の提出により納付すべき相続税の額のうち、その持分の価額に係る納税猶予分の相続税額に相当する相続税については、認定移行計画に記載された移行期限まで、その納税が猶予される。また、移行期限までに相続人等が有している認定医療法人の持分の全てを放棄した場合等には、納税猶予されている相続税は免除される（措法70の7の12①⑪）。

　持分あり医療法人が相続の開始の時において認定医療法人（相続税の申告期限又は令和2年9月30日のいずれか早い日までに厚生労働大臣の認定を受けた持分あり医療法人を含む。）であり、かつ、その持分を取得した相続人

等が相続の開始の時から相続税の申告期限までの間に厚生労働大臣の認定を受けた持分あり医療法人の持分の全部又は一部を放棄した場合には、通常の計算による相続税額から上記の納税猶予分の相続税額に相当する額を控除した残額が、相続税の申告期限までに納付すべき相続税額となる（措法70の7の13①）。

4　贈与税の課税の特例

認定医療法人の持分を有する個人がその持分の全部又は一部の放棄（その認定医療法人がその移行期限までに持分なし医療法人への移行をする場合におけるその移行の基因となる放棄に限るものとし、その個人の遺言による放棄を除く。）をしたことによりその認定医療法人が経済的利益を受けた場合であっても、その認定医療法人が受けたその経済的利益については、贈与税は課されない（措法70の7の14①）。

5　認定期限の延長

平成18年の医療法の改正により、医療法人の非営利性の徹底と地域医療の安定性の確保のため、持分なし医療法人でないと設立が認められないこととなった。また、法改正前に設立されていた持分あり医療法人については、持分なし医療法人への円滑な移行を促進しており、平成26年度には持分なし医療法人への移行計画の認定制度が創設され、持分なし医療法人へ移行しようとする医療法人の支援策が講じられているところである。

本制度は、持分なし医療法人への移行の準備を進めている持分あり医療法人において、出資者の死亡により相続が発生することなどがあっても、相続税の支払いのために相続人から法人への相続持分の払戻し請求等を受けて移行計画の達成に支障が生じることのないよう、相続税等の猶予等を行うものであり、円滑な移行促進のための税制上の支援措置となっている。

持分あり医療法人は依然として約4万法人あり、引き続き、持分なし医療法人への移行を促進する必要性に鑑み、本制度の対象となる認定医療法

人の認定期限が令和5年9月30日まで延長されている（措法70の7の9①、70の7の10①、70の7の11②、70の7の12①、70の7の13①、70の7の14①）。

第6編
財産評価

I　総　説

1　概　観

　相続税及び贈与税は、既にみてきたように財産を課税対象とするため、課税標準は財産の価額によることになる。しかし、財産の価額は、所得税や法人税等の課税標準である所得金額と異なって、財産それ自体に金額の表示があるわけではないが、相続税額や贈与税額は課税標準に税率という割合を乗じて計算する仕組みになっているため課税標準として何らかの金額が決定できないと税額の計算ができないことになる。そこで、相続税等においては、所得税や法人税と異なり、財産の値打ちを金額で表示するための評価という手続が非常に大きなウエイトを占めることになる。換言すれば、相続税等の課税は、財産評価によって決まるということも過言ではない。

　しかし、評価による評価額は、万人に評価させれば、万人が異なる答えを出すであろう性格のものであり、恣意的なものに陥りやすい。そのような恣意的な評価額をそのまま用いて課税を行えば、いたずらに混乱を招いて、負担の不公平をきたし、税務行政に対する信頼を失わしめるであろう。したがって、相続税等の課税財産の評価に対しては、何らかの評価原則が必要となるのである。

　この点については、現在の相続税法においては、原則として相続税法第22条において「相続、遺贈又は贈与により取得した財産の価額は、当該財産の取得の時の時価により、当該財産の価額から控除すべき債務の金額は、その時の現況による」と規定し、相続等の時価によることを表明しているが、時価の意義やその評価の方法については、永小作権、定期金に関する権利及び立木について評価の規定を設けているのみである。

したがって、その他の大部分の財産の評価は、時価によるとする原則によって行うこととなるが、その時価がどのようなものかは専らこの相続税法第22条の解釈によることとなる。国税庁の解釈としては、財産評価基本通達（昭和39年4月25日付直資56直審（資）17。以下「評基通」という。）により、時価の意義をはじめ各財産ごとの評価方法を定めて公表し、実務的には、ほとんど、この評価通達によって評価が行われている。もとより通達は法規性を有するものではないから、直接に国民を拘束するわけではないが、財産評価基本通達に従っていれば、税務署に否認されることはないという便宜的な考え方から、実務ではこの評価通達による評価が行われているわけである。この問題については、後に検討することとする。

2　評価に関する沿革

現行評価規定の検討に入る前に、我が国の相続税法における評価規定等の沿革についてその概要をみてみよう。

(1) **相続税創設（明治38年）から昭和20年まで**

まず、明治38年に制定された相続税法の評価規定は、次のとおり時価主義を表明した。

> 第4条①　相続財産ノ価額ハ相続開始ノ時ノ価額ニ依ル

次に、船舶、地上権、永小作権及び定期金については法定評価とされ、その他の財産については規定がない。船舶等について法定評価とした理由について、当時の当局者の解説は「容易ニ時価ヲ知ル能ハス比較的計算ニ困難ナルモノノミ予メ評価ノ方法ヲ定メ以テ高低区々ニ渉ラサルコトヲ企図セリ」としている（注）。

(注)　稲葉敏著「相続税法義解」（明治39年）161頁

また、すべての財産の評価方法を法定しなかった理由としては、「……財産ノ種類ハ一ニシテ足ラス千差万別殆ト数フルニ遑アラサラントス夫レ如此無定限ノ財産ニ付一々法律ヲ以テ之レカ価格算定ノ方法ヲ示スハ到底不可能

ノ事タルノミナラス財産ノ種類ニ依リテハ却テ法律ニ之ヲ規矩スルノ実際適セサルモノアラントス」としている（注）。

(注)　前掲書161頁

　現在と異なる特色として船舶の時価が法定評価（船舶の製造費を基とする。）となっているが、これは船舶の時価を知ることが困難だからとされている（注）。

(注)　大正15年の改正で、船舶製造費を調査することが困難という理由で、船舶の法定評価は廃止された。

　次に時価の意義については、「一定の時における市場の取引値段即ち市価」をいい、特定の市場のない財産についても一般普通に認められる売却価格の存する以上は、これを時価とすべきであるとされている（注）。

(注)　宇佐美邦雄著「相続税の課税と手続」（昭和4年・賢文館）99頁。なお、同氏は、評価方法を法定することは一利一害であって、其の結果事務上は便宜を得ることになるが、負担の権衡は却って破られるおそれがあるとし、当時の地上権の評価が都市における借地権の実際取引価格と副わないという実例を挙げている。

　したがって、法定評価方法を定めている財産以外の財産の評価については、一般的原則として公表されたものはなかったが、実際には、課税当局で、次のような内部基準が定められていた。

①　土地、建物については、あらかじめ毎年の初めに時価標準率を作成しておき、課税事案発生の都度、この時価標準率、売買実例を基とし、精通者の意見を徴して個別に評価していた。この標準率は、建物・宅地は坪当たり、農地は反当たりの売買実例価額、精通者の意見等を基とし、各税務署・税務監督局（現在の国税局）間の均衡を保持するよう定められた。

②　取引相場のない株式については、明確な資料はないが、㋑配当還元方式、㋺類似会社の利益と株価に比準する方式、㋩純資産価額方式を適宜採用することとされていたようである（注）。

(注)　前掲書158頁

(2)　**昭和21年から昭和25年まで**

昭和21年に財産税法が施行され、財産の全般にわたる画一的な標準が行われたので、相続税においても、財産税の評価額を基とし、売買実例価額の上昇に応ずる一定倍率を乗じて評価する方法がとられた。この方法によるものとされた財産は、土地、建物、立木、船舶、機械器具、動産、鉱業権、漁業権、工業所有権、営業権等であった（注）。

（注）　財産税法における土地、借地権、家屋の評価は、賃貸価格に国税局長が地域ごとに定める倍数（農地は全国一律）を乗じたものであった。

　また、取引相場のない株式の評価は、次によった（昭和23年3608号通3）。

①　同族会社の株式は、純資産価額（清算所得に対する法人税（35％）、事業税（15％）相当分（50％）を控除して計算）を払込済株式金額であん分したものによる。ただし、同族割合が70％程度以下のものについては、その株式の売買実例又は同程度の同族割合の会社で、事業の種類、資産の構成及び収益の状況等の類似するものの売買実例等を参酌して適当と認められない金額を控除する。

②　非同族会社の株式は、①のただし書と同様にして評価する（注）。

（注）　しかし、この当時においても「いわゆる市場価額のないものについても、その財産の種類、性質、内容その他諸般の事情を達観して、その当を得るように努むべきである」として、明治38年の大蔵大臣の訓示（明治大正財政史第6巻224～226頁所収）が引用される状況であった。

(3)　昭和26年以降

　昭和25年に富裕税法が施行され（注）、その評価について昭和26年直資1－5「富裕税財産評価事務取扱通達」が発遣された。

（注）　富裕税は、シャウプ勧告により、昭和25年に導入された一般財産税で毎年課税されるものであった。その概要は、個人の純資産のうち500万円を超える部分について、0.5％～3％までの4段階の累進税率で課税を行うもので、所得税の税率の引下げ（最高税率85％→55％）をカバーする目的があった。しかし、表現資産と不表現資産との把握のアンバランス等の施行上の問題から昭和28年に廃止された。

　この通達による評価方法は、基本的には財産税の評価方法を踏襲して行わ

れたので、相続税でも、基本的には同じ評価方法によることとされた。すなわち、
① 土地は、賃貸価格に、その地域ごとに定める評価倍数（農地は全国一律で、毎年改訂）を乗じて評価する。
② 家屋は、①と同様とする。
③ 取引相場のない株式は、事業の種類が同一で、資産の構成、収益の状況、資本金額等の類似する上場株式又は気配相場のある株式の価額に比準して評価する。

その後、昭和30年に至り、区画整理の施行、経済事情の変化等により、賃貸価格を基として評価することが不適当となった地域について路線価方式が順次とり入れられ、また、昭和25年以降に建築されて賃貸価格が設定されていない戦後建築家屋については再建築価格方式による評価が採用された。

次いで、昭和36年に、固定資産評価制度調査会から「固定資産税その他の租税の課税の基礎となるべき固定資産の評価の制度を改善合理化するための方策」について答申が行われた。その内容はできるだけ各税の評価の統一を図ることが望ましいというもので、これにより、固定資産税の評価水準が大幅に引き上げられ、相続税の評価水準に近付けられたが、なお、かなりの格差があるので、固定資産税の評価を基とし、これに一定の倍率を乗じて評価するいわゆる倍率方式が、賃貸価格方式に代えて採用されるに至った。

また、株式については、昭和38年に有識者による「株式評価懇談会」の結論に基づいてほぼ現在の形の評価方式が採用された。これによる最大の改正点は、従来の個別の会社との比準方式を、類似業種比準方式に改めたことである。

こうした改正を織り込んで、ようやく、相続税自体の評価方式を整えた「相続税財産評価基本通達」（昭和39年直資56、直審（資）17）が制定され、その後も幾多の改正はあるが、基本的な評価体系は、今日まで変わっていない。なお、平成3年に地価税が導入され、その評価も、相続税と同様の方法によることとされ、通達の表題も、「財産評価基本通達」と改められて今日に至っている（平成3年課評2－4による改正）。

Ⅱ 財産評価の原則

1 総　説

　既にみてきたように、相続税又は贈与税の課税対象となる財産の評価に対しては、相続税法第22条は「この章で特別の定のあるものを除く外、相続、遺贈又は贈与に因り取得した財産の価額は、当該財産の取得の時における時価」によることを規定しているが、相続税法は、地上権、永小作権、定期金、定期金に関する権利及び立木の評価について規定するのみで、他の財産については、具体的な評価方法は規定しておらず、現実には、課税庁側の取扱いとして財産評価基本通達のほか若干の個別通達が定められているのみである。このように、財産の大半について、その評価方法が法定されなかった理由については、Ⅰ2(1)で引用したように当時の当局者は、財産の種類は非常に多いので、これに一々評価方法を定めることは到底不可能であるし、財産の種類によっては、かえって法律で評価方法を規定することは、実情に即しないこともあると述べている。一方、地上権、永小作権、定期金等については立法当初から評価の規定が設けられた理由については、Ⅰ2(1)で述べたとおり、「容易ニ時価ヲ知ル能ハス比較的計算ニ困難ナルモノノミ予メ評価ノ方法ヲ定メ以テ高低区々ニ渉ラサルコトヲ企図セリ」と説明されている。しかし、法定されていない土地、家屋、無体財産権、公社債、株式等の評価の計算が容易とは到底考えられない。おそらくは、評価方法が煩雑で到底法定に適さないと考えられたのではなかろうか。

2 「時価」の考え方

(1) 総　説

　相続税法第22条が、財産の評価は課税時期の時価によると規定していることについて、この「時価」が主観的な価額でなく、客観的な価額によると解釈することについては、特に異論はないと考える。もし、主観的な価額によるとなれば、同じ財産について幾つもの評価額が成立することになり、到底課税の公平は保てなくなることはおのずから明らかである。

　しかしながら、相続税法第22条による評価が客観的な時価をいうものと解しても、その時価が、いわゆる取引価額をいうのか、あるいは収益還元価額をいうのかについて見解が分かれている。

(2) 取引価額説

　これは、課税当局者が、従来から表明している解釈である。例えば宇佐美邦雄氏は「時価とは一定の時に於ける市場の取引値段即ち市価を指称します。特定市場に於ける市価は時価として最も適正なものでありますが、特定市場のない財産についても、一般普通に認められる売却価格の存する以上は、これを時価となすべきであります」(注)と述べて取引価額をもって時価と解している。

(注)　前掲宇佐美「相続税の課税と手続」99頁

　また、泉美之松氏は「「時価」とは市場価格（market price）すなわち普通の経済人が売手及び買手として相対し、何等の強制力なくして売り且つ買わんとする価格のことを云うものと解すべきである……市場価格のないものについては、若し市場があったら成立するであろう価格を推定評価する外はない」(注)と述べ、同様の見解を示している。

(注)　「相続税・富裕税の実務」135～136頁

　こうした考えを受けて、現行の財産評価基本通達1(2)は、「財産の価額は、時価によるものとし、時価とは、課税時期……において、それぞれの財産の現況に応じ、不特定多数の当事者間で自由な取引が行われる場合に通常成立すると認められる価額」をいうものとされている。

その意義について、国税庁担当者は、次のように述べている（注）。

① まずそれは、それぞれの財産の現況に応じ、不特定多数の当事者間で通常成立すると認められる価格であるから、一方において客観的要素が考慮されるとともに、他方において主観的な要素は排除される。

② 次に、それは自由な取引が行われる場合に通常成立すると認められる価額であるから、客観的な交換価値を示す価額、すなわち、買進み売り急ぎがなかったものとした場合における価額である。

③ 更に、この時価は財産の現況に応じて評価される価額であり、評価に当たっては、その財産に影響を及ぼすべきすべての事情が考慮される。なお、評価対象財産の時価が客観的な交換価値を示す価額であるところから、当該財産の評価に当たり考慮される個別事情は客観的に認められるものに限定されることになる。例えば、借地権の設定されている土地を取得した場合には、その土地の時価は、その土地を完全に所有する場合と異なり、借地権に相当する価額が控除される。

(注) 宇野沢貴司編「財産評価基本通達逐条解説〔令和2年版〕」6頁以下（以下「評基通解説」という。）

以上のことから注意を要する点は、この取引価額説による時価は、いわゆる実勢価格とは異なるということである。すなわち、仮に「実勢価格」とは、現実の取引の場面で成立する、すなわち何らかの異常な要素も含めて当事者間で成立する現実の価格を意味するとすれば、「時価」は「実勢価格」とは別の、又は「実勢価格」から異常な要素を排除した理論値を表しているということである（注）。

(注) 高野幸大「相続財産の評価と納税」（租税法研究第23号・有斐閣）28頁

なお、判例もこの解釈を支持しており、最近の判例としては、例えば、次のようなものがある。

「相続税法22条は、相続により取得した財産の価額は特別に定める場合を除き、当該の財産の取得のときにおける時価による旨を定めており、右にいう時価とは、課税時期において、それぞれの財産の現況に応じ、不特定

多数の当事者間で自由な取引が行われた場合に通常成立する価額、すなわち、当該財産の客観的な交換価値をいうものと解するのが相当である」。
(東京高裁平成7年12月18日判決)

(3) 収益還元価額説

上記の取引価額説に対して、北野弘久教授の強力な反対説がある。これを筆者なりに要約すれば、次のようになろうか(注)。

すなわち、日本国憲法(13条、14条、25条、29条等)は応能負担原則を規定しているが、この応能負担原則は課税物件の量的担税力のみならず課税物件の質的担税力をも考慮することを要求する。例えば同一面積の土地であっても一定の生存権的財産(一定の住宅地・住宅、現に農業の用に供している農地・農業用資産、一定の中小企業者の事業所用地・事業所施設、一定の中小法人のオーナー等の持株等)は担税力が低く非生存権的財産である投機的財産等(土地についていえば棚卸資産としての土地、企業が買い占めた土地等)は担税力が高い。質的担税力からいえば一定の生存権的財産は最も担税力が低く、投機的財産は最も担税力が高く、非生存権的財産たる資本的財産(土地についていえば現に大企業がその事業所用地として利用に供している土地等)は両者の中間の担税力といえよう。

また、日本国憲法第29条第1項は、財産権の保障を規定しているが、これは生存に必要な一定の生存権的財産のことと解される。

財産評価基本通達はすべての財産につき市民的取引価額(不特定多数の当事者間で自由な取引が行われる場合に通常成立すると認められる価額)で評価することを建前としているが、一定の生存権的財産が引き続き相続人等において生存の用に供される限り、当該生存権的財産については論理上市民的取引価額なるものは存在し得ないから、これにより評価することは合理的でない。そこで、一定期間生存の用に供することを条件にして一定の生存権的財産については利用価格(利用時の時価=収益還元価額)で評価することが望ましいというものである。

(注) 北野弘久ほか編「争点相続税法」(勁草書房)194～196頁参照

(4) 私　見

　相続税は既にみたように、富の再分配という効果を狙いとしている。この考え方からすれば、基本的には、評価は原則として取引価額を基とすべきであると考える。ただ、居住あるいは事業のための必要な財産については、生存権的財産として収益還元価額で評価すべきとする考えにも捨て難い面がある。もっとも、これについて基礎控除等で対処すべきという考え方（注）もあるが、現行の小規模宅地の課税の特例のように、一定の居住用あるいは事業用財産については、たとえ収益還元評価でなくても、何らかの考慮を払う必要性はあるように思うがどうか。

（注）　松沢智「相続税に関する「税政策学」」（租税法研究23号・有斐閣）55〜56頁

3　財産評価は被相続人の利用状況又は相続人の取得状況のいずれの立場で行うか

(1) 総　説

　財産評価は、被相続人の利用状況で行うのか、それとも相続人の取得状況でみるのかという問題である。例えば、次のような場合、いずれをとるかで、評価が異なることになる。

① 　未利用宅地を複数の相続人で分割取得した場合、被相続人の利用状況で評価するならば、その未利用地全体を一画地として評価して、各相続人の所有した面積に応じてその評価額をあん分したものが各相続人の取得した土地の評価額となるし、各相続人の取得した状況で判断するなら、各相続人が取得した土地をそれぞれ一画地として評価したものが各相続人の取得した土地の評価額となる。

② 　取引相場のない株式を相続した場合、被相続人の保有状況で、同族株主の所有株式か否かを判断するのか、それとも相続人の取得した後の相続人の株式の保有状況で判断するのかという問題がある。後者で判断するなら、相続開始前は、同族株主に該当しない保有割合だったのに、相続によって取得した株式を加えれば、保有割合が上昇して、同族株主に該当し、その

結果評価額が増加することがあり得る。

(2) **被相続人の利用状況で評価すべきであるという考え方**

この考え方は、相続税の課税対象は、被相続人の有していた財産の経済的価値であり、それが相続により各相続人が分割取得することによって価値が減少することは合理的でないということである。この立場からすれば、相続人がどのように分割し、どのように利用するかにかかわらず、被相続人に係る相続開始の時における状況で評価することになる。また、評価の問題ではないが、小規模宅地等（措法69の4）に該当するかどうかは、この立場から判断することになる。すなわち、被相続人の事業又は居住の用に供されていたかどうかで判定するのである。

(3) **相続人の取得状況で評価すべきであるという考え方**

この考え方は、相続税の課税対象は、相続人が相続によってどれほどの経済的価値を取得したかであり、被相続人の有していた価値とは無関係であるということである。この立場からいえば、相続財産は、財産の分割状況で評価する。しかし、利用状況は被相続人の利用状況でみるのか、相続人の利用状況でみるのかという問題が次に生ずる。これについては、後者は、相続後の相続人の土地の利用状況で評価するということだから、相続時の時価とはいえないと考えられるので、前者の被相続人の利用状況で評価すべきであると考える。

そうすると、被相続人の有していた価値と全く無関係とはいい切れないのではないかという問題がある。

(4) **問題点の検討**

以上の(2)及び(3)の両説については、次のような批判が考えられる。

① まず、(2)の説は、相続税が遺産税体系をとっていればともかく、現行相続税は遺産取得税体系をとっているのであるから、被相続人の利用状況で判断するのは、矛盾といわざるを得ない。

② (3)の説によると、未分割財産については一括評価をするが、それが分割された場合には遡って個別評価をし直すことになる。同じ相続財産の価額

が分割か未分割かで異なり、結果として相続税額まで変わってくるということが果して妥当であるか。

(5) **結論と私見**

それでは、現在の取扱いはどうなっているかであるが、過去においては必ずしも統一的でない面があり、特に、未利用地が相続開始時に未分割であり、後に分割された場合の取扱いについて問題があったようであるが、現在のところは、取得者課税の立場から、相続人の取得状況で判断することに取り扱われている。

例えば、贈与、遺産分割等によって宅地の分割が行われた場合には、原則として、分割後の画地を一画地の宅地として評価するものとされている（評基通7-2、「評基通解説」41頁）。

また、同族株主等の判断の基礎となる持株割合の判定等については、課税時期即ち相続等による株式取得後の状況において判定することとされている（評基通188）。

しかし、取引相場のない株式のように持株割合によってその所有者にとっての価値が異なってくるものと違い、土地のような財産が未分割であれば、分割後の土地の評価が変わるというのはどうも納得できない感じが残る。むしろ未分割の土地が分割されたら、分割面積等で価額をあん分すべきで、分割後の土地で画地評価をする必要はないのではないか。

4　評価の時期

(1) **総　説**

相続税等の評価の時期は、相続税法第22条により課税時期すなわち、相続、遺贈又は贈与により財産を取得した時点で、評価はこの時点における財産の現況によって行うものとされている。

このように評価の時点を課税時期によることとした理由について、立法当時の当局者は次のように述べている（注1、2）。

「而シテ本条第1項（筆者注・創設当時の相続税法第4条第1項を指す。）カ

相続開始ノ時ニ於ケル価格ヲ以テ其価格ト為スヘキコトヲ規定シタルハ納税義務ノ発生ハ相続開始ノ時ニアルヲ以テ此時ノ価格ニ依ラシムルハ尤モ至当ナルカ故ナリ蓋シ財産ノ価格ハ其種類ニ依リ日々ニ変動スルモノアリ又其変動急激ニシテ著シク高低ヲ異ニスルモノアリ然ルニ相続開始ノ申告アリテ後政府カ其価格ヲ決定スル時ニ於ケル価格ニ依ルモノトセハ其時期ノ遅速ニ依リ課税価額ヲ異ニシ又納税義務者ノ為ニ価額ヲ左右セラルヽノ結果ヲ生シ賦課公平ナラス之ヲ以テ第1項ニ原則トシテ相続開始ノ時ノ価格ニ依ルト規定シタルモノナリ」

(注1)　前掲「相続税法義解」162頁。同旨前掲宇佐美「相続税の課税と手続」132頁。

(注2)　立法当時の相続税は賦課課税制度で相続人等の相続財産債務の明細書提出に基づき政府が課税価格を決定して通知することになっていたことに注意すべきである。

(2) 問題点

　課税対象財産の評価時点を課税時期すなわち、相続、遺贈又は贈与の時期とするという原則自体は是認し得るものと考えるが、この原則を字義どおり適用すると種々の問題が生ずる。例えば偶々相続した株式の発行会社が倒産したり、あるいは昨今のように金融機関の国有化、倒産等のため、株式が無価値になるような事例は少なくない。また、新築後間もなく相続したアパートで入居人が少ない状態の場合そのアパートや敷地の評価をどうするのかという問題も最近話題となっている。そこで、問題となった事例を掲げてみよう。

① 相続開始後の株式が無価値となった事例

イ　納税者の主張

　控訴人（納税者）らは昭和48年5月2日死亡した訴外Sの妻とSの直系尊属で、亡Sの遺産を相続した。ところが、その遺産の株式のうちE産業とその関連会社の株式については、これらの会社が昭和53年2月に会社更生法の適用申立てをして事実上倒産したため、これらの会社の株式は、各社の更

生計画において無償で消却されてしまった。しかし、被控訴人（所轄税務署長）は、これらの事実を無視し、本件株式の評価に基本通達の画一的な基準による評価を押し付けた。基本通達が相続開始後の株価の変動を考慮していないことは不合理であり、このような経済事情の急変は社会通念上の災害による被害と何ら変わるところがないから、災害減免法第4条の準用ないし類推適用がなされるべきである。

ロ　判決要旨（大阪高裁昭和62年9月29日判決・同旨上告審最高裁平成元年6月6日判決）

　(イ)　相続税財産評価基本通達では相続開始後の株価の変動を考慮しないこととしているが、これは、相続税が相続財産の取得時点すなわち相続開始時点で納税義務が成立し（国税通則法第15条第2項第4号）、相続財産を取得したものは、相続開始のあったことを知った日の翌日から6月以内に相続税の申告をし、右期限までにその納付をする（相続税法第27条、第33条）こととなっているところ、右申告期限までの株価も考慮することとなると、相続開始後に株価の恣意的操作がなされるおそれがあり、かくては課税の公平を欠くに至ることによるものであり、したがって同通達が相続開始後の期間の株価の変動を考慮しないとしていることには合理性がある。

　(ロ)　相続税法上相続財産の評価はその取得時における時価によることとなっている以上、株式についてのみ右時点より余り長期にまで遡ってその価格の変動を考慮して評価するのは相当でなく、この点で期間的な制約があることは否定できないし、他方、相続税財産評価基本通達が相続開始前3か月間の最終価格の月平均額と課税時期の最終株価のうち最低株価を採用することにより、一般的にいって、相続開始時に一時的に騰貴した株価を評価額とすることを避けるという目的を満たす効果のあることは否定できず、多量の税務事務の処理と課税の公平を期するという要請も参酌すると、右の過去に遡る期間の考慮に関しても前記の株価についての通達の基準の合理性を否定するのは相当ではない。

(ハ) 災害減免法の適用されるべき災害は自然界に生じた災害をさすものであり、本件のような事例をいうものではない（注）。

(注) 災害減免法第4条は、「相続税……の納税義務者で災害により相続……に因り取得した財産について相続税法……の規定による申告書の提出期限後に甚大な被害を受けた者に対しては、命令の定めるところにより、被害があった日以後において納付すべき相続税……のうち、被害を受けた部分に対する税額を免除する」旨を規定している。

ハ　コメントと私見

本件は、経済不況のため、当時有名なＥ産業が倒産し、その各関連会社も同様の状態に追い込まれて、これらの会社の株式がほとんど無価値になってしまうという事態が起きたことに係る事例である。Ｅ産業はかつて、相当の高株価を維持していた優良企業で、原告らの相続税もそのためかなりの金額となっていたが、倒産により株式の価額が急落して納税ができなくなるという事態になった。原告らは本事例のような事態は、一般人の予期することができない社会経済事情の急変による大幅かつ異常な株価の下落であって、社会通念上災害による被害と何ら変わるところがないから、災害減免法の規定を準用若しくは類推適用されるべきだと主張したが、裁判所は、本事例のように相続財産の主要な部分を占める株式が自らの責めに帰し得ない事情で価値を失っている場合でも、課税をそのまま維持しても、正義公平の観念に反するものではなく、公法上の不当利得にもあたらないと判示して、原告の主張は容れられなかったものである。

確かに判決のとおり、申告後の株価の変動について救済するのは、株価操作による相続税の負担回避に利用されるおそれはがあるが、本事例のような相続人らの操作の及ぼし得ないようなケースについては、例えば、相続税の申告期限までに起きた事情に限るといった制限を付して何らかの救済措置をとり得ないものだろうか。あるいは立法を要するかも知れないが、相続の時にある程度予見できるような事態であれば、現行財産評価基本通達1(3)にいう、その財産の価額に影響を及ぼすべきすべての事情を考慮するという考え

方により、ある程度は救済できるのではないだろうか（注）。
(注) 例えば、イギリスの遺産税では、故人の財産における土地に対する権利が「特定の者」により死亡の日の3年以内に売却された場合、死亡の際の土地に対する権利についての価値を当該「売却価格」とすることを請求することができる。1990年3月15日以降の死亡の場合に、死亡後4年目に売却されたときには、死亡後3年以内の売却とみなされる。ただし、売却価格が死亡時の価値を超える場合などにはこの限りではない。（「世界における相続税法の現状」（日税研論集No56）131頁）。

② **相続開始時に21室中4室しか入居者のないマンション及びその敷地について、入居者のない部分は貸家ないし貸家建付地としては評価しないとされた事例**

イ　納税者の主張

被告Y税務署長は、相続開始時点において賃貸されていたのは、本件建物の21室のうち4室であり、17室については、いまだ賃貸の用に供されていなかったから自用家屋として評価し、その17室に応ずる敷地については自用地として評価するとして更正処分を行った。

しかし、本件建物は、マンション形式の建物であるが、

(イ)　被相続人は、もともと本件建物全体を貸家目的として建築計画を立てていたこと。

(ロ)　本件建物は、その建築資金を住宅金融公庫から借り入れているから、設計から賃貸料までのすべてを管理されており、賃貸目的以外の用には供することはできないこと。

(ハ)　被相続人は、本件建物の貸借人の募集について、不動産業者に委託する旨の委託契約を既に締結しており、しかも既に賃借人の募集は開始されていること。

(ニ)　当該委託契約は、被相続人又は相続人から一方的に解約することはできず、賃借希望者には原則として賃貸する義務を負っていたこと。

(ホ)　相続人甲らは、順次賃借契約を締結し、更正請求期限（昭和63年2月25日）までには1室を除いてはすべて賃貸の用に供していること。

(ヘ)　仮に本件建物全体を賃貸用から売却目的のものに変更しようとしても、そのためには多額の費用と労力を要するので容易にはなし得ないこと。

　(ト)　評価基本通達の定めによれば、建物の評価は、原則として1棟の建物ごとにすべきこととなっていること。

　(チ)　評価基本通達の定めによれば、財産の評価は、財産の価額に影響を及ぼすすべての事情を考慮すべきこととされており、単に、相続開始時点における状態のみを基とすべきではなく、建築計画から資金手当て及び完成後の利用状況を考慮すべきであること。

から、本件建物全体を貸家として評価した上、その敷地である本件宅地全体を貸家建付地として評価すべきである。

ロ　判決要旨（横浜地裁平成7年7月19日判決・同旨東京高裁平成8年4月18日判決・最高裁平成10年2月26日判決）

　判決は、「本件のように、相続開始時点において、いまだ賃貸されていない部屋がある場合の建物全体の評価については、建物の自用家屋としての評価額から、賃貸されている部屋に存在すると認められる借家権の価額を控除して算出するのが相当である（評基通93、94）。すなわち、相続税法22条所定の相続開始時の時価とは、相続等により取得したとみなされた財産の取得日において、それぞれの財産の現況に応じて、不特定多数の当事者間において自由な取引がなされた場合に通常成立すると認められる価額をいうものと解するのが相当であるから（評基通1(2)）、相続開始時点において、いまだ賃貸されていない部屋が存在する場合は、当該部屋の客観的交換価値はそれが借家権の目的となっていないものとして評価すべきである（その借家権の割合は30％）」としてY税務署長の課税処分を適法とした。また、原告の上記主張に対しては、「たとえ原告主張のような事情があっても、相続開始時点において、本件建物のうち4室以外は借家権の目的となっていない以上、残りの17室の相続開始時点における客観的交換価値は借家権のないものと認めざるを得ないのであり、これが住宅金融公庫又は不動産業者等との契約の内容及び相続開始時点の後に生じた事情等により左右されるとはいえない」とし

て却けた（注1、2）。

(注1)　本件においては、本件マンションの敷地の相続税の課税価格の算定につき、措法第69条の3（小規模宅地等についての相続税の課税価格の計算の特例（当時））が適用されているが、判決は、当該敷地の課税価格の算定に当たり、同条の適用対象土地を、相続開始時において賃貸されていた部分に対応する敷地に限定せず、本件マンション全体の敷地を対象として計算している。

(注2)　贈与した土地が駅前共同ビルの敷地の一部として利用されることが確定的であるから一画地として評価すべきとされた事件（静岡地裁平成5年5月14日判決・同旨控訴審東京高裁平成6年1月26日判決・上告審最高裁平成7年6月19日判決）において、控訴審段階で控訴人は、将来一体利用が見込まれるから一画地として評価すべきとすることは、貸家の敷地の評価において、借家人が現実に入居していない場合は、貸家建付地として評価減をしないことと一貫性がない旨主張したが、東京高裁の判決は、「借家人が現実に入居していない場合は、借家人の敷地利用権は生じないことは明らかであり、いずれ借家人が入居することが確実であっても、貸家建付地として減額評価すべき根拠はないから、本件土地を一画地評価することと一貫性がないということはできない」と判示し、最高裁もこの判断を支持した。しかし、いずれも将来の利用を見込んだ評価の事案なのに、なぜ結論が異なるかという点の理由の説明は全くされていない。

ハ　コメントと私見

　本件の事実審理及び判断は、すべて横浜地裁の段階のもので、高裁及び最高裁は、これを単純に支持しただけで新たなコメントは何もつけ加えていない。

　横浜地裁の考え方は、筆者の分析では、借家の目的となっている貸家は、賃貸借契約の更新拒絶や解約申入れができないので、その基となっている借家権を消滅させるためには立退料等の支払いが必要であり、また、賃借人の入居しているまま、すなわち借家権が付いたままで建物と敷地を譲渡した場合には、譲受人は建物と敷地の利用に制約を受けるから、経済的価値が低下する。したがって、貸家・貸家建付地の価額は減額されるべきである。しかし、相続開始時に入居者のいない換言すれば借家権の目的となっていない17

室は、このような減額をする理由がないということにあるようだ。そして、控訴人あるいは上告人の別途の観点からの主張には、一顧も与えることなく、高裁及び最高裁は、地裁の思考過程を単純に追認したということに尽きる。

貸家や貸家建付地の減額の根拠を借家権という権利の存否に求めるという考え方に裁判官が固執している以上、納税者の主張が容れられる余地はない。その意味では当然の判決ということになるかも知れない。

しかし、一見理屈が通っているようで、これほど一般の感覚とかけ離れた結論の判決も珍しい。納税者の主張するように、相続開始時に貸家の用に供するものとして建てられていたマンションとその敷地は、その処分価値において、どのようにでも使用できる建物と同レベルの価額になるものだろうか。一般の常識ある人に聞けば答えはNoであろう。裁判官は、とかく権利の存否を重視する傾向があるが、それをあまりに固執するとこのような非常識な結論になってしまうのではないか。

品川芳宣氏は、要旨次のようにいう（注）。すなわち、この判決の結論のおかしさは、普通、空室の少ないほど入居者が多いから家賃が入って収益性が高まり、したがって評価が上がるのが常識なのに、この考え方でいくと空室が多いほど、つまり収益性が低いほど評価が高くなるという実に奇妙なことになる点だという。

そもそも貸家は、貸家であること自体で処分性が制約されるので、借家権割合（30％）までとはいかなくても、貸家ということである程度の減額を認めてもよいのではないか。

また、申告期限あるいは更正請求期限までに空室が埋まっているならば、建物全体を貸家として評価してもよいのではないか。

次に、敷地については貸家として建てたこと自体で処分性が制約され、入居者が1人でもいれば更に処分性が制約される。その処分性について、空室がどれだけあるかで減額の率を変える必要はないのではないかと述べている。

（注）　品川芳宣ほか共著「相続税財産評価の論点」（ぎょうせい）122頁以下

筆者も、どのような減額を行うかは別として、検討に値するものと思う。

しかし、これだけ常識的でない結論が最高裁まで持ち込まれて確定してしまった以上、国税庁も、いまさら最高裁の面子をつぶして取扱いを変更するわけにはいかず、問題を残してしまったことになる（注1～4）。

(注1) こうした意味から、納税者側は、本ケースは最高裁まで持ち込まず、控訴審の段階でとどめてほしかったように筆者は思っている。結果的には、同じく問題視されている財産分与の課税のケースと同じことになってしまったことが残念である。

(注2) ところで、その建物の全部又は一部が、貸し付けられているかどうかについては、課税時期における現況に基づいて行われるのが原則であるが、アパート等においては、課税時期にたまたま一時的に空室が生じていることもある。しかし、アパート等に現に借家人が存在している場合には、その借家人の有する権利は敷地全体に及ぶと考えられることから、このような一部に空室のあるアパート等については、入居者のいないアパートや一戸建ての貸家と異なり、借家人の存在がその敷地全体の価格形成において相当の減価要素となり得る場合もある。このように継続的に賃貸の用に供されているような場合について、原則どおり賃貸割合を算出することは、不動産の取引実態等に照らし、必ずしも実情に即したものとはいえないと考えられる。そこで、継続的に賃貸されていたアパート等の各独立部分で、例えば、次のような事実関係から、アパート等の各独立部分の一部が課税時期において一時的に空室となっていたにすぎないと認められるものについては、課税時期においても賃貸されていたものとして取り扱って差し支えないこととされている（評基通26（注2））。

　イ　各独立部分が課税時期前に継続的に賃貸されてきたものであること。
　ロ　賃借人の退去後速やかに新たな賃借人の募集が行われ、空室の期間中、他の用途に供されていないこと。
　ハ　賃貸されていない時期が、課税時期の前後の例えば1か月程度であるなど一時的な期間であること。
　ニ　課税時期後の賃貸が一時的なものではないこと。

(注3) この判決に対する評釈として、例えば「税務事例Vol. 28、No.11、6頁以下」を参照。

(注4) この点について、次のような回答がある（平成8年4月10日付「桜友第271号」（税理士桜友会）16頁）。やや長いが原文を引用する。

　「（前略）貸家建付地について減額評価を行うこととしているのは、貸家として貸し付けている家屋の価額は、観念的には所有者自体に属する部分

と借家人に属する部分との二つから構成されているとみることができ、両者の権利関係は敷地である宅地にも支配を及ぼすものであることがいえるからであると、上記評価方法が定められた当時、解説されています（「財産評価の仕方」昭和27.7.10税務経理協会）。このことからは、家屋に係る借家権の存在が減額評価の根拠であると理解されますが、当時は一戸建ての建物が大勢であったことを考慮する必要があります。

一方、現在、貸家の主流となっている賃貸用ビルなどについてみますと、空室率何％という記事が新聞に掲載されるように、いくらかの空室があるのがこれらの貸付業の常態であります。つまり、独立して住居、店舗、事務所等としての用途に供する独立部分を有する賃貸ビルや賃貸マンション等の場合には空室率程度の空室があるのが社会常識で、これが賃貸ビルや賃貸マンション等の現実の姿であるとすれば、その敷地は、その全部が通達に定める「貸家建付地」に該当するものとして取り扱われるべきであります。

つまり一戸建ての建物などと異なり、賃貸ビルや賃貸マンション等の場合には、実務上の取扱いとしては、空室の現況、空室のある建物全体の構造や利用の状況などを総合的に判断し、課税時期において空室部分を含めて、なおその全体が貸付けの用に供されるものであると認められるならば、そのような建物の敷地の全部が貸家建付地の対象とされるものと思われます。ただし、空室となった事情が自己使用目的など、貸付けのためのものではないと認められる場合や所有者の居宅や事務所と併用となっている賃貸用ビルである場合のこれら自己使用などに対応する部分の敷地は、当然のことながら貸家建付地の対象とはならず、その部分は自用地として評価されることになります。」

判決とはニュアンスが異なることに注意されたい。

③ **相続財産である立体駐車場はその相続開始時には駐車場事業の用に供されていないことから、小規模宅地等についての相続税の課税価格の計算の特例（措法69条の3（当時））の適用はないとされた事例**

この事例は、正確には評価に関連する判例ではないが、事業の用に供された時期の判断として参考になるので、ここで検討することとしたい。

イ　納税者の主張

(イ)　A社は立体駐車場を建設し、平成2年2月23日にD社と賃貸借仮契約を締結した。

㈡　この立体駐車場を納税者の被相続人がA社から平成2年12月26日に購入した。

㈢　被相続人は、C社と平成3年1月29日に業務委託契約を締結し、C社は更にB社と業務委託契約を同日に締結した。この際B社は被相続人と最低売上保証特約を締結して、C社、B社は営業開始日を平成3年2月1日として契約者及び従業員の募集を開始した。そして、駐車場の完成前から3件の保管契約が締結されている。

㈣　ところが、A社と立体駐車場の賃貸借仮契約を締結していたD社が、立体駐車場の引渡しを求める仮処分申請を東京地方裁判所に行い、平成3年1月30日に仮処分の執行が行われた。この結果立体駐車場の占有はD社に移り、2月1日からの営業ができなくなってしまった。

㈤　被相続人は、これに対し、立体駐車場の引渡しを求める仮処分申請を行ったが、係争中の平成3年4月30日に死亡してしまった。

㈥　ところが、東京地方裁判所は、同年5月1日D社の申請に係る仮処分決定を取り消すとともに、被相続人の申請を認める仮処分決定をした。その結果被相続人の相続人ら（以下「原告ら」という。）は立体駐車場の占有を取得し、平成3年5月2日以降営業を開始するに至った。

㈦　被告Y税務署長は、本件立体駐車場は、被相続人の相続開始時には未だ事業の用に供されているとはいえないとして、その敷地について小規模宅地等の課税の特例の適用を否認するが、次のとおり、相続開始時には、本件立体駐車場は事業の用に供されていたというべきである。

　　㈠　本件立体駐車場は、平成3年1月29日に完成し、1月31日に被相続人名義で所有権の保存登記がされている。

　　㈡　被相続人とB、C社は、上述のごとく業務委託契約に基づき、営業開始日を平成3年2月1日として、契約者、従業員の募集を開始していた。その結果一般利用者とB社との間で、立体駐車場の完成前に3件の保管契約が締結されていた。

　　㈢　以上のことからすれば、本体立体駐車場が事業の用に供されること

は、平成3年2月1日には、客観的に外部に明らかになっているというべきである。

　㈢　売上保証特約により、平成3年2月1日から同年5月1日までの間の売上保証金が被相続人に支払われているから、営業は平成3年2月1日から始まっているといってよい。

　㈭　平成3年5月1日まで、現実に営業できなかったのは、D社の妨害によるもので、その不利益を原告らに負わせることはできない。

　㈥　B社はC社に、C社は被相続人に対し固定賃料（売上保証）を支払うことになっているから単純な業務管理委託契約関係でなく、一括賃貸契約である。したがって、平成3年2月1日には契約による権利義務が発生しており、本件立体駐車場は事業の用に供しているといえる。

ロ　判決要旨（東京地裁平成8年6月21日判決、同旨控訴審東京高裁平成9年5月21日判決、最高裁平成10年2月26日判決）

　㈲　相続開始直前に事業の用に供されていたかどうかの判断基準は、客観的外形的に事業の用に供されていたことを必要とする。被相続人の責に帰することのできない事情や第三者の行為等の個別事情によって適用要件が欠けたとしても、そのような場合には判断の特例を予定する規定は設けられていない。

　㈺　駐車場業は、利用客から料金を収受するものであるから、事業が開始しているというためには、少なくとも、利用者が現実に利用できる状態になっていることが必要である。したがって、ある宅地が駐車場事業の用に供された時期は、それが利用可能となった時点、即ち駐車場事業の営業開始の時点というべきである。

　㈥　B社が被相続人の生前に行った募集活動は、営業開始の準備活動で、利用客と利用契約を締結していても、利用が不可能であれば、営業が開始しているとはみられないし、現実にB社が営業を開始したのは、平成3年5月15日以降と認められるので、相続開始の直前に、本件立体駐車場が事業の用に供されていたとは認められない。

㈡　原告らは、事業主の意図が客観的に外部に明らかにされれば、事業用宅地と認めるに足りると主張するが、事業を開始していなければ、相続人に承継されるべき生活基盤、社会的基盤が未形成なのに、特例を適用することになり、小規模宅地の課税の特例の趣旨に反することになる。

㈢　事業の用に供し得なかった期間について営業収益に代わる金銭即ち売上保証金が支払われているといっても、相続開始の直前に事業の用に供されていない以上は、本件特例は適用できない。

㈣　原告らは、業務委託契約が単に事務の委任に止まらず、受託者から賃料を支払うという賃貸借契約に類似するものであることから、委託契約に基づく権利義務の発生をもって事業の用に供した時期として判断すべきと主張する。その理由は、被相続人は管理報酬の支払によって売上保証金を取得することができるから、被相続人の事業の「自己の計算と危険」は委託に尽きるというにある。しかし、売上保証額を達成できなかった場合は、別途協議することができることになっているので、「自己の計算と危険」は、依然被相続人が負担していることになるから、被相続人の事業としてとらえるべきは、本件立体駐車場の運営・管理行為である。

　また、本件業務委託行為をもって、一括賃貸契約であると解しても、立体駐車場を提供することが可能であったことが前提であり、契約の締結のみをもって、事業用の敷地を「事業の用に供した」ことになるものではない。

㈤　以上の点から、本件宅地が相続開始前に本件土地が被相続人の事業の用に供されていたと認めることはできない（注）。

　（注）　相続開始時に事業の用に供されていたかどうかが争われた事例としては、本件事例のほか、次のようなものがある。

　　㋐　**信託契約が締結されていても賃貸借契約が相続開始前に締結されていなければ小規模宅地等の課税の特例の適用はないとされた事例**
　　〔納税者の主張〕
　　（ⅰ）　本件建物１、２Ｆ部分は、受託者であるＡ信託銀行が、本件信託契

約に基づき、賃貸事業を目的として管理運用し、B社との間で本件賃貸借契約の契約内容に関する覚書を作成するなどしていたのであるから、本件相続の開始時において、たとえ賃借人が占有していないとしても、実質的には貸家に該当するから、本件敷地部分も貸家建付地に該当するというべきである。

(ⅱ) 本件土地については、被相続人とA信託銀行との間で、賃貸事業用である本件建物1、2F部分の敷地に供する目的で管理運営する旨の本件信託契約が締結されていたのであるから、本件敷地部分は、本件相続開始の直前において、本件特例にいう事業用宅地に該当するというべきである。

仮に、本件信託契約の締結をもって、事業が開始されたとはいえないとしてもA信託銀行は、本件相続の開始前に、本件借物の賃貸人の募集を広告し、管理会社に管理料を支払い、B社との間で覚書を作成するなど、賃貸事業の準備行為をしていたから、本件敷地部分は、本件相続の開始の直前において、事業の用に供され、したがって事業用宅地に該当するというべきである。

〔判決要旨〕（東京地裁平成6年7月22日判決・同旨東京高裁平成6年12月22日判決・確定）

(ⅰ) 相続財産評価に関する基本通達（93及び96）にいう貸家及び貸家建付地とは、現に借家権の目的となっている家屋及びその敷地の用に供されている土地をいうと解され、貸家及び貸家建付地に当たるか否かは、相続開始時を基準として判断されるべきところ、本件建物について賃借人とA信託銀行が賃貸借契約を締結したのは本件相続開始後であるから、本件相続開始時において、建物及びその敷地部分は、貸家及び貸家建付地に該当していたとはいえない。

(ⅱ) 信託財産が措置法69条の3第1項に規定する事業用資産に該当するか否かについては、信託財産の各構成物の実際の利用状況に照らし、相続開始の直前において、現実に事業の用に供されていたか否かという観点から判断されるべきであるところ、本件建物について賃借人とA信託銀行が賃貸借契約を締結したのは本件相続開始後であるから、敷地部分は、本件相続の開始の直前において、現実に賃貸事業の用に供されていたということはできない。

ロ 建築請負契約が締結されていても未だ工事に着手していない土地について小規模宅地等の課税の特例は適用できないとされた事例

〔納税者の主張〕

新規取得に係る居住用建物の建築請負契約は被相続人の生前に締結されていたが、実際に建築工事に着手したのは相続開始後であった。しかし、相続開始時に建築工事に着手していなくても、工事請負契約を締結し、居住用建物の敷地として使用されることが客観的に明らかな場合には、小規模宅地等の課税の特例が適用されるべきである。

〔判決要旨〕（東京地裁平成8年3月22日判決・同旨控訴審東京高裁平成9年2月26日判決・上告審最高裁平成10年6月25日判決）

　措置法69条の3の適用において、建築中の居住用建物の敷地を居住用宅地として扱うことは合理的であるが、その取扱いは、居住用建物が建築中であることにより、当該土地について、既に居住用建物の敷地としての使用が具体化ないし現実化しているとみることができることによるものというべきであるから、そのためには少なくとも相続開始時に当該土地上において現実に居住用建物の敷地として使用されることが、外形的・客観的に明らかになっている状態であるといえることが必要であると解すべきであり、相続開始時において、単に当該土地に居住用建物を建築する計画があるとか、居住用建物の建築請負契約を締結しているというだけで、現実には未だその建築工事に着手していない場合には、その土地は単なる建築予定地でしかなく（居住用建物の敷地としての土地の使用が未だ具体化ないし現実化しているということができない。）これを居住用宅地として扱うことはできないというべきである。措置法69条の3のような例外的な措置として定められた規定の解釈は、租税公平の観点からも厳格に行われるべきであるところ、相続開始時において、その土地上の居住用建物の建築計画があることや建築請負契約を締結しているだけで、未だ建築工事すら着手されておらず、更地のまま具体的に使用されていない土地についてまで、本件特例の居住用宅地に当たると解することは、措置法69条の3の規定の文言に照らし困難であるといわざるを得ない。……被相続人は、相続開始時において、居住用建物を本件宅地上に建築するための請負契約を締結してはいたが、建物の建築工事に着手されたのは、相続開始の日から2ケ月以上経過した後であり、相続開始時においては、建物の建築確認申請も工事の着手もされておらず、更地の状態であったのであるから、本件宅地について措置法69条の3を適用することはできない。

ハ　コメントと私見

　この立体駐車場のケースは、（注）の㋑で示した信託のケース及び建築請

負契約のケースに比べると、自動車の保管契約が相続開始前に数件行われているが、現実に利用できる状態になっていないとして、事業開始とは認められなかった。

また、売上保証があり、一括賃貸契約ではないかという点についても目的物の引渡しがない以上事業の用に供したとは認められないとされた。

この判決は、②のマンションの空室部分の貸家評価否認の判決に比べると、納税者側の主張に対して、一つ一つ判断をして答えており、その点では丁寧で、誠実な判決といえよう。しかし、結局は、すべての判断の根拠は現実に事業の用に供されていないの一点で、その意味では極めて厳格な判決といわざるを得ない。

しかし、相続開始に建物が着工中である場合には、小規模宅地等の特例の適用を認める取扱いと比して、もう少し弾力的な考えがとれなかったものかと考える。ついでにいえばこの取扱いは、事業の場合は、従来の事業の継続が前提だが、居住用の場合は新規着手でもよいとされている（措通69の4－3、69の4－6）。

この差について当局者は、

(イ) 事業の場合は事業の継続性に配慮した取扱いである。

(ロ) 居住用の場合は、すべての者に共通して必要な生活基盤であるから、居住の継続という点では、建築中であっても現に居住の用に供しているものと同等の必要性があるからである。

としている。

なお、本件について、本件立体駐車場は、相続税対策のため、多額の借入金で取得したもので、本件駐車場業は、採算無視の大幅な赤字が予想されるため、本来、事業に該当しないから特例の適用はない旨を課税庁が主張していた。判決では、この点については「その余の点については判断するまでもなく」として何らの判断をしていない。しかし、本件判決の厳格な姿勢は、こういった事情もあるのではないかとも推測される。

Ⅲ 負担付贈与通達

1 総説

　平成3年ごろまでは、事実として、不動産の通常の取引価格と相続税評価額との間に少なからぬ乖離が見られたことから、この開きに着目して、負担付贈与又は低額譲受けの方法によって、贈与税の負担を回避しようとする行為が頻発するとともに、節税方法として世に喧伝されたため、その弊害がきわめて大きいものとなっていった。そこで、国税庁はこのような税負担回避行為に対して、課税の公平を確保するという考えの下に、平成元年3月29日付直評5、直資2－204「負担付贈与又は対価を伴う取引により取得した土地等及び家屋等に係る評価並びに相続税法第7条及び第9条の規定の適用について」（以下「負担付贈与通達」という。）を発遣したものである。

　この取扱通達は、次の2項から成っている。
(1) まず、第1項は、個人が、土地等及び家屋等を負担付贈与又は対価を伴った取引により取得した場合の価額については、その取得時（課税時期）において自由な経済取引の下で通常成立すると認められる取引価額によって評価するものとしている。そして、贈与者等が取得又は新築した土地等又は家屋等の取得価額が、課税時期の通常の取引価額に相当する金額として課税上弊害がないと認められる場合には、その取得価額（家屋等については、定率法による減価償却後の金額）相当額で評価することとしている。
(2) 次に、第2項は、対価を伴う取引により取得した土地等又は家屋等の価額は、(1)により、その土地等又は家屋等を取得した時における通常の取引価額に相当する金額によって評価されることになるので、対価を伴う取引

による土地等又は家屋等の取得が、相続税法第7条の「著しく低い価額の対価で財産の譲渡を受けた場合」又は後述の同法第9条の「著しく低い価額の対価で利益を受けた場合」に当たる場合には、その取得者がその土地等又は家屋等の通常の取引価額から対価の額を控除した金額相当の贈与を受けたものとみなされて贈与税の課税を行うものとしている。

そして、これらの「著しく低い価額の対価」で財産の譲渡又は利益を受けた場合に該当するかどうかについては、みなし贈与規定の趣旨を踏まえ、個々の取引について取引の事情、取引当事者間の関係等を総合勘案し、実質的に贈与を受けたと認められる金額があるかどうかにより判定するものとしている。

この場合、土地等又は家屋等の実際の取得価額を下回る対価による取引があった場合には、取引当事者の一方が明らかに損をしてまでそのような取引が行われた事情として土地等又は家屋等の価額の下落など合理的な理由があると認められるときを除きみなし贈与の規定を適用するものとしている(注)。

(注) この取扱いは、取引に係る対価の額がその土地等又は家屋等の実際の取得価額を上回れば「みなし贈与」の規定を適用しないというものではないので、対価の額が、実際の取得価額を上回っていても、前述の「著しく低い価額の対価で利益を受けた場合」などに当たれば、当然「みなし贈与」の規定が適用されることになる(前掲「相基通解説」766頁)と説明されている。

なお、当然のことではあるが、負担付贈与通達が適用されるケースでは、土地等又は家屋等の評価については、財産評価基本通達の適用が排除されている(負担付贈与通達前文参照)。

したがって、「低額譲渡」の問題のメインの対象である客観的時価と相続税評価額との乖離の大きかった不動産については、著しく低い対価による取得の判断の基礎となる価額は、課税庁側としては、課税時期における通常の取引価額即ち実勢価額によることが明らかにされている。また、「著しく低い」か否かの判定についても、一律の割合や金額ではなく個別に判断するこ

とが明らかにされているといえるであろう。

　ところで、この取扱いは、現在、次のような問題があるように思われる。
① この取扱いが土地等又は家屋等に限ることの合理的理由が完全には明らかではないこと。
② 相続税法第7条は「著しく低い価額の対価」で資産の譲渡等がされたことが要件であるのに、合理的な理由のない限り、取得価額を下回る対価で譲渡がされた場合は、第7条を適用するというのは、税法の明文と抵触すると考えられるが、この点について公式な説明がされていないこと。
③ 後でも取り上げるが、現在の情況は、特に土地については、取引価額と相続税評価額の水準が極めて接近し、一部では逆転現象すら生じているといわれており、この通達の存在意義自体が問われていること。

2　私　見

　まず、相続税法第7条の規定の適用の基礎となる譲渡財産の時価の判断については、従来相続税評価額の水準（特に土地の評価水準）が客観的時価と著しく乖離していた時代においては、租税回避を防ぐために、対価と比較するための時価は、客観的時価によることはやむを得なかったものと考える（前掲東京高裁昭和58年4月19日判決も、このような趣旨で、実務上の取扱いを是認しているものと考える。）。また、「著しく低い」と判断されても、実際に贈与とみなされる金額は、相続税評価額と対価との差額であるから、実際には、それほど問題とされるケースは少なかったものであろう。

　しかし、現在のように地価の下落と評価水準の上昇により、取引価格と相続税評価額が近接してきている状況では、法律解釈としていささか問題なしとしない従来の取扱いにこだわることなく、相続税法第7条（したがって第9条も）に規定する時価は、相続税評価額によることとするのが、無理のない解釈であろう。もちろん、そのためには、取引価格と相続税評価額にかつてのような極端な乖離が生じないよう当局に努力をお願いしたい。

　次に、「著しく低い」か否かの判定について、所得税の場合のような2分

の1基準が必要ではないかという批判に対しては、同じ実務家としては、同感できる点もあるが、前掲東京高裁判決がいうように、所得税の場合は、本来は譲渡者が実際に取得した収入金額により課税されるのが原則であって、未実現の増加益を課税対象とするのは例外的な措置であるから、その例外措置が適用されるのは限定的となるのは当然で、それ故にこそ、収入金額が、時価の2分の1未満のような極端な場合に限り、みなし譲渡課税（しかも、法人に対する譲渡に限られる。）の対象にしているものと解される。

これに対し、贈与税の場合は、利益を受けた側の課税であるから、個別ケースにより受贈益を判断するというのは極めて自然であり、一律の割合あるいは金額で判定するというのは、却って租税回避の誘引となるおそれがあろう。ただ、僅少の差にまですべて課税するというのは、「著しく低い」という法律上の要件に抵触するもので、その点現行の負担付贈与通達の取得価額を下回る対価の場合はすべて相続税法第7条の規定を適用するという考え方には賛同しかねるものである。

なお、この問題は、次の3で更に詳細に検討する。

3　負担付贈与通達に係る訴訟

親族から譲渡された土地の価額に、路線価による相続税評価額を適用したことに対してなされた贈与税の更正処分の取消しを求めていた事案に関し、平成19年8月、東京地裁が国側の主張を退ける判決を下した。

この判決では、国側が課税の根拠とした「負担付贈与通達」における「実質的に贈与を受けたと認められる金額」があるかどうかという判定基準は、相続税法第7条の趣旨に沿ったものとは言い難く、基準としても不明確であると指摘され、「個々の事案に対してこの基準をそのまま硬直的に適用するならば、結果として違法な課税処分をもたらすことは十分考えられる」という判断が示された。

この判決に対し、国側は、個別事件の判断で、負担付贈与通達自体が違法と判断されたものではないとして控訴せず、判決は確定した。しかし、この

判示は、不明確な点が多く、結局負担付贈与通達を否定したものではないかとの批判も少なくない。そこで、この事件について、詳しく検討してみる。

(1) **事実関係の概要**

　この判決は、平成19年8月23日に東京地裁において下されたものである（平成18（行ウ）562号、贈与税決定処分取消等請求事件・TAINS:Z888－1280）。

　まず、この事件の事実関係のあらましを紹介する。

① 丙と甲（原告）は夫婦で、乙（原告）と丁はその間の子である。

　有限会社A興産（以下「A興産」という。）は、甲が代表者であり、乙及び丁が全額出資している会社である（【図表1】参照）。

② 丙は、平成13年8月23日、戊から、東京都内の宅地857.75m^2（以下「本件土地」という）及びこれに隣接する私道4.13m^2を4億4,200万円で買い取った（【図表2】参照）。

　また、A興産は、同日同じ戊から本件土地上の建物2棟（以下「本件各建物」という。）を7,800万円で買い取った。

③ 丙（後述の分割により共有者となった者を含む。）は、本件土地を取得後、これをA興産に1m^2当たりおおむね2万円の地代で貸し付けたが、権利金の支払はなかった。月2万円の算定根拠は、本件土地の路線価1m^2当たり36万円（平成13年から平成15年まで）を基に計算した本件土地の価額の6％相当額である。

(2) **各争点に対する当事者の主張と裁判所の判断**

　この事件における争点は、次のとおりである。

① 相続税法第7条にいう「時価」の意義
② 相続税法第7条にいう「著しく低い価額」の判定基準
③ 本件各売買の代金額の「著しく低い価額」の対価該当性
④ 負担付贈与通達の適用の問題

　以下これらの各争点ごとに、原告又は被告の主張と、それに対する裁判所の判断を示して行こう。

【図表1】本件関係図

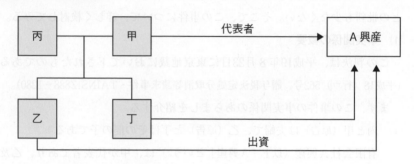

【図表2】本件土地等の取得図

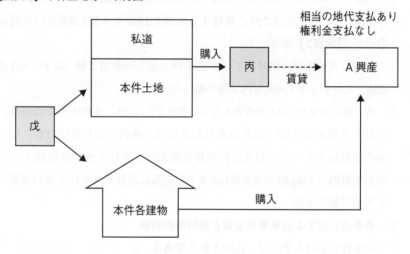

(3) 相続税法第7条にいう「時価」の意義

① 原告の主張

「財産の評価は財産評価基本通達によって行われる」という課税実務上の取扱いを前提にすると、相続税法第7条（低額譲受）における「時価」は、（同法第22条《評価の原則》における時価と同じく）原則として相続税評価額のことをいうと解すべきであり、特別の事情が認められて初めて、相続税評価額以外の価額をもって時価ということができる。

租税負担の実質的な公平を実現するためには、評価基本通達の定める画一的な評価方法が形式的にすべての納税者に適用されることこそが必要である。この評価方法によることが、不合理かつ違法となるような特別の事情が認められない限り、それ以外の方法による評価をすることはできない。

② 裁判所の判断

　相続税法第22条にいう「時価」について検討すると、財産評価基本通達により財産評価の一般的基準を定め、これに定められた方法によって画一的に評価をするという課税実務上の取扱いは、納税者の便宜、公平、徴税費用の節減という見地からみて合理的である。したがって、財産評価基本通達の定める画一的な評価方法を形式的にすべての納税者に適用して財産の評価を行うことは、租税負担の実質的公平を実現するものとして是認することができる。

　このような合理性がこの実務上の取扱いを正当とするのであって、原告らの主張するように、その正当化のために、同条にいう時価を相続税評価額と同視しなければならないという理由はないと解される。

　相続税評価額は、画一的な評価方法によって評価された価額であるという点で合理性が認められるといえる。すなわち、それが客観的交換価値を超えない限りにおいて、課税実務上、同条にいう時価に相当するものとして通用するに過ぎない。

　同条は、相続税評価額を課税実務上時価に相当するものとして使用することを許容していると解される。しかし、現実には、「相続税評価額」と「時価（すなわち客観的交換価値）」との間に開差が存在することは否定することができないのであり、これをあえて同じものとみなす必要はないし、そのようにすべきでもないのである。

　そうであるからこそ、原告らも主張するように、特別の事情のある場合には、相続税評価額を離れ、時価すなわち客観的交換価値をよりよく反映していると考えられる別の評価方法によって評価を行うべきこととなるものである。

以上のとおり、同条にいう時価を相続税評価額と同視しなければならないとする必要はないのであるから、そこにいう時価は、やはり、常に客観的交換価値のことを意味すると解すべきである。そして、同法第7条にいう「時価」と同法第22条にいう「時価」を別異に解する理由はないから、同法第7条にいう時価も、やはり、常に客観的交換価値のことを意味すると解すべきである。

(4) 相続税法第7条にいう「著しく低い価額」の判定基準

① 被告の主張と裁判所の判断：その1

イ　被告（課税当局）の主張

　相続税評価額が地価公示価格と同水準の価格の約80％であるとすると、地価が安定して推移している場合や上昇している場合には、この開差に着目し、実質的には、贈与税の負担を免れつつ贈与を行った場合と同様の経済的益の移転を行うことが可能になる。

　このことが、租税負担の公平の見地から相当でないことは明らかである。

ロ　裁判所の判断

　仮に時価の80％の対価で土地を譲渡するとすれば、これによって移転できる経済的利益は当該土地の時価の20％にとどまるのであり（換価することまで考えれば、実際の経済的利益はそれよりさらに低くなるであろう）、被告の主張するように「贈与税の負担を免れつつ贈与を行った場合と同様の経済的利益の移転を行うことが可能になる」とまでいえるのかはなはだ疑問である。

　そもそも被告の上記主張は、相続税法第7条自身が、「著しく低い価額」に至らない程度の「低い価額」の対価の譲渡は許容していることを考慮しないものであり、妥当でない。

② 被告の主張と裁判所の判断：その2

イ　被告の主張

　「著しく低い価額」の対価に当たるか否かは、単に時価との比較（比率）のみによって決するものではなく、「実質的に贈与を受けたと認められる金額」の有無によって判断すべきであり、あるいは、第三者との間では決して

成立し得ないような対価で売買が行われ、当事者の一方が他の負担の下に多額の経済的利益を享受したか否かによって判断すべきである。

ロ　裁判所の判断

相続税法第7条は、当事者に実質的に贈与の意思があったか否かを問わずに適用されるものであり、実質的に贈与を受けたか否かという基準が妥当なものとは解されない。

また、この基準によるとすれば、時価よりも低い価額の対価で譲渡が行われた場合、客観的にみて譲受人は譲渡人から一定の経済的利益を無償で譲り受けたと評価することができるのであるから、そのすべての場合において実質的に贈与を受けたということにもなりかねず、単なる「低い価額」を除外し「著しく低い価額」のみを対象としている同条の趣旨に反することになるというべきである。

次に、第三者との間では決して成立し得ないような対価で売買が行われたか否かという基準も趣旨が明確でない。仮に、「第三者」という表現によって、親族間やこれに準じた親しい関係にある者相互間の譲渡とそれ以外の間柄にある者相互間の譲渡とを区別し、親族間やこれに準じた親しい関係にある者相互間の譲渡においては、たとえ「著しく低い価額」の対価でなくても課税する趣旨であるとすれば、同条の文理に反するというほかない。

また、時価の80％程度の水準の対価であれば、上記の意味での「第三者」との間で売買が決して成立し得ないような対価であるとまでは断言できないというべきである。

③　被告の主張と裁判所の判断：その3

イ　被告の主張

当該財産の譲受けの状況の一要因である「個々の取引の意図、目的その他合理性」といったことが、「著しく低い価額」に当たるか否かを判断する際の一事情として考慮されるべきものである。

ロ　裁判所の判断

取引の意図、目的、合理性といった事情を考慮するとなると、結局、当事

者に租税負担回避の意図・目的があったか否かといった点が重要な考慮要素になると思われるが、相続税法第7条は、親子間や兄弟間で時価より著しく低い価額の対価で財産の移転が行われることとなれば贈与税の負担が回避され、本来負担すべき相続税の多くの負担を免れることを防止するための規定であり、租税負担回避の意図・目的があったか否かを問わず、また、当事者に実質的な贈与の意思があったか否かをも問わずに、同条の適用があるというべきであるから、被告の主張は、同条の趣旨に反するというべきである。

(5) 本件各売買の代金額の「著しく低い価額」の対価該当性
① 被告の主張と裁判所の判断：その1
イ 被告の主張

権利金の収受がなく、かつ、「相当の地代」が収受されている貸宅地の評価に当たり、当該土地の自用地としての価額から20％相当額を控除するのは、あくまで通常の貸宅地の評価方法との整合性を保つための課税上の配慮に基づくものに過ぎず、時価を評価するに当たっては本来この控除をする必要がない。

ロ 裁判所の判断

20％を控除する趣旨は、単なる課税上の配慮ということはできず、借地借家法等の法律上の制約が存在することをも考慮したものであるから、被告の主張は採用することができない。

被告は本件土地について、賃貸人と賃借人との間に家族関係を基礎とした密接な関係があることをその主張の根拠とするようである。しかし、たとえそのような密接な関係があるとしても、賃借人であるA興産が賃貸人である丙ないしその承継人である原告らから独立した人格を有する会社であることを一概に否定することはできない。特に、本件土地上の本件各建物は、原告ら家族とは全く関係のない第三者に賃貸されていることが認められる。このことからしても、本件土地の取引に当たっては借地借家法等の法律上の制約が存在することが重要な考慮要素となると認められ、自用地としての価額（更地価格）から20％相当額を控除することは正当な評価方法というべきで

ある。
② 被告の主張と裁判所の判断：その2
イ　被告の主張
(イ)　本件各売買は、丙が、平成15年中に本件土地を親族に譲渡することによって、譲渡所得の損失の額を確定させ、丙の同年分の所得税の計算上、翌年には廃止されると見込まれる損益通算を可能にするとともに、丙の親族間における資産構成を変えることを主目的として行われたものである。
(ロ)　本件各売買の代金額は平成15年の路線価36万円を基に計算されたものであり、同売買によって丙に生じたとされる損失の額は1億1,611万円余にも上る。本件土地については、平成13年に丙が取得してから若干の地価の下落があったとは認められるものの、本件各売買に際し、その代金額を1億1,611万円余もの損失を伴う価額とする合理的理由となるほどの下落ではない。
(ハ)　以上の事実関係を基に検討すると、丙は本件各売買の代金額決定の理由として贈与課税に係る問題を挙げるのみで、その客観的交換価値を調査した形跡すらうかがわれず、本件土地について取得価額を1億円余も下回る価額で売却したことの合理的理由は見当たらない。

そうすると、丙は、第三者との間で売買したとすれば決して成立し得なかったであろう金額で、本件土地持分の売買を原告らとの間で行い、それによって、第三者へ丙が譲渡したとした場合の金額と本件各売買の代金額との差額に相当する経済的利益を原告らに享受させたのであるから、本件各売買は、相続税法第7条にいう「著しく低い価額」の対価で財産を譲渡した場合に当たる。

ロ　裁判所の判断
　被告が相続税法第7条適用の根拠として指摘しているのは、(イ)本件各売買の売主である丙の側に自己の所得税の負担を軽減しようという明確な意図があったことと、(ロ)丙が原告らに対して一定の経済的利益を享受させる意思をもって本件各売買を行ったことである。しかし、既に検討したように、当事

者に贈与の意思や租税負担回避の意思があったか否かによって同条の適用が左右されることはないのであるから、丙の側の意思、意図を強調する被告の主張は採用することができない。

なお、被告の主張によれば、丙の意図としては、自己の所得税負担を軽減することに重きが置かれているようであるが、そのような売主側の事情をもって、買主である原告らへの贈与税課税の根拠とすることも疑問である。

また、これも既に検討したとおり、同条は「著しく」低額でない限り、時価より低額での財産の譲渡が行われることを許容しているのであり、丙が原告らに一定の経済的利益を享受させたとしても、それが著しい程度のものと認められない限り、同条は適用されないのである。

さらに、租税の公平負担の要請から実質的にみても、本件各売買の代金額と本件土地の時価や相続税評価額との比較に加え、(イ)丙が平成13年8月に本件土地を購入してから平成15年12月に本件各売買が行われるまで2年以上の期間が経過していること、(ロ)本件各売買により原告らが取得したものは土地の持分であり、容易に換価できるものではなく、実際に原告らもこれを換価してはいないこと、(ハ)被告の主張を前提としても、丙が本件各売買をしたことには流動資産を増やしたいとの一応合理的な理由があったことなどの事情を考慮すれば、本件各売買が、明らかに異常で不当であるといえるような、専ら租税負担の回避を目的として仕組まれた取引であると認めることはできない。

結局、いずれの見地からしても、被告の上記主張は採用することができない。

(6) 負担付贈与通達の適用の問題

① 被告の主張

いわゆる負担付贈与通達（平成元年3月29日付直評5・直資2-204）が本件各売買により適用される結果、相続税法第7条が適用されることになる。

② 裁判所の判断

負担付贈与通達1にいう「通常の取引価額」とは、時価すなわち客観的交

換価値のことを意味するものと解される。原告らは、土地について相続税評価額によらずに「通常の取引価額」を基準として評価すること自体許されないとし、したがって同通達は違法不当であると主張する。この点については、既に検討したとおり、相続税法第7条にいう時価は客観的交換価値のことを意味するのであるから、原告らの主張は採用することができない。同条の観点からみる限り、同通達1は正当である。

同通達2は、同条にいう「著しく低い価額」の対価による譲渡に当たるかどうかは、個々の取引について取引の事情、取引当事者間の関係等を総合勘案し、実質的に贈与を受けたと認められる金額があるかどうかにより判定するものとしている。既に検討したとおり、ここにいう「実質的に贈与を受けたと認められる金額があるかどうか」という判定基準は、同条の趣旨に沿ったものとはいい難いし、基準としても不明確であるといわざるを得ないほか、「著しく低い」という語からかけ離れた解釈を許すものとなっており、その意味で妥当なものということはできない。しかし、同通達2は、結局のところ、個々の事案に応じた判定を求めているのであるから、上記のような問題があるからといってそれだけで直ちにこれを違法あるいは不当であるとまではいえないというべきである。もっとも、個々の事案に対してこの基準をそのまま硬直的に適用するならば、結果として違法な課税処分をもたらすことは十分考えられるのであり、本件はまさにそのような事件であると位置付けることができる。

(7) **結　論**

以上の検討によれば、本件各売買に相続税法第7条を適用することはできないから、本件各処分のうち同条が適用されることを前提とした部分はすべて違法である。……その余の争点について判断するまでもなく、原告らの請求はいずれも理由があるので、これらを認容する。

(8) **国税庁の対応**

この判決に対し、課税当局は控訴をすることなく、本件は確定している。しかし、判決は通達が違法であるとはしておらず、また、「土地の売買代

金額と土地の時価や相続税評価額との比較に加え、譲渡人が土地を取得してから売買まで2年以上経過していること、売買により譲受人が取得したものは換価性の低い土地の持分で、容易に換価できるものでもなく、また、実際に換価していないこと、譲受人が土地を売買したことには、流動資産を増やしたいという、一応合理的な理由があったこと」などの個々事実関係を総合的に判断している。

このようなことから、国税庁では「今回の判決は、通常取引される価額の80％相当額以上の取引がすべて『著しく低い価額』には当たらないといった画一的な基準が示されたものではないと認識しており、当局としては、『著しく低い価額』であるか否かは、従来通り個々の事案ごとに取引の事情、取引当事者間の関係など個々の事実関係を総合的にみて判断するものと考えているので、通達の廃止や改正は考えていない」としている（「税のしるべ」2007年9月17日号1面）。

(9) 判決の検討

① 裁決事例

この事件の検討に入る前に、同様な事例で国税不服審判所の裁決において、相続税法第7条を適用した課税処分を取り消した前例（平成15年6月19日裁決・裁決事例集平成15年上期分 No. 65・576頁以下）があるので、ここでその裁決の要旨を紹介する。なお、本件に係る裁決（平成18年5月24日裁決・裁決事例集 No. 71・473頁）では、課税当局の処分が支持されている。

（裁決の要旨）

「本件の場合、①譲渡人は高齢となり、アパート経営及び管理が煩わしくなったこと及び譲渡人自身の借入金を返済することから本件不動産を譲渡したものであり、請求人（譲渡人の孫）は将来のことを考えて、金融機関から取得資金を借り入れて本件土地を取得したものであること、②売買価額（52,000,000円）は固定資産税評価額を参考に、利用形態を考慮して決定したもので、課税当局が主張するとおり、土地の時価が65,538,875円であるとし

ても、時価の79.3％であること、③譲渡人は、本件不動産を相続により取得したもので、長期間所有していた本件不動産を譲渡したものであること及び④本件不動産の譲受価額が71,950,000円であるところ、本件不動産の相続税評価額は69,236,309円であり、譲受価額が相続税評価額を上回っていることを総合勘案すると、本件土地の譲受けは相続税法第7条に規定する「著しく低い価額の対価」による譲受けには該当しないとするのが相当である。」

　本件の判決文上には表われていないが、本件の審理では、原告側は、この裁決を基に処分の取消しを主張したといわれている。そして、この主張が原告の勝利につながったともいわれている。
② 判決の要点と評釈
　この事件の判決については、理論的にも実務的にも大きな意義と問題があると思われ、事実、新聞・雑誌でも取り上げられている。判例の解説・評釈としては、後述の佐治俊夫氏「原告側の確信が勝訴を導くが、裁判所の判示には疑問も」（「T&A master」No.226-2007年9月10日号18頁以下。以下「佐治評釈」という。）及び奥谷健島根大学准教授「みなし贈与における「著しく低い価額」の判定基準」（「税務QA」（税務研究会）2007年11月号36頁以下。以下「奥谷評釈」という。）の2編が筆者の知り得たものである。
　また、評釈ではないが、品川芳宣・緑川正博両氏の対談「負担付贈与通達判決は、実務上、疑問を残したままだ！！（上）（下）」（「速報税理」2007年11月11日号20頁以下及び同11月21日号30頁以下。以下「品川・緑川対談」という。）でも、詳細な判決批評が展開されている。
　そこで、まず判決の骨子を簡単に再録し、次に、これらの評釈のうち、奥谷評釈については判決賛成の立場のようなので簡単に紹介し、判決に批判的な立場をとる佐治評釈及び品川・緑川対談について、やや詳しく紹介する。
イ　判決における判示
㈠　相続税法第7条における時価の意義と「著しく低い価額」の判定基準
　財産評価基本通達により財産評価の一般的基準を定め、これに定められた

方法によって画一的に評価をするという課税実務上の取扱いは、納税者の便宜、公平、徴税費用の節減という見地からみて合理的である。…同条（筆者注：相続税法第22条）は、相続税評価額を課税実務上時価に相当するものとして使用することを許容していると解されるが、現実には、相続税評価額と時価すなわち客観的交換価値との間に開差が存在することは否定することができないのであり、これをあえて同じものとみなす必要はないし、そのようにすべきでもない。

「著しく低い価額」の対価とは、その対価に経済合理性のないことが明らかな場合をいうものと解され、その判定は、個々の財産の譲渡ごとに、当該財産の種類、性質、その取引価額の決まり方、その取引の実情等を勘案して、社会通念に従い、時価と当該譲渡の対価との開差が著しいか否かによって行うべきである。

市街地にある宅地の場合、相続税評価額は、平成4年以降、時価とおおむね一致すると考えられる地価公示価格と同水準の価格の約80％とされており、これは、土地の取引に携わる者にとっては周知の事実であると認められる。このように相続税評価額が時価より低い価額とされていることからすると、相続税評価額と同水準の価額を対価として土地の譲渡をすることは、その面だけからみれば経済合理性にかなったものとはいい難い。しかし、一方で80％という割合は、社会通念上、基準となる数値と比べて一般に著しく低い割合とはみられていないといえる。…そうすると、相続税評価額は、土地を取引するに当たり一つの指標となり得る金額であるというべきであり、これと同水準の価額を基準として土地の譲渡の対価を取り決めることに理由がないものということはできず、少なくとも、そのようにして定められた対価をもって経済合理性のないことが明らかな対価ということはできないというべきである。

㈡　負担付贈与通達について

負担付贈与通達1にいう「通常の取引価額」とは、時価すなわち客観的交換価値のことを意味するものと解される。原告らは、相続税評価額によらず

に「通常の取引価額」を基準として評価すること自体許されないから同通達は違法不当であると主張するが、原告の主張を採用することはできない。相続税法第7条にいう時価は客観的交換価値を意味するから同条の観点からみる限り同通達は正当である。

　同通達2は、同条にいう「著しく低い価額」の対価による譲渡に当たるかどうかは、個々の取引について取引の事情、取引当事者間の関係等を総合勘案し、実質的に贈与を受けたと認められる金額があるかどうかにより判定するものとしている。…ここにいう「実質的に贈与を受けたと認められる金額があるかどうか」という判定基準は、同条の趣旨に沿ったものとはいい難いし、基準としても不明確であるといわざるを得ないほか、「著しく低い」という語からかけ離れた解釈を許すものとなっており、その意味で妥当なものということはできない。しかし、同通達2は、結局のところ、個々の事案に応じた判定を求めているのであるから、上記のような問題があるからといってそれだけで直ちにこれを違法あるいは不当であるとまではいえないというべきである。もっとも、個々の事案に対してこの基準をそのまま硬直的に適用するならば、結果として違法な課税処分をもたらすことは十分考えられるのであり、本件はまさにそのような事例であると位置付けることができる。

ロ　奥谷評釈

(イ)　相続税法第7条の「時価」と判定基準

　「たしかに相続税法22条により相続財産は時価によって課税されることになっています。その時価が客観的な交換価値であるという点は問題がないように思われます。

　しかしながら、その時価については実務上、財産評価基本通達により地価公示価格の8割程度として扱っているのが現状です。そのことからすれば、相続税法22条における「時価」は地価公示価格の8割程度までの幅をもった概念であると考えられなくもありません。そうであれば、相続税法7条における「時価」も同じように解するべきで、原告らがそれと同水準の価格で取引を行うことは何ら経済的合理性を欠くものだとはいえないと思われます。

つまり、客観的交換価値の8割程度の価額を相続税法7条における「著しく低い価額」と認定することは合理性がないと考えられるのです。

このように考えると、裁判所の判断は妥当なものであると思われます。」

(ロ) 負担付贈与通達

「こうした形で実質的な判断がなされ、この通達の適用が否認されたという点では評価できるように思われます。しかしながら、この負担付贈与通達自体の違法性や不当性は認められていません。そのため、この通達がどのような場合に適用されるのか、不明確なままであるようにも思われます。

本件は控訴されずに確定しました。そのため、この判決の理論と負担付贈与通達がどの程度まで妥当するのかについては最高裁における最終的な判断が示されていません。その意味からも、今後慎重に検討しなければならないでしょう。」

ハ 佐治評釈

(イ) 低額の基準

佐治評釈は、「負担付贈与通達の趣旨は、『不動産の通常の取引価額と相続税評価額との開きに着目しての贈与税の税負担回避行為に対して、税負担の公平を図るための所要の措置』とされており、課税の現場(課税庁・実務家)からは、路線価設定の斟酌率とされる20％程度の乖離であったとしても、親族間で行われる相続税評価額での譲渡については、みなし贈与課税が行われるものと理解されている」として、従来の課税実務を肯定しているようである。

そして、「本判決の判示を援用すれば、『著しく低い価額』は時価の80％程度の水準の対価であれば該当しないことになるので、上場株式の評価にも評価上の斟酌が認められるべきと解することになりかねない。…上場株式は、その資産の性格や評価方法から不動産よりも安易に税負担回避行為が行われやすいので、税負担回避行為の防止という観点からは一層の弊害も懸念されるのである」と判決を批判している。

(ロ) 負担付贈与通達

負担付贈与通達について、佐治評釈は次のように提言している。

　「負担付贈与通達は、相続税法上の『時価』の解釈と同法7条および9条を執行するための指示が混合した通達である。…課税庁は、国税庁長官の職務執行命令として相続税法7条の適用が求められていたものである。

　ところが、本件判決では、『通達の適用が結果として違法な課税処分をもたらした事例である』と判示した。職務執行命令に忠実に対応した課税処分にこのような判断を示すことは課税の現場をいたずらに混乱させるものといえるだろう。本判決が違法な課税処分であると結論付けるものであれば、負担付贈与通達の問題点や適用の限界点を示すものであるべきと思われる。」とし、「具体的には、路線価の斟酌率が80％で定着し、路線価の評価時点から極端な地価上昇が見られない場合には、相続税評価額で評価された土地等は、『著しく低い価額』には該当しないものとして、負担付贈与通達の適用制限を明らかにするなどの方法も考えられたであろう。」

　更に注目すべきは、「負担付贈与通達の発遣時とは状況が様変わりしているものの、『著しく低い価額』の文言に拘泥されずに公平な課税を維持することが、通達の趣旨であったと考えるのが自然であろう」との発言があることで、「本判決は『負担付贈与通達』の発遣までの『節税対策』の横行の痛みを忘れてしまって、『著しく低い価額』の文言解釈に堕してしまっている。」との発言も見過ごせないところである。

二　品川・緑川対談

㈠　本件取引は租税回避行為であるという基本認識

　緑川氏は、次のように述べている。

　「原処分庁の否認には、このタックス・プランニングはやりすぎではないか、という意図がかなりあったのではなかろうか。つまり、父と子、母親さらに、子どもが100％出資している同族会社まで巻き込んで、同族関係者間で土地と建物を分けて賃貸借契約を交わす。また、一体として見れば同じであるにもかかわらず、土地の持分を譲渡、贈与により、税務上が予定している評価減、つまり借地権の2割控除、貸宅地の2割控除を使って贈与税ない

しは譲渡益を少なくした事案だ。

　つまり、税務調査官は相続税法７条というよりも、その取引行為自体を問題にしたのではないだろうか。」

　さらに、地上権の設定を否認した大阪地裁平成12年５月12日判決を挙げ、「先例としてあの大阪地裁判決があるのではないだろうか。相続税法７条に直接的に行くよりも、どちらかというと、こういう行為は相続税法64条か総則６項の争いのような気がした」とも記している。

　次に品川氏も、「相続税の評価額を下げるにあたって、大阪地裁平成12年判決では、課税庁は貸宅地にしたこと自体を否認している。だから、こういうスキームに本当に課税しようと思ったら、貸宅地そのものの存在自体がナンセンスである。親子間で経営している会社に貸宅地でもなかろうということにする必要がある。要するに、相続税評価額のつじつまを合わせるために、間に仕組んだだけの話で、そこのところを見極めずに、ただ８掛けということが著しく低いかどうかという議論で終わってしまったところに、この事件の最大の問題があろう」としている。

　要するに、両氏とも、「本件は、同族会社が絡まっている租税回避スキームだから、大阪地裁平成12年判決のように、相続税法64条を行使して課税すべきで、そうすれば勝てた。争点自体が誤っていた」という認識のようである。

㊁　「著しく低い」かどうか

　品川氏は、この点について「結果的に、51万円で購入した土地を27万円で売却したものを、何故著しく低くないという判断をしなければならなかったのか。確かに、２年間で地価が若干下がったにしろ、国側の鑑定価額が44万円であるなら、27万円で売ったことを問題にしなければならないだろう。」としている。借地権の存在を認めない前提での意見のようである（注）。

（注）　品川氏は、かつて、この大阪地裁平成12年５月12日判決について、地上権の設定が不自然不合理とはいい難いという意見も発表されている（「相続税法64条と評価通達６項の関係」税研2001年５月号96頁以下）。

(ハ)　**負担付贈与通達について**

　品川氏は、「判決自体は、2項を含めその通達に合理性があるといっているものと考えられる。…負担付贈与通達は通常取引される価額、すなわち…と定めているから合理性がある。しかし、この事件では著しく低くはないと判断している。要するに、負担付贈与通達は合理性があると言っておきながら、負担付贈与通達を適用した課税処分は違法だと述べているわけだ。」と発言している。

　また、緑川氏は、「相続税法22条は時価ではなく、課税価格だと言い切ったほうがいい。その結果、時価との差額には課税するといったほうがすっきりする。」とし、租税回避防止のための負担付贈与通達は必要ないと主張している。

③　**控訴しなかった理由**

　この判決に対して課税当局側が控訴しなかった理由について、課税当局の公式のコメントはないが、例えば、「税のしるべ」第2804号（平成19年9月17日付）1面では、次のように報じられている。

　「…判決は通達が違法であるとはしておらず、また、「土地の売買代金額と土地の時価や相続税の評価額との比較に加え、譲渡人が土地を取得してから売買まで2年以上経過していること、売買により譲受人が取得したものは換価性の低い土地の持分であり、容易に換価できるものでもなく、また、実際に換価していないこと、譲受人が土地を売買したことには、流動資産を増やしたいという一応合理的な理由があったこと」などの個々の事実関係を総合的に判断していることから、国税庁では「今回の判決は、通常取引される価額の80％相当額以上の取引がすべて『著しく低い価額』には当たらないといった画一的な基準が示されたものではないと認識しており、当局としては、『著しく低い価額』であるか否かは、従来通り個々の事案ごとに取引の事情、取引当事者間の関係など個々の事実関係を総合的にみて判断するものと考えているので、通達の廃止や改正は考えていない」としている。」

(10)　**検　　討**

イ　負担付贈与通達の本質について

　上記の品川・緑川対談は、種々の点で興味深い事実が明らかにされている。特に、負担付贈与通達の立案担当者であった品川氏の負担付贈与通達の制定の趣旨の説明で、この通達が、バブル期の土地の時価と相続税評価額の乖離に着目した租税回避の防止策であり、一物二価の非難は承知の上で発遣したものであることが明らかにされた。

　筆者はまず、このような租税回避策（？）といわれる行為に対する規制として、このような通達を発遣したことに問題があったと考えている。この通達の狙いとするところを正当に実現するならば、むしろ相続税評価額のレベルを取引時価に近付けるべきであったのにそれを怠り、相続税評価額を低レベルで放置したままで、しかも、贈与と低額譲渡に限り、取引時価で評価するというおよそ評価理論では考えられないような、かつての「3年縛り」といわれた旧租税特別措置法第69条の4の通達版といえるものを出したことに、すべての混乱原因があると考える。

　本来ならば評価レベルでなく、立法によるべきものを、早急に規制をかけたいばかりに通達、しかも、評価通達で行おうとしたことがそもそも問題であったのである。これは筆者だけの考えではなく、この対談の一方である緑川氏も次のように主張している。

　「私自身、元々、負担付贈与等通達は必要ないと主張してきた。

　財産評価基本通達の総則1項(1)で客観的交換価額であると標榜しながら、この負担付贈与等規制通達のように租税回避行為についても評価を持ち込む。客観的交換価値と租税回避の意図とは絡み合わないと思っている。

　客観的交換価値というのであれば、租税回避の意図というような主観的要因は入り込めないと思う。

　時価、客観的交換価値と言う以上、負担付贈与等規制通達は客観的交換価値を自ら否定している個別通達である。だから、課税価格であると主張するのであれば納得できる。これは余りにもおかしいと思う。客観的交換価値と標榜するのであれば、主観的な租税回避の意図を持ち込んで個別通達は出し

て欲しくないという考えだ。」

　緑川氏のこの発言について、品川氏は「この通達の趣旨自体が妥協的なのである。」と答えるのみで、何ら納得できる説明はない。

　筆者も、この負担付贈与通達が租税回避の規制という本来立法を要する狙いを持つのであれば、それは、通達の限界を越えたもので、直ちに廃止すべきものと考える。品川氏は、土地バブルが再燃すれば、またこの通達が利用できるとして存続すべきものとしている。しかし、それは本末転倒の考え方であり、もしそのような事態が再燃すれば、前述の旧措法第69条の4のような立法を図るべきであると考える。なぜならば、そのような対応こそが「租税法律主義」に則ったものであるからに他ならないからである。

ロ　**本事案は租税回避行為であるから、A興産の借地権は否認すべきだという考えについて**

　本事案では、原告らの夫（父）丙が第三者（戊）から土地を1m²当たり51万円で、また、原告らの親族が100％出資しているA興産が同じ第三者から建物を買い取り、丙が買い取った土地（建物の敷地）を相当の地代（相続税評価額（1m²当たり36万円×6％≒2万円））を徴してA興産に貸し付けた。因みに、課税当局が依頼により得た鑑定価額（更地価額）は1m²当たり44万円であった。

　その後丙は数回にわたり持分を原告らに贈与又は売買により移転していたが、平成15年12月25日に原告らに約2分の1の持分を売買により譲渡した。その1m²当たりの譲渡価額は、更地の路線価36万円に奥行価格補正率0.96、借地権割合0.2を考慮した27万6,480円であった。

　この事実について、前記対談者は両者とも、これはタックス・プランニングそのものであり、「親子間で経営している会社に貸宅地でもなかろう」と、借地権そのものの存在を否認すべきだとしている。そして、これと同様な事件で課税当局を勝訴させた大阪地裁平成12年5月12日判決（控訴審である大阪高裁平成14年6月13日判決も同旨・最高裁平成15年4月8日第3小法廷判決で上告棄却）を引用し、それに比し、なぜ本事件では当局が敗訴したのかと述

べている。

参考のため、この事件について簡単に述べる。

事実関係は、次のとおりである（なお、詳細は、拙稿「行為計算の否認規定～事例検討と最近の動き・第3回　相続税における行為計算否認の問題事例」（「税務QA」2003年5月号17頁以下）を参照して頂きたい。）。

「X氏は、X氏とその婿養子B氏の全額出資で、駐車場経営及び不動産賃貸事業等を営業目的とするA有限会社を設立した。当時X氏には83歳になる父C氏がいたが、C氏は、A社の設立の日にA社の駐車場業の用に供する目的で、A社に対し、地代を月当たり307万円、存続期間60年の地上権を設定した。C氏が間もなく死亡したため、X氏はこの相続財産である底地について、地上権割合を90％として評価して相続税の申告をしたところ、所轄税務署長は、相続税の不当減少となるとして、相続税法64条の同族会社の行為計算否認の規定を適用し、地上権でなく賃借権の設定がされたものとして更正処分を行った。X氏は、この処分を不服として訴えを提起した。しかし、大阪地裁判決は、A社が同族会社であり、A社に対するC氏の土地の賃貸は、A社の利用目的から考えると、本件におけるA社の土地使用権が賃借権でなく極めて強固な地上権として設定されたことは極めて不自然で、経済的合理性を全く欠くもので、通常の経済人なら採らないであろう不自然不合理な取引で、相続税法64条による同族会社の行為計算否認規定を適用したY税務署長の課税処分を支持し、控訴審の大阪高裁判決でも同様の判示がされ、X氏の上告も最高裁の棄却するところとなって、本件は確定した。」

この対談で両者が引用しているのは上記の判例で、なぜ、この審理における課税当局の主張のような方法で争わなかったのかと論じている。

しかし、筆者の見解は全く異なる。この大阪地裁判決は、かの平和事件の東京地裁平成9年4月25日判決の先例と同様に、行為計算否認の対象を、法文では「同族会社の行為又は計算」となっているのを「同族会社と株主等との間の取引行為全体」あるいは「同族会社を一方の当事者とする行為又は計算」を指すという文理からは全く導き出せない解釈をしている。しかも否認

する基準は、個人の行為の経済合理性の有無という二重の強引な曲解判示を行っているもので、全く合理性のないものと考える（その論証は、前掲の拙稿で詳しく述べている。）。

　ここで筆者が疑問に思うのは、「なぜ、このような理不尽な判例を引用してでも、本件を租税回避事件として否認すべきケースと考えようとするのか？」という点である。

　できるだけ税負担を回避したいという考え方は、常識人なら誰でも当然考えることで、実務の現場では、この対談者が論（あげつら）う土地の所有権を持分に細分して連年贈与することなど日常茶飯事である。しかし、これをすべて否認しようという動きは、筆者の乏しい経験では聞いたことがない。

　また、同族会社であろうと法律的には別人格なのであるから、借地権を無償設定し、相当の地代を徴して権利金設定課税を免れようとするのも、同じく当然ではないか。借地権の2割控除等にしても、評価通達上認められているものをなぜ否認しようというのか。あまりにも課税当局側に片寄った見解と考えられる。

　さらに、「時価44万円の土地を27万円で譲渡したから低額譲渡」と主張されているが、この点については、そもそも44万円は更地価額なのであり、底地価格27万円と比べること自体が誤っていると言える。鑑定時価44万円でも底地ベースでいえば35万円強であり相続税評価額ベースの27万円はその80％であるから、何も問題はないはずである。

　この対談者は、同族会社とその一族の間で土地の貸借などはあり得ず、借地権もないという思い込みで判決を批判しているのであり、全く的外れの議論であることは明白と言わざるを得ない。

　要は、納税者が合法的な節税をしたというだけのことである。これを課税の公平を害するという論法で否認するのは、結局何も手を打たないで、高額な税負担を課す課税当局のレベルに唯々諾々と合わせろという議論であり、税負担を減少させる行為はすべて悪という、いわばイデオロギーで固まった考えとしか評価のしようがない。

この税負担の公平・課税の公平という基準がいかに曖昧なものかという筆者の見解も、拙稿「租税回避をめぐる最近の最高裁判決の検討・第2部 外国税額控除の適用の可否（後編）」「税務QA」2006年9月号7頁以下に述べているので、ご覧頂きたい（注）。

(注)　平成2年4月19日付の国税不服審判所の裁決では、いわゆる株式のクロス取引による損出しに対する当局の課税処分を取り消し、「株式取引が極めて経済的危険の多い取引であり、所得税が経済的取引上考慮される経済的負担であることを考えると、そのような目的があるからといって、これを不自然、不合理として否定することはできず…」としている（裁決事例集No.39・106頁）。

ハ　相続税法第7条の「時価」と「著しく低い対価」について

(イ)　時価の解釈について

　原告らによる相続税法の「時価」は相続税評価額であるという主張に対し、判決は、「この点については、相続税評価額は画一的に適用されることに合理性があるので、課税実務上相続税法にいう時価として適用するにすぎない。同法の時価は『客観的交換価値』である」と判示して、納税者側の主張を容れなかった。

　上記対談の緑川氏は、相続税法第22条は時価でなく、課税価格だと言い切った方がよいとしている。その真意はよく分からないが、相続税法第22条でいう時価は相続税評価額であって、本来の意義の「時価」は客観的交換価値であるということかと思う。

　しかし、筆者は、この点については判決に賛成できない。なぜなら、評価基本通達による評価が時価だという以上、この評価が時価ではないというのは矛盾以外の何物でもないからである。

　あるいは、緑川説のように、課税価格の計算は評価通達によることとし、低額かどうかを判断する場合の「時価」は客観的交換価値すなわち取引価格によるとするかつての実務に戻るというのはどうであろうか。しかし、課税価格は評価通達による、というのは明らかに違法である。相続税法第11条の2及び第21条の2は、「相続若しくは遺贈又は贈与により取得した財産の価

額が課税価格」であるとし、さらに、その財産の価額は「時価による」と同法第22条は定めているのであるから、時価以外は課税価格たり得ないのである。したがって、時価は評価通達によるというのが国税庁の解釈であるとしかいえないはずで、評価通達の価額以外の時価があり、それが客観的交換価値で、評価通達による評価額は客観的交換価値ではないと主張するなら、それこそ法解釈上の矛盾以外の何物でもない。

以上の観点から、同判決はこの点では誤っており、「著しく低い」の判断の基準となる時価は、納税者の主張どおり相続税評価額であるというのが法律論としては正解であるということになる。

それなら、現実に、相続税評価額の評価レベルが時価（現実には公示価格）の80％であるとすることに対しては、何と説明するのかと問われるかもしれない。しかし、これは、もともと土地の取引については、上場株式のような公開市場はないのであるから、専門家によっても評価額は千差万別であり、評価の拠り所となる売買実例についても現実の売買には買い進み、売り急ぎなど個別事情が左右する。したがって、国税庁が一般論として公式に答えるような固めの評価を行わざるを得ないのである。要するに、相続税評価額と公示価格との評価水準の20％は、いわば、時価のアロワンス（allowance：許容値）と説明する外はない。

㈠ 「著しく低い」の解釈について

したがって、「著しく低い」かどうかの判定基準は相続税評価額によるべきであるということになる。それでは租税回避が頻発するというのなら、相続税評価額をもっと厳密に評価して、現実の時価との開差を縮める努力をするしかない。それを怠って、ただ「51万円の土地を27万円で売ったから低額譲渡」と決め付けるのは、法治国家における税務行政として問題があると言わざるを得ない。51万円という価額が高すぎる可能性も大いにあるのに、それを無視して、一方的に低すぎるとする考え方には同調できない。

なお、負担付贈与通達の2項の（注）は、その取引における対価の額がその取引に係る土地又は家屋等の取得価額を下回る場合は、価額下落などの合

理的な理由があると認められる場合を除き、著しく低い価額の対価で利益を得た場合に該当するとしている。また、通達2項本文の「個々の事情により判定する」という原則の制約を受けない形になっていて、"一律に否認せざるを得ない"としているとしか読めない。筆者は、少なくとも、この（注）は削除すべきだと言ってほしかったと考えている。

　また、課税当局は、「著しく低い価額の対価」について、実質的に贈与を受けたものと認められる金額の有無によって判断すべきであると主張したが、判決では、実質的に贈与を受けたか否かという基準は法文の趣旨に反すると退けられている。おそらく課税当局は、時価と対価の比率だけでなく、低いとされる部分の金額の大小によっても判断すべきだと主張したかったものと思われる。

　この点は、理論としては、多少首肯できるものもあるが、現在の法文からは、そのような解釈は難しいと思う。やはり、これは立法によって解決すべき問題とするのが妥当であろう。

(ハ)　相続税評価額による譲渡は低額譲渡か

　前掲対談で、負担付贈与通達が出る前には相続税法第7条の時価は評価通達が定める時価という解釈から、評価通達で定める時価で売却すれば著しく低い価額にはならないと取り扱われてきた（品川発言）と言われているが、その後の実務では、相続税評価額による譲渡は相続税法第7条の適用があるとされてきた（同対談の緑川発言もそれを裏付けている）。

　この点について判決では、このような解釈が誤りであることを、次のように明瞭に指摘している。

　「相続税評価額と同水準の価額かそれ以上の価額を対価として土地の譲渡が行われた場合は、原則として「著しく低い価額」の対価による譲渡ということはできず、例外として、何らかの事情により当該土地の相続税評価額が時価の80％よりも低くなっており、それが明らかであると認められる場合に限って、「著しく低い価額」の対価による譲渡になり得ると解すべきである。もっとも、その例外の場合でも、さらに、当該対価と時価との開差が著しい

か否かを個別に検討する必要があることはいうまでもない」

　この判示では、相続税評価額による譲渡は、「著しく低い価額」の対価ではなく、相続税法第7条の適用はないことが明らかで、異論の余地はない。異論があるなら課税当局は控訴して争うべきであった。

二　負担付贈与通達は違法・不当か

　この点については、課税当局は「個別事件」として割り切るつもりのようである。判決を子細に読むと負担付贈与通達1項については、この通達の判定基準である「取引価格」は時価すなわち客観的交換価値とし、裁判所もこの解釈を認めているので、当然の判断であろう（筆者の見解が異なることは前述した。）。

　次に通達2項について判決は、「実質的に贈与を受けたと認められる金額があるかどうかという判定基準は、相続税法7条の趣旨に沿ったものとはいい難いし、基準としても不明確であるといわざるを得ないほか、「著しく低い」という語からかけ離れた解釈となっており、その意味で妥当なものということはできない。」と批判を加えながら、「通達2は、結局のところ、個々の事案に応じた判定を求めているのであるから、上記のような問題があるからといってそれだけで直ちに違法又は不当であるとまではいえない」と竜頭蛇尾の結論になっている。

　しかし「妥当でない」なら「違法」…少なくとも「不当」であるというのが常識的な判断ではないであろうか。実に首尾一貫しない論理展開で、ここでは明確に「不当」であるというべきであろう。しかも「個々の事案に対してこの基準をそのまま硬直的に適用するならば、結果として違法な課税処分をもたらすことは十分考えられるのであり、本件はまさにそのような事例であると位置付けることができる」という結論になっているが、既に述べたように、通達2項の（注）は、個々の事情を判断する余地はなく、「硬直的」に適用するしかない書き振りになっているのであるから、当然に違法な課税処分となるはずである。この点、何とも不徹底な判決となっているのが惜しまれる。

ホ　その他

　佐治評釈では、この判決を時価の8掛けでの譲渡がよいというなら上場株式の場合はどうするのか、という判決への批判がされているが、これは、判決をよく読まないことによる誤解である。判決は、相続税評価額での譲渡は低額譲渡に該当しないといっているだけで、上場株式の相続税評価額は時価すなわち市場価格そのものであるから、批判は全く当たらない。前掲対談でも、このような議論はされていない。

(11)　**私　見**

　筆者は、相続税法第7条及び第22条の時価は、相続税評価額とは異なる取引時価であるという判決の結論には異議があるが、その他の判断にはおおむね賛成する。ただ、負担付贈与通達は明らかに法律事項を通達化したもので、違法少なくとも不当であると判示すべきであった。そうすれば、課税当局も控訴したであろうから、上級審（場合によっては、最高裁）の判断を仰いで決着をつけることができたであろう。

　このままでは、問題は先送りになるだけだと思う。

Ⅳ 評価通達によらない評価

1 総　説
⑴ 原　則

　財産評価基本通達1⑵は、財産の価額は「時価」をいうものとし、時価とは課税時期において、それぞれの財産の現況に応じ、不特定多数の当事者間で自由な取引が行われる場合に通常成立すると認められる価額をいうものとして、いわゆる市場取引価額による評価をうたいながら、その価額いわゆる時価は、この通達の定めによって評価した価額によるものとしている。

　この時価と評価通達との関係について触れた判例は幾つかあるが、那覇地裁昭和59年6月19日判決がそのことをよく説明していると思われるので、次に引用する。

　「相続税財産評価基本通達は、相続税及び贈与税の課税対象となる財産が多種多様であり、その的確な評価が必ずしも容易でないことに鑑み、各種財産の「時価」の評価に関する原則及びその具体的評価方法等を規定し、もって課税庁内部の取扱いを統一するとともに課税の適正・公平を図っているのであるが、通達は行政事務の適正な処理を図るために上級行政庁が下級行政庁ないし所部の職員に対し行政運営上租税法規の解釈に適用の基準を示し、その取扱方針を指示するもので、もとより法令ではないから納税義務者及び裁判所に対する法的拘束力を有するものではなく、また、仮に行政庁がこれに違反し、あるいはこれを逸脱して課税処分を行ったとしても、そのことだけで課税処分が直ちに違法となるものとは解することはできない。」

　また、後に検討する東京地裁平成4年3月11日判決は次のように判示す

る。

　「租税平等主義という観点からして、評価基本通達に定められた評価方式が合理的なのものである限り、これが形式的にすべての納税者に適用されることによって租税負担の実質的な公平をも実現できるものと解されるから、特定の納税者あるいは特定の相続財産についてのみ右通達に定める方式以外の方法によってその評価を行うことは、たとえその方法による評価額がそれ自体としては相続税法22条の定める時価として許容できる範囲内のものであったとしても、納税者間の実質的負担の公平を欠くことになり、許されないものというべきであるが、他方、右の評価方式を画一的に適用するという形式的な平等を貫くことによって、かえって、実質的な租税負担の公平を著しく害することが明らかな場合は、別の評価方式によることが許されるものと解すべきである。」

これらの判決内容を要約すれば、

① 評価通達は評価の統一を図るための行政庁内部の基準である。

② したがって、納税者及び裁判所に対する法的強制力はない。逆に、課税方がこの通達に違反して課税処分を行っても直ちに違法とならない。

③ 特定の納税者や財産にこの通達と異なる評価を行うことは原則として許されない。

④ しかし、形式的にこの通達を適用してかえって負担の不公平をきたすような場合は、異なる評価方法によることも許されるべきである。

ということがいえるであろう。

(2) **評価通達第6項について**

① **課税当局の見解**

　課税当局は、評価通達に定める評価方法によらない評価を行う場合の根拠として、しばしば、評価通達の第6項を引用する。同項は次のとおりである。

　「この通達の定めによって評価することが著しく不適当と認められる財産の価額は、国税庁長官の指示を受けて評価する」

　この通達の意義について課税当局は、次のように説明する(「評基通解説」

28頁)。

「評価基本通達に定める評価方法を画一的に適用した場合には、適正な時価評価が求められず、その評価額が不適切なものとなり、著しく課税の公平を欠く場合も生じることが考えられる。このため、本項においては、そのような場合には個々の財産の態様に応じて適正な時価評価が行えるよう定めている。」

また、品川芳宣氏は、この総則第6項の趣旨は、評価通達第2章以下の規定で評価して、その評価が著しく不適当であれば、見直して評価しようというもので、評価通達上の明文規定の適用が否定されるという点では相続税法第64条の行為計算否認規定と類似したものと述べている。ただし、この総則第6項の規定については、租税回避の意図は無関係であるとしている(前掲「相続財産評価の論点」8～11頁)。

② 反対の見解

しかしながら、評価通達は、相続税実務で広く採用され、法源性を有するという見地から、上述の見解に反対する見解も少なくない。例えば、北野弘久教授は、相続税評価額が人々にとって「生ける法」になっているので、広く適用されている取扱いを特定の場合にのみ排除することは現行法の下でも法執行の平等原則(憲14条参照)及び法の一般原理である信義誠実の原則からいって違法であるといわねばならないとする(前掲「争点相続税法」199頁)。また、山田二郎氏は、評価通達は行政先例法として、その成立を認めるべきであるとする(税務事例 Vol.13 - No.3・18頁)(注)。

(注) 山田二郎氏は、買受農地について知事の許可前に相続が開始した場合の相続財産の評価に関する東京高裁昭和55年5月21日判決の評釈(税務事例15～19頁)において、農地法上の許可を要する農地の売買における許可のない間の買主の権利は、債権的所有権であるから、取引価額で評価すべきで、農地として評価すべきではないとする判旨に反対し、金子宏教授の「納税者に有利な慣習法は認めるべきであろう。すなわち、納税義務を免除・軽減し、あるいは手続要件を緩和する取扱が、租税行政庁によって一般的にしかも反覆・継続的に行われ(行政先例)、それが法であるとの確信(法的確信)が納

税者の間に一般的に定着した場合には、慣習法としての行政先例法の成立を認めるべきであり、租税行政庁もそれによって拘束されると解すべきである（金子宏「租税法（第23版）」115頁）」とする趣旨の考え方を引用して、評価通達は行政先例法として、その成立を認めるべきであると述べている。

清永敬次教授も、租税平等主義により、特定の納税者に対する別の評価基準の適用は恣意的な差別として許されないとする（清永敬次著「新版・税法（全訂）」（ミネルヴァ書房）34～35頁）（注）。

(注) 清永教授は、上掲書において次のように説く。
「……税法上の執行上の原則としての租税平等主義は、例えば、通達の適用との関係で問題になるであろう。財産の評価が、ある通達（例：財産評価基本通達）によって一般的に行われているようなときに、ある特定の納税者については特別の事情がないにもかかわらず（傍点筆者）別の基準による評価がなされるような場合である。その特定の納税者に対する別の評価基準の適用がむしろ税法令の定めるところに合致するような場合でも、この場合は税法令への適合性の要請は退き、租税平等主義により、特定の納税者に対する別の評価基準の適用は恣意的な差別として許されないというべきであろう。……租税平等主義に反する課税処分は違法な処分となる」

また、四元俊明氏は、同氏著の「行間の税法解釈学」（ぎょうせい）31頁で、「学者の見解として、相続税財産評価基本通達の路線価等は合法とはいえないが、これが広く定着して執行されている以上、納税者に有利に機能している限りにおいて行政先例法、または行政慣習法として位置付けるべしとする見解を示す向きもある。そこまでは、踏み切らないまでも特定者を不利に扱う法運用が許されないとする点では、異論はないといってよい。」と説かれている。

③ 判例の傾向

ところで、この評価通達によらない宅地の価値が争われた裁判例が既に幾つかあり、その中で正面から評価通達第6項について言及したものもある。次に、その幾つかを紹介してみよう。

これらの事例は、いずれも、かつてのバブルの時代の相続税の節税策として、相続開始直前に不動産を借入金で購入し、その不動産の評価通達による

評価額と借入金の差額を他の相続財産の価額と相殺して、相続税の課税価格の圧縮を目論んだところ、不動産を購入価額をもって評価すべしとして否認されたケースである。

〔事例1〕第1審・東京地裁平成4年3月11日判決、控訴審・東京高裁平成5年1月26日判決、上告審・最高裁平成5年10月28日判決
（事例の概要）
　被相続人Aは昭和62年12月17日に死亡したが、死亡の約2か月前にファイナンス会社から8億円を借り入れて分譲マンション11戸を7億5,850万円で購入した。相続人Xらは、翌昭和63年にこれらのマンションを7億7,400万円で売却して、ファイナンス会社からの借入金の返済に充てた。
　Xらは、これらのマンションの価額を評価通達により1億3,170万7,319円と評価し、一方ファイナンス会社からの借入金8億円を債務控除して相続税の申告をしたところ、所轄Y税務署長は、このマンションの評価額を購入価格と同額の7億5,850万円と評価して、相続税額を更正し、争いとなった。
（Xらの主張）
㋑　評価通達は、相続税の課税対象財産の評価の原則及び評価方法を規定し、広く公示されているもので、これを無視し、みだりに評価通達を離れて評価することは許されない。
㋺　本件マンションの購入は、節税も一つの動機であるが、バブルによる転売利益を目的としたもので、広く行われていたものであり、特段の反法規性を有するものではなく、ことさら負担を免れることを目的とするものではない。したがって、評価通達によらないで評価が許されるような特段の事情はない。
㋩　旧租税特別措置法第69条の4の規定は、昭和63年12月31日以後に開始した相続から適用されることになっている。本件は、この新設された特例の適用がないものとされている事案に対しても、これを適用するのと同じ効果を生じさせるものであり、不当である。

(Y税務署長の主張)

　本件マンションの購入契約の締結、その購入資金の調達等の経過に照らすと、本件マンションの購入は、一般に評価通達の定めによる不動産の評価額が実際の取引価額に比してごく控え目な額となっていることから、評価通達により評価した本件マンションの評価額と購入のための借入金との差額を利用して相続税の負担の軽減を図ることを目的として行われたものであり、このような場合には、相続財産の価額の評価について、評価通達の定めによらず、その客観的交換価値に相当する購入価額によることが正当として是認されるような特別の事情があるものというべきである。

(判決要旨)

イ　相続財産の評価は、特別の定めのある場合を除き、評価通達によるのが原則であるが、評価通達によらないことが相当と認められるような特別の事情がある場合には、他の合理的な評価方式によることが許されるものと解するのが相当である。

　本件は、購入価額と売却価額があまり変わらず、客観的な交換価額は購入価額を下回るものではない。しかるに本件マンションを評価通達どおり評価すると差引6億2,679万2,681円だけ課税価格を圧縮することになり実質的な租税負担の公平という面から看過し難い結果になる。本件マンションは不動産ではあるが、一種の商品のような形で、一時的に被相続人及び相続人の所有になったに過ぎず、これを一般の不動産と同様に評価することは実質的な不公平となる。このような場合は、特別の事情がある場合に該当し、現実の交換価額で評価すべきである。

ロ　租税特別措置法第69条の4の規定の制定前でも、評価通達によらないことが相当と認められる特別の事情がある場合には、他の合理的な方式によることが許される。

IV 評価通達によらない評価

〔事例2〕第1審・東京地裁平成4年7月29日判決、控訴審・東京高裁平成5年3月15日判決（確定）

（事例の概要）

Aは昭和62年7月16日に死亡したが、その5か月前に18億2,000万円をB銀行から借り入れ、土地を16億6,100万円で購入した。Aの死亡後、相続人Xはその土地を18億円で売却し、借入金の返済に充てた。Xはこの土地を1億2,102万円と評価し、債務控除は18億2,000万円として申告したところ、所轄のY税務署長は、土地は購入価額の16億6,100万円で評価すべしとして相続税の更正処分を行い、争いとなった。

（Xの主張）

(イ) 土地の評価において正確な時価を把握することは困難なので、評価は安全性を見込んだ比較的低い価額でその時価を評価せざるを得ない。評価通達は、このような事情を考慮して、一般的な評価方法を定めたものであり、この評価通達による評価額が相続税法第22条の時価である。相続開始時に近い時点でその取引価額等から客観的な時価が把握できる場合であっても、評価通達以外の方法で評価するのは相続税法第22条に違反する。

(ロ) 評価通達による評価方法は、その制定以来長期にわたって不特定多数の納税者に対して反復継続して適用され、国民一般の間に一つの規範として定着しており、慣習法たる行政先例法として確立し、課税庁もこれに拘束される。特定の土地についてのみ評価通達以外の方法で評価することは許されない。

(ハ) この取引は、転売利益を目的とした通常の取引行為で、経済的合理性を欠く異常な取引とはいえない。

（Y税務署長の主張）

(イ) 評価通達は一般的な評価方法であり、この評価方式によって評価することが課税の公平を害する結果となる場合など著しく不適当と認められる特別な事情がある場合には、他に合理的な財産評価方法があれば、それによって評価すべきである。

㈡　本件土地は評価通達による評価方式で評価すると課税の公平を害するから、合理的な方法である現実の購入価格から算定した客観的な市場価額によるべきである。

(判決要旨)

㈠　評価通達は、画一的な評価方式によって財産を評価することとしているが、これは、評価通達により画一的に評価する方が、納税者の公平、便宜、費用節減の見地から合理的であるという理由に基づくものである。したがって、特定の納税者や特定の財産についてのみ評価通達以外の方法によって評価することは、相続税法第22条の時価として許容できる範囲のものであったとしても、納税者間の実質的負担の公平を欠くことになるから、原則として許されない。

㈡　しかし、評価通達による評価方式を画一的に適用するという形式的な平等を貫くことによって、かえって実質的な租税負担の公平を著しく害することが明らかである等の特別な事情がある場合には、例外的に法第22条の「時価」を算定する他の合理的な方式が許されるものと解すべきであり、このことは評価通達6において「この通達の定めによって評価することが著しく不適当と認められる財産の価額は、国税庁長官の指示を受けて評価する」と定められていることからも明らかである。

㈢　本件は、評価通達による評価額によれば取引価額で評価した場合に比し、相続税の課税価格が15億4,000万円も圧縮され、債務控除のない他の納税者との負担の公平を害することになるので、評価通達によらないことが許される特別の事情があるというべきであるから、客観的な市場価格を算定する方式によって評価することが許される。

次に、最近の判例で取引相場のない株式の評価（対象となったものは有限会社の出資）について課税当局が純資産額の計算上法人税等相当額の控除を認めなかった事例で、やはり評価通達によらない評価が認められるか等が争われたものがあるので、それを次に紹介する。

〔事例3〕第1審・大津地裁平成9年6月23日判決、控訴審・大阪高裁平成12年7月13日判決、上告審・最高裁平成14年10月29日第3小法廷判決

(事例の概要)

　被相続人は相続開始直前に、借入金により第1会社を設立し、その会社に出資した後、その出資のすべてを極めて安価に現物出資をする方法により第2会社を設立した。次に相続開始後に相続人が第1会社からの借入れにより被相続人の借入金を弁済し、第1会社を第2会社に吸収合併した上、相続人が第1会社への出資を減資により回収し、それを第1会社からの借入金の弁済に充てた。以上の結果株式の評価に当たり、純資産価額の計算上相続税評価額による純資産価額と帳簿価額による純資産価額との間に多額の差額を作り出し、多額の法人税等相当額の控除を行って相続税の申告をした。所轄のY税務署長は、この法人税相当額の控除を否認して更正処分を行い、争いとなった。

(判決要旨)

㋑　事例2の判決要旨㋑㋺と同趣旨の判示(特定の納税者や相続財産について評価通達と異なる評価は原則として許されないが、「特別の事情」がある場合には、評価通達以外の合理的な評価方法によることが許される。)

㋺　評価基本通達185は、小会社が事業用規模や経営の実態からみて個人企業に類似するものであり、株主が所有する株式を通じて会社財産を完全支配しているところから、個人事業者が自らその財産を所有している場合と実質的に変わりなく、株式が会社財産に対する持分を表現していることに着目して、純資産価額方式により評価することを基本としているものである。そして、同通達185及び186-2が、純資産価額の計算上、会社資産の評価替えに伴って生じる評価差額相当額に対する法人税額等相当額を会社の正味財産価額の計算上控除することとしているのは、株式である以上は、株式の所有を通じて会社の資産を所有することとなり、個人事業主がその事業用財産を直接所有するのとはその所有形態が異なるため、両者の事業用財産の所有形態を経済的に同一の条件に置き換えたうえで評価の均衡を

図る必要があることによるものである。すなわち、相続財産の評価差額を法人税法92条（解散の場合の清算所得に対する法人税の課税標準）の金額とみなし、事業用資産の所有形態を法人所有から個人所有に変更した場合に課税されることとなる清算所得に対する法人税等相当額を控除することによって、右均衡を図ろうとしているのである。

㈧ 被相続人が相続開始直前に借入金により第1会社を設立し、その会社に出資した後右出資のすべてを極めて安価に現物出資する方法により第2会社を設立したこと、相続開始に相続人が第1会社からの借入により被相続人の借入金を弁済したこと……、右一連の行為の結果、相続税評価額による純資産価額と帳簿価額による純資産価額との間に極めて大きな差額を作り出し、多額の法人税相当額の控除を受け得たこと等は、その時期、期間等も考慮すれば、相続税負担の軽減を図る目的でなされたもので、なんら経済的合理性を見出すことはできない。右事情を前提にすれば、①相続会社時において、既に、将来法人を清算すること及び清算所得に対する法人税を生じる余地は全くなかったことが認められること、②実質的に被相続人の出資がほぼそのまま相続人に移ったものと評価できるにもかかわらず、法人税等相当額を控除して計算することは、富の再分配機能を通じて経済的平等を実現するという相続税法の立法趣旨にも反すること、③本件出資の評価は純資産価額方式により法人税額等相当額を控除しないことによる方法により評価する方法が妥当であり、それにより時価が算定できるから、本件については評価基本通達の定める評価方法によらないことが許される「特別の事情」があると認められる。

㈢ 相続人は、相続開始時の時価の算定や、評価基本通達の定める評価方法によらないことが許される「特別の事情」の存否の判断について、相続開始後の事情や「専ら贈与税又は相続税の負担を回避する目的」という主観的要素を含めるべきでないと主張するが、時価を評価する際に相続開始前及び相続人の行為（ないし事情）を斟酌し、その経済的合理性や評価基本通達の趣旨との適合性の有無を判断するに当たって、相続開始後の相続人

の行為や租税回避目的の有無を一つの基礎付け事実として考慮することはむしろ当然の事柄として許される（注）。

(注) このほか、例外的に評価基本通達と異なる評価方法を採用するには、その根拠規定及び例外的取扱いをする理由（評価基本通達第6項による場合には、国税庁長官の指示の内容を含む。）を明らかにする必要があり、これを欠く本件更正処分は違法との相続人の主張に対し、更正決定に理由を明記することは予定されておらず、本件決定通知書には、処分の理由として「有限会社の出資が過少評価となっているため」と記載があり、この程度の記載があれば、本件決定が違法とはいえないと判示している。

〔事例4〕第1審・大阪地裁平成12年2月23日判決、控訴審・大阪高裁平成12年11月2日判決

(事例の概要)

㋑ E氏は、C銀行から20億円の融資（以下「本件借入金」という。）を受けて有限会社E興産（出資口数400口）を設立した。

㋺ E氏はTSグループに属するFSC株式会社（以下「本件会社」という。）の株式の相当数を保有しているが、本件会社の発行済株式数の50％以上はY株式会社が保有している。すなわち、本件会社は劣後株式を発行して、これを関連会社であるY社にすべて引き受けさせ、常にY社が本件会社の発行済株式数の50％以上を保有している状態を維持していた。

㋩ 本件会社への出資希望者に対しては本件株式が公開された場合にキャピタルゲインが得られること及び㋺により、出資者は常に少数株主になり、その株式は配当還元方式で評価されるので相続税等の課税上有利であることが説明され、一方、出資者が本件株式の売却を希望する場合にはY社を始めとするTSグループの関連会社で買い取り、関連会社で買い取ることができない場合は、本件会社が減資により対応する旨が説明されていた。そして、売却価額は、売却の日の前月末の1株当たり純資産価額によるものとされていた。

㋥ E氏は、まず平成4年7月3日Y社から同社の有する本件株式2,356株

を3,999万7,812円（1株当たり1万6,977円）で取得し、代金はE氏のC銀行当座貸越金からY社の銀行口座に送金された。
㋭　E氏は、平成4年7月28日、その有するE興産の出資400口のうちの267口を本件会社に現物出資して、本件会社の増資により新たに発行された本件株式7万6,399株（1株当たりの純資産価額1万6,977円）を取得した。
㋬　更に、E氏は平成4年8月14日、残りのE興産の出資133口をすべて本件会社に現物出資して、本件会社の増資により新たに発行された本件株式3万8,044株（1株当たりの純資産価額1万6,978円）を取得した。
㋣　E氏は、平成5年3月23日に、その所有する本件株式11万6,799株を、次のとおり贈与した。

- 長男Aに　　　　23,000株
- Aの長男甲に　　52,500株
- 〃　二男乙に　　30,000株
- 〃　長女丙に　　11,299株

㋠　A、甲、乙及び丙（以下「原告ら」という。）は、いずれも、取得した株式の評価額を配当還元方式により1株当たり38円と評価し、原告らのうちA、甲及び乙は平成6年3月15日に平成5年分の贈与税の申告を行い、原告らのうち丙は受贈株式の評価額が贈与税の基礎控除額60万円に満たないとして同年分の贈与税の申告を行わなかった。
㋷　平成6年8月1日、本件会社はE興産ほかの関連会社と合併し、E興産は本件会社に吸収合併された。Aは同年10月25日に新たに株式会社E興産（以下「新E興産」という。）を設立した。
㋦　平成6年10月31日原告らは、次のとおりY社に売却した。相客株式数は11万4,443株（1株当たり代金1万7,599円）であった。

（原告ら）	（売却株式数）	（売却代金）
A	21,000株	3億6,957万9,000円
甲	52,200〃	9億1,866万7,800円
乙	30,000〃	5億2,797万円
丙	11,243〃	1億9,786万5,557円

⑪ 原告らは、同日、支払われた代金のうち18億9,000万円を新E興産に支払って同社の社債を引き受け、新E興産は、この入金額全額をE氏に貸し付け、E氏はこれにより本件借入金20億円のうち18億9,000万円を支払った。その後平成6年11月4日にY社からAに対し株式代金の未払金1億円が支払われ、Aは、この代金を新E興産に支払って同社の社債を引き受け、新E興産はこの1億円と1,000万円をE氏に貸し付け、E氏は、これにより、同日、本件借入金の全額を返済した。

㋩ 所轄税務署長は、原告らが贈与を受けた本件株式の評価は、配当還元方式（1株当たり38円）ではなく、純資産価額方式（1株当たり1万7,052万）によるべきであるとして、平成8年5月7日付で、原告らのうちA、甲及び乙に対しては贈与税の更正を、また、丙に対しては贈与税の決定を行った。

㋫ これに対し、原告らはこれらの更正及び決定（以下「本件各処分」という。）を不服として争いに及び、異議申立て及び審査請求を行ったが、いずれも棄却の処分を受けた。しかし、原告らはなお本件各処分に不服があるとして、本訴に及んだものである（注）。

（注）　この他に、本件贈与の錯誤無効の主張の可否及び本件各処分の合憲性についても争われているが、本稿では割愛する。

（原告らの主張）

㋑ 本件株式は取引相場がなく、評基通188-2に定める配当還元方式によって評価される株式に該当する。ところが被告（所轄税務署長）は、本件株式を訴外E・Tの取得価額と同額であると評価して本件更正を行ったものであり、これは評価通達に違反した違法な処分である。

㋺ 訴外E・T及び原告らは、ベンチャー企業育成の社会的意義を基礎として、キャピタルゲンを得るという「投資」とともに「相続税節税効果」のある方法として本件株式を取得したものであり、経済的合理性を有する取引である。

㋩ 原告らとY社との間の本件株式の売買は従来からの縁故に基づいてな

されたものであり、一般的な市場性を反映したものではなく、時価（実勢価格）を算定するための取引事例として評価されるものではない。すなわち、この売買価格は、解散価格を基礎としたもので、相続税の株式評価の視点から比較しても、約40％増しの高額な価格で、この売買価格をもって「時価」とみなすことはできない。

(所轄税務署長の主張)

㈲ 通達は、法規としての性格は有しないが、評価通達に定められた評価方式が合理的なものである限り、租税平等主義という観点から、特定の納税者あるいは特定の相続財産又は贈与財産についてのみ評価通達に定める評価方法以外の方法によって評価を行うことは許されない。しかし、評価通達に定める評価方式を画一的に適用するという形式的平等を貫くことによって、かえって実質的な租税負担の公平を著しく害することが明らかである等の特別な事情がある場合には、別の評価方式によることが許される。

㈺ 配当還元方式は、取引相場のない株式のうち同族株主以外の株主等が取得した株式について、会社経営等につきこうした零細株主の意向が反映されないこと等から、当該株式を所有することによる経済的実益が配当金の取得にある点を考慮して認められた特例的評価方式である。

㈸ しかしながら、訴外Ｅ氏が本件株式を取得し、原告らに贈与したのは、経済的合理性のない不自然な取引によってであり、本件株式を配当還元方式で評価することによって原告らの負担する贈与税及び将来発生する相続税を軽減することを意図したものであると認められ、評価通達を形式的に適用すると、そのような方法を採らなかった者との間で実質的な平等を欠き、評価通達によるべきでない特別な事情が存在する。

㈡ 訴外Ｅ氏は本件株式を１株当たり１万6,977円で取得し、原告らはその大部分を１株当たり１万7,599円で売却しているのに配当還元方式によれば１株当たり38円というのは時価を反映していない。

(判決要旨)

イ 配当還元方式によらない評価の適否

Ⅳ 評価通達によらない評価 1019

(イ) 贈与により取得した財産は、その取得の時における時価により評価されて（相法22）贈与税が課税される。この「時価」とは、贈与により財産を取得した日における当該財産の客観的な交換価値すなわち、それぞれの財産の現況に応じ、不特定多数の当事者間において自由な取引が行われる場合に通常成立する価格をいうと解すべきである。

もっとも、すべての財産の客観的な交換価値が必ずしも一義的に確定されるものではないから、納税者間の公平、納税者の便宜等の見地に立って合理性を有する評価方法により画一的に贈与財産を評価することも、当該評価による価額が相続税法22条に規定する時価を超えない限り適法なものということができる。その反面、いったん画一的に適用すべき評価方法を定めた場合は、納税者間の公平及び納税者の信頼保護の見地から、評価通達に定める方法が合理性を有する場合には、評価通達によらないことが正当として是認され得るような特別な事情がある場合を除き、評価通達に基づき評価することが相当である。

しかしながら、評価通達による評価方式を形式的に適用するとかえって実質的な租税負担の公平を著しく害するなど、この評価方式によらないことが正当と是認される特別の事情がある場合には、他の合理的な方式により評価することが許されると解される。

ところで、取引相場のない株式の時価を評価するに当たって、同族会社における「同族株主以外の株主等が取得した株式」については、当該同族株主以外の株主の持株割合が低い場合には、会社経営等について同族株主以外の株主の意向はほとんど反映されていないこと等からして、配当を受けることが株主の保有する権利の主たる要素となるということができる。したがって、これらの株主が株式を保有する経済的実益は、通常、配当金の取得にあることに着目して、そのような株式の時価を評価するための例外的な評価方式として評価通達が配当還元方式を用いることは合理性を有するものである。

(ロ) 本件の検討

本件株式に関するスキームは、①本件会社がＹ社に劣後株式を発行することにより、出資者の有する株式を常に配当還元方式で評価することができるよう調整されていたこと、②これにより相続税及び贈与税の節税対策になるメリットがある旨出資者に説明されていたこと、③パンフレット等により本件株式の評価額が低くなること及び本件株式の売却希望者には、減資をしてでも必ず応じることが宣伝されていたこと、④本件株式の売却には、取得の時と同様に、時価（純資産価額）をもって応じることが出資者に説明されていたことからすると、出資者の有する本件株式が常に配当還元方式により低く評価される状態を作り出すことにより出資者の相続税及び贈与税の負担を軽減し、その後に、必ず本件株式の取得に充てられた資金を出資者が回収できるという仕組みであった。

　訴外Ｅ氏が本件株式を購入するためにＣ銀行から借り入れた金員に対する支払利息は年間1億2,900万円と多額である一方、本件株式に係る配当金収入（税引後）は年間換算で280万3,176円にすぎない。また、原告らは本件株式の取得にはキャピタルゲインを得るという投資目的もあると主張するが、本件贈与により本件株式を取得した原告らは、キャピタルゲインを得ないまま、本件株式の約90％を本件贈与から約1年7カ月という短期間で売却している。さらに、本件株式の売却希望者には減資をしてでも必ず応じるとしていたため、株主の投資額の80％以上を事実上元本の回収が確実な定期預金や国債等に投資していたことからすると、本件会社は、新株を発行して調達した資金をその事業活動のために使用できないという状態にあった。

　これらの事情を総合考慮すると、本件株式については、同族株主以外がその売却を希望する場合には、時価による実現が極めて高い蓋然性で保障されており、本件株式に対する配当の額と比較して本件株式を売却する場合に保障される売却代金が著しく高額であることからすると、本件株式を保有する経済的実益は、配当金の取得にあるのではなく、将来純資産価額相当額の売却金を取得する点に主眼があると認められる。そうすると、同

族株主以外の株主の保有する株式の評価について配当還元方式を採用する評価通達の趣旨は、本件株式には当てはまらないというべきである。また、本件株式を配当還元方式で評価した場合の本件贈与に係る贈与税は約320万円にすぎず、原告らが本件株式の取得資金である本件借入金及び本件当座貸越金と同額の金銭等を贈与により取得した場合（仮に原告ら各自に5億円を贈与した場合、原告ら各自の贈与税額は約3億6,000万円となる。）と比較して、原告らの贈与税の負担額はあわせて約13億円も軽減されたことになることからすれば、形式的に評価通達を適用することによって、かえって、実質的な公平を著しく欠く結果になると認められる。

したがって、本件株式の評価に当たり、評価通達に従った配当還元方式を用いないことは適法である。

ロ　本件株式の「時価」

前記のとおり、本件株式については、同族株主以外の株主がその売却を希望する場合には、純資産価額による価額での買取りが高い蓋然性で保障されており、現に、原告らも平成6年10月31日には、その所有していた本件株式の約98％につき、かかる価額が実現されていたのであるから、本件贈与の日である平成5年3月23日において、本件株式を処分した場合に実現されることが確実と見込まれる金額は、同年前月現在における本件株式につき純資産価額方式により計算された金額である1株当たり1万7,052円であり、仮に自由な取引市場があった場合にはこの価額が実現されるであろうことが認められる。

この点につき、原告らは、原告らとY社との間の本件株式の売買は、従来からの縁故に基づいてなされたものであり、一般的な市場性を反映したものではなく、時価（実勢価格）を算定するための取引事例として評価されるものではないと主張するが、原告らとY社の関係と同様の関係は、事業承継コンサルタント協会の税理士等から紹介を受けた出資希望者に対して一般的に成立し得たものであり、原告らの主張は理由がない。また、原告らは、この売買価格は、解散価格を基礎としたものであって、相続税の株式価格の

視点から比較しても約40％増しの高額な価格であるから、この売買価格をもって「時価」とみなすことはできないとも主張するが、そもそも株式は、一般に、会社資産に対する割合的持分としての性質を有し、会社の所有する純資産価値の割合的支配権を表彰したものであり、株主は、株式を保有することによって会社財産を間接的に保有するものであって、当該株式の理論的・客観的な価値は、会社資産の価額を発行済株式数で除したものと考えられることからすると、純資産価額をもって株式の評価額とする方法は、基本的に合理性を有する評価方法であると解されること、原告らは現実にこの価額をその所有していた本件株式の大部分につき実現していることからして、原告らの主張は採用できない（注）。

（注）　この事例４は、同一の税理士が節税スキームとして、各地で指導し、課税当局と争いとなったものの一つで、現在筆者が把握している判例の幾つかとそれに対する評釈を次に掲げておく。
　　○本件判決の評釈……拙稿・税務事例 Vol.33　No.9（2001・9月号）1〜6頁
　　○東京地裁平成11年3月25日判決（控訴審・東京高裁平成12年9月28日（確定））……品川芳宣・税研2000・9月号102〜105頁・一杉直・税務事例 Vol.32　No.12（2000・12月号）1〜7頁
　　○東京地裁平成11年9月29日判決（相続税事件・控訴審・東京高裁平成12年9月26日判決、上告却下・東京高裁平成12年12月8日決定（確定））
　　○東京地裁平成11年9月29日判決（贈与税事件・控訴審・東京高裁平成13年1月13日判決（確定））
　　○千葉地裁平成12年3月27日判決（確定）……税務事例 Vol.32　No.9（2000・9月号）32〜35頁

2　コメントと私見

(1)　評価通達によらない評価と評価通達第6項との関連

　以上のように検討してくると、評価通達によらない評価によることができるか否かについては、2つの見解があることが分かる。

①　評価通達によらない評価を行うことは違法であるとする見解

　この見解は学説としては少なくなく、その根拠としては、評価通達による

評価方法は、行政先例法として認識されており、課税当局もそれに拘束され、これに反する評価は違法となるということにある。

② **評価は、相続税法第22条の解釈の問題であり、基本的には評価通達によるべきであるが「特別の事情」がある場合には、他の方法によることができるとする見解**

　この見解は、おおむね課税当局及び学説の一部並びに判例のとるものであるが、評価通達によらない評価ができることの根拠としては、特に判例では必ずしも評価通達第6項をその根拠として明らかにしていないものが少なくない。その理由は明らかではないが、筆者の全くの個人的見解では、次のように思っている。

　すなわち、評価通達自体は、既に述べているように、国税庁内部での職務命令であり、法律と異なって、それ自体は国民に強制力を持ち得ない。したがって、評価通達と異なる評価をとることの根拠とはなり得ないのではないか。すなわち、評価通達によらない評価を行うとすれば、その根拠は、相続税法第22条の時価評価の規定の解釈であって、評価通達第6項ではない。評価通達第6項は、単に評価通達によることが著しく不適当と認められる場合には、国税庁長官の指示を受けて別の評価をすることができるという手続を定めたものに過ぎない。そうでないと、評価通達第6項を相続税に関する同族会社の行為計算の否認規定である相続税法第64条と同列に考えるという一部の誤解を助長する結果になってしまう。このような考え方は、通達は、法律ではないということを忘れているのではないか。

　したがって、筆者は、場合によっては「特別の事情」を認めて評価通達以外の方法により評価することを一切否定するものではないが、それはあくまで、相続税法第22条の時価の解釈によるべきものと考える。

(2) **評価通達によらない評価ができる場合**

　これまでの学説や判例をみていくと評価通達によらない評価を行うべき場合としては、次の2つの場合が考えられる。

① **実際の取引価額と評価通達による評価額との乖離に着目して租税回避を**

行う場合

これは、〔事例1〕及び〔事例2〕に見るように、主として土地の評価についてみられた事例で、実際取引価額と評価通達による評価額との乖離と債務控除とを利用して課税価格の圧縮を企図するケースである。もっとも、現在のようにバブルが崩壊して、評価額が低下する一方の現在では、問題は少なくなってきているようである。

② 評価通達自体のループホールを狙って租税回避を行う場合

これは、判例の〔事例3・4〕にあるように、現物出資の受入帳簿価額を故意に低くして評価差額を作り出し、それに対応する法人税額等相当額を純資産価額の計算上控除して、評価額の引下げを図る、あるいは非同族株主等に該当する状況を作り出して配当還元評価による節税を図るなど、評価通達自体のループホールを狙って租税回避を図ろうとするケースである。今後の「特別の事情」があるケースとして問題になるのは、むしろ主として、このようなループホールを有する通達自体の問題になるのではないかと思われる。

そうであれば少なくとも納税者側の予測可能性を尊重する意味で、評価通達によらない評価ができると課税庁側が考えるケースを、例示的に掲げる必要があると考える。現行のように評価通達6項を何でも振り回して否認するのは正しくないと思っている（注1、2）。

(注1) この点に関し、最近の判例において、裁判所から極めて注目すべき指摘がされている。すなわち、③の〔事例4〕の判決要旨の口の（注）に掲げた判例のうち、東京高裁平成12年9月26日判決において、少なくとも、本件においては、評価通達6において定められている「この通達の定めによって評価することが著しく不適当と認められる財産の価額は、国税庁長官の指示を受けて評価する。」との方法によるならば、事前に国税庁長官の指示を公表しておくことが相当であり、このような方法によらない本件各処分の対処方法は、課税上の信義則ないしいわゆるアムビギュイティの法理に反するきらいがあるものというべきであるとされている。しかしながら、同時に、本件においては、控訴人らは、本件株式の実質的価額が1株当たり1万7,038円相当であることを十分に承知しており、課税上、これを極端に下回る208円と評価されるとの異常な事態について、当然その根拠及

び税制上これが可能であるかについて確認、調査してしかるべきであるし、もとより税理士を通じてこれらについての説明があったものと推認される。したがって、このような事情のある控訴人らにとって、本件におけるような相続税法22条の「時価」の解釈適用が不合理で予想外のものであったとか、本件各処分が不測の課税処分であったとはいいきれず、課税上の信義則違反等の主張をすることは許されないものであり、国税通則法第65条4項にいう「不当な理由」があるということはできないとして、本件は、予測可能性の侵害の問題はないとされた。

(注2) 次に、③の〔事例4〕及び判決要旨の口の（注）に挙げた判例では、例外的に評価基本通達と異なる評価方法を採用するには、その根拠規定及び例外的取扱いをする理由（評価基本通達第6項による場合には、国税庁長官の指示の内容を含む。）を明らかにする必要があり、これを欠く本件更正処分は違法との原告側の主張がしばしばされている。これに対し、例えば上記判決要旨の口の（注）に掲げた東京地裁平成11年3月25日判決では、更正決定に理由を明記することは予定されておらず、本件決定通知書には、処分の理由として「有限会社の出資が過少評価となっているため」と記載があり、この程度の記載があれば、本件決定が違法とはいえないと判示している。

この判決に対し、③の〔事例4〕判決要旨の口の（注）の評釈で品川芳宣氏は、次のような批判を行っている。

「本件においては、評価通達5項に基づいて本件各処分を行ったものの、本訴においてY税務署長は同通達6項の趣旨に則った主張を行い、本判決も、その主張に沿って判断したものであるが、それらの経緯からみて、同通達6項にいう「国税庁長官の指示」がなかったことは明らかである。

従来も、「国税庁長官の指示」の要件を消極的に解する旨判示する裁判例もみられたが、本判決のように、「国税庁長官の指示」がなかったことが明らかな事案について、何ら不当性も違法性もないとしたのは初めてである（従来の判決は、仮に通達に反していたとしてもという条件を付した上で、違法でないとしたものが多かった。）。すなわち、本判決は、税務通達において税務官庁が自らに課した手続を課税処分において無視しても何ら違法性も不当性も問われないことを明らかにしたものである。

他方、税務通達においては、当該通達を適用する場合に納税者に対して所定の手続を要求する場合があるが、当該手続を履践しないときは当該通達の適用を認めないとする課税処分を多くの裁判例が適法と認めている。

これは、国側の主張を裁判所が容認したと認められるところ、税務通達上の手続要件を納税者に対して法的拘束力を伴って強制しておきながら、税務官庁が自らに課している手続要件を全く無視しても当該税務処分の効力に全く影響しないとするものであり、いかにも片手落ちであると言える。これでは、税務通達の規定を信頼して経済行動をする納税者に対して、租税法律主義が保障しようとする予測可能性も期待し難いことになり、納税者の不信を招くことになる。

もっとも、本件のような租税回避が明らかな事案については、本判決のような考え方で十分であろうとする見解もあろうが、事案の内容にとらわれることなく、冷静に租税法の法理(租税法律主義における手続保障の原則)のあり方を検討することの方が重要であると考えられる。」

また、前掲一杉直氏の上記判例評釈において、品川氏の意見に賛意を表している。筆者も同意見である。

(3) **評価通達によらない評価ができる場合の前提として租税回避の意図が必要か**

これは、前掲の事例においても、すべて問題とされている事項であるが、〔事例1〕及び〔事例2〕では租税負担の不公平を助長する場合には、評価通達によらない「特別の事情」があると判定し、租税回避の意図の有無が必要か否かについては判断されていない。これに対し、〔事例3〕では、相続開始前の被相続人及び相続人の行為ないし事情を斟酌し、相続開始後の相続人の行為や租税回避目的の有無を一つの基礎付け事実として考慮することは当然として許されると判示し、また、〔事例4〕は、判決文を読む限り争点になっておらず、判例の姿勢も必ずしも一貫しない。

また、課税当局出身の某氏は、総則第6項は、相続税法第64条のように行為自体を問題にするのではなく、評価自体を見直す意味だとしながら、課税

IV 評価通達によらない評価　1027

当局側から見れば適正な時価評価を確保するための担保規定のようなものとも述べ、相続税法第64条の通達版のように解しているようだ。

しかし筆者は、評価通達第6項自体は、これによって評価通達によらない評価ができる法的根拠とはなり得ないもので、単なる相続税法第22条の国税当局側の解釈を表明したものに過ぎないと考えている。

〔事例5〕第1審・東京地裁令和元年8月27日判決、控訴審・東京高裁令和2年6月24日判決
〔不動産についての「財産評価基本通達6項」適用の可否〕
（事例の概要）
㋑　本件取引図

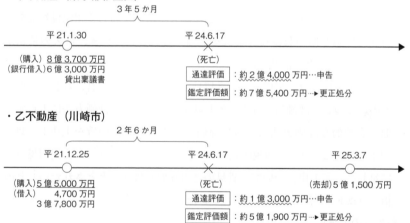

（渡邉定義「国税速報」第6602号（令和2年3月20日）より）

㋺　本件被相続人は、大正7年3月17日に出生した者であり、平成24年6月17日に94歳で死亡し、本件相続が開始した。

㋩　本件被相続人の共同相続人は、本件被相続人の妻であるE（以下「訴外E」という。）、長女である原告C、長男である原告A、二男であるF（以下「訴外F」という。）及び養子である原告Dの5名であった（以下、本件

被相続人の共同相続人であった上記5名を総称して「本件共同相続人」という。)。

なお、原告Dは、訴外Fの長男であり、平成20年8月19日に本件被相続人と養子縁組をした。

㈢ 本件被相続人は、M信託銀行から6億3,000万円を借り入れており（当該借入れについてG興業、訴外E、原告A及び訴外Fが連帯保証をした。)、同銀行がその際に作成した貸出稟議書の採上理由欄には「相続対策のため不動産購入を計画。購入資金につき、借入の依頼があったもの。」との記載がある。

㋭ 本件被相続人は、訴外Eから4,700万円を借り入れた。また、本件被相続人は、M信託銀行から3億7,800万円を借り入れており（当該借入れについてG興業、訴外E、原告A及び訴外Fが連帯保証をした。)、同銀行がその際に作成した貸出稟議書の採上理由欄には「相続対策のため本年1月に630百万円の富裕層ローンを実行し不動産購入。前回と同じく相続税対策を目的として第2期の収益物件購入を計画。購入資金につき、借入の依頼があったもの。」との記載がある。

㋬ 札幌国税局長は、平成28年2月17日付けで、国税庁長官に対し、本件各不動産について評価通達6を適用し評価通達の定める評価方法によらずに他の合理的な評価方法によって評価することとしたい旨を上申し（以下「本件上申」という。)、国税庁長官は、同年3月10日付けで、札幌国税局長に対し、上記上申について「貴見のとおり取り扱うこととされたい」との指示（以下「本件指示」という。）をした。

（原告らの主張）

㋑ 評価通達の定める評価方法による相続財産の評価は、合理性が担保されているものとして久しく実務界において実施されており、評価通達は、行政先例法としての地位を築いているといえる。そして、例外的に上記方法による評価額を否定し、これによらない評価を認める評価通達の制定趣旨は、対象財産につき想定外の時価の下落事情が事後的に生じた場合に、評価通達が形式的に適用され、納税者の担税力が過大に測定されることが、

担税力に応じた課税（租税公平主義）に反することに鑑み、このような場合に関する救済措置を設けた点にある。

そうすると、評価通達6に規定する「この通達の定めによって評価することが著しく不適当と認められる」場合とは、飽くまで時価評価に影響を及ぼす特別の事情があり、評価通達の定める評価方法によると実質的な課税の公平を確保できない場合を指すと解すべきである。行政の恣意性を排除し、明確性や予測可能性を担保する観点からも、上記の特別の事情は、災害、地盤沈下、土壌汚染等の客観的事情の発生に限られなくてはならない。したがって、時価評価に影響を及ぼすことのない、納税者等の節税目的や租税回避の目的といった主観的要素又は相続開始前後の一連の行為は、上記の特別の事情を基礎付けるものではない。

㈹ 本件各更正処分等は、本件各不動産につき想定外の時価の下落事情が事後的に生じた場合ではないにもかかわらず、評価通達6を適用した点で、前記㈥に述べた評価通達6の制定趣旨に反するものである。また、本件各更正処分等は、本件相続開始前後の本件被相続人及び本件共同相続人の一連の行為について、G興業の事業承継を円滑に進めるという主たる目的を捨象し、本件相続税をゼロにすることを目的とした行為（過度の節税目的による行為）であると決めつけ、評価通達6の適用要件を拡大解釈し、これを恣意的に適用したものである。

したがって、本件各更正処分等は、租税法律主義に反するものであるとともに、評価通達の定める評価方法によって本件各不動産の評価を行い、本件相続税の申告をした原告らの信頼を裏切った点で、法の一般原則たる信頼保護法理にも違反する。

㈦ 本件各鑑定評価は、いずれも収益還元法を用いて土地及び建物を一括評価しているから、本件各通達評価額との間に乖離が生じることは、評価手法が異なる以上、当然である。評価通達の定める評価方法、とりわけ路線価方式は、合理性があるものとして広く社会に受け入れられているから、本件のようにその評価額と鑑定評価額に数倍もの乖離がある場合、鑑定評

価額の適正さに疑問が呈されるべきである。また、本件各鑑定評価における原価法による積算価格の算定において、付帯費用という名目により根拠不明の金額が加算されている。

そもそも、相続財産の評価は、突然到来した被相続人の死により開始する相続に際してされるものであり、当該財産を不特定多数の者に売却することを前提としていないものであるから、収益の有無あるいは多寡に左右される収益還元法による評価や、経済合理性に基づく取引により形成される取引価額による評価は、その評価手法として著しく妥当性を欠く。

評価手法の妥当性の点をおくとしても、上記の乖離が、想定内のものであり、これをもって評価通達6の適用が肯定される特別の事情に該当しないことは、本件各更正処分等の後に、評価通達や本件各土地の路線価について、評価通達の定める評価方法による評価額を鑑定評価額に近づけるための改定が行われたことがうかがわれないことからも明らかである。そして、評価通達の定める評価方法による評価額と鑑定評価額の開差が著しいと思われる場合はまれではなく、その場合に全て評価通達6が適用されているわけではない。

しかるところ、本件を典型的な節税事案であるとして、例外規定である評価通達6を恣意的に用いて個別評価をすることは、租税公平主義が求める平等取扱原則に反するものである。

㊂ 以上によれば、本件相続開始時における本件各不動産の相続税法22条に規定する時価を本件各鑑定評価額とすることは許されない。

(東京地裁の判示事項)

㋐ 評価通達の定める評価方法によっては適正な時価を適切に算定することができないなど、評価通達の定める評価方法を形式的に全ての納税者に係る全ての財産の価額の評価において用いるという形式的な平等を貫くことによって、かえって租税負担の実質的な公平を著しく害することが明らかである特別の事情（評価通達6参照）がある場合には、他の合理的な方法によって評価することが許されるものと解すべきである。

Ⅳ 評価通達によらない評価　1031

(ロ)　各通達評価額は、それぞれ、各鑑定評価額の約4分の1（甲不動産につき約26.53％、乙不動産につき約25.75％）の額にとどまっている。そして、実際に被相続人又は原告Aが各不動産を売買した際の価格をみると、各通達評価額からの乖離の程度は、各鑑定評価額よりも更に大きいもの又は同程度であった。

(ハ)　これらに加え、①本件全証拠によっても、被相続人又は原告Aの各不動産の売買につき、市場価格と比較して特別に高額又は低額な価格で売買が行われた旨をうかがわせる事情等が見当たらないことや、②各鑑定評価は、いずれも、原価法による積算価格を参考にとどめ、収益還元法による収益価格を標準に鑑定評価額を求めたものであること、③不動産鑑定士が不動産鑑定評価基準に基づき算定する不動産の正常価格は、基本的に、当該不動産の客観的な交換価値（相続税法22条に規定する時価）を示すものと考えられること（地価公示法2条参照）をも勘案すれば、各通達評価額が相続開始時における各不動産の客観的な交換価値を示していること（相続開始時における各不動産の客観的な交換価値を算定するにつき、評価通達の定める評価方法が合理性を有すること）については、相応の疑義があるといわざるを得ない。

(ニ)　B銀行からの各借入れ及び各不動産の購入がなければ、本件相続に係る課税価格は、6億円を超えるものであったにもかかわらず、各借入れ及び各不動産の購入がされたことにより、相続税の申告による課税価格は、2,826万1,000円にとどまるものとされ、基礎控除（1億円）により、本件相続に係る相続税は課されないこととされたものである。

(ホ)　上記の経緯等に加え、B銀行が各借入れに係る貸出しに際し作成した各貸出稟議書の記載や証拠にもよれば、被相続人及び原告らは、各不動産の購入及び各借入れを、被相続人及びC社の事業承継の過程の一つと位置付けつつも、それらが近い将来発生することが予想される本件被相続人の相続において原告らの相続税の負担を減じ又は免れさせるものであることを知り、かつ、それを期待して、あえてそれらを企画して実行したと認めら

れ、これを覆すに足りる証拠は見当たらない。

(ヘ) 以上にみた事実関係の下では、本件相続における各不動産については、評価通達の定める評価方法を形式的に全ての納税者に係る全ての財産の価額の評価において用いるという形式的な平等を貫くと、各不動産の購入及び各借入れに相当する行為を行わなかった他の納税者との間で、かえって租税負担の実質的な公平を著しく害することが明らかというべきであり、評価通達の定める評価方法以外の評価方法によって評価することが許されるというべきである。

(ト) そして、本件全証拠によっても各鑑定評価の適正さに疑いを差し挟む点が特段見当たらないことに照らせば、各不動産の相続税法22条に規定する時価は、各鑑定評価額であると認められる（前記渡邉定義「国税速報」より）。

Ⅴ 土地評価の時点修正の問題

1 総説

　戦後の土地の価額の推移を概観すると、昭和20年代の前半は、まだ戦後の経済復興が軌道に乗らず、国民の住宅取得の経済力もほとんどない状況であったので、当然に土地需要も乏しく、価格の上昇もいうに足りないものだった。

　しかし、朝鮮戦争に伴う特需景気とそれに続く経済復興が昭和20年代後半から次第に軌道に乗り、昭和30年代には、神武景気、岩戸景気といわれる活況を呈するに至った。これに伴い国民の住宅需要も次第に強いものとなって、ここに地価の著しい上昇が始まり、昭和39年の東京オリンピック開催を目標とした新幹線、高速道路の建設をはじめとする公共事業の拡大がこの傾向に拍車をかけた。その後ドルショックや石油危機などから、一時地価が沈静化したといわれたが、昭和50年代後半から、再び地価の急激な上昇が始まった。これは、時の中曽根内閣が火付け役となった民活ブーム、企業の財テクブーム、いわゆる金余り現象による土地投機熱などが絡まって、世にいうバブル経済が始まり、一億総不動産屋となった土地ブームを招来した。しかし、昭和が終り、平成の時代に入ると、今度は、いわゆる土地いじめが始まり、土地税制の強化、不動産の融資規制策がとられ、同時に始まった景気のダウンにより、バブルの崩壊がなだれのように広がって、かつての土地神話もどこへやら、一転して、急速な地価の下落が起こっていった。そして、この地価下落が金融機関の土地融資を不良債権化し、政府の相次ぐ公的資金の投入にもかかわらず、なかなか好転の兆しが見えない状況となり、これが景気回復の障害の一つになったことは、よく知られている。

ただ最新の平成26年分の路線価は、後述のように、上昇に転じた地域もあるが、地方圏では、現在も地価の下落傾向にある個所もあり、相続税の課税対象の大宗をなす土地の評価にも、バブル以前にはなかった各種の問題が発生しているが、ここでは、地価の下落傾向に伴い、年の中途で相続が開始した場合、その年の1月1日現在の地価水準を基とする路線価等により土地を評価するのは酷であり、路線価等の時点修正を認めるべきではないかという問題が従来からいわれているので、これについて検討を加えたい。

2　相続税法第22条と路線価の位置付け

相続税の課税価格の算定の基礎となる財産の評価額は、相続（遺贈及び死因贈与を含む。）の時の時価によるとされている（相法22）。この「時価」については、相続税法上の定義規定はないので、専ら解釈によらなければならない。当局側の解釈については、既に説明されているが、筆者は、相続財産の時価は、一々個別に評価するもので、その評価方法は、財産の現状に応じ、解釈に任されているものと考えている。

既に述べたとおり、この相続税法第22条の「時価」についての国税庁の法律解釈を示したものが財産評価基本通達1(2)で、時価とは、それぞれの財産の現況に応じ、不特定多数の当事者間で自由な取引が行われる場合に通常成立すると認められる価格をいうものとし、いわゆるFair Market Value（公正な市場価格）を標榜していながら、その後段で、「その価額は、この通達の定めによって評価した価額による」と定めている。

この通達1(2)後段は、正常な市場価格は、財産評価基本通達による評価額と解釈したものとして、世間から揶揄されている通達であるが、綿密に読めば、そのように決め付けているものではなく、次のようなことを述べているものと筆者は考える。

すなわち、この財産評価基本通達に限らず、税法関係の通達は、法律解釈としての通達と、執行通達といわれる国税庁内部の事務処理通達の2種類に分かれるが、実際にはそのように画然と分かれていない通達もあり、この財

産評価基本通達1⑵もその一つで、2つの事柄を1本で書いているために誤解されているのではないかと考える。

　品川芳宣氏は、この問題について、通達の前段は、時価とは客観的な交換価値であるという抽象的な時価概念を標榜し、後段は、現場の職員に対し、当局としては、この通達によって評価せよという通達上の指示（職務命令）を出しているものであると説く。そして、結果的には、評価通達による評価方法によったのでは課税上弊害が起こるような事態が生ずること、換言すれば、相続税法第22条が予定しているような時価と乖離した結果になることも予測できるので、財産評価基本通達6項は、そのために置かれているものと説明している（品川芳宣ほか「相続税財産評価の論点」2～4頁（ぎょうせい）1997年）。通達6項の性格については、筆者は、本来は、通達の評価ではカバーし切れない、納税者のための救済規定であると考えており、この点では品川氏の見解には賛成できないが、その他の点については基本的に、同氏の見解に賛意を表する。

　それゆえに、当局の見解も、土地の評価方法である路線価方式及び倍率方式は、国税庁の内部的な取扱いを統一するとともに、これを公開して申告納税の便に供するためのものであるとされている（「評基通解説」4頁）。

　これは、路線価方式等は、土地の時価にアプローチするための一つの手段であり、路線価方式等による評価額が、土地の唯一絶対の時価であると解釈されているわけではないことを当局が認めていることの証左であるといえるであろう。

3　公示価格レベルの80％評価の問題

　現行の土地の相続税評価額の水準は、その土地あるいは周辺の土地の公示価額の80％相当額となっているといわれている。この水準は、かつては70％相当額といわれていたが、後述の政府税制調査会が平成3年に公表した「土地税制のあり方についての基本答申」（以下「土地税制答申」と略称）の考え方に従い、80％相当額に引き上げられたものである。

すなわち、この「土地税制答申」では、要旨次のようなことが述べられていた。

イ　土地の相続税評価額の評価時点については、できるだけ直近に近づける考え方から地価公示価格の評定日である当年1月1日に合わせていく必要があること（注）。

（注）　従前は、税務行政の運営等を考慮して、評価時点を前年7月1日とされていた。

ロ　土地の評価は、現在、地価公示価格水準の70％（評価割合）を目途として行われているが、こうしたことが結果として金融資産等他の資産に比して土地の有利性を高め、かえって相続税課税上の歪みや節税を目的とする不要不急の土地需要を招来している。この問題に対応するためには、土地の評価割合をある程度引き上げていく必要があること。

ハ　以上の考え方で土地の相続税評価の適正化を図る場合には実質的な相続税負担の増加を伴うことになるので、課税最低限の引上げや税率の区分の幅の拡大等による負担の軽減を図る必要があること。

この土地税制答申を受けて、政府は、平成3年の税制改正要綱において、平成4年分の土地の評価から評価時点を前年7月1日から当年1月1日に変更して、公示価格の評価時点に合わせるとともに、評価割合を引き上げることを決定した。次いで、国税庁は、この政府の方針を踏まえて、土地の相続税評価に関し、地価公示価格を基準として評定するとの考えに立って、平成4年分の評価から、①評価時点を従来の前年7月1日から当年1月1日に変更し、②評価割合を地価公示価格水準の80％（従来は70％）程度に引き上げることとした。

この評価割合の引上げは、土地の資産としての有利性を縮減する効果を狙いとしたものであるが、一方、土地の価額には相当の幅があること、路線価等の土地評価基準は相続税の課税に当たって1年間適用されるため、その1年間の地価の変動にも耐え得るものであることが必要であること等の評価上の安全性を総合勘案して80％に引き上げることとされたと説明されている

(「平成4年版・改正税法のすべて」223～235頁)。

このように、現行における相続等の開始の年分の土地の路線価等の評価時点は、その年1月1日とされ、かつ、実務的な要請からその時点の評価水準を基とした路線価等がその年1年間に発生した相続等については、その相続等の時期を問わず一律に適用されることになっているので、上述のように、その評価水準は1年間の地価変動にも耐え得るよう、公示価格水準の80％とされているという説明がされている。

しかし、バブルの崩壊とともに、平成4年から地価の急激な値下がりが始まり、年率2桁の急落となった例も珍しくなく、取引価額が路線価を下回る事例も少なくなかった。そこで、相続税の申告において、土地の評価について路線価以外の評価方法によることを認めよという強い要望が国税庁に寄せられるに至った。

これに対して、国税庁は、平成4年4月に、国税局、税務署への事務連絡という形で、この問題に対する対応について、次のように指示している。

イ　路線価等に基づく評価額が、その土地の課税時期の「時価」を上回ることについて、申告や更正の請求に関する相談などがあった場合には、その申出に耳を傾けるなど、路線価に基づく評価額の申告等でなければ受け付けないなどということのないように対応する。

ロ　申告期において、路線価等に基づく評価額がその土地の課税時期における「時価」を上回ることが分からず、路線価等に基づく評価額により申告を行い、事後にそのような事実が判明した場合には、更正の請求の対象となり得るものとして取り扱う。

この事務連絡からも分かるように、国税庁も相続税における土地の評価は、路線価等による評価が唯一無二のものと考えているわけではなく、個別の土地の「時価」の解釈として、その申告に係る評価額が適切かどうかを個々に判断するように指示している。そして、その判断の基準として、①地価の動向、②土地が売却されていればその売却価額、③精通者意見などを挙げている。

しかしながら、路線価等によらない評価額の申告を認める基準としては、路線価等がその土地の課税時期の「時価」を上回る場合に限るものとされている。したがって、その土地の課税時期の「時価」と路線価等との乖離が、路線価の時価（地価公示価格）に対する評価割合のアロワンス（現在20％）の範囲内である場合、すなわち、その土地の課税時期の「時価」が路線価等の評価時点における公示価格レベルを下回っていても、なお路線価等を下回っていない場合には、依然として路線価等に基づく評価額によるべきものとして取り扱われる。換言すれば、土地の路線価等は、時価（地価公示価格）レベルの80％相当額となるように定められており、土地の時価に比して20％のアロワンスを設けていると考えられている。したがって、地価が下落していても、その時価が路線価等による評価額を80％で除して得た価額、すなわち地価公示価格レベルの価額を下回っていない限り、評価額に対する更正の請求は認められていないということになる。

4　時点修正の可否の検討
(1)　地価が上昇した場合の時点修正

仮に、路線価等の時点修正を行うとした場合には、地価の上昇があったときは、路線価を上方に時点修正するのかという問題をまず検討しなければならない。この点について、右山昌一郎氏は、相続税評価額は、本来は収益還元価額によるべきであるという同氏の持論を前提としつつ、評価額は時価が上昇したときも下がったときも、同様に時点修正を行うべきで、路線価等が下がったときだけ時点修正をして、上昇したときには時点修正を行わないというのはおかしいと述べている（右山昌一郎ほか「地価下落が引き起こした税務問題」税理40巻15号（1997年）95頁（右山発言））。これに対しては、上方修正はしないというのはある程度、納税者の利益のために認めてもいいという意見（前掲95頁（山田煕発言））が述べられているが、筆者は賛成できない。後に述べるように、地価が上昇した場合にも、極端な例を挙げれば、前年12月31日の相続事案と、当年1月1日の相続事案とを比較すれば、1日の違い

で土地の評価額が上昇して相続税負担が増加することになるわけで、納税者の利益になるからよいという問題ではない。

したがって、筆者は、もし時点修正を行うとすれば、地価が上昇した場合には、路線価等も上方に時点修正するのが理論的には正しいと考える。ただ、納税者に有利だからという安易な発想ではなく、実務的に次のような問題があるので、実行は困難であろうと考える。

すなわち、現在、実行上の限界から、その年分の路線価は、8月初めに発表されるので、前年中の相続開始に係る事案は、10月〜12月の相続開始に係るもの以外は、すべて修正申告が必要になる。しかし、増税となるものに自主的な修正申告はまず期待できないから、当局側からの修正申告の勧奨ないしは更正処分となろう。そうなれば当然トラブルの多発が予想され、そうでなくとも前年分の相続事案の大半が修正ということになり、実行上極めて困難である。

結論として、路線価等が上昇した場合の時点修正は、これを行わなかった場合に生ずるアンバランスの問題は残るが、実行上は不可能ということになろう。

(2) 路線価等自体を基とした時点修正は可能か

次に、地価が下降した場合の時点修正について考えられる2つの方法を検討してみよう。

① 「時価」すなわち公示価格レベルの値下がりが路線価を下回った場合にのみ時点修正を認める方法

この方法は、国税庁の取扱いにより認められているものであることは、既に述べたとおりであるが、裁判例、裁決例でもこの考え方を支持したものが幾つかある。その要点を次に掲げてみよう。

イ 東京高裁平成9年6月26日判決

この判決は、相続税法第22条の「時価」と地価公示法の「正常な価格」とは、本来は同一の価格を指向する概念と判示していることに注目すべきものであるが、納税者が提出した鑑定評価額（以下「X鑑定額」という。）をもっ

て、その土地の時価が路線価を下回っているか否かが争われたものである。

判決は、本件土地の路線価による評価額は課税庁側が提出した鑑定額（以下「Y鑑定書」という。）を10％下回っており、また、25％の時点修正を施したX鑑定額における公示価格基準額及び本件公示地の平成5年1月1日の公示価格をそれぞれ下回っている点を勘案すれば、本件の路線価による評価額は客観的交換価値を下回っているとして、納税者の主張を退けた（注）。

(注) 東京地裁平成9年5月29日判決では、原告（納税者）側の要求に基づく裁判所選任に係る不動産鑑定士の評価額が路線価を上回っているので、更正の請求は認められないと判示している。

ロ 東京地裁平成9年9月30日判決

この事例は、路線価等による評価額が客観的な時価を上回っているとして、課税庁側が当初から路線価によらず、その年の路線価を0.8で割り戻した価額に同年1月1日から12月31日までの地価下落率を基として時点修正を施した価額（路線価を下回る。）を時価として更正処分を行ったところ、納税者側は、本件土地の路線価をもって1月1日の時価とし、これを課税時期までの公示価格の下落率による時点修正を行ったものが本件土地の時価であるとして争ったものである。判決は、公示価格の方が客観的時価に近いものであるなら、課税庁側の評価方法が正しいとして、納税者の主張を退けた。

ハ 東京審判所平成9年3月裁決

この裁決は、納税者が、相続開始の年分の路線価をその年1月1日から相続開始の日までの地価変動率により修正をした価額をもって相続開始の日の時価と主張したのに対し、裁決は、路線価は1年間を通じて適用されることを前提として、毎年1月1日現在の公示価格水準の価格の80％程度で評定されているから、路線価を1月1日から相続開始の日までの地価変動率によって修正した価額をもって時価であることを説明したことにはならないとして納税者の主張を退けた。

これらの判例・裁決例をみると、路線価自体を時点修正して、それを課税時期における評価額、すなわち相続税法第22条の「時価」とみる考えはない

ように見える。したがって、この考え方による限り、公示価格の路線価に対する20％のアロワンスを超える公示価格の下落がなければ、時点修正はあり得ないことになる。

② **路線価の時点修正を認める方法**

評価通達による評価額、すなわち路線価等による評価額を時価とすべきであるとする考え方は、学説では少なくない（注）。

イ 金子宏教授は、「…納税者に有利な慣習法の成立は認めるべきであろう。すなわち、納税義務を免除・軽減し、あるいは手続要件を緩和する取扱いが、租税行政庁によって一般的に、しかも反復・継続的に行われ（行政先例）、それが法であるとの確信（法的確信）が納税者の間に一般的に定着した場合には、慣習法としての行政先例法の成立も認めるべきあり、租税行政庁もそれによって拘束されると解すべきである（その取扱いを変えるためには法の改正が必要である）」と説く（「租税法（第23版）」115頁）。

ロ 清永敬次教授は、「…財産の評価が、ある通達（例、財産評価基本通達）によって一般的に行われているようなときに、ある特定の納税者については特別の事情がないにもかかわらず、別の基準による評価がなされるような場合である。その特定の納税者に対する別の評価基準の適用がむしろ税法令の定めるところに合致するような場合でも、この場合は税法令への適合性への要請は退き、租税平等主義により、特定の納税者に対する別の評価基準の適用は恣意的な差別として許されないというべきであろう。」と説く（清永敬次「新版・税法（全訂）」（ミネルヴァ書房、1996年）34頁）。

ハ 山田二郎氏は、「（金子教授の前述の説を引用して）私は、評価通達は行政先例法として、その成立を認めるべき場合であると考えている」と説く（山田二郎「買受けた農地についての知事の許可前に相続が開始した場合の相続財産の評価」税務事例13巻3号（財務詳報社、1981年）18頁）。

（注） このほか、北野弘久教授、四元俊明氏も同様の見解を述べていることは前述した。

これらの見解に立てば、評価通達による評価は、先例法として、時価評価

ということになり、路線価等を基として時点修正を行うべきということになろう。

5 私 見

　筆者は、基本的には、路線価等による申告が相続税法第22条の時価として課税庁が受容する態勢になっている以上は、年の中途で相続が開始した場合の土地の評価については、路線価等の時点修正を認めるべきではないかと考えている。

　それに加えて、仮に、次のような場合、年末とその翌年初の路線価が1日にしてダウンすることによるアンバランスに対して、合理的な説明ができないことになる（注）。

〔説 例〕

	（公示価格）	（路線価）	（時　価）
令X ． 1．1	125	100	100
令X ． 12.31	100	100	100
令X＋1．1．1	100	80	80

　（注）　このことは、小池正明ほか「どうする相続税の土地評価」税務弘報41巻14号114頁（小池発言）（中央経済社、1993年）でも触れられている。

　この考え方による時点修正を行うとすれば、修正を行うための下落率は、現在の取扱いのような20％を超えることは要しないことになる。しかし、わずかの下落率でもすべて時点修正を行うとすれば、実務的に煩雑に耐えないこととなって実行不可能になる。したがって、下落率が一定率、例えば5％未満の場合には時点修正を行わない旨を何らかの形で明文化する必要があろう。

Ⅵ　土地評価審議会

1　総説

　相続税・贈与税の土地の評価に当たっては、課税当局は、従前から、できるだけ売買実例を収集するとともに、不動産鑑定士等の学識経験者の意見をも聞きながら、評価額を決定してきていたが、昭和50年に相続税について全般的な改正が行われるとともに、相続税の納税猶予制度が設けられ、農業投資価格の決定が必要となったことから、土地の評価の一層の適正化に資するとともに、農業投資価格の決定に際し、国税局長に意見を述べるために、土地評価審議会が相続税法に設けられるに至った（相法26の2）。

　その後、平成3年の税制改正に際し、土地評価審議会の審議事項について宅地の主要標準地の価額につき審議するとともに、審議会の意見に基づいて土地の評価に関する事項（路線価、倍率）を定めたときは、これを閲覧に供すべきことを明確にする改正が行われて現在に至っている（土地評価審議会令（平成3年5月21日政令第175号。以下「会令」という。）、土地評価審議会に係る土地の評価についての基本的事項等に関する省令（平成4年7月28日大蔵省令第71号。（以下「会省令」という。））。

2　土地評価審議会の組織

　土地評価審議会（以下「審議会」という。）は、各国税局ごとに設置される（相法26の2①）。国税庁には設けられていない。

　審議会は、委員20人以内で組織され、委員は、関係行政機関の職員、地方公共団体の職員及び土地の評価について学識経験を有する者のうちから、国税局長が任命することとされている（相法26の2③④）。委員の任期は2年で、

会長は、委員の互選により定める（会令1、2）。

3 土地評価審議会の機能

審議会は、土地の評価に関する事項で国税局長がその意見を求めたものについて調査審議する（相法26の2②）。特に、国税局長は、農地等に係る農業投資価格を決定する場合には、審議会の意見を聴かなければならないものとされている（措法70の6⑥）。

次に、審議会は、土地の評価に関する基本的事項とされる一定の事項を調査審議するため必要があるときは、学識経験者の出席を求めて意見を聴くことができる（会令3）。この「基本的事項」とは、都道府県における土地の用途別（住居、商業又は工業の別）の主要な標準地における単位面積当たりの土地又は借地権に係る価額とされる（会省令1①）。ここにいう「主要な標準地」とは、宅地で、土地の用途が同質と認められるまとまりのある地域において、土地の利用状況、面積、形状等がその地域において通常であると認められるもので、国税局長が定めたものである（会省令1②）。

そして、国税局長が審議会の意見に基づいて土地の評価に関する事項を定めたときは、土地を有する者の便宜にも配慮して、その事項を速やかに国税局及び税務署において閲覧に供するものとすることとされている（会省令2）。この規定が、各国税局・税務署において、毎年路線価図や倍率等を記載した財産評価基準書を公開する根拠となっている。

Ⅶ 財産評価の方法

1 総　説

Ⅱで述べたように相続税・贈与税の課税対象である財産の評価については、相続税法第22条は「財産の取得の時の時価」によるとのみ規定し、個々の財産については、地上権、永小作権、定期金、定期金に関する権利及び立木の評価について評価の規定を置くのみで、他の財産については法律上の評価規定は設けられておらず、専ら解釈に委ねられている。そして、課税庁側の解釈としては、財産評価基本通達及び若干の個別通達が発遣されている。このように一部の財産についてのみ評価が法定され、多くの財産については評価方法が法定されなかった理由については、あまり明らかではないが、推測される理由はⅡで述べている。

そこで、このⅦでは、具体的な評価方法について述べることとしたい。ただし、評価の具体的内容その問題点については相当の紙数を要するし、また、筆者が別に著したもの（注）があることから、ここでは、基本的な検討を重点とし、特に評価通達による評価方法は、全くの骨子を述べるに止めることとするので、ご了承を願いたい。

(注)　拙著「Q&A 宅地評価の実務（5訂版）」（財務詳報社）ほか。

2　法定評価方法

(1)　総　説

相続財産に対する評価方法が相続税法で規定されているいわゆる法定評価方法により評価される財産は、①地上権及び永小作権、②定期金に関する権利並びに③相続等によって取得した立木である。その他の財産の評価につい

ては、課税当局の解釈通達として財産評価基本通達が定められている。法定評価方法と評価通達による評価方法との法律的な意義の差異は、後者が納税者が別の評価方法によることも可能で、当局側と見解が異なる場合は訴訟によって争うこともできるのに対し、前者は評価方法について争う余地がないということであろう。

(2) 地上権及び永小作権の評価

地上権（借地借家法に規定する借地権又は民法第269条の2第1項の地上権に該当するものを除く。以下この(2)において同じ。）及び永小作権の価額は、その残存期間に応じ、その目的となっている土地のこれらの権利を取得した時におけるこれらの権利が設定されていない場合の時価に、次に掲げる割合を乗じて算出した金額によって評価することとされている（相法23）。

〔残 存 期 間〕	〔割合〕
10年以下のもの	5％
10年を超え15年以下のもの	10％
15年を超え20年以下のもの	20％
20年を超え25年以下のもの	30％
25年を超え30年以下のもの及び地上権で存続期間の定めのないもの	40％
30年を超え35年以下のもの	50％
35年を超え40年以下のもの	60％
40年を超え45年以下のもの	70％
45年を超え50年以下のもの	80％
50年を超えるもの	90％

まず、「地上権」とは、他人の土地において工作物又は竹木を所有するためにその土地を所有する権利（民法265）で、物権の一種である。ただし、地上権でも、次のものは、この法定評価方法にはよらないものとされている（相法23）。

① 区分地上権

② 建物の所有を目的とする地上権

「区分地上権」は、民法上の用語ではないが、一般の地上権（民法265）

とは別個に規定され（民法269の２）、地下又は空間は、工作物を所有するため、上下の範囲を定めて地上権の目的とすることができる。一般の地上権は、土地に対する全体的な利用権であるのに比し、区分地上権は、土地の一定層を客体として設定されるものであるところから、このように呼ばれているといわれている。したがって、一般の地上権と質的な差異があるわけではなく量的な差異があるのみといわれている。

　この区分地上権は、昭和41年の民法改正により制度化されたもので、実際には、建物間の空中舗道、トンネル、道路、橋梁等の所有を目的として設定されることが多いようである。

　ところで、この「区分地上権」を「地上権」から除外する規定は、平成３年以前は設けられていなかった。そのため、相続税法第23条の評価規定は、区分地上権も対象となるかが、かつて争われたが、「民法269条ノ２及び相続税法23条の立法経過、民法269条ノ２所定の地上権（区分地上権）の法的性格、相続税法23条の規定内容、そして両者の不適合性からすれば、同条は民法265条の地上権に係る評価方法を規定したものに過ぎず、区分地上権に係る評価方法についてまで規定したものではないと解するのが相当である」とし、「民法269条ノ２所定の地上権（区分地上権）の価額は相続税法22条（評価の原則）の規定に基づき時価により評価すべきである」（東京地裁昭和58年３月７日判決、同旨東京高裁昭和58年10月13日判決）と判示された。この判決を受けて、平成４年の税制改正の際、相続税法第23条の規定には区分地上権を含まない旨が明らかにされているものである。

　なお、区分地上権は、一般の地上権と異なり、その性質上、竹木の所有を目的とするものは設定できない。

　次に、建物の所有を目的とする地上権（借地権）は、契約期間が満了しても建物が現存する限りは借地人が契約の更新を請求すれば、原則として契約は更新されたものとみなされる（旧借地法４、現行借地借家法５）など一般の地上権とは異なった保護を受けられるので、地上権のうち借地権に該当するものは、別に評価するものとされている。また、借地権のうち定期借地権は、

借地権の更新請求はできないが、その設定内容は多種多様なものがあるため、それが仮に地上権の形態で設定されていても、やはり、一般の地上権とは異なる取扱いをする必要があるという考えから、同じく別の評価を行うものとされているものと考える。

次に「永小作権」とは、小作料を支払って耕作又は牧畜をするために他人の土地を使用する権利（民法270）であって、地上権と同様な用益物権である。永小作権の存続期間は20年以上50年以下とされ、更に、50年以下の範囲内で更新できることになっている（民法278）。

地上権及び永小作権が設定されるケースは我が国では少なく、ほとんど賃借権による例が多いといわれている。

(3) 定期金に関する権利の評価

① 総　説

この評価の対象となる「定期金給付契約に関する権利」とは、契約によりある期間定期的に金銭その他の給付を受けることを目的とする債権をいい、毎期に受ける支分債権ではなく、基本債権をいうものとされている（相基通24－1）。

従来の定期金給付契約に関する権利の評価方法に関する制度（旧相法24①一～三、25）については、相続若しくは遺贈又は贈与の時点における定期金保険契約に関する権利の評価を簡易な方法により計算する仕組みとして機能してきたが、コンピューターの発達等により、相続若しくは遺贈又は贈与の時点における定期金給付契約に関する権利の評価についてこの簡易な方法を使わなければならないという状況ではなくなってきた。

また、旧方式の割合・倍数は、昭和25年当時の金利水準（約8.0％）・平均寿命（男58.0歳、女61.5歳）などを基に算定されたものであるが、その後60年以上が経過し、その間の金利水準の低下・平均寿命の伸長により、旧方式の評価方法による評価額が実際の受取金額の現在価値に比べ非常に低いものとなっていた。

さらに、近年では、この乖離に着目して、定期金に関する権利の取得後に

一時金受取りへの変更や解約ができる高額な一時払個人年金などの租税回避的な年金保険なども販売されていた。

こうした状況を踏まえ、課税の適正化を推進する観点から、平成22年の改正において、定期金給付契約に関する権利について、以下のように評価方法が見直されたものである。

(注) 平均寿命の変化（昭和25年⇒令和元年）
男58.0歳 ⇒ 男81.41歳
女61.5歳 ⇒ 女87.45歳

② 給付事由が発生している定期金に関する権利の評価

定期金給付契約でその契約に関する権利を取得した時において定期金給付事由が発生しているものに関する権利の価額は、有期定期金、無期定期金又は終身定期金の態様に応じ、それぞれ次のように評価することとされた（相法24①）。

イ 有期定期金

次に掲げる金額のうちいずれか多い金額とされる（相法24①一）。

(イ) 解約返戻金相当額

(ロ) 定期金に代えて一時金の給付を受けることができる場合には、当該一時金相当額

(ハ) $\begin{pmatrix} 給付を受けるべき金額 \\ の1年当たりの平均額 \end{pmatrix} \times \begin{pmatrix} 残存期間に応ずる予定利率 \\ による複利年金現価率(注) \end{pmatrix}$

(注) 複利年金現価率は、次の算式（小数点以下第3位未満四捨五入）により算出される（相規12の2①、②一）。

《算式》

$$\frac{1-\frac{1}{(1+r)^n}}{r} \begin{pmatrix} n：権利取得時における契約に基づき定期金の給付を受け \\ るべき残りの期間に係る年数（1年未満端数切上げ） \\ r：予定利率 \end{pmatrix}$$

ロ 無期定期金

次に掲げる金額のうちいずれか多い金額とされる（相法24①二）。

(イ) 解約返戻金相当額

(ロ)　定期金に代えて一時金の給付を受けることができる場合には、当該一時金相当額
　(ハ)　(給付を受けるべき金額の１年当たりの平均額) ÷ (予定利率)

ハ　終身定期金

次に掲げる金額のうちいずれか多い金額とされる（相法24①三）。

　(イ)　解約返戻金相当額
　(ロ)　定期金に代えて一時金の給付を受けることができる場合には、当該一時金相当額
　(ハ)　$\begin{pmatrix} 給付を受けるべき金額 \\ の１年当たりの平均額 \end{pmatrix} \times \begin{pmatrix} 終身定期金に係る定期金給付契約の目的 \\ とされた者の余命年数（注１）に応ずる \\ 予定利率による複利年金現価率（注２） \end{pmatrix}$

（注１）「余命年数」は、厚生労働省が男女別、年齢別に作成する完全生命表に掲載されている平均余命（１年未満端数切捨て）による（相令５の７、相規12の３）。

　　　　この場合、完全生命表に当てはめる終身定期金に係る定期金給付契約の目的とされた者の年齢は、定期金に関する権利を取得した時点の満年齢である。

（注２）複利年金現価率は、次の算式（小数点以下第３位未満四捨五入）により算出される（相規12の２①、②二）。

《算式》

$$\frac{1-\frac{1}{(1+r)^n}}{r} \begin{pmatrix} n：権利取得時におけるその目的とされた者に係る余命年数 \\ r：予定利率 \end{pmatrix}$$

(参考)

1　上記①～③において、それぞれ上記イからハまでに掲げる金額のうち、

　a　一つ又は二つの金額が欠ける場合には、他の金額のうちいずれか多い金額によることとされる。

　b　イ及びロの金額が欠ける場合であって、予定利率が明らかでないときは、基準年利率等の合理的な利率を用いてハによって計算した金額とされる。

2　「完全生命表」は厚生労働省が国勢調査等を基に５年毎に作成しているもので、厚生労働省HP〔www.mhlw.go.jp〕に公表されている。

③ 給付事由が発生していない定期金に関する権利の評価

定期金給付契約（生命保険契約を除く。）でその契約に関する権利を取得した時において定期金給付事由が発生していないものに関する権利の価額は、解約返戻金を支払う旨の定めの有無に応じ、それぞれ次のように評価することとされる（相法25）。

イ 解約返戻金を支払う旨の定めがない定期金給付契約

次の(イ)又は(ロ)の場合の区分に応じ、それぞれ次の(イ)又は(ロ)に定める方法により算出された金額によって評価される（相法25一）。

(イ) 掛金又は保険料が一時に払い込まれた場合

$$\begin{pmatrix} 経過期間（注1）に応ずる掛金（保険料）の予定利率 \\ の複利による計算をして得た元利合計額（注2） \end{pmatrix} \times 90\%$$

(ロ) 上記(イ)以外の場合

$$\begin{pmatrix} 経過期間（注1）に払い込まれ \\ た掛金（保険料）の金額の1年 \\ 当たりの平均額 \end{pmatrix} \times \begin{pmatrix} 経過期間（注1）に応 \\ ずる予定利率による複 \\ 利年金終価率（注3） \end{pmatrix} \times 90\%$$

(注1) 「経過期間」とは、掛金又は保険料の払込開始の時から起算して定期金給付契約に関する権利を取得した時までの期間をいう（相法25一イ）。

(注2) 「経過期間に応ずる掛金（保険料）の予定利率の複利による計算をして得た元利合計額」は次の算式（小数点以下第3位未満四捨五入）により算出される。

《算式》

掛金（保険料）の金額×複利終価率

複利終価率＝$(1+r)^n$

n：掛金（保険料）の払込開始の時から起算して当該権利を取得した時までの年数（1年未満端数切捨て）

r：予定利率

(注3) 複利年金終価率は、次の算式（小数点以下第3位未満四捨五入）により算出される（相規12の4）。

《算式》

$$\frac{(1+r)^n - 1}{r} \begin{pmatrix} n：掛金（保険料）の払込開始の日から起算して当該権利を \\ 取得した日までの年数（1年未満端数切上げ） \\ r：予定利率 \end{pmatrix}$$

ロ　上記ロ以外の定期金給付契約

解約返戻金相当額によって評価される（注）（相法25二）。

(注)　相続開始の時において、まだ保険事故が発生していない生命保険契約に関する権利の価額については、従来どおり、相続開始の時において当該契約を解約するとした場合に支払われることとなる解約返戻金の額によって評価される（評基通214）。

④　適用時期

平成22年度税制改正後の定期金に関する権利の評価方法の適用時期については次のとおりである。

イ　定期金給付事由が発生しているもの

改正後の評価方法は、平成23年4月1日以降に相続等により取得した定期金に関する権利について適用される。

また、平成22年4月1日から平成23年3月31日までの間に締結された定期金給付契約に関する権利（年金払で受け取る死亡保険金（個人年金保険や一時払終身保険を除く。）や確定給付企業年金など一定のものを除く。）で平成23年3月31日までの間に相続等により取得したものについても改正後の評価方法が適用される（注）。

(注)　平成22年4月1日前に締結された定期金給付契約のうち、平成22年4月1日から平成23年3月31日までの間に変更（軽微な変更を除く。）があった契約については、その変更があった日に新たに定期金給付契約が締結されたものとみなされる。

なお、「軽微な変更」とは、次に掲げる変更以外の変更をいう。
①　次に掲げる事項の変更その他当該契約に関する権利の価額の計算の基礎に影響を及ぼす変更
・解約返戻金の金額
・定期金に代えて一時金の給付を受けることができる契約に係る当該一時金の金額
・給付を受けるべき期間又は金額
・予定利率
②　契約者又は定期金受取人の変更
③　当該契約に関する権利を取得する時期の変更

④　上記に掲げる変更に類する変更

ロ　定期金給付事由が発生していないもの

　改正後の評価方法は、平成22年4月1日以降に相続等により取得した定期金に関する権利について適用される。

(参考)　参考のため、平成22年改正前の旧法の定期金評価について述べておく。

　改正前の旧相続税法第24条に規定する郵便年金契約その他の定期金給付契約で当該契約に関する権利について、次のような判例がある（大阪地裁昭和43年11月25日判決）。

　「相続税法24条に規定する『郵便年金契約その他の定期金給付契約で当該契約に関する権利』とは、同条と同法3条4号、5号、6号の規定とを対照して考察すると恩給、扶助料などのようにある期間を通じて定期的に金銭等の給付をうける権利をすべて包含するものではなく、郵便年金契約に基づく権利のように当事者の一方が掛金を払い込むことにより他方に対し定期に金銭その他のものの給付を対価的に請求する権利のみを指称すると解すべきである」

　また、この判決では、「土地の使用貸借に基づく経済的利益を定期金給付契約に関する権利として評価することはできない」とも判示している。

　なお、旧相続税法第24条に規定する「定期金給付契約」には、同法第25条のような生命保険契約を除く規定がないことから、生命保険年金契約が含まれ、また、給付原因も特に問わないことから退職金の年金払も含まれると解される。したがって、年金の方法により支払又は支給を受ける生命保険契約若しくは損害保険契約に係る保険金又は退職手当金等の額は、相続税法第24条の規定により計算した額とされる。ただし、保険金又は退職手当金等を選択により一時金で支払又は支給を受けた場合又は一時金の額を分割の方法により利息を付して支払又は支給を受ける場合には、一時金の額によるものとされている（相基通24-3）。

　なお、この定期金に関する評価の規定は、相続税法の創設当時（明治38年）から設けられているが、当時の当局者の解説があるので、参考までに次に掲げておく（注）。

「四　有期定期金　本號以下第六號ハ定期金債権ノ價額算定方法ナリトス而シテ定

期金トハ定期ニ金錢若ハ其他ノ物ノ給付ヲ受クル債權ナリ定期金債權發生ノ原因ハ或ハ債務者ノ恩惠ヨリ年々若ハ年何回ニ一定ノ金錢其他ノ物ノ給付ヲ約スルコトアラン或ハ債務者カ一時ニ元本ヲ得テ之ニ對スル報酬トシテ一定ノ時期ニ一定ノ金錢其ノ他ノ物ノ給付ヲ約スルコト是アラン其如何ナル原因ニ基クヲ問ハス定時ニ金錢其他ノ物ノ給付ヲ受クル債權ハ總テ定期金債權ナリト云フヲ得而シテ定期金ニハ一定ノ年限間定時ニ支拂ヲ受ルモノアリ有期定期金ト云フ又債權者債務者若ハ第三者ノ終身ヲ期シ定期ニ支拂ヲ受クルモノアリ終身定期金即チ是ナリ又或ハ將來無期限ニ定時ニ支拂ヲ受クルモノアリ之ヲ無期定期金ト云フ（中略）。

五　無期定期金　ハ前述セル如ク一定ノ期限ヲ限ラス年々永久ニ支拂ヲ受クルモノナレハ之カ價額ノ評定ハ頗ル困難ナリ故ニ前號ト同シク其ノ一年ノ定期金ノ二十倍ヲ以テ其ノ價額ト看做セリ即チ二十年間ノ總金額ヲ以テ其ノ價額ト爲其二十年間ニ限リタルハ有期定期金ノ場合ニ殘存期間二十年分ノ總金額ニ制限シタルト同シク長キ期間ヲ無限ニ算入スルトキハ非常ニ莫大ナル價額ト爲リ実際ノ價額ニ一致セサルニ至ルカ故此ノ範圍ニ止ムルヲ適當ト認メタルニ因ル（中略）

六　終身定期金　ハ其目的トセラレタル人ノ年齡ニ依リ（即チ債權者又ハ債務者ノ終身ヲ期シタルトキハ其人ノ年齡第三者ノ終身ヲ期シタルトキハ其第三者ノ年齡ヲ標準トス）本號ノ定メシ期間ニ於ケル定期金ノ總額ヲ以テ其價額トス（以下略）」

（注）　「相續税法義解」166～168頁

① 給付事由の発生している定期金

相続の際、既に給付事由の発生している定期金の権利は、有期定期金、無期定期金及び終身定期金の三種類に分けて評価することとされていた（旧相法24）。

イ　有期定期金

有期定期金とは、一定の期間定期に金銭その他の物の支給を受けるもので、その権利の価額は、残存期間に受けるべき給付金額の総額に、その残存期間に応じ、次に掲げる割合を乗じて計算した金額によって評価されるが（旧相法24①一）、1年間に受けるべき金額の15倍相当額を超えないものとされていた（注1～3）。

〔残存期間〕	〔割合〕
5年以下のもの	70％
5年を超え10年以下のもの	60％
10年を超え15年以下のもの	50％
15年を超え25年以下のもの	40％
25年を超え35年以下のもの	30％
35年を超えるもの	20％

(注1) (1) 上記の割合は、残存期間内に受け取る定期金の合計額について年利率8分としてその複利現価を計算し、これを適当に端数整理したもので、昭和25年にこの割合に改められるまでは、この割合が80％ないし40％で、年利5分として計算してそれから適当な割合を控除して定めたと当時の当局者は説明している（「相続税・富裕税の実務」146～147頁）。

(2) 評価額の最高限度を1年間に受ける金額の15倍（昭和24年までは20倍）としたのは、あまり長期にわたるものは、そのままの価額で評価すべきでないとの考えから次のように残存期間が75年を超えるものは75年に止めて評価するものとされたのである（「相続税・富裕税の実務」147頁）。

$A \times 20\% \times x = 15A$

$\therefore x = 75$（年）

A＝1年間に受けるべき金額

x＝残存年数

(注2) 「1年間に受けるべき金額」が毎年異なる場合には、残存期間に受けるべき金額の合計額を残存年数をもって除して得た金額による（旧評基通200(1)）。

(注3) 定期金の目的が金銭以外の財産であるものについては、その定期金の目的とされた財産の価額を基とし、(注2)に準じて計算した価額による。この点は、以下の無期定期金及び終身定期金でも同様に取り扱われる（旧評基通200(4)）。

ロ　無期定期金

　無期定期金とは、定期金の給付事由発生後の給付期間が無期限のもので、その権利の価額は1年間に受けるべき金額の15倍相当額によって評価される（旧相法24①二）。

これは、定期金の給付期間が定められないので、一律15倍とされたものである（注1、2）。

(注1) この倍率は、イの15倍の計算と同様年8分の利率によって計算したと説明されている（「相続税・富裕税の実務」147頁）。

(注2) 「1年間に受けるべき金額」が毎年異なる場合には、課税時期から15年間に受けるべき金額の合計額を15で除して得た金額による（旧評基通200(2)）。

ハ　終身定期金

(イ)　評価額

終身定期金とは、その支給の対象である受給者が死亡するまでの間定期の金銭その他の物の給付を受けるもので、その権利の価額は、受給者がその権利を取得した時における年齢に応じ、1年間に受けるべき金額に、次の倍数を乗じて算出した金額によって評価される（旧相法24①三）。なお、次の(ロ)を参照のこと（注1、2）。

〔権利取得時における年齢〕　　〔倍数〕
25歳以下の者　　　　　　　　　11倍
25歳を超え40歳以下の者　　　　 8倍
40歳を超え50歳以下の者　　　　 6倍
50歳を超え60歳以下の者　　　　 4倍
60歳を超え70歳以下の者　　　　 2倍
70歳を超える者　　　　　　　　 1倍

(注1) この倍数は、平均余命年数による定期金の複利現価（年利率8分）を基として適当に端数整理（切捨て）を加えたものである（「相続税・富裕税の実務」148頁）。

(注2) 「1年間に受けるべき金額」は、その取得の事後その目的とされた者のその取得の時における年齢に応じて定められた上記の倍数に相当する年数の間に受けるべき金額の合計額をその倍数に相当する年数で除した金額によるものとされる（旧評基通200(3)）。

(ロ)　年齢の計算

この権利の取得の時における年齢の数え方には、次の2つの考え方がある。

A　一般に年齢を称する場合には、例えば25歳何か月の場合、月数を切り

捨てて25歳と称していることから、25歳以下の者とは、26歳に達するまでの者をいい、25歳を超えた者とは26歳以上の者をいう。

　B　相続法は「25歳以下」「25歳を超え」というような規定振りであるから25歳を１日でも超えたら25歳を超えたことになり、25歳以下というのは25歳丁度の者又は25歳未満の者をいう。

　国税庁の解釈としては、Ｂの考え方をとり、課税時期でＮ歳を１日でも超えていれば、Ｎ歳を超える者として取り扱われる（相基通24－２）。

ニ　保証期間付定期金給付契約による一時金

　定期金給付契約で、定期金受取人に対し、生存中又は一定期間にわたり定期金を給付し、かつ、一定期間内にその定期金受取人が死亡したときは、その死亡後遺族その他の者に対して定期金又は一時金を給付するもの（以下「保証期間付定期金」という。）に基づいて継続受取人が取得する定期金又は一時金は、相続又は遺贈により取得したものとみなされて相続税が課税されることは、既にみなし相続の個所で説明したが（相法３①五）、この場合、その定期金を一時金で受給したときは、その一時金の金額によって評価するものとされる（旧相法24①四）。

ホ　定期金の評価の特例

(イ)　終身定期金の受給権の取得者が申告期限までに死亡した場合の特例

　給付事由の発生した終身定期金の受給権を取得した者が、相続税又は贈与税の申告期限までに死亡し、その死亡によりその終身定期金の給付が終了した場合には、その終身定期金を、上記ハ(イ)及び(ロ)の原則によって評価することは、実態に沿わないので、その受給権を取得した後給付を受けた又は受けるべき金額によって評価する（旧相法24②）。なお、この給付を受けた又は受けるべき金額には、その権利者の遺族その他の第三者がその権利者の死亡により給付を受ける場合には、その給付を受けた又は受けるべき金額が含まれる。

(ロ)　期間付終身定期金の評価の特例

　定期金給付契約に関する権利で、その権利者に対し、一定期間、かつ、そ

の目的とされた者の生存中定期金を給付する契約に基づくものの価額は、イの有期定期金として算出した金額又はハの終身定期金として算出した金額のいずれか低い方の金額によるものとされる（旧相法24③）。

このような定期金は、有期定期金としての性質と終身定期金としての性質を併せ有しているが、有期定期金としての期限が来れば生存中でも給付が打ち切られ、一方、給付期限の到来前に受給権者が死亡すれば給付が打ち切られるので、有期定期金としての評価額と終身定期金としての評価額のいずれか低い方の金額によって評価するものとされているものである（注）。

(注) 「相続税・富裕税の実務」149頁、「DHC コンメンタール相続税法（第2巻）」2351頁。

(ハ) 保証期間付定期金の評価

定期金給付契約に関する権利で、その目的とされた者の生存中定期金を給付し、かつ、その者が死亡したときは、その権利者又はその遺族その他の第三者に対し継続して定期金を給付する契約に基づくものの価額は、イの有期定期金として算出した金額又はハの終身定期金として算出した金額のいずれか高い方の金額によるものとされている（旧相法24④）。

このような定期金は、㈡と逆に、その目的とされた者の生存中だけでなく、その者が保証期間中に死亡していれば、残存期間中は継続受取人に対して定期金が支給されることから、有期定期金としての評価額と終身定期金としての評価額とのうち、いずれか高い方の金額によって評価するのである（注）。

(注) 「DHC コンメンタール相続税法（第2巻）」2351頁。

もっとも、これによって評価されるのは、定期金受取人につき定期金給付事由の発生しているもので、その受取人の死亡により遺族その他の第三者が取得する継続定期金は、有期定期金として別に評価される（注）。

(注) 「相続税・富裕税の実務」149頁。

(ニ) 年金により支払われる生命保険金等の評価

年金払の方法により支払われ又は支給される保険金又は退職手当金等は、定期金として評価した金額によって評価するが、この保険金又は退職手当金

等を選択により一時金として支払又は支給を受けた場合には、その一時金の額によって評価することに取り扱われる（相基通24-3）。また、その一時金が分割の方法により利息を付して支払又は支給がされる場合も、年金でなく、一時金の額によって評価することに取り扱われる（相基通24-2）。

へ　契約に基づかない定期金に関する権利の評価

　被相続人の死亡により相続人その他の者が定期金に関する権利で契約に基づくもの以外のものを取得した場合には、その定期金に関する権利を取得した者について、その定期金に関する権利を相続又は遺贈により取得したものとみなされて相続税が課税される（旧相法3①六）ことについては、みなし相続の個所で既に説明した。

　この事例としては、退職年金の受給者が死亡して、その遺族がその年金を継続して受給することとなった場合が該当する。年金支払者と受給者たる遺族との間には、契約は存しないからである。

　この契約に基づかない定期金に関する権利の価額は、その態様に応じ上記イからホまでに準じて評価するものとされている（旧相法24⑤）。

② 給付事由の発生していない定期金

イ　総　説

　相続開始時において、まだ定期金給付事由の発生していない定期金給付契約（生命保険契約を除く。以下この②において同じ（注）。）で被相続人が掛金の全部又は一部を負担し、かつ、被相続人以外の者が契約者である場合には、その定期金給付契約の契約者が次の算式により計算した金額に相当する定期金の給付に関する権利を相続又は遺贈により取得したものとみなされて相続税が課税されることについても、既に説明した（旧相法3①四）。

$$\text{定期金給付契約に関する権利の価額} \times \frac{\text{被相続人が負担した掛金の総額}}{\text{相続開始の時までに払い込まれた掛金の総額}}$$

（注）　この定期金給付契約から生命保険契約が除かれている理由は、年金払の生命保険契約で相続開始の時においてまだ保険事故が発生していないものは、同じく相続又は遺贈により契約者が権利を取得したものとみなされて相続税が課税されるが、この権利の価額は、後述3(2)⑳の生命保険契約に

関する権利で説明する方法により評価されるからである（旧相法3①三、26）。

ロ　評価の方法

イの定期金給付契約でその契約に関する権利を取得した時において定期金給付事由が発生していないものに関する権利の価額は、その掛金又は保険料の払込開始の時からその契約に関する権利を取得した時までの経過期間に応じ、その時までに払い込まれた掛金又は保険料の合計金額に、次に掲げる割合を乗じて評価するものとされている（旧相法25）（注1、2）。

　　経過期間が5年以下のもの　　　　　　　100分の90
　　経過期間が5年を超え10年以下のもの　　100分の100
　　経過期間が10年を超え15年以下のもの　 100分の110
　　経過期間が15年を超えるもの　　　　　　100分の120

（注1）　上記の掛金又は保険料は、被相続人の負担したものだけでなく、全体の払い込まれた掛金等をいうものである。

（注2）　この割合が、経過期間が長いほど高くなっている理由は、掛金又は保険料の払込期間が経過しているほど給付事由の発生が近いこと及び期間が経過しているものほど経過利息が累積していることを考慮されたものといわれている（「DHCコンメンタール相続税法（第2巻）」2382頁）。

(4)　立木の評価

①　総　説

イ　制度の概要

相続、被相続人から相続人に対する特定遺贈（死因贈与を含む。）又は包括遺贈により取得した立木の価額は、この立木を取得した時における立木の時価に100分の85の割合を乗じて算出した金額によって評価される（相法26）。この「時価」は、通常の時価を指し、一般には、評価通達によって評価した立木の価額が用いられている。

ロ　立木の意義

立木の意義については、法律では特に定義は置かれていないが、次のような見解がある（「北野コンメンタール相続税法」306頁）。

「立木とは、広義においては、土地に生立している樹木、普通には特にそ

の集団をさし、狭義においては、立木ニ関スル法律（明治42年法律22号）の適用を受けるもの（筆者注…所有者が所有権保存登記を受けたもの）のみをいう。本条にいう立木は、最も広義の立木を意味すると解せられる。なぜならば、本条は、前述のように、立木を相続等によって取得した者がそれを譲渡したときに、相続人等に課せられる所得税のうち被相続人等が負担すべき所得税相当額を控除する趣旨であるが、所得税法60条1項によって相続人等が立木を譲渡したときにこれら相続人等がこの立木を引き続き所有していたものとみなして課税されるのは山林所得に該当するものに限らず、事業所得・譲渡所得・雑所得のすべての所得金額の計算に及び、また、山林所得（所得税法32条）にいう山林とは、土地に定着して樹木が成長している状態をいうので、その樹木が植栽して育成したものであると、天然に成長したものであるとを問わない。したがって、立木法の適用を受けるものであるか否か、土地から離れた独立の物として取扱われるか否かを問わない。要するに、樹木の集団あるいは個々の樹木がすべて含まれると解すべきであるからである」

ハ　この特例の適用範囲

　この規定は、後述のように、被相続人の生存中に生じた山林所得が相続人に引き継がれて、相続人が被相続人の山林所得に係る所得税を併せて納付するという負担を考慮されたものといわれるが、現行のみなし譲渡課税が行われない場合とは一致していない。すなわち、同じく当初取得者の取得価格が引き継がれる贈与又は相続人以外の者に対する特定遺贈又は死因贈与により取得した立木については適用されない。また、その逆として、限定承認に係る相続又は遺贈については、みなし譲渡課税が行われるにもかかわらず、本来の規定が適用される形になっている。すなわち、現行の本条の適用範囲は、本来の最終改正が行われた昭和33年当時のみなし譲渡課税の不適用範囲と同一となっており（当時、贈与や相続人以外の者への特定遺贈又は死因贈与についてはみなし譲渡課税が行われていた。）、その後は調整が行われていないということである。

② 制度の趣旨

イ　当初立案者の説明（大倉真隆「相続税法の改正解説」（昭和29年４月10日・財政経済弘報（財政経済弘報社）第435号10～11頁所載、以下「大倉解説」という。））

「（相続人の山林所有とされる金額には、被相続人の所有期間中に発生した所得部分が含まれており、）しかも、その部分に対する所得税は、相続人の所得税となっているから、相続税についての課税標準の計算上は、考慮に入れられていない。しかし、この場合には、立木の相続は、いわば被相続人の所有期間中に生じた所得についての所得税を将来所得の実現する際に納付するという負担つきの財産を取得したものであると考えるのが妥当ではないか。これが、今回の改正の理由である」

ロ　昭和33年当時の改正案立案者の説明（「櫻井相続税」293頁）（注）

「立木は、年々生長するものであり、その立木を相続、包括遺贈または被相続人からの相続人に対する特定遺贈により取得した場合には、所得税法の規定により、相続人または包括受遺者がこれを伐採し、または譲渡した時に、当該立木を相続人または包括受遺者が引き続き有していたものとみなして、被相続人または包括遺贈者の支出した植林費、管理費を取得原価として山林所得の金額が計算され、相続人または包括受遺者に対して所得税が課される。かく考えると伐期が近くなっている立木を相続し、これを直ちに相続人が伐採した場合には、相続人は、当該立木に係る山林所得の所得税を全額負担することとなり、被相続人が伐採した場合と、著しく負担が異なる結果となる。このような配慮に基き、所得税において引き続き有していたものとして山林所得の計算が行われる場合には、被相続人または包括遺贈者が負担すべき所得税相当額を立木の評価額から控除するものとしたのである。」

（注）　包括遺贈等を本条の適用範囲に加えたのは、昭和33年の改正である。なお、昭和32年12月「相続税制度改正に関する税制特別調査会答申」100頁では、控除率15％は、所得税負担が軽減されてことにかえりみて10％程度に

引き下げることを勧告しているが実現されていない（当時はいわゆる1兆円減税が行われた時代であった。）。

③ 問題点

この立木の評価の特例は、種々の問題を持つ規定である。問題の幾つかを次に挙げる。

イ　みなし譲渡課税の範囲との相違

既に述べたように、みなし譲渡課税が繰り延べられる無償移転の範囲と立木の評価の特例の適用範囲が異なっている。すなわち相続及び包括遺贈（いずれも限定承認に係るものを除く。）並びに特定遺贈及び贈与がされた資産に係る山林所得、譲渡所得又は雑所得は課税されず、その取得費等は譲受人に引き継がれ、譲受人が将来その財産を譲渡した場合に被相続人がその所有していた期間に生じたキャピタル・ゲインもすべて相続人に課税するものである（所法59、60）。立木の評価の特例は、このような考え方から、相続人の将来の所得税負担を考慮しようという趣旨で設けられていると説明されていることは既に述べた。

しかしながら、立木の評価の特例は、相続、包括遺贈及び相続人に対する特定遺贈により取得した立木に限られ、贈与及び相続人以外の者への特定遺贈により取得した立木については適用されない。しかし、相続人等に対する所得税負担を考慮して15％の控除を行うという趣旨からは、「このことは、15パーセント相当額の控除による評価を相続、包括遺贈または被相続人からの相続人に対する特定遺贈により取得した立木に限るべき理由とはならないであろう。なぜならば、所得税法60条1項によって資産の取得費等が計算されるのは、同項1号に定める贈与、相続または遺贈によって取得した場合を含むのであり…」（「北野コンメンタール相続税法」305頁）との批判が寄せられるのは避けられない。

その他、これと逆に、相続又は包括遺贈により取得した立木でも限定承認に係るものは時価で譲渡したものとみなされて、被相続人に山林所得が生じたものとして課税され、その所得税が相続税の課税価格の計算上債務控除さ

れる一方で、相続税法第26条の2では、相続又は包括遺贈からは限定承認に係るものが除外されていないため、限定承認に係る相続又は包括遺贈に係る立木の評価上15％の控除が認められるという結果になっている。

ロ　15％の控除率の妥当性

　この特例が相続人等の将来の立木の譲渡による所得税の被相続人の生存中の所得に対応する部分を考慮したものであるなら、その後の所得税の減税に伴う控除率の見直しを行うべきであり、現に既にみたように、昭和33年の税制特別調査会の答申では、控除率を10％に引き下げることを勧告しているのである。この考え方からすれば、当然控除率の見直しを行うべきである（注）。

（注）　この控除率の考え方については、当時の当局者の解説（大倉解説）によれば、次の趣旨のことが述べられている。

　　㋑　被相続人の所得部分に対する所得税額を相続税の課税標準の上にどのように反映させるべきかという点については、個々にみなし譲渡所得同様の計算を行う方法や立木の譲渡の際の所得税の計算について特例を設ける方法も検討されたが、制度の簡素化のため立木の評価の特例を設けることとされた。

　　㋺　控除率の計算についても、簡素化のため、標準的な幾つかの設例に基づいて、相続時の立木の時価総額を求め、次にその立木を将来売却ないし伐採した場合に生ずべき所得税額を算出し、更に相続時からその所得税の課税時期までの期間の「期間の利益」を考えて、将来納付すべき所得税額の、相続時における複利現価を計算するという過程を経て、その結果算出された所得税の現価総額の、相続時における時価総額に対する割合を算出するという方法がとられた。そのモデルの一例として、林野庁推計の50ヘクタール以上の山林所有者の一戸当たり平均は180ヘクタール程度ということから、200ヘクタールの山林に杉が植林され、40年生のものから植林直後のものまで5ヘクタールずつから成るものとした場合の立木の時価総額は約8,900万円（当時。以下㋺について同じ。）となる。これに対して伐期齢に達した都度伐採を行うものとして計算した被相続人の所得税額の総額は約2,200万円となるが、相続時から伐採時までの期間に応じ林野庁推計の山林の利回計算等をも勘案して年6％で複利現価を計算するとその総額は1,345万円余となり、これは前掲の時価総額に対して約15％に相当する。

Ⅶ 財産評価の方法 1065

ハ 他の資産とのバランス

 最後に、この特例が被相続人の所得部分について相続人が所得税を負担することを考慮したものであるなら立木のみならず、キャピタル・ゲインを生ずる可能性のあるすべての資産（特に土地）についても同様な特例を認めるべきではないかという問題がある。これについて前掲の大倉解説では、次のように説明されている。

 「…この点については、土地、家屋等についても、現に被相続人の所有期間中に譲渡所得相当部分が生じていることとの権衡が、最も議論の多いところであろう。ただ、土地、家屋等について現在生じている譲渡所得は、貨幣価値の下落に伴うものであって、そのような事情のない限り、原則として、被相続人の所有期間中に所得が生ずることは考えられないのに対して、立木については、立木が「育つ」ことによって、かならず年々所得が発生してくるという点に、本質的な差異があると考えられる。従って、貨幣価値下落によって生ずる所得部分については、再評価その他の方法の調整が行われていることでもあり、かつ、法律上明らかに被相続人の所有期間中に生ずべき所得を考慮して評価の特例を設ける理由として名目的所得の発生を考慮することは妥当でないのではないかとの考え方から、今回の評価の特例は、立木についてのみ定められたのである」

 しかし、これは、土地の実質的な値上りがなかった当時の説明で、現在には妥当しないのではないか。また、土地の場合は評価額が時価より高いことと、土地は本来売却を予定しているものでないが、立木の場合は伐採・譲渡が予定されているので、相続人に所得税と相続税が競合して課税される傾向が顕著に表われるので立木の場合にのみ特例を設けたという説明（「北野コンメンタール相続税法」305頁）もされているがあまり説得力がない。

ニ 私 見

 以上の問題の解決案としては、筆者は何らかの形で、キャピタル・ゲインを生ずべき資産（土地、立木、株式）については被相続人の所得部分についての所得税について債務控除等を認める方向しかないのではないかと考えて

いる。ただ、執行上の問題を考えると、何か簡素な方法を考える必要があろう（注）。

(注) この問題については、むしろ相続税を課税することで、被相続人の所得部分の課税は清算されたと考えるべきではないかという意見がある。詳細は、第27回日税連公開討論研究会資料「経済変革期における税制と税の使われ方を考える」219頁以下（舩田健二「みなし譲渡課税のあり方」）参照。

3　配偶者居住権

(1)　概　要

　配偶者居住権とは、被相続人の配偶者が、被相続人の財産に属した建物に相続開始の時に居住していた場合において、その居住していた建物（以下「居住建物」という。）の全部について無償で使用及び収益をする権利をいう。配偶者居住権の存続期間は、配偶者の終身の間とされるが、遺産の分割の協議若しくは遺言等で、有期とすることができる（民法1030）。

　配偶者居住権は、譲渡することができず、配偶者は、居住建物の所有者の承諾を得なければ、居住建物の改築若しくは増築をし、又は第三者に居住建物の使用若しくは収益をさせることができない（民法1032）。したがって、配偶者居住権は、配偶者の死亡又は民法1030条で定めた期間が満了したときに消滅する。なお、配偶者居住権は、令和2年4月1日以降の相続から設定できる。

　それを受けて、相続税法では、その財産評価については、下記の理由から相続税法第22条の"時価"によるのではなく、相続税法で別途評価方法を規定することとした（相法23の2）（「令和元年版・改正税法のすべて」496頁）。

「①　法定評価とされた理由

　相続税法は、相続税・贈与税における財産の評価額について、原則として、財産を取得した時における「時価」によることのみを定め（相法22）、具体的な評価方法については解釈に委ねられています（実務上は、専ら国税庁が定める「財産評価基本通達」により評価されています。）。ただし、地上権、定期

金に関する権利等の一部の財産については、時価を把握することが困難である等の理由により、解釈に委ねるのではなく、相続税法に具体的な評価方法が法定されています。

　配偶者居住権は、従前から居住していた建物を無償で使用・収益することができる権利であり、遺産分割においては具体的相続分を構成することから、一定の財産的価値を有しているものと考えられます。平成31年3月の相続税法の改正では、この配偶者居住権の評価について、原則的な「時価」による評価ではなく、地上権等と同様に評価方法を法定することとされました。その主な理由は次のとおりです。

イ　相続税法の「時価」とは、それぞれの財産の現況に応じ、不特定多数の当事者間で自由な取引が行われる場合に通常成立すると認められる価額、すなわち、客観的な交換価値をいうものと解されており、取引可能な財産を前提としているが、配偶者居住権は譲渡することが禁止されているため、この「時価」の解釈を前提とする限り、解釈に委ねるには馴染まないと考えられること。

ロ　まだ制度が開始しておらず、配偶者居住権の評価額について解釈が確立されているとは言えない現状において解釈に委ねると、どのように評価すれば良いのか納税者が判断するのは困難であると考えられ、また、納税者によって評価方法が区々となり、課税の公平性が確保できなくなるおそれがあること。

ハ　配偶者の余命年数を大幅に超える存続期間を設定して配偶者居住権を過大に評価し、相続税の配偶者に対する税額軽減の適用を受ける等の租税回避的な行為を防止するためには、法令の定めによることが適切であると考えられること。

　また、下記③のとおり、配偶者居住権のほか、配偶者居住権の目的となっている建物の所有権、配偶者居住権に基づく敷地の使用権及びその敷地の所有権等についても評価方法が法定されました。このうち、建物の所有権及び敷地の所有権等は、配偶者居住権そのものとは異なり取引可能な財産ですが、

上記ロやハと同様の理由により法定評価とされています。

なお、遺産分割等においては、相続税法の法定評価によらず、例えば相続人間で合意した価額で配偶者居住権を設定することも当然ながら可能ですが、相続税の計算においては、法定評価を用いて評価しなければならず、他の評価方法で申告することは認められません。

② 評価方法の基本的な考え方

配偶者居住権を取得した配偶者は、その存続期間中、従前から居住していた建物を無償で使用・収益することができます。これをその建物を取得した相続人の側から見れば、配偶者居住権が存続する期間中は配偶者による無償の使用・収益を受忍する負担を負い、存続期間満了時点でその建物が自由な使用・収益が可能な完全な所有権に復帰することになります。

この点に着目し、まず、存続期間満了時点における建物所有権の価額を算定し、これを一定の割引率により現在価値に割り戻すことにより、相続開始時点における（配偶者居住権付の）建物所有権の評価額を算定します。そして、この価額を配偶者居住権が設定されなかったものとした場合の相続開始時点における建物所有権の評価額から控除することにより、間接的に配偶者居住権を評価することとされました（配偶者居住権に基づく敷地の使用権についても同様です。）。」

(2) **具体的な評価方法**

具体的には、配偶者居住権、居住建物の所有権、配偶者居住権に基づき居住建物の敷地を使用する権利及び居住建物の敷地の用に供される土地等の4つに分割して評価をしていく（相法23の2）。

したがって、建物及び土地について、配偶者居住権部分と所有権部分との合計額は、当該建物及び土地の時価と一致する。

＜建物側＞

　　○　配偶者居住権の価額

　　　　居住建物の時価－居住建物の所有権部分の価額

　　○　居住建物の所有権部分の価額（これがマイナスのときは零となる。）

$$居住建物の時価 \times \frac{耐用年数 - 経過年数 - 存続年数}{耐用年数 - 経過年数} \times A$$

A＝残存年数に応じた民法の法定利率による複利現価率

<土地側>
- 配偶者居住権に基づき居住建物の敷地を使用する権利の価額

    当該敷地の時価－所有権部分の価額
- 居住建物の敷地の用に供される土地等の価額

    当該敷地の時価×A

ここで、上記の用語の定義は以下のとおりである。

(イ) 居住建物の時価とは、居住建物に配偶者居住権が設定されていないものとした場合のそのの居住建物の相続開始時における時価をいう。

(ロ) 耐用年数とは、居住建物の全部が住宅用であるものとした場合におけるその居住建物に係る減価償却資産の耐用年数等に関する省令(耐用年数省令)に定める耐用年数に1.5を乗じて計算した年数(6月以上の端数は1年とし、6月に満たない端数は切り捨てる。)をいう(相法23の2①二イ、相令5の8②、相規12の2)。

　ここで、耐用年数省令に定める耐用年数を1.5倍しているのは、耐用年数省令における耐用年数は事業用資産を前提として定められているところ、居住建物は通常は非事業用資産であり、事業用資産よりも耐用年数が長いと考えられることから、所得税の譲渡所得における非事業用資産の取得費の計算に関する規定(所令85)を参考にして、居住建物の耐用年数を設定したものである。

　また、店舗併用住宅など、居住建物に非住宅用の部分がある場合の耐用年数については、用途区分毎に耐用年数を判定する等の方法も考えられるが、評価方法が煩雑となる面もあるため、簡便性の観点から、居住建物の全部が住宅用であるものとして、画一的に耐用年数を定めることとされた(「令和元年版・改正税法のすべて」499頁)。

(ハ) 経過年数とは、居住建物の新築時から配偶者居住権の設定時までの年

数（6月以上の端数は1年とし、6月に満たない端数は切り捨てる。）をいう（相法23の2①二イ）。

㈡　存続年数とは、配偶者居住権が存続する年数をいうが、具体的には、次に掲げる場合の区分に応じ、それぞれに定める年数（6月以上の端数は1年とし、6月に満たない端数は切り捨てる。）となる（相法23の2①二イ、相令5の8③）。

　　A　配偶者居住権の存続期間が配偶者の終身の間とされている場合…その配偶者居住権が設定された時におけるその配偶者の平均余命（厚生労働省が男女別、年齢別に作成する完全生命表に掲載されている平均余命をいう（相規12の3）。）。また、ここでいう「完全生命表」は、配偶者居住権が設定された時の属する1月1日現在において公表されている最新のものによる（相基通23の2－5）。

　　B　Aに掲げる場合以外の場合…遺産分割の協議・審判又は遺言により定められた配偶者居住権の存続年数（その年数がその配偶者居住権が設定された時における配偶者の平均余命を超える場合には、その平均余命とする。）

　　したがって、例えば平均余命が10年である配偶者について、遺産分割等により存続期間が20年の配偶者居住権を設定したとしても、上記Bかっこ書の規定により、平均余命である10年が評価上の存続年数の上限となる。

㈥　存続年数に応じた法定利率による複利現価率

　　上記算式中の「存続年数に応じた法定利率による複利現価率」とは、次の算式（小数点以下3位未満四捨五入）により算出した率をいう（相法23の2①三、相規12の4）。

　　ここでいう「法定利率」は、配偶者居住権が設定された時における民法404条の規定に基づく利率をいい（相基通23の2－4）、令和2年4月1日から令和5年3月31日までは3％となる。

《算式》

$$\frac{1}{(1+r)^N}$$

r:民法の法定利率
N:配偶者居住権の存続年数(上記㈡)

㈥ 配偶者居住権が設定された時とは、次の区分に応じ、それぞれ次に定める時をいう(相基通23の2-2)。

・民法1028条1項1号の規定に該当する場合(遺産の分割によって配偶者居住権を取得する場合)…遺産の分割が行われた時
・民法1028条1項2号の規定に該当する場合(配偶者居住権が遺贈の目的とされた場合)…相続開始の時

〔具体例(存続年数が残存耐用年数に満たない場合、遺贈のケース)〕

夫が死亡し(2020.10.1)、遺贈により、子が自宅の土地・建物の所有権を相続し、妻(1944.4.20生)が終身の配偶者居住権が設定された場合の配偶者居住権等の具体的な計算をしてみると以下のようになる。

(前提) 建物の相続税評価額:10,000千円
　　　　土地の相続税評価額:80,000千円
　　　　建物の法定耐用年数(木造):22年
　　　　建物建築日:2005.5.25

(計算) 耐用年数:22年×1.5=33年
　　　　経過年数:15年4月⇒15年
　　　　存続年数:妻の相続開始時点の年齢76歳5月
　　　　　　　　　76歳の女性の平均余命は14.82年⇒6月以上は切上げ
　　　　　　　　　　　　　　　　　　　　　　　　　15年
　　　　15年の民法の法定利率3%による複利現価率:0.642

イ 居住建物の所有権部分の価額

(イ) まず、居住建物の相続開始時点の相続税評価を基に耐用年数（法定耐用年数×1.5）を経過したときの居住建物の評価がゼロとなると仮定する。

(ロ) 次に、配偶者居住権の存続期間が満了する時点での価額を算出する。建物は、使用又は時の経過により減価するため、存続期間満了時点の価額は、事業用建物の減価償却（定額法）に準じて減価した後の未償却残高に相当する額になる。

$$10,000千円 \times \frac{(22年 \times 1.5 - 15年) - 15年}{(22年 \times 1.5 - 15年)} = 1,666千円$$

(ハ) この配偶者居住権の存続期間が満了する時点での価額を法定利率による複利計算で現在価値に割り戻すことにより、相続開始時点における（配偶者居住権付の）居住建物の価額を算出する。

1,666千円×0.642＝1,070千円　⇒　居住建物の所有権部分の価額

ロ　配偶者居住権の価額

居住建物の時価－居住建物の所有権部分の価額
＝10,000千円－1,070千円＝8,930千円

ハ　居住建物の敷地の用に供される土地等の価額

(イ) 上記イの居住建物の所有権部分の価額の評価方法と同様に、まず、居住建物の敷地の用に供される土地の配偶者居住権の存続期間が満了する時点での価額を算出する。この場合、将来時点における土地等の時価を評価するのは不確実性を伴い困難な場合が多いと考えられること等から、時価変動を捨象し、存続期間満了時における価額は相続開始時における価額と等しいものと仮定している（「令和元年版・改正税法のすべて」500、501頁）。

配偶者居住権の存続期間が満了する時点での価額＝80,000千円

(ロ) 次に、この価額を法定利率による複利計算で現在価値に割り戻すことにより、相続開始時点における（配偶者居住権付の）土地等の価額を算出する（相法23の2③④）。

80,000千円×0.642＝51,360千円

ニ　配偶者居住権に基づき居住建物の敷地を使用する権利の価額

　　当該敷地の時価－所有権部分の価額

　　80,000千円－51,360千円＝28,640千円

＜具体例＞　　　　　　　　　（千円）

	妻	子	合計
建物部分	8,930	1,070	10,000
土地部分	28,640	51,360	80,000
合計	37,570	52,430	90,000

4　財産評価基本通達による評価方法

(1)　総　説

　既に説明したとおり、相続税等の課税対象となる財産について、その評価方法が相続税法で法定されているのは、地上権、永小作権、定期金、定期金に関する権利及び立木に限られ、その他の財産については、評価方法が法定されていない。したがって、相続税法第22条の規定に戻って、その財産の同条の規定による「時価」の解釈によらざるを得ない。しかし、個々の財産の評価について、何らの基準も設けず、一々、納税者と課税当局の個別の解釈に委ねたままでは、実務上混乱が生ずるおそれがあり、円滑な申告納税の遂行に支障を来たすことになりかねない。そこで、課税当局側の一応の解釈として、財産評価基本通達及び若干の個別通達を発遣して、納税者の申告の便宜が図られており、また、評価基本通達による評価方法によることが著しく不適当と認められる場合には、国税庁長官の指示を受けて、評価基本通達によらない評価を行うことができるものとしている（評基通6）。

　しかし、既に述べたように、国税庁の通達は内部の指示、命令であって、納税者はこれに拘束されるものではないから、独自の解釈による評価で申告することは無論可能である。ただ、評価通達による評価を行っていれば、課税当局とのトラブルを避けられるということであろう。このことは、既に論じているので再説は省略する。

(2) **評価通達による評価**

ところで、評価通達による評価方法について、これまでのような、沿革、学説、判例等を行う形で記述して行くと、相当のボリュームとなると見込まれ、また、評価通達は、しばしば改正が行われるので、その都度フォローしなければならないという問題がある。

そこで、評価通達については、筆者は別途著わしているものがあるので、詳細は、当面そちらで論ずることとし、ここでは、主要な財産の評価方法のごく基本部分だけを、論評を加えず、羅列するだけとしたいので、了承をお願いしたい。

① **宅　　地**

宅地の価額は、利用の単位となっている一画地ごとに、次に掲げる方式により評価する（評基通7－2(1)、11）。

イ　市街地的形態を形成する地域にある宅地　　路線価方式

ロ　イ以外の宅地　　倍率方式

路線価方式とは、宅地の利用状況がおおむね同一と認められる一定の地域（ビル街地区、高度商業地区、繁華街地区、普通商業・併用住宅地区、普通住宅地区、中小工場地区、大工場地区）ごとに、その画地の接する路線に設定されている路線価に、その画地の地積を乗じて求めた金額によって、一区画ごとの宅地を評価する方式である。

また、倍率方式とは、その宅地の固定資産税評価額に、国税局長がその地域ごとに定める倍率を乗じて計算した金額によって評価する方式である。

② **家　　屋**

家屋の価額は、1棟の家屋ごとに、その家屋の固定資産税評価額に一定の倍率（現行は1.0）を乗じて計算した金額によって評価する（評基通88、89）。

③ **土地の上に存する権利等**

イ　借地権

次の算式によって評価する（評基通27）。

$$\text{借地権の目的となっている宅地の自用地価額} \times \text{借地権割合}$$

ロ 定期借地権等

次の算式によって評価する（評基通27－2）。

$$\text{定期借地権等の目的となっている宅地の自用地価額} \times \frac{\text{定期借地権設定時に借地権者に帰属する経済的利益の総額}}{\text{上記設定時のその宅地の通常の取引価額}} \times \frac{\text{課税時期の定期借地権等の残存期間年数に応ずる基準年利率に基づく複利年金現価率}}{\text{上記の設定期間年数に応ずる基準年利率に基づく複利年金現価率}}$$

ハ 一般の貸宅地

(イ) 原　則

次の算式によって評価する（評基通25）。

$$\text{その宅地の自用地としての価額} - \text{その宅地の自用地としての価額} \times \text{借地権割合}$$

借地権割合については、東京国税局の場合は、路線価地域については、路線価図における路線価の表示の後に、A（90％）からG（30％）までの表示によって借地権割合を示しており、また、倍率地域については評価倍率表にその割合を示している。

(ロ) 貸宅地割合による場合

例外として、借地権の目的となっている宅地の売買実例価額、精通者意見価格、地代の額等を基として評定した価額の宅地の自用地としての価額に対する割合（以下「貸宅地割合」という。）がおおむね同一と認められる地域ごとに国税局長が貸宅地割合を定めている地域においては、その宅地の自用地としての価額にその貸宅地割合を乗じて計算した金額によって評価するものとされている（評基通25ただし書）。

ニ 定期借地権等の目的となっている貸宅地

原則として次の算式によって評価する（評基通25）。

　　自用地価額－定期借地権等の価額

ただし定期借地権等の価額が、その残存期間に応ずる評価割合を基に次の算式によって計算した価額より少ない場合には、その計算した価額を自用地

価額から控除した金額で評価する（評基通25(2)）（注）。

〔残存期間〕	〔評価割合〕
5年以下のもの	5％
5年を超え10年以下のもの	10％
10年を超え15年以下のもの	15％
15年を超えるもの	20％

算式で示すと次のとおりである。

　　自用地価額×（1－評価割合）

（注）　路線価図C〜Gの区域（借地権割合70％〜30％）内の定期借地権の目的となっている宅地は、底地割合を55％〜75％として、一定の算式によって計算する特例がある（平成10年8月25日付課評2－8通達）。

ホ　貸家建付地

次の算式によって評価する（評基通26）。

　　自用地価額×（1－借地権割合×借家権割合）（トを参照）

ヘ　区分地上権

次の算式によって評価する（評基通27－4）。

　　自用地価額×区分地上権の割合

ト　借家権

次の算式によって評価する（評基通94）。

　　家屋の価額×借家権（一般には30％）

④　その他の土地

イ　農地

次の方法によって評価する（評基通33〜40）。

　(イ)　純農地

倍率方式により、次の算式によって評価する。

　　農地の固定資産税評価額×倍率

　(ロ)　中間農地

倍率方式により、次の算式によって評価する。

　　農地の固定資産税評価額×倍率

(ハ) 市街地周辺農地

原則として、㋑宅地比準方式によるが、一定の地域にあるものは㋺倍率方式によることとされる。具体的には、次の算式による。

㋑ 宅地比準方式

$$\left(\begin{array}{l}\text{その農地が宅地であるとし}\\\text{た場合の1㎡当たりの価額}\end{array} - \begin{array}{l}1\text{㎡当たりの}\\\text{宅地造成費}\end{array}\right) \times \text{地積} \times 0.8$$

㋺ 倍率方式

　　農地の固定資産税評価額×倍率

(ニ) 市街地農地

原則として、㋑宅地比準方式によるが、一定の地域にあるものは㋺倍率方式によることとされる。具体的には、次の算式による。

㋑ 宅地比準方式

$$\left(\begin{array}{l}\text{その農地が宅地であるとし}\\\text{た場合の1㎡当たりの価額}\end{array} - \begin{array}{l}1\text{㎡当たりの}\\\text{宅地造成費}\end{array}\right) \times \text{地積}$$

㋺ 倍率方式

　　農地の固定資産税評価額×倍率

ロ 山林

次の方法によって評価する（評基通47〜49）。

(イ) 純山林

倍率方式により、次の算式によって評価する。

　　山林の固定資産税評価額×倍率

(ロ) 中間山林

倍率方式により、次の算式によって評価する。

　　山林の固定資産税評価額×倍率

(ハ) 市街地山林

原則として、㋑宅地比準方式によるが、一定の地域にあるものは㋺倍率方式によることとされる。具体的には、次の算式による。

㋑ 宅地比準方式

$$\left(\begin{array}{l}\text{その山林が宅地であるとし}\\\text{た場合の1㎡当たりの価額}\end{array} - \begin{array}{l}1\text{㎡当たりの}\\\text{宅地造成費}\end{array}\right) \times \text{地積}$$

㈼　倍率方式
　　　　山林の固定資産税評価額×倍率
⑤　**株　　　式**
　株式の価額は、その銘柄の異なるごとに次の区分に従い、1株ごとに評価する（評基通168〜189−7）。
　イ　上場株式
　その株式が上場されている金融商品取引所の公表する課税時期の最終価格又は課税時期の属する月以前3か月間の毎日の最終価格の各月ごとの平均額のうち最も低い方の価額とされる。ただし、負担付贈与又は個人間の対価を伴う取引により取得したものについては、課税時期の公表最終価格による。
　ロ　気配相場等のある株式
　　㈩　登録銘柄及び店頭管理銘柄（注）
　　　課税時期の取引価格（高値と安値が公表されている場合には、その平均値）を基にして上場株式の評価方法に準じて評価する。
　　（注）　「登録銘柄」とは、日本証券業協会の内規によって登録銘柄として登録されている株式をいい、「店頭管理銘柄」とは、同協会の内規によって店頭管理銘柄として指定されている株式をいう。
　　㈼　公開途上にある株式
　　　公開価格によって評価する。
　ハ　取引相場のない株式
　　㈩　総　説
　　　取引相場のない株式とは、上場株式及び気配相場等のある株式以外のものをいう。したがって、実務的には、大半の株式はこれに該当する。
　　　取引相場のない株式は、文字どおり取引価格がほとんどなく、また、その発行会社は上場会社に近いものから、個人営業に近いものまで、千差万別であり、最も評価の困難な財産の一つである。
　　　財産評価基本通達は、株式を発行する会社の規模やその株式を相続等により取得した者の会社に対する支配力等に応じて、それに適応した評価方

法を定めている（評基通178～189-7）。

　取引相場のない株式の評価方法は、①原則的評価方式と②配当還元評価方式があり、①は更に㈱類似業種比準方式、㈹純資産価額方式、㈺類似業種比準方式と純資産価額方式との併用方式の3つに分かれる。

　原則的評価方式によるか配当還元評価方式によるかは、株式の取得者が取得後の状態において、同族株主等に該当するか否かによる。

　この適用関係を図示すると〔図1〕のとおりである。

㈹　株主の区分

　㈱で述べたとおり、取引相場のない株式の評価方法は、株式を取得した株主がその取得後の状態において同族株式等に該当するか否かで異なる。その区分は、〔図2〕のとおりである。

　㈱　「同族株主」とは、課税時期における評価会社の株主のうち、株主の1人及びその同族関係者の所有する議決権の合計数がその会社の議決権総数の30％以上である場合のその株主及び同族関係者をいう。ただし、株主の1人及びその同族関係者の有する議決権の合計数がその会社の議決権総数の50％超であるグループがある場合には、そのグループに属する株主及びその同族関係者のみが同族株主となり、これに該当しないグループはたとえ議決権が30％以上であっても、そのグループの株主等は同族株主には該当しない。

　㈹　「中心的な同族株主」とは、課税時期において同族株主の1人並びにその配偶者、直系血族、兄弟姉妹及び1親等の姻族（これらの者の所有する議決権の合計数がその会社の議決権総数の25％以上である会社を含む。）の所有する議決権の合計数がその会社の議決権総数の25％以上である場合におけるその株主をいう。

　㈺　「中心的な株主」とは、課税時期において株主の1人及びその同族関係者の所有する議決権の合計数がその会社の議決権総数の15％以上である株主グループのうち、いずれかのグループに単独でその会社の議決権総数の10％以上の株式を所有している株主がいる場合のその株

〔図1〕

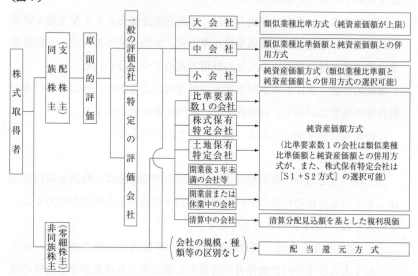

※ 「開業前又は休業中の会社」と「清算中の会社」については、非同族株主が取得した場合でも特例的評価（配当還元方式）は適用されず、原則的評価になる。

〔図2〕

区分	株主の態様				評価方式
同族株主のいる会社	同族株主	取得後の議決権割合が5％以上の株主			原則的評価方式
		取得後の議決権割合が5％未満の株主	中心的な同族株主がいない場合		
			中心的な同族株主がいる場合	中心的な同族株主	
				役員である株主又は役員となる株主	
				その他の株主	配当還元方式
	同族株主以外の株主				配当還元方式
同族株主のいない会社	議決権割合の合計が15％以上の株主グループに属する株主	取得後の議決権割合が5％以上の株主			原則的評価方式
		取得後の議決権割合が5％未満の株主	中心的な株主がいない場合		
			中心的な株主がいる場合	役員である株主又は役員となる株主	
				その他の株主	配当還元方式
	議決権割合の合計が15％未満の株主グループに属する株主				配当還元方式

主をいう。

(ハ) 会社の規模の区分

次に、会社の規模については、評価会社の業種、従業員数、総資産価額又は直前期末以前1年間における取引金額により、次頁の表に従って、大会社、中会社又は小会社に区分する。中会社についてはその規模等により併用割合（Lの割合）が異なるので、更にその割合ごとに3種類のいずれかに区分する。

なお、従業員数が70人以上の会社は、他の基準にかかわらず、大会社に該当する。したがって、次頁の表は従業員が70人未満の会社に適用することになる。

(ニ) 大会社の株式の評価方法

大会社の株式の価額は、類似業種比準方式により評価した価額とされる。ただし、納税義務者の選択により純資産価額方式により評価した価額とすることができる。

類似業種比準方式とは、国税庁が公表する一定の業種ごとに定められている大分類、中分類又は小分類に区分された業種のうち、評価しようとする株式の発行会社（評価会社）の事業が該当する業種（類似業種）の株価並びに1株当たりの配当金額、年利益金額及び純資産価額（帳簿価額による。）を基として、次の算式によって計算した金額によって評価する方式である。

(算　式)

1株当たりの類似業種比準価額

$$= A \times \left(\frac{\frac{Ⓑ}{B} + \frac{Ⓒ}{C} \times 3 + \frac{Ⓓ}{D}}{5} \right) \times 0.7 \text{ （※）}$$

A＝類似業種の株価
B＝課税時期の属する年の類似業種の1株当たりの配当金額
C＝課税時期の属する年の類似業種の1株当たりの年利益金額
D＝課税時期の属する年の類似業種の1株当たりの純資産価額（帳簿価額

[会社の規模の区分]

規模区分	区分の内容		(A)総資産価額（帳簿価額によって計算した金額）及び従業員数	(B)直前期末以前1年間における取引金額
大会社	従業員数が70人以上の会社又は右の(A)(B)のいずれかに該当する会社	卸売業	20億円以上（従業員数が35人以下の会社を除く。）	30億円以上
		小売・サービス業	15億円以上（従業員数が35人以下の会社を除く。）	20億円以上
		卸売業、小売・サービス業以外	15億円以上（従業員数が35人以下の会社を除く。）	15億円以上
中会社	従業員数が70人未満の会社で右の(A)(B)のいずれかに該当する会社（大会社に該当する場合を除く。）	卸売業	7,000万円以上（従業員数が5人以下の会社を除く。）	2億円以上30億円未満
		小売・サービス業	4,000万円以上（従業員数が5人以下の会社を除く。）	6,000万円以上20億円未満
		卸売業、小売・サービス業以外	5,000万円以上（従業員数が5人以下の会社を除く。）	8,000万円以上15億円未満
小会社	従業員数が70人未満の会社で右の(A)(B)のいずれにも該当する会社	卸売業	7,000万円未満又は従業員数が5人以下	2億円未満
		小売・サービス業	4,000万円未満又は従業員数が5人以下	6,000万円未満
		卸売業、小売・サービス業以外	5,000万円未満又は従業員数が5人以下	8,000万円未満

によって計算した金額)
Ⓑ＝評価会社の1株当たりの配当金額
Ⓒ＝評価会社の1株当たりの利益金額
Ⓓ＝評価会社の1株当たりの純資産価額（帳簿価額によって計算した金額）
　※　中会社は0.6、小会社は0.5とされる。

㈠　中会社の株式の評価方法

　中会社の株式の価額は、類似業種比準価額と純資産価額との併用方式で評価する。具体的には、次の算式による。

(算　式)

　類似業種比準価額×L＋純資産価額（次の㈥によって計算した価額)×(1 － L)

　このLの割合は、中会社の規模によって異なっている。おおむね次のとおりである。

　Lの割合　｛大会社に近いもの　0.90
　　　　　　中間のもの　　　　0.75
　　　　　　小会社に近いもの　0.60

　なお、納税義務者の選択により、上記算式中の「類似業種比準価額」は、「純資産価額」によって計算することもできる。

㈥　小会社の株式の評価方法

　小会社の株式の価額は、純資産価額方式により評価する。ただし、納税義務者の選択により、中会社のような類似業種比準価額と純資産価額との併用方式（Lの割合0.5）により評価することもできる。

　評価の算式は、次による。

(算　式)

$$\frac{\text{課税時期における各資産を評価通達に定めるところにより評価した価額の合計額} - \text{課税時期における各負債の金額の合計額} - \text{評価差額に対する法人税等に相当する金額}^{※}}{\text{課税時期における会社の発行済株式数}}$$

※　評価差額に対する法人税等相当額 ＝ ｛評価通達による純資産価額 － 帳簿価額による純資産価額｝×37%

(ト) 配当還元方式による評価方法

　配当還元方式により評価される株式の価額は、次の算式によって評価する。ただし、その価額は、原則的評価方式によって評価した価額を限度とする。また、配当還元方式により評価される場合は、会社の規模等は関係がない。

(算　式)

$$\frac{その株式の年配当金額}{10\%} \times \frac{その株式の1株当たりの資本金等の額}{50円}$$

　なお、その株式に係る年配当金額が2円50銭以下のもの及び無配のものにあっては2円50銭とされる。したがって額面50円の無配の株式の場合の価額は25円になる。

⑥　特定の評価会社の株式の評価方法

　次の特定の評価会社の株式は、会社の規模等にかかわらず、原則として純資産価額方式により評価する。

　(イ)　株式保有特定会社
　(ロ)　土地保有特定会社
　(ハ)　開業後3年未満の会社等

⑦　株式会社以外の法人の出資

　(イ)　合名、合資会社の出資
　　　取引相場のない株式の評価に準ずる。
　(ロ)　医療法人の出資
　　　取引相場のない株式の評価に準ずる。
　(ハ)　農業協同組合、漁業協同組合等の出資
　　　払込済出資金額により評価する。
　(ニ)　企業組合、漁業生産組合等の出資
　　　純資産価額方式により、持分に応じて評価する。

⑧　公社債

　(イ)　利付のもの

次により評価する。

発行価額＋（利払期末到来の既経過分利息－源泉徴収税相当額）

(ロ) 割引発行のもの

次により評価する。

発行価額＋既経過償還差益の額

(ハ) (イ)又は(ロ)のうち上場公社債、気配相場のある公社債又はこれらに準ずる公社債

その取引価額等又はこれらに比準した価額（(イ)については、これらの価額等に源泉徴収税額相当額控除後の既経過分利息を加算した金額）

⑨ その他の有価証券

イ 貸付信託受益証券

次により評価する。

元本＋（既経過収益－源泉徴収税額）－買取割引料

ロ 証券投資信託受益証券

(イ) 中期国債ファンド、MMF等の日々決算型の証券投資信託の受益証券

課税時期において解約請求又は買取請求により、証券会社等から支払いを受けることができる価額として、次の算式により計算した金額によって評価する。

1口当たりの基準価額 × 口数 ＋ 再投資されていない未収分配金(A) － (A)につき源泉徴収されるべき所得税の額に相当する金額 － 信託財産留保額及び解約手数料（消費税額に相当する額を含む。）

(ロ) 上記(イ)以外の証券投資信託の受益証券

課税時期において解約請求又は買取請求により、証券会社等から支払を受けることができる価額として、次の算式により計算した金額によって評価する。

課税時期の1口当たりの基準価額 × 口数 － 課税時期において解約請求等した場合に源泉徴収されるべき所得税の額に相当する金額 － 信託財産留保額及び解約手数料（消費税額に相当する額を含む。）

⑩ **預貯金**（注1、2）

次により評価する。

預入高＋（既経過利子－源泉徴収税額）

(注1) 既経過利子の額を計算するときは、課税時期における解約利率を用いる。
(注2) 定期預金、定期郵便貯金、定額郵便貯金以外は、利子が少額のときは、あえて加算しない。

⑪ **特許権**

将来受ける補償金の基準年利率による複利現価の合計額

なお、実用新案権、意匠権、商標権も同様に評価する。また、出版権は業とする場合だけ評価し、営業権に含めて行う。

⑫ **著作権**（注1、2）

次により評価する。

年平均印税収入の額×0.5×評価倍率

(注1) 年平均印税収入の額は課税時期の属する年の前年以前3年間の年平均額による。
(注2) 評価倍率は精通者の意見等を基として推算した印税収入期間に応ずる基準年利率による複利年金現価率による。

⑬ **鉱業権、租鉱権、採石権**

平均所得の複利年金現価（可採年載に応じ、基準年利率）で評価する。

⑭ **電話加入権**

次により評価する。なお、特殊な番号は、価額を加減する。

(イ) 取引相場のあるものは、通常の取引価額による。
(ロ) 取引相場のないものは、所轄国税局ごとの標準価額（売買実例価額等を基準とする。）による。

⑮ **営業権**（注）

平均利益金額×0.5－標準企業者報酬額－総資産価額×0.05＝超過利益金額

超過利益金額× $\dfrac{\text{営業権の持続年数（原則として、10年とする。）に応ずる基準年利率による複利年金現価率}}{}$ ＝営業権の価額

(注) 医師、弁護士等のようにその者の技術、手腕又は才能等を主とする事業

に係る営業権で、その事業者の死亡と共に消滅するものは、評価しない。

⑯ **ゴルフ会員権**

次により評価する。

(イ) 取引相場のある会員権

課税時期における通常の取引価額の70％で評価する。この場合において、取引価格に含まれない預託金があるときは、一定の加算をする。

(ロ) 取引相場のない会員権

㋑ 株主でなければ会員になれない会員権

その株式について評価通達により評価した株式の価額で評価する。

㋺ 株主であり、かつ、預託金を預託しなければ会員になれない会員権

株式の価額に預託金について一定の方法で計算した金額を加算する。

㋩ 預託金等を預託しなければ会員となれない会員権

(イ)に準じて評価する。

⑰ **貸付金債権**

次により評価する。

元本の額＋既経過利息の額

⑱ **書画骨董品**

売買実例価額、精通者意見等を参考にして評価する。

⑲ **自動車、家庭用財産など一般動産**

原則として、調達価額に相当する金額によって評価する。

調達価額が明らかでない動産は、課税時期におけるその動産と同種、同規格の新品の課税時期における小売価額（当該動産がないときは、新品の小売価額から課税時期までの経過期間の減価の額を控除した価額）により評価する。

⑳ **生命保険契約に関する権利の評価**

相続開始の時において、まだ保険事故（共済事故を含む。以下同じ。）が発生していない生命保険契約に関する権利の価額は、相続開始の時において当該契約を解約するとした場合に支払われることとなる解約返戻金の額（解約返戻金のほかに支払われることとなる前納保険料の金額、剰余金の分配額等があ

る場合にはこれらの金額を加算し、解約返戻金の額につき源泉徴収されるべき所得税の額に相当する金額がある場合には当該金額を減算した金額）によって評価する（評基通214）（注1～3）。

(注1) 上記の「生命保険契約」とは、相続税法第3条《相続又は遺贈により取得したものとみなす場合》第1項第1号に規定する生命保険契約をいい、当該生命保険契約には一定期間内に保険事故が発生しなかった場合において返還金その他これに準ずるものの支払がない生命保険契約は含まれないのであるから留意する。

(注2) 平成15年の改正において、生命保険契約に関する権利の法定評価（旧法26）が廃止されたが、その理由について、当局者は、次のように説明する（「平成15年版・改正税法のすべて」518・519頁）。

　「生命保険契約に関する権利の評価の方法に関する制度（旧相法26）については、相続時点における生命保険契約に関する権利の評価を簡易な方法により計算する仕組みとして機能してきましたが、近年においては、保険会社の様々な工夫により多様な保険商品が作られるようになってきたことから、このような簡易計算により難い商品が散見されるようになってきました。また、コンピューターの発達等により、相続時点における生命保険契約に関する権利の評価も必ずしもこの簡易な計算を使わなければできないということにはない状況となってきました。

　以上のような状況や課税の適正化を推進する観点を踏まえ、生命保険契約に関する評価方法に関する制度が廃止されました（旧相法26）。」

(注3) 被相続人が生命保険契約の契約者である場合において、当該生命保険契約の契約者に対する貸付金若しくは保険料の振替貸付けに係る貸付金又は未払込保険料の額（いずれもその元利合計金額とする。）があるときは、当該契約者貸付金等の額について相続税法第13条《債務控除》の適用があるのであるから留意する。

Ⅷ 小規模宅地の課税の特例

1 総説
(1) 沿革

昭和50年度の相続税制度の大改正により、農家に対する特例として、農地等に係る相続税の納税猶予の制度が創設された際に、この特例とのバランス上、一般の事業用又は居住用の土地についても何らかの特例を設けよという要望が強く寄せられた。そこで、こうしたバランス論に対する配慮から、国税庁の取扱通達（旧・昭和50年度直資5-17）によって被相続人の事業又は居住の用に供されていた宅地のうち、面積200㎡までの部分（いわゆる「小規模宅地等」）については、通常の価額の80％で評価することとされたのが、この制度のスタートである。

その後、政府税制調査会の「昭和58年度の税制改正に関する答申」で、事業承継税制の一環として、小規模宅地等の特例について所要の措置を講ずべきことを勧告したことに応じ、昭和58年度の税制改正において、小規模宅地等についての従来の通達による取扱いを格上げして、内容を拡充し、租税特別措置法上の特例制度とされたものである。また、このように法律上の制度となった際、従来の評価の特例から、課税価格計算上の減額の特例に変質したという点が特筆される。これは、それまでのような評価上の特例では、減額割合の引上げに限界があると考えられたことによると思われる（注）。

(注) この特例について、政府税制調査会の平成5年のいわゆる中期答申では「事業用及び居住用の小規模宅地等の評価額から一定割合を減額する特例措置は、都市と地方との間で地価に大幅な乖離を生じているという現状において、小規模の事業用及び居住用の土地に対して相続税の課税上配慮する方法とし

ては、最も有効なものであると思われる」と評価している。

すなわち、現状では東京・大阪のような大都市と地方との間で地価の地域差が大きくなっているが、地域ごとの課税最低限を設けることはできないのだから、この制度は、その代替としての役割を果たしているという趣旨である。

そして、中期答申は、続けて「地価高騰の結果、特に都市部において、相続税が相続人の事業の継続や居住の継続を脅かしているとの問題提起に対応するために、本特例措置を、その制度の目的に沿った仕組みとした上で、特例の減額割合の拡大について検討すべきである」としている。

その後何回か減額割合の引上げその他の改正が行われているが、昭和63年度の改正で、貸地又は貸家建付地については、その貸付けが事業として行われる場合に限り、特例の対象とすることに限定されたことが、事業か否かの判定をめぐって、執行上のトラブルを招くという問題を起こした。

そして、平成6年度の税制改正の際、小規模宅地等の課税の特例について、相続開始時において被相続人等の事業用又は居住用とされていたものの減額割合は一律50％とし、相続税の申告期限まで事業用又は居住が継続するものの減額割合は80％に引き上げられた。なお、上述のような問題があった貸付用の土地については、その規模が事業的な規模であるか、貸付けが申告期限まで継続するか否かを問わず、すべて減額割合を50％とすることに改められた。

次に、平成11年度の税制改正では、相続人の事業や居住の継続に配慮して設けられている小規模宅地等の課税の特例に関して、特にその適用対象面積について、居住用については、従来の200㎡までの部分によって相当程度負担軽減が図られているものの、事業用については、居住用に比して広い面積を用いてその事業を行っている場合があることから、事業用に限り、この特例対象面積を拡大すべしとする声が高まり、結局、平成11年度の改正において、より一層の事業の継続に資する等の観点から、特定事業用宅地等、国営事業用宅地等及び特定同族会社事業用宅地等について、その適用対象面積が200㎡から330㎡までの部分に引き上げられた。

更に平成13年度の改正では、三大都市圏における平均的な事業用宅地又は

居住用宅地の面積をカバーする水準を勘案し、また、引上げ幅のバランスをも考慮して、これらの特定事業用宅地等についてその適用対象面積が400㎡に、また、特定居住用宅地等については240㎡にそれぞれ引き上げられた。

　しかし、平成22年の税制改正では、一転して、特例の縮減に向かうこととなった。この趣旨について、当局者は、次のように説明している。「……本特例を含む租税特別措置については、「公平、透明、納得」の原則の例外であり、税制における既得権益を一掃し、納税者の視点に立って公平でわかり易い仕組みとするためにゼロベースで見直し、整理合理化が進められています。この特例についても、そのような視点に立ち、相続人等による事業又は居住の継続への配慮という制度自体等を踏まえ、その趣旨に必ずしも合致しない相続人が事業又は居住を継続しない部分について適用対象から除外する見直しが行われました。」（髙宮亜紀夫「平成22年度改正税法詳解特集号」（税務経理協会）204頁）。

　しかし、この制度は、本来、地域ごとの課税最低限が設けられない相続税において、その代替としての役割が主眼なのであるから、この理由は納得できない。相続税の増税の一環とみるべきであろう。

　そして、平成25年の改正では、再び緩和に転じている。その趣旨について、当局者は、「平成25年版・改正税法のすべて」587頁で次のように述べている。

　「平成25年度税制改正では、相続税について、相続税の再分配機能の回復、格差の固定化の防止等の観点から、相続税の基礎控除及び税率構造が見直されることとされました。

　今般の相続税の見直しにおいて、基礎控除が引き下げられ、最高税率が引き上げられる結果、地価の高い都市部に土地を有する者の負担がより増すことが想定されます。特に、土地については、生活・事業の基盤である一方、切り分けて売却することに困難が伴うとともに、都市計画上も土地の細分化が生じてしまうことから、一定の配慮が求められます。

　こうした状況に配慮し、今般の相続税・贈与税の見直しに係る自民党・公明党・民主党による三党協議において、小規模宅地等の特例の見直しを盛り

込むことについて意見が一致し、この特例について見直しが行われることとなりました。

また、この特例については、いわゆる「二世帯住宅」について、以前から建物の構造上の違いにより課税関係が異なることは不合理との指摘もありましたが、「二世帯住宅」であれば内部で行き来できるか否かにかかわらず、全体として二世帯が同居しているものとしてこの特例の適用が可能とされました。

同様に、被相続人が有料老人ホームに入居していた場合には、終身利用権を取得した場合など、老人ホームに入居する前に居住していた家屋の敷地についてこの特例が適用できない場合がありましたが、老人ホームに入居したことにより被相続人の居住の用に供されなくなった家屋の敷地の用に供されていた宅地等についても、一定の要件の下、相続の開始の直前において被相続人の居住の用に供されていた場合と同様にこの特例の適用が可能とされました。」

しかし、これから説明するように、現行の制度の組立が極めて複雑なものになり、微妙な点になると問題点が少なくなく、実務家を悩ませるものとなっている。

平成30年の改正では、特定居住用宅地等の特例のうち、「家なし親族」の要件が改正され、貸付事業用宅地等の特例の要件に3年ルールが適用された。原則、平成30年4月1日以後の相続又は遺贈から適用される。その趣旨について、当局者は「平成30年版・改正税法のすべて」641頁で次のように述べている。

家なし親族は、勤務の都合等により被相続人と同居できず、かつ、持ち家を持たない相続人が被相続人の死亡後に被相続人が居住の用に供していた家屋に戻る場合を想定しているにも関わらず、近年、既に自己の名義の家屋を持っている相続人が、その家屋の譲渡や贈与により自己又は配偶者以外の名義に変更し、居住関係は変わらないまま、持ち家がない状況を作出して特定居住用の特例を適用することが可能となっていた。また、自らは家屋を所有

しない孫に対して遺贈することにより、特定居住用の特例を適用するケースも指摘されていた。相続人の居住の継続のためという本特例の趣旨に照らすと、このようなケースは自己が居住する家屋を実質的に維持したまま、被相続人が居住していた宅地等の課税価格を減額するものであり、制度の趣旨を逸脱しているとみることもできる。

また、貸付事業用宅地等の軽減措置については、相続開始前に貸付不動産を購入することにより金融資産を不動産に変換し、金融資産で保有する場合に比し、相続税評価額が圧縮され、かつ、本特例も適用できるという節税策が雑誌などにおいて盛んに紹介され、低金利も背景に賃貸アパートが増加する状況となっている。特にタワーマンションでは、その減額効果が大きくなると言われている。さらに、会計検査院による随時報告「租税特別措置（相続税関係）の適用状況等について」（平成29年11月）においては、本特例の適用を受けた不動産を申告期限経過後、短期間で譲渡している事例が多いこと、譲渡している事例のうち貸付用不動産が多数を占めることが指摘されていた。このような状況に対応するための改正となる。ただし、3年以上継続的に事業的規模で不動産貸付けを営んでいる場合は、金融資産を不動産に変換して節税策を講じるものとも言えないことから、適用対象から除外されない。

また、令和元年度に特定事業用宅地等の範囲から相続開始前3年以内に新たに事業の用に供された宅地等が除かれる改正が行われた。

(2) 現行特例の骨子

現行の小規模宅地等の課税の特例の骨子は、次のとおりとなっている。

すなわち、相続人等が、原則として相続税の申告期限までに、分割により取得し、特例の限度面積要件を満たす有効な選択をした事業用又は居住用の宅地等すなわち小規模宅地等の価額に、その小規模宅地等の次に掲げる区分に応じ、それぞれに定める割合を乗じて計算した金額が、相続税の課税価格に算入される（措法69の4）。

① 小規模宅地等のうち(イ)特定事業用宅地等、(ロ)特定居住用宅地等又は(ハ)特定同族会社事業用宅地等に該当するもの……20％（減額割合80％）（注）。

(注) 郵政民営化法等の施行（平成19年10月1日）により従来存した国営事業用宅地等の特例は経過措置を残して廃止されている。詳細は後述。

② 小規模宅地等のうち貸付事業用宅地等に該当するもの……50%（減額割合50%）

以下、この小規模宅地等の課税の特例の検討に入るが、この特例は、沿革でみたとおり、特別措置であって、理論的な理由により設けられている制度ではない。そのため制度の改正はしばしば行われるので、あまり現行制度について詳しい研究をしても、意味がないと思われる。そこで、この特例については、他の部分と異なり、事例検討のような形式で説明し、実務上の参考になるようなものにした。

2 小規模宅地等とは何か

(1) 小規模宅地等の特例の適用が受けられる者

〔質問1〕
Aの長男は、Aの土地を無償で借り受けて、その上に店舗を建て、飲食店業を営んでいたが、交通事故で死亡し、長男の嫁がその店舗を相続して営業を続けている。Aは最近病気勝ちなので、孫（長男の子）の将来も考えて、長男の嫁に店舗の敷地（現在引き続き無償で使用させている。）を遺贈しようと考えている。この場合、Aの長男の嫁は小規模宅地の課税の特例の適用を受けられるのか。なお、Aと長男の嫁は、生計を一にしている。

【回答】 小規模宅地等の課税の特例の適用を受けられる者は相続人に限られず、小規模宅地等の要件に該当する宅地を相続又は遺贈により取得した者であれば、その者が親族であれば特例の適用を受けられる（措法69の4①）。

したがって、この事例のように、Aの宅地の上で事業を営んでいた長男が死亡、その嫁が事業を引き継いだ場合において、Aが死亡し、その遺言によってその宅地が遺贈されたとき、長男の嫁はAの1親等の姻族であり親族であるので特例の適用を認めることとされたものである。

(2) 小規模宅地等の要件

この特例の対象となる「小規模宅地等」とは、相続開始の直前において、

被相続人又は被相続人と生計を一にしていた親族(以下併せて「被相続人等」と総称する。)の事業(準事業を含む。)又は居住の用に供されていた宅地等(土地又は土地の上に存ずる権利をいう。)で、一定の建物又は構築物の敷地の用に供されているもの(注1、2)のうち限度面積要件までの部分(措法69の4)。

(注1) 「準事業」とは、「事業と称するに至らない不動産の貸付けその他これに類する行為で相当の対価を得て継続的に行うもの」とされている(措令40の2①)。これは昭和63年の改正で一たん削除され、平成6年の改正で復活したものである。
(注2) 「一定の建物又は構築物」とは、次の建物又は構築物以外の建物又は構築物をいう(措規23の2①)。実務上は、ほとんどの建物又は構築物が対象となると考えてよい。
　(イ) 温室その他の建物で、その敷地が耕作の用に供されるもの
　(ロ) 暗きょその他の構築物で、その敷地が耕作の用又は耕作若しくは養畜の用のための採草若しくは家畜の放牧の用に供されるもの

(3) 限度面積要件

　この特例の適用対象となる宅地等の面積は、既に述べたとおり、①特定事業用宅地等である小規模宅地等及び③特定同族会社事業用宅地等である小規模宅地等に限り400㎡までの部分とされ、一方、特定居住用宅地等は330㎡、貸付事業用宅地等は200㎡とされている。

　上記限度面積要件について、特定事業用等宅地等、特定同族会社事業用宅地等及び特定居住用宅地等のみを特例の対象として選択する場合については、限度面積の調整を行わないこととし、それぞれの限度面積(特定事業用等宅地等及び特定同族会社事業用宅地等400㎡、特定居住用宅地等330㎡)まで適用が可能とされた。

　ただし、貸付事業用宅地等を選択する場合については、従来どおりの調整を行うこととされている。

　具体的には、次のとおりとなる。

　① 選択特例対象宅地等が特定事業用等宅地等又は特定同族会社事業用宅

地等である場合……その選択特例対象宅地等の面積の合計が400㎡以下であること。
② 選択特例対象宅地等が特定居住用宅地等である場合……その選択特例対象宅地等の面積の合計が330㎡以下であること。
③ 選択特例対象宅地等が貸付事業用宅地等である場合……次のイ、ロ及びハの面積の合計が200㎡以下であること。
　イ　特定事業用等宅地等又は特定同族会社事業用宅地等である選択特例対象宅地等の面積の合計×200／400
　ロ　特定居住用宅地等である選択特例対象宅地等の面積の合計×200／330
　ハ　貸付事業用宅地等である選択特例対象宅地等の面積の合計

これを図示すると次のようになる。

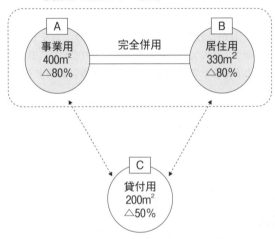

$$(A \times 200/400) + (B \times 200/330) + C \leqq 200\text{m}^2$$

(「平成25年版・改正税法のすべて」588頁)

(4) **大規模な土地と特例適用**

〔質問2〕
　小規模宅地等というと、小さな宅地しか対象にならないように思われるが、大規模な土地でも適用限度面積（200㎡〜400㎡）までは適用が受けられるのはなぜか。

【回答】　この特例が設けられた理由は、被相続人の事業の用又は居住の用に供されていた宅地のうち一定部分までの部分については、それが相続人等の生活の基盤の維持のために不可欠のものであって、その処分には相当の制約

を受けるのが通常であるから、その部分については何らかの軽課措置が必要であるという考え方によるとされている。したがって、このような考え方に立てば、どのような大規模な事業用又は居住用の宅地でも、「小規模宅地等」に該当する部分があるということになるわけである。

(5) 事業用宅地の判定

〔質問3〕
　Bの父は、その友人に無償で宅地を貸して建物を建てさせ、そのうちの1室を無償で借りて、自己の事業用の事務所に使用していた。このほどBの父が死亡したので、Bがこの宅地を相続し、引き続きこれをBの父の友人に無償で貸し付け、かつ、Bの父の事務所を無償で借り受けて、Bの事業用の事務所に使用することとした。この宅地は小規模宅地等に該当するか。

【回答】　この例のように、被相続人の土地の上に被相続人以外の者が所有する建物があり、それが被相続人等の事業の用に供されていた場合、その土地が被相続人等の事業用の宅地に該当するのかすなわち小規模宅地等に該当するのかどうかの判断は、極めて複雑難解である。この辺の問題は、**質問1**のケースとも共通するので、ここで併せて説明することとする。

① **事業の範囲**

　まず、特例の対象となる「事業」は、次のいずれかである。

　イ　被相続人の事業

　ロ　被相続人と生計を一にしていた親族の事業

　また、この「事業」には、「準事業」のすなわち事業と称するに至らない程度の相当の対価を得て継続的に行う不動産の貸付けを含む（措令40の2①）。この点が後述の特定事業用宅地等では、不動産の貸付業（準事業を含む。）が対象とならないことと異なっているので、混同しないよう注意しなければならない。

② **事業の用に供していた宅地等**

　被相続人等の事業の用に供していた宅地等は、次のいずれかに該当し、かつ、建物又は構築物の敷地の用に供されていることが必要である（措通69の

4-4)。

(イ) 他に貸し付けられていた宅地等

この場合は、貸付先は問わないが、その貸付けが事業（準事業を含む。）として行われていること、すなわち、相当の対価を得て継続的に貸し付けられていることが必要である。

ただし、上述のように建物又は構築物（以下「建物等」という。）の敷地となっていることが必要で、空地となっている場合は、対象とならない。また、建物等の所有者は貸付先と同一人であることを要しない。

(ロ) 被相続人等の事業の用に供されていた建物等で被相続人又はその親族が所有していたものの敷地の用に供されていたもの

これを図示すると次のとおりである。

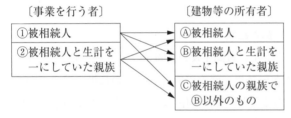

すなわち、組合わせが①→Ⓐ、①→Ⓑ、①→Ⓒ、②→Ⓐ、②→Ⓑ、②→Ⓒと6通りあることになる。つまり、建物所有者と事業を行う者は同一である必要はなく、その敷地（すなわち小規模宅地等）の所有者と一致していることも必要ではない。そこで、これらの当事者が異なる場合は、敷地及び建物の貸借関係が生ずるわけであるが、この貸借関係は、次に該当することが要件とされている。

(ハ) 宅地等の所有者（被相続人）が建物所有者（被相続人の親族・上図のⒷ、Ⓒ）に宅地等を貸し付けている場合には、無償貸付けであることを要する。これは通達の文言上は明確に書かれていないが、相当の対価を得て継続的に土地を貸し付ける場合、すなわち有償貸付け（不動産貸付業又は準事業）に該当して、前述(イ)の場合に該当することになるから、当然の結論と考える。

(ニ) 建物の所有者（被相続人の親族）が上述の宅地等の上にあるその建物を事業用として利用する者に貸し付けている場合は、原則として無償貸付けであることを要する。ただし、建物所有者が被相続人と生計を一にする親族で、その建物を相当の対価で被相続人（第三者を含む。）に貸し付けていれば、その敷地は小規模宅地等に該当することになる（不動産貸付業又は準事業に該当することになる。）。これは、法律上、被相続人等の所有家屋の貸付け先が限定されていないからである。

なお、この「無償」には、相当の対価に至らない程度の対価（固定資産税その他の必要経費をカバーする程度の対価）の授受がある場合も含むことに取り扱われている（大野隆太編「相続税・贈与税関係租税特別措置法通達逐条解説（令和元年12月改訂版）」（大蔵財務協会）（以下「相続税等措通解説」57頁））。

③ 質問のケースの検討と結論

以上の説明を前提として、**質問1**及び**質問3**のケースを検討してみる。

(イ) まず、**質問1**のケースは、建物の所有者はAの長男の嫁で、かつ、その敷地の所有者である父との貸借関係は、無償貸付けであり、この敷地は、被相続人と生計を一にする親族（長男の嫁は、Aの1親等の姻族）の事業の用に供されていることになるから、この敷地は小規模宅地等に該当する。

(ロ) 次に、**質問3**のケースは、Bの父の土地の上の建物は、被相続人及び被相続人の親族以外の第三者であるBの父の友人の所有で、かつ、土地の貸借関係が無償使用であるから、小規模宅地等に該当せず、貸地にもならないので、何らの減額もできないことになる。

(6) 建物等の所有を目的としない貸地

〔質問4〕

Cの父は、その所有する宅地を自己が主宰する甲同族会社に相当の対価を得て貸し付けていた。甲社は、その土地に特に建物や構築物を設けず、アスファルトやコンクリートの舗装もせず、駐車場と材料置場として使用していた。Cの父がこのほど死亡したので、Cがこの土地を相続することになったが、小規模宅地等の課税の特例の適用はあるか。

【回答】 小規模宅地等の課税の特例は、既に述べたように、建物又は構築物の敷地の用に供されている宅地に適用される。したがって、質問のように、たとえ相当の対価を得て継続的に貸し付けられている宅地でも、単なる材料置場や未舗装の駐車場として使用されているだけでは、小規模宅地等としての要件を満たしていることにならないので、特例の適用はないことになる（注）。

(注) なお、材料置場でも、宅地の上に建物を建てて、それに材料等を収納している状態であれば、小規模宅地等に該当する。また、駐車場の場合は、その宅地がコンクリートやアスファルトで舗装されていれば、その舗装部分は構築物（減価償却資産の耐用年数等に関する省令（昭和40年大蔵省令第175号）別表第一・構築物・舗装道路及び舗装路面の項を参照））に該当するから、その宅地は構築物の敷地として使用されていることになり、かつ、相当の対価を得て継続的に貸し付けられているから、小規模宅地等の要件を満たすことになる。

なお、平成2年2月15日発行・竹内雄也監修「相続税・贈与税関係租税特別措置法通達逐条解説」（大蔵財務協会）12頁を参照されたい。

(7) **相続の際建替え中であった場合の取扱い**

〔質問5〕
Dの父は、その所有する宅地に駐車用の建物を建て、駐車場業を営んでいたが、事業をテナントビルの経営に切り替えるため、駐車場を閉鎖し、建設会社にビルの建築を依頼していた。しかし、ビルが50％ほどできたところでDの父は急病で死亡した。そこで、Dはこの建築中のビルとその敷地を相続したが、父の死が急だったことから相続税の申告期限までにはこのビルの賃貸が始められず、現在もテナントビルとして運用するかそれとも敷地ごと他に売却するか迷っている。このような場合にも小規模宅地等の課税の特例の適用があるか。

【回答】 これについては、取扱いが改められた経緯があるので、やや詳しく説明する。

① **従来の取扱い**

小規模宅地等として認められるためには、その土地が相続開始の直前において、被相続人等の事業の用に供されていること、すなわちその土地の上に

事業用の建物等が存在していることが要件となる。したがって、相続開始時において、その建物等が建替中である場合には、形式的にいえば相続開始直前には事業の用に供されていないことになり、小規模宅地等の課税の特例は適用されないことになる。

しかし、このように、偶々建物が相続開始時点では存在しないことだけから、小規模宅地等の課税の特例が適用されないとするのは、必ずしも妥当ではないとの考えから、従来は、事業場の移転又は建替えのために被相続人等の事業用建物が取り壊され、それに代わるべき建物で被相続人等の事業の用に供されると認められるものの建築中に相続が開始した場合には、一定の相続人等が相続税の申告期限までにその建物等を事業の用に供したときに限り、その敷地の用に供されてきた宅地等を特例の対象とすることに取り扱われてきた（旧措通69の3－2）。

② **名古屋地裁の判決**

イ　事件の概要

ところが、この取扱いを巡って、次のような事件が発生し、名古屋地裁で争われるに至った。

この事件は、他にも興味のある争点があるが省略し、この取扱いに係る事実関係だけを簡単に述べる。この事実関係は、質問と同様なケースで、被相続人は個人で駐車場を経営していたが、その事業をテナントビルの経営に切り替えるため、駐車場を閉鎖し、建設会社との間で、ビルの敷地部分の土地を建設会社に譲渡し、その対価で完成後のビルの区分所有権を建設会社から購入するという内容の契約を締結し、建設会社はビルの建築を開始した。ところがビルの半分が出来上がったところで、被相続人が急死し、そのビルと敷地等は被相続人の子Aが相続した。テナントビルは相続開始後相続税の申告期限前に完成したが、Aはこのビルを申告期限に至っても事業の用に供しなかった。Aは、この相続による相続税の申告の際、この土地は、被相続人の事業用の宅地であるとして、小規模宅地等の課税の特例を適用して申告したところ、所轄のY税務署長は、テナントビルが相続税の申告期限

前に完成していたにもかかわらず、申告期限において事業の用に供されていなかったから旧措通69の3－2の取扱いは適用できないとして更正処分を行い、Aはこれを不服として争いとなった。
ロ　判決の概要
　この事件を審理した名古屋地方裁判所は、次のとおり判示してY税務署長の主張を却けた（平成10年2月16日（平成7年行ウ第45号）判決・確定）。
　すなわち、「本件特措法の趣旨からすれば、相続の開始の直前においてはたとえ当該宅地が事業の用に供されていなくても、相続の開始以前においては偶々事業を中断していて、相続後も再び事業を再開することが認められる場合には、右要件に該当するものとして、その適用を認めるべきである。なお、被告（国）は相続後に再び事業を再開するか否かを現実に相続人が事業を承継した点に求めると主張している。確かに、本件特措法の趣旨からすれば、そのように解釈することの合理性が認められるが、被相続人が相続直前に当該宅地を事業の用に供していれば、相続人が現実に事業を承継したか否かを問うことなく、本件特措法が適用されることの均衡からすると」、ビルを建設中の事業用宅地を相続した場合は事業の承継を条件とするという取扱いは均衡を欠くとし、「相続後に再び事業を再開するか否かは、あくまでも相続時点においてそのような態度が被相続人に認められるか否かによって決すべきである」と判示した。そして、本件では被相続人はテナントビルの入居募集を行っており、事業を再開する意思があったと認められるから、原告の相続税申告に際しては、小規模宅地等の課税の特例が適用されるとの判断が示され、Y税務署長の主張は却けられたのである。
③　**通達改正とその取扱い**
　この判決に対して、国税庁は控訴を行わず、従来の措通69の3－2を改めて、次のように取り扱うものとした（注）。
（注）「『租税特別措置法（相続税法の特例のうち農地等に係る納税猶予の特例及び延納の特例関係以外）の取扱いについて』通達等の一部改正について」通達（平成10年6月18日付課資2－242）を参照。

すなわち、今後、相続開始の直前における被相続人等の当該建物等に係る事業の準備行為の状況からみて、事業場の移転又は建替えのために建築中等であった建物等を速やかに被相続人等の事業の用に供することが確実であると認められる場合には、当該建物等の敷地の用に供されている宅地等については、小規模宅地等の課税の特例の適用が認められることとなった（現行措通69の4－5）。

なお、改正後の取扱いにより相続開始直前における被相続人等の準備行為の状況から事業の継続性を判定する場合には、単に被相続人等の事業継続の内心の意思の有無だけでは足りず、例えば建築中の工場の操業を前提として受注又は原材料の仕入れを行っている事実、建築中の建物の新規入居者と賃貸借契約を締結している事実、不動産仲介業者に入居者の募集を依頼している事実等具体的な準備行為の状況によって客観的に確認できることが必要とされている（注）。

(注) 国税庁資産税課課長補佐・村中修「『租税特別措置法（相続税法の特例のうち農地等に係る納税猶予の特例及び延納の特例関係以外）の取扱いについて』通達等の一部改正について」（国税速報（大蔵財務協会）第5070号6頁参照）。

なお、上記による認定ができなかった場合には、従来どおり一定の相続人等が相続税の申告期限までに当該建築中の建物等において被相続人等の事業を再開したかどうかにより特例の適用の有無を判定するものとされている（改正後の措通69の4－5なお書）。

（軽減割合）

〔質問6〕
　小規模宅地等の要件に該当した場合には、どのような特例が適用されるのか。

【回答】　小規模宅地等の要件、すなわち、相続開始の直前においてその宅地等が被相続人等の事業若しくは居住の用に供され、かつ、一定の建物等の敷地の用に供されているものであってもそれだけでは減額の対象とならず、後述の特定事業用等宅地等又は特定居住用宅地等の要件に該当していなければ

小規模宅地等の特例は適用されない。この点は平成22年の改正で改められているので注意する必要がある。

3 特定事業用宅地等
(1) 特定事業用宅地等の要件

「特定事業用宅地等」とは、小規模宅地等の要件に該当する被相続人等の事業の用に供されていた宅地等で、次の要件のいずれかを満たす当該被相続人の親族（注１）が相続又は遺贈により取得したもの（当該親族が相続等により取得した持分の割合に応ずる部分に限る。）をいう（措法69の４③一）。

平成31年４月１日以後に相続等により取得するものから、特定事業用宅地等の範囲から、相続開始前３年以内に新たに事業の用に供された宅地等（その宅地等の上で事業の用に供されている次に掲げる資産の価額が、当該宅地等の相続時の価額の15％以上である場合を除く。）が除外された（措法69の４③一、措令40の２⑧）。

イ　その宅地等の上に存する建物（その付属設備を含む。）又は構築物
ロ　所法２①十九に規定する減価償却資産でその宅地等の上で行われるその事業に係る業務の用に供されていたもの

① その親族が、㋑相続開始時から相続税の申告期限までの間にその宅地等の上で営まれていた被相続人の事業を引き継ぎ、㋺申告期限まで引き続きその宅地等を有し、かつ、㋩申告期限までその事業を営んでいること（注２、３）。

（注１）　この「親族」には、その親族から相続又は遺贈によりその宅地等を取得したその親族の相続人を含む（措法69の４③一柱書）。
（注２）　この「事業」には、小規模宅地等の判定の場合と異なり、不動産貸付業、駐車場業、自転車駐車場業及び準事業が含まれないので注意する必要がある。例えば、被相続人が大規模なマンション賃貸業を営んでいて、相続人がそのマンションと敷地をそのまま相続して、引き続きマンション賃貸業を行っても、その小規模宅地等は貸付事業用宅地等になるので、その減額割合は50％とされ、80％にはならない。

(注3) この「申告期限」は、相続税法第27条第2項の申告期限、すなわち被相続人の相続人が相続税の申告書の提出前に死亡した場合の申告期限を意味する。

② その親族が被相続人と生計を一にしていた者で相続開始時から申告期限（その親族が申告期限前に死亡した場合には、死亡の日）まで引き続きその宅地等を有し、かつ、相続開始前から申告期限まで引き続きその宅地等を自己の事業の用に供していること（注）。

(注) この場合は、①と異なり、事業の引継ぎの問題は生じない。

(2) 共同相続人の1人の相続した土地が特定事業用宅地等に該当した場合の特例の適用

〔質問7〕
宅地を共同相続人が共同で相続した場合で、そのうちの1人が相続した土地が特定事業用宅地等に該当するときは、他の共同相続人が相続した土地が必ずしも事業に利用されていなくても、その宅地はすべて特定事業用宅地等に該当することになっていたが、平成22年の改正で改められたと聞いた。どのように変わったのか。

【回答】 （改正前）

特定事業用宅地等の場合を例にとると、「被相続人等の事業（…）の用に供されていた宅地等で、当該相続又は遺贈により当該宅地等を取得した個人のうちに、次に掲げる要件のいずれかを満たす当該被相続人の親族（…）がいる場合の当該宅地等（…）をいう」とされていた。

つまり、共同相続人が共同で被相続人の事業用宅地を相続した場合には、そのうちの1人が相続した当該事業用宅地を特定事業用宅地等として利用していれば、当該事業用宅地を相続した他の共同相続人は、必ずしもその宅地を特定事業用宅地等として利用していなくても、すべて特定事業用宅地等として80％の減額措置の適用が受けられた。

（改正後）

しかし、平成22年の改正で、この部分は、「被相続人等の事業（…）の用に供されていた宅地等で、次に掲げる要件のいずれかを満たす当該被相続人

の親族（…）が相続又は遺贈により取得したもの（政令で定める部分に限る。）をいう」と改められた。

　すなわち、この改正後は、被相続人の事業用宅地を共同相続した相続人のうち、(1)①又は②の要件を満たすものだけが減額の対象となり、これらの要件を満たさない他の共同相続人の取得した宅地等については減額の対象とならないこととされたものである。

　さらに、要件に該当する被相続人の親族であっても、特例の対象になるのは、その親族が相続又は遺贈により取得した持分の割合に応ずる部分に限るものとされている（措法69の4③一柱書、措令40の2⑤）。

　なお、前にも述べたように、持分相続でも、分割相続でもよいが、申告期限までに遺産分割協議により分割されていること及び小規模宅地等として面積限度要件を満たすような選択がされていること等の手続要件を満たしている必要がある。

　なお、この点は、特定居住用宅地等、特定同族会社事業用宅地等及び貸付事業用宅地等の場合も同様である。

（子が亡夫の父の事業を引き継いだ場合）

〔質問8〕
　Eの義父は、その所有する土地の上に建物を建て、飲食店を営んでいたが、平成X年5月16日に病死した。そこで、義父の子であるEが財産をすべて相続し、飲食店を再開しようとしているうちに、Eが交通事故で同年8月15日に死亡してしまった。やむなく、Eの長男が飲食店の建物と敷地を相続したが、こうした場合のEと子の相続税について小規模宅地等の課税の特例の適用はあるのか。

【回答】　結論を先にいえば、Eの子が父の相続税の申告期限までに亡父Eの父の事業を引き継ぎ、かつ、申告期限までその事業を続け、相続した土地を所有していれば、Eの父及びEに係る相続税について、いずれも小規模宅地等の課税の特例の適用が受けられる（措通69の4－15）（注）。

(注)　租税特別措置法第69条の4第3項第1号の柱書及び同号イの被相続人の親族のうちにその親族から相続等により宅地を取得した親族が含まれていること

とに注意してほしい。つまり「被相続人の事業を引き継ぐ」とは、この事例のように、子がその父の父（祖父）である被相続人の事業を直接引き継ぐ場合も含まれる（措通69の4-15注）。

また、子自身の相続税についても、自己の相続税の申告期限（父の相続税の申告期限と同じ。）までに申告書を提出することにより、前述のように、自己の祖父の事業を引き継ぐことで、自己の相続した土地について小規模宅地等の課税の特例の適用を受けることができる。なお、子がまだ就学中で事業主になれないような場合など、当面事業主となれないことについてやむを得ない事情があるため、例えばその子の母が当面事業主となっている場合には、相続人が事業を営んでいることに取り扱われる（措通69の4-20）。

4 特定居住用宅地等
(1) 特定居住用宅地等の要件

「特定居住用宅地等」とは、小規模宅地等の要件に該当する被相続人等の居住の用に供されていた宅地（その宅地等が2以上ある場合は、主として居住の用に供していた宅地等）等で、被相続人の配偶者又は次の要件のいずれかを満たす当該被相続人の親族（配偶者を除く。）が相続等により取得したもの（当該親族が相続等により取得した持分の割合に応ずる部分に限る。）をいう（措法69の4③二）。

イ　配偶者がその宅地等を取得している場合

ロ　その宅地等の上にある被相続人の居住用家屋において、相続開始の直前にその被相続人と同居していた親族がその宅地等を相続等により取得しており、相続税の申告期限まで引き続きその宅地等を所有し、かつ、その居住を継続している場合

ハ　イ又はロに該当する親族がいない場合に限り、次の①から③に該当し、かつ、④から⑥に該当する者

①　被相続人の配偶者がいない

②　相続開始の直前において被相続人と同居していた法定相続人がいない

③　相続開始の時に、取得者が無制限納税義務者又は制限納税義務者のう

ち日本国籍を有する者である
④ 相続開始前3年以内に日本国内にある自己、自己の配偶者、自己の3親等内の親族又は自己と特別の関係がある法人（注）の所有に係る家屋（相続開始の直前において被相続人の居住の用に供されていた家屋を除く。）に居住したことがない
⑤ 相続開始の時に、取得者が居住している家屋を一度も所有したことがない
⑥ 相続開始の時から相続税の申告期限までその宅地等を有している
（注） 特別の関係がある法人とは、次に掲げる法人をいう（措令40の2⑮）。
　一　当該宅地等を取得する親族及び次に掲げる者（親族等）が法人の発行済株式又は出資（自己株式は出資を除く。）の総数又は総額（発行済株式総数等）の10分の5を超える数又は金額の株式又は出資を有する場合における当該法人
　　イ　当該親族の配偶者
　　ロ　当該親族の三親等内の親族
　　ハ　当該親族と婚姻の届出をしていないが事実上婚姻関係と同様の事情にある者
　　ニ　当該親族の使用人
　　ホ　イからニまでに掲げる者以外の者で当該親族から受けた金銭その他の資産によって生計を維持しているもの
　　ヘ　ハからホまでに掲げる者と生計を一にするこれらの者の配偶者又は三親等内の親族
　二　親族等及びこれと前号の関係がある法人が他の法人の発行済株式総数等の10分の5を超える数又は金額の株式又は出資を有する場合における当該他の法人
　三　親族等及びこれと前2号の関係がある法人が他の法人の発行済株式総数等の10分の5を超える数又は金額の株式又は出資を有する場合における当該他の法人

四　親族等が理事、監事、評議員その他これに準ずるものとなっている持分の定めのない法人

ニ　その宅地等の上にある被相続人等と生計を一にする親族の居住用家屋において、相続開始の直前に居住していた親族がその宅地等を相続等により取得しており、申告期限まで引き続きその宅地等を所有し、かつ、その居住を継続していた場合

(2)　居住用宅地・特定居住用宅地の判断

〔質問9〕
　Fの父は、その土地を父の弟に無償で貸し付け、弟はその土地の上に3階建てのマンションを建て、その一室を父が無償で借りて母と共に住んでいた。父がこのほど亡くなったので、この宅地を一旦母が相続した上で、父の弟に売却した。このような場合には、小規模宅地等の課税の特例の適用はあるのか。

【回答】　この質問は、特定居住用宅地等に該当するか否かの判断をする前に、既に述べたようにまず小規模宅地等の要件に該当するのか、すなわち、被相続人等の居住の用に供されていた宅地なのかを判断する必要があり、その判断基準が、事業用宅地等の場合と同様に複雑難解なのである。すなわち、宅地及び建物を共に被相続人が所有して居住していた場合は問題がないが、建物所有者と居住者が異なっている場合には、判断は簡単ではない。

　そこで、現在の取扱いをみると、「小規模宅地等」に該当する被相続人等の居住の用に供されていた宅地等とは、被相続人等の居住の用に供されていた家屋で、次のいずれかに該当するものの敷地の用に供されていた宅地等をいうものとされている（措通69の4－7）(注)。

① 　被相続人が所有していたもの（被相続人と生計を一にしていた親族が居住の用に供していたものである場合には、その親族が被相続人から無償で借り受けていたものに限る。）

② 　被相続人の親族が所有していたもの（その親族がその家屋の敷地を無償で被相続人から借り受けており、かつ、被相続人等がその家屋を借り受けている

場合には、無償で借り受けていたときにおけるその家屋に限る。)
(注) 居住者と家屋の所有者との組合せは事業用の場合と同様となる。

　以上を踏まえて、質問の場合を検討してみると、Ｆの父は、その所有する土地を親族である弟に無償で貸し付け、弟はその上に自己所有のマンションを建て、かつＦの父は親族である弟からその一室を無償で借り受けていたということだから上記②の要件に該当し、小規模宅地等に該当することになる。

　次に、その宅地等が特定居住用宅地等に該当するか否かについては、Ｆの母がその宅地を相続しているので、その宅地を相続後申告期限前に売却していても、Ｆの父が居住の用に供していた宅地に対応する部分については特定居住用宅地等の要件に欠けることにならない（措法69の４③二柱書）。したがって、この場合の宅地は、特定居住用宅地等に該当する。しかし、Ｆの父が居住の用に供していた部分以外は対象にならない。

(3) 一棟の建物の場合の特定居住用宅地等の判定の特例廃止

〔質問10〕
　１棟の建物の敷地に係る「特定居住用宅地等」の判定の特例は、平成22年の改正で廃止されたそうだが？

【回答】　ご質問のとおり、平成22年の改正で１棟の建物の特例が廃止され、原則に戻って、被相続人等の事業の用に供されていた宅地等及び居住の用に供されていた宅地等のうちに、被相続人等の事業の用及び居住の用以外の用に供されていた部分があるときは、この特例の適用の対象となる宅地等は、当然、被相続人等の事業の用及び居住の用に供されていた部分に限られることとされた。

　従来は、１棟の建物のうちの一部分が被相続人の居住の用に供されていたもので、その居住の用に供されていた部分に対応する部分が特定居住用宅地等に該当する場合は、その敷地の全体が特定居住用宅地等として取り扱われ、ただ、特定事業用等宅地等及び特定特例対象宅地等に該当する部分は、特定

居住用宅地等と区分して、対象面積をそれぞれ計算することとされていたが、この特例は、平成22年の改正で廃止された。

(4) 二世帯住宅の取扱い

〔質問11〕
二世帯住宅についての取扱いが変更されたそうだが？

【回答】 これについては、「平成25年版・改正税法のすべて」588頁以下の解説を引用する。

「被相続人と親族が同居している家屋の敷地の用に供されている宅地等については、特定居住用宅地等としてこの特例が適用されます。このような宅地等のうち、いわゆる二世帯住宅の用に供されている宅地等については、その同居の判定が問題となります。構造上内部で行き来が可能な二世帯住宅（構造上区分されていない二世帯住宅）については、全体を一つの住居と捉え、被相続人と親族が同居していたものと解し、全体について特定居住用宅地等に該当するものとして、この特例の適用が可能とされてきました。

他方、構造上区分された二世帯住宅の場合は、それぞれの区分ごとに独立した住居と捉え、被相続人が居住していた部分は他の要件を満たせば特定居住用宅地等に該当するものの、それ以外の部分は特定居住用宅地等には該当しないものとしてこの特例の適用を認めない取扱いとなっており、納税者からは分かりにくい状況となっていました。

このように外見上は同じ二世帯住宅であるのに内部の構造上の違いにより課税関係が異なることは不合理との指摘を踏まえ、（中略）この二世帯住宅に関する取扱いを見直すこととし、二世帯住宅であれば内部で行き来ができるか否かにかかわらず、全体として二世帯が同居しているものとしてこの特例の適用が可能とされ、これを法令上も明確化することとされました。

具体的には、特定居住用宅地等の要件のうち同居要件（中略）について、「被相続人の親族が、相続開始の直前においてその宅地等の上に存するその被相続人の居住の用に供されていた一棟の建物（被相続人、その被相続人の配

偶者又はその親族の居住の用に供されていた一定の部分に限ります。）に居住していた者であって、相続開始時から申告期限まで引き続きその宅地等を所有し、かつ、その建物に居住していること」とされました（措法69の4③二イ）。

　また、上記の「一棟の建物」には、いわゆる分譲マンションのように区分所有され、複数の所有権の目的となっているものもありえます。しかし、例えば同じ分譲マンションの101に被相続人、707に親族が居住していた場合には、それぞれの専有部分が別々に取引される権利であり、いわゆる「二世帯住宅」とは同視できないと考えられるため、上記の「一定の部分」については、専有部分ごとに判断することとされています。具体的には、次の部分に対応する宅地等がこの特例の対象となります（措令40の2④⑩）。

①　被相続人の居住の用に供されていた一棟の建物が建物の区分所有等に関する法律第1条の規定に該当する建物である場合には、当該被相続人の居住の用に供されていた部分
②　①以外の場合には、被相続人又は当該被相続人の親族の居住の用に供されていた部分
（注1）　上記①の「建物の区分所有等に関する法律第1条の規定に該当する建物」とは、建物の独立した部分ごとに所有権の目的とすることができる建物を指します。ただし、構造上区分所有しうる建物が当然に区分所有建物に該当するわけではなく、区分所有の意思を表示する必要があると解されていることから、通常は区分所有建物である旨の登記がされている建物となります。また、単なる共有の登記がされている建物はこれに含まれません。
（注2）　租税特別措置法第69条の4第3項第2号では配偶者については親族と区別して規定されていますが、上記②を規定している租税特別措置法施行令第40条の2第10項では親族には配偶者が含まれます。
（参考）　建物の区分所有等に関する法律（昭和37年法律第69号）（抄）
　　　　（建物の区分所有）
　　　第1条　一棟の建物に構造上区分された数個の部分で独立して住居、店舗、事務所又は倉庫その他建物としての用途に供することができるものがあるときは、その各部分は、この法律の定めるところにより、それぞれ所有権の目的とすることができる。」

(5) 老人ホームと小規模宅地等の課税の特例の適用

〔質問12〕
被相続人が老人ホームに入所している場合において、小規模宅地等の課税の特例は適用できるのか。

【回答】 これについても「平成25年版・改正税法のすべて」589頁以下の解説を引用する。
「(4) 老人ホームに入居している場合の取扱いの見直し
① 改正前の取扱い
　被相続人が老人ホームに入居している場合には、一般的にはその老人ホームがその被相続人の相続開始の直前の居住場所と考えられることから、老人ホームへの入居前に被相続人の居住の用に供されていた宅地等は、この特例の適用対象外とされていました。
　しかし、個々の事例の中には、その者の身体上又は精神上の理由により介護を受ける必要があるため自宅を離れているような場合もあり、諸事情を総合勘案すれば、一律に生活の拠点を移転したものとして特例を適用しないことは実情にそぐわない面があったことから、改正前の制度においては、次のイからニまでの要件の全てを満たせばこの特例の適用を認めて差し支えないものとする取扱いとなっていました。
イ　被相続人の身体又は精神上の理由により介護を受ける必要があるため、老人ホームへ入居することとなったものと認められること。
ロ　被相続人がいつでも生活できるようその建物の維持管理が行われていたこと。
ハ　入居後あらたにその建物を他の者の居住の用その他の用に供していた事実がないこと。
ニ　その老人ホームは、被相続人が入居するために被相続人又はその親族によって所有権が取得され、あるいは終身利用権が取得されたものでないこと。

上記の取扱いによると、特別養護老人ホームへの入居を希望しつつも入居できなかったため、やむを得ず終身利用権を取得し有料老人ホームに入居した場合には、上記ニを満たさず、この特例の適用を受けることができなくなるといった問題も指摘されていたことから、次の見直しを行うとともに、その内容を法令上も明確化することとされました。

　具体的には、上記ロ及びニの要件を廃し、相続開始の直前において被相続人の居住の用に供されていなかった場合でも、居住の用に供されなくなる直前にその被相続人の居住の用に供されていた宅地等を、相続開始の直前において被相続人の居住の用に供されていた宅地等と同様にこの特例を適用することとされました（措令40の2②）。

② 老人ホームへ入居することとなった事由

　上記①イに相当する要件として次のとおり定められています。併せて対象施設も明示されています。

イ　介護保険法に規定する要介護認定又は要支援認定を受けていた被相続人が次に掲げる住居又は施設に入居又は入所していたこと。

　(イ)　老人福祉法に規定する認知症対応型老人共同生活援助事業が行われる住居（認知症高齢者グループホーム）、養護老人ホーム、特別養護老人ホーム、軽費老人ホーム又は有料老人ホーム

　(ロ)　介護保険法に規定する介護老人保健施設

　(ハ)　高齢者の居住の安定確保に関する法律に規定するサービス付き高齢者向け住宅（(イ)の有料老人ホームを除きます。）

ロ　障害者の日常生活及び社会生活を総合的に支援するための法律に規定する障害支援区分の認定を受けていた被相続人が同法に規定する障害者支援施設（施設入所支援が行われるものに限ります。）又は共同生活援助を行う住居に入所又は入居していたこと。

　なお、上記の要介護認定若しくは要支援認定又は障害支援区分の認定を受けていたかどうかは相続開始時点で判定することとされているため、入居又は入所前にこれらの認定を受けている必要はありません。

(備考) 被相続人が病院に入院したことにより、それまで被相続人が居住していた家屋が相続開始の直前には居住の用に供されていなかった場合であっても、入院により被相続人の生活の拠点は移転していないと考えられることから、従前からその建物の敷地の用に供されている宅地等は被相続人の居住の用に供されていた宅地等に該当するものとして、この特例の適用対象とされています。また、病院である介護療養型医療施設及び療養介護を受ける施設に入っていた場合にも、病院と同様、この特例の適用対象とされています。

③ 従前居住していた家屋の状況

上記①ハ（入居後あらたにその建物を他の者の居住の用その他の用に供していた事実がないこと）については、具体的には、上記②の事由により被相続人の居住の用に供されなくなった後に、あらたにその宅地等を次の用途に供した場合には、その宅地等はこの特例の適用を受けることはできないこととされています（措令40の2③）。

イ 事業（貸付けを含みます。また、事業主体は問いません。）の用

ロ 被相続人又はその被相続人と生計を一にしていた親族以外の者の居住の用

④ 添付書類

老人ホームに入居していた場合、この特例の適用を受けるためには、改正前から相続税の申告書に添付して提出することとされている書類に加え、次の書類を提出する必要があります（措規23の2⑦三）。

イ その相続開始の日以後に作成された被相続人の戸籍の附票の写し

ロ 介護保険の被保険者証の写し又は障害者の日常生活及び社会生活を総合的に支援するための法律に規定する障害福祉サービス受給者証の写しその他の書類で、その被相続人がその相続開始の直前において介護保険法に規定する要介護認定若しくは要支援認定又は障害者の日常生活及び社会生活を総合的に支援するための法律に規定する障害支援区分の認定を受けていたことを明らかにするもの

ハ その被相続人がその相続開始の直前において入居又は入所していた住

居又は施設の名称及び所在地並びにこれらの住居又は施設が前述のいずれの住居又は施設に該当するかを明らかにする書類」

(注) 適用関係
　　上記(4)及び(5)の改正は、1年先行して、平成26年1月1日以後に相続又は遺贈により取得する財産に係る相続税について適用し、同日前に相続又は遺贈により取得した財産に係る相続税については従前どおりとされている（改正法附則1三イ、85①）。

(6) 居住用宅地が二以上ある場合

〔質問13〕
　被相続人等が居住の用に供していた宅地等が二以上ある場合の「特定居住用宅地等」の判断について、当局は「主として居住の用に供するもの」と解して取り扱われてきたようだが、法文上問題があるので、平成22年の改正でその趣旨が明らかにされたようなので、説明してほしい。

【回答】　ご質問のとおり、この問題は従来からいわれていたものである。すなわち、特定事業用宅地等の場合は、事業というものの性質上、事業の用に供される宅地は1個とは限らず、2個以上あることがあり得るのは当然であるが、特定居住用宅地等の場合は、居住用宅地等に対する税制上の特例が、すべて、「主として居住の用に供される宅地等」に限られていることから、小規模宅地等の課税の特例の適用対象となる「特定居住用宅地等」も同様に実務上は取り扱われてきたところである。

　ところが、最近、この問題をめぐって訴訟が提起され、課税処分としては維持されたが、「主として居住の用に供されている宅地のみ特例が適用される」という主張が裁判所によって認められず、事実上の敗訴となった事件があった（佐賀地裁平成20年5月1日判決、福岡高裁平成21年2月4日判決、最高裁第2小法廷平成22年2月5日決定）。

〔平成22年の改正〕
　そこで、当局は、平成22年の改正において、従来の主張に沿うような改正を行った。その内容は、次のとおりである。すなわち、被相続人等が居住の

用に供する宅地等が二以上ある場合には、相続人の居住の継続という制度の趣旨から当局は、主として居住の用に供されていた一の宅地等に限るものと解していたが、その主張を法令の規定上明確にするため、対象となる宅地等は次の宅地等であることとされた（措令40の2⑥）。

(イ) 被相続人の居住の用に供されていた宅地等が二以上ある場合（(ハ)に掲げる場合を除く。）には、その被相続人が主としてその居住の用に供していた一の宅地等

(ロ) 被相続人と生計を一にしていたその被相続人の親族の居住の用に供されていた宅地等が二以上ある場合（(ハ)に掲げる場合を除く。）には、その親族が主としてその居住の用に供していた一の宅地等（その親族が2人以上ある場合には、その親族ごとにそれぞれ主としてその居住の用に供していた一の宅地等）

(ハ) 被相続人及びその被相続人と生計を一にしていたその被相続人の親族の居住の用に供されていた宅地等が二以上ある場合には、次に掲げる場合の区分に応じそれぞれ次に定める宅地等

　i　その被相続人が主としてその居住の用に供していた一の宅地等とその親族が主としてその居住の用に供していた一の宅地等とが同一である場合　その一の宅地等

　ii　iに掲げる場合以外の場合　その被相続人が主としてその居住の用に供していた一の宅地等及びその親族が主としてその居住の用に供していた一の宅地等

なお、上記の改正は1人の者の居住の用に供されていた宅地等は1ヶ所に限られるというものであり、要件を満たす親族が2人以上ある場合などは、合計で2ヶ所以上の宅地等が、（限度面積の範囲内で）特定居住用宅地等に該当する場合がある（上記(ロ)かっこ書及び(ハ)ii）。

(7) いわゆる家なし親族の場合①

〔質問14〕

Nは、5年前に父の土地を無償で借り受け、自己の資金で家屋を新築して

父と同居していたが、2年前にNが勤務している甲社の福岡支店に転勤となり、それ以後福岡の社宅に居住している。Nの転勤後は、Nの家に父が1人で生活していたが、本年10月に病死した。Nの母は既に死亡しており、他に父と同居していた兄弟もいないので、Nがその敷地を相続した。このような場合に、小規模宅地の課税の特例の適用はあるか。

【回答】 設例によれば、相続開始時には、被相続人の配偶者も、被相続人と同居していた他の親族もなく、父の宅地を相続したNの住所も国内にあるので、その他の3つの要件を満足するか否かを検討してみる。

① まず、その宅地が被相続人の居住用宅地に該当するか否かであるが、Nは被相続人である父の土地を無償で借り受けて自己の家を建て、その家を無償で相続開始直前まで父の居住用として使用させていたのであるから被相続人の居住用宅地に該当する（措通69の4－7）。

② 次に、Nは、福岡支店に2年前に転勤になっているので、一見、相続開始前3年以内に自己又はその配偶者の所有する家屋に住んだことがないという要件に該当しないように見えるが、この家屋には、相続開始直前に被相続人が居住していた家屋が除かれているので、結局この要件もクリアすることになる。

③ さらに、福岡の社宅をNが所有したことがないであろうから、この要件もクリアする。

そこで、Nの相続した宅地は、特定居住用宅地等に該当することになる。なお、相続後その家屋に居住したりすることは要件とされていない。

(8) いわゆる家なし親族の場合②

〔質問15〕
仮に、前問の設例で、就学のためNの子（父から見れば孫）がたまたま相続開始直前まで同居していたとすると、被相続人の居住の用に供していた家に居住していた親族がいたことになり、特例の適用が受けられないということにならないか。

【回答】 確かに、この点は、従来は「その宅地等を取得した親族が相続開始

前3年以内に国内にあるその者又はその者の配偶者の所有する家屋（相続開始の直前において被相続人の居住の用に供されていた家屋を除く。）に居住したことのない者であり、かつ、相続開始時から申告期限まで引き続きその宅地等を所有していること（被相続人の配偶者又は相続開始直前において被相続人の居住の用に供していた家屋に居住していた親族がない場合に限る。）」という要件が設けられていた（旧措法69の3②ニロ）。

ところが、この要件を文字どおり質問の例に当てはめると、たまたま就学のために上京して祖父と同居している孫がいる場合にも、この要件に適合せず、特例が適用されなくなるおそれがあった。しかし、この要件は、本来なら相続人となるべき父の配偶者や親族がその宅地等を相続しないという意味と解すべきで、Nの父の相続人となり得ないNの子（父の孫）がたまたまNの父と同居していたからといって、特例の対象から排除しなければならない理由はない。そこで、この点を明らかにするため、平成11年度の改正において、この「親族」が「民法第5編第2章の規定による相続人（相続の放棄があった場合には、その放棄がなかったものとした場合における相続人）」と改められ、被相続人の配偶者がいる場合又は相続権を有する親族が同居していた場合に限り、他の相続人が取得した宅地が特例の対象にならないように改められた。したがって、設問のように、この例では相続人となり得ない父の孫が偶々父と同居していても、Nの取得したその家屋の宅地は、特定居住用宅地等に該当することになる（措法69の4③ニロ、措令40の2⑧）。

(9) 相続の際建替中であった場合の取扱い

〔質問16〕
質問5で説明のあった建物の建替え中の取扱いは、居住用宅地の場合は、どうなっているか。

【回答】 質問5で説明したとおりである。したがって、改正通達も同様に適用となる。ただ、居住用の場合は、事業用と異なり、建替えに限らず、新築中の場合も適用になることに注意する必要がある（措通69の4-6）。

5　特定同族会社事業用宅地等
(1) 特定同族会社事業用宅地等の要件

〔質問16〕
特定同族会社事業用宅地等の要件を説明してほしい。

【回答】「特定同族会社事業用宅地等」とは、次に掲げる要件のすべてを満たす小規模宅地等(被相続人の親族が相続等により取得した持分の割合に応ずる部分に限る。)をいう(措法69の4③三、措令40の2④、⑨～⑪、措規23の2⑩)。

① 相続開始直前において被相続人等がその株式・出資の50％超を有する法人の事業の用に供されていること。

② その法人の事業(注)の用に供されていること。

(注) この「事業」には、不動産貸付業、駐車場業、自転車駐車場業及び準事業は含まれない。

③ 相続等によりその宅地等を取得した被相続人の親族が相続税の申告期限において、その法人の役員であること(注)。

(注) 宅地を相続した親族は、法人の役員であることは必要だが、法人の株式を所有することも、被相続人と生計を一にしていたことも要件とされていない。

④ その親族が相続税の申告期限まで引き続きその宅地等を有し、かつ、引き続きその法人の事業の用に供していること。

(2) 旧取扱いとの関連

(質問17)
特定同族会社事業用宅地等の個別事例の検討に入る前に、この制度の前身である取扱通達による同族会社の事業用宅地等についての特例について説明してほしい。

【回答】　平成6年度の改正前の小規模宅地等の課税の特例制度は、被相続人又はこれと生計を一にしているその親族(「被相続人等」)が事業又は居住の用に供していた宅地等について適用されていた。すなわち、基本的には、同族会社の事業の用に供されていても、被相続人の立場からは、貸付け先が同族会社であるというに過ぎないから、同族会社への貸付けを含めて、貸付け

が全体として事業として行われていたかどうかにより判定するものとされていた(注)。

(注) 平成6年度の改正前は、既に述べたように、宅地の貸付け又は貸家建付地については、その貸付けが事業として行われていると認められる場合に限り、小規模宅地等の課税の特例の適用があった。

しかし、被相続人の有する宅地等が法人の事業の用に供されている場合において、その法人の発行済株式の総数又は出資の金額の50％以上のものを被相続人等が所有しているときは、その宅地等の利用関係を単なる貸借関係とみるよりは、被相続人等が施設を提供し、その法人と一体となって事業を行っているとみる方が、我が国の中小同族会社の実態に合っているという考え方から、国税庁は、平成6年6月27日課資2－115による改正前の措通69の3－6により、その法人の事業の用(その法人により他に貸し付けられていた場合には、その貸付けが個人によって行われているものとした場合に事業として行われていたと認められるときに限る。)に供されていたものは、被相続人等の事業用宅地等に当たるものとして取り扱われていた(注)。

(注) 「平成5年版・相続税等措通解説」19・20頁。

この取扱いで注意を要するのは、「被相続人の有する宅地等が法人の事業の用に供されていたかどうかは、相続開始時の現況で判断するものであり、その貸借の内容が賃貸借であるか使用貸借であるかは問わない」(前掲書19頁)とされていることで、この点が現行の取扱いと全く異なるところである(注)。

(注) 現行のように改められた理由について当局の公式な説明はないようであるが、筆者の私見としては、従来の取扱いは、法制上のものではなく、国税庁独自の取扱いとして創設したものであるのに対して、平成6年度で法制化された制度は、貸付けの場合は相当の対価を継続的に収受していることが要件とされたので、当然に使用貸借のような無償貸付けは排除されることになったものと考えている(詳細は、鼎談会「小規模宅地の評価減特例をめぐって」(税経通信1995年10月号)の筆者の発言(51・52頁)を参照されたい。)。

(3) 同族会社で無償で土地を貸し、その土地の上に建てられたマンションの一室に居住している場合

〔質問18〕
　Oは、生計を一にする子Pが100％発行株式を所有している甲株式会社に、所有する宅地を無償で貸し付け、甲社はその宅地の上に11階建てのマンションを建てて、60室を賃貸しているが、Oは、その一室を甲社から無償で借りて、Pとともに生計を一にして住んでいた。このほどOが死亡したため、Pがこの宅地を相続したが、特定同族会社事業用宅地等又は特定居住用宅地等として、80％の減額の特例が受けられるか。

【回答】　質問の内容は、被相続人Oが土地の上にある同族会社のビルに被相続人が居住していたこと及び相続人である子のPと生計を一にして住んでいたことから、この土地は特定居住用宅地等に該当するのではないか、少なくとも特定同族会社事業用宅地等に該当するのではないかということと思われるので、以下検討してみる。

　まず、被相続人等の居住の用に供されているというためには、その居住用家屋は、被相続人又はその親族の所有するものとされているので（質問9を参照）、この事例では、ビルの所有者は甲社であるから、要件に該当しないことになり、したがって、その敷地は、小規模宅地としての被相続人の居住用宅地とはいえない。

　次に、それでは、この宅地は、事業の用に供されていたといえるかであるが、建物の所有者は甲社であるから、これも質問3において検討したとおり、その建物自体は被相続人等の所有ではないので、事業の用に供しているというためには、被相続人が相当の対価を得て行う貸付けの用しかないことになる。

　ところが、この事例は、被相続人が無償で宅地を同族会社に貸し付けているから、事業とはいえないことになる。したがって、この事例の宅地については、小規模宅地等の課税の特例が一切適用にならないばかりでなく、その無償貸付けが使用貸借に該当するなら、貸地としての最低20％の減額さえ適

用されないことになる（使用貸借通達3）。

　そこで、それでは、この事例で、被相続人が相当の対価を継続的に収受していれば、甲同族会社に貸し付けていた宅地は、特定同族会社事業用宅地等に該当して、80％の減額の対象になるのかというと、残念ながら、特定同族会社事業用宅地等には該当しない。その理由は、甲社が借りている宅地上のビルは貸付用だから、80％の減額の対象となる「事業」には含まれないからである。ただ、相当の対価を得て継続的に貸し付けていれば、貸付事業用宅地等には該当するから、50％の減額の対象になる（措法69の4①四）。

(4) 同族会社に建物を貸し付けていた場合

〔質問19〕
　Qは、Qと妻Rがその出資総額の60％を出資している乙同族会社にQの土地の上にあるQとRの共有名義のビルを相当の対価を得て継続的に貸し付け、乙会社はそのビルの一部を貸事務所として賃貸し、他の部分は乙会社の事務所と店舗として使用していた。Qがこのほど死亡したので、妻であるRがその土地とビルを相続し、乙会社の代表取締役となった。この土地の小規模宅地等の課税関係はどうなるか。

【回答】　特定同族会社事業用宅地等は、法人に貸し付けた宅地のほかに、その法人の事業の用に供されていた建物等で被相続人が所有していたもの又は被相続人と生計を一にしていた親族が所有していたもの（その親族がその建物等の敷地を被相続人から無償で借り受けていた場合のその建物等に限る。）で、その法人に貸し付けられていたものの敷地の用に供されていた宅地が含まれることに取り扱われている（措通69の4-23）。

　そこで、質問について検討してみると、夫のQは、妻Rとの共有であるビルを相当の対価を得て継続的に貸し付けているので、その敷地は準事業の用に供されていたといえるであろう。

　QとRの共有部分についての敷地の利用関係及び共有部分の貸借関係が質問だけでは判然としないが、無償貸付けと仮定し、かつ、QとRは生計を一にしているものとすると、Qが乙会社に貸し付けていたビルの敷地は特

定同族会社事業用宅地等として80％の減額割合が適用されることになる。ただし、乙会社が他に賃貸していたビルの部分の敷地については、前問で説明したとおり、特定同族会社事業用宅地等に該当しない（すなわちその貸付けが事業に含まれない。）ので、その敷地部分の減額割合は貸付事業用宅地等として50％となる。

(5) **株式等の所有要件の判断**

〔質問20〕

Sの父は、経営する丙同族会社に自分の所有する宅地を賃貸し、丙社は、その上に事務所と工場を建てて事業を営んでいた。丙社の株式のうち40％をSの父が、Sの母、S、Sの弟が各々20％を所有し、Sの父は社長、SとSの弟は取締役を務めていた。しかし、Sとその弟は父母とは別に住み、生計も別になっていた。

このほどSの父が死亡したので、Sが社長、Sの弟が専務取締役として丙社の経営に当たることとなり、Sの父が丙社に貸し付けていた宅地は、SとSの弟とで2分の1ずつの共有で、Sの父の有していた丙社の株式は20％ずつで相続することとなった。ところが、これでは被相続人と生計を一にしていた親族（この例ではSの母）が丙社の株式の50％超を所有していないので、丙社に対する貸付地は、小規模宅地等の課税特例の適用が受けられないという人がいて、Sは心配になっている。どのように考えるべきか。

【回答】　この質問の趣旨は、相続開始直前においては、丙会社の発行済株式の50％以上を被相続人等が所有していた（被相続人40％、被相続人と生計を一にしていた配偶者20％）が、相続税の申告期限においては、被相続人と生計を一にしていた親族の所有割合が50％以上となっていない場合には、丙社の事業用に供されていた宅地は、特定同族会社事業用宅地等に該当しないのではないかという点にある。

確かに、租税特別措置法第69条の4第3項第4号の規定を読むと、「……かつ、申告期限まで引き続き当該法人の事業の用に供されている……」の「当該法人」は、「被相続人等が有する株式の総数……が当該株式……に係る法人の発行済株式の総数の10分の5を超える法人」と解釈するのか又は「相

続開始直前に被相続人等が有する株式の総数……が、法人の発行済株式の総数……の10分の5を超える法人」と解釈するのか疑問がないわけではないが、筆者の私見では「相続開始直前に」の語句が直ちに次の「被相続人等が」につながっていると読めるところから、後者の読み方が常識的であると思う（注）。

(注) 平成7年7月31日付国税速報第4770号（大蔵財務協会）18頁でも、同様の質問に対して国税庁の担当者は、後者の見解を示している。

そこで、この質問の場合は、その宅地が相当の対価を得て継続的に貸し付けていたものである等の他の要件を併せ満足する限り、特定同族会社事業用宅地等に該当して、80％の減額割合が適用されるものと考えられる。

(6) 駐車場経営を行っている法人の事務所等の敷地

〔質問21〕
丁社は、駐車場経営を行っている同族会社である。この丁社に相当の対価を収受して被相続人Uが貸し付けていた宅地は、駐車場としての敷地のほか、丁社が建築した従業員の住込み管理所及び会社の事務所の敷地として使用されている。
この管理所及び事務所の敷地部分については、丁社が自ら使用しているのだから、特定同族会社事業用宅地等に該当すると思うがどうか。

【回答】 丁社の営む駐車場業は、「特定同族会社事業用宅地等」の適用対象になる「事業」に含まれていない（不動産貸付業も同じ。）。したがって、従業員の住込み管理用や事務所用の部分に対応する敷地も「駐車場業」の用に供されていることになるので、特定同族会社事業用宅地等には該当しないものと考えられる（「小規模宅地等の税務」187頁を参照）。

6 貸付事業用宅地等

(1) 貸付事業用宅地等の意義

〔質問22〕
次に「貸付事業用宅地等」の意義について説明してほしい。

【回答】「貸付事業用宅地等」は、被相続人又は被相続人の相続開始の直前において被相続人と生計を一にしていた当該被相続人の親族（「被相続人等」）の事業（不動産貸付業、駐車場業、自転車駐車場業及び準事業（注１）に限る。）（以下「貸付事業」という。）の用に供されていた土地等で次に掲げる要件のいずれかを満たす当該被相続人の親族が相続又は遺贈により取得したもの（当該相続が相続等により取得した持分の割合に応ずる部分に限る。）をいう。なお「特定同族会社事業用宅地等」に該当するものは除かれる（措法69の４③四、措令40の２④⑫）。

また、相続開始前３年以内に新たに貸付事業の用に供されたものは除く（措法69の４③四）。ただし、相続開始の日まで３年を超えて引き続き準事業以外の貸付事業（「特定貸付事業」という。（注２））を行っていた被相続人等の貸付事業に供されたものは、この除外規定の対象外とされ、本特例を適用することができる（措法69の４③四、措令40の２⑲）。これには、以下の経過措置が設けられている。

平成30年４月１日から令和３年３月31日までの間に相続等により取得する宅地等については、平成30年４月１日以後に新たに貸付事業の用に供された宅地等（相続開始の日まで３年を超えて引き続き準事業以外の貸付事業を行っていた被相続人等の貸付事業に供されたものを除く。）が、貸付事業用宅地等から除外される（平成30年度税制改正法附則118④）。

イ 当該親族が、相続開始時から申告期限までの間に当該宅地等に係る被相続人の貸付事業を引き継ぎ、申告期限まで引き続き当該宅地等を有し、かつ、当該貸付事業の用に供していること。

ロ 当該被相続人の親族が当該被相続人と生計を一にしていた者であって、相続開始時から申告期限まで引き続き当該宅地等を有し、かつ、相続開始前から引き続き当該宅地等を自己の貸付事業の用に供していること。

　　なお、貸付事業用宅地等に該当する場合の軽減割合は50％とされている（措法69の４①二）。

(注１)「準事業」とは、事業と称するに至らない不動産の貸付けその他これに類

する行為で相当の対価を得て継続的に行うものをいう（措令40の2①）。
(注2) 特定貸付事業に関して次の通達に注意を要する（措通69の4－24の4）。

> 特定貸付事業は、貸付事業のうち準事業以外のものをいうのであるが、被相続人等の貸付事業が準事業以外の貸付事業に当たるかどうかについては、社会通念上事業と称するに至る程度の規模で当該貸付事業が行われていたかどうかにより判定することに留意する。
> なお、この判定に当たっては、次によることに留意する。
> (1) 被相続人等が行う貸付事業が不動産の貸付けである場合において、当該不動産の貸付けが不動産所得（所得税法（昭和40年法律第33号）第26条第1項《不動産所得》に規定する不動産所得をいう。以下(1)において同じ。）を生ずべき事業として行われているときは、当該貸付事業は特定貸付事業に該当し、当該不動産の貸付けが不動産所得を生ずべき事業以外のものとして行われているときは、当該貸付事業は準事業に該当すること。
> (2) 被相続人等が行う貸付事業の対象が駐車場又は自転車駐車場であって自己の責任において他人の物を保管するものである場合において、当該貸付事業が同法第27条第1項《事業所得》に規定する事業所得を生ずべきものとして行われているときは、当該貸付事業は特定貸付事業に該当し、当該貸付事業が同法第35条第1項《雑所得》に規定する雑所得を生ずべきものとして行われているときは、当該貸付事業は準事業に該当すること。
> (注) (1)又は(2)の判定を行う場合においては、昭和45年7月1日付直審（所）30「所得税基本通達の制定について」（法令解釈通達）26－9《建物の貸付けが事業として行われているかどうかの判定》及び27－2《有料駐車場等の所得》の取扱いがあることに留意する。

(2) 一時的に賃貸されていなかった建物に係る宅地

〔質問23〕
貸付事業に係る建物等のうちに一時的に賃貸されていなかったものに係る宅地等はどう扱われるか。

【回答】 貸付事業の用に供されていた宅地等に係る建物について、相続開始の時において一時的に賃貸されていなかったと認められる部分がある場合に

おける当該部分に係る宅地等は、貸付事業の用に供されていたものとして取り扱われる（措通69の4－24の2）。

7　国営事業用宅地等

〔質問24〕
　かつて存した「国営事業用宅地等」の小規模宅地の課税の特例の適用措置は、いわゆる平成19年の郵政民営化法によって廃止されたが、経過措置として1回限りの特例の適用が認められると聞いている。その内容について説明してほしい。

【回答】（1）　平成19年9月30日以前に開始した相続については、その相続開始時に国の事業（郵便局のうち日本郵政公社が設置する郵便局以外の郵便局（いわゆる特定郵便局）に限る。）の建物の敷地の用に供されている宅地等があり、当該宅地等を相続又は遺贈により取得した個人のうちに被相続人の親族がおり、かつ、当該親族から相続開始後5年以上当該宅地等を特定郵便局の建物の敷地の用に供するために借り受ける見込みであることにつき、日本郵政公社が証明したものについては、その課税価格から80％の軽減が認められていた（旧措法69の4③三、旧措令40の2⑧、旧措規23の2⑨）。

(2)　しかし、郵政民営化法が平成19年10月1日に施行され、郵便局の設置が国の事業でなくなった結果、小規模宅地等の課税の特例を適用する理由がなくなったため、この特例は廃止された（郵政民営化法等の施行に伴う関係法律の整備等に関する法律（以下「整備法」という。）61）。ただし、従来からの経緯が考慮され、次の要件のすべてを満たす宅地等の（注）相続等については、1回限り、特定事業用宅地とみなして、小規模宅地等の課税の特例の適用が認められている（郵政民営化法180、措通69の4－27）。

　（注）　この宅地等は、次に掲げる要件を満たすものとされている（郵政民営化法施行令20）。ただし、郵便局株式会社法第4条第1項に規定する業務（郵便窓口業務、印紙の売りさばき等をいい、同条第2項に規定する業務（戸籍謄本等の請求受付等）を併せ行っている場合の当該業務を含む。）の用に供されていた部分以外の部分があるときは、当該業務の用に供されていた

部分に限る（措通69の4－32）。

　　イ　平成19年10月1日前から、当該相続又は遺贈に係る被相続人に係る相続の開始の直前まだ引き続き当該被相続人が有していたものであること。
　　ロ　棚卸資産等でないこと。
① 平成19年10月1日前に当該相続又は遺贈に係る被相続人又は当該被相続人の相続人と旧日本郵政公社との間の賃貸借契約に基づき郵便局の用に供するため旧公社に貸し付けられていた建物（旧公社との賃貸借契約の当事者である被相続人又は当該被相続人の相続人が有していた建物に限る。）の敷地の用に供されていた土地又は土地の上に存する権利のうち、平成19年10月1日から当該被相続人に係る相続の開始の直前までの間において当該賃貸借契約で同日の直前に効力を有するものの契約事項に一定事項（郵政民営化施行令20③）以外の事項の変更がない賃貸借契約に基づき引き続き郵便局の用に供するため郵便局株式会社に対し貸し付けられていた建物（「郵便局舎」という。）の敷地の用に供されていたものであること（措通69の4－30、31、33）。
② 当該相続又は遺贈により当該宅地等の取得をした相続人から当該相続の開始の日以後5年以上当該郵便局舎を郵便局株式会社が引き続き借り受けることにより、当該宅地等を同日以後5年以上当該郵便局舎の敷地の用に供する見込みであることにつき、総務大臣の一定事項を証明する書類を申告書に添付することにより証明されたものであること。
③ 当該宅地等について、既にこの特例の適用を受けたことがないものであること（措通69の4－28）。

　　なお、上記要件を満たさない場合であっても、当該宅地等は、不動産貸付業等（不動産貸付業、駐車場業、自転車駐車場業及び準事業）に該当すると考えられるので「貸付事業用宅地等」として、50％軽減割合が適用されるものと思われる（措通69の4－33）。

8 特例の適用要件
(1) 特例対象宅地等の選択
(原　則)

> 〔質問25〕
> 小規模宅地等の課税の特例の適用を受けるためには、特例の適用を受けようとする特例対象宅地等の選択をしなければならないということであるが、それについて説明してほしい。

【回答】　相続等により特例対象宅地等を取得した者が、小規模宅地等の課税の特例の適用を受けるためには、次の場合に応じ、一定の書類を相続税の申告書に添付することにより、特例対象宅地等又はその一部について、この特例の適用を受けるものの選択をしなければならないものとされている（措法69の4①、措令40の2③）。

(選択の変更の更正の請求)

> 〔質問26〕
> 小規模宅地等の課税の特例の適用対象として甲宅地を選択して申告した後、乙宅地を選択した方がより有利なことに気がついたが、特例対象宅地等の選択の変更を求めて更正の請求をすることはできるか。

【回答】　小規模宅地等の課税の特例の対象となる特例対象宅地等は、相続人等の自由な意思で選択できるものであるから、一旦適法に選択して申告をし、確定させた以上、後日他の宅地への選択の変更を求めて更正の請求を行っても、認められないものとして取り扱われる（注1、2）。

(注1)　この点について、次のような判例（東京地裁平成8年11月28日判決（確定））がある。
　① この事件は、納税者が、特例対象宅地として、A地とB地があり、A地は特例の適用上問題がないが、地価が低くて有利性が少ない。これに対し、B地は地価が高く、有利であるが適用上問題があるので、迷った結果、B地を選択して、特例の適用を否認されると、小規模宅地等の減額が全く受けられないばかりでなく、増差税額に加算税等が課されることにもなり兼ねないので、安全を見込んで一旦A地を選択して相続税の

申告をしてから、B地の特例適用に問題がないことが判明した段階で、特例対象宅地としてB地を選択変えをすることとして、更正の請求を行ったが、所轄税務署長は、更正をすべき理由がないとして通知を行い、納税者はこれを不服として争いとなったものである。

② 納税者側（原告）は、裁判において、A地を選択したのは、B地は特例の対象にならないと誤解したことによるのであるから、この選択には重大な錯誤があり無効である。したがって、B地への選択の変更を認めようという更正の請求には理由があると主張した。

これに対し、判決は、納税者は、特例対象宅地の選択に関して、弁護士、税理士を含めて検討した結果、B地を選択して否認されると極めて不利なことになるので、A地を選択するに至ったという経緯を認定し、その選択のプロセスは正当で、錯誤の事実は認められないと判示して、税務署長の処分を維持したものである。

③ しかし、この判決は、選択を誤ったため、納付税額が多くなったことを理由として更正の請求があったときにこれを認めるかについては「問題の存する所」として、更正の請求自体の適否には判断をせず、専ら選択のプロセスに錯誤がないという判断で、納税者の主張を退けている。

したがって、選択を誤って税額が多くなったから更正の請求を認めよという争い方をすれば、答は別になっていたかも知れないという指摘がある（税務事例（財経詳報社）Vol.29－No.3・27頁を参照されたい。）。

（注2） ところが、最近この対象地の選択について「やむを得ない事情」があると認めて、更正処分の全部の取消しを行った判決（東京地裁平成14年7月11日判決）があって注目を集めた。しかし、国側が控訴して、納税者が逆転敗訴（東京高裁平成15年3月25日判決）となり、最高裁（最高裁平成17年3月29日第3小法廷決定）も納税者の主張を受け入れなかった。しかし、筆者は、この第一審判決に重要な意義があると考えるので、あえてその概要を紹介する。

(事 例)

納税者は、相続した土地の小規模宅地等の課税の特例の選択に当たり、市街地再開発事業が施行中であるA土地については特例を適用することはできないと判断し、別のB土地に特例を適用し、また、被相続人が出資して設立した不動産管理会社の評価に際して、評価差額に係る法人税等相当額を控除して申告した。

税務署は、これに対し不動産管理会社の評価に際して、評価差額に係る法人税相当額を控除することは認められないとして更正処分を行った。

これを不服とした納税者は、①出資の評価については評価差額に対する法人税相当額を控除して評価すること、②当初の申告ではＢ土地に特例を適用したが、Ａ土地を選択しなかったことについては「やむを得ない事情」があるのだから、Ａ土地について小規模宅地等の課税の特例の適用と貸家建付地の評価減を認めるべきであるとして控訴を提起した。

(判決内容)
　裁判では、争点①の出資の評価方法について税務署の増額処分を認めたとしても、争点②において納税者の主張が認められ、評価額の高いＡ土地に小規模宅地特例を適用できるとすると、Ａ土地の価額は更正時の価額より８億9,909万円減少、逆にＢ土地は２億7,689万円価額が大きくなるが、増減で見ると申告時の価額よりも６億2,219万円減ることになるとの整理をまず行った。
　一方、税務署の更正処分を認めた場合の増額は２億4,859万円だが、Ａ土地に小規模宅地の課税の特例を認め、出資の評価を更正どおりとした場合の認定額は以下のように12億2,943万円となって申告額を下回ることになるため、税務署の更正処分は根拠を失うということになる。
　このため、裁判では、出資評価についての判断をすることなく、争点②について、最初に選択しなかったＡ土地に特例対象を変更できるかが検討された。
　納税者は、相続の開始時において、Ａ土地は再開発事業による建築物が工事中であり、申告期限までに建物が完成していないため、当時の租税特別措置法通達69の３－７・８の解釈と取扱いからは特例の適用が認められないものと判断していた。裁判では、この判断に「やむを得ない事情」が認められるかが検討された。
　判決では、Ａ土地が小規模宅地特例を適用できるかについては、被相続人が相続の開始前に不動産貸付業を行っており、都市再開発事業のため事業用の建築施設の建設を前提にした敷地持分・建築物持分の権利変換に合意していること、従前の建物の除却工事・新たな建物の建築工事が長期にわたり、その途中で相続が発生したに過ぎないことなどから、実体的には特例の適用要件を満たしていると認めた。
　その上で、当時の通達解説書などによると、特例は「当初相続税の申告期限までの建物の完成が予定されていたが、特段の事情によってそれが遅延していた場合にのみ認められる」との適用がなされていたので、納税者が、有利なＡ土地に特例を適用して認められなかった場合の加算税等のリスクを回避するため、Ｂ土地を選択したことにはやむを得ない事情が認め

られるとの判断を示すに至ったわけである。

租税特別措置法の条文上は、一旦選択した特例対象地を変更することは予定されていない。しかし、こうした「やむを得ない事情」による減額更正の請求は認められないとしても、課税庁が別個の理由での増額更正を行った場合には、申告額の範囲内で事情を考慮した減額がされるべきことを主張できるとして納税者の特例対象の変更を認めたものである。

ただし、最初に述べたように本件については結局国側が勝訴し、この判決は取り消され、最高裁も上告を容れなかった。

	申 告	更正決定	認 定 額
課税価格	13億2,715万円	15億7,574万円	12億2,943万円
相続税額	6億6,442万円	8億257万円	5億9,646万円
	B土地に特例を適用。出資の評価では評価差額の法人税相当額を控除。	B土地に特例を適用。出資については法人税相当額の控除を否認。	A土地に特例を適用。出資の評価は更正処分と同じ。

(2) 分割要件

(原　則)

〔質問27〕

この小規模宅地の特例は、相続税の申告期限までに、特例対象宅地を分割して取得しないと適用を受けられないということだが、本当か。

【回答】　そのとおりである。この要件は、平成6年の改正において付け加えられたもので、それまでにはなかった要件である。

すなわち、この特例は、相続税の申告書の提出期限（すなわち申告期限）までに共同相続人又は包括受遺者によって分割されていない宅地については適用されないことになっている（措法69の4④）。

つまり、共同相続の場合は、その小規模宅地等が申告期限内に分割されているときに限り適用されるということで、申告期限までに未分割である場合は、相続税の申告の際は小規模宅地等の課税の特例を適用しないで、相続税の申告・納付をしなければならないので注意が必要である。

（申告期限後の分割）

〔質問28〕
そうすると、申告期限までに分割が済んでいないと、小規模宅地等の課税の特例は、一切適用がないのか。

【回答】　そうではない。申告期限から3年以内に分割が行われた場合には、分割により取得した宅地について遡及して特例が適用されることになっている。また、この期間が経過するまでの間にその宅地について分割がなされなかったことにつき、その相続又は遺贈に関して訴えの提起がされたことその他一定のやむを得ない事情がある場合において、所定の手続により所轄税務署長の承認を受けたときは、その宅地等の分割ができることとなった日として一定の日の翌日から4月以内に分割された宅地についても同様である（措法69の4④）。これらの細目については、配偶者に対する相続税の軽減措置の場合（措令4の2）と同様なので省略する。

このように、申告期限の分割によって特例の適用を受ける場合には、更正の請求によって特例の適用を求めることになる。

（分割要件が付された理由と私見）

〔質問29〕
それにしても、申告期限に分割ができなければ、一旦は特例の適用がない高額の相続税を課税されることになるわけだが、なぜ、このような要件が付けられたのか。

【回答】　この点について、当局者は、小規模宅地等を取得した者のうち、被相続人等の事業又は居住を継続するものには80％、そうでないものには50％を軽減するという制度としたため、その小規模宅地等を誰が取得したのかが確定しなければ軽減割合が判断できないため、分割要件を付したものであると説明している（注）。

(注)　「平成6年版・改正税法のすべて」296頁

しかし、筆者は、この改正には問題があると考える。すなわち、この要件が付されたために、申告期限までに分割ができなかった特例対象宅地につい

ては高額な評価のままで課税されるから、相続人等は、後で分割をすれば更正の請求ができるとはいっても、一旦は高額な相続税を納付せざるを得ないことになる。これは、相続人等にとって大変な負担になることは明らかである。

　この点につき、立案当時の当局者は、既に配偶者の税額軽減措置の適用についても、期限内分割を適用要件としており、前例のあることだとの考えを持っていたようであるが、筆者は、制度の趣旨が全く異なるものと考えている。すなわち配偶者の税額軽減に分割要件を付したのは、実際に配偶者に財産を取得させるのが目的であるから、分割しやすいもの、例えば預金とか株式などを母親に取得させ、土地のような簡単に分割できないものは後で分割すればよいと考えられていたものであり、小規模宅地の課税の特例の対象になる宅地と同列に考えるのは妥当ではない。

IX 特定計画山林の課税の特例

1 総説

　平成21年の改正により、非上場株式についての贈与税及び相続税の納税猶予制度が創設されたことに伴い、従来存置されていた特定事業用資産についての相続税の課税価格の計算の特例の対象から特定同族株式が除外され、この特例の対象が特定森林施業計画対象のみの特例に改められ、制度の名称も「特定計画山林についての相続税の課税価格の計算の特例」に改められた。

2 制度の概要

　従って、適用範囲が限定されたものとなったこと及び制度自体が政策的なものであるので、ごくアウトラインを述べるに止めておく（措法69の5、措令40の2の2）。

(1) 対象となる特定計画山林相続人等

① 相続又は遺贈により特定森林施業計画対象山林を取得した個人

　イ　その個人が、被相続人から特定森林施業計画対象山林を相続又は遺贈により取得した者であり、かつ、その被相続人の親族であること。

　ロ　その個人が、相続開始の時から相続税の申告期限まで引き続き特定森林施業計画対象山林について市町村長等の認定を受けた森林施業計画に基づき施業を行っていること。

② 贈与により特定受贈森林施業計画対象山林を取得した個人

　イ　その個人が、贈与を受けた特定受贈森林施業計画対象山林について相続時精算課税の適用を受ける者であること。

　ロ　特定受贈森林施業計画対象山林に係る贈与の時から被相続人である特

定贈与者の死亡により開始した相続に係る相続税の申告期限まで引き続き特定受贈森林施業計画対象山林について市町村長等の認定を受けた森林施業計画に基づき施業を行っていること。

(2) **対象となる特定計画山林**

① 特定森林施業計画対象山林

被相続人が相続開始の直前に有していた立木及び土地等(土地及び土地の上に存する権利をいう。以下同じ。)でその相続開始の直前に森林法第11条第4項等の規定による市町村長等の認定を受けた森林施業計画が定められた区域に存するもの(森林の保健機能の増進に関する特別措置法第2条第2項第2号に規定する森林保健施設の整備に係る地区内に存するものを除く。)をいう(措法69の5②一)。

② 特定受贈森林施業計画対象山林

特定贈与者であった被相続人が贈与の直前に有していた立木又は土地等でその贈与の前に森林法第11条第4項等の規定による市町村長等の認定を受けた森林施業計画が定められた区域に存するもの(森林の保健機能の増進に関する特別措置法第2条第2項第2号に規定する森林保健施設の整備に係る区域内に存するものを除く。)をいう(措法69の5②二)。

(3) **減額割合**

対象となる山林の価額の5％

(4) **小規模宅地との選択適用**

この場合、すなわち小規模宅地等の特例を選択した者が特定計画山林の特例を選択する場合には、次に定める算式により計算した資産の価額に達するまでの部分を選択したものとして、この特例を適用することとされる(措法69の5⑤)。

特定(受贈)森林施業計画対象山林である選択特定計画山林の価額 $= \dfrac{400\text{m}^2 - \text{小規模宅地等の面積}}{400\text{m}^2} \times$ 特定(受贈)森林施業計画対象山林の価額の合計額

第7編
申告及び納付

I　相続税及び贈与税の申告

第1節　相続税の申告

1　総説

(1) 沿革

　我が国の相続税は、明治38年に日露戦争による軍事費の調達策の一環として創設されたが、当初は他の税と同様、賦課課税制度がとられた。

　もっとも、相続財産等の申告を要するものとはされていたが、それは単に相続税の賦課のための資料提出の意義があるに過ぎなかった。しかし、昭和20年の敗戦の結果、我が国の親族法・相続法が根本的に改正されたことにより、相続税についても、昭和22年の改正で申告納税制度が採用され（ちなみに、この改正は、新憲法施行の日（昭和23年5月3日）から施行されている。）、さらに、いわゆるシャウプ勧告により、相続税制度について昭和25年に根本的な改正が行われ、昭和33年の改正で現行の相続税の課税体系がとられる等の改正がされている。

(2) 相続税の申告の意義

　既に述べたように、相続税は、贈与税とともに、申告納税方式がとられている。すなわち、相続税は、納税義務のある者が、自ら課税価格及び相続税額を計算し、これを申告して、自らその税額を納付するものである（通則法16）。

　ここにいう「申告納税方式」とは、納付すべき税額が納税者のする申告により確定することを原則とし、その申告がない場合又はその申告に係る税額の計算が国税に関する法律の規定に従っていなかった場合その他その税額が

税務署長等の調査したところと異なる場合に限り、税務署長等の処分により確定する方式をいうものと定義されている（通則法16①一）。すなわち、相続税は、所得税や法人税と同様に、原則として、納税者の申告により第一義的に税額が確定するもので、その申告がない場合又は申告の内容に誤りがある場合に限って税務署長の決定又は更正という処分により納付すべき税額が確定する。要するに申告納税方式では、税務署長の処分は第二義的、補助的な地位に置かれているわけである（注）。

(注) 志場喜徳郎ほか「国税通則法精解」（平成31年改訂）（大蔵財務協会。以下「国税通則法精解」という。）276頁。

なお、申告期限を経過した場合でも、納税者は期限後申告書を提出することができ、また、いったん申告した税額を訂正する手段としては、修正申告書の提出又は更正の請求の制度がある。

2　相続税の申告書の提出義務

(1)　申告書を提出すべき場合

相続、遺贈又は死因贈与により財産を取得した者は、

① その相続に係る被相続人から相続等により財産を取得したすべての者に係る相続税の課税価格（相続開始前3年以内の贈与により取得した財産の価額で相続税法第19条の規定により加算されるものを含む。）の合計額が遺産に係る基礎控除額を超える場合において

② 配偶者の税額軽減の規定（相法19の2）以外の規定を適用して計算した場合に納付すべき相続税額があるとき（注）

は、その納付すべき相続税がある者は、その相続の開始があったことを知った日の翌日から10か月以内に、課税価格、相続税額その他所定の事項を記載した相続税の申告書をその相続税に係る納税地の所轄税務署長に提出しなければならないこととされている（相法27①）。

(注)　配偶者の税額軽減の規定（相法19の2）は、相続税の申告書又は更正の請求書の提出と期限内分割を適用要件としている。したがって、この特例の適

用を受けることにより、実際に納付すべき相続税額が算出されないこととなる場合でも、相続税の申告書を提出する必要がある（相法27①）。なお、小規模宅地等についての相続税の課税価格の計算の特例（措法69の4）、特定計画山林についての相続税の課税価格の計算の特例（措法69の5）及び国等に対して相続財産を贈与した場合等の相続税の非課税等（措法70）の適用を受けることにより実際に納付すべき相続税額が算出されない場合にも、相続税の申告書の提出が必要であることに注意しなければならない（措法69の4⑥、69の5⑦、70⑤）。

(2) 申告書の提出期限

相続税の申告書の提出期限は、その相続の開始があったことを知った日の翌日から10か月以内とされている（相法27①）（注）。

(注) 昭和24年以前は、この申告書の提出期限は相続の開始後4か月以内とされ、相続開始の事実を知ると否とを問わなかったが、昭和25年に「相続の開始があったことを知った日の翌日から4月以内」と改められた。その理由は、申告すべき義務履行を追求する以上、相続の開始の事実を知らないのに責任を追求することはできないという見地に基づいているとされている（「相続税・富裕税の実務」154頁）。その後昭和27年に、大資産家にとっては4月以内に相続税の申告書の作成は困難であるという理由のほか、相続後の資産の分割、その処理及び納税資金の調達等をも考慮して「4月以内」が「6月以内」に改められた（財政経済弘報昭和27年4月7日第311号（財政経済弘報社）3～4頁）。

次いで、平成4年度の改正において、この「6月以内」が、平成7年までの経過措置を設けたうえで「10月以内」にまで延長された。

この改正は、政府税制調査会の「平成4年度の税制改正に関する答申」において「昨年の基本答申において指摘したように、土地の相続税評価の適正化に対応して納税環境の整備を図るため、相続税に係る申告期限等について所要の改善等を講ずることが適当である」との指摘に基づいて行われたもので、当局者は、改正の理由について次の点を挙げている（「平成4年版・改正税法のすべて」243～244頁）。

① 土地をはじめとする資産価値の増大等を背景として、従来に増して各相続人の権利意識の目覚めが著しく、遺産分割に手間取る傾向が高まっているが、このような事情の変化に対応し、かつ、納税者の便宜等を考慮すれば、従来の6か月の申告期限をある程度延長する必要があること。

② また、土地をはじめとする資産価値の増大に伴い、課税される相続事案

の1件当たりの相続税額も大きくなり、そのため、納付すべき相続税の資金手当てのためには従来に比べ時間がかかる場合が見受けられるほか、納付の手段として物納や延納の選択をするのにもより時間を要することとなり、申告期限を延長することにより、ゆとりある時間を確保する必要があること。
③　加えて、前述した土地の相続税評価の適正化に伴う納税環境の整備の一環として、平成4年分の土地の相続税評価から従来の前年7月1日時点の評価時点を地価公示価格の評価時点（当年1月1日時点）に合わせることに伴い路線価図等の作成が遅れ、納税者が路線価図等の閲覧ができなくなることのないよう対応する必要があること。

　次に、相続税の申告期限が「相続の開始があったことを知った日の翌日」を起算日としている理由については、上記の（注）で述べたとおり、相続開始の事実を知らない者に対して相続税の申告期限を相続開始の日から計算するのは酷という考え方による。なお、期間の計算は、国税に関する法律においては、日、月又は年をもって定める期間の初日は算入しないので（通則法10①一）、「相続の開始があったことを知った日の翌日」を起算点と書く必要はないようにも思えるが、念のための規定ということであろう。この申告期限が日曜日、国民の祝日に関する法律に規定する休日その他一般の休日、土曜日又は12月29日から同月31日に当たるときはその翌日をもって期限とみなすこととされている（通則法10②、通則令2②）。なお、官庁における年始の休暇（1月2日及び3日）は、「一般の休日に該当する」という判例がある（最高裁昭和33年6月2日・民集12巻9号1281頁）。また、これらの休日等が連続するときは、最後の休日等の翌日が期限となる（「国税通則法精解」221頁以下）（注1、2）。

（注1）　したがって、例えば相続開始を知った日がその年1月10日であれば、相続税の申告期限は、10か月後の応当日であるその年11月10日となり、また、相続開始があったことを知った日がその年4月30日なら申告期限は翌年2月末日となる。
（注2）　例えば、相続税の申告期限がその年の12月29日となる場合には、以上の特例により申告期限はその翌年の1月4日となる。もっとも、その日が日曜日であれば、1月5日が申告期限となる。

(3) 相続の開始があったことを知った日の意義
① 原　則

「相続の開始があったことを知った日」の解釈については、国税庁の取扱通達では、「自己のために相続の開始があったことを知った日」と解している（注）。

(注)　次のような判例がある（東京地裁昭和47年4月4日判決）。
　　「包括遺贈においては、遺言者の死亡と同時に一切の権利義務が受遺者に移転するのであるから、たとえ遺言の効力につき訴訟が係属中である場合も含めて、自己のために包括遺贈のされていることおよび遺言者の死亡したこととの両者を知った日をもって『相続の開始があったことを知った日』と解すべきである」

ところで、相続の開始は、一般的には人の現実の死亡によるから、相続人が被相続人の死亡を知った日が一般的には「自己のために相続の開始があったことを知った日」ということになる。この「知った日」とは、相続人が被相続人の死亡の事実を自ら体験するほか、電信、電話その他の方法によって親族その他の者から知らされた場合には、その知らされた日をいうものと解される。

② 特殊な場合の「知った日」

現代のように交通通信手段の発達しているときは、相続人が被相続人の死亡を知るのはその日かその直後の日であり、あまり問題になることはない。しかし、被相続人の死後認知の訴えにより相続人となった場合あるいは相続の時に既に生まれたものとみなされる胎児のように被相続人の死亡の時では自己が相続人となっていることを知り得ないような場合は、相続の開始があったことを知った日がいつになるかが問題となる。国税庁の取扱いではこれを次のように解している（相基通27-4、「相基通解説」518頁以下）。なお、当該相続に係る被相続人を特定贈与者とする相続時精算課税適用者に係る「相続の開始があったことを知った日」とは、次に掲げる日にかかわらず、当該特定贈与者が死亡したこと又は当該特定贈与者について民法第30条《失踪の宣告》の規定による失踪の宣告に関する審判の確定のあったことを知っ

た日となる。

(イ) 民法第30条及び第31条の規定により失踪の宣告を受け死亡したものとみなされた者の相続人又は受遺者については、これらの者がその失踪の宣告があったことを知った日とされる。

　すなわち、失踪の宣告を受けた者は普通失踪の場合（民法30①）には、7年間の失踪期間の満了の時に、また、危難失踪の場合（民法30②）には、危難の去った時に、それぞれ死亡したものとみなされるが（民法31）、その死亡は失踪の宣告によって確定するものであることから、その相続人が自己のために相続の開始があったことを知った日は、これらの者がその失踪の宣告のあったことを知った日とするのが妥当であるとの考えによるものとされている（注）。

　（注）　相続税の課税時期は、上記の期間の満了の時又は危難の去りたる時であるので注意する必要がある（相基通1の3・1の4共－8(1)）。

(ロ) 相続開始後においてその相続に係る相続人となるべき者について民法第30条の規定による失踪の宣告があり、その死亡したものとみなされた日が相続開始前であることにより相続人となった者については、その者が失踪宣告があったことを知った日とされる。これは(イ)と同様の考え方によるものとされている。

(ハ) 民法第32条第1項の規定による失踪宣告の取消しがあったことにより相続開始後において相続人となった者については、その者がその失踪宣告の取消しのあったことを知った日とされる。

　すなわち、民法第30条及び第31条の規定により失踪の宣告を受けていたため相続人でなかった者が生存していたことにより、家庭裁判所の失踪の宣告の取消し（民法32①）を受け相続権を有することとなった場合は、その者は失踪宣告の取消しにより相続人たる地位を回復するのであるから、その者が自己のために相続の開始があったことを知った日は、その者が失踪宣告の取消しがあったことを知った日とするのが妥当であるとの考え方によるものである。

㈡ 民法第787条の規定による認知に関する裁判又は同法第894条第2項の規定による相続人の廃除の取消しに関する確定により相続開始後において相続人となった者については、その者がその裁判の確定を知った日とされる。

　すなわち、相続開始時には認知を受けていなかったため相続人でなかった者がその後認知に関する裁判の確定により認知された相続人となった場合又は相続開始時には推定相続人の廃除を受けていたため相続権を失っていた者がその後廃除の取消しに関する裁判の確定により相続権を回復した場合には、いずれも裁判の確定により相続人となったものであることから、これらの者が自己のために相続の開始があったことを知った日は、これらの者がその裁判の確定を知った日とするのが妥当との考えによるものである。

㈭ 民法第892条又は第893条の規定による相続人の廃除に関する裁判の確定により相続開始後に相続人となった者については、その者がその裁判の確定を知った日とされる。

　すなわち、相続開始時には相続人であった者がその後の相続人の廃除に関する裁判の確定により相続権を失ったため、代襲相続人又は後順位の者が新たに相続人となった場合には、新たに相続人となった者は、相続人の廃除に関する裁判の確定により相続人となったのであるから、その者が自己のために相続の開始があったことを知った日は、その者がその裁判の確定を知った日とするのが妥当との考えによるものである。

㈻ 民法第886条の規定により相続について既に生まれたものとみなされる胎児については、その法定代理人がその胎児の生まれたことを知った日とされる。

　すなわち、民法第886条は胎児の相続能力について、①胎児は、相続について既に生まれたものとみなし、②胎児が死体で生まれたときはこれを適用しないものと規定しているが、この規定の解釈については、停止条件説と解除条件説とに分かれ、学説は両説に分かれるが、判例としては、停止条件説をとること（大審院大正6年5月18日判決）及び課税実務において

も、停止条件説をとっていることは既に述べたとおりであるので、詳しくは繰り返さない。

ところで、胎児が生きて生まれた場合においても、その生きて生まれた胎児には、未だ相続の開始があったことを知り得る精神的能力（弁識能力）はない。したがって、この場合には、法定代理人がその胎児について相続の開始があったことを知った日をもって、その胎児が相続の開始があったことを知った日とすることが妥当であるという考え方から、その日は、納税義務の発生について停止条件説をとっていることとの関連から、法定代理人がその胎児が生まれたことを知った日（通常は母がその胎児の出生を知った日）とすることとされたものといわれている。

(ト) 相続開始の事実を知ることのできる弁識がない幼児等については、法定代理人がその相続の開始のあったことを知った日（相続開始の時に法定代理人がないときは、後見人が選任された日）とされる。

すなわち、相続又は遺贈により財産を取得した者が未成年である場合において、その未成年者が自己のために相続の開始があったことを知り得るためには、少なくとも、相続の開始という事実を知ることのできる精神的能力（弁識能力）が必要と考えられる。したがって、その者が弁識能力のない幼児のような場合には、その者の法定代理人である親権者が相続の開始という事実を知ることが必要であり、親権者がいないとき（例えば父が死亡し、母と幼児が残された場合にその母に相続が開始し、その幼児が相続人となったとき）には、後見人が選任され、その後見人が相続の開始という事実を知ることが必要であり、心身に障害があるため弁識能力がないと認められる者についても同様であるという考え方から、上記のように取り扱われることとされたものである。

ところが、ある民事事件で、意思無能力者が財産を相続した場合の相続税の申告書の提出義務がいつ発生するかが争われたものがあり、最高裁判所平成18年7月14日判決では、上記の取扱いと異なり、次のように意思無能力者が相続人であっても、被相続人の死亡の翌日から、相続税の申告書

の提出義務は発生しているという判断が下されている（週刊税務通信（税務研究会）平成18年8月21日号 No2981-10～11頁による。）。

（事件の概要）

死亡したAの妻であるB（意思無能力者）に代わって、A・Bの子であるCが相続税を申告・納付した。この事務管理費用を、他の相続人に償還請求できるか否かが争われた事件である。

この費用償還請求が有効なものであるか否かを判断するに当たり、Aが死亡した時に意思無能力者Bに相続税の提出義務があったのかどうかがポイントとなった。

（名古屋高裁の判断）

名古屋高裁平成17年1月26日判決では、本来、相続税の提出義務は自己のために相続が開始したことを知った日に発生するところ、意思無能力者については"後見人が選任された日"から申告書の提出義務が生ずるものと解されるから、Aが死亡した時にBは意思無能力であり、後見人が選任されることもなかったことから、CがBに代わって申告書を提出した時点では、Bには申告書の提出義務は発生していない、と判断した。

すなわち、Aが死亡した日の翌日から6か月後（現在は10か月）にBの相続税の申告書が提出されないままであったとしても税務署長が税額を決定することはなかった、と判断した（したがって、事務管理費用の償還請求はできないと判断した）。

（最高裁の判断）

ところが、最高裁はこの名古屋高裁の判決を覆す判断を下した。

最高裁は、相続税法基本通達27-4(7)の解釈については名古屋高裁と同様に、相続の開始があったことを知った日は、意思無能力者の場合、法定代理人がその相続の開始にあったことを知った日がこれに当たり、相続開始の時に法定代理人がないときは後見人選任された日がこれに当たると解すべきであるとした。

しかし、意思無能力者であっても、納付すべき相続税額がある以上、法定代理人又は後見人の有無に関わらず、申告書の提出義務が発生しているというべきであって、法定代理人又は後見人がないときは、その期限が到来しないというにすぎない。

　すなわち、被相続人が死亡した時点で、意思無能力者であるか否かに関係なく申告書の提出義務が生じていることから、被相続人が死亡した日の翌日から6か月（現在は10か月）を経過すれば税務署長は相続税額を決定することができる、と判断を下した（したがって、事務管理費用を償還請求できると判断した）。

(実務上の処理)

　なお、実務上では、意思無能力者の申告書等の提出期限は「後見人等が選任された日の翌日から10か月以内」と取り扱われているところ、今後も、この期間内に申告・納付を行えば期限内申告・納付と認められるとされている。

(チ)　遺贈（被相続人から相続人に対する遺贈を除く。次の(リ)でも同じ。）によって財産を取得した者については、自己のために遺贈のあったことを知った日とされる。

　すなわち、受遺者が相続人でない場合には、被相続人の死亡の事実は知っていても、遺贈の事実を知らない限り、相続税の申告をしようにも方法がない。例えば遺言書が相続開始後相当期間を経てから発見されたような場合がこれに当たる。そこで、こうした場合には、その者が自己のために遺贈のあったことを知った日を相続の開始があったことを知った日として取り扱うこととされたものである。

(リ)　停止条件付の遺贈によって財産を取得した者については、その条件が成就した日とされる。

　すなわち、停止条件付の遺贈の効果は、その条件が成就した時に生ずるので（民法985②）、停止条件付の遺贈によって財産を取得した者については、その条件が成就した日を相続の開始があったことを知った日として取

り扱うものとされたものである(注)。

(注) これについては、次のような指摘がある(「北野コンメンタール相続税法」313頁)。すなわち、この通達の解釈は、停止条件付遺贈があった場合にはそれを知った日の翌日から6か月以内(著者注・当時の申告期限)に申告するのではなくて、条件成就後6か月以内に申告すればよいとの意味であろうが、さらに特殊な事例を想定してみると、条件成就を知らない場合もあり得るわけで、そのような場合には、条件成就を知った日を相続開始を知った日とみなすべきだという批判である。

なお、いずれの場合でも、相続財産の課税価額に算入すべき金額は、相続開始を知った日にかかわりなく、相続の開始の時における価額によることは当然である(相法22、相基通27-4(注))。

(4) 申告書の提出先
① 原　　則

相続税の申告書の提出先は、相続又は遺贈により財産を取得した者の納税地の所轄税務署長とされている(相法27①)。この「納税地」については、次のように定められている(相法62)。

(イ) 居住無制限納税義務者又は特定納税義務者

相続又は遺贈により財産を取得した個人でその財産を取得した時において国内に住所のある者すなわち居住無制限納税義務者又は特定納税義務者については、国内にある者の住所地が納税地となる。

(ロ) 非居住無制限納税義務者、制限納税義務者又は国内に住所を有しない特定納税義務者

相続又は遺贈により国外にある財産を取得した個人で、その取得の時に国内に住所がない者のうち日本国籍を有する者で、その者又はその相続又は遺贈に係る被相続人がその相続又は遺贈に係る相続の開始前5年以内において日本国内に住所を有したことがある者すなわち非居住無制限納税義務者及び相続又は遺贈により国内にある財産を取得した個人でその財産を取得した時において国内に住所のない者すなわち制限納税義務者又は国内に住所を有しない特定納税義務者については、これらの者が納税地を定め

て申告した場合にはその申告した納税地となり、その申告がない場合には国税庁長官が指定した納税地となる。

② **特　例**

相続税の申告に係る納税地の原則は、以上のとおりだが、当分の間は、相続又は遺贈により財産を取得した者の被相続人の死亡の時における住所が国内にある場合には、その相続に係る相続税の納税地は、相続税法第62条の規定にかかわらず、被相続人の死亡の時における住所地とされ、したがって相続税の申告書の提出先は、すべてその被相続人の死亡の時における住所地の所轄税務署長とされている（相法附則③、相基通27－3）。したがって、実務においては、ほとんどの場合、この附則の規定によって、被相続人の死亡の時の住所地の所轄税務署長に対して申告書が提出されている。

このような特例が設けられた理由について、特例創設時の当局者は、相続税の制度が急激に変更されたので（筆者注、この時遺産税体系から一生累積課税方式に変更された。）、当分の間は従来どおり被相続人（又は遺贈者）の住所地の税務署長に申告させることが、延納、物納等の関係もあり、納税者、税務官庁相互にとって便宜であると認められるからであると説明しているが（「相続税・富裕税の実務」158頁）、現在の当局者は、次のように述べている（「相基通解説」516頁）。すなわち、「被相続人の遺産はその被相続人の住所地を中心として所在するのが通例である。これに対し、各相続人の住所地はまちまちであるのが通例である。このような場合に、各相続人がそれぞれ異なる税務署長に申告書を提出しなければならないとすることは、納税者の立場からも、また課税上の立場からも種々の困難が予想される」とし、そこで、相続税法は、当分の間被相続人の死亡の時の住所地が国内にある場合は①の原則にかかわらず、その住所地を被相続人に係る相続税の納税地とし、相続税の申告書の提出先は、すべてその被相続人の死亡の時における住所地の所轄税務署長としていると説明している。

(5) **申告書の共同提出**

同一の被相続人から相続又は遺贈により財産を取得した者が2人以上ある

場合で、その申告書の提出先の税務署長が同一であるときは、これらの者は相続税の申告書を共同して提出することができる。そして、共同で提出する場合は、一つの申告書に連署して提出することになっている（相法27④、相令7の2）。(4)の②で述べたように、実際には、同一の被相続人に係る相続税の申告書の提出先は同一の税務署長であるのがほとんどであるから、一般的には、一つの申告書に連署して提出されているのが実状である。

3 申告書の提出義務者が死亡した場合の申告（申告義務の承継）

(1) 申告書を提出すべき場合

相続税の申告書を提出する義務のある者が、その申告書の提出期限前に申告書を提出しないで死亡した場合には、その提出義務者の相続人（包括受遺者を含む。）は、その相続の開始があったことを知った日の翌日から10か月以内に、その死亡した者が提出しなければならなかった申告書を、その死亡した者の納税地の所轄税務署長に提出しなければならないこととされている（相法27②）。

(2) 申告書の提出先

(1)の申告書の提出先は「死亡した者の納税地の所轄税務署長」である。死亡した者の納税地は、死亡した者の死亡当時の納税地である（相法62③）。そして、この場合には、相続税法附則第3項の適用はないと解されるから、次のようになる。

① 死亡した者が居住無制限納税義務者又は特定納税義務者である場合には、死亡した時の住所地（その前に国内に住所を有しないこととなった場合には、居所地）が納税地となる（相法62①）。

② 死亡した者が非居住無制限納税義務者、制限納税義務者又は国内に住所を有しない特定納税義務者である場合には納税地として申告したものが納税地となる。ただ、納税義務者が納税地の申告をしないで死亡した場合については明文の規定がなく、当局の見解も明らかでない（注）。

（注）「北野コンメンタール相続税法」314頁では「制限納税義務者が納税地の申

告をしないまま死亡したときは、死亡した者に代って申告書を提出する者は納税地を申告できるのか、あるいは国税庁長官の指定をまつのか法文上では必ずしも明らかでない。しかし、この場合は、死亡した者に代って申告書を提出するものが申告義務全体を承継するものと考え、法62条2項を準用して、このものも納税地を申告することができると解すべきであろう」としている。

4 特殊な場合の申告

(1) 出国の場合の申告

既に述べたように、相続税の申告書は、相続の開始があったことを知った日の翌日から起算して10か月以内に提出すべきこととされ、また、相続税の申告書の提出義務者が、申告者の提出期限前に申告書を提出しないまま死亡したため、死亡した者に代わって、その死亡した者の相続人等が申告書を提出する場合には、これらの相続人等がその相続の開始があったことを知った日の翌日から10か月以内に申告書を提出すべきこととされているが、これらの申告書の提出義務者が、その申告書の提出期限までに国内に住所及び居所を有しないこととなる場合には、その住所及び居所を有しないこととなる日までに、これらの申告書を提出しなければならないこととされている（相法27①、27②かっこ書）。

(2) 申告時に遺産が未分割の場合の申告

相続税の申告書の提出期限までに遺産の全部又は一部の分割が行われていない場合には、民法（第904条の2を除く。）の規定による相続分又は包括遺贈の割合に従ってその財産を取得したものとして課税価格を計算するものとされている（相法55）。したがって、これにより計算した課税価格を基礎として、相続税の申告書を提出することとなる。

ただし、その後において、未分割財産の分割があり、共同相続人又は包括受遺者がその分割により取得した財産に係る課税価格が、未分割であった時における民法の相続分又は包括遺贈の割合に従って計算された課税価格と異なることとなった場合には、その分割により取得した財産に係る課税価格を

基礎として納税義務者において申告書を提出し、又は後述の相続税法第32条の規定による更正の請求をすることが認められる（相法55ただし書）。また、税務署長も、その課税価格を基として更正又は決定をすることができる（相法55ただし書）（注）。

(注)　この未分割の場合の課税価格の計算の基礎となる民法の相続分に係る規定から民法第904条の2（寄与分）の規定が除かれている理由については、次のようにいわれている（「昭和55年版・改正税法のすべて」175頁、「DHCコンメンタール相続税法（第2巻）」3453頁）。

　　すなわち、この民法第904条の2を除外する規定は、昭和55年の民法改正法（昭和55年法律第51号）の附則により挿入されたものである。この改正は、配偶者の法定相続分の引上げのほか、それまで被相続人の財産形成に寄与した相続人であっても、特別の処遇がなかった従来の制度を改め、被相続人の財産の維持又は増加につき特別の寄与をした相続人は、寄与分として、相続人間の協議又は家庭裁判所の審判によって定められた財産の額を遺産のうちから取得することができる寄与分の制度を設けたものである。そして、このように定められた寄与分を遺産から控除したものを相続財産とみなして相続分を算定し、寄与分を取得した相続人について上記の相続分に寄与分を加えたものが寄与相続人の相続分とされることとなったものである（民法904の2）。

　　ところで、寄与分は、上記のことから分かるように、具体的には共同相続人間の協議なり家庭裁判所における審判によってはじめて明らかになるわけで、現実には遺産が未分割である場合には、寄与分も具体的に定まっていないことになる。

　　そこで、遺産の全部又は一部が未分割である場合の相続税の課税価格の計算となる「民法の規定による相続分」の中に寄与分を含めると未分割の場合の相続税の課税価格の計算ができないことになるため、この「民法の規定による相続分」に民法第904条の2の規定を含めないこととして、これまでと同様、寄与分を除く民法の規定による相続分に従って遺産を取得したものとして各相続人の課税価格を計算することとされたものである。

(3)　相続財産法人に係る財産の分与を受けた場合の申告

　民法第958条の3第1項の規定により相続財産の全部又は一部の分与を受けた者（以下(3)において「特別縁故者」という。）が、相続税法第4条の規定により、遺贈により財産を取得したものとみなされるため、同法第27条第1項

Ⅰ　相続税及び贈与税の申告　1155

に規定する申告書を提出すべき要件に該当することとなったときは、同項の規定にかかわらず、この分与を受けたことを知った日の翌日から10か月以内に所定の事項を記載した相続税の申告書を納税地の所轄税務署長に提出しなければならないこととされている（相法29）（注1、2）。

（注1）　この申告期限を財産分与を受けた時から10か月以内とされた理由について、立案当時の当局者は、次のとおり述べている（「昭和39年版・改正税法のすべて」82頁）。

「相続財産法人の相続財産の分与は、相続財産管理人の選任、相続債権者または受遺者への財産状況の報告及びこれらの者から請求の申出、相続人捜索等一連の手続きが終り、さらに特別縁故者の請求により家庭裁判所の審判によって行なわれ、その手続期間は最短13か月となります。したがって、分与を受けた者は、相続の開始後6か月（筆者注・当時の申告期限）以内に相続税の申告書を提出できませんので、その分与があったことを知った日の翌日から6か月以内に相続税の申告書を提出し、その日までに相続税額を納付しなければならないこととしております。」

また、この当局者は、財産の価額は分与時の価額で、控除・税率は、被相続人の死亡の日の適用法令によることとした理由について次のように述べている（前掲書82頁）。

「家庭裁判所の審判により相続財産法人から財産の全部又は一部を与えられた場合には、その財産は被相続人から遺贈により取得したものとみなされます。この場合にその取得した財産の価額は、その与えられた時の価額によります。これは、相続財産法人において相続財産の清算が行われ、その残存すべきものが審判によって与えられるからであります。ここで注意しなければならないことは、その分与を被相続人からの遺贈とみなしておりますので、その課税関係は、相続の開始時の法令の規定によることであります。すなわち、基礎控除や税率等は、その被相続人の死亡の日に適用される法令によります。」

（注2）　（注1）の13か月の計算根拠は、次のようである（田口豊著「新版相続税法・第2版」（税務経理教会）278〜279頁、相基通3の2-1）。

①　相続人が不明のときは、相続財産を法人とし（民法951）、家庭裁判所は管理人を選任公告する（民法952）。

②　この公告後2か月以内に相続人が不明のときは、管理人は一切の相続債権者等に一定期間内（2か月以上）に請求の申出をすべき旨を公告する（民法957）。

③　なお相続人が不明のときは、家庭裁判所は相続人があるならば一定の期間内（6か月以内）に権利の主張をすべきことを公告する（民法958）。
　④　③の期間満了後3か月以内に特別縁故者に相続の全部又は一部を与えることができる（民法958の3）。
　以上の②～④までの所要期間を合計すると13か月となる。

(4) 申告書の提出を要しない場合

　相続税の申告書は、その提出期限前に国税通則法の規定による決定があった場合には、その提出を要しないこととされている（相法27⑤）（注）。

(注)　税務署長は、納税申告書を提出する義務があると認められる者が当該申告書を提出しなかった場合には、その調査により、当該申告書に係る課税標準等及び税額等を決定する（通則法25）こととされている。したがって、実際にこの規定による決定が行われるのは、期限内申告がされていない場合ということになろう。

(5) 申告期限の延長

①　災害等による延長

　災害その他やむを得ない理由があったことにより、相続税の申告書を法定申告期限までに提出できない場合には、国税庁長官等は、職権で、その理由のやんだ日から2か月以内に限りその期限を延長することができる。また国税庁長官等は、個別に、申請により期限を延長することもできる（通則法11、通則令3）。

> **（災害その他やむを得ない理由）（注）**
>
> 1　この条の「災害その他やむを得ない理由」とは、国税に関する法令に基づく申告、申請、請求、届出、その他書類の提出、納付または徴収に関する行為（以下この条関係において「申告等」という。）の不能に直接因果関係を有するおおむね次に掲げる事実をいい、これらの事実に基因して資金不足を生じたため、納付ができない場合は含まれない。
>   (1)　地震、暴風、豪雨、豪雪、津波、落雷、地すべりその他の自然現象の異変による災害
>   (2)　災害、火薬類の爆発、ガス爆発、交通とん絶その他の人為による異常な災害
>   (3)　申告等をする者の重傷病その他の自己の責めに帰さないやむを得ない

> 事実

(注)　「通則法基本通達（徴）の「第11条関係」の1」

② **法定申告期限直前に認知、相続人の廃除の取消し等があった場合の延長**

　次の場合は、申告期限内に申告書の提出ができない事情があるものとして、該当者の申請により、上記①の国税通則法第11条に規定する災害その他やむを得ない理由に該当するとして、申告期限の延長が認められる。

(イ)　申告期限前に、認知、相続人の廃除の取消しがあった場合

　　次に掲げる事由に該当する場合において、当該相続人又は受遺者以外の者に係る相続税の申告書の提出期限が当該事由の生じた日後1月以内に到来するときは、これらの事実は、昭和45年6月24日徴管2－43ほか「国税通則法基本通達（徴収部関係）の制定について」通達（以下「通則法基本通達（徴）」という。）の「第11系関係」の「1（災害その他やむを得ない理由）の(3)」に該当するものとして、当該相続人又は受遺者以外の者に係る相続税の申告書の提出期限は、これらの者の申請に基づき、当該事由が生じたことを知った日から2か月の範囲内で延長することができるものとされている（相基通27－5）。なお、認知や胎児の出生等により新たに相続税の申告書を提出すべきこととなった当該相続人又は受遺者は、これらの事由があったことを知った日から10か月以内に相続税の申告書を提出すればよいので、問題は生じない（相基通27－4）。

　⑦　相続税法第32条第1項第2号から第4号まで《更正の請求の特則》に掲げる次の事由

　　A　民法第787条《認知の訴》又は第892条から第894条まで《推定相続人の廃除又はその取消》の規定による認知、相続人の廃除又はその取消に関する裁判の確定、同法第884条《相続回復請求権》に規定する相続の回復、同法第919条第2項《承認、放棄の取消》の規定による相続の承認又は放棄の取消その他の事由により相続人に異動を生じたこと。

B　遺留分侵害額の請求に基づき支払うべき金銭の額が確定したこと。
　　　C　遺贈に係る遺言書が発見され、又は遺贈の放棄があったこと。
　　㊂　相続税法施行令第8条第2項第1号又は第2号に掲げる次の事由
　　　A　相続若しくは遺贈又は贈与により取得した財産についての権利の帰属に関する訴えについての判決があったこと。
　　　B　民法第910条《相続の開始後に認知された者の価額の支払請求書》の規定による請求があったことにより弁済すべき額が確定したこと。
　㈥　相続開始後において当該相続に係る相続人となるべき者について民法第30条《失踪宣言》の規定による失踪の宣告があったこと。
　㈢　民法第886条《胎児の相続能力》の規定により、相続について既に生まれたものとみなされる胎児について、その胎児が生まれたこと。
㈡　死亡退職手当金等が確定した場合の延長
　　相続税の申告書の提出期限前1月以内に、相続税の課税価格に算入されることとなる退職手当金等の支給額が確定した場合には、その受給に係る相続人若しくは受遺者又はこれらの者以外の者に係る相続税の申告書の提出については、これらの者の申請に基づき、その確定があったことを知った日から2か月の範囲内で、その申告期限を延長することができることとされている（相基通27−5）。

③　胎児がある場合の延長
　相続開始の時に相続人となるべき胎児があり、かつ、相続税の申告書の提出期限までに生まれない場合には、その胎児はいないものとして相続税の申告書を提出することになるのであるが、この胎児が生まれたものとして課税価格及び相続税額を計算した場合において、相続等により財産を取得したすべての者が相続税の申告書を提出する義務がなくなるとき（例えば、遺産に係る基礎控除額の増加、未成年者控除の適用）は、仮に胎児以外の相続人等は、期限内に相続税の申告書を提出しても、胎児が生きて生まれれば、更正の請求により納付税額がないことになる。このように、納付税額がなくなることが見込まれるような場合にまで、胎児以外の相続人等に、期限内に申告書の

提出を求めることは適当でないという考え方から、このような場合には、該当者の申請により、上記①の国税通則法第11条に規定する災害その他やむを得ない理由に該当するものとして、当該胎児以外の相続人の相続税の申告期限は、その胎児の生まれた日後2か月の範囲内で延長することができるものとして取り扱われる（相基通27－6）（「相基通解説」528頁以下）。

(6) 相続税の期限内申告に関する問題点

現行相続税は、遺産総額を基として計算した相続税の税額を基として課税されるため、相続人間で相続に関し紛争がある場合には、財産の全容の把握が困難で、正確な相続税額の申告納付に支障を来たす事例が少なくない。このような場合でも、相続税の期限内申告を要求することが妥当かという問題点が指摘される。この点に関し、他の相続人の非協力のため相続財産の把握ができず、申告期限内に申告書を提出できなかったことが、無申告加算税の賦課を免除する国税通則法第66条第1項ただし書に規定する「正当な理由」に該当するか否かが争われ、「正当な理由」に該当しないとした判例がある（第1審・神戸地裁平成5年3月29日判決・控訴審大阪高裁平成5年11月29日判決（確定））。その要旨は、次のとおりである（注）。

(注) 法務省訟務局租税訟務課職員編「租税判例年報・平成5年度」（税務経理協会598～600頁、604～668頁）

（判決理由要旨）

① 相続税法27条1項《相続税の申告書》は法定申告期限までに適正な相続税を自主申告するためには、納税者としては、相続財産の全容を正確に認識していることが必要であり、それゆえ、須く相続財産を調査し、その全容を把握するよう努力すべきであるとする趣旨の規定である。

② 相続税法27条・31条・32条等の規定を通覧すると、納税者が相続財産の全容を把握するため、種々の調査をし、情報入手の努力をした結果、相続財産の一部のみが判明し、その部分だけで遺産に係る基礎控除額を超える場合には（したがって、その努力をしなかった場合には、以下の申告方法を安易に許すべきではない。）、判明した相続財産につき、とりあえず自主的に

申告しなければならず、これにより相続税の納税義務を確定させるべきであり、残余の相続財産が後日判明したときは修正申告によることとし、したがって、平均的な通常の納税者を基準としても、相続財産の全容を把握できないからといって、それを理由に、法定申告期限までに相続税の申告をしないことは許されないというのが税確保の観点からみて、立法の趣旨であるといわなければならない。

③　それゆえ、相続財産の全容が判明しなければ相続税の申告ができないという控訴人の主張は、当裁判所の採用しないところである。

④　国税通則法は、66条1項ただし書において、期限内申告書の提出がなかったことについて正当な理由があると認められる場合には、無申告加算税を課さないこととしている。したがって、これを相続税法に即していうと、期限内申告書を提出しなかったことにつき、無申告としての行政制裁を課されないのは、平均的な通常の納税者を基準として、当該状況下において、納税者が相続税を申告することが期待できず、法定申告期限内に右の申告をしなかったことが真にやむを得ない事情のある場合に限られるものと解するのが相当であり、本件のように、相続財産の一部とはいえ、これを把握し、納税者として相続税の申告をしなければならないと認識すべきであった場合には、そもそも、通則法66条1項ただし書の「正当な理由があると認められる場合」に当たらないのである。

5　期限後申告

(1)　総　　説

相続税の申告書は、「納税申告書」すなわち、申告納税方式による国税に関し、国税に関する法律の規定により、課税標準、税額その他必要な事項を記載した申告書の一種である（通則法2六、16）。そして、納税申告書が法定申告期限までに税務署長に提出された場合には、その納税申告書は「期限内申告書」と呼ばれる（通則法17）。しかしながら、期限内申告書を提出すべきであった者が、期限内に申告できない場合でも、税務署長の決定（通則法

25）があるまでは、その提出期限後であっても、納税申告書を税務署長に提出することができる（通則法18①）。この規定により提出された納税申告書は、「期限後申告書」と呼ばれる（通則法18②）。

相続税の期限後申告書には、国税通則法による一般的な期限後申告書のほか、相続税独特の期限後申告書がある。

(2) **原則的な期限後申告書**

期限内申告書を提出すべき義務のある者は、申告書の提出期限後においても税務署長の課税価格及び相続税額の決定の通知があるまでは、相続税の期限後申告書を提出することができる（通則法18①）。したがって、例え決定があってもその通知書が納税義務者に到達する前に期限後申告書の提出があったときには、その決定を取り消し、期限後申告に係る課税価格又は相続税額について是認又は更正をすることになるとされている（「相続税・富裕税の実務」170頁。相基通30－3）。

(3) **相続税法による特例的な期限後申告書**

(イ) 相続税法第32条の事由が生じたことによる期限後申告書

この期限後申告書の制度が設けられた理由について、当局者の公式見解はないが、水野武夫氏は、次のように説く（「北野コンメンタール相続税法」327、328頁）。

「ところで本条で規定する、相続税の期限内申告書の法定申告期限後において、民法の規定による相続分または包括遺贈の割合と異なる遺産分割が行なわれたことに基因する課税価格の変動、相続人の廃除またはその取消に関する裁判の確定等の事由による相続人の異動、遺贈分の減殺請求、遺言書の発見、遺贈の放棄等にともなって、新たに期限内申告書を提出すべき要件に該当することとなった者は、法定申告期限経過時の状況では期限内申告書を提出すべき者でなかった。したがって、この者は期限後申告書を提出できる要件の一つである期限内申告書を提出すべきであった者という条件をみたしていないわけであり、それゆえ、もし本条の規定がなければ、期限内申告書の提出はもとより期限後申告書の提出もできないわけ

である。しかし、このような後発的事由にもとづいて納付すべき税額が生ずるようになった者に対して、申告の機会を全く閉ざすということは、不合理である。そこで、本条の規定が設けられ、このような不合理なことにならぬようにされている。」

　この制度により期限後申告書が提出できる場合とは、相続又は遺贈によって財産を取得した者で、自己のためにその相続又は遺贈のあったことを知った日の翌日から10月以内に期限内申告書を提出すべき義務がなく、その後において相続税法第32条第1項第1号から第6号までに掲げる事由（下のイ〜チ）により新たな納付すべき相続税額があることとなった者である。したがって、具体的には、次に掲げる事由により相続税の申告書の提出期限後において、新たに納付すべき相続税額があることとなった者に限り、この期限後申告書を提出することができる（相法30、相令8、相基通30－1）。

イ　相続税法第55条の規定により、まだ分割されていない財産について民法（第904条の2を除く。以下イにおいて同じ。）の規定による相続分又は包括遺贈の割合に従って課税価格が計算されていた場合において、その後その財産の分割が行われ、共同相続人又は包括受遺者の当該分割により取得した財産に係る課税価格が民法の規定による相続又は包括遺贈の割合に従って計算された課税価格と異なることとなったこと。

ロ　民法第802条及び第803条の規定による相続人の廃除に関する裁判の確定、同法第884条に規定する相続の回復並びに同法第919条第2項の規定による相続の放棄の取消しにより相続人に異動が生じたこと。

ハ　遺贈分侵害額の請求に基づき支払うべき金銭の額が確定したこと。

ニ　遺贈（被相続人から相続人に対する遺贈に限る。）に係る遺言書が発見され、又は遺贈の放棄があったこと。

ホ　相続税法第42条第27項（第45条第2項において準用する場合を含む。）の規定により条件を付して物納の許可がされた場合（第48条第2項の規定により当該許可が取り消され、又は取り消されることとなる場合に限る。）に

Ⅰ　相続税及び贈与税の申告　1163

おいて、当該条件に係る物納に充てた財産の性質その他の事情に関し政令で定めるものが生じたこと（注）。

(注)　この「政令で定めるもの」は、次のとおりである（相令8①）
　　A　物納に充てた財産が土地である場合において、当該土地の土壌が土壌汚染対策法（平成14年法律第53号）第2条第1項《定義》に規定する特定有害物質その他これに類する有害物質により汚染されていることが判明したこと。
　　B　物納に充てた財産が土地である場合において、当該土地の地下に廃棄物の処理及び清掃に関する法律（昭和45年法律第137号）第2条第1項《定義》に規定する廃棄物その他の物で除去しなければ当該土地の通常の使用ができないものがあることが判明したこと。

㈻　相続若しくは遺贈又は贈与により取得した財産についての権利の帰属に関する訴えについての判決があったこと（相令8②一）。

㈷　民法第910条《相続の開始後に認知された者の価額の支払請求権》の規定による請求があったことにより弁済すべき額が確定したこと（相令8②二）。

㈹　条件付の遺贈について、条件が成就したこと（相令8②三）。

㈑　保険金請求権等の買取りに係る買収額の支払による期限後申告書

　相続税の申告書の提出期限後において、保険業法第270条の6の10第3項に規定する「買取額」の支払を受けたことにより新たに納付すべき相続税額があることとなった者が提出した申告書については、相続税法第30条の規定による期限後申告書に該当するものとして取り扱われる（相基通30－3）。

　この取扱いについて、当局者は、次のように説明している（「相基通解説」539頁以下）。

　「保険契約者保護機構（以下「機構」という。）は、保険会社が保険契約に係る支払のすべてを停止している場合において、①その保険会社の保険契約に係る保険金受取人からの保険金請求権の買取請求に基づいて、その保険契約に係る保険金の額に0.9を乗じた額（以下「買取額」という。）を、

また、②その買取りに係る保険金請求権等を回収した場合において、当該回収によって得た金額から当該買取りに要した費用の額を控除した額が買取額を超えるときは、その超える部分の金額（以下「買取超価額」という。）を、それぞれ当該保険金受取人に支払うこととされ（保険業法270の6の8）、これらの金額の支払があった場合（買取超価額については相続開始後3年以内に支払われたものに限る。）には、当該金額は相続税法に規定する保険金とみなされることとされた（保険業法270の6の10③）。

〔設例〕

- 平成25年7月　保険会社の破綻
- 平成25年8月　相続開始
- 平成25年9月　機構へ保険金請求権の買取請求
- 平成25年10月　機構からの買取額の支払
- 平成26年6月　相続税の法定申告期限
- 平成27年2月　機構から買取超価額の支払

　法第3条第1項第1号に規定する保険金とみなされる「買取超価額」については、機構の保険金請求権等の回収が相続税の申告書の提出期限後であるなどの事情により、その支払いが相続税の申告期限後になる場合がある。保険業法は、このような場合でも、被相続人の死亡後3年以内に支払われたものは、すべて相続又は遺贈により取得したものとみなすこととしている（保険業法270の6の10③）が、申告手続に関しては何ら特別の定めを置いていない。しかしながら、退職手当金等の支給額の確定前においては相続税の申告書の提出義務はないが、相続税の申告書の提出期限後において退職手当金等の支給額が確定したことにより新たに納付すべき相続税額があることとなった者が提出した申告書を一般の期限後申告書と同様に取り扱い、延滞税や無申告加算税を課すことは妥当でないと考えられる。むしろ、この場合の申告書は、法第30条の規定による期限後申告書と同様の性格を有すると考えられるので、相基通30－3は、この場合の申告書を

法第30条の規定による期限後申告書に該当するものとして取り扱うこととしたものである。」

(ハ) 退職手当金の支給額の確定による期限後申告書

相続税の申告書の提出期限後において、相続税法第3条第1項第2号に規定する退職手当金等の支給額の確定により新たに納付すべき相続税額があることとなった者が提出した申告書については、平成15年の税制改正までは、相続税法第30条の規定による期限後申告書に該当するものとして取り扱われていた（平成15年6月24日付課資2－1「相続税法基本通達等の一部改正について」（以下(ハ)において「15年相基通改正通達」という。）による改正前の相続税法基本通達（以下(ハ)において「旧相基通」という。）30－2（現30－3））。

この取扱いについて、当局者は、次のように説明していた（中川正晴編「平成14年版・相続税法基本通達逐条解説」409頁）。

「……法第3条第1項第2号に規定する退職手当金等については、例えば、会社役員のようにその支給を決議する株主総会が相続税の申告書の提出期限後であるなどの事情により、その支給額の確定が相続税の申告書の提出期限後になる場合がある。法は、このような場合でも、被相続人の死亡後3年以内に支給が確定したものは、すべて相続又は遺贈により取得したものとみなすこととしている（法3①二、相基通3－30）が、申告手続に関しては何ら特別の定めを置いていない。しかしながら、退職手当金等の支給額の確定前においては相続税の申告書の提出義務はないが、相続税の申告書の提出期限後において退職手当金等の支給額が確定したことにより新たに納付すべき相続税額があることとなった者が提出した申告書を一般の期限後申告書と同様に取り扱い、延滞税や無申告加算税を課すことは妥当でないと考えられる。むしろ、この場合の申告書は、法第30条の規定による期限後申告書と同様の性格を有すると考えられるので、相基通30－2は、この場合の申告書を法第30条の規定による期限後申告書に該当するものとして取り扱うこととしたものである。」

ところが、15年相基通改正通達では、この旧相基通30-2を30-3に改めたうえ、(ロ)の保険業法の規定による買取りの部分だけを残して退職手当金の部分を削除している。この理由について、当局者は何も説明をしていないが、推測するに、次の(4)の①で述べるとおり、平成15年の税制改正で、期限後に支給が確定した相続税法第3条第1項第2号における退職手当金等の支給を受けたことにより、期限後申告書等を提出したことにより納付すべき相続税額について延滞税の計算の基礎となる期間から、提出期限から提出の日までの期間が除算されることとされたことによるものかと考える(注)。

(注) この改正についても、当局者は何の説明もしていない。

しかし、旧相基通30-2のうち、延滞税については相続税法が改正されたのだから削除は当然としても、加算税に関する部分まで削除したのはなぜなのか、全く理由の説明がないので、加算税については通常どおり課税することに改められたのかという疑問が生ずるが、これについては、後述の「相続税、贈与税の過少申告加算税及び無申告加算税の取扱いについて(事務運営指針)」(課資2-264。以下「相続税等の過少申告加算税等の取扱い」という。)第1の1(3)ロにおいて過少申告とされない事由として「法第3条第1項第2号に規定する退職手当金等の支給の確定」が挙げられている。したがって、取扱いとしては、従前どおりと解してよいと思われる。

(4) 延滞税・加算税等

相続税法第30条の規定による相続税の申告書は、形式的には、申告期限が延長されたものではなく、期限後申告書である。したがって、本来は無申告加算税・延滞税の課税対象となる。しかし、このように、納税義務者の責に帰し得ないような場合にまで、無申告加算税や延滞税を課することは実情に即さず、不合理であると考えられ、次のように取り扱われる。

① 延滞税の特則

次の事由によって期限後申告書を提出したことにより納付すべき相続税額については、法定納期限(即ち法定申告期限)の翌日から期限後申告書の提

出があった日までの期間は、延滞税の計算の基礎に算入しないこととされている（相法51②一ロ、ハ）。

イ　相続又は遺贈により財産を取得した者が相続税法第32条第1項第1号から第6号まで（(3)イⓘからⓉまで）に規定する事由

ロ　退職手当金の支給の確定

　また、保険金請求権等の買取りに係る買取額の支払を受けた場合の延滞税についても同様に取り扱うものとされている（相基通30－3）。

　なお、更正・決定の場合にも同様な規定がある（相法51②二）。

② 無申告加算税の課否

　次に掲げる事由による期限後申告書の提出により納付すべき相続税額については、同条第1項ただし書の「正当の理由がある場合」に該当するものとされている（「相続税等の過少申告加算税等の取扱い」第1－1(3)）（注）。

イ　相続税法第51条第2項各号に掲げる事由

ロ　同法第3条第1項第2号に規定する退職手当金等の支給の確定

ハ　保険業法（平成7年法律第105号）第270条の6の10第3項に規定する「買取額」の支払を受けた場合

　（注）　次のような判例がある（大阪高裁平成5年11月19日判決）。

　　「国税通則法は66条1項ただし書において、期限内申告書の提出がなかったことについて正当な理由があると認められる場合には、無申告加算税を課さないこととしている。したがって、これを相続税法に則していうと、期限内申告書を提出しなかったことにつき、無申告としての行政制裁を課されないのは、平均的な通常の納税者を基準として、当該状況下において、納税者が相続税を申告することが期待できず、法定申告期限内に右の申告をしなかったことが真にやむを得ない事情のある場合に限られるものと解するのが相当である。」

　　また、次のような判例もある（東京地裁平成6年2月1日判決）。

　　「……したがって、国税通則法66条1項但書の「正当な理由」とは、期限内に申告ができなかったことについて納税者に責められる事由がなく、このような制裁を課すことが不当と考えられる事情のある場合をいうものと解すべきである」（同旨広島高裁平成2年7月18日判決、東京高裁平成4年3月19

日判決)。

6 修正申告

(1) 総　説

相続税に係る納税申告書（期限内申告書に限らない。）を提出した後に、当該申告書に記載した税額に不足額があること又は納付すべき税額が生じたことを発見した場合には、その申告について所轄税務署長の更正が行われるまでは、その申告した税額又は課税標準等を修正する納税申告書（「修正申告書」という。）を提出することが認められる（通則法19①）。また、税務署長による更正又は決定を受けた場合において、更正又は決定にかかる税額に不足額があること又は納付すべき税額があることを発見した場合にも、修正申告書の提出が認められる（通則法19②）。

なお、納税申告書に記載された税額が過大である場合には、更正の請求により是正することになる。

相続税の修正申告書には、期限後申告書の場合と同様に、国税通則法による一般的な修正申告書のほか、相続税独特の修正申告書がある。

(2) 原則的な修正申告書

① 修正申告書を提出することができる者

既に述べたように納税申告書を提出した者は、その提出した納税申告書に記載した税額に不足額があるとき又は納付すべき税額があることとなったときは、税務署長による更正の通知があるまでは、既に提出した納税申告書に記載された課税価格、税額等を修正する修正申告書を所轄税務署長に対して提出することができる（通則法19①）。また、税務署長による相続税の更正又は決定を受けた者が、その更正又は決定の通知書に記載された税額に不足額があることを発見したときも、再更正の通知があるまでは、その税額を修正する修正申告書を提出することができる（通則法19②）。

次に、これらの修正申告書を提出することができる者を詳説すれば次のとおりである。

(イ) 納税申告書を提出した者……このうちには、期限内申告書を提出した者のみでなく、期限後申告書又は修正申告書を提出した者も含まれる（「国税通則法精解」322頁）。したがって、修正申告書について更に修正申告書を提出することも可能である。

(ロ) 更正又は決定を受けた者……このうちにはいわゆる再更正（通則法26）を受けた者も含まれる（「国税通則法精解」322頁）。この更正又は再更正には、減額に係るものも含まれる。即ち一旦更正等により相続税額の減額を受けた場合に、その減額後の相続税額に不足額があることを発見した場合も修正申告書を提出することができる。

(ハ) (イ)又は(ロ)の者の相続人その他これらの者の財産に関する権利義務を包括して承継した者……これらの者は、(イ)又は(ロ)の者の死亡に伴って相続税の納付義務を承継するので（通則法5～7）、その相続税につき修正申告書を提出することを認められているのである。

② **修正申告ができる期間**

修正申告ができる期間は、納税申告書を提出した者の場合は、その申告について更正があるまでの間、更正若しくは再更正又は決定を受けた者の場合は、その更正等又は決定について再更正があるまでの間である。したがって、例えば当初申告について修正申告をしようとしているうちに、他の事由によって更正を受けた場合には、その更正に係る事項について修正申告を行うことになる。

③ **修正申告の効力**

修正申告はその前にされた申告又は更正若しくは決定に係る税額を増加させるものである。この修正申告と前にされた申告又は更正若しくは決定とは、いうまでもなく、それぞれ別個独立の行為ではあるが、いずれも既に成立した1個の納税義務の内容の具体化（確定）のための行為であって、相互に密接な関連を有している。この相互の関連については、次の2つの考え方がある。

(イ) 後の修正申告の効力は、これによって増加した部分の税額についてのみ

生じ、その修正申告と前の申告又は更正若しくは決定とは、全く別個の行為として併存する。

(ロ) 後の修正申告により、前の申告又は更正若しくは決定の効力は、その行為時に遡ってなかったものとされ、後の修正申告の効力は、改めてその相続税につき既に確定した税額の全部について生ずる。

この両説については、後の更正又は決定の項で詳論するが、現行法では、修正申告の効力は、これによって増加する部分の税額についてのみ生ずることとして、立法的解決を図っている。すなわち現行国税通則法第20条では、修正申告書により既に確定した納付すべき税額を増加させるものの提出は、既に確定した納付すべき税額に係る部分の相続税についての納税義務に影響を及ぼさないこととしている。その意味するところは、修正申告の効力は、これにより追加的に確定される納付すべき税額即ち増差税額についてのみ生ずるものであって、それにより前の申告又は更正若しくは決定が遡ってなかったことにはならず、したがって、これらに基づいてされた税額の納付や処分が無効になるものではないことを明らかにしたものであるとされている（「国税通則法精解」334頁）。

④ **修正申告のメリット**

修正申告については、更正又は決定を受けた場合に比し、延滞税の計算、過少申告加算税、無申告加算税等について若干有利な取扱いがある（通則法61、65⑤、66③）。内容については、それぞれの項で述べる。

(3) **相続税法による特例的な修正申告書**

① **遺産分割等による修正申告書**

相続税の一般の期限内申告書若しくは財産分与を受けたことによる期限内申告書又は期限後申告書を提出した者（相続税について決定を受けた者を含む。）は、相続税法第32条第1項第1号から第6号までに規定する事由（遺産の分割、相続人の異動、遺留分侵害額の請求、遺言書の発見又は遺贈の放棄等）が生じたため、既に確定した相続税額に不足が生じた場合には、修正申告書を提出することができる（相法31①）。この修正申告書は、一般の修正申告

書と同様に、その提出は任意である。

② **財産分与を受けたことによる修正申告書**

相続税の一般の期限内申告書若しくは財産分与を受けたことによる期限内申告書又はこれらに係る期限後申告書を提出した者（相続税について決定を受けた者を含む。）は、相続財産法人に係る財産分与を受けたため、既に確定した相続税額に不足を生じた場合には、その事由が生じたことを知った日の翌日から10か月以内に修正申告書を提出しなければならない。ただし、この修正申告書の提出期限前に相続税法第35条第2項第5号の規定による更正があった場合にはこの限りでないこととされている（相法31②、③）。この修正申告書は、その提出を義務付けられているいわゆる「義務的修正申告書」で、その提出が任意である一般の修正申告書とは異なっている。

そのため、この修正申告書は、それが提出期限内に提出されれば、国税通則法の規定の適用については、原則としてこれを期限内申告書とみなして取り扱うものとされている（相法50②一）。また、延滞税、加算税に関する国税通則法の規定の適用については、義務的修正申告書の提出期限を法定申告期限又は法定納期限として取り扱われる（相法50②二）。

なお無申告加算税の規定等（通則法61①二、66）は、この義務的修正申告書には適用されない（相法50②三）。

(4) **申告期限内に期限内申告書を修正する申告書が提出された場合**

期限内申告書を提出した者が、その申告書の提出期限内にその申告に係る課税価格又は税額を修正する申告書を提出した場合は、これを修正申告書とせず、期限内申告書として取り扱うこととされている（相基通31-1）。

7　郵送の場合の申告書の効力発生時期

(1) **総　説**

納税申告書の提出については、種々の問題点の存するところであるが、そのすべてについて、ここで検討する紙数はないので、ここでは、郵送による納税申告書の提出の効力の発生時期の問題をとり上げてみる（注）。

(注)　「東京税政連」（東京税政連発行）1994年（平成6年）6月20日付第119号4頁拙稿

　納税申告書等の書類を直接税務官庁に提出する場合には、その提出時期が問題となることはまずないが、郵送によって納税申告書等を提出する場合には、これらがその提出期限内に提出されたか否かの判断に当たって、その提出時期をいつとみるのかがしばしば問題となる。

(2)　納税申告書の提出の効力発生時期

① 一般原則

　納税申告書の提出の効力の発生時期の判定のための一般的な基準については、我が国の税法では特に規定は設けられていない。したがって、一般には、民法上の原則であるいわゆる到達主義により、納税申告書の提出（到達）の時にその効力が発生するものと解されている（「国税通則法精解」349頁）(注)。

(注)　我が国の民法は、隔地者に対する意思表示の効力の発生時期について「その通知が相手方に到達した時からその効力を生ずる」と規定して到達主義をとることを明らかにしている（民法97①）。隔地者間の意思表示の効力の発生時期は、発信主義と到達主義の二つがあるとされているが、民法がこのように到達主義の立場をとることとしたのは、「一つの政策的決断」であり、意思表示の性質からの論理的帰結ではないとされている。意思表示には諸種のものがあり、その種類によりあるいは発信主義により、あるいは到達主義をとることが、両当事者の利益をより妥当に調整するものである。そこで、発信主義・到達主義のいずれの立場を原則とするとしても、結局は、一つの原則であらゆる場合を貫くことは困難であり、例外を設けることを免れない。民法は、意思表示の通則としては、最も多くの種類の意思表示に妥当する到達主義をとったに過ぎないのである。例外として契約の申込みに対する承諾の意思表示については発信主義がとられているところである（民法526①）。これは契約の成立をできるだけ簡易、かつ迅速にし、取引を円滑に進めるという機能をもつとされる。

　　また、株主総会等の招集などのように多数の者に同一の通知をする場合には、到達主義をとると、株主の１人に到達しないだけで総会が開けなかったり、無効となって不都合なので、会社法では発信主義をとる（会社法299①）。

　　なお、我が民法は、当初の原案では発信主義であったが、議論の結果、到達主義に改められたものといわれている（以上は、「注釈民法(3)」（有斐閣）

244~251頁を参考とした。)。

② **郵送による提出時期の特例**

　納税申告書等の提出時期は、前述のとおり原則として到達主義によることに取り扱われているが、納税申告書（これに添付すべき書類その他申告書の提出に関連して提出するものとされている書類を含む。）その他国税庁長官が定める書類が郵送又は信書便により提出された場合には、その郵便物又は信書便物の通信日付印により表示された日（その表示がないとき又はその表示が明確でないときは、その郵便物又は信書便物について通常要する送付日数を基準とした場合にその日に相当するものと認められる日）にその提出がされたものとみなされる（通則法22）。

　この規定は、郵便事情等の考慮と納税者と関係税務官庁との地理的間隔の差異に基づく不公平を是正する必要性とを勘案して設けられたとされている（「国税通則法精解」349頁）（注1～4）。

(注1)　平成15年4月1日から施行された「民間事業者による信書の送達に関するに関する法律」（以下「民間信書便法」という。）により、それまで郵政省（日本郵政公社）の独占事業であった信書の送達業が、総務大臣の許可を受けた一般信書便事業者（通常の信書の送達）又は特定信書便事業者（大型の信書便、即配便等）に対しても認められている（民間信書便法2、3、6）。この民間信書便法の創設により、一定の民間事業者が他人の信書を送達する業務を行うことができることになることに伴い、平成14年の通則法の改正で、税務署長等が発する書類の送達方法に、一般信書便事業者又は特定信書便事業者による信書便（以下「信書便」という。）による送達方法が追加された（通則法12①）。また、税務署長等が通常の取扱いによる信書便によって書類を発送した場合には、通常の取扱いによる郵便によって発送した場合と同様、その信書便物は、「通常到達すべきであった時」に送達があったものと推定することとされた（通則法12②）。

　　また、納税申告書等が信書便により提出された場合には、それが郵便により提出された場合と同様、その信書便物の通信日付印により表示された日（その表示がないとき又はその表示が明瞭でないときは、その信書便物について通常要する送付日数を基準とした場合にその日に相当するものと認められる日）にその提出がされたものとみなすこととされた（通則法22、

23⑦、31②、77⑤)。
(注2) この通常要する送付日数は、類似郵便物又は信書便物について実際に要した送付日数を基準として、取扱郵便局等と提出先たる税務署との距離及び交通機関の状況などを勘案して個々に判定せざるを得ないであろう。

なお、法定申告期限内に郵便ポスト投函したときのビデオ録画があっても、その郵便物の通信日付印により表示された日にその提出があったとみなされるのであり、法所定の方法以外の証拠等により個別的にその提出日を証明し、これにより提出日を判定することは許されない(千葉地裁平成12年4月26日判決)。

また、裁決例としては、法定申告期限の日に投函する積りで申告書を所持して梅見に出かけたが、その投函を忘れ、同日午後5時30分頃にあわてて現地で投函した事情について、現地でのこの時刻に投函された郵便物は翌日に取集められるが、もし、納税者がその住所地に戻って投函しておれば午後7時頃までは同日中の通信日付印となっていたという事実関係を考慮して、期限内申告書と認めた(国税不服審判所昭和46年2月24日裁決(東国裁例集No.3－2頁))が、他方、郵便局における窓口引受時間が午後7時、速達便に限り午後8時であって郵便局から郵送することに何らの支障もないのに、法定申告期限の当日午後5時30分頃郵便ポストに投函して期限後申告となった事情は、その申告書提出の指示を受けた使用人が当然払うべき注意義務を怠ったことによって生じたものであり、納税者に真にやむを得ない事情があったとは認められない(国税不服審判所平成9年3月27日裁決(裁決事例集No.53－88頁))としている事例がある。

(注3) 信書便事業者に該当しない宅配便事業者を利用して法定申告期限の翌日に提出された納税申告書は期限内申告書には当たらないとした事例(平成17年1月28日裁決(裁決事例集No.69－1頁))がある。

(裁決の要旨)

請求人は、原処分が違法である理由として、①本件各申告書をその法定申告期限内にA社に引き渡しているのであるから、本件各申告書は期限内申告書であること、②国税通則法第66条の規定の趣旨は、納税者に正しい税額の計算と期限内納税を行わせるためのものであるところ、請求人は本件各申告書に記載した納付すべき税額を法定納期限内に完納していること、しかも、同条の規定自体が、納税額がある者だけに課されるなど不合理なものであり法改正されてしかるべきであることを主張する。

しかしながら、納税者から納税申告書が提出された場合、いつの時点をもって提出日とするかについては、原則として申告書が税務官庁に到達し

た日(到達主義)と解されており、また、この到達主義の例外として、国税通則法第22条は、納税申告書が郵便又は信書便により提出された場合には、その通信日付印により表示された日に提出されたとみなす旨規定しているところ、本件各申告書の提出日については法定申告期限の翌日に原処分庁に到達していることが認められ、また、A社は信書便事業者ではないので信書便により提出された場合に該当しないことから、本件各申告書を法定申告期限内に提出したとする請求人の主張には理由がない。

次に、無申告加算税の規定は、納税申告書の提出が期限内にされなかった場合の行政上の制裁として設けられたものであるから、納税申告書に記載された納付すべき税額が法定納期限内に完納されたか否かということで、その適用が左右されるものではなく、この点に関する請求人の主張は採用できない。

なお、国税通則法第66条の規定は合理性がないもので法改正されてしかるべきものである旨の主張については、当審判所の権限外のことであり審理の限りでない。

(注4) 「国税庁長官が定める書類」は、平成18年3月31日国税庁告示第7号により、国税通則法第22条に規定する国税庁長官が定める書類は、国税に関する法律の規定により提出する申告書、申請書、請求書、届出書その他の書類のうち、次に掲げる書類から後続の手続に影響を及ぼすおそれのあるものとして別表に掲げる書類を除いた書類とするとされている。

1 国税に関する法律に提出期限の定めがある書類
2 国税に関する法律に提出期限の定めがある書類に準ずる次に掲げる書類
　イ 国税通則法第74条第1項の規定に基づき時効により消滅する場合がある還付金等に係る国に対する請求権を行使するために提出する書類
　ロ 書類を提出した日を基準として国税に関する法律の規定が適用される期間又は期限が定まるため、一定の期間内又は期日に提出する必要がある書類

別表
　1 次に掲げる書類
　　イ 国税徴収法(昭和34年法律第147号)第101条第1項の規定により提出する入札書
　　ロ 国税徴収法第130条第1項の規定により提出する申立書
　　ハ 国税徴収法第133条第2項の規定により提出する申出書
　　ニ 国税徴収法施行令(昭和34年政令第329号)第19条第1項の規定に

より提出する請求書
　　　ホ　国税徴収法施行令第20条の規定により提出する請求書
　　　ヘ　国税徴収法施行令第47条の規定により提出する申出書
　　　ト　酒税法施行令（昭和37年政令第97号）第53条第3項の規定により提出する申告書
　　　チ　酒税法施行令第56条の2第1項の規定により提出する届出書
　2　税務署長、国税局長、国税庁長官、徴収職員（国税徴収法第2条第11号に規定する徴収職員をいう。）若しくは税関長（以下「税務署長等」という。）以外の者に提出する書類又は税務署長等以外の者を経由して提出する書類（本則第二号イに該当する書類を除く。）

8　更正の請求

(1)　総　説

　更正の請求とは、納税申告書を提出した者（その相続人その他当該提出した者の財産に関する権利義務を包括して承継した者を含む。）がその申告に係る税額が過大であることを知った場合に、一定期間に限り、税務署長に対し、その税額等を更正すべきことを請求する行為である（通則法23）。ただし、後に述べる後発的事由による更正の請求は、決定を受けた者にも認められる（通則法23②）。

　納税申告書に係る税額等の変更について、納税者の側から行うことが認められる手続としては、この更正の請求のほかに、既に述べた修正申告書の提出があるが、前者が申告に係る税額が過大である場合の是正手続であるのに対し、後者は申告に係る税額が過少である場合の是正手続であることに注意しなければならない。

　次に、修正申告の場合には、修正申告書の提出によって、既に行った申告に係る税額が直ちに変更されるという効果を生ずるが、更正の請求の場合は、既に行った申告に係る税額が、更正の請求によって直ちに減額されるのではなく、その請求に基づき所轄税務署長による更正の処分があってはじめて税額の減額の効果を生ずることとされている。このように、更正の請求と修正

申告の効果が異なっている理由については、次のように説かれている（「国税通則法精解」355〜356頁）。

「これは、右の事項（筆者注・税額の減額の意）が納税者の特定の行為により自動的に変更される建前をとるとすれば、実質的に申告期限を延長したのと同様の結果を生ずることとなるが、税法が申告の準備に必要な期間を考慮して一定の申告期限を設け、その期限内に適正な期限内申告書を提出すべきことを義務付け、納税者がその期限内に十分な検討をした後申告を行うことを期待する建前をとっていることを勘案すると、右の実質的な申告期限の延長措置をとることは適当ではない、という考え方を基礎とし、仮に、納税者の行為による自動的な変更権を認めることとすると、悪質な納税者にあっては逋脱ないし滞納処分免脱のための手段として用いられるおそれがあるという理由による。ただ、修正申告の場合はいわゆる増額修正であって、既に行われた納付、徴収手続等の効力に影響を及ぼすことはなく、手続の安定を害しないし、両当事者にとってかえって便宜であることを考慮し、特に先の申告に係る税額等を自動的に変更する効力を認めたものである。」

これに対し、減額の修正申告を認めるべしという考え方として、次のようなものがある（北野弘久ほか編「争点相続税法」（勁草書房）380〜381頁）。

「更正の請求は、第一に、税務署長の減額更正処分の発動を求めることをその基本的性格とする。この点で、その提出により税額が確定する修正申告と大きく異なっている。納税申告による税額の確定を原則とする申告納税制度の理念からすれば、原理的には、納税者自身が増額して修正することも、減額して修正することも認められるべきであろう。立法論、制度論としては、更正の請求の制度を廃止し、一定の要件のもとに減額のための「修正申告」を認めることが考えられてよいであろう。」（注）

(注) 減額の修正申告を認めるべきであるという現行税制への批判については、「北野コンメンタール相続税法」339頁でも紹介されている。紹介者（北野氏）は、少なくとも後発的事由によるものについては、修正申告を認めるべきであると主張する（ただし、その理由については説明がされていない。）。

次に、更正の請求は、申告期限後一定の期間経過後は認められないが、期限経過後の更正の請求については、後に検討する。

なお、更正の請求がされても、徴収の猶予は原則として行われないが、税務署長において相当の理由があると認めるときは、これを猶予することができることになっている（通則法23③④）。

相続税の更正の請求は、期限後申告や修正申告の場合と同様に、国税通則法による一般的なものと相続税法における相続税特有のものとがある。

(2) 原則的な更正の請求

① 一般的な更正の請求

納税申告書を提出した者（その相続人その他その提出した者の財産に属する権利義務を包括して承継した者を含む。以下(2)において同じ。）は、その申告書に記載した課税価格又は相続税額の計算が相続税に関する法律の規定に従っていなかったこと又はその計算に誤りがあったことにより、その申告書の提出により納付すべき相続税額（更正があった場合には、更正後の税額）が過大であるとき等は、その申告書に係る法定申告期限から5年以内に限り、税務署長に対し、その申告に係る課税価格又は相続税額（更正があった場合には、更正後の課税価格又は税額）について更正をすべき旨の請求をすることができる（通則法23①）。

更正の請求ができる期間は、従来「1年」となっていたのを、平成23年12月の改正で「5年」とされたものであるが、従来この期間をこのように限定していたのは、税法が申告期限を定めて納税者がその期間内に十分な検討をした後、期限内申告を行うことを期待する建前をとっているので、その期限後いつまでもこのような請求を認めることは適当でないし、また、法律関係の早期安定、税務行政の能率的な運営等の面からも問題があると認められるからであると説明されている（「国税通則法精解」357頁）。また、更正の請求の期間は、権利救済のための期間であることから、異議申立て期間等を考慮してこのように定められたものといわれている。

一方、課税庁の減額更正の期間制限が5年とされていたことから、実務で

は、法定申告期限から１年経過後は、納税者が非公式に課税庁に対し減額更正の職権発動を求める、いわゆる「嘆願」といった実務慣行が存していた。そこで、平成23年12月の改正で、こうした「嘆願」といった実務慣行を廃止し、納税者の権利を守る手段を法制化する見地から、更正の請求ができる期間が「１年」から「５年」に延長されたものである（「国税通則法精解」358〜359頁）。

更正の請求は、期限内申告のほか、期限後申告及び修正申告もその対象となるが、更正請求の期間は、法定申告期限から５年以内であることに注意する必要がある。したがって、事実上、期限後申告や修正申告について更正の請求ができない場合もある。

② **後発的事由による更正の請求**

イ　総　説

納税申告書を提出した者又は相続税について決定を受けた者（その相続人その他その決定を受けた者の財産に属する権利義務を包括して承継した者を含む。）は、次のいずれかに該当する場合には、①の原則の例外として、それぞれに掲げる期間内において、その掲げられた場合に該当することを理由として税務署長に対し、更正の請求をすることができる（通則法23②）。

(イ)　その申告、更正又は決定に係る課税価格又は相続税額の計算の基礎となった事実に関する訴えについての判決（判決と同一の効力を有する和解その他の行為を含む。）により、その事実がその計算の基礎としたところと異なることが確定したとき。……その確定した日の翌日から起算して２か月以内

(ロ)　その申告、更正又は決定に係る課税価格又は相続税額の計算に当たってその申告をし、又は決定を受けた者に帰属するものとされていた所得その他の課税物件が他の者に帰属するものとする当該他の者に係る国税についての更正又は決定があったとき。……その更正又は決定があった日の翌日から起算して２か月以内

(ハ)　その他相続税の法定申告期限後に生じた(イ)及び(ロ)に類するやむを得ない

理由があるとき。……その理由が生じた日の翌日から起算して2か月以内

この「やむを得ない理由」は、次に掲げる理由とされている（通則令6①）。

㋑　その申告、更正又は決定に係る課税価格又は税額の計算の基礎となった事実のうちに含まれていた行為の効力に係る官公署の許可その他の処分が取り消されたこと。

㋺　その申告、更正又は決定に係る課税価格又は税額の計算の基礎となった事実に係る契約が、解除権の行使によって解除され、又は取り消されたこと。

㋩　帳簿書類の押収その他やむを得ない事情により、課税価格又は税額の計算の基礎となるべき帳簿書類その他の記録に基づいて課税価格又は税額を計算することができなかった場合において、その後、当該事情が消滅したこと。

㋥　我が国が締結した所得に対する二重課税の回避又は脱税の防止のための条約に規定する権限のある当局間の協議により、その申告、更正又は決定に係る課税価格又は税額に関し、その内容と異なる内容の合意が行われたこと。

㋭　その申告、更正又は決定に係る課税標準等又は税額等の計算の基礎となった事実に係る国税庁長官が発した通達に示されている法令の解釈その他の国税庁長官の法令の解釈が、更正又は決定に係る審査請求若しくは訴えについての裁決若しくは判決に伴って変更され、変更後の解釈が国税庁長官により公表されたことにより、当該課税標準等又は税額等が異なることとなる取扱いを受けることとなったことを知ったこと（注）。

　　（注）　上記の㋭は、平成18年の国税通則法施行令の改正で加えられたものだが、その理由は、次のようなものによると思われる。

　　　　　すなわち、平成17年2月1日、最高裁は、贈与により取得したゴルフ会員権の名義書換手数料は、その会員権を譲渡した場合の譲渡所得の金額の計算上、取得費に算入される旨の判決を下した。国税庁は、この判決を受けて従来の取扱いを改め、その旨をホームページに掲載するとと

もに文書により関係各方面に公表した。しかし、平成15年分以前の所得税の申告については、当然この取扱いがなされていないし、更正の請求を行うことができる後発的事由にも該当しないため（法令の解釈につき裁判例による新判断が示された場合又は通達の改正があった場合は、更正の請求をなしうる後発的事由とはいえない（京都地裁昭和56年11月20日判決）とする判例がある。）、申告期限から1年を超えるものについては、過去5年に遡り、納税者の申し出があった場合に職権で減額更正を行う措置で対応した。

　㊭の追加は、このような場合1年以内なら、除斥期間の範囲内ですべて更正の請求を認めようという趣旨と考えられる。

ロ　判　　例

　この後発的事由による更正の請求に関する判例としては、次のようなものがある。

(イ)　犯罪事実の存否範囲を確定するに過ぎない、刑事事件の決定は含まれないとする最高裁の判例（最高裁昭和60年5月17日第2小法廷判決）がある。また、判決が、当事者が専ら税金を免れる目的で、馴合いによって得たものであるなど、客観的、合理的根拠を欠くものであるときは、その確定判決として有する効力のいかんにかかわらず、通則法23条2項1号にいう「判決」には該当しない（東京高裁平成10年7月15日判決、同旨広島高裁平成14年10月23日判決）とする判例もある。

(ロ)　「判決」とは、申告等に係る課税標準等又は税額等の計算の基礎となった事実についての、私法行為又は行政行為上の紛争を解決することを目的とする民事事件の判決を意味し、犯罪事実の存否範囲を確定するに過ぎない刑事事件の判決は、これに含まれないものと解する（平成3年11月1日国税不服審判所裁決同事例集No.42－7頁、平成6年10月26日大阪地裁税務事例28巻1号66頁）。修正申告額と同額で検察官が立件した犯則事件について、逋脱税額を一部減額して有罪とする判決があっても、それは、本号にいう「判決」には該当しない（大阪地裁昭和58年12月2日判決、大阪高裁昭和59年8月31日判決、最高裁昭和60年5月17日判決）。

(ハ) 国税通則法23条2項1号にいう「判決と同一の効力を有する和解」には、起訴前の和解も原則として含まれるが、右の「和解」とは、立法の趣旨に照らして当事者間に権利関係についての争いがあり、確定申告当時その権利関係の帰属が明確となっていなかった場合に、その後当事者間の互護の結果権利関係が明確となり、確定申告当時と異なった権利関係が生じたような場合になされた場合の和解をいい、専ら当事者間で税金を免れる目的のもとに馴れ合いでなされた和解など客観的、合理的根拠を欠くものは、右条項にいう「和解」には含まれない（仙台地裁昭和51年10月18日判決・同旨名古屋高裁平成2年7月18日判決）。

(ニ) たとえ裁判上の和解の条項中に納税申告者の権利関係等を変更する旨の記載がされていたとしても、それが、専ら租税負担を回避する目的で実体とは異なる内容を記載したものであり、真実は権利関係等の変動がないような場合には、右規定の趣旨に照らし、当該更正の請求は更正をすべき理由がないとして棄却されるべきものと解するのが相当である（名古屋地裁平成2年2月28日判決、同旨名古屋高裁平成2年7月18日判決、同旨最高裁平成2年12月13日第1小法廷判決）。

(ホ) 国税通則法23条2項1号は、判決又は和解による更正の請求について規定しているが、客観的事実と明らかに異なる内容の事実を確認する和解がなされたときまで同条項の規定を適用するのは、不当な租税回避を認める結果を招き、相当でない。したがって、本件土地建物の売買契約に基づき、昭和58年中にその引渡しをし、売買代金全額の支払を受けている本件につき、別件訴訟において、同土地等の所有権移転時期を平成元年とする旨の裁判上の和解が成立したとしても、その課税関係は既往に遡って修正すべきものではない（東京高裁平成3年2月6日判決）。

(ヘ) 契約が申告期限後に合意解除された場合には、右合意解除が、法定の解除事由がある場合、事情の変更により契約の効力を維持するのが不当な場合、その他これに類する客観的理由に基づいてされた場合にのみ、これを理由とする更正の請求が認められるものと解するのが相当である（東京高

裁昭和61年7月3日判決)。

(ト) 国税通則法23条2項3号を受けた同令6条1項1号の「官公署の許可その他処分」とは、課税庁以外の官公署の許可処分を意味するものと解される（広島地裁昭和56年2月26日判決）。

③ **更正の請求があった場合の処理**

　更正の請求がされた場合、即ち更正請求書が税務署長に提出されると、税務署長は、その受理した更正請求書に記載されたところに基づいて必要な調査を行い、その調査した結果に基づいて更正を行い、又はその更正をすべき理由がない旨を請求者に通知する。この場合、請求の一部だけが正当であると認められるときは、これに基づいて更正する（通則法23④）。この更正通知書には、残りの部分について更正をすべき理由がない旨の通知が含まれていると解されている。

　この「更正をすべき理由がない旨の通知」は税務署長の一種の処分としての性格を有する。したがって、この通知に対して不服があるときは、不服申立てをすることができる。

　更正の請求の効果は、納税申告書に係る税額が過大である場合の是正を税務署長に求める手続であって、更正の請求自体で是正の効果を生ずるものではない。しかし、その請求が期限内にされていれば、税務署長は、更正あるいは更正をすべき理由がない旨の通知のいずれかの処分を行わなければならない義務を負う。

④ **更正の請求手続によらない是正**

　前述のとおり、更正の請求の手続を経ないで、訴訟上の救済を認めるケースが、幾つかの判例で示されているが、そのごく概要を次に示そう。

イ　申告書の記載内容の過誤の是正

　既に述べたように、確定申告書の記載の内容の過誤の是正については、その錯誤が客観的に明白、かつ重大であって、所得税法の定めた方法（筆者注・通則法制定前の事件）以外にその是正を許さないならば、納税義務者の利益を著しく害すると認められる特段の事情がある場合でなければ、所

論のように法定の方法によらないで記載内容の錯誤を主張することは許されないという判例がある（最高裁昭和39年10月22日判決）。

この法理により納税者の主張が認められた事例として、次のような判例がある。

(イ) 国税局係官の強い指導により錯誤に陥って申告した場合（京都地裁昭和45年4月1日判決）

(ロ) 税務係官が誤った判断を前提として修正申告書の下書きを作成し、提出を強く指導したため、納税者がその誤りに気づくことなく、下書きを信頼して申告書を提出した場合（東京地裁昭和56年4月26日判決）

(ハ) 譲渡所得について更正の請求中に、納税者及び税務署長ともその影響を及ぼす意思なくその所得を含めて修正申告書を提出した場合（札幌地裁昭和63年12月8日判決）

(ニ) 社会保険診療報酬の所得計算の特例の適用申告に錯誤があった場合（最高裁平成2年6月5日判決）（注）

（注）　社会保険診療報酬に係る事業所得の金額の計算上の必要経費は、租税特別措置法第26条（法人税は措法67）により概算経費率によることが認められる。この特例の適用を受けるには、確定申告書の所要の記載と書類の添付が必要であるが、一旦この特例の適用を受けた後に所得を実額経費によって計算することに改められるかが問題となった事件がある。

　この特例は、かつては、どのような高額な社会保険診療報酬収入でも、すべて一律に72％の経費率が適用できた制度で、いわゆる医師優遇税制として、不公平税制のシンボル視され、常に批判の対象とされていたものであるが、昭和54年及び昭和63年の税制改正により、5,000万円以下の収入の場合しか認められず、しかも収入金額に応じて経費率が72％から57％までの4段階に逓減する制度となった。

　そのため、現在では優遇措置というより、社会保険診療報酬の所得計算の簡便法としての意味合いが強くなり、実額計算の方が有利になるケースも稀ではなくなっている。これから説明する事件はそうした社会保険診療報酬収入の経費計算特例の性格の様変わりを象徴する事件といってもよく、かつては凡そ考えられなかったケースである。

　この事件は福島地裁を第1審とするケース（「福島ケース」と仮称）と福

岡地裁を第1審とするケース（「福岡ケース」と仮称）があり、いずれも、第1審、控訴審、上告審の判決が2転、3転し、上告審の結論が全く異なって、当時の課税当局をパニックに追い込んだものである。このうち福島ケースは、最高裁の判断が、措法26条の特例を一旦選択した以上は、実額経費のいかんにかかわらず、経費率は、特例の定めによるべきだとして課税当局の考え方が支持された（最高裁昭和62年11月10日判決）。

ところが、福岡ケースでは、最高裁判所が別の判断を下した。ただし、福岡ケースでは単に実額経費の方が特例経費より有利であったというものであるが、福岡ケースでは、これと異なる面があった。すなわち、原告は、特例計算と実額計算のいずれを選択するかを決めるため、①まず全体の経費Ⓐを求め、②次に、（自由診療収入÷収入総額）×経費の算式により自由診療収入に係る経費Ⓑを求め、③Ⓐ－Ⓑの算式により社会保険診療報酬に係る経費を求めて、概算経費率による経費と比較し、有利な方によることとしていた。ところが、昭和54年の所得の計算に当たって、㋺の割合を誤って自由診療収入÷社会保険診療報酬収入の割合で計算したため、自由診療に係る経費が実額より高く算出され、その結果、社会保険診療に係る経費の方が実額より低くなり、原告は特例経費による方が有利と考えて、措法26条による特例の適用を選択した。

ところが、その後原告は税務調査を受け、自由診療収入で申告もれが発見されたため修正申告をすることとなって、確定申告の内容を検討したところ、上述の誤りが発見された。そこで、原告は計算をやり直したところ、社会保険診療報酬に係る経費は概算計算率より実額計算による方が有利であることが判明したので、経費を実額計算によって修正申告した。ただし、本件では、自由診療収入の申告もれが多かったため、経費を実額計算によっても、なお、所得が増加し、その結果、修正申告による増差が生じていた。

しかし、課税庁は、実額計算による経費の計算を認めず、社会保険診療報酬に係る経費は措法26条により概算経費率で計算し、自由診療に係る経費は正当計算で減額して更正処分を行い、争いとなったものである。

この第一審判決（福岡地裁昭和60年9月24日判決）は、修正申告により結果として税額が増加するから原告の計算を認めたが、控訴審判決（福岡高裁昭和63年6月29日判決）では、福岡ケースの最高裁判決と殆ど同様な措辞で、措法26条で社会保険診療報酬の経費を計算して申告した以上は、実額経費の方が多くても変更は認められない旨を判示した。これに対し、上告審（最高裁平成2年6月5日判決）は、概算経費選択の意思表示は錯

誤に基づくものであり、修正申告により税額が増加する限りは、錯誤に基づく概算経費選択の意思を撤回し、実額計算によることができるのと判示したものである。

(参考) この事件に関する参考文献を掲げておく。
・山田二郎「最新租税判例評釈」税経通信平成2年10月号192頁
・関根稔「税務研究」税理 Vol.33 – No.10・155頁
・高比良昌一「税務研究」税理 Vol.33 – No.14・22頁
・品川芳宣「租税判例紹介・評釈」税研（日税研センター）88年1号38頁

ロ　課税要件事実の錯誤無効

　一般には、税法の無知誤解を理由とする課税要件事実の錯誤の主張に対しては例え錯誤の事実があるとしても、単に動機の錯誤に過ぎないから、民法第95条の規定による無効主張は認められないとするのが、従来の判例の傾向であった（注）。

（注）　相続税に関する例としては、例えばある者が相続放棄をした結果、他の相続人の相続税が予期に反して多額に上ったので、相続放棄の申述は錯誤で無効という主張に対して、予期しなかったというのは単に動機にすぎないとして錯誤があったものとはいえないとする判決（最高裁昭和30年9月30日判決・民集9巻10号・1491頁）がある。

　こうした一般的傾向に対して、税法の無知誤解について錯誤の主張が認められ、課税要件事実そのものの存在が覆えされた事例がある。それを以下に紹介する。

㋑　財産分与が無効とされた例

　夫の財産分与による譲渡は、妻の財産分与請求権の消滅の対価で、有償譲渡の一つであり、その譲渡により生じたキャピタル・ゲインは課税の対象となるというのが、確立した最高裁判所の判断であることは、周知のとおりである（最高裁昭和50年5月27日判決、同旨最高裁昭和53年2月26日判決、最高裁昭和53年7月10日判決）。

　ところで、このような財産分与に関し、次のような事件があった。すなわち夫は財産分与による課税は自分ではなく妻にされるものと考えて、離婚及び不動産の財産分与契約を行い、不動産を妻に引き渡したところ、

上司や関係税理士の忠告で、夫に対して譲渡所得が課税され、2億円余の課税を受けることが判明した。そこで、夫は、財産分与契約の際自己に課税されないことを合意の動機として表示しており、このような課税を受けることを知っていたならば、こうした財産分与を行わなかったのだから、この財産分与契約は要素に錯誤があると主張し、妻に対して本来不動産の所有権移転登記の抹消登記手続を請求したが、妻はこれを拒んで争いとなった。

第1審（東京地裁昭和62年7月27日判決）及び控訴審（東京高裁昭和62年12月23日判決）は、いずれも、税負担を予期しなかったことを理由とする要素の錯誤の主張を認めず、課税に誤解があったことは動機の錯誤に過ぎず、課税のないことが契約締結の前提とされ、夫がこれを合意の動機として表示したことは認められないとして夫の請求を却けた。夫は更に上告したところ、最高裁判所は、次のように判示し、原審に本事件を差し戻した（最高裁平成元年9月14日判決）。

すなわち、動機の錯誤が要素の錯誤となるためには、その動機が相手に表示され、その錯誤がなかったならば、意思表示をしなかったと認められる場合であることを要するが（注1）、その動機が黙示的に表示されていてもよいという一般論及び財産分与は譲渡所得課税の対象となるという原則課税論を認めた上で、夫は財産分与の際、分与を受ける妻に課税されることを心配する発言をしたこと及び妻も自己に課税されるものと理解していたことを事実確認し、これにより、夫は財産分与に伴う課税の点を重視していたのみならず、自己に課税されないことを当然の前提とし、かつ、その旨を黙示的には表示していたものと認めた。そして、課税も極めて高額だから、この錯誤がなければ、財産分与契約の意思表示をしなかったと認める余地が十分にあるとして、事件を原審に差し戻したものである。

なお、本事件の差戻し後東京高裁平成3年3月14日判決において、最高裁と同様の判断がされた。その後被告側は上告したが、その後の経過

は不明である。

この最高裁判決は、税法の無知錯誤について、一定の条件を付した上でその主張を認めた画期的な判決であるが、租税事件でない単純な民事事件であったことも注意すべきである（注1、2）。

(注1)　動機の錯誤（例えば駄馬を受胎している良馬と誤信して買う）は、表示と内心との間に不一致がないので、要素の錯誤には該当しないが、表示された動機は法律行為の内容となり、表示された動機の錯誤は要素の錯誤となるとするのが判例通説である（最高裁昭和29年11月26日判決、大審院大正3年12月15日判決、我妻栄「新訂民法総則」（岩波書店）297頁）。

(注2)　本件判決に対する評釈としては、例えば次のようなものがある。
　　　・山田二郎「租税判例研究」税務事例 Vol.22 - No.9・4頁
　　　・鹿野菜穂子「財産分与者の課税に関する錯誤」ジュリスト No.956（1990年・6月）110頁

㈣　居住用財産の譲渡が無効とされた例

昭和2年生まれの税法知識の乏しい主婦が、自己の居住用財産を自己が役員となっている同族会社に譲渡した場合でも、その譲渡所得について3,000万円の特別控除が適用されるものと誤解し、居住用財産の譲渡を行ったが、申告時期になって、顧問税理士等から、このようなケースの譲渡所得については、3,000万円の特別控除の適用がないことを知らされた。そこで、譲渡契約を解除し、登記も行って、この譲渡所得はないものとして、期限後申告を行った。税務署側は、この申告を認めず、居住用財産の譲渡所得をも含めて更正を行い、争いとなった。

この事件は、当初は、譲渡の翌年になってのしかも申告期限を徒過してからの契約の合意解除をその年の期限後申告に反映させて申告することができるかという点が主な争点であって、第1審では、申告期限内の解除であれば認められるが、期限後申告では、更正の請求により受ける利益以上の利益を与えることはできないとして、税法の不知は、更正の請求の理由となるやむを得ない事情（通則令6①二）に当たらないと判

示した（東京地裁昭和60年10月23日判決）。

　この点は、控訴審では、「契約の当事者は双方とも居住用財産の譲渡所得の特別控除の適用を当然の前提としているが、結局それが誤解だったというのだから、本件合意解除は錯誤無効（筆者注・ここで、最高裁平成元年9月14日判決を引用）の原契約を合意解除したことになるから、合意解除の成立はたやすく認定されて然るべきである」と判示した（東京高裁平成元年10月16日判決）。そして、この判断は、本件上告審判決（最高裁平成5年2月11日判決）でも変更されていない。

　そこで、ある論者は、これをもって、税法の無知誤解が、契約の要素の錯誤として判示された例とするが（「税研」（日税研センター）93号-542頁）、前掲最高裁平成元年9月14日判決は、動機の錯誤が要素の錯誤として扱われるためには、税法の無知誤解が黙示にもせよ表示されていることを認定しているのに対し、本件については、その認定をどのように行ったのか、控訴審、上告審の判決をみてもあいまいである。ただ、控訴審判決では「居住用財産の譲渡所得の特別控除を当然の前提としている」としているところから、判決文には示されていないが、何らかの事実認定があったかも知れない。

　ただ、本件は、原告側が譲渡の無効を主張しながら、譲渡資産は、譲渡先の同族会社の財務諸表に資産として記載されているから、経済的効果は削減していないと判断され、課税庁の更正処分が維持されており、上記論者がいうように、税法の誤解が、一般的に錯誤無効になるという根拠の判例としては不十分で、参考度としては低いように筆者は考えている。

(ハ)　現物出資の錯誤無効の主張が認められなかった事例（裁決事例）

　本件は、不動産を有限会社に現物出資したところ、その出資が、不動産の取得時期から1年しか過ぎていないのに、その時価が2倍以上に値上がりしていた。しかし会社は不動産の取得価額で現物出資を受け入れたため、この現物出資は会社に対する低額譲渡に該当するとして、課税

庁は所得税法第59条の規定により時価で譲渡したものとみなして課税処分を行った。

これに対し出資者は、そのような不動産の値上がりがあり、そのため、現物出資による多大な課税を受けることを認識していれば、現物出資は行わなかったのである。したがって現物出資を行ったことには要素の錯誤があるから、現物出資は無効であり、課税すべきでないとして争いとなった。注目すべきは、課税庁が、納税者側のこのような錯誤の主張について争わなかった点である。

本事件は、国税不服審判所における審査の段階で、審判所は次のように判断した。

すなわち、納税者側が、現物出資の錯誤無効を主張するのは、会社の設立無効を主張するのと同様だから、商法による会社設立無効の訴えにより結着すべきもので、審判所への審査請求でこのような主張をすることは許されないとして請求を棄却した（平成5年3月国税不服審判所裁決・議決事例集No.45-75頁）。事実上の門前払いである。ただ、財産分与の無効に関する前記最高裁判例は、直接引用こそはしないが、その理論を認めている。

(二) その他

最近、錯誤について争われた事件として、次のような例がある。

すなわち、株式の売却は、所得税が非課税（旧所法9①11ホ（年間12万株以下の株式の譲渡による所得は非課税））という前提で行ったもので、それが誤っていたから、売却は錯誤によりされたもので無効だとして争われた事件で、判決は、主張している錯誤は動機の錯誤で、意思表示がされていない。仮に錯誤が存したとしても、重大な過失が存するから、錯誤の主張は理由がないと却けられている（東京地裁平成9年11月25日判決）。

ハ 申告、届出等の公法行為と錯誤

(イ) 納税申告の内容の錯誤

以上のような課税要件事実の錯誤と異なり、納税申告の内容の錯誤については、
　「確定申告書の記載内容の過誤の是正については、その錯誤が客観的に明白かつ重大であって、所得税法の定めた方法以外にその是正を許さないならば、納税義務者の利益を著しく害すると認められる特段の事情がある場合でなければ、所論のように法定の方法によらないで記載内容の錯誤を主張することは許されない」
とする最高裁判決によって、司法の判断が示されている（最高裁昭和39年10月22日判決）。

㋺　納税申告以外の公法行為と錯誤

　納税申告以外の公法行為の無効については、最高裁の判断はまだないが、千葉地裁平成6年5月30日判決において注目すべき判断が下されている。

　この事件は、現在は存しないみなし法人課税の取りやめが錯誤で無効となるか否かで争われたもので、同判決では、届出等の公法行為について、民法の錯誤理論の全面的排除は適当でなく、各種の事情を考慮して、その適用の可否を決定すべきであるとした上で、本件は、みなし法人課税の適用を受けていたときの繰越損失がみなし法人課税の取りやめ後も控除できると誤解してみなし法人課税の取りやめ届の提出をしたことは錯誤に陥ったことは認められるとして、請求人が更正を受ける前に取りやめ届の無効通知を税務署長に提出したから、取りやめ届の効力を否定して扱うのが妥当のようにも思われるとしている。

　しかし、法が手続を明確にするため、みなし法人課税の選択や取りやめ届出の時期を限定していることからみると、<u>取りやめ届を提出した直後に誤りを訂正した場合ならともかく</u>、3年近くを経過してから無効通知を行って、取りやめを無効として扱うのは手続の安定を害すとし、しかも請求人のように法律を学び、地方税の経験もあり、現在も法律関係の職業に従事している人は相当の配慮をすべきで、請求人はあまりにも

うかつであり、税務署の対応は不当といえないとして、請求人の主張は認められなかった。

(3) 相続税法上の更正の請求の特例

以上の一般的な更正の請求のほかに、相続税等の申告等の時以後に発生した一定の後発的事由により、確定税額が遡って過大となることとなった場合に、関係する納税者に対して更正の請求を認めるものである。

すなわち、相続税又は贈与税の納税申告書を提出した者又はこれらの申告書を提出しなかったため決定を受けた者は、以下に掲げる事由の一に該当することにより、課税価格、相続税額又は贈与税額（これらにつき更正を受けている場合には、更正後の額）が過大となった場合には、その該当する事由が生じたことを知った日の翌日から4か月以内に更正の請求をすることができる（相法32）。

なお、既に述べたとおり、次の①ないし⑥の事由に該当して、新たに相続税を納付するべきこととなる者については期限後申告書、既に確定した相続税額が増加することとなる者については修正申告書の提出が、それぞれ認められている（相法30、31①）。

① 未分割財産が分割されたことによる課税価格の異動（相法32①一）

相続税の課税価格は、共同相続の場合は、遺産の分割が行われた後の取得財産の価額により計算することはいうまでもないが、相続税の申告等の時において、まだ分割されていない財産については、民法（第904条の2《寄与分》を除く。）の規定による相続分又は包括遺贈の割合に従って課税価格を計算することとされている（相法55）。この場合において、その後その財産の分割が行われ、共同相続人又は包括受遺者がその分割により取得した財産に係る課税価格が、未分割時の相続分又は包括遺贈の割合に従って計算された課税価格と異なることとなったことに伴い、相続税額が過大となったときに更正の請求が認められる。

② 相続人の異動（相法32①二）

相続税の申告又は決定の時に相続人とされていた者がその後の事情により

相続人でなかったことになり、あるいは相続人とされていなかった者が相続人となる等、申告又は決定の時以後に相続人に異動を生ずることがある。この場合には、相続財産に異動が生じ、また、相続税の総額にも異動が生ずるため、既に確定した相続税額に異動が生ずることとなる。そこで、相続人の異動により、相続税額が過大となったときに更正の請求が認められる。

相続人に異動を生ずる理由としては、㈠強制認知の判決の確定（民法787）、㈡相続人の廃除又は排除取消の審判の確定（民法892～894）、㈢相続回復請求権に基づく相続の回復（民法884）、㈣相続の承認又は放棄の撤回及び取消し（民法919）を挙げているが、これは例示であって、このほか「その他の事由により相続人に異動を生じたこと」が事由として挙げられており、その例として、胎児の出生（民法886）、相続人に対する失踪宣告又はその取消等（民法30～32）が示されているが（相基通32-1）、その他にも、相続の欠格（民法891）、嫡出否認の訴えの判決の確定（人事訴訟手続法29）が挙げられている（「北野コンメンタール相続税法」341・342頁）。

③　遺留分侵害額の請求に基づき支払うべき金銭の額が確定した場合（相法32①三）

A　令和元年6月までの制度

遺留分とは、相続人に対して保障されている遺産の一部で（旧民法1028）（注1）、被相続人の遺言をもってしても、遺留分に関する規定に違反することができない（旧民法902①）とされている。ただし、現実に遺留分を侵害した被相続人の遺贈・贈与がされた場合には、その遺贈・贈与は当然に無効となるのではなく、遺留分を保全する必要な限度で遺贈・贈与の減殺を請求することができるに止まるとされている（旧民法1031）（注2）。

そして、遺留分の減殺請求権を行使された受遺者・受贈者については、通説・判例によれば、既に確定した税額が過大となるので、更正の請求が認められている。

（注1）　遺留分は、次のとおりである。なお、相続人が兄弟姉妹である場合には、遺留分は認められない（旧民法1028）。

A　直系尊属のみが相続人であるときは、遺産の3分の1
　　　B　その他の場合には、遺産の2分の1
(注2)　遺留分に関する規定に違反する相続分の指定の効力については明文がない。この点について、旧民法時代は、遺留分を侵害する指定全部が無効となるという説。遺留分を侵害する限度で相続分の指定は無効となるとみる説など無効説が多かったが、現在の通説は、すべての遺留分侵害行為は単に侵害を受けた遺留分権者の減殺請求に服せしめられるに止まるとされている（「新版注釈民法(27)」197頁）。また、判例も、同様である（最高裁昭和35年7月19日判決）。

　次に遺留分減殺請求権の性格については、学説の多数説は形成権説（物権説）であり、判例も形成権説（物権説）をとる（注）。この説は、遺留分減殺請求によって遺留分侵害行為の効力は消滅し、目的物上の権利は当然に遺留分権利者に復帰するというものである。
(注)　この点に関する学例・判例の概要は、次のとおりである（参考「新版注釈民法(28)」446～447頁）。
　(1)　学説
　　(ア)　形成権（物権）説
　　　これは上述のように、遺留分減殺請求によって遺留分侵害行為の効力は消滅し、目的物上の権利は当然に遺留分権利者に復帰すると解する学説で、現在の通説とされている。
　　(イ)　形成権（債権）説
　　　この立場は、遺留分減殺の効力を遺留分侵害行為の取消しであるとしつつ、目的物上の権利は当然には遺留分権利者に復帰することなく、ただ、受遺者・受贈者をして返還の義務を負わしめるに過ぎないと解する学説である。
　　(ウ)　請求権説
　　　この立場は、遺留分減殺請求は、単に受遺者又は受贈者に対する財産引渡請求権又は未履行贈与・遺贈の履行拒絶権であり、既になされた贈与又は遺贈そのものの効力を失わしめるものではないと解する学説である。
　(2)　判例
　　遺留分権利者は減殺請求によって目的物の所有権を取得するが、登記のない以上、その後の譲受人に対抗し得ないとした判例（最高裁昭和35年7月19日判決）があり、この判例は、所有権の当然復帰を判示しており、形成権（物権）説を採用することは明らかであるとされている。また、最高裁昭和41

年7月14日判決は、減殺請求権は形成権であり、いったん減殺請求の意思表示がなされれば、法律上当然に減殺の効力が生じ、もはや減殺請求そのものについては消滅時効を考える余地はないと判示している。ただし、物権説が債権説のいずれであるかは明快でないとされている。

〈更正の請求の始期の問題〉

ところで、令和元年7月改正前の相続税法第32条第3号の更正の請求の事由である「遺留分による減殺の請求があったこと」の解釈を、民法の通説・判例どおり、遺留分権利者が受遺者等に対し減殺の請求を行えば足りると解すると、受遺者が直ちにその請求に応じた場合はともかく、相手方がその請求に応じない場合は、その争いのため、更正の請求の期限を徒過することとなったときは、同条の規定の適用ができなくなることになる。

この点に関し、「相続税法32条はひとたび確定した課税価格等が新たに生じた事由に基づき過大となった者に更正の余地を与えようとする特別規定であることから、減殺の請求が調停、判決等によって解決した場合には、そのときを受贈者が更正の請求ができる期間の始期と解するのが同条の趣旨にそうものである」とする裁決例がある（昭和51年1月19日国税不服審判所裁決・裁決事例集 No.11－67頁）（注）。

(注) 上記裁決は、次のように述べる。

「これを請求人の主張するように、遺留分権利者が受贈者に対し減殺の請求を行えば足りると解すると、受贈者が直ちにその減殺の請求に応じた場合には、その減殺の請求に基づいて既に確定している課税価格等が過大となり、本号に該当するので問題はないが、相手方がその減殺の請求に応じない場合にはその争いのため、更正の請求の期間の制限を超えることによって、本号の適用の余地がなくなる場合が生ずることとなる。

そもそも法第32条はひとたび確定した課税価格等を新たに生じた事由に基づき、既に確定している課税価格等が過大となった者に更正の余地を与えようとする特則規定であることにかんがみ、減殺の請求が、和解、調停あるいは判決により解決した場合には、そのときと解するのが、法第32条の趣旨にそう解釈といえる。

そのように理解すれば、減殺の請求について争いがある場合には和解、調停あるいは判決によって受贈者としては、財産権の具体的な移転を確認した

うえで、法第32条の定めるところにより更正の請求をすることができるものといえるし、又法条の趣旨もここにあるものと解される。
　よって、法第32条第3号の規定を請求人の主張のように解することは、法条の趣旨からみて相当ではない。」

　しかし、この点につき、次のように遺留分の減殺請求はその到達と同時に減殺の効果が生じ、遺留分権利者と受遺者との間で訴訟が継続し、その有効期限が未確定であっても、減殺請求の意思表示がされたことを理由に課税処分をすることができるとする判例もあり、遺留分による減殺の効果に関して必ずしも論理整合的なものとはなっていないので、遺留分減殺請求に対しては、価額弁償が行われることもあり、この場合も含めて、法人税、所得税、相続税等の課税関係を明確かつ整合的なものとする必要があるとする指摘がある（「争点相続税法」382〜383頁）（注）。

　「遺留分権利者たる相続人が遺贈に係る遺言の無効確認訴訟を提起した後、右遺贈の受遺者に対し、内容証明郵便により「万一遺贈が有効であるとすれば、遺留分減殺の意思表示をする」旨の通告をしたときは、右通告は有効な遺留分減殺の請求であり、その到達と同時に減殺の効力が生ずる……相続税法上の租税債権は、納税義務者が相続や遺留分減殺等の所定の原因によって課税財産を取得したことにより成立するものであって、たとえ、課税処分等に、遺贈の効力につき受遺者と遺留分権利者との間に訴訟が継続し、その有効無効が未確定であるからといって、これによって右租税債権の成立とこれに基づく課税処分の効力が左右されるものではないと解すべきである。」（福岡地裁平成元年3月16日判決。同旨福岡高裁平成元年7月20日判決）

（注）　遺留分の減殺請求に対しては、遺贈等の目的物自体の返還が原則であるが、民法は「受贈者および受遺者は、減殺を受けるべき限度において、贈与又は遺贈の目的の価値を遺留分権利者に弁償して返還の義務を免れることができる」（民法1041）として、価額弁償の制度を規定している。
　　　　この価額弁償があった場合の税法上の取扱いをどう考えるかについては、首藤重幸教授による詳細な論稿があるので、参考にされたい（「遺留分減殺請求と相続税」税務事例研究（日本税務研究センター）Vol.18-57頁以下）。

〈平成15年の改正〉

　実際問題としては、財産を手中に入れるには、遺留分の減殺請求だけでは目的を達することができず、訴の提起、遺産分割の申立等によって実効を図られるのが通常である。そこで、減殺の請求が調停判決等によって解決されたような場合においても減殺請求があったことについて上記のとおり解するとすれば、その解決の日が減殺請求があった日から4か月を超える場合が通常であることから、そのような場合には減殺された者の過大となった税額を減額する方法は、通則法第23条第2項第1号の規定によるとしても、その減殺請求をした者に対しては課税権の行使ができなくなるのではないかとの考え方も生じていたところである。

　この問題については、実務的には、上記判決のように減殺請求が判決等で確定した日をもって更正請求の始期として取り扱われてきたが、上記のような判決が下されたことから、法的な解決を図るべきであるとする指摘が高まってきた。そこで、こうした点を考慮し、平成15年度改正により「遺留分による減殺の請求があったこと」を、むしろ現実の財産の移転に着目して「遺留分の減殺請求により返還すべき、又は弁償すべき額が確定したこと」と改正されて問題の解決が図られた。

B　令和元年7月以降

（民法改正の概要）

　改正前の民法では、前記Aのとおり遺留分による減殺の請求をすると、物権的効力が生じ、遺贈又は過去の贈与が無効となり、遺贈又は贈与をされていた財産に関する権利が請求者に移転することとされていた。この場合、請求者と減殺された者との間で共有状態になることも多く、遺贈又は贈与の目的財産が事業用財産であった場合に円滑な事業承継が困難になるとの指摘もあった。

　そこで、減殺請求から生ずる権利を金銭債権化することとされ（民法1046①）、これにより共有状態になることを避け、遺贈や贈与の目的財産を受遺者等に与えたいという遺言者の意思を尊重することができるという効果がで

てくる。

> [参考] 民法
> (遺留分侵害額の請求)
> 第1046条 遺留分権利者及びその承継人は、受遺者（特定財産承継遺言により財産を承継し又は相続分の指定を受けた相続人を含む。以下この章において同じ。）又は受贈者に対し、遺留分侵害額に相当する金銭の支払を請求することができる。
> 2 遺留分侵害額は、第1042条の規定による遺留分から第1号及び第2号に掲げる額を控除し、これに第3号に掲げる額を加算して算定する。
> 一 遺留分権利者が受けた遺贈又は第903条第1項に規定する贈与の価額
> 二 第900条から第902条まで、第903条及び第904条の規定により算定した相続分に応じて遺留分権利者が取得すべき遺産の価額
> 三 被相続人が相続開始の時において有した債務のうち、第899条の規定により遺留分権利者が承継する債務（次条第3項において「遺留分権利者承継債務」という。）の額

(相続税法の整備)

この民法改正に伴い、遺留分に関する規定が物権的効力から金銭請求権へと変化したものの、権利行使によって生ずる担税力の増減は改正前と同様であると考えられることから、改正前と同様の課税関係とし、民法において「遺留分による減殺の請求」という用語が「遺留分侵害額の請求」と改正されたことに伴う規定の整備のみ行うこととされた。

具体的には、期限の定めなく更正の請求ができる事由について「遺留分による減殺の請求に基づき返還すべき、又は弁償すべき額が確定したこと」が「遺留分侵害額の請求に基づき支払うべき金銭の額が確定したこと」に改正された（相法32①三）。

(所得税法の整理)

所得税に関しては、以下のように通達が発遣され、遺留分侵害額請求は金銭債権であるので、本来なら金銭で支払うものを譲渡所得の基因となる不動産など（相続財産であるものを含む。）で充当した場合には、これを代物弁済

と考え譲渡所得の対象とされることになった。

〔参考〕所得税基本通達
(遺留分侵害額の請求に基づく金銭の支払に代えて行う資産の移転)
33－1の6　民法第1046条第1項《遺留分侵害額の請求》の規定による遺留分侵害額に相当する金銭の支払請求があった場合において、金銭の支払に代えて、その債務の全部又は一部の履行として資産(当該遺留分侵害額に相当する金銭の支払請求の基因となった遺贈又は贈与により取得したものを含む。)の移転があったときは、その履行をした者は、原則として、その履行があった時においてその履行により消滅した債務の額に相当する価額により当該資産を譲渡したこととなる。
(注)　当該遺留分侵害額に相当する金銭の支払請求をした者が取得した資産の取得費については、38－7の2参照

(遺留分侵害額の請求に基づく金銭の支払に代えて移転を受けた資産の取得費)
38－7の2　民法第1046条第1項の規定による遺留分侵害額に相当する金銭の支払請求があった場合において、金銭の支払に代えて、その債務の全部又は一部の履行として資産の移転があったときは、その履行を受けた者は、原則として、その履行があった時においてその履行により消滅した債権の額に相当する価額により当該資産を取得したこととなる。

④　遺贈による遺言者の発見又は遺贈の放棄（相法32①四）

　遺言は、遺言者の死亡の時からその効力が発生する。遺言による特定遺贈の効力については、判例は物権的効力説（大審院大正5年11月8日判決ほか多数）をとり、学説の多数説も同様である。この考え方によれば、遺贈の目的物は当然に物権的に権利が受贈者に移転すると解されている。したがって、例えば相続人が遺贈の目的物につき相続登記されていれば、その抹消登記や仮処分の申請などや、受遺者としての権利に基づいて可能になる（最高裁昭和30年5月10日）。したがって、遺産分割が行われた後、遺言者が発見され、受遺者がその権利を侵害されていることが判明したときは、受遺者は、その財産を取り戻すことができる。これにより財産を取り戻される相続人にとっては、既に確定している相続税額が過大となるため、更正の請求が認められ

ている（注1、2）。

(注1) 「新版注釈民法(28)」187頁、「北野コンメンタール相続税法」342頁参照。
(注2) ただし、受遺者は、遺贈による所有権取得の登記を受けていなくては、所有権をもって相続人からの転得者に対抗することができないとする判例がある（最高裁昭和39年3月6日判決）。

　次に、特定遺贈の受遺者は、遺言者の死亡後、いつでも自由に遺贈の放棄をすることができ、その効力は遺言者の死亡の時に遡って生ずる（民法986）。特定遺贈の放棄の期限はないが、遺言者が放棄の期間を定めているときは、その期間の制限に服すると解されている（注）。

(注) 「新版注釈民法(28)」191頁。

　遺贈が放棄されると、受遺者が受けるべきであったものは、相続人に帰属する（民法995）。その結果、遺贈を放棄した者にとっては既に確定した相続税額が過大となるため更正の請求が認められる。

⑤ **条件付でされた物納許可が取り消された場合で、その物納財産の性質等について一定の事由が生じた場合（相法32①五）**

　相続税法第42条第30項（第45条第2項において準用する場合を含む。）の規定により条件を付して物納の許可がされた場合（第48条第2項の規定により当該許可が取り消され、又は取り消されることとなる場合に限る。）において、当該条件に係る物納に充てた財産の性質その他の事情に関し一定のものが生じた場合には、更正の請求が認められる。

　この一定のものは、次のとおりである（相令8①一、二）。

A　物納に充てた財産が土地である場合において、当該土地が土地汚染対策法（平成14年法律第53号）第2条第1項《定義》に規定する特定有害物質その他これに類する有害物質により汚染されていることが判明したこと。

B　物納に充てた財産が土地である場合において、当該土地の地下に廃棄物の処理及び清掃に関する法律（昭和45年法律第137号）第2条第1項《定義》に規定する廃棄物その他の物で除去しなければ当該土地の通常の使用ができないものがあることが判明したこと。

⑥ ①~⑤までに規定する事由に準ずるものとして一定の事由が生じた場合（相法32①六）

　平成15年度税制改正において、前記①から⑤に規定する事由に準ずるものとして政令で定める事由が生じたことが更正の請求の特則事由（相法32①六）として追加された。この政令で定める事由は以下の3つの事由が規定されている（相令8②）。

イ　権利の帰属に関する訴えについての判決があったこと（相令8②一）

　相続若しくは遺贈又は贈与により取得した財産についての権利の帰属に関する訴えについての判決があったことを知った日から4か月以内に限り更正の請求をすることができる。

　相続若しくは遺贈又は贈与により取得した財産についての権利の帰属に関する訴えについての判決があった場合には、通則法第23条第2項第1号に規定する「課税標準等又は税額等の計算の基礎となった事実に関する訴えについての判決……により、その事実が当該計算の基礎としたところと異なることが確定したとき」に該当することから、同条の規定による更正の請求がされた場合、税務署長は通則法第71条の規定に基づき当該納税者に対し減額更正或いは増額更正を行う。この際、同事由により他の相続人（納税義務者）の税額を増加させる必要があっても、同条の規定では当該他の相続人の税額を増額更正することができなかったため、平成15年度税制改正により、相続税法上の更正の請求の特則事由に加えることにより、除斥期間経過後も相続税法第35条の規定を適用することにより適正な課税を行うこととされたものである。

　なお、ここでいう判決があったこととは、判決の確定をいい、相基通19の2-11に準じて取り扱うこととされている（相基通32-4）。

ロ　分割後の被認知者の請求により弁済すべき額が確定したこと（相令8②二）。

　民法第910条《分割後の被認知者の請求》の規定による請求があったことにより弁済すべき額が確定したことを知った日から4か月以内に限り更正

の請求をすることができる。

　分割後の被認知者の請求とは、相続の開始後認知によって相続人となった者が行う遺産分割の請求である。この場合において、他の相続人が既に分割その他の処分をしたときは、価額のみによる支払の請求権を有することとされている。

　この規定は、平成15年度改正において設けられたものであるが、改正前から旧相続税法第32条第2号では、認知等による相続人の異動を更正の請求の特則事由として規定していた。旧相続税法第32条第2号の規定による更正の請求は、認知により法定相続人が増加すれば、基礎控除、累進税率の緩和といった相続税計算上の状況変化を考慮して規定されているものであり、分割後の被認知者の請求により弁済すべき額が確定したことも含まれるという解釈であったが、東京高裁平成14年11月27日判決において立法政策の問題として解決すべきとの判断が下されたところであり、これに対応したものである（注1）。

　これにより、相続財産の分割後の認知の裁判の確定があれば、相続税法第32条第1項第2号による更正の請求を行い、その後その被認知者による請求があったことにより弁済すべき額が確定した場合に相続税法施行令第8条第2項第2号（相続税法第32条第1項第6号）の規定による更正の請求を行うこととなる。

　ただし、2段階で行うことは、①納税者にとって煩雑であるばかりでなく、紛争が継続している段階で更正の請求を失念することも考えられること、②課税上弊害がないと考えられるため、納税者の権利救済の観点から被認知者による請求があったことにより弁済すべき額が確定した段階で一括して更正の請求を行うことを認めている（注2）。

（注1）　東京高裁平成14年11月27日判決（抄）
　　　　他方、被認知者が認知に関する裁判の確定後に民法第910条の価額支払請求権を行使したのに対して他の共同相続人が価額金の支払をした場合も、他の共同相続人の申告又は決定に係る課税価格及び相続税額が過大

となるから、これを是正する必要が生じ、他方、新たに相続人となった被認知者については他の共同相続人から支払を受けた価額金について課税の必要が生じることは、控訴人の主張するとおりである。

　しかしながら、法第32条には、被認知者による民法第910条の価額支払請求権の行使あるいは被認知者以外の共同相続人による価額金の支払を更正請求の事由とするとの別段の規定がないこと、同条第2号は、上記のとおり、更正請求の事由として相続人に異動が生じる場合を列挙しているところ、上記価額支払請求権の行使自体は相続人に異動を生じさせる事由ではないこと、認知に関する裁判が確定したとしても、被認知者において当然に上記価額支払請求権を行使するとはいえず、仮にこれを行使したとしても、被認知者に民法第903条所定の特別受益が存在すること等の理由から、他の共同相続人の申告又は決定に係る課税価格及び相続税額が必ずしも過大となるとは限らないこと等に照らすと、法第32条第2号所定の「民法第787条の規定による認知に関する裁判の確定」という事由の中に、被認知者による民法第910条の価額支払、請求権の行使あるいは被認知者以外の共同相続人による価額金の支払が含まれると解することはできないものというべきである。

　もっとも、以上のように解すると、法第32条所定の期間の経過後に被認知者による上記価額支払請求権の行使がなされ、これに対して他の共同相続人が価額金の支払をした場合には、他の共同相続人の申告又は決定に係る相続税額が過大となったことを是正する方法としては、通則法第23条第2項第1号に基づく更正の請求以外にはないこととなるため、価額金の支払を受けた被認知者に対する法第35条第3項に基づく課税が実質上不可能となり、その限度でいわゆる課税漏れが生じることは控訴人の主張するとおりである。そこで、このような結果を回避するために、法第32条第2号において、「民法第787条の規定による認知に関する裁判の確定」により他の共同相続人の申告又は決定に係る「課税価格及び相続税額が過大となったときは」更正の請求をすることができると規定している趣旨にかんがみ、被認知者による民法第910条の価額支払請求権の行使あるいは被認知者以外の共同相続人による価額金の支払により他の共同相続人の申告又は決定に係る課税価格及び相続税額が過大となった場合も、「認知に関する裁判の確定により相続人に異動を生じたことにより他の共同相続人の申告又は決定に係る課税価格及び相続税額が過大となったとき」に含まれると解することにも、遺産分割後の後発的事由に基づく共同相続人間における相続税負担の不均衡を是正してその公平を

図るとの見地から、合理性があることは否定できない。

しかしながら、租税法規については、租税法律主義の見地から、納税義務者の不利益になる場合と利益になる場合とを問わず、文理から乖離した拡張解釈をすることには慎重であるべきことが要請されているところであり、上記の合目的解釈の趣旨に合理性があることを首肯し得ないわけではないとしても、同条第2号の「民法第787条の規定による認知に関する裁判の確定」という文言に被認知者による民法第910条の価額支払請求権の行使あるいは被認知者以外の共同相続人による価額金の支払が含まれると解することは、文理上の乖離があまりにも大きいというべきであるから、上記の解釈を採用することは困難といわざるを得ない。

控訴人は、原審以来、被認知者による価額支払請求権の行使あるいは被認知者以外の共同相続人による価額金の支払を法第32条の更正請求の事由として肯定しない場合には相続税の課税上種々の不合理な結果が生じるとして縷々主張するけれども、それらはいずれも立法問題として解決されるべきものであるというほかない。

したがって、控訴人の前記主張は採用することができない。

(注2) 被相続人の死亡後に民法第787条の規定による認知に関する裁判が確定し、その後に同法第910条の規定による請求に基づき弁済すべき額が確定した場合の更正の請求は、当該認知の裁判が確定したことを知った日の翌日から4か月以内に法第32条第1項第2号に規定する事由に基づく更正の請求を行い、その後、当該弁済すべき額が確定したことを知った日の翌日から4か月以内に法施行令第8条第2項第2号に規定する事由に基づく更正の請求を行うこととなる。

なお、民法第787条の規定による認知に関する裁判が確定したことを知った日の翌日から4か月以内に更正の請求が行われず、同法第910条の規定による請求に基づき弁済すべき額が確定したことを知った日の翌日から4か月以内に、法第32条第1項第2号及び法施行令第8条第2項第2号に規定する事由を併せて更正の請求があった場合には、いずれの事由についても更正の請求の期限内に請求があったものとして取り扱われる(相基通32-3)。

ハ 条件付の遺贈について、条件が成就したこと(相令8②三)

条件付の遺贈について、条件が成就したことを知った日から4か月以内に限り更正の請求をすることができる。

平成15年度改正前は、通達により条件付遺贈の条件成就による取得遺産

額の減少があった場合の更正の請求を認めていたものである(旧相基通32－3)。

　条件付の遺贈については、民法の規定上、条件成就までは遺贈の効果は生じない（民法985条2項）ことから、相続税法上、条件成就前、期限前の遺贈財産については、未分割財産として相続税法第55条の規定により申告又は更正をすることとなっている。

　このように条件成就時に遺贈があったものとして課税することとしているため、課税上条件成就時までは、未分割と同様の状態となっており、条件成就時に精算が生じることとなるから、更正の請求の特則事由とすることが適当であるため、平成15年度改正において法令化されたものである。

　また、停止条件付遺贈の条件成就前の相続税の申告に際しては、法定相続分で取得したものとして計算することとしているが、当該財産の分割により当該計算と異なる結果となった場合には当該分割に従ってなされた申告（修正申告を含む。）も認められる（相基通11の2－8）。

⑦　特別縁故者が民法第958条の3の規定により相続財産の分与を受けた場合（相法32①七）

　相続が開始した場合において、相続人のあることが明らかでないときは、相続財産は相続財産法人となる（民法951）。この場合には家庭裁判所は、利害関係人又は検察官の請求によって、相続財産の管理人を選任して公告する（民法952）。そして、相続人のあることが明らかになったときは、相続財産法人は存立しなかったものとみなされるが（民法955）、相続人のあることが明らかにならなかったときは、一定の公告手続を経た後（民法957～958の2）、家庭裁判所は、被相続人と生計を同じくしていた者、被相続人の療養看護に努めた者その他被相続人と特別な縁故があった者に対して相続財産の全部又は一部を与えることができる（民法958の3）。この特別縁故者に対して財産が分与された場合には、その分与により財産を取得した特別縁故者には、期限後申告書又は修正申告書の提出が義務付けられていることは、既に述べたとおりであるが（相法29、30②）。この財産分与があったことにより、被分与

者以外の相続税額が次のように軽減されるケースがあり、この場合に更正の請求が認められる。

(想定される事例)

例えば、配偶者と子の全部が相続の放棄をしたが、配偶者は4億円の財産の遺贈を受けたとする。この場合、遺産に係る基礎控除を超えるので相続税額が算出され、かつ配偶者の非課税限度（法定相続分（1/2→2億円）か1億6,000万円のいずれか高い方）を超えて配偶者が財産を取得したので、納付税額が生ずることになる。ところが、その後特別縁故者に2億円の財産が分与されると課税価格の合計額は6億円となり、配偶者の非課税限度は3億円となるので、配偶者の税額軽減額が増加することになる。

⑧ 未分割遺産に対する課税があった後遺産分割により配偶者が財産を取得した場合（相法32①八）

配偶者に対する相続税額の軽減の規定の適用については、相続税の申告書の提出期限までに分割されていない財産は、期限内申告書の提出に当たっては、軽減の対象にならない（相法19の2②本文）。ただし、その後その未分割財産が申告期限から3年以内（やむを得ない事情がある場合には、更に一定期間）に分割された財産は遡って軽減の対象となる（相法19の2②ただし書）。そのため、この特例により、分割により取得した財産について配偶者の税額軽減の規定を適用して計算した相続税額が、既に確定している相続税額より過大となるときは、更正の請求が認められる（注1、2）。

ところで、この更正の請求の期限は、上述の事由が生じたことを知った日の翌日から4か月以内で、国税通則法第23条第1項の規定による更正の請求の期限（申告期限の翌日から5年以内）より早く到来することがあり得るが、この場合には、更正の請求の期限は、いずれか遅い期限による（相基通32-2）。

(注1) この更正の請求の特例の立法趣旨について、当時の当局者は、次のように説明している（「昭和47年版・改正税法のすべて」）。

「配偶者に対する相続税軽減の新方式（筆者注・分割取得要件）につい

て、申告期限に相続等に関する訴の提起や、調停、審判の申立てがされているときはこれらの完結後4か月以内に分割して新方式を適用することが認められていることは前述のとおりです（相法19の2③）。

　この場合は、申告期限では未分割遺産として申告しておき、分割後に更正の請求をすることになります。

　未分割遺産としていったん法定相続分で分割したものとして（相法55）申告した後、遺産の分割が行われ、「課税価格」が異動するときは、現行相続税法32条1号の規定によって更正の請求が認められています。大部分の事例は、配偶者についても遺産の分割の結果、「課税価格」が異なることとなりますので、この1号の更正請求でカバーされるものと考えられます。

　しかし、遺産分割協議書で、法定相続分どおり分割する旨がきめられた場合には、配偶者の課税価格は全く異動が生じないのに、配偶者の相続税額の軽減額が増加するときがあり得ます。（中略）

　このように未分割遺産の分割の結果、課税価格には異動が生じないが、相続税額のみが減少するときは、従来の更正の請求の理由（相法32①）には該当しません。そこで、このような場合の更正の請求を認めるため、配偶者に対する相続税額の軽減について、訴えの提起等のやむをえない事由に該当して、申告期限の分割が認められ（相法19の2④）、これに伴い新方式を適用して計算した相続税額がその分割前の相続税額と異なることとなる（減少する）ときで、課税価格は分割直前と変らないときが、更正の理由に追加されました。」

(注2)　この規定について、次のような批判がある（「北野コンメンタール相続税法」344頁）。

　　「本号の規定は右のとおりだと推察され、また、立案当局者によっても右のように説明されている（引用文献省略）。しかし、本条本文には、「左の各号の一に該当する事由に因り当該申告又は決定に係る課税価格及び相続税額又は贈与税額が過大となったとき」と規定されている。すなわち、本号に規定する事由により相続税額だけでなく、課税価格も過大となること（実際に分割されたものが法55条の相続分割等による価額より少なかったこと）が要件とされているのである。したがって、前述のような場合に更正の請求を認めるために新設された本号の規定も、所期の目的を果しえないことになる。これは明らかに立法のミスであり、早急に規定の整備が図られねばならない。」

⑨　国外転出時課税に関して課税価格が減少したこと（相法32①九）

国外転出時課税の納税猶予分の所得税額に相当する所得税を納付した場合には債務控除の対象となる（相法14③ただし書、相令3②ただし書）。その場合、納税猶予の適用を受けていた所得税の納付という後発的な事由により債務控除が可能となる、すなわち課税価格及び相続税額が減少し、相続税の申告内容を訂正する手続きが必要となることから、更正の請求の特則の該当事由に納税猶予分の所得税額を納付したことが該当する。

具体的には、次に掲げる場合には、相続税の更正の請求ができる（相法32①九イ・ロ、相令8③）。

イ　所得税法第137条の2第13項の規定により国外転出をした者に係る納税猶予分の所得税額に係る納付の義務を承継したその者の相続人がその納税猶予分の所得税額に相当する所得税を納付することとなったこと。

ロ　所得税法第137条の3第15項の規定により適用贈与者等に係る納税猶予分の所得税額に係る納付の義務を承継したその適用贈与者等の相続人が納税猶予分の所得税額に相当する所得税を納付することとなったこと。

　(注)　「適用贈与者等」とは、対象資産を贈与したことにより所得税が課され納税猶予を適用している者及び非居住者が対象資産を相続したことにより所得税が課された被相続人の相続人で納税猶予を適用している者をいう。

ハ　所得税法第137条の3第2項の規定の適用を受ける相続人が納税猶予分の所得税額に相当する所得税を納付することとなったこと。

⑩　**相続開始の年の受贈財産を贈与税の課税価格に算入したこと**（相法32①十）

相続又は遺贈により財産を取得した者が、相続開始の年においてその被相続人から贈与により財産を取得している場合には、その受贈財産の価額は相続税の課税価格に算入され（相法19）、贈与税の課税価格には算入されない（相法21の2④）。そこで、贈与税の申告をし、又は決定を受けた者が、その贈与を受けた年に、その贈与者から相続又は遺贈により財産を取得していたときは、その者については、その贈与により取得した財産の価額を、申告又は決定に係る贈与税の課税価格から控除すべき旨の更正の請求が認められて

いる。

　実際には、贈与税の申告をした者が、その後に贈与者（被相続人）の死亡を知り、その贈与を受けた年において相続又は遺贈により財産を取得していたことが判明したケースなどが考えられる。

第2節　更正又は決定

1　総　　説

(1)　更　　正

　申告納税方式による国税は、その納付すべき税額が納税者の申告により確定するのが原則であるが、その申告に係る課税標準、税額等が税務官庁側で調査したところと異なるときは、課税の適正、充実を確保するため、その申告に係る事項を変更する機能が税務官庁に与えられている。これが「更正」と呼ばれる処分である（通則法24）。

(2)　決　　定

　納税申告書を提出する義務があると認められる者が申告書を提出しなかった場合には、その申告により確定すべき税額は、税務官庁側において確定するほかはないので、この税額等を確定する機能が税務官庁に与えられている。これが「決定」と呼ばれる処分である（通則法25）。

(3)　相続税における更正又は決定

　相続税の更正又は決定には、修正申告、更正の請求と同様に、国税通則法による一般的な更正又は決定のほか、相続税独特の更正又は決定がある。

2　原則的な更正又は決定

(1)　総　　説

① 　更　　正

　税務署長は、納税申告書の提出があった場合において、その納税申告書に

記載された課税標準等又は税額等の計算が国税に関する法律の規定に従っていなかったとき、その他その課税標準等又は税額等がその調査したところと異なるときは、その調査により、その申告書に係る課税標準等又は税額等を更正することとされている（通則法24）。

② 決　　定

　税務署長は、納税申告書を提出する義務があると認められる者が申告書を提出しなかった場合には、その調査により、その申告書に係る課税標準等及び税額等を決定することとされている（通則法25本文）。ただし、決定により納付すべき税額及び還付金の額に相当する税額が生じないときは、決定は行われない（通則法25ただし書）。その理由は、これらの税額が生じない場合には、決定をする実益がないからである。

　なお、法定申告期限前には決定はできない（相続税及び贈与税については、後述のとおり例外がある。）。また、期限後においても期限後申告書等が提出された後には決定はできない。これらの申告書に誤りがあって、納付税額が生ずるような場合（例えば期限後に純損失等に係る損失申告書が提出されたが誤りがあり、納付税額が生ずる場合）には、それを改める処分は更正であって、決定ではない。

③ 再更正

　税務署長は、①からこの③までによる更正又は決定をした後、その更正又は決定をした課税標準等又は税額等が過大又は過少であることを知ったときは、その調査により、その更正又は決定に係る課税標準等又は税額等を更正することとされている（通則法26）。

　この更正・再更正と修正申告は、繰り返して行うことができる。これらの処分又は申告を二度以上にわたって行われる場合もあり得るし、また、更正の後に修正申告が行われ、それについて更正をすることができる（注）。

（注）　このような場合の後の更正は、「再更正」ではないことに注意する必要がある。「再更正」は、更正又は決定を変更する処分で、申告を変更する処分ではないからである。

④ **国税庁又は国税局の職員の調査に基づく更正又は決定**

①〜③の場合において、国税庁又は国税局の当該職員の調査があったときは、税務署長は、当該調査したところに基づき、これらの規定による更正又は決定をすることができることとされている（通則法27）。

国税庁の調査査察部又は国税局の調査査察部等若しくは課税部等に置かれる国税調査官等は、一定の事案について調査及び検査を行う権限があるが、その調査等に基づいて課税標準等又は税額等の更正又は決定を行う権限は、税務署長の専決事項であるから（通則法30）、国税庁又は国税局の当該職員の調査結果に基づく更正又は決定の処分についても、税務署長にその権限があることを明らかにしたものである（注）。

(注) これらの権限を定めた根拠法令は、次のとおりである。
　① 国税庁及び国税局の調査査察部等に置かれる国税調査官……調査査察部等の所掌事務の範囲を定める省令（昭和24年大蔵省令第49号）
　② 国税局の課税部等に置かれる国税調査官……国税局課税部等の統括国税調査等の所掌に関する事務の範囲を定める省令（昭和52年大蔵省令第32号）
　③ 国税局の課税部等に置かれる国税実査官……財務省組織規則

⑤ **更正又は決定の手続**

更正又は決定は、税務署長が更正通知書又は決定通知書を送達して行う（通則法28①）。この場合において、その更正又は決定が④の国税庁等の当該職員の調査に基づくものであるときは、その旨を附記しなければならない（通則法28②、③）。なお、青色申告書について更正をした場合には、更正通知書にその理由を附記しなければならないこととされているが（所法155②）、相続税法には、この理由附記を要する旨の規定はない。

更正通知書等の送達に関しては、国税通則法の一般原則に従うことになる。すなわち、国税に関する法律の規定に基づいて税務署長等が発する書類は、郵便若しくは民間事業者による信書の送達に関する法律第2条第6項に規定する一般信書便事業者若しくは同条第9項に規定する特定信書便事業者による同条第2項に規定する信書便による送達又は交付送達により、その送達を

受けるべき者の住所又は居所（事務所又は事業所を含む。）に送達する。ただし、納税管理人があるときは、その住所又は居所に送達する（通則法12①）（注1～3）。

(注1) 交付送達は、当該行政機関の職員が、上述の送達すべき場所において、その送達を受けるべき者に書類を交付して行う（通則法12④）。また、例外として、

(イ) 送達を受けるべき者に出会わない場合には、その使用人等で書類の要領について相当のわきまえのある者に書類を交付する方法

(ロ) 送達を受けるべき者その他(イ)の者が送達すべき場所にいない場合又は正当な理由がなく書類の受領を拒んだ場合には、送達すべき場所に書類を差し置く方法（いわゆる差置き送達）

も認められている（通則法12⑤）。

なお、郵便等による書類の到達時期については、通常の取扱いによる郵便（いわゆる普通郵便）又は信書便によって書類を発送した場合には、その郵便物又は信書便物は、通常到達すべきであった時に送達があったものと推定される（通則法12②）。

また、送達を受けるべき者の住所が明らかでない等の場合は、公示送達によることが認められる（通則法14）。

(注2) 送達に関しては、次のような判例がある。

(イ) 更正決定通知書は、客観的に見て納税者の住所に、納税者の同居人である妻に了知可能な状態で置かれたものであり、国税通則法第12条（書類の送達）第5項第2号の送達すべき場所に差し置かれたと解するのが相当である（最高裁平成3年12月12日判決）。

(ロ) 国税通則法第12条第1項（書類の送達）は郵便による送達と交付送達（差置送達を含む。）を認めているが、両者間に優先順位があるわけではなく、どの方法を選択するかは、税務署長等の裁量に任されている（横浜地裁平成3年10月30日判決、同旨東京最高裁平成4年7月27日判決）。

(注3) 相続税等の更正通知書の理由附記に関しては、次のような判例がある。

(イ) 相続税

更正通知書の記載事項について一般原則を定めている国税通則法第28条第2項（更正又は決定の手続）は、更正の理由を更正通知書の記載事項として掲げておらず、他方、所得税法は第155条第2項（青色申告書に係る更正）において、法人税法は第130条第2項において、それぞれ、青色申告書に係る更正について、「その更正に係る国税通則法第28条第2項

（更正通知書の記載事項）に規定する更正通知書にその更正の理由を附記しなければならない」と規定して、青色申告書に係る更正については、国税通則法第28条第2項の例外として特に更正の理由を附記しなければならない旨規定している。しかし、相続税法においては、相続税の更正通知書に理由を附記しなければならない旨の規定はないから、相続税の更正通知書には更正の理由を附記する必要はないというべきである（大阪地裁平成3年3月15日判決）。

　　㋺　贈与税

　　　　贈与税決定通知書には決定の理由の附記は要求されておらず、また右通知書に理由が附記されている場合でも、行政庁がその記載内容に拘束されるべき理由は見出せない（東京高裁昭和52年7月27日判決）。

⑥　更正等の効力

㋑　総　　説

　申告納税方式による国税については、まず納税者が申告をして税額を確定し、納付する。

　しかし、この申告に係る税額に過不足額がある場合又は申告がない場合には、税務官庁が更正又は決定を行い、この更正又は決定に係る税額に過不足額がある場合には再更正を行うが、納税者が修正申告や更正が二回以上にわたって行われること又はこれらが交互に反復して行われることもあり得ることは、既に説明したとおりである。このような場合、これらの行為の相互間の関係が問題となる。

　これについては、従来から次の2つの考え方があった（「国税通則法精解」390頁以下）。

㋐　後の更正又は修正申告の効力は、これらによって増加し又は減少する部分の税額についてのみ生じ、これらの行為と前の申告、更正又は決定とは全く別個の行為として併存するという考え方

　　この説によれば、後に更正又は修正申告があっても、前の申告等はなおその効力を維持することになるので、前の申告等に基づく納付、差押えその他の処分の効力の安定を図るという要請は満足されるが、一方、争訟において一個の納税義務についてされた数個の更正及び決定の処分を統一的

に審理するという要請にこたえられないという難点がある。
- ㊁ 後の更正又は修正申告により、前の申告、更正又は決定の効力はその行為時に遡ってなかったものとされ、後の更正又は修正申告の効力は、あらためてその国税につき既に確定した税額の全部について生ずるという考え方

 この説によれば、後の更正等により前の申告等はなかったことに帰する結果、既に前の申告等に基づいて納付や徴収処分が行われているときは、納付された税額は過誤納金となり、あるいは徴収処分は無効となるなど種々の不合理が生ずるし、更に、納税者の自発的な申告までもが、納税者の意思とは無関係に、なかったことになるという難点がある。

(ロ) **現行制度**

現行制度は、次のようになっている（通則法29）。
- ㋑ 増額更正

 既に確定した納付すべき税額を増加させる更正（いわゆる増額更正）は、既に確定した納付すべき税額に係る部分の国税についての納税義務に影響を及ぼさない（通則法29①）。すなわち、更正の効力は、これにより追加的に確定される増差税額についてのみ及ぶもので、前の申告等に基づいてされた納付や徴収処分が無効になるものではないということである。
- ㋺ 減額更正及び更正等を取り消す判決等の効力

 既に確定した納付すべき税額を減少させる更正（いわゆる減額更正）又は増額更正若しくは決定の全部若しくは一部を取り消す旨の裁決その他の行政処分若しくは判決によって既に確定した納付すべき税額が減少しても、その減少部分以外の部分の国税の納税義務については影響を及ぼさない（通則法29②③）。すなわち、減額更正等により納付すべき税額が減少しても、前の申告等の効力までも遡って消滅させるものではなく、したがって前の申告等に基づいてなされた納付や徴収処分が無効になるものではないということである（注1、2）。

（注1） これについては、次のような説明がある（「国税通則法精解」403頁以

下)。

　「そこで、この法律では、両説（筆者注・(イ)の㋑、㋺の説を指す。）の長所を採った折衷的な立場をとり、『前の申告等と後の更正等とはあくまで別個の行為として併存し、したがって後の更正等の効力は、例えば増額更正の場合は増差税額に関する処分についてのみ生ずるが、両者はあくまで一個の納税義務の内容の具体化のための行為であるので、後の更正等により前の申告等はこれに吸収されて一体的なものとなり、ただ後の更正等が何らかの事情で取り消された場合にも、前の申告等は、依然としてその効力を持続するという特殊な性格を有するものである』との見解を前提として規定の整備を図っている……この条は、右のような問題に関連して、更正及び更正決定を取り消す処分又は判決が前の申告等に及ぼす影響について規定し、この面に関する問題の立法的解決を図ったものである。」

(注2)　増額再更正については、再更正は再調査により判明した結果に基づいて課税価格を決定するものであるから、再更正により（当初の）課税価格は当然に消滅する（最高裁昭和32年9月19日判決、同旨最高裁昭和55年11月20日判決）とするのが従来の判例であり、通則法第29条はその立法的解決を図ろうとしたものであるが、この規定では訴訟にまで及ぶという解釈ができないという説があり、訴訟に関してはこの問題は解決されていないとされる（「国税通則法精解」404、1217頁）。

⑦　更正等の所轄

　更正又は決定は、これらの処分をする際におけるその国税の納税地（以下「現在の納税地」という。）を所轄する税務署長が行うものとされる（通則法30①）。ただし、所得税、法人税、相続税、贈与税、地価税、課税資産の譲渡等に係る消費税又は電源開発促進税については、これらの国税の課税期間が開始した時（課税期間のない国税については、その納税義務の成立の時）以後にその納税地に移動があった場合において、その異動に係る納税地で現在の納税地以外のもの（以下「旧納税地」という。）を所轄する税務署長においてその異動の事実が知れず、又はその異動後の納税地が判明せず、かつ、その知れないこと又は判明しないことにつきやむを得ない事情があるときは、その旧納税地を所轄する税務署長が更正又は決定できることとなっている（通則法30②）。

3　相続税の更正又は決定の特例

　以上の一般的な更正又は決定のほかに、相続税法上、その規定によって生じ得る特別の事態に対処する特例としての更正又は決定の制度が設けられている。以下それについて説明を加える。

(1)　財産分与を受けた場合の更正

　相続財産法人から財産の分与を受けた者で、既に確定している相続税額等に不足を生じた場合（相法31②）には、その者は、修正申告書の提出を義務付けられている（国税通則法上では、修正申告書の提出は任意である（通則法19①）。）ことは既に述べたとおりであるが、その者がこの義務的修正申告書を提出しなかった場合には、税務署長は既にその者が提出している申告書に係る課税価格又は相続税額を更正する（相法35①）。

(2)　申告書の提出期限前の更正又は決定の特例

　以下に述べる事由に該当する場合には、申告書及び特例としての修正申告書の提出期限前においても、税務署長はその課税価格又は相続税額又は贈与税額の決定又は更正をなし得る（相法35②）。これは、申告書の提出期限が相続の開始があったことを知った日の翌日が起算日となっている場合において、税務署長はその日を容易に知ることができない一方、賦課権（更正及び決定）を行使し得る3年間の除斥期間は、その提出期限の翌日から起算され、徴収権もこのような提出期限の翌日から5年で消滅時効にかかる（通則法70、72①）。したがって、こうした事情を勘案して、申告期限前でも相続開始の翌日から10か月を経過すると税務署長は更正又は決定をなし得ることとされたものといわれている（「北野コンメンタール相続税法」369頁）。

　なお、このように法定申告期限前に決定を行った場合の延滞税の起算日は、当然、法定申告期限の翌日となる。したがって、納期限前にこの決定に係る相続税等を納付した場合には、延滞税の徴収を要しないことになる（相基通51-1）。

①　相続税の申告期限前の決定

　相続又は遺贈によって財産を取得した者は、その相続の開始があったこと

を知った日の翌日から10か月以内に相続税の申告書を提出する義務があり（相法27①）、また、その取得した者（相続人）がこの申告期限内に申告書を提出しないで死亡した場合には、その相続人又は包括受贈者はその相続の開始を知った日の翌日から10か月以内に、死亡した相続人の未提出申告書を提出する義務がある（相法27②）。そこで税務署長は、これらの申告期限前であっても当初の被相続人が死亡した日の翌日から10か月が経過したときは、決定をなし得ることとされている（相法35②一）。

② 贈与税の申告期限前の決定（Ⅰ）

贈与によって財産を取得した者が年の途中で死亡し、その年の１月１日から死亡の日までに贈与により取得した財産で贈与税の課税価格に算入される部分の合計額について、原則を適用した場合に贈与税額があることとなるときは、死亡した者の相続人又は包括受遺者は、相続の開始を知った日の翌日から10か月以内に、死亡した者（被相続人）に係る贈与税の申告書を提出する義務がある（相法28②一、27②）。そこで、税務署長は、その申告期限前であっても、当該死亡した者の死亡した日の翌日から10か月を経過したときは、決定をなし得ることとされている（相法35②二）。

③ 贈与税の申告期限前の決定（Ⅱ）

相続時精算課税適用者が年の中途において死亡し、その年の１月１日から死亡の日までに相続税法第21条の９第３項の規定の適用を受ける財産を贈与により取得した場合には、その死亡した者の相続人又は包括受贈者はその相続の開始を知った日の翌日から10か月以内にその死亡した者（被相続人）に係る贈与税の申告書を提出しなければならない（相法28②二、27②）。受贈者が死亡した日の翌日から10か月を経過した場合、その者の相続人等の申告書提出期限前においても、税務署長は当該申告書に係る課税価格及び贈与税額を決定することができることとされている（相法35②三）。

④ 贈与税の申告期限前の決定（Ⅲ）

贈与税の申告書を提出しなければならない者が申告書の提出期限前に申告書を提出しないで死亡した場合には、死亡した者の相続人又は包括受遺者は、

その相続の開始を知った日の翌日から10か月以内に、死亡した者が提出しなければならなかった申告書を提出する義務がある（相法28①、②三、27②）。この場合の死亡した受贈者の申告書の提出期限は、贈与の翌年３月15日であるから（相法28①）、その日を経過したときは、税務署長は、死亡した受贈者が提出すべきであった申告書に係る贈与税額等の決定をなし得ることとされている（相法35②四）。

⑤ 相続財産法人から財産分与を受けた場合の相続税の申告期限前の更正又は決定

相続財産法人から財産の分与を受けたため

(イ) 新たに相続税の申告書を提出しなければならない者は、その事由が生じたことを知った日の翌日から10か月以内に（相法29①）

(ロ) (イ)による申告書を提出すべき者がその提出期限前に死亡した場合には、その者の相続人はその相続の開始があったことを知った日の翌日から10か月以内に（相法29②、27②）

(ハ) 修正申告書を提出しなければならない者は、財産の分与を受けたことを知った日の翌日から10か月以内に（相法31②）

それぞれ申告書又は修正申告書を提出しなければならない。それらの場合も、税務署長は、提出すべき申告書又は修正申告書に係る相続税額又は贈与税額の決定又は更正をなし得る（相法35②五）。

(3) 相続税法の特例としての更正の請求に対する更正又は決定の特例

未分割遺産の法定相続分と異なる分割、相続人の異動、遺留分侵害額の請求又は遺言書の発見若しくは遺贈の放棄の事由に基づく更正の請求等（相法32①一～六）に対して、税務署長が更正を行った場合において、その請求をした者の被相続人から相続又は遺贈によって財産を取得した他の者（その被相続人から相続時精算課税の適用を受ける財産の贈与を受ける者を含む。）について、次の事由があるときは、その事由に基づいて、税務署長はその者（当該他の者）に係る課税価格又は相続税額を更正し、又は決定する。ただし、その更正の請求があった日から１年を経過した日と国税通則法第70条の規定に

より更正又は決定をすることができなくなる日とのいずれか遅い日以後においては、この(3)による更正又は決定をすることができないこととされている（相法35③）（注）。

(注) 国税通則法第70条によれば、国税の更正又は決定は、次の日以後においてはすることができないとされる（詳細は、後に述べる。）。
　(イ) 更正は、原則として法定申告期限から5年を経過した日
　(ロ) 決定（決定後の再更正を含む。）は、法定申告期限から5年を経過した日
　(ハ) 偽りその他不正の行為により、その全部又は一部の税額を免れていた場合における更正は、法定申告期限から7年を経過した日

① 当該他の者が、既に自己の納税申告書（これらの申告書に係る期限後申告書又は修正申告書を含む。）を提出している場合又は相続税について決定を受けていた者である場合……これらの申告又は決定によって確定した課税価格又は相続税額（申告又は決定の後に修正申告又は更正があった場合には、当該修正申告又は更正後の額）が相続税法第32条第1項第1号ないし第6号の事由に基づく更正の請求に対する更正の基因となった事実を基礎として計算した場合におけるその者に係る課税価格又は相続税額と異なることとなること。

　これに該当する者は、本来、相続税法第32条第1項第1号ないし第6号の事由が生じたことを知った日の翌日から4か月以内に限り更正の請求ができ、また、修正申告をすることもできる。しかし、このような更正等は更正期間の経過後に同条第1項第1号ないし第6号の事由に基づく更正の請求がされる可能性が高いこと等を考慮して、更正の期間制限の特例として、上記特例としての更正の請求（いうまでもなく、当該他の者のした更正の請求ではない。）がされた日の翌日から1年を経過した日又は国税通則法第70条の規定による更正の期間制限により更正又は決定の最終期限の日のいずれか遅い日までは更正をなし得るものとされている（相続税法の条文はこの裏返しの書き方になっているのでやや分かりづらい。）。

② 次に、当該他の者が、①に規定する者以外の者である場合（当初は相続等による財産取得がない者……例えば、当初は相続人でなかった者が、先順位

相続人の失格等により相続人となった者が考えられる。）……その者について①で述べた更正の事由を基礎として課税価格及び相続税額を計算した結果、その者が新たに相続税額を納付すべきこととなること。

この②に該当する者とは、前述のとおり納税申告書を提出していない者であり、したがって、相続税法第32条第1項第1号から第6号までに規定する事由が生じて、新たに相続税額を納付すべきこととなった場合には、期限後申告書を提出することができるが、決定をなし得る期間制限と当該他の者の法的地位の安定性、負担公平の見地を考慮して、①と同様な期間制限を付して、税務署長にその者に係る相続税の課税価格及び相続税額の決定をなし得るものとされている。

(4) 相続税法の特例により新たに贈与税の申告書を提出すべき要件に該当することとなった場合の更正又は決定の特例

税務署長は、相続開始の年に被相続人から受けた贈与財産を相続税法第19条の規定により相続税の課税価格に加算した者が、遺産の分割、相続人の異動、遺留分侵害額の請求、遺言書の発見又は遺贈の放棄等があったことにより、相続又は遺贈により財産を取得しないこととなったため、新たに贈与税の申告書を提出すべき要件に該当することとなった場合又は既に確定した贈与税額に不足が生じた場合には、その者の贈与税の課税価格又は贈与税額を更正し又は決定することとなっている。ただし、これらの事由が生じた日から1年を経過した日と相続税法第36条（贈与税についての更正、決定等の期間制限の特則）の規定により更正又は決定をすることができないこととなる日とのいずれか遅い日以後においては、その更正又は決定はすることはできない（相法35④）。

4 更正又は決定の期間制限

(1) 総　説

この制度の意義については、金子宏教授は、「租税法上の法律関係をいつまでも不確定の状態にしておくことは好ましくないため、更正・決定・賦課

決定等をなしうる期間には制限がある。これを、確定権の除斥期間という」（金子宏「租税法（第23版）」967頁）と述べている。ただ、最近の脱税に対する世論が厳しいこと、主要諸外国では比較的長期間にわたり追求が可能であること（注）から法秩序の安定性の要請に配慮しつつ、脱税行為に対する除斥期間の延長が昭和56年の税制改正で行われている。

　また、平成16年の改正で、法人税に係る増額更正の3年の期間制限については、法人税の欠損金の繰越期間が5年から7年に延長され、その欠損金額がその後7年間の繰越期間の法人税の所得計算に影響を及ぼすこととなるため、適正公平な課税を確保するには、法人税の純損失等の金額の更正に連動して繰越期間内の所得も同時に更正できるようにする必要があるとして、法人税の中での更正決定等の期間制限全体のバランスを調整する観点から、国の債権・債務の消滅時効が5年であることや減額更正とのバランス等を踏まえ、その期間制限を5年（改正前：3年）に延長することとされた（通則法70①）。

(注)　アメリカでは、申告書不提出のとき、虚偽の申告書が提出されたとき又は租税の逋脱が故意にされたときは、賦課期間の制限はない。

　　　イギリスでは申告につき納税者側に不正又は過怠があった場合は、法定申告期限から20年以内は賦課権を行使できる。

　　　ドイツでは故意による脱税は10年追求できる（「国税通則法精解」838頁参照）。

　なお、更正・決定の可能な期間は除斥期間であって、時効とは異なるから、中断あるいは停止ということはない点に注意する必要がある。

(2)　通常の更正・決定の期間期限

①　通常の更正の場合

　申告納税方式による国税についてする最も一般的な更正は、期限内申告書又は期限後申告書が提出された場合の増額更正（注）である。

(注)　「増額更正」とは、納付すべき税額を増加させる更正又は納付すべき税額をあるものとする更正及び還付税額を減少させる更正を指す。以後単に「更正」という。

期限内申告に対する更正は、その更正に係る国税の法定申告期限から5年を経過した日以後においては、することができない（通則法70①一）。期限内申告又は期限後申告があった場合において、その後に修正申告があり、その修正申告に対して更正を行うとき、更にその更正について再更正を行うときも同様である。

この除斥期間の起算日は、期限内申告に対する更正が法定申告期限の翌日からなし得ることから、同様に法定申告期限の翌日からということになる。例えば、相続税の申告期限が平成26年6月10日であれば、その翌日である平成26年6月11日から起算して5年を経過する日即ち平成31年6月10日が更正の期限であり、翌平成31年6月11日は、5年を経過した日となって、更正の除斥期間を経過したことになり、更正はできないことになる。

② 減額更正の場合

国税通則法制定前は、各税法において、更正・決定・除斥期間が定められていたが、減額更正については、相続税法が一般的な3年の除斥期間に服しないことを定めるのみで、（旧相法35の2）、ほとんど規定を欠いていた。このため、減額更正の除斥期間については、規定を欠く所得税法、法人税法においても3年の増額更正の除斥期間は適用がないことが一般的な解釈ではあったものの、減額更正の除斥期間は、公法上の金銭債権・債務の消滅時効が5年とされている（会計法30）こと等から5年の除斥期間に服するという見解と、無期限に減額更正ができるという見解とが対立していた。

そこで、国税通則法の制定に際し、減額更正については、申告の時期等にかかわらず、一律に法定申告期限から5年を経過した日以後はできないこととして、立法的解決を図ったものである（通則法70②一）（注）。

（注） この問題に関連して、課税処分の取消しを求める訴訟の係属中に課税庁が原処分の誤りに気づき減額更正が必要と判断するに至った場合には、その除斥期間の経過後も減額更正をすることができるとする判例（京都地裁昭和51年9月10日判決）がある。この判例について、金子教授は賛意を表しているのに対し（「租税法（第23版）」969頁）、疑問であるとする見解（「国税通則法精解」857頁）もある。私見では、京都地裁の判決では、なぜ除斥期間経過後

の減額更正が可能なのか理論的根拠が不明瞭であり、判決は支持できないように思われる。

③ 決定の場合

　納税申告書を提出する義務があると認められる者が納税申告書を提出しない場合には、税務署長は、その申告書に係る課税標準等又は税額等を決定するものとされていること（通則法25）は既に述べた。この決定又はその決定後にする更正（決定後にされた修正申告に対する更正及び更正に対する再更正を含む。）は、原則として、その決定又は更正に係る国税の法定申告期限から5年を経過した日以後においては、することができないものとされている（通則法70①一）。ただし、次に述べるように、脱税があった場合の決定の除斥期間は7年とされている（通則法70④）。

　申告納税制度においては、納税者が自主的に納税申告書を提出し、納税することが基本的に重要である。したがって、納税申告書の提出を怠るような納税者についてまで、賦課権の行使を3年の短期間に限定する必要はないという理由によるものである（「国税通則法精解」859頁）。

(3) 脱税があった場合の更正・決定の期間制限の特例

① 総　説

　脱税行為のあった納税者の更正・決定の除斥期間は、通常より長期にして、正しい賦課をなし得る権限を留保すべきであるという考え方は従来からあったが、課税庁及び納税者の書類保存、公平な執行の困難などの問題から5年の除斥期間が設けられるに止まっていた。しかし、大口、悪質な脱税に対する世論の批判が厳しくなったこと、いわゆる実調率の低下により執行面での把握差が生じやすく、その結果実質的な負担の公平の確保から問題が大きくなってきたので、昭和56年の改正において書類の保存年限の延長が行われ、併せて脱税の場合の除斥期間が7年に延長されたものである。

② 除斥期間が7年とされる場合

　偽りその他不正の行為により、その全部又は一部の税額を免れた国税についての更正・決定の場合には、税額等の増減を問わず、法定申告期限から7

年を経過するまでは、更正・決定を行うことができるものとされている（通則法70⑤）。

この場合、偽りその他不正の行為があった場合で減額更正を要するときは、その除斥期間も7年となる。例えば、偽りその他不正の行為による脱税が発覚して、6年目に増額更正を受けたが、精査の結果脱税とされた額の一部に計算誤りがあったような場合が考えられよう。この場合は、7年目内であれば減額更正が受けられることになる。もっとも通常の除斥期間（5年）を超えて、6年目又は7年目に行うことができる減額更正の範囲は、脱税分とされた税額を限度とすることになって、当初申告を下回る減額更正については原則どおり5年の除斥期間に服することになるので、格別脱税者が、一般の納税者に比して有利に取り扱われるわけではない。

この場合において注意すべきは、このような偽りその他不正行為があったときは、同一国税で単純な計算誤り等による通常の過少申告に係るものについても、同時に除斥期間が延長される。すなわち、この除斥期間延長に関する国税通則法第70条第5項の規定を精読すれば、同項は偽りその他不正の行為により「その全部又は一部を免れた国税」についての更正又は決定の除斥期間の特例であり、重加算税のように税額を問題にしている規定ではないから通常の過少申告部分を含む当該国税の全体が7年の除斥期間に服するものであると解されている（「国税通則法精解」862頁）（注）。

(注)　現行規定の改正前の事例であるが、次のような判例がある（最高裁昭和50年11月30日判決・同旨広島高裁昭和51年9月20日判決、最高裁昭和51年11月3日判決）。

　　「国税通則法70条2項4号（筆者注・旧規定。以下この（注）で同じ。）は、「偽りその他不正の行為」によって国税の全部又は一部を免れた納税者がある場合、これに対して適正な課税を行うことができるよう、同条1項各号掲記の更正又は賦課決定の除斥期間を同項の規定にかかわらず5年とすることを定めたものであって、『偽りその他不正の行為』によって免れた税額に相当する部分のみにその適用範囲が限られるものではないと解するのが相当である」

③ 「偽りその他不正の行為により」の意義

　除斥期間の特例が適用される「偽りその他不正の行為」とは、逸脱の意思をもってその手段として税の賦課を不能又は著しく困難ならしめるような何らかの偽計その他の工作を行うことをいい、罰則規定における「偽りその他不正の行為」（例えば得税法第238条第１項）とその表現が同じである。すなわち、法定申告期限前において㋑納税者が虚偽の申告書を提出し、その正当に納付すべき国税の納付義務を過少ならしめてその不足税額を免れたとき、㋺納税者が例えば名義の仮装、二重帳簿の作成等の積極的な行為をし、法定申告期限までに申告納付せず正当に納付すべき税額を免れたとき、㋩法定申告期限が経過したときにおいては単純無申告の状態にあった納税者がその法定申告期限後において虚偽の申告をし、その正当に納付すべき税金の納付義務を過少ならしめてその不足税額を免れたとき、㋥税務官庁の決定に対する異議申立又は審査請求をするに当たり、虚偽の事実を主張してその主張するところにより正当な国税の納付義務を過少ならしめたとき、㋭税務職員の調査上の質問又は検査に際し虚偽の陳述をしたり、申告期限後に作成した虚偽の事実を呈示したりした場合において、その陳述し主張するところにより正当な国税の納付を過少ならしめたとき等がこれに当たる（注）とされている。
(注)「国税通則法精解」861頁

　ところで、二重帳簿等のような特別な工作を行わず、単に一部の所得を除外して確定申告をしたいわゆるつまみ申告が「偽りその他不正の行為」になるかについて次のような最高裁判例がある。

> 　会社の簿外収入からの顧問料的な支払金を申告すれば会社に累が及ぶことを懸念して、その部分を除外して確定申告していた事案について、最高裁判所は、「偽りその他不正の行為」といえるための「偽計その他の工作」については、虚偽の収支計算書の提出、二重帳簿の作成等の特別の工作を行うことにとどまるものではなく、そのような特例の工作を行わず単に所得を隠ぺいし、これが課税対象となることを回避すべく、所得金額及び所得税額をことさら過少に記載した内容虚偽の所得税確定申告書を提出すること自体も「偽りその他不正の行為」に当たるとしている（最高裁昭和48年３月20日判決・

刑集27巻2号138頁）。

> 　（所得税・物品税）の逋脱犯の構成要件である詐偽その他不正の行為とは、逋脱の意図をもって、その手段として税の賦課徴収を不能若しくは著しく困難ならしめるようななんらかの偽計その他の工作を行うことをいうものと解するを相当とし、昭和24年7月9日最高裁第2小法廷判決及び昭和38年2月12日同第3小法廷判決が不申告以外に詐偽その他不正の手段が積極的に行われることが必要であるとしているのは、単に申告をしないというだけでなく、そのほかになんらかの偽計その他の工作が行われることを必要とするという趣旨を判示したものと解すべきである。したがって、（被告人が、物品税を）逋脱する目的で、物品移出の事実を別途手帳にメモしてこれらを保管しながら、税務官吏の検査に供すべき正規の帳簿にことさらに記載せず、他の帳簿書類によっても右事実がほとんど不明な状況になっていたことなどの事実関係があるときは、逋脱の意図をもって、その手段として税の徴収を著しく困難にするような工作を行ったことが認められ、詐偽その他不正の行為に当たると解するのが相当であるとする（最高裁昭和42年11月8日判決・刑集21巻9号1197頁）。

> 　本条2項4号（筆者注・現国税通則法70条5項）にいう「偽りその他の不正の行為」とは、税額を免される意図の下に税の賦課徴収を不能または著しく困難にするような何らかの偽計その他の工作を伴う不正の行為を行っていることをいい、単なる不申告行為はこれに含まれないが、過少申告行為はこれに当る（最高裁昭和52年1月25日判決）。

④　「偽りその他不正の行為」と重加算税の賦課要件である「隠蔽、仮装」との関連

　この問題については、重加算税の賦課要件である「隠蔽、仮装」は、二重帳簿の作成、証ひょう書類の隠匿、取引名義の仮装などを意味するので、結局、「偽りその他不正の行為」の典型的なものが「隠蔽、仮装」であると考えられている。ところで、このように、逋脱犯の構成要件ないし賦課権の除斥期間については「偽りその他不正の行為」が用いられ、重加算税の課税要件については「隠蔽、仮装」が用いられている理由は次によるものといわれ

ている。
Ⓐ　刑罰にあっては、反社会的、反道徳的行為一般に対して制裁を加えるという要請から、その要件は行為の態様のいかんを問わない抽象的なものとならざるを得ない。
Ⓑ　重加算税にあっては、適正・公平な税務執行を妨げ、課税を免れた行為に対する行政制裁であり、また、行政機関の判断による制裁であるところから、裁量の範囲があまり大きくならないように、外形的、客観的基準により規定することが必要であるからである。
Ⓒ　このような見地からは、賦課権の除斥期間にあっては、重加算税のように行政制裁の基準ではなく、広く一般に不正な行為があれば長期の除斥期間を適用するのであるから、「偽りその他不正の行為」という要件が用いられたのであろう（以上は、「DHCコンメンタール国税通則法」3761頁を参考とした。）（注1、2）。
（注1）　以上の関係について判示した次のような判例がある（神戸地裁昭和57年4月28日判決）。
　　　「……なお、重加算税は、納税者が隠ぺい、仮装という不正手段を用いた場合に、これに特別の重い負担を課することによって、申告納税制度の基盤が失われるのを防止することを目的とするものであるから、これを賦課すべき要件充足の有無の問題と、偽りその他不正の行為があった場合に既に成立している抽象的納税義務を適正に具体化するために更正の制限期間を延長するにすぎない国税通則法70条2項4号（筆者注・現同条5項）の適用の有無の問題とを同時に論じることはできない。」
（注2）　（注1）で引用した神戸地裁昭和57年4月28日は、被相続人の「不正行為」と相続人が提出した準確定申告書の更正の除斥期間との関連についても、次のような注目すべき判断を行っている。
　　　「……被相続人に『偽りその他不正の行為』があったために相続人の提出する確定申告書の記載内容がゆがめられ、その結果相続人において国税の一部を免れることとなった場合、通常の制限期間内の更正により適正な課税を行うことが困難となることは、相続人が被相続人の当該行為を知悉していたか否かにはかかわらないことであること、その場合、更正の制限期間を5年に延長されたからといって、相続人に対し、相続

開始の時に既に成立している抽象的納税義務を適正に具体化するということ以上に何らの新しい義務を課することになるわけでもないことを考えれば、被相続人に『偽りその他不正の行為』があったために相続人の提出する確定申告書の記載内容がゆがめられ、その結果相続人において国税の一部を免れることとなった場合には、相続人において被相続人にそのような行為があったことを知らなかったとしても、右相続人に対する国税についての更正については、国税通則法70条2項4号（筆者注・現同条5項）の適用があるものと解するのが相当である。」

　筆者もこの判断は正当であると考えるものである。

⑤　「不正行為」の行為者

　除斥期間の規定の適用に関し、納税者以外の者が行った行為が、「不正行為」に該当するか否かが争われた事例は意外と少ないが、次のような判例がある。

(イ)　会社において代表者が税務会計事務等の処理を放置し、又はそれを他の者に包括的に一括しているときは、実際に税務会計事務を処理し又は一任されて税務会計事務に当たる者の行為をもって国税通則法第70条（昭和56年法律第54号による改正前のもの）第2項第4号（筆者注・現同条第5項）に規定する「偽りその他不正の行為」を判断すべきである（千葉地裁平成3年10月28日判決、同旨東京高裁平成5年2月25日判決、同旨最高裁平成7年2月23日判決）。

(ロ)　納税申告義務は公法上の義務であり、第三者に申告手続を委任したことにより納税者自身が申告義務を免れるものとは解されないこと、また、納税申告については代理が認められているところ（通則法124条、税理士法2条1項）、代理人を利用することによって利益を享受する者は、それによる不利益も原則として甘受すべきであると解されることを考慮すると、納税者から納税手続の依頼を受けた第三者、即ち履行補助者（履行代行者）により隠蔽又は仮装が行われた場合にも、原則として、重加算税の賦課要件を満たし、かつ、国税通則法第70条第5項《更正の期間制限》のいう不正の行為の要件を満たすと解するのが相当である（大津地裁平成6年8月8日

判決)。

(ハ) 納税者の指示を受けて雇人が売上の一部除外を行っていたことは、国税通則法第70条《国税の更正決定等の期間制限》第2項第4号の「偽りその他不正の行為」に当たるから、本件更正処分は更正のできる期限内にされたものであるとされた(名古屋地裁平成7年1月31日判決)。

(ニ) 重加算税の賦課要件としては、その隠蔽・仮装の行為が納税者の行為と評価し得る(納税者に帰責すべき)事由が必要である。そして、重加算税が過少申告加算税の加重形態であることからすれば、その要件は、課税庁において立証すべきものと解すべきである。控訴人がA税理士による隠蔽又は仮装の行為による過少申告を容認し、A税理士との間に意思の連絡があったということはできず、また、その余の事情も、A税理士による隠蔽行為による譲渡所得の過少申告につき、控訴人の帰責事由を認めるには足りないと判示し、重加算税賦課決定処分を取り消した(東京高裁平成18年1月18日判決)(注)。

(注) 本件は、納税者から所得税の申告を委任されたA税理士が、課税資料を税務署員に廃棄させ、納税者については申告せず、納税者から受領した納税資金を領得するという脱税行為を行ったことについて、当該納税者に対してされた過少申告加算税賦課決定・重加算税賦課決定の適否が争われた事件である。

最高裁平成17年1月17日第2小法定判決では、「納税者は、A税理士が架空経費の計上などの違法な手段により税額を減少させようと企図していることを了知していたとみることができるから、特段の事情のない限り、納税者は同税理士が本件土地の譲渡所得につき架空経費を計上するなど事実を隠ぺいし、又は仮装することを容認していたと推認するのが相当である。」と判示して、納税者の請求を認容した原判決を破棄し、被上告人(納税者)とA税理士との間に隠蔽・仮装の「意思の連絡」があったと認められるかどうかについて、審理を東京高裁に差し戻した。この高裁判決はその差し戻し判決である。

(4) 納税申告と期間制限

申告納税方式による国税については課税庁の更正・決定があるまでは、納

税申告書又は修正申告書を提出することができるが、このような場合、納税申告をいつまですることができるかの問題がある。これについては、次のような考え方がある（「国税通則法精解」871頁）。

すなわち、この考え方によれば、法定納期限から5年（移転価格税制に係る法人税及び贈与税の場合は6年、脱税の場合は7年）を経過した後は、納税者は納税申告書を提出することができず、また、課税庁もこれを受理すべきでないとする。その理由は、次のとおりである。

イ　納付すべき税額を増加させる修正申告及び納付すべき税額を記載する期限後申告で法定納期限後5年又は7年経過後にされたものについては、後に述べる国税の徴収権の消滅時効（時効期間は5年であるが、移転価格税制に係る法人税及び贈与税については1年、脱税の場合には2年の時効不進行の期間がある。）が絶対的効力をもつとされること及び時効の中断が納税申告や更正決定等に係る部分の国税についてのみ効力を生ずるところから5年ないし7年経過後に自発的にされる納税申告に係る部分の国税についてはそれまでの間に時効の中断ということが考えられず、結局法定納期限から5年ないし7年を経過してしまうと、それについての徴収権が絶対的に消滅することとなり、納税申告書の提出はなんらの利益をもたないこととなると考えられること。

ロ　還付請求申告書についても、還付請求権の消滅時効が5年であり、かつ、それが絶対的効力を有することから、この事情は同様であること。

ハ　純損失等の金額を記載する納税申告書についても、純損失等の金額を繰り越して控除することができる期間に制限が設けられていること。したがっておおむね5年ないし7年を経過した後にこの種の納税申告書を提出することは実益がないこととなるからである。

(5)　争訟・無効原因の発生等に伴う期間制限の特例（通則法71）

①　総　　説

次に、特殊な場合における賦課権の期間制限の特例について検討する。この特例は、次の2点である。

(イ) 争訟の提起があった場合において、その裁決、決定若しくは判決による原処分の異動に伴い、その対象となった年分以外の年分等について更正決定をすべきとき。当該裁決等から6か月間まで可能

(ロ) 課税標準等の計算の基礎となった事実の一部又は全部が無効であることが後に確認され、経済的効果が失われた場合等において、更正又は賦課決定をするとき。当該理由が生じた日から3年間まで可能

以下これらについて簡単に説明する。

② 争訟に伴う更正等の場合

(イ) 争訟に伴う更正の場合

更正決定等に係る不服申立て若しくは訴えについての裁決、決定若しくは判決（以下(イ)において「裁決等」という。）による原処分の異動に伴って課税標準等又は税額等に異動を生ずべき国税で当該裁決等を受けた者に係るものについての更正決定等は、当該裁決等があった日から6か月間内はすることができる（通則法71①一）。

賦課処分の取消しを求める裁決等就中訴訟においては争訟が長期にわたって係属し、そのため、裁決や判決が賦課権の通常の除斥期間の満了後に行われる可能性があり、実際にも具体的事例が少なくないという。

この裁決・判決等で取消しの対象となった原処分については、改めて処分を行う必要はないので、これについて賦課権の除斥期間の延長を図る必要はないが、裁決等の異動に伴い、その対象年分等以外の年分又は事業年度分について更正をすべき場合において、既に除斥期間が満了しているときは、課税の公平を図る上からは、その除斥期間の延長を認める必要があることから、上記の措置がとられているものである。

(ロ) 特殊な更正の請求に伴う更正の場合

通常の更正の請求にあっては、その期限が法定申告期限から1年を経過する日とされているから、その更正の請求による更正に伴い他の年分又は事業年度分の国税についてすべき更正又は決定が、通常の除斥期間（3年、5年又は7年）が満了した後に行われるということは、通常は考えられない。

ところが、所得税等では、かなり後にされたある課税期間の修正申告又は更正決定に伴い、その後に始まる課税期間の所得金額等につき減額更正をすべき場合が生ずるが、このような場合については、更正の請求の特則が定められ（例えば所法153）、修正申告書の提出の日又は更正若しくは決定の通知を受けた日から2か月以内に限り更正の請求ができる。ところでこのような場合には、更正の請求があった次の課税期間等について増額更正をする必要が生ずる。そこで、このような更正の請求による更正の場合、その更正の対象とならなかった課税期間の増額等について、当該更正があった日から6か月間なお更正決定等をすることができるものとされている（通則法71①一）。

③　経済的成果の消失等に伴う場合

　意思表示の欠陥、錯誤等により法律行為が無効となる場合があるが、法律行為が無効であることが知られず、経済的効果が生じ、かつ、それがそのまま存続しているとき又は無効行為の転換によって経済的成果が有効に維持されているときは、それに対し課税が行われる。また、無能力等を理由としていったん有効に成立した法律行為が取り消されることがある。このような場合でも、適法な取消しが行われるまでは、既に行われた課税は有効とみるべきものである。

　このような課税が行われた後に、無効な法律行為の無効であることが確認され、先に生じていた経済的成果が失われた場合又は取り消し得べき法律行為に基づき一旦納税義務が確定した後に取消しが行われた場合には、前の課税処分の一部又は全部の取消しをしなければならないが、このような場合の減額更正が通常の賦課権の除斥期間満了後においてもすることができるものとされている。その内容は、次のとおりである。

(イ)　無効取消しの場合

　申告納税方式による国税につき、その課税標準の計算の基礎となった事実のうちに含まれていた無効な行為により生じた経済的成果が、その行為の無効であることに基因して失われたとき、及びその課税標準の計算の基礎となった事実のうちに含まれていた取り消し得べき行為が取り消されたときは、

減額更正が必要となるが、この減額更正は、通常の更正決定の除斥期間が満了した後であっても、これらの理由が生じた日から3年間はすることができる（注）。

(注) この規定が一般的に適用されるのは、所得税、相続税等の直接税であるが、所得税における事業所得の場合及び法人税の場合のように収益及び費用が期間的に対応するものについては、例えば無効あるいは取り消された売上を過去の年分又は事業年度に遡って減少させる必要はないとして、無効が確定した年分又は事業年度分の売上を減少する実務となっているから、実際にこの規定を適用することはないとしている（「国税通則法精解」885頁）。しかし、それであれば規定上明確にすべきではないかと筆者は考える。

(ロ) その他の場合

(イ)の無効取消しの場合のほか、一定の事由が生じたときは、通常の除斥期間の規定にかかわらず、それらの事由が生じた日から3年間減額更正をすることができるものとされている。ここでは、共通的な事項（通則令6①一～五）及び相続税・贈与税に関連する事項（同令24④）だけを挙げておく。

　㋑　共通事項

(A) 納税申告又は更正決定の基礎とされた売買契約等について、後日これを無効とする判決があり、又は無効判決と同一の効力を有する和解その他行為があったことにより、最終的に、先に確定した課税標準等が過大となったことその他納税申告又は更正決定の基礎とされた事実が、後日その基礎としたところ異なることが確定したこと。

(B) 納税申告又は更正決定の基礎となった農地の所有権移転に関する都道府県知事の許可等その行為の効力に係る官公署の許可その他の処分が取り消されたこと。

(C) 納税申告又は更正決定の基礎となった事実に係る契約が契約上留保されていた解除権の行使により解除され、若しくはその契約の成立後生じたやむを得ない事情によって合意で解除され、又は取り消し得べき瑕疵があったことにより取り消されたこと。

(D) 申告等が、帳簿書類の押収その他やむを得ない事情により、正確な記

録に基づかずに税額等の計算がされたものであった場合において、その後、帳簿書類の返還等により正確な計算をした結果、先に確定した税額が過大となったこと。

(E) 租税条約に規定する権限ある当局間の協議により納税申告又は更正決定に係る税額等に関し、その申告等の内容と異なる内容の合意が行われたこと。

㊁ 相続税・贈与税関係

これらは相続税法第32条第1項第1号から第9号までの規定により、既に説明した更正の請求の事由となるものだが、特に更正の請求があることを条件とはしていない。すなわち更正の請求がなくても、税務署長の権限による更正を行った場合の除斥期間の特例であって、これらの事由が生じた日から3年間は減額更正ができるというものである。

(A) 相続税法第55条の規定により分割されていない財産について民法による相続分又は包括遺贈の割合に従って課税価格が計算されていた場合において、その後当該財産の分割が行われ、共同相続人又は包括受遺贈者が当該分割により取得した財産に係る課税価格が当該相続又は包括遺贈の割合に従って計算された課税価格と異なることとなったこと（相法32①一）。

(B) 民法第787条又は第892条から第894条までの規定による認知、相続人の廃除又はその取消しに関する裁判の確定、同法第884条に規定する相続の回復、同法第919条第2項の規定による相続の放棄の取消しその他の事由により相続人に異動が生じたこと（相法32①二）。

(C) 遺留分侵害額の請求に基づき返還すべき、又は弁償すべき額が確定したこと（相法32①三）。

(D) 遺贈に係る遺言書が発見され、又は遺贈の放棄があったこと（相法32①四）。

(E) 条件付でされた物納許可が取り消された場合で、その物納財産の性質等について一定の事由が生じたこと（相法32①五）。

(F) (A)～(E)までに規定する事由に準ずるものとして、一定の事由（相令8②一～三）が生じたこと（相法32①六）。
(G) 相続税法第4条に規定する財産分与があったこと（相法32①七）。
(H) 相続税法第19条の2第2項ただし書の規定に該当したことにより、同項の分割が行われた時以後において同条第1項の規定を適用して計算した相続税額がその時前において同項の規定を適用して計算した相続税額と異なることとなったこと（相法32①八）及び租税特別措置法第69条の4の規定に該当した場合に同様の事由があったこと（措法69の4④）。
(I) 国外転出時課税に関して課税価格が減少したこと（相法32①九）。

第3節　贈与税の申告

1　総　説

　贈与税も、相続税と同様に申告納税方式による国税である。贈与税は、相続税とは別個の独立した税目でありながら、相続税とともに相続税法という1つの税法に規定されている。このように、2個の税目が1つの税法に規定されているのは、我が国の国税が原則として1税目1税法となっているのに比し、著しい例外である。このことは、贈与税がもともと相続税の補完税であることを示すとともに、その性格から、課税価格の計算、税率などが相続税と大いに異ならざるを得ず、したがって、相続税とは別個の体系とされているものである。なお、更正決定に関しては、前の第2節において一括して記述し、この第3節においては、申告の制度そのもののみを解説した。

2　贈与税の申告書の提出義務

(1)　申告書を提出すべき場合

　贈与により財産を取得した者は、その年中に取得した財産の価額の合計額が贈与税の基礎控除額を超える場合において、贈与税の配偶者控除（相法21

の5)以外の規定を適用したときに納付すべき贈与税額があるときは、その年の翌年2月1日から3月15日までに、課税価格、贈与税額その他所定の事項を記載した贈与税の申告書をその贈与税に係る納税地の所轄税務署長に提出しなければならないこととされている(相法28①)(注)。

(注) 贈与税の配偶者控除の規定(相法21の6)は、贈与税の申告書(当該申告書に係る期限後申告書を含む。ただし、相続税の配偶者の税額軽減の規定と異なり、修正申告書が含まれていないことに注意すべきである。)の提出を適用要件としている。したがって、この特例の適用を受けることにより、実際に納付すべき贈与税額が算出されないこととなる場合でも、贈与税の申告書を提出する必要がある(相法28①)。

(2) 申告書の提出期限

贈与税の申告書の提出期限は、贈与を受けた年の翌年2月1日から3月15日までとされている(相法28①)。

(3) 申告書の提出先

贈与税の申告書の提出先は、贈与により財産を取得した者の納税地の所轄税務署長とされている(相法28①)。この「納税地」については、次のように定められている(相法62①)。

① 居住無制限納税義務者

居住無制限納税義務者については、国内にあるその者の住所地が納税地となる(相法62①)。

② 非居住無制限納税義務者

非居住無制限納税義務者については、相続税の場合と同様に、納税地を定めてその納税地の所轄税務署長に申告すべきこととされ、その申告がないときは、国税庁長官がその納税地を指定して通知することとされている(相法62②)。

③ 制限納税義務者

制限納税義務者については、納税地を定めて、納税地の所轄税務署長に申告しなければならない。その申告がない場合には、国税庁長官が指定した納税地となる(相法62②)。

(4) 申告書の提出義務者が死亡した場合の申告
① 申告書を提出すべき場合

　贈与により財産を取得した者が死亡した場合において、次のいずれかに該当し、かつ、贈与税の申告書の提出期限前に申告書を提出しないで死亡しているときは、その死亡した者の相続人（包括受遺者を含む。）は、その相続の開始があったことを知った日の翌日から10か月以内に、被相続人の提出すべきであった贈与税の申告書をその被相続人の納税地の所轄税務署長に提出しなければならないこととされている（相法27②、28②）。

(イ) 年の中途において死亡した者が、その年1月1日からその死亡した日までに贈与により取得した財産につき相続税法第21条の6《配偶者控除》以外の規定により計算した場合に贈与税があることとなるとき。

(ロ) 贈与税の申告書を提出しなければならない者が、その申告書の提出期限前に申告書を提出しないで死亡した場合

② 申告書の提出先

　①の申告書の提出先は「死亡した者の納税地の所轄税務署長」である。死亡した者の納税地とは、死亡した者の死亡当時の納税地である（相法62③）。

(5) 申告書の提出義務者の納税地の移動又は出国の場合
① 申告書の提出義務者の納税地が移動した場合

　贈与税の無制限納税義務者が国内に住所地を有しないこととなった場合には、その居所地が納税地とされる（相法62①）。したがって、国内に住所のある時において財産の贈与を受けた個人がその後国内に住所地を有しなくなったが、居所地を有する場合には、通常どおり、居所地の所轄税務署長に対し、贈与の年の翌年2月1日から3月15日までに贈与税の申告書を提出すればよいわけである。

② 出国の場合

　贈与税の申告書の提出義務がある者が、その贈与の年の翌年1月1日から3月15日までに国内に住所及び居所を有しないこととなるときは、その住所及び居所を有しないこととなる日までに、贈与税の申告書を納税地の所轄税

務署長に提出しなければならないこととされている（相法28①かっこ書）。なお、納税管理人（通則法117）を選任した場合であっても、申告期限は延長されないことに注意する必要がある。

(6) 贈与税の修正申告・期限後申告

　贈与税の修正申告又は期限後申告については、相続税の一般的修正申告又は期限後申告において説明したところと同様である。

3　贈与税の更正又は決定・更正の請求

(1) 更正又は決定

　贈与税の更正又は決定については、相続税の項で述べた一般的な更正又は決定と同様であるが、贈与税固有の決定の特例として、既に述べた受贈者の死亡による贈与税の申告期限の特例（相法28②）に対応し、その特例の申告期限前においても、所轄税務署長は贈与税額について決定を行うことができることとしている。なお、この決定があった場合には、贈与税の申告を要しないことはいうまでもない（相法28③）（注）。

（注）　なお、相続税法第28条第3項の規定に「前条第6項の規定は、第1項の規定……により提出すべき申告書について準用する」というくだりがある。これを字義どおり読むと、贈与税の一般的申告書（相法28①）を提出すべき場合において、その提出期限前に贈与税の決定があったときは、贈与税の申告書の提出を要しないということになる。これは、相続税の一般的申告書についてその提出期限前に決定があった場合に申告書の提出を要しないという規定（相法27⑥）とパラレルに置かれたものであろうと考えるが、相続税の場合は、第2節の3の(2)で説明した理由があるのに対し、贈与税の場合は、申告期限前に税務署長の決定を認めるべき格別の理由は考えられない。いわば所得税について申告期限前に決定を認めるのと同じことにならないのか筆者は疑問に思う。ちなみに、この点について触れた文献は筆者が調べた限りでは見当たらなかった。筆者は、この「第1項」の部分は削除すべきと考える。

(2) 更正の請求

　贈与税に係る更正の請求についても、原則的なものは既に説明したが、更正の請求の特例として、贈与税の申告書を提出した者又は決定を受けた者は、

贈与税の課税価格の計算の基礎に算入した財産のうちに、相続開始の年の受贈財産で相続税の課税価格に加算されるもの（相法21の２④）があったために、その申告又は決定に係る課税価格及び贈与税額が過大となったときは、その事由が生じたことを知った日の翌日から４月以内に限り更正の請求ができる（相法32①十）。この点も第２節の３の(2)で説明済みである。

(3) 贈与税についての更正、決定等の期間制限の特例

① 創設の理由

　この制度は、平成15年の税制改正で設けられたもので、贈与税の更正決定の期間制限を国税通則法の原則の例外として６年（原則５年）に改めている。ところが、このような重大な改正について、当局の公表出版物である「平成15年版・改正税法のすべて」においても、また、当局ＯＢの執筆する「国税通則法精解」においても、改正の事実を述べるだけで、改正の理由については全く説明していない。わずかに、「ＤＨＣコンメンタール相続税法」2652・2653頁で、次のように述べられているのみである。

㋑　贈与税の課税原因である贈与は、所得税、法人税及び消費税が対象とする対外取引ではなく、身内の資産の移転であるため、仮装隠蔽を行わなくとも同様の結果をもたらし易い性質があることから、贈与税については、申告されない贈与が多数あると考えられること。

㋺　日々における数多くの取引を記帳する中で記帳漏れ等により過少申告が生じることが考えられる所得税等の申告漏れとは異なり、贈与税の申告漏れは、単純な事務的なミスによる申告漏れとは言い難いこと。

㋩　日々の事業活動を前提として、通常毎年申告が行われる所得税等とは違い、単発で課税原因が生じることとなる相続税・贈与税においては、何年にもわたる財産の運用等の結果がその年の申告内容となるといった所得税等にはない特殊な事情があることから、租税行政の公平性、信頼性を確保するためには、通常の賦課権の除斥期間では短いと考えられることから、平成15年の改正においてこの規定が設けられた（「ＤＨＣコンメンタール相続税法」2853頁以下）。

② 原　　則

その内容は、次のとおりである。

税務署長は、贈与税について、国税通則法第70条《国税の更正、決定等の期間制限》の規定にかかわらず、次の(イ)から(ハ)までに掲げる更正若しくは決定（以下「更正決定」という。）又は賦課決定を、それぞれ(イ)から(ハ)までに定める期限又は日から6年を経過する日まで、することができる（相法36①）。

(イ)　贈与税についての更正決定　　その更正決定に係る贈与税の申告書の提出期限

(ロ)　上記(イ)の更正決定に伴い国税通則法第19条第1項に規定する課税標準等又は税額等に異動を生ずべき贈与税に係る更正決定　　その更正決定に係る贈与税の申告書の提出期限

(ハ)　上記(イ)及び(ロ)の更正決定若しくは期限後申告書若しくは修正申告書の提出又はこれらの更正決定若しくは提出に伴い異動を生ずべき贈与税に係る更正決定若しくは期限後申告書若しくは修正申告書の提出に伴い、これらの贈与税に係る国税通則法第69条に規定する加算税についてする賦課決定　　その納税義務の成立の日

③　更正の期間の特例

②により、更正の請求期間と更正等の期間が一致したこと（平成23年12月改正）に伴い、納税者から請求期間の終了する日前6か月以内に更正の請求がされたときは、税務当局が適切に対応できるように、税務当局は、その請求があった日から6か月を経過する日まで更正ができることとされた（「改正税法のすべて（平成24年版）」200頁）。

④　偽りその他不正の行為がある場合の贈与税についての更正、決定等の期間制限の特例

偽りその他不正の行為によりその全部又は一部の税額を免れ、若しくはその全部若しくは一部の税額の還付を受けた贈与税（その贈与税に係る加算税を含む。）についての更正決定若しくは賦課決定又は偽りその他不正の行為により課税期間において生じた純損失等の金額が過大にあるものとする納税申

告書を提出していた場合におけるその申告書に記載されたその純損失等の金額（その金額に関し更正があった場合には、その更正後の金額）についての更正は、上記①にかかわらず、次の(イ)及び(ロ)の更正決定又は賦課決定の区分に応じ、それぞれ(イ)及び(ロ)に定める期限又は日から7年を経過する日までとすることができる（相法36③）。

ただし、この規定は、相続税法における更正、決定等の期間制限の特則の規定の整備上設けられたもので、国税通則法第70条第5項の規定と同趣旨の規定であり、更正決定期限が延長されたりする効果はない。

(イ) 贈与税に係る更正決定　　その更正決定に係る贈与税の申告書の提出期限

(ロ) 贈与税に係る賦課決定　　その納税義務の成立の日

⑤　贈与税に係る徴収権の消滅時効の中断

①のとおり、贈与税についての更正、決定等の期間制限は6年に延長されていることから、贈与税に係る国税通則法第72条第1項に規定する国税の徴収権の時効（5年）は、同法第73条第3項の規定の適用がある場合を除き、その贈与税の申告書の提出期限から1年間は進行しない（相法36③④）。

これにより、国税の徴収権の消滅時効も贈与税の更正、決定等の期間制限の6年への延長に対応することができることとなる。また、この消滅時効の1年間の進行停止措置により、時効期間は5年間と変わりないことから、時効の中断後は、6年間ではなく5年間で時効期限が到来することになる。

なお、②については、国税通則法第70条第5項と同様、同法第73条第3項の規定の適用を受け、国税の徴収権の消滅時効は2年間進行しないこととなっている。

II 納付及び連帯納付義務

第1節 納　付

1 期限内申告の場合

(1) 総　説

　相続税又は贈与税の期限内申告書又は財産分与を受けたことによる義務的修正申告書を申告期限内に提出した者は、これらの申告書の提出期限内までに、これらの申告書に記載した相続税額又は贈与税額に相当する相続税又は贈与税を国に納付しなければならないことになっている（相法33）。

　相続税及び贈与税は、申告納税方式によるものとされている（通則法16、相法27、28）。申告納税方式に係る国税は、国税に関する法律に定めるところにより、その申告書に記載された税額に相当する国税をその法定納期限までに国に納付しなければならないこととされており（通則法35①）、それぞれの国税に関する法律において具体的な期限内納付に関する規定を設ける必要がある。相続税及び贈与税は、申告納税方式による国税であるので、相続税法第33条において期限内納付に関する規定が設けられているのである。

(2) 納付の手続

　相続税及び贈与税は、国税であるので、その納付手続は、国税通則法第34条第1項の定めるところにより、その税額に相当する金銭に納付書を添えて、これを日本銀行（国税の収納を行う代理店を含む。）、郵便局又はその国税の収納を行う税務署の職員（「国税収納官吏」という。）に納付しなければならない。このように、相続税及び贈与税の納付は、金銭をもってすることが原則であるが、次の例外がある。

① 有価証券（通則法34①ただし書）……具体的には、小切手、国債証券の利札、郵便普通為替証書、郵便定額小為替証書及び郵便振替払出証書（証券をもってする歳入納付に関する法律）に限られている。
② 物納（通則法34③）……具体的には相続税法において規定される。
③ 電子納付（通則法34①ただし書）

なお、期限内に相続税・贈与税が納付されなかった場合には、所轄税務署長は、納期限から50日以内に督促状を発して納付を督促しなければならない（通則法37①②）。

2　期限後申告の場合

相続税及び贈与税で期限内申告がされたものの納付については、1に述べたとおり、通則法では概括的な規定に止め、具体的な納付に関する規定は、相続税法に定められている。

これは、期限内申告は、各個別税法で独特のものがあることによるものであるが、期限後申告、修正申告、更正及び決定により確定した税額については、国税通則法第35条第2項において具体的に規定し、各税を通じ、納付は、原則としてこの規定によるべきものとされている。その内容は、次のとおりである。

(1) 期限後申告・修正申告の場合

㋑　期限後申告書の提出により納付すべきものとして記載された税額
㋺　修正申告書の提出により納付すべきものとして記載された税額（いわゆる増差税額）

については、その期限後申告書又は修正申告書の提出の日までに納付しなければならない（通則法35②一）。なお、延納が許可されている場合には、その延納の納期限によることはいうまでもない。

(2) 更正・決定の場合

更正通知書に記載された更正により納付すべき税額（いわゆる増差税額）（その更正により納付すべき税額が新たにあることとなった場合には、当該納付す

べき税額）又は決定通知書に記載された納付すべき税額については、その更正通知書又は決定通知書が発せられた日の翌日から起算して1か月を経過する日までに納付しなければならない（通則法35②二）。なお、延納が許可された場合の特例は(1)と同様である。また、納期限の起算日が更正通知書等の発せられた日と発信主義によっていることに注意する必要がある。

3　加算税の場合

　相続税又は贈与税の期限内申告書に記載された税額が過少であった場合、期限後申告があった場合若しくは更正・決定を受けた場合又は隠ぺい仮装があった場合には、後述のとおり、過少申告加算税、無申告加算税又は重加算税が課されるが、これらの加算税は、賦課課税方式によって課税される。すなわち税務署長が納税者に対して賦課決定通知書を発して課税される。これらの加算税は、賦課決定通知書が発せられた日の翌日から起算して1か月を経過する日までに納付しなければならないものとされている（通則法35③）。

　なお、加算税が賦課課税方式によっているのは、それが行政罰的な性格を有し、申告納税制度に本質的になじまないものであるという理由による（「国税通則法精解」283頁）。ただ、賦課課税方式による国税は、原則的には納付すべき税額が専ら税務官庁の処分によって確定し、その納付も納税告知書を納税者に送達して納付させるものであるが、加算税は、本税である相続税又は贈与税が申告納税方式による自主納付方式であることから、これらの加算税も、更正通知書等により、1か月以内に自主納付させることとされている。

4　延滞税の場合

　相続税及び贈与税に係る延滞税又は利子税はその額の確定については、特別の手続を要せず、法律上当然に確定するものとされている（通則法15③六）。それは、これらの計算が単純であること、通常その計算の基礎となる期間が予測しがたいこと等の理由によるとされている（「国税通則法精解」272頁）。

　延滞税は、すべて納税者がその計算の基礎となる国税の納付にあわせて自

主的に納付するものとされており、特別な告知等は法律上はない。

第2節　連帯納付義務

1　総説
(1)　概要

　相続税又は贈与税の納税義務は、本来、相続、遺贈又は贈与により財産を取得した者が負うのが原則であるが、納税義務をこれらの者のみに限定することは、国税債権の確保の見地から適当でないので、特に相続税法においては相続税又は贈与税について連帯納付の義務が規定されている（注）。その内容については、順次検討するが、概括的にいえば、相続、贈与等により受けた利益の額を限度として、連帯して相続税又は贈与税の納付の責めを負うものである（注）。

　なお、平成23年改正において、連帯納付義務について、連帯納付義務者に対する通知制度が設けられている。これについては、6で説明する。

　また、連帯納付義務者の納付する延滞税は、利子税に改められたが、これについては、第8編雑則の利子税の項で説明する。

（注）　この連帯納付義務の規定が設けられているもうひとつの理由として、相続税負担の軽減を図るために現実の遺産分割とは異なった分割を仮装した申告をすることが往々にしてみられ、その場合現実には遺産の分配を受けない者が相当の分配を受けたものとして課税されるという不合理が生ずるので、共同相続人間の負担の公平を図るという点を挙げる説（「北野コンメンタール相続税法」354頁）がある。ただし、筆者は現行課税体系の下で相続税等につき、なぜ仮装分割を考えねばならないのか理解しがたい。

　この連帯納付義務は、次の4つに分けられる。

① **相続税についての共同相続人相互間における連帯納付の義務**（相法34①）

　同一の被相続人から相続又は遺贈により財産を取得したすべての者は、自己の本来の納税義務のほか、その相続又は遺贈により受けた利益の価額に相

当する金額を限度として、他の財産取得者の相続税についても、互いに連帯納付の責任があるとされている。

この規定は、従前から設けられていたものであるが、次の②から④までの規定は、シャウプ勧告に基づいて、新たに設けられたものである。

② **被相続人の納税義務を承継した者相互間における連帯納付の義務**
（相法34②）

同一の被相続人から相続又は遺贈により財産を取得したすべての者は、その被相続人に係る相続税又は贈与税について、その相続又は遺贈により受けた利益の価額に相当する金額を限度として、互いに連帯納付の責任があるとされている。

③ **相続税又は贈与税の課税対象となった財産を贈与、遺贈又は寄付行為により取得した者の連帯納付の義務**（相法34③）

相続税又は贈与税の課税価格計算の基礎となった財産を贈与、遺贈又は寄付行為により取得した者は、その贈与、遺贈又は寄付行為をした者の相続税額は贈与税額のうち、次の算式によって計算した金額について、その受けた利益の価額に相当する金額を限度として、連帯納付の責任があるとされる。

$$\text{贈与、遺贈等をした者の相続税・贈与税} \times \frac{\text{(A)のうち、遺贈等によりその者が取得した財産}}{\text{左の課税価格に算入された財産(A)}}$$

④ **財産を贈与した者の連帯納付の義務**（相法34④）

財産を贈与した者は、その贈与により財産を取得した者のその年分の贈与税額に、その財産の価額が贈与税の課税価格のうちに占める割合を乗じて算出した金額に相当する贈与税について、その財産の価額に相当する金額を限度として、連帯納付の責任があるとされる。

(2) 沿　革

① **相続税法制定時**

相続税の連帯納付の義務は、相続税法制定時（明治38年法律第10号）から設けられていた。すなわち同法第22条第4項は「相續人2人以上ナル場合ニ

於テハ各相續人ハ前項ノ徵收金ニ付連帶納付ノ責ニ任ス」と定められ、また、相續税法施行規則（明治38年勅令第68号）第14条では「相續人２人以上ナル場合ニ於テ相續税納付前相續財産ノ分割ヲ爲スモ相續税ハ各相續人連帶シテ之ヲ納付スルコトヲ要ス」と定められていた。これらの規定につき、制定当時の当局者は、次のように説明している（「相續税法義解」）。

「本條第四項ハ相續人二人以上ナル場合ニ於テハ各相續人ハ前項ノ徵收金ニ付連帶納付ノ責ニ任スル旨ヲ規定セリ故ニ相續人ノ一人催告ヲ受ケタルニ之ニ應セス他ノ相續人全ク之ヲ知ラサルモ其知ラサルヲ理由トシテ責ヲ免ルヽヲ得ス而シテ茲ニ連帶納付ノ責ニ任ストハ其徵收金ノ全部ニ付キ各自カ納付ノ義務ヲ有シ分割納付ヲ許サヽルヲ謂フ」（同書253頁）

「我相續税法ハ相續財産全部ヲ直接ニ課税ノ目的ト爲スモノナルコトハ先キニ主法ノ説解ヲ爲スニ當リ屡々説明セシ所ナリ本條ハ此ノ意味ヲ明ニシ各相續人ハ相續税納付前相續財産ノ分割ヲ爲スモ相續税ハ各相續人連帶シテ全部ノ財産ニ對スル相續税ヲ納付セサルヘカラスト爲セリ」（同書292頁）

すなわち、相続税法制定当時は、共同相続人（もっとも当時は旧民法時代なので、この規定は専ら遺産相続の場合に適用され、家督相続の場合は無関係であった。）は、それぞれ、相続税額の全部について、相続財産の多少に関係なく、いわば無限責任で納付の責めを負わされるというかなり過酷な制度だったようである。

② 昭和13年の改正

昭和13年の税法改正により、相続税の納付の義務は、次のように改められた（平田敬一郎述「相續税法講義案（昭和18年）」（大蔵省税務講習会）69～75頁参照）。

(イ) 相続税の納税義務者即ち相続人（相続人２人以上ある場合には、各相続人）、受遺者及び当時の相続税法第３条又は第３条の２の規定により相続財産の価額に加算した贈与を受けた者は、課税価格中各自その受けた利益の価額の占める割合に応じて納税の義務を負担することとされた（当時の相続税法第10条の３）。

この改正の理由について、当時の当局者は、次のように説明している（同書70頁）。「即チ従来ハ被相続人ガ遺贈ヲ為シ、其ノ遺贈ノ価額ニ含マッテキル場合モ亦、被相続人ノ為シタ相続開始前1年以内ノ贈与ノ価額ガ相続財産ノ価額ニ、加算セラレテキル場合ニモ、常ニ相続税ノ全額ヲ相続人ニ於テ、負担シ受遺者又ハ受贈者ハ法律上ハ何等相続税ヲ負担スル義務ガナカッタ。然シ乍ラ之デハ時ニ相続人ニ取ツテ、苛酷ニ、当ル場合モ生ズルノデ、昭和13年ノ改正ニ依リ、此等ノ者ヲモ、明瞭ニ、税法上ノ納税義務ヲ負担セシムルコトヽセラレタ」

㈹　以上のように、納税義務者はその受益の割合に応じて相続税を負担することとされたが、相続人は、共同相続人、受贈者及び当時の法第3条又は第3条の2の規定により相続財産の価額に加算された贈与を受けた者の納付する相続税について連帯納付の責に任ずることとされた（当時の相続税法第10条の3ただし書）。

　このただし書が設けられた理由についての当時の当局者の説明は次のとおりである（同書75頁）。

　「…然シ乍ラ各納税義務者ノ納税義務ヲ全ク独立セシメ、相続人以外ノ者ガ享受シタ財産ニ対スル相続人ノ納税義務ヲ全然免除スルコトハ、却ツテ実情ニ即シナイ場合モアリ、又徴税保全上モ不適当デアルカラ、相続人ハ他ノ共同相続人、受贈者又ハ受贈者ノ納付スベキ相続税ニ付連帯納付ノ責ニ任ゼシムコトヽシ、此等ノ者ノ負担スベキ部分ノ相続税ハ相続人カラモ徴収シ得ル途ヲ開イテ居ルノデアル。但シ相続人ガ他人ノ負担スベキ相続税ヲ納付シタ場合ニハ、其ノ相続人ハ受贈者又ハ受贈者ヨリ其ノ負担ニ属スベキ金額ヲ求価シ得ル。」

　すなわち、相続人は、従来の無限責任を実質的には同様に負わされていたのである。

③　**昭和22年の改正**

　昭和22年に新しい憲法が施行され、民法の親族・相続編も新たになったが、これに伴って相続税法も全文改正が行われ、連帯納付義務については、相続

税について納税義務がある者が2人以上あるときは、各納税義務者の納付すべき相続税について、その受けた利益の価額を限度として連帯納付の責に任ずる（当時の相続税法第43条）旨が規定され、ここにようやく、相続税の納税義務は、従来の実質的無限責任から受益額を限度とする有限責任となった。また、贈与税を新設したことに伴い（当時の贈与税は贈与者課税であり、納税義務者は財産の贈与者であった。）、受贈者に対して、贈与者の納付すべき贈与税について贈与により受けた利益を限度として、連帯納付の義務を負わせた（当時の相続税法第44条）のである。

④ 昭和25年の改正

　昭和24年のシャウプ勧告により我が国の税制は全面的な大改正が行われたが、相続税法も昭和25年法律第73号として再び全文改正が行われて、今日に至っている。ただし、シャウプ勧告による相続税は、贈与税と統合されて一生累積課税が行われることになった。この改正に際し、相続税の連帯納付義務についても全面的に見直しが行われ、相続税法第34条として、従来の連帯納付義務が第1項に規定されたほか、被相続人の相続税についての連帯納付義務、相続財産の贈与等により移転した場合の連帯納付義務及び贈与者と受贈者との連帯納付義務が同条第2項から第4項として新設されたのである。

　その後相続税制度は、昭和28年の一生累積課税の廃止と相続税・贈与税の再度の二本建制度への改正、昭和33年の遺産税体系を加味した現行の相続税制度への改正はあったが、連帯納付義務の規定については、根本的な改正は行われなかった。

⑤ 平成23年の改正

　制度自体の根本的見直しは見送られたが、次の改正が行われた。

(イ) 税務署長は、連帯納付義務者（納税義務者を除く。以下同じ。）から相続税を徴収しようとする場合等には、当該連帯納付義務者に対し、納付通知書による通知等を行わなければならない（相法34）。

(ロ) 相続税の連帯納付義務者が連帯納付義務を履行する場合における当該相続税に併せて納付すべき延滞税については、原則として、利子税に代える

(相法51の2)。

⑥ 平成24年の改正

平成24年の改正では、前年に引き続き連帯納付義務の検討が行われ相続開始から長期間経過後に連帯納付義務を追及される事案も生じているという実態が確認され、また、

・長期間経過後に連帯納付義務を追及することを強要する制度は、連帯納付義務者を長期間不安定な状況に陥らせ、「不意討ち」になるとの批判があること、
・担保を提供の上で延納しているのに、担保価値の下落リスクを税務当局ではなく担保を提供した者以外の納税者が負うこととなっていること、
・他方、同一の相続に起因する遺産の総額を基礎として計算される相続税について、他の共同相続人に対し連帯納付義務を全く追及しない場合には、租税債権が満足されず、財政負担（ひいては共同相続人以外の他の納税者の負担）となること、

などの問題が指摘された。

(3) 国税通則法の連帯納付義務との関連

国税に関する法律の規定により、国税を連帯して納付する義務については、民法第432条から第434条まで、第437条及び第439条から第444条まで（連帯債務の効力等）の規定を準用するものと定められているが（通則法8）、この規定と相続税法第34条の規定による連帯納付責任との関係をどのように解すべきかが問題となる。

これについては、相続税法の連帯納付責任は、民法の連帯債務と異なり、各連帯納付責任者が、相続等により受けた利益の価額等を限度として、同一の相続等により国税の納付義務を負うこととなった相続人等の全員がそれぞれ納付すべき額について互いに連帯して納付する責任を有するものとされており、その性質は、相続人の承継した国税の納付責任（通則法5③）に類似するものであるので、これらの連帯納付責任について通則法第8条の規定をそのまま適用することは妥当ではなく、一種の特別規定として解釈しなければ

ばならないと説かれている（「平成12年版・国税通則法精解」168頁、同趣旨「平成16年版・国税通則法精解」186、187頁）（注）。ただし、現在の「国税通則法精解」（平成31年改訂・第8条関係）においては全く触れられておらず、第9条の2関係で似た趣旨が述べられているが、なぜ、このように変更されたのか、その理由は不明である。

（注） この点については、次のような意見がある（「北野コンメンタール相続税法」361頁）。

「この規定（筆者注…国税通則法第8条をいう。）は、共有物や共同事業に関する国税の連帯納付義務（国税通則法第9条）等、それぞれが本来的に納税義務を負う場合を予想している。ところが、本条（筆者注…相続税法第34条）は、本来の納税義務者の租税債務につき、第二次的に納税義務を負わせるものであって、国税通則法の右規定の予想をしているものとは性質を異にする。したがって、本条の連帯納付責任については、国税通則法第8条は適用されず、……本条の連帯納付責任の効力については、独自に考えなければならない。

本条の連帯納付責任は、本来の納税義務者の租税債務につき、第二次的に納税義務を負わせるものである点で、租税保証債務（国税通則法第50条第6号）または第二次納税義務（国税徴収法第3条）に類似しているものといえる。したがって、本条の連帯納付責任は、これらと同じく、附従性を有し、本来の納税義務者の租税債務が消滅したときは、その理由のいかんを問わず本条の連帯納付責任も消滅するものと解するべきである」

(4) **相続税法の連帯納付義務の法的性質**

相続税法の連帯納付義務の法的性質についても種々の議論があるが、納税者側は、固有の納税義務と連帯納付の義務との関係は連帯債務ではなくして不真正連帯債務（注）の関係にあると主張したのに対し、この連帯納付義務は民法に規定する連帯保証（注）類似の責任であるとした判例がある（大阪高裁昭和53年4月12日判決、同旨上告審最高裁昭和55年7月1日判決）。

なお、この連帯納付義務については、これを連帯保証債務と解して、連帯保証債務の規定を類推適用することは、債権の効力を強めることとなり、法の認める効力以上に国に利益を与えることとなるので不当であり、連帯債務（注）とその法的性質において共通性を有しているとする見解がある（飛岡邦

夫「相続税の連帯納税義務に関する一考察」(税務大学校論叢第1号272〜275頁)。
(注) 連帯債務・不真正連帯債務・連帯保証について（有斐閣双書「民法(4)債権総論（第4版・増補補訂版）」148頁以下による。）
① 連帯債務
　数人の債務者が同一内容の給付について各自独立に全部の弁済をなすべき義務を負担し、かつ、債務者の1人が全部を弁済すれば他の債務者の債務もすべて消滅する。連帯債務者の1人について時効が完成すれば他の債務者も、時効が完成した債務者の負担部分だけ債務を免れる。なお、判決の効力、請求以外の原因に基づく時効の中断、債務者の過失・遅滞等は、相対的効力しか有しないとされる。
② 不真正連帯債務
　例えば他人の家屋を焼失せしめた者の賠償義務（民法415又は709）と火災保険会社の契約に基づく保険金支払義務（商法665）との関係では、両債務者が共に同一内容の給付について全部を履行すべき義務を負い、一方が弁済すれば他方の債務も消滅するという点では連帯債務と同じであるが、連帯債務と異なって、一方の債務者について生じた事由は、債権を満足させるものを除いて他方に影響を及ぼさないし、両債務間に負担部分というものがないので、それに基づく求償権も生じない。一方の債務について消滅時効が完成しても、他の債務に影響しない（大審院昭和12年6月30日判決）。
③ 連帯保証
　保証人が主たる債務者と連帯して保証債務を負担するものである。
　連帯保証も保証であるから、附従性を有する。即ち、主たる債務者の債務が消滅すれば、保証債務も効力を失う。ただし、連帯保証は補充性をもたないので、催告の抗弁権及び検索の抗弁権を行使することができない。また連帯保証人が数人あっても、共同保証のような分別の利益を有しないから債権者は連帯保証人の誰に対しても、主たる債務の全額を請求できる。
　なお、主たる債務者について生じた事由の効力は、普通の保証と同様、保証債務の附従性に基づいてすべて連帯保証人にも及ぶものと考えられている。

このように、相続税の連帯納付義務については、種々の見解があるが、一応は、前記最高裁判決により、民法上の連帯保証に類似するものとする司法の最終判断が下されており、また、民法上の連帯債務と解する見解に問題ありとする次のような指摘があることからも、相続税の連帯納付義務は、民法の連帯保証に類するものと解するのが相当と考える（「DHCコンメンタール相

続税法」2758頁）。

　「本条の納付責任の性格について民法上の連帯債務に類似するものであるとする見解があるが、民法上の連帯債務においては一方に対する時効中断の効力は他方にその効果を及ぼさないということになる。このことは、主たる納税義務が相続税又は贈与税の延納がされている期間中であっても通則法第73条第3項の時効の中断（停止）の効果は納付責任には及ばないことを意味し、主たる納税義務が履行遅滞でない場合であっても、納付責任の時効中断のためにその徴収手続を開始しなければならないこととなる。従って、主たる債務（納税義務）についての時効中断に附従性を認め、その性格を民法上の連帯保証債務に類似するものと解するのが妥当であろう。」

　ただし、昭和25年の立案当局者は、この連帯納税義務を民法上の連帯債務に類するものと考えていたようで、この連帯納付義務の運用について次のように述べている（「相続税・富裕税の実務」185頁）。即ち「…民法においては、数人が連帯債務を負うときには、債権者はその債務者の一人に対し又は同時若しくは順次に総債権者に対し全部又は一部の履行を請求することができることになっているが（民法432）…」実務的にはまず、本来の納税義務者に納付を督促し、なお納付がない場合に限り、連帯納税義務者に通知することになっていると述べている。

2　共同相続人の連帯納付責任（相法34①）
(1)　概　　要

　同一の被相続人から相続又は遺贈により財産を取得したすべての者は、その相続又は遺贈により取得した財産に係る相続税について、その相続又は遺贈により受けた利益の価額を限度として、互いに連帯納付の責に任ずるとされている（相法34①）。

　この制度の趣旨について、昭和25年の改正当時の当局者は、次のように説明する（「相続税・富裕税の実務」186頁）。

　「…相続又は遺贈に因り財産を取得する場合には、各取得者ごとに納税義

務を負うのであるが、相続人又は受贈者が2人以上あるときは、改正前の相続税の場合と同様に連帯納付の義務を負担せしめ、これらの者が通謀し逋脱を図る余地をなくせしめ、租税債権の確保を図っているのである。たゞ相続又は遺贈に因り取得した年分の相続税について連帯納付の義務を負担せしめるとその相続又は遺贈に因り共同して取得した財産以外の財産についてまで義務を負うことになり不適当なので、それに制限を設けたわけである。」

(2) **納税義務のある者**

本項により連帯納付義務を負う者は、同一の被相続人から相続又は遺贈により財産を取得したすべての個人である。無制限納税義務者であるか制限納税義務者であるかは問う所でない。また、人格のない社団等又は持分の定めのない法人で相続税法第66条の規定により個人とみなされるものも含まれる。

相続税法第3条等の規定により、遺贈とみなされる財産を取得した者も、本項の適用があるものと解される。

なお、実際に納税義務を負っている者か否かは問う所ではないから、相続人又は受遺者で、税額控除等により、その者の相続税額が零となっている者でも、本項の連帯納付義務の対象となる。

(3) **納付責任の限度**

その相続又は遺贈により受けた利益が限度となる。したがって、相続又は遺贈により取得した財産の価額（相続税の非課税財産の価額を含む。）から債務控除の額並びに相続又は遺贈により取得した財産に係る相続税額及び登録免許税額を控除した後の金額によることに取り扱われている（相基通34-1）。

ところで、このように、相続税法第12条等の規定により、相続税の課税価格に算入されないものも、相続等により受けた利益の額に含めることについては、次のような反対意見がある（「北野コンメンタール相続税法」355〜356頁）。すなわち、この連帯納付責任といえども相続税の連帯納付責任であるから、相続税の課税価格算定の基礎となった財産に限ることは当然の前提であり（このことは、相続税法第34条第3項が「課税価格計算の基礎となった財産」の贈与等について連帯納付責任を規定していることからも肯定できる。）、こ

れらの規定による非課税財産は、本来、相続税の負担なく財産の移転を認めるべきものとして、法が認めているものである。自分自身の相続税についてさえ非課税財産とされるものを引当てとして、他人の相続税を負担しなければならないと解するのは不当というほかはないというものである。

この考え方に対しては、非課税財産といえども差押禁止財産でない限り、滞納処分の対象となり得るものであり、更に、非課税財産の贈与を受けた場合の第二次納税義務の場合を考えてみると、例えば、所得税の滞納者から非課税所得である少額預金利息の贈与を受けた者は、国税徴収法第39条の構成要件に該当する限り贈与者の所得税の滞納税額について第二次納税義務を負うことについては明白であろう。そして、相続税法第34条の規定は第二次納税義務等と同様に本来の納税義務者以外の者から租税の徴収を図るための規定であるから、本来の納税義務額を計算する場合の要因である非課税財産の価額を本条の解釈にまで持ち込むのは無理があるという反論がある（「DHCコンメンタール相続税法」2756頁）。

(4) **連帯納付義務の見直し**

相続税の連帯納付義務について、平成24年の改正で、次の相続税については連帯納付義務を負わないこととされた。

① **申告期限から5年を経過した場合**

納税義務者の納付すべき相続税額に係る相続税について、申告期限から5年を経過する日までに税務署長がその相続税に係る連帯納付義務者に対し連帯納付義務の履行を求める納付通知書を発していない場合におけるその連帯納付義務者については、その納付すべき相続税額に係る相続税の連帯納付義務を負わないこととなる（相法34①一）。

（備考）　上記の「5年」は、国税の徴収権の消滅時効（国税通則法第72条）が5年とされていることを参考にしたものである。

なお、連帯納付義務が解除されるか否かは本来の納税義務者の相続税単位で、かつ、連帯納付義務者単位で判断することから、例えば、ある納税義務者の相続税について、当初申告分の相続税額については申告期限から

5年を経過したため連帯納付義務を負わない場合であっても、修正申告分の相続税額については連帯納付義務を負うといった場合もある。

② 延納の許可を受けた場合

納税義務者が相続税法第38条第1項の規定による延納の許可（物納申請の全部又は一部の却下に係る延納の許可及び物納の撤回に係る延納の許可を含む。）を受けた場合におけるその納税義務者に係る連帯納付義務者については、その延納の許可を受けた相続税額に係る相続税の連帯納付義務を負わないこととなる（相法34①二）。

したがって、将来、本来の納税義務者が分納税額を滞納した場合であっても、その分納税額については連帯納付義務を負うことはない。

なお、延納が許可された税額とそれ以外の税額がある場合には、連帯納付義務を負わないこととされるのは延納許可額についてであり、延納が許可された相続税額以外の相続税額、例えば、申告期限までに納付することとされている相続税額や延納申請又は物納申請が却下された相続税額などは、引き続き連帯納付義務の対象となる。ただし、この場合であっても、上記①のとおり、申告期限から5年を経過する日までにその相続税について連帯納付義務の履行を求める納付通知書が送付されなかった場合には、連帯納付義務を負うことはない。

③ 納税猶予の適用を受けた場合

納税義務者が相続税について、次の納税猶予の適用を受けた場合におけるその納税義務者に係る連帯納付義務者については、その納税が猶予された相続税額に係る相続税の連帯納付義務を負わないこととなる（相法34①三、相令10の2）。

イ　農地等についての相続税の納税猶予等（措法70の6）

ロ　山林についての相続税の納税猶予（措法70の6の4）

ハ　非上場株式等についての相続税の納税猶予（措法70の7の2）

ニ　非上場株式等の贈与者が死亡した場合の相続税の納税猶予（措法70の7の4）

したがって、納税猶予の期限の確定事由や繰上げ事由に該当したことにより納税猶予の期限が確定した場合、猶予税額及び利子税を納付することになるが、納税猶予を適用していた納税義務者がこれらの税を滞納しても、その猶予税額及び利子税については、上記②の場合と同様、連帯納付義務の対象とならない。

3 被相続人に係る相続税等の連帯納付責任（相法34②）
(1) 概　要

被相続人がその納付すべき国税を納付しないで死亡した場合には、相続人又は包括受遺者は、その法定相続分、代襲相続分又は指定相続分に従って被相続人の納税義務を承継する（通則法5①②）。そして、相続によって取得した財産の価額がその承継した税額を超えるときは、その相続人は、その超える価額を限度として、他の相続人が継承した税額を納付する責めに任ずるものとされている（通則法5③）。

そして、相続税法第34条第2項は、相続税又は贈与税について、これと同様の規定を設けている。すなわち、同一の被相続人から相続又は遺贈により財産を取得したすべての者は、当該被相続人に係る相続税又は贈与税について、その相続又は遺贈により受けた利益の価額に相当する金額を限度として、互いに連帯納付の責に任ずるものとされている。

この制度の趣旨については、国税通則法第5条第3項については、「もともと被相続人の全財産を引当てとし、そのいずれに対しても滞納処分をすることができたのに、相続の開始によってこの引当財産が切り離され、資力のない相続人に相続されたために被相続人の国税の徴収が困難となることを防止しようとするものである。すなわち、これについて規定を設けた第3項は、相続によって承継される国税債務が不可分債務とならずに相続分によって分割されるものとした第2項の規定をカバーするものである」（「国税通則法精解」172頁）と説かれており、また、相続税法第34条第2項については、「本項は、相続税及び贈与税は相続財産又は贈与財産がこれらの租税についての

引当てとされていることから、本来の納税義務者の死亡によってこれらの租税及び相続財産が分割され、租税の承継人と相続財産の取得者とが一致しない場合には、共同相続人間において負担の公平が図られない。このようなことから、本来の納税義務者から相続又は遺贈により財産を取得した者に対して納付責任を負わせることとしたものである」(「DHCコンメンタール相続税法」2756頁)とする考え方がある。

(2) **国税通則法第5条第3項と本項の関係**

　この国税通則法の規定による納付責任の限度額は相続税法の規定によるそれとは、若干の違いがみられる。すなわち、通則法の納付責任は「相続によって得た財産の価額」であり、これは、相続があった時におけるその相続により承継した積極財産の価額とされているのに対し(国税通則法基本通達第5条関係-14、「国税通則法精解」181頁)、相続税法の納付責任は、「相続又は遺贈により受けた利益の価額」とされており、この意義は前述のとおり、被相続人から相続によって取得した積極財産から消極財産及び相続に伴う相続税、登録免許税等を差し引いたものの金額によることに取り扱われている(相基通34-1)。したがって、両者の適用をどう考えるかが問題となる。この点を指摘した「北野コンメンタール相続税法」356〜357頁(執筆者水野武夫氏)は、次のように述べる。

　「この点については、若干の疑問は残るが本項(筆者注…相続税法第34条第2項)は国税通則法第5条第3項の特別規定と解し、相続税および贈与税が相続または遺贈により相続人に承継された場合には、本項のみが適用され、国税通則法第5条第3項の規定は適用されないものと解する(国税通則法基本通達5条関係18前段)。したがって、承継国税が相続税または贈与税と、その他の国税の両方を含む場合には、前者には本項が適用され、後者には国税通則法第5条第3項が適用される。もちろん、この場合には、両者の限度額は重なるものであり、その合計額が承継国税総額の限度額となるものではない。」(注)

(注)　国税通則法基本通達第5条関係18は、次のように定められている。

「この条第3項の規定は、相続税法第34条第2項（相続人の連帯納付義務）の規定の適用を受ける相続税または贈与税については適用されない。

なお、この条第3項の規定の適用を受ける国税と上記の相続税または贈与税とがある場合には、この条第3項および相続税法第34条第2項の規定により当該相続人が納付の責めに任ずる国税の総額は、その相続人が相続により得た財産の価額からその者がこの条第2項により承継した国税の額を控除した額を限度とする」

この通達の後段について、「北野コンメンタール相続税法」357頁では、「…この場合に納付の責任を負う国税の総額は、国税通則法5条3項の規定による額を限度とするものとしているが、これでは、同前段と同後段とで、首尾一貫しないと思う」と批判する。

(3) 納付義務のある者

2の(2)に述べているところと同じである。

なお、責任を負うべき租税債務は、被相続人が納付すべき相続税及び贈与税で、他の相続人又は包括遺贈者が国税通則法第5条第1項又は第2項の規定により納付義務を承継した国税である。被相続人が既に申告し、確定した税額のほか、申告をしないで死亡したため相続人が代わって申告したものも含まれるものとされる（相法27②、28②）。

(4) 納付責任の限度

2の(3)で述べたところと同じで、相続又は遺贈により受けた利益の額に相当する金額が限度とされる。

4 相続財産等の贈与等があった場合の相続税等の納付責任（相法34③）

(1) 概　要

相続税及び贈与税は、相続若しくは遺贈又は贈与による財産の取得に担税力を認めて課税するものである。したがって、課税対象財産の相続人、受遺者又は受贈者がこれらの財産を他に贈与等により移転した場合には、そのことにより、租税債権の徴収に困難を来すこともあり得る。そこで、このように相続税又は贈与税の課税対象財産を贈与等によって取得した者に対し、そ

の相続税又は贈与税の連帯納付責任を負わせるものとされている（相法34③）。この制度について、無償又は著しく低い価額による財産の譲受人等の第2次納税義務（国税徴収法39）と同じく、国税に関する詐害行為取消権（通則法42、民法424）を補完するものであるという考え方がある（「北野コンメンタール相続税法」358頁）。

(2) **納付義務のある者**

相続税又は贈与税の課税価格計算の基礎となった財産を、贈与又は遺贈により取得した者又は寄付行為により設立された法人である。この「相続税又は贈与税の課税価格計算の基礎となった財産」には、その相続税又は贈与税の課税価格計算の基礎となった財産により取得した財産を含むものとして取り扱われている（相基通34-2）。

なお、この「納付義務のある者」について、相続税法第34条第3項の『「贈与又は遺贈に因り財産を取得した者」には、第2項の場合と異なり、個人はもちろんすべての法人も含まれる。なぜなら、前2項の場合には、「互に連帯納付の責に任ずる」と規定して、相続税の課税の対象とされる個人等に限定しているが、本項の場合にはそのような限定はなく、また、本項の趣旨から考えて、そのように限定して解するべき理由もないからである』とする見解がある（「北野コンメンタール相続税法」358頁）。

しかし、このように、「互に連帯納付の責に任ずる」という規定の有無で、納付義務のある者の範囲が異なるという見解が生ずる理由の説明はなく、そのように解すべき理由は筆者には理解し難いし、他の文献でこの点について触れたものもないので、筆者としてはコメントし難い。現在のところは、このような考え方があるという紹介だけに止めておきたい。

(3) **納付責任の限度**

連帯納付責任を負う税額は、次のようになっている。

① 相続税については、贈与、遺贈又は寄付行為をした者が納付すべき相続税額のうちその贈与等による財産の価額が、相続税の課税価格に算入された財産の価額のうちに占める割合を乗じた金額に相当する部分の税額

② 贈与税については、贈与、遺贈又は寄付行為をした者が納付すべきその年分の贈与税額のうちその贈与等による財産の価額がその年分の贈与税の課税価格に算入された財産の価額のうちに占める割合を乗じた金額に相当する部分の税額

　すなわち、贈与、遺贈又は寄付行為をした者の相続税又は贈与税のうち、贈与等により取得した財産の価額に対応する税額を、その贈与等を受けた者に連帯納付責任を負わせるということである。

　納付責任の限度は、贈与等により受けた利益の価額を限度とする。なお、この納付責任は「相続税等の課税価格計算の基礎となった財産につき贈与等による移転があった場合」をもって成立要件としていることから、納付責任の限度額を計算するための財産の価額には相続税等の非課税財産の価額は含まれないとする見解（注）があり、筆者も賛成である。

(注)　「北野コンメンタール相続税法」359頁、「DHC コンメンタール相続税法」2757頁

5　財産を贈与した者の贈与税の連帯納付責任（相法34④）

(1)　概　　要

　この納付責任は、贈与税の課税対象となる財産を贈与した者で、納付責任を負う租税債務は、受贈者の贈与税の額にその贈与財産の価額が贈与税の課税価格のうちに占める割合を乗じて計算した金額で、贈与財産の価額に相当する金額を限度として納付責任を負うものとされている（相法34④）。

　この趣旨については、次のような説明がされている（「DHC コンメンタール相続税法」2757頁）。

　「本項は、贈与税が相続税の補完税として機能するものであり、贈与税の満足が得られないということは贈与形式による相続税の回避を防止しようとする補完税の目的が達せられず、租税負担の公平が図れない。また、受贈者だけを相続税の納付をする者に限定してしまうことは、贈与税の満足が得られないことが予想される。このため、この規定が設けられたものである」

この規定は、昭和24年のシャウプ勧告で設けられたもので、同勧告第八章・G11‐155頁では「受領者（贈与の）が税を支払わない場合、その税金額に対して責任を負うという罰則が附せられるべきである」と述べている。また、「従来（昭和24年以前）贈与者が納税者であって、もともと担税力があると考えられることから、贈与者に義務を負わせたものである」ともいわれている（注1、2）。

(注1) 前掲「相続税の連帯納税義務に関する一考察」261頁
(注2) 昭和22年に全文改正された相続税法では贈与税が新設されたが、納税義務者は贈与者であり、受贈者に連帯納付責任が負わされていた。

この贈与者の納付責任については、立法論として疑問があるとする次のような意見がある（「北野コンメンタール相続税法」359～360頁）。

「…およそ納税義務を課す場合には、その者に担税力が認められる場合でなければならない。連帯納付責任を課す場合も同様である。ところで、相続税につき遺産取得税体系をとる現行法のもとでは、相続税の補完税である贈与税は、無償で財産を取得したことに担税力を認め、受贈者に対して課税されるものである。しかし、贈与者には、担税力を認めることはできない。したがって、贈与者に連帯納付責任を課す本項の規定は、立法論としては大いに疑問があり、もっぱら徴税確保のための極めて便宜的な規定であるというほかない」

筆者は、この規定を新設したときの考え方は、受贈者が不動産の贈与を受けたが、納付資金の持合せがないことが少なくなく、そのような場合は、贈与者がその資金を提供するか、受贈者に代わって贈与税を納付するのは当然であるというものであったという立案の関与者の個人的意見を聞いたことがある。しかし、それは、別に規定がなくとも、情誼的にはそのようにすればよいことであり、連帯納付責任を負わせる必然性については疑問に思う。第一、納税者に説明しても納得が得られそうもない。将来の改正の際には考慮すべき問題ではなかろうかと筆者は考える。

(2) 納付義務のある者

この贈与税の連帯納付責任を負う者は、贈与税の納税義務者に贈与をした者であり、贈与の価額は問うところではない。

(3) **納付責任の限度**

　納付責任を負う租税債務は、受贈者の贈与税にその贈与財産の価額が贈与税の課税価格のうちに占める割合を乗じて計算した金額に相当する贈与税額である。これは、受贈者のその年分の贈与税のうち、その贈与者が贈与した財産の価額に対応する部分についてのみ、その贈与者に連帯納付責任を負わせる趣旨である。

　これについては、立法論として「その贈与者がその年分に贈与した財産の価額のみで計算した贈与税額に限るものとすべきではなかろうか。けだし、贈与者には、贈与者があらかじめ予見しうる額以上に連帯納付責任を負わせるのは妥当ではないからである」という意見がある（「北野コンメンタール相続税法」360頁）。しかし、筆者はこの考えには賛成できない。何となれば、この考え方によると、連帯納付責任を負うべき贈与税額はすべて下積計算となって、贈与税全体の額と一致しないことになるからである。

　なお、納付責任の限度は、その者がその年分において贈与した財産の価額となる。

(4) **連帯納付義務に基づき納付した税額と求償権**

　相続税又は贈与税の連帯納付義務は、本来の納付義務者に資力がないこと等の理由により租税債権の徴収に支障を来す場合を考えて、他の共同相続人又は贈与者等に課した特別の履行責任と考えられ、したがって本来の納税義務との関係は主たる債務と従たる債務との関係とみられるから、連帯納付義務者が税額を納付した場合には、本来の納税義務者に対する求償権が発生するものと解される。

　そこで、このように連帯納付義務者が本来の納税義務者の納付すべき税額を納付した場合の取扱いであるが、本来の納税義務者が資力を喪失して相続税等を納付することが困難な場合において、他の者が相続税法第34条第1項又は第4項の規定による連帯納付の責めに基づいて相続税等の納付をしたと

きは、求償権の放棄の有無にかかわらず、相基通8－3《連帯債務者及び保証人の求償権の放棄》の取扱いの適用はないこととされている（相基通34－3）。すなわち、連帯納付の義務による納付は、他の相続人、受遺者又は贈与者から本来の納税義務者に対する贈与として取り扱われないということである。

なお、本来の納税義務者が資力喪失の状態にない場合において、相続税法第34条第1項又は第4項の規定による連帯納付責任に基づいて相続税等の納付があったときにおいても、その納付が直ちに本来の納税義務者に対する贈与となるのではなく、連帯納付責任によって生じた求償権を放棄したとき（積極的な放棄がない場合であっても明らかに行使しないと認められるときを含む。）に贈与があったものとして取り扱われる（相基通34－3（注）、「相基通解説」555頁）。

6 連帯納付義務に係る確定手続

(1) 手続の決定

相続税法第34条の連帯納付義務については、同条所定の要件を満足したときにその納付義務が発生するものと解される。しかし、その確定手続は、同条には特に規定がないため、どのような手続で確定するのかが問題となっていたが、平成23年及び平成24年の改正で次のとおり通知を行うこととされた（注1、2）。

（注1） この改正の理由について、立案当局者は、次のように述べている（財務省ホームページより）。

「連帯納付義務については、相続人等が連帯納付義務を十分に認識しておらず、また、他の相続人等の納税義務の履行状況が分からないため、連帯納付義務者にとっては、突然に納付を求められる場合があるという問題点も指摘されることがありました。このような指摘に対し、国税当局では、実務上の対応として、連帯納付義務制度の案内や通知などを行ってきたところですが、平成23年度税制改正では、上記Ⅰの見直しにあわせ、税務署長が連帯納付義務者に対して連帯納付義務の履行を求め

る際の諸手続きについて決定化することとされました。」
(注2) 今般、上記の改正に伴い延納が許可された場合にはその許可された延納税額については連帯納付義務を負わなくなること、また、仮に申請が却下された場合であっても延納又は物納の手続に係る税務署長の審査期間（延納の場合：最長6ヶ月、物納の場合：最長9ヶ月）を考慮すると、相続後長期間経過してから連帯納付義務を追及されるといった"不意討ち"となる懸念が低下したことから、延納又は物納の許可の申請があった場合に送付することとされていた連帯納付義務がある旨の通知は、平成24年の改正で廃止された（旧相法34⑤）。

① 税務署長（国税通則法第43条第3項（国税の徴収の所轄庁）の規定により国税局長が徴収の引継ぎを受けた場合には、当該国税局長。以下この②～④において同じ。）は、納税義務者の相続税につき当該納税義務者に対し同法第37条（督促）の規定による督促をした場合において当該相続税額が当該督促に係る督促状を発した日から1月を経過する日までに完納されないときは、同条の規定にかかわらず、第1項の規定により当該相続税について連帯納付の責めに任ずる者（当該納税義務者を除く。以下この条及び第51条の2において「連帯納付義務者」という。）に対し、当該相続税が完納されていない旨その他の財務省令で定める事項を通知するものとされた（相法34⑤）。

② 税務署長は、前項の規定による通知をした場合において第1項の規定により相続税を連帯納付義務者から徴収しようとするときは、当該連帯納付義務者に対し、納付すべき金額、納付場所その他必要な事項を記載した納付通知書による通知をしなければならないこととされた（相法34⑥）。

③ 税務署長は、②による通知を発した日の翌日から2月を経過する日までに当該通知に係る相続税が完納されない場合には、当該通知を受けた連帯納付義務者に対し、国税通則法第37条の規定による督促をしなければならないこととされた（相法34⑦）。

④ 税務署長は、前3項の規定にかかわらず、連帯納付義務者に国税通則法第38条第1項各号（繰上請求）のいずれかに該当する事実があり、かつ、

相続税の徴収に支障があると認められる場合には、当該連帯納付義務者に対し、同法第37条の規定による督促をしなければならないこととされた（相法34⑧）。

(2) 従来の経緯

(1)の改正が行われる前は、本来の規定によって、税務当局が納付義務者に納付を求めた場合に、その事前に納税告知なり督促なりが行われていなければ、いわゆる不意打ちの状態で納付を求めることになり、トラブルの原因となるのではないかとされていたので、これを避けるためにも、連帯納付義務について何らの確定手続をとることが必要ではないかという指摘があった。この点をめぐっては、判例においても、学説においても、種々の見解が明らかにされてきたところであり、今後の参考のため、それらを簡単に紹介することとしよう。

(3) 判 例

① 大阪地裁昭和50年10月27日判決

(イ) 相続税法第34条第1項の連帯納付義務は国税通則法第15条第1項に規定する国税を納付する義務に該当する（注）。

　（注）　通則法第15条第1項に規定する国税を納付する義務は、その成立と同時に特別の手続を要しないで納付すべき税額が確定する国税を除き、確定させる手続が必要である。

(ロ) 相続税法第34条第1項による連帯納付義務は、「納税義務の成立と同時に特別の手続を要しないで納付すべき税額が確定する国税」には含まれていないし（通則法15③）、また、その確定方式について「納付すべき税額を申告すべきもの」すなわち申告納税方式によるものとされていないから（通則法16②一）、結局その確定は、税務署長の処分による確定方式すなわち賦課課税方式（通則法16②二）によるものと解するほかはない。

(ハ) 賦課課税方式による確定手続は、税務署長が賦課決定通知書又は納税告知書を送達して行うべきものであるが、本件は、このような決定通知書の送達がされていないから、連帯納付税額の確定はされていないことになる。

② 大阪高裁昭和53年4月12日判決（上記①の控訴審）
(イ) 相続税法第34条第1項は連帯納付義務を規定するが、同法の法文の構成・配列からみると、この規定は相続税債務が確定した後における納付についての規定、すなわち徴収に関する定めであると解することができ、したがって法は連帯納付義務について本来の租税債務と別個に確定手続をとることを予想しているようにはみえない。

(ロ) 連帯納付義務者とされている者は、本来の納税義務者と同じ原因に基づき納税義務者となる共同相続人という身分関係者に限られ、その者の責任は相続により受けた利益の価額に相当する金額を限度とするばかりでなく、そもそも相続税は、相続財産の無償移転による相続人の担税力の増加を課税根拠とするとはいえ、一面被相続人の蓄積した財産に着目して課される租税で、いわば被相続人の一生の税負担の清算という面も持っているのであるから、相続税法の規定による連帯納付義務者の民法上の連帯保証類似の責任を負わせ、相続税債権の満足を図っても、必ずしも不合理、不公平とはいえない。

(ハ) 連帯納付義務は、法が相続税徴収の確保を図るため、共同相続人中に無資力の者があることに備え、他の共同相続人に課した特別の履行責任であって、その義務履行の前提要件をなす租税債権債務関係の確定は、各相続人の本来の納税義務の確定という事実に照応して、そのつど法律上当然に生ずるものであり、本来の納税義務につき申告納税の方式により租税債務が確定するときは、その他になんらの確定手続を要するものではないと解するのが相当である。それゆえ、税務行政庁では、本来の納税義務者との間で確定した租税債権に基づいて、直ちに連帯納付義務者に対し徴収手続を執ることができるといわなければならない。

③ 最高裁（第3小法廷）昭和55年7月1日判決（上記②の上告審）
(イ) 相続税法第34条第1項は、相続人又は受遺者が2人以上ある場合に、各相続人等に対し、自らが負担すべき固有の相続税の納税義務のほかに、他の相続人等の固有の相続税の納税義務について、当該相続又は遺贈により

受けた利益の価額に相当する金額を限度として、連帯納付義務を負担させている。この連帯納付義務は、同法が相続税徴収の確保を図るため、相互に各相続人等に課した特別の責任であって、その義務の履行の前提要件をなす連帯納付義務の確定は、各相続人等の固有の相続税の納税義務の確定という事実に照応して、法律上当然に生ずるものであるから、連帯納付義務につき各別の確定手続を要するものではない。したがって、相続人等の固有の相続税の納税義務が確定すれば、国税の徴収に当たる所轄庁は連帯納付義務者に対して徴収手続を行うことができる。

(ロ) 伊藤正己裁判官の補足意見

連帯納付義務について、納税の告知を要しないとする立法態度は賢明なものとはいえないが、連帯納付義務者は自己の納付すべき金額等を知り得ないわけではないから、納税の告知がないからといってその徴収手続が違法となるものではないと考えられる。

(4) 学　　説

① 確定手続が必要であるとする説

(イ) A説（「北野コンメンタール相続税法」361～365頁・水野武夫氏担当）

相続税法第34条の連帯納付責任に係る国税は、「納税義務の成立と同時に特別の手続を要しないで納付すべき税額が確定する国税」（通則法15③）でもなく、また「納付すべき税額を申告すべきものとされている国税」（同法16②一）でもない。結局、本来の納税義務は、賦課課税方式により確定されるものと解するほかはない（同法16②二）。したがって、税務署長は、納付すべき税額等を記載した賦課決定通知書（通則法32③。ただし、同法第36条の納税告知書を兼ねるものであっても差し支えないと解する。）により、本来の連帯納付責任を負う者の具体的納税義務が確定されなければならない。

(ロ) B説（北野弘久ほか編「争点相続税法」（勁草書房）369～370頁・白坂博行氏担当）

相続税法第34条の連帯納付義務の規定に国税通則法第15条及び第16条の適用があるか否かについては、判例等は、租税の賦課権と徴収権を別途のもの

としていること等により、否定的見解を採用している。しかしながら、連帯納付義務による「納付する責」も、具体的に課税庁から当該「責」の履行を求められれば、それは憲法第30条が規定する納税義務の履行である。よって、適正なる手続によらない課税権の行使は、憲法第29条が保障する財産権の侵害であるし、同法第31条が定める法定手続の保証を軽視するものである。連帯納付義務は本来の相続税の納税義務ではないが、連帯納付義務であっても納税義務の確定がなければならないことは当然である。このことから、課税庁が国民に連帯納付義務の履行を求めるに際して、税法に手続が不要であるとの明文の規定のない限り、適正な手続が必要なことは、近代の法治国家では当然の前提である。

(ハ) C説（碓井光明「租税判例研究」税務事例（財経詳報社）Vol.11 No.2 －26頁）

　国税通則法が賦課権と徴収権を明確に区別し、前者を租税確定行為として位置付けていること、法第34条第1項が、直接には徴収権に関する規定であることは承認してよいと思われる。しかしながら、そのことが、連帯納付義務について、確定行為を要しないことの決定的な論拠となるのであろうか。（法34条1項は本来の納税義務者に対する徴収権処分の延長ないし一段階として把えるべきで、通則法第2章の規定の適用の余地はないとする当局者の見解について）確定手続に自ら加わっている者又は税務行政庁の確定行為の相手方となっている者については、この議論がそのまま妥当とすると思われるが、そのような機会を与えられていない者について、本来の納税義務者に対する徴収処分の一段階と一律に割り切ることはできない。通則法第5条の相続による納付義務の承継、同法第6条の法人の合併による納付義務の承継については、私法上も権利義務を承継することとされているのであるから（民法869、899、商法103、416等）、独立の確定行為を要しないと解すべきであるが、相続税法第34条第1項による連帯納付義務については、税法上の基礎を欠くものであるから、確定行為を要するものと解すべきである。

(ニ) D説（前掲「相続税の連帯納税義務に関する一考察」（税務大学校論叢1）・
　　302頁）

この論者（飛岡邦夫氏）は、相続税法第34条の連帯納税義務は、確定手続を要するが、同条第1項及び第2項のものは申告（本来の申告を指すようである）、同条第3項及び第4項のものは賦課決定により確定するという見解をとる。

② 確定手続を要しないとする説

(イ)　E説（金子宏「租税法（第23版）」677頁）

　連帯納付義務は、受益を限度とする特殊な人的責任であって（法34条4項は贈与を理由とする特殊な人的責任である。）、その範囲は、各相続人、受遺者又は受贈者の相続税ないし贈与税の納税義務の確定によって自動的に確定するから、それを確定するための特別な行為は必要でないと解されてきたとする（注）。

（注）　ただし、金子氏は、他の相続人・受遺者又は受贈者がその納税義務を履行しないため、連帯納付を要求されるかどうかは、必ずしも事前に予測できる事柄ではないから、この規定に基づいて連帯納付義務者から租税を徴収する場合には、不意打ちを避けるために、その者に対し、納付すべき金額等を記載した納付通知書による告知をしなければならないと解すべきであろう（規定はないが、適正手続の保障の観点からそのように解すべきであると考える）と説いている（前掲書678～679頁）。

(ロ)　F説（新井隆一「共同相続人の連帯納付義務」（別冊ジュリスト「租税判例100選・第3版」（有斐閣）100～101頁））

　連帯納付義務（の内容）は、すでに固有の納税義務の確定によって確定されているので、連帯納付義務についてあらためて確定手続をとる必要はなく、したがって、当然に、その確定手続は法定されていない。

(ハ)　G説（牧野正満「租税判例研究第81回」（税理（ぎょうせい）1977年8月号Vol. 20 - No. 9）182頁）

　現行民法との関連その他から、遺産取得税体系をとる我が国では、相続税法上、相続人のうちの一部に無資力者がある場合など、相続税債権の満足が得られなくなる場合に、他に相続財産を取得した者から徴収できるように同法第34条第1項の規定を設けて、遺産税の長所といわれる相続財産からの清

算を実質的に行わしめようというものである。

　このように、遺産税的要素の一面を有する相続税法第34条第１項の連帯納付の義務は、相続による財産の取得に伴って各相続人が当然に負担する義務であって、一般の国税の納税義務とは異なり、何らの確定手続を要せず、各相続人が固有の納税義務が申告、更正又は決定という事実により確定するもので、民法上の連帯債務ないし連帯保証債務と同様の義務と解するべきである（注）。

(注)　同じく牧野正満氏の「租税判例紹介・解説」（税経通信（税務経理協会）1978年９月号（Vol.33 – No.10）181〜186頁）も参照されたい。

㈡　H説（林貞夫「相続税法第34条第１項の連帯納付義務に係る確定手続の要否について(上・下)」（税務事例1977年８月号・Vol.9　No.8、1977年11月号・Vol.9　No.11））

　国税通則法においては、既に成立している租税債権の額を確定させる権限としてのいわゆる賦課権と、確定している租税債権を実現する権限たるいわゆる徴収権とが截然として区分して規定されている。……したがって、国税通則法上、徴収権の行使に当たって賦課権に関する規定が適用されることはないというべきである。

　一方、相続税法第４章においても、国税通則法と同様に、賦課権に関する規定、徴収権に関する規定と順序を追って規定されており、同法第４章のうち、第33条《納付》及び第34条《連帯納付義務》は徴収権に関する規定として把握されているところである。そうすると相続税法第34条第１項におけるがごとき徴収権については国税通則法第２章《国税の納付義務の確定》の規定は、適用される余地はないといえよう。……このように連帯納付義務についてその確定手続を必要とする規定がないこと及び相続税ないしは連帯納付義務の性格及び存在理由に即して考按すると、相続税法第34条第１項の連帯納付義務は、相続による財産の取得に伴って各相続人が当然に負担する義務であって、申告・更正または決定による各相続人の固有納税義務の確定という事実に即応して、相続税法第34条に基づいて、そのつど法律上当然に確定

する義務であるということができる。

㈭　Ⅰ説（高野幸夫「租税判例研究」（税務事例2000年4月号Vol.32 No.4・20～21頁））

相続により財産を取得した者がした申告が単独申告であろうと共同申告であろうと現行の相続税について、その総額の認識を前提として有していなければならず、相続税の申告において固有の納税義務も連帯納付義務もその内容が確認されていることになる。それゆえ、相続税について申告が行われた場合、当該相続人の固有の納税義務だけでなく、連帯納付義務も確定すると解される（注）。

（注）　この判例評釈は、東京地裁平成10年5月28日判決に関するものである。

③　その他

その他、この問題に関する論稿としては、次のようなものがある。

㈤　水野忠恒「判例評釈」判例評論248号（判例時報935に掲載）14頁

㈹　山田二郎「判例評釈」税理 Vol.23 No.6・133頁

㈺　藤井康夫「判例紹介」（税務事例1978年8月号・Vol.10 No.8）27頁

㈻　石島弘・民商法雑誌84巻3号357頁

㈭　時岡泰・ジュリスト729号61頁

㈻　白井皓喜・自治研究57巻4号109頁

㈻　「DHCコンメンタール相続税法」2771頁

(5)　まとめ

以上、連帯納付義務に係る確定手続についての判決及び学説について簡単に紹介してきたところである。そこで、これらの判決及び学説の問題点について、碓井光明教授が本件の最高裁判決に関する評釈（判例評論286号16～17頁。判例時報1001号154～155頁）で詳細な検討をされ、判旨に反対されて、相続税法第34条第1項の連帯納付責任について、確定手続を要し、その手続は賦課課税方式によるべきであると述べられている。以下、この要点を紹介し、それについての反論をつけ加えることで総括に代えたい。

まず、第一に、典型的な遺産税の場合は、相続税は遺産に対して課税され、

その確定行為は共同相続人等の全員に対してされるので、連帯納付義務の確定行為なるものは存続しなくてもよいが、取得者課税の場合は、各人ごとの租税であるから基本相続税債務と連帯納付義務の分離が生じ、したがって基本相続税債務の確定が当然に連帯納付義務をも確定するとはいえないと説かれる。

しかし、この見解は、現行相続税が取得者課税方式とはいいながら、遺産税的特徴をも有していること、すなわち、遺産全体と相続人の構成により、相続人全体としての課税額である相続税の総額が導かれ、これを基として各相続人等の租税債務が確定することから、当然に各相続人が自己以外の者の相続税負担を知り得ることになるという点をどう考えるのか。連帯納付義務の範囲も自ら定まると解しても差し支えないのではないか。

第二に、碓井教授は、「納税者」の定義に当たり国税徴収法に定める第二次納税義務者及び保証人が除かれている（通則法２五）こと以外に相続税法第34条第１項の連帯納付義務が「国税を納付する義務」から除外される旨の規定は存在しない（同法15、16）。すなわち、第二次納税義務又は保証人の義務に該当しない限り、国税通則法第15条及び第16条の規定が相続税法第34条の連帯納付義務についても適用されるものといわざるを得ないと説かれる。

しかし、これについて、大堅検事は、次のような見解（大阪地裁昭和51年10月27日判決の評釈）を示している（「法律のひろば」（ぎょうせい刊）第31巻第７号87頁）。

すなわち、連帯納付義務は、「国税を納付する義務」に含まれると解し得ることはそのとおりであるが、国税通則法の中で一様に「国税を納付する義務」という語句を用いても、その内容は、法律の構成、条文の位置及び当該規定の趣旨に関して解釈されるべきで、連帯納付義務は徴収手続に関する制度である以上、確定手続に関する規定である国税通則法第15条を含め、同法第２章の各規定は連帯納付義務に関しては適用される余地はないと解すべきであるというものである。

(追記)
　なお、既に述べたように、この問題については、平成23年及び平成24年の改正で立法上の手当がされたところである。

Ⅲ 延納及び物納

第1節 総　　説

1　制度の概要
(1)　延　　納
①　相続税の延納

　相続税については、納付すべき相続税額が10万円を超え、かつ、納税義務者につき、納期限までに、又は給付すべき日に、金銭で一時に納付することを困難とする事由がある場合には、納税義務者が、申告期限までに延納の許可を申請し、かつ、原則として必要な担保を提供することにより、所轄税務署長は、原則として5年以内の均等年賦による延納を許可することができる。この延納については、原則として6.0％の利子税を納付することを要する（相法38①、52）。

　ただし、次のような特例がある（相法38①、52）。

(イ)　相続等により取得した課税対象財産の価額の合計額（以下「課税相続財産の価額」という。）のうちに占める、不動産、立木、同族会社の株式その他の一定の財産の価額の合計額（以下「不動産等の価額」という。）の割合が50％以上である場合には、不動産の価額に対応する部分の税額については15年以内、その他の部分に対応する税額については10年以内の年賦延納が認められる。

(ロ)　相続等により取得した課税相続財産の価額のうちに占める不動産等の価額の割合が75％以上である場合には、不動産等の価額に対応する部分の税額については20年以内、その他の部分に対応する税額については10年以内

の年賦延納が認められる（措法70の10①）。

なお、課税相続財産の価額のうちに森林法の規定による森林施業計画が定められている区域内に存する立木の価額の占める割合が20％以上であり、かつ、課税相続財産の価額のうちに不動産等の価額の占める割合が50％以上であるときは、その立木の価額に対応する部分の税額については20年以内（特定森林施業計画が定められている区域内に有する立木に係る森林施業計画立木部分の税額にあっては40年以内）とすることが認められる（措法70の8）。

② 贈与税の延納

贈与税については、納付すべき贈与税額が10万円を超え、かつ、納税義務者につき、納期限までに、又は納付すべき日に、金銭で一時に納付することを困難とする事由がある場合には、納税義務者が、申告期限までに延納の許可を申請し、かつ、原則として必要な担保を提供することにより、所轄税務署長は、5年以内の延納を許可することができる。この延納については、年6.6％の利子税を納付することを要する（相法38③、52①）。

(2) **物　　納**

相続税については、その物納を求めようとする相続税の納期限までに、又は納付すべき日に、延納によっても金銭で納付することを困難とする事由がある場合には、納税義務者が、申告期限までに物納の許可を申請することにより、所轄税務署長は、その申請に係る税額の全部又は一部について物納を許可することができる。

2　沿　革

(1) **総　説**

相続税及び贈与税は、相続、遺贈又は贈与によって取得した財産の価額を課税標準として課税する実質的な財産税である。したがって税負担が相当に高いものとなるので相続財産のうち金銭など納付に直ちに充て得るものが少ない場合には、一時に即納することが困難となるときもあり得る。そこで、相続税や贈与税については、他の税と異なり、長期の延納及び相続税の物納

制度が設けられている。これらのうち、延納は相続税の創設当初から、また、物納は昭和16年から認められている。

(2) 延　　納

　上述のとおり、相続税の延納制度は、明治38年の相続税制度の創設当初から設けられており、税額が100円以上の場合には担保を提供させて、3年以内の年賦延納を認めるというものだった（旧相法17）。

　この延納制度の創設理由について、当時の当局者は、次のように述べている（前掲「相続税法義解」232・233頁）。

　「本條ハ税金納付ノ方法ニ関ス凡ソ一般ノ租税ハ多クハ納期ヲ區分シ数回ニ分納スルヲ例トシ只夕其税額ノ大ナラサルモノニアリテノミ一時ニ全額ヲ納付セシムルモノトス然ルニ相續税ハ一時ニ全部ノ税金ヲ納付セシムルヲ以テ原則トシ税金額百圓以上ナルトキニ限リ其税金ニ相當スル擔保ヲ提供セシメテ三年以内ニ年賦延納ヲ許スコトゝ爲セリ是稍々他ノ租税ニ比シ苛酷ナルカ如キモ元來相續税ヲ納付スヘキ義務者ハ他ノ納税者ト撰ヲ異ニシ一時ニ財産ノ取得者ト爲ルモノナレハ其財産額ノ中ヨリ幾分ヲ納税セシムルモ大ナル苦痛ニアラサルヘク加之税金額百圓以上トナルトキハ三年間ハ年賦延納ヲ許サルゝニ依リ一時ニ完納スルヲ不便ナリトセハ随意ニ其ノ許可ヲ求ムルヲ得ルニ依リ決シテ苛酷ナラサルナリ而シテ本條カ年賦延納ヲ認メタルハ資産ノ減少ヲ防クト同時ニ納税者ノ苦痛ヲ少カラシムルノ趣旨ニ出テタルモノナリ即チ税金納付ノ爲メ相續財産ヲ賣却スルノ止ムヲ得サルニ至ラシムルカ如キハ啻ニ納税者ノ不利益タルノミナラス延テ國家ノ財源ヲ枯渇セシムルニ至ルヘキヲ以テ此ノ制ヲ設ケタルモノナリ然レトモ無條件ニ延納ヲ許スニ於テハ或ハ相續財産ハ全ク形ヲ失フテ徴税ノ目的ヲ達スルヲ得サル處ナキヲ保シ難シ又永年間ノ延納ヲ許ストキハ國家カ依テ以テ収入ヲ得ントスル目的ニ適ハサルニ依リ本條第一項ハ相續税金ニ相當スル擔保ヲ提供セシメ且ツ三年以内ニ納付スベキモノト爲セリ」

　また、相続税法の公布直後、同法の施行に関して各税務監督局長になされた大蔵大臣の訓示のうち延納に関する部分は、次のとおりである。

「相續税ノ年賦延納ハ租税ノ爲ニ財産ノ元本ヲ侵蝕スルノ弊ナカラシムルト同時ニ納税者ノ苦痛ヲ少カラシメムトスルノ趣旨ニ出テタルモノナルヲ以テ擔保ノ確實ナル限リハ年賦延納ノ出願ニ對シテハ之ヲ許可スルコトヲ得」

このように延納制度は、相続税の創設に伴って、最初から設けられていたもので、その後の改正は、主として延納可能額の拡大と延納期間の延長であり、基本的骨格は、創設当時のままといえるであろう。

(3) 物　　納

相続税の物納制度は、昭和16年の税制改正で設けられたものであるが、その創設の事情について、当時の当局者は、次のように説明している（前掲「相續税法講議案（昭和18年）」217・218頁）。

「相續税ハ昭和12年ノ臨時租税増徴法ニ依ル2割乃至10割ノ増徴及昭和15年ノ税率約3割ノ引上ノ結果、其ノ負担ハ相當加重セラレタル爲、相續財産中不動産ノ占ムル割合ガ比較的多キ場合ハ、納税上困難ヲ感ズル者ノアルコトモ否定シ得ナイ所トナッタ。斯カル場合ノ救済方法トシテ現在既ニ相當長イ年賦延納ノ制度ヲ設ケテ居ルノデアルガ、之ノミデハ尚不十分デアルカラ、相續税ニ付テハ特ニ物納ノ制度ヲ認ムベキデアルト言フ議論ガ従来カラアリ殊ニ昭和15年ノ春ノ議會ニ於テハ税制改正案ノ審議ニ関聯シテ此ノ事ガ強ク要望セラレタ様ナ次第デアル。

元來租税ニ物納ノ制度ヲ認ムルコトハ余程ノ例外デ、歳入制度上、税務行政上種々問題ガアルノデアルガ、政府ハ右ノ如キ要望ニ鑑ミ相贖税物納制度調査会ヲ設ケ、愼塞考究ヲ重ネタ結果之ヲ実施スルコトヲ相當ト認メ、昭和16年法律第79號ヲ以テ相續税法ヲ改正シ、相續財産ノ過半ガ不動産ヲ以テ占ムル者ニ対シテハ相續財産タル不動産ニ依ル物納ヲ認ムルコトトシ、斯ル者ノ納税上ノ苦痛ヲ緩和スルコトトシタノデアル。」

(4) 平成4年の改正

上述のとおり、相続税等の延納・物納制度については、創設以後根本的な改正は行われていないが、注目すべき改正が平成4年、平成6年及び平成18年に行われている。

まず、平成4年の改正では、土地バブルの絶頂期であったため、土地税制強化の施策がとられ、その一環として土地の評価水準の公示価格ベースの70％から80％への引上げが行われたため、相続税の負担が急増するという情勢があった。ところで、それまでの相続税の延納については、贈与税のような「金銭で納付することを困難とする」要件が付されていなかった。これは、贈与と異なり、相続は偶発的に発生することを考慮したものといわれているが、そのため、当時の高い金利を反映して、特別納付することを困難とする理由がないにもかかわらず、一時納付をせずに延納を選択し、本来納税に充てられるべき資金を延納利子税より高い金利で運用して財テクを図ることができるという批判があった。そこで、相続税の延納の要件の一つとして、「金銭で一時に納付することを困難とする事由」が追加され、これとの見合いで、物納については、その要件として延納による金銭納付によっても納付することが困難とする事由がある場合に限られることが明らかにされたものである。

(5) 平成6年の改正

　相続税においては、物納から延納への変更はいわば例外的な納付方法から原則的な金銭納付に戻るものであることから、これを認めることとされている。しかし、その逆の延納から物納への変更は認められていない。

　その理由について、当局者は、次のように説明している（「平成6年版・改正税法のすべて」298頁）。すなわち、延納から物納への変更を認めることについては、①金銭納付を原則とする租税債権のあり方として問題があること、②申告期限後に再度、例外的な納付方法である物納の選択権が納税者に与えられるということでは、租税債権としての安定性が著しく損なわれる結果となること、③課税価格で収納することとされている物納財産のリスクをその財産を管理していない国に負わせる結果となること等、種々の問題があることから、延納から物納への変更は認められていなかったものである。しかしながら、近年の異常な地価の急騰とその後地価が長期にわたり下落を続け、更に土地取引も減少するという納税者にとって予測困難な異常な状況の発生に

より、相続税の申告時にはこのような事態に陥ることが全く予測できなかったことから、通常の考えに従って、近い将来に土地を売却して相続税を納付することとして延納を選択した者が、結果的に延納税額の納付困難に陥っているという事情を考慮し、延納税額の納付が困難となっている延納選択者に対し、緊急避難措置として、昭和64年1月1日から平成3年12月31日までの間に相続により財産を取得し、延納の許可を受けた個人が、平成6年4月1日までにその納期限が到来していない分の納税額（特例物納対象税額）をその延納によっても納付することが困難である場合には、その者の申請により、税務署長は、特例物納対象税額のうちその納付を困難とする金額を限度として物納を許可することができる制度が、平成6年の税制改正において設けられたものである（旧措法70の10①）。ただし、この特例は、申請期限が平成6年9月30日までとされていたこと及びその期限延長がなかったので、平成7年の税制改正で、規定自体が削除されている。

(6) 平成18年の改正

平成18年度の税制改正では、延納・物納制度について大きな改正が行われたが、その趣旨について、当局者は、次のように説明している（税務弘報6月臨時増刊号 Vol 54 - No 7 (2006)（以下「'06・弘報増刊」という。）145頁）。

「物納制度については、平成4年から実施された土地の評価の適正化、バブルの崩壊に伴う地価の下落を背景として、その利用が急速に増える中で
① 物納申請から許可までに長期間を要するケースがある
② 物納の許可基準が明確でなく分かりにくい
③ 許可基準を満たすための措置（補完措置）のルールが不明確
④ 敢えて市場価値の低い相続財産から物納申請をする納税者の存在
などの問題が生じてきていた。このような問題点を踏まえ、物納制度に対する信頼性の確保や物納手続の円滑化・明確化等の観点から、物納の申請から許可・却下までの標準的な処理期間や物納不適格財産の内容を法令上明記すること等を内容とする制度の見直しが行われたところである。」

また、延納制度の改正の趣旨は、次のとおり説かれている（「'06・弘報増

刊」162頁)。

　「相続税及び贈与税の延納制度については、物納で指摘されてきたような問題もなく概ね順調に事務運営がなされている状況であった。しかしながら、前述したとおり、物納手続については、様々な問題が指摘され、その問題の解決のために、物納手続を一新する法改正が必要となった。相続税において延納の事務と物納の事務は一体不可分の事務であることに加え、似通った仕組みとなっている。物納手続のうち改正された手続については、同様の仕組みを持つ延納手続についても同様の改正を行わざるを得ない状況となったことから、今回延納手続についても物納手続に準じた見直しが行われることとなった。」

(7) 平成24年の改正

　平成24年には、災害等に起因するやむを得ない場合等にまでみなし取下げやみなし許可などの規定を一律に適用することは、必ずしも標準的な処理期間を定めた趣旨に適うものではないことから、適切な手続、審査のもと、適切な処理が可能となるよう規定を整備することとされた。

(8) 平成26年の改正

　担保を不要とする延納税額の限度が100万円に引き上げられた。

(9) 平成29年の改正

　物納順位の変更(金融商品取引所に上場されている株式等を第1順位に)及び物納財産の追加(金融商品取引所に上場されている新株予約権証券等)がなされた。

第2節　相続税の延納

1　総　説

　相続税は、既に述べたように実質的な財産税であり、その負担はかなり高額なものとなる。したがって、通常の租税のように、納税者の稼得する収入

のみでは、一時に納付することは困難である。また、相続財産を売却して納付することも、実際問題としては、かなりの困難が伴い、必ずしも、申告期限にタイミングの合った売却ができるという保証はない。したがって、相続税（贈与税を含めて）には、他の税に例をみない延納の制度が設けられているのである。

なお、延納・物納制度は、納付の方法であって、相続税・贈与税の課税自体とは関連がないこと等から、制度のごく概要と問題の指摘にとどめておきたい。

2　延納の要件

相続税の延納の要件は、次のとおりである（相法38①）。

① 相続税の申告書（相法27）、相続財産の分与を受けた者に係る相続税の申告書（相法29）又は修正申告書（相法31）により納付すべき相続税額及び期限後申告、修正申告又は更正・決定の通知により納付すべき相続税額（通則法35②）で、それぞれの相続税額が10万円を超えること（注）。

（注）　この「納付すべき相続税額が10万円を超える」かどうかは、期限内申告書、期限後申告書又はこれらの申告書に係る修正申告書により申告された相続税額若しくは更正又は決定により納付すべき相続税額のそれぞれについて各別に判定するものとされている（相基通38－1）。なお、贈与税の場合も同様である。

したがって、例えば、期限内申告分の税額が56,000円、修正申告分の税額が123,000円とすると、期限内申告分の税額は延納は認められず、修正申告分の税額のみが延納を認められるということになる。

② 納税義務者について、納期限までに、又は納付すべき日に金銭で納付することを困難とする事由があること。

③ 納税義務者が延納を求めようとする相続税の納期限までに所轄税務署長に延納の申請をすること。

④ 延納税額に相当する担保の提供があること。ただし、その延納税額が100万円未満で、かつ、その延納期間が3年以下である場合には、担保の提供

を要しない。

3 延納期間

　上記の要件を満たす相続税額の延納の許可の申請があった場合には、所轄税務署長は、その金銭で納付することを困難とする金額として一定の額を限度として（注1）、5年以内の年賦延納を許可することができる（相法38①）。この場合において、延納税額が50万円未満であるときは、延納を許可できる期間は延納税額を10万円で除して得た数に相当する年数（1年未満の端数は1年）を超えることができない（注2）。

　ただし、課税相続財産の価額のうちに不動産、立木その他一定の財産（注3）の価額の合計額（以下「不動産等の価額」という。）が占める割合が50％以上であるときは、延納期間は、

① 不動産等の価額に対応する部分の税額（注4）については15年以内

② その他の部分の税額については10年以内

とされる。

(注1)　この「金銭で納付することを困難とする金額として一定の額」は、その者の納付すべき相続税額から、次の算式により計算した金額（すなわち、現金で即納することができる金額）を控除した額とされている（相令12①、相基通38－2）。

　　　$A－(B＋C)$

　　　A　納税義務者が相続税の法定納期限において有する現金、預貯金その他換価の容易な財産（物納対象財産は除く。）の価額に相当する金額

　　　B　納税者及び納税者と生計を一にする配偶者その他の親族（内縁の妻及びその親族を含む。）の生活のために通常必要とされる費用の3か月分に相当する金額（納税者が負担すべきものに限る。）

　　　C　納税者の事業の継続のために当面必要な運転資金の額

　　　なお、注意を要する点としては、①現金による納付困難要件を算定するに当たっては、相続人である納税者固有の資産についても算定の対象となること、②生計費の範囲として、3か月分の生計費であることが明らかにされたこと、③生計を一にする者の中に収入のある者がある場合には、その者の負担すべき分をも勘案して納税者の負担分を算出することが明らか

にされた。また、事業の経費については、当面必要な運転資金であることが明らかにされた。この運転資金については、各々の事業により、資金の循環期間が異なることから、事業規模は同じであっても、運転資金が同額ということにはならないことに留意する必要がある。

(注2) 課税相続財産の価額のうちに不動産等の価額が占める割合が50％以上である場合には、この金額が150万円とされる。したがって、例えば、この金額が130万円であるときは、延納期間は13年となるわけである。

(注3) この「不動産等の価額」に含まれる不動産等は、次の財産である。（相法38①、相令13）。

① 不動産
② 不動産の上に存する権利
③ 立木
④ 事業用の減価償却資産
⑤ 法人で相続財産の取得者及びその者と相続税法第64条第1項に規定する特別の関係がある者の有する株式又は出資の金額の合計額がその法人の株式金額又は出資金額の50％を超えるもの（その発行する株式が証券取引所において上場されているものを除く。すなわち、上場会社の株式は含まれないということである。）の発行する株式又は当該法人に対する出資

なお、相続税法第19条の規定により相続税の課税価格に加算される贈与財産で相続のあった年に贈与がされたもののうちに不動産、立木等上記の「不動産等」に含まれる財産がある場合には、その財産は、「相続又は遺贈により取得した財産」に含めることに取り扱ってもよいとされる（相基通38－3）。また、「不動産」には、棚卸資産である不動産も含まれることに注意する必要がある（相基通38－4）。

(注4) この「不動産等の価額に対応する部分の税額」は、次の算式により計算した金額である（相令14①）。

$$\left(\begin{array}{c}納付すべき \\ 相続税額\end{array} - \begin{array}{c}物納許可が \\ された税額\end{array}\right) \times \frac{不動産等の価額}{課税相続財産の価額}$$

なお、上記の原則に対する延納期間の特例としては、次のものがある（注5、6、7）。

① 課税相続財産の価額のうちに占める不動産等の価額の割合が75％以上である場合には、不動産等の価額に対応する部分の税額については20年以内、

その他の部分の税額は10年以内が延納期間とされる（措法70の10①）。
② 課税相続財産の価額のうちに森林法の規定による森林施業計画が定められている区域内に存する立木（同法第30条の２第１項に規定する森林保健施設の整備に係る地区内に存する立木を除く。以下この②において同じ。）の価額の占める割合が20％以上であり、かつ、課税相続財産の価額のうちに不動産等の価額の占める割合が50％以上である場合には、その立木価額に対応する部分の税額（以下「森林計画立木部分の税額」という。）に係る延納期間については20年（森林法第５条第２項第４号の３に規定する公益的機能別施業森林の区域のうち一定の区域内に存する立木に係る森林計画立木部分の税額にあっては、40年）、その他の部分の税額については、10年が、延納期間の限度となる（措法70の８の２①）。

　ただし、延納税額が200万円（延納税額が特定森林計画立木部分の税額である場合には、400万円）未満であるときは、その税額を10万円で除して得た年数が限度となる。

(注５) 相続税及び贈与税の延納は、連帯納付の責に任ずる者のその責に任ずべき金額については適用されない。
　　また、期限後申告又は修正申告若しくは更正又は決定により納付すべき相続税額に併せて納付すべき延納税又は加算税についても適用がない（相基通38－５）。

(注６) これらの延納期間は、相続税法第33条又は国税通則法第35条第２項に規定する納期限の翌日から計算するものとされている（相基通38－６）。
　　また、不動産等の価額の計算に当たり、「事業用の減価償却資産」とは、被相続人の事業の用に供されていた所得税法第２条第１項第19号に規定する減価償却資産をいうこととなっている（相基通38－７）。

(注７) 相続財産のうちに特例農地等又は特例非上場株式等若しくは特例相続非上場株式等がある場合の計算の特例がある（措法70の８の２④）。

4　延納年割額

(1) 原　　則

　延納年割額とは、各年において納付すべき延納税額を意味する。延納年割

額は、延納税額を延納期間に相当する年数で除して求めるので、原則として毎年均等額になる。

しかし、前述のとおり、課税相続財産の価額のうちに不動産等の価額が2分の1以上又は4分の3以上を占める場合には、不動産等の価額に対応する部分の税額とその他の部分の税額とに区分して、それぞれの税額をそれぞれの延納期間に相当する年数で除して計算する（相法38①、措法70の10①）ので、結果として、毎年の納付額がすべて均等とはならない場合も生ずる。

次に、延納年割額を計算する場合において、延納税額、不動産等に係る延納税額、動産等に係る延納税額等をそれぞれの延納期間に相当する年数で算出した金額に、1,000円未満の端数が生じたときは、その端数金額はすべて第1回に納付すべき分納税額に合算して計算するものとされている（相令14④）。

これを簡単な設例で示してみよう。

（設　例）
- 納付すべき相続税額　　　25,478,500円
- 延納申請税額　　　　　　13,000,000円
- 物納申請税額　　　　　　12,000,000円
- 金銭で一時納付する額　　　　478,500円
- 不動産等の割合　　　　　0.795
- 不動産等に係る延納税額
  （25,478,500円−12,000,000円−478,500円）×0.795＝10,335,000円
- 動産等に係る延納税額
  13,000,000円−10,335,000円＝2,665,000円

（延納年割額の計算）
- 不動産等に係る延納税額（延納期間20年）
  10,335,000÷20＝516,750円
  　1,000円未満の端数は第1回の分納税額に合算する。したがって、延納年割額は、
  　第1回…………516,750円＋750円×19＝531,000円
  　第2回以後……516,000円

・動産等に係る延納税額(延納期間10年)
 2,665,000円÷10＝266,500円
  1,000円未満の端数は第1回の分納税額に合算する。したがって、延納年割額は、
 第1回………266,500円＋500円×9＝271,000円
 第2回以後……266,000円
 ∴ 延納年割額は、次のようになる。
 第1回……531,000円＋271,000円＝802,000円
 第2回～第10回
   ……516,000円＋266,000円＝782,000円
 第11回～第20回……516,000円

(2) 森林施業計画が定められている場合の特例

　相続、遺贈又は死因贈与により取得した財産で、その相続税額の計算の基礎となったものの価額(相続財産のうちに特例農地等又は特例非上場株式等又は特例相続非上場株式等がある場合には、価額計算の特例がある。)の合計額のうちに森林法の規定による森林の施業に関する計画が定められている区域内に存する立木(計画伐採の対象となる立木)の価額として(1)で説明したものの占める割合が20％以上であるときは、延納の許可を受ける相続税額のうち、次の算式によって計算した部分の税額(計画伐採立木部分の税額)については、納税義務者の申請により、その立木のその計画に基づく伐採の期間及び材積を基礎として納付すべき分納税額を定めることができる(措法70の8の2②、措令40の9①)。

$$\text{納付すべき相続税額} \times \frac{\text{森林の施業に関する計画が定められている区域の立木価額}}{\text{相続等により取得した財産で相続税額の計算の基礎となったものの価額}}$$

5　延納の手続

(1) 延納の申請

　相続税の延納の許可を申請しようとする者は、その延納を求めようとする相続税の納期限までに、または納付すべき日に(注)、延納を求めようとす

る税額、期間、分納税額、その納期限、担保の内容等の必要事項を記載した申請書に、担保提供関係書類を添えて、所轄税務署長に提出しなければならない（相法39①、相令15、相規20）。なお、延納税額が100万円未満で、かつ、その延納期間が3年以下であるときは、担保を徴しなくてもよいこととされている（相法38④）。

(注) 延納は、期限内申告のみに限らず、期限後申告、修正申告又は更正・決定の場合も申請できる。それぞれの申請期限は、次のとおりである（相基通39－1）。

① 期限内申告書又は相続税法第31条第2項の規定による修正申告書の提出により納付すべき税額については、これらの申告書の提出期限
② 期限後申告書又は修正申告書（①の修正申告書を除く。）の提出により納付すべき税額については、これらの申告書の提出の日
③ 更正又は決定により国税通則法第35条第2項第2号の規定により納付する税額については、その更正通知書又は決定通知書が発せられた日の翌日から起算して1月を経過する日

(2) 延納の手続

相続税の延納の手続の流れは、相続税法第39条及び第40条に詳細な規定がある。ここでは、国税庁のホームページにあるフローチャートを紹介するにとどめる。

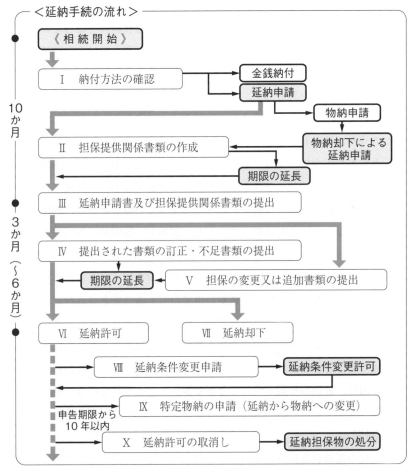

（出典：国税庁ホームページ（一部加工））

6　物納申請の全部又は一部却下による延納の申請

　相続税は、他の税目と同様に法定納期限までに現金で納付することが原則であるが、相続税は他の税にない相続財産そのものを課税対象とする財産税的な性格を有することから、延納制度と物納制度が整備されている。

　相続税は、先ずは現金で納付可能な額までは現金で納付し、次に延納によ

り納付可能な金額は延納により納付することになる。最後に、現金でも延納でも納付が困難な金額について物納により納付する仕組みとなっている。このように、相続税を納付するに当たっては、原則は現金納付、次に延納、最後に物納という順序となっているのであるが、実際の納付に当たっては、納税者が自分の事情を判断して、現金納付、延納又は物納のいずれか又はこれらの納付方法を複合的に選択することとなる。

このうち、納税者が物納の申請を行った場合において、税務署長が審査を行った結果、現金での納付や延納による納付が可能であると判断されたときには、物納の申請は却下されることとなるが、延納で納付が可能と判断された納税者は既に延納の申請期限が過ぎてしまっていることから、制度上は延納の申請を行えないこととなっていたが、実務上、期限後においても延納の申請が認められてきた。

そこで、平成18年の改正においては、延納申請を行うべき者が物納申請を行ってしまった場合について、延納の申請が行えることとされた。

すなわち、物納を申請した納税者が、延納による納付が可能であったと税務署長が認めたことから、物納を却下された相続税額のうち延納による納付が可能であると認められた部分について、この却下の日の翌日から起算して20日以内に、延納の申請をすることができることとされている（相法44）。

7 問題点

相続税の延納制度についての大きな問題は、先にも述べたが、物納から延納への変更は可能だが、平成18年改正規定の適用前の件には延納から物納への変更が認められていない点であろう。この問題は、物納制度の検討において再度取り上げることにする。

その他の問題としては、分納税額の最低額が10万円と低額とされていることについて、経済情勢の変動に応じ、何らかの自動調節機能を設けるべきではないかとの意見がある（「北野コンメンタール相続税法」385頁）。もっとも現在のようなデフレ状態では、その必要性は乏しいし、また仮に将来再びイ

ンフレの昂進が起こった場合に分納税額の最低金額を引き上げることになれば、納税者の権利を奪うことになるのではないかという問題点も考えられるので、慎重に取り扱うべきものと思われる。

8 延納の法的性格

延納の法的性格については、次のように説かれている（「櫻井相続税」342～343頁）。

すなわち、延納は、相続税又は贈与税の納期限が延納された期日まで延期されたものと解され、したがって、申告書の提出又は更正・決定により確定した相続税額又は贈与税額は延納の許可により、その許可に係る延納の納期限及び分納税額について、それぞれの時に納付の義務が発生すると解される。

延納税額については、その法定納期限は、延納許可の行政処分によりその条件として指定された分納税額の納期限まで延長されるわけであるから、その延納税額の個々について、その指定期限の経過とともに、その翌日から時効の進行を開始するものと解され、延納条件の変更又は取消しがあった場合には、その変更又は取消しによって定められた法定又は指定の納期限の経過とともに、その翌日から時効の進行を開始する。

第3節　贈与税の延納

1　総　説

贈与税も相続税と同様に財産取得に対する課税であり、財産税的性格を有しており、金銭で一時に納付することを困難とする場合を考慮して、延納の制度が設けられている。

しかし、相続税の課税原因である相続は、その発生が人為的に抑制変更のできない自然現象を背景とするのに対し、贈与税の課税原因である贈与は、人為的に発生する契約の一つであり、相続とは質的に異なることから、延納

の期間は5年以内と定められ、相続税のような特例は設けられていない。

2 延納の要件

贈与税の延納の要件は、次のとおりである（相法38③）。

① 納付すべき贈与税が10万円を超えること（注）。

（注） この10万円の判定は、相続税の場合と同様である。

② 納税義務者について、納期限までに、又は納付すべき日に金銭で納付することを困難とする事情があること。

③ 納税義務者が延納を求めようとする贈与税の納期限までに所轄税務署長に延納の申請をすること。

④ 延納税額に相当する担保の提供があること。ただし、その延納税額が100万円未満で、かつ、その延納期間が3年以下である場合には、担保の提供は要しない。

3 延納期間

贈与税の延納期間は最長5年とされている（相法38③）。この延納期間は、納税義務者の申請に基づき、その者の事業の継続又は生活の状況等を考慮して、5年の範囲内で適当と認められる期間を税務署長が定めるものとされる（相基通38-10）。

なお、贈与税の延納については、相続税のような延納年割額というものはない。すなわち、均分納付という考え方はないのであり（相基通38-11）、納税義務者の事業の継続又は生活の状況等を考慮して、各年の納付額を適当に定めればよいということである（注）。

（注） このように、贈与税の延納について、相続税のように、長期の延納期間を認めない理由及び延納年割額等を定めない理由について、当時の当局者は、次のように説明している（大倉真隆「改正相続税法解説」（財政経済弘報第393号・昭和28年8月9日・財政経済弘報社発行））。

すなわち、贈与税の延納が短期間しか認められない理由は、相続税と贈与税を比較した場合の納税者の担税力ないしは納付能力を考慮したものである。

つまり、贈与によって財産を取得した者の方が、相続人よりも資金的に余裕があるとみるのが常識的であると考えられるからである。すなわち、金銭で贈与を受けた場合には勿論であるが、仮に家屋のような不動産の贈与を受けた場合であっても、先祖伝来の家屋を相続して、それが相続財産の大部分であるという場合と、自己の資産に対するネットのプラスとして個人から財産を贈与された場合とでは、納税の容易さに自ら差異があることは首肯されるところであるというものである。

次に、贈与税の延納について延納年割額、延納税額の少額の場合の延納期間の最高限度等を規定していない理由については、これらについては、実際に贈与税の延納申請を許可するに際して、相続税の延納年割額、延納期間等の規定との均衡を顧慮しつつ税務署長にある程度の裁量権が与えられていることによるとしている。

4　延納の手続

贈与税の延納の許可を申請しようとする者は、その延納を求めようとする贈与税の納期限又は納付すべき日までに金銭で納付することを困難とする金額及びその困難とする理由、延納を求めようとする税額及び期間、分納税額及びその納期限その他必要な事項を記載した申請書に担保の提供に関する書類を添え、これを納税地の所轄税務署長に提出しなければならない（相法39①㉙）。

なお、上述のとおり、延納税額が100万円未満で、かつ、延納期間が３年以下であるときは、担保を徴しなくてもよいこととされている（相法38④）。

所轄税務署長は、贈与税についての延納の申請書の提出があった場合には、延納の要件に該当するか否かを調査し、その調査に基づき、その申請された税額の全部又は一部について申請の条件若しくはこれを変更した条件により延納を許可し、又はその申請を却下する（相法39㉙）。

その他の手続は、相続税と同様である。

第4節　相続税の物納

1　総説
(1) 概要

　租税は、原則として、納期限までに金銭をもって納付することとなっており、相続税もその例外ではない。しかし、既に述べてきたように、相続税は実質的な財産税であるからその負担も大きく、取得した財産が不動産のように流動性に欠けるものが多い場合には、金銭をもって一時に納付することが困難なときも生ずる。そのため、前述の延納制度が設けられているが、この延納によっても相続税額を金銭によって納付することを困難とする事由がある場合に、納税義務者の申請によりその納付の困難とする金額を限度として相続財産による物納を税務署長が許可する。物納財産による収納価額は、原則として相続税の課税対象となった財産の価額によることとされる。また、一定の場合には、物納の撤回が認められる。

　なお、物納は、相続税についてのみ認められ、贈与税については認められていない（相基通41－3）。その理由については、参考となる文献が見当たらないが、筆者の推測では、延納の項でも述べたとおり、相続税が相続という偶発的事由による財産の取得で、選択の余地がないのに対し、贈与の場合は、贈与者と受贈者との協議により贈与財産の選択ができるから、当然贈与額の納付も考慮している筈で、延納はともかく、物納まで認める必要はないという考えによるのではないかと思っている。

　なお、シャウプ勧告による無償の財産取得について相続、贈与を問わない一生累積課税が廃止され、相続税と贈与税の二本立てとなったのは、昭和28年の改正であり、この改正により相続税と別に、贈与税の延納制度が新設されているが、物納制度については全く改正がなく、当時の当局者の解説においても、この点は全く触れられていないが、その理由については不明である。

(2) 物納の法的性格

物納の法的性格については、次のような見解がある（日本税理士会連合会編集「相続税・物納の実務」（東林出版社・執筆者櫻井四郎・橋本守次）45頁以下）。

　すなわち、物納は、本来は金銭で納付すべき税金を、金銭に代えて金銭以外の財産を提供することにより、納税義務を履行したこととするもので、その法的性格については後述のとおり、大別して許可説と契約説とがあるが、物納は、上記のとおり、債務の履行を本来給付すべきもの以外の財産を提供することにより債務を履行したこととすることなので、民法にいう代物弁済の性質をもつものというのが、今日一般の考え方であるとしている。

（学　説）

　物納の法的性格については、大別して、次の２つの見解がある。
① 　申請を前提とする許可処分であるとする説（甲説）
② 　公法上の契約であるとする説（乙説）

㈤　甲説

　甲説によれば、物納の許可により金銭債務たる租税債務が消滅し、新たに租税債務である金銭債務に相当する物の供給たる租税債務の成立という効果をもたらす。すなわち、物納それ自体は、物による債務の履行にほかならないということになる。このような見解によれば、金銭債務たる租税債務が物の給付債務たる租税債務に変わったに過ぎないこととなり、物納の許可があったからといって、租税債務それ自体が消滅するわけではなく、したがって、物納による租税債務の消滅の時、物納の目的たる物の権利が国に収納された時ということになる。

　相続税法では、物納の許可を受けた税額に相当する相続税は、物納財産の引渡し、所有権移転登記その他法令による第三者対抗要件を充足した時において納付があったものとされる（相法43②）が、甲説によれば、相続税法の規定は、甲説の考え方を明らかにしたものに過ぎないということになる。

㈥　乙説

　乙説は、物納を公法上の契約とする説であるが、この説は、更に、次の２

つに分かれる。
　　㋑　公法上の代物弁済であるとする説（乙─A説）
　　㋺　公法上の更改契約であるとする説（乙─B説）
㋑　乙─A説（公法上の代物弁済説）
　この説は、代物弁済は当事者の承諾の下に成立するものであるから、物納の申請は納税者の意思の申出であり、物納の許可はその申出に対する承諾ということになる。したがって、物納の許可の時に物納の契約が成立し、その時に物納に係る物その他の財産権は国に移転することになるが、相続税法第43条第2項の規定により、租税債務それ自体は、物納に係る財産の引渡し、所有権移転登記等第三者対抗要件を備えた時までは消滅しないということになる。
㋺　乙─B説（公法上の更改契約説）
　この説は、物納の許可による金銭債務たる租税債務が消滅し、新たに物納許可に係る財産権による租税債務が成立し、その引渡し、所有権移転登記その他により第三者対抗要件を備えた時に、物その他の財産権に係る租税債務が消滅するということになる。
　ただ、更改は旧債務を消滅させ、新たな債務を定めるもの（民法513）であるので、物納の許可により金銭債務である租税債務が消滅し、新たに物その他の財産権による租税債務が成立するから、物納の撤回（相法42⑤）があった場合にも、当然には一度消滅した金銭債務たる租税債務が復活するということにならないという難点がある（注1、2）。
（注1）「北野コンメンタール相続税法」では、物納関係を納税義務者の申請を前提とする行政処分（許可処分）とみる見解を支持している（同書403～404頁）。
（注2）「北野コンメンタール相続税法」402頁では、次の論文において、詳細な文献が引用されているということである。
　　　○新井隆一著「税法の原理と解釈」（昭和42年早稲田大学出版部）154頁以下
　　　○新井隆一編「租税法講義」（昭和47年青林書院新社）139頁以下

（判　　例）

物納の法的性格を判示した判例としては、次の名古屋地裁昭和37年11月21日判決が

「（物納）は納税者よりの申請と、これに対する税務官庁の許可とをもって成立するものであり、民法482条の代物弁済に類似する一種の公法上の契約と解すべきもの」

としている。ただし、この上告審判決である最高裁昭和42年5月2日判決は、物納の法的性格については言及せず、次のように判示している。

「物納許可によって直ちに財産税債権が消滅するのではなく、……所有権移転登記を完了するまでは……依然として存続するものと解すべきであるとともに、税務署長としては、物納許可後はもはや金銭納付を請求することは許されないけれども……いつでも単独で……所有権移転手続を経由し、もって財産税債権を消滅させることができるのであるから、物納許可後も財産税債権について消滅時効が進行するものと解するになんら妨げがない」

（結　論）

物納の法的性格の理解に当たっては、物納財産の所有権移転の時期、租税債務の消滅の時期、時効等に関連した問題があるが、これらはおおむね立法的に解決されているので、実際には問題は生じない。そこで、物納については、実務的には、金銭に代えて物その他の財産権による納付という点では、前述名古屋地裁の判決と同様に、民法の代物弁済に類していると考えられている。すなわち乙―Ａ説をとっているといえよう（前掲「相続税・物納の実務」48頁）。

(3)　平成18年の相続税の物納制度改正の背景

相続税の物納制度は、前述のとおり昭和16年の税制改正において、当時は収益率が低く、換価が容易でない不動産を対象として、相続財産に占める不動産の割合が50％を超える場合に限り認められ、その後の改正を経て現在の制度となっている。

この物納制度については、平成4年から実施された土地の評価の適正化、バブルの崩壊に伴う地価の下落を背景として、その利用が急速に増える中で、

① 物納申請から許可までに長期間を要するケースがある
② 物納の許可基準が明確でなく分かりにくい
③ 許可基準を満たすための措置（補完措置）のルールが不明確
④ 敢えて市場価値の低い相続財産から物納申請をする納税者の存在

などの問題が生じてきていた。このような問題点を踏まえ、物納制度に対する信頼性の確保や物納手続の円滑化・明確化等の観点から、物納の申請から許可・却下までの標準的な処理期間や物納不適格財産の内容を法令上明記すること等を内容とする制度の見直しが行われた。

なお、この見直しによって、物納財産が複数ある場合には、それぞれの財産ごとに物納の許可又は却下を行うことを明らかにすることにより、以下に述べる手続も基本的には、物納財産ごとに行われることが明らかにされた（相法42②）ことに注意すべきである。

2 物納の要件
(1) 総説

相続税の物納の要件は、次のとおりである（相法41①）。
〔納付すべき相続税額を延納によっても金銭で納付することを困難とする理由があること。〕

（平成18年の改正点）

従来の物納制度において問題となっている様々な事象の原因の１つに、金銭による納付困難要件を厳密に審査せず、安易に物納を認めてきたという点も指摘を受けたところである。

そもそも相続税に限らず租税債権は、すべて金銭債権として成立・確定しているものであるので、金銭で納付することが原則である。あくまでその原則の例外として、物納は、他の税にはない相続財産そのものを課税対象とする財産税的な性格を相続税が有すること等にかんがみ、認められているものであるという原点に返り、平成18年の改正において、原則である現金納付又は延納による金銭納付による相続税の納付を徹底するため、金銭による納付

困難要件の判定方法を法令に規定することとされた。

　なお、法令に規定することにより、金銭による納付困難要件を判定する際には、相続財産だけではなく、納税者の固有の財産も対象として判定することが明らかにされた。

　具体的には、相続税額から現金で即納することができる金額と延納によって納付することができる金額の合計額を控除した金額を物納可能額とすることとされた（相法41①、相令17）。

　この「現金で即納することができる金額」及び「延納によって納付することができる金額」の算定方法は、以下のとおりである（相令12、17、相基通41－1）。

　イ　現金で即納することができる金額

　　現金で、即納することができる金額は、次の算式で計算された金額をいう（相令12①）。

　　A－（B＋C）

　　　A　納税義務者が相続税の法定納期限において有する現金、預貯金その他換価の容易な財産（物納対象財産は除く。）の価格に相当する金額

　　　B　納税者及び納税者と生計を一にする配偶者その他の親族（内縁の妻及びその親族を含む。）の生活のために通常必要とされる費用の3か月分に相当する金額（納税者が負担すべきものに限る。）

　　　C　納税者の事業の継続のために当面必要な運転資金の額

　ロ　延納によって納付することができる金額

　　延納によって納付することができる金額は、次のAの将来の収入金額と次のB及びCから上記イの「金銭で即納することができる金額」を控除した将来の支出金額から延納の年数、利子税率等を勘案して、延納することができる金額として算出された額をいう（相令17）。

　　　A　相続税の法定納期限以後において見込まれる納税者の収入の額として合理的に計算した額

　　　B　相続税の法定納期限以後において、納税者及び納税者と生計を一に

する配偶者その他の親族（内縁の妻及びその親族を含む。）の生活のために通常必要とされる費用に相当する金額（納税者が負担すべきものに限る。）

　C　相続税の法定納期限以後において、その者の事業の継続のために必要な運転資金の額

　なお、上記の延納によって納付することができる金額の算定方法の詳細については、国税庁の通達（相基通41－1）で定められている。しかしながら、先にも述べたが、金銭による納付困難要件を算定するに当たっては、相続人である納税者固有の資産についても算定の対象となることが明らかにされたほか、生計費の範囲として、一定の親族に限定されるとともに、生計を一にする者の中に収入のある者がある場合には、その者の負担すべき分をも勘案して納税者の負担分を算出すること。また、事業の経費については、必要な運転資金であることが明らかにされた。この運転資金については、各々の事業により、資金の循環期間が異なることから、事業規模は同じであっても、運転資金が同額ということにはならないことに留意が必要である。

　物納できる相続税は、延納と同様に、納期限内申告に限らず、期限後申告、修正申告、更正又は決定によるものについても認められる（相基通41－1）。

　なお、贈与税については物納の制度はない。また、延納の場合と同様に、連帯納付義務に基づく納付額については物納は認められていない（相基通41－3）。

〔物納しようとする財産がいわゆる「物納適格財産」であること。〕

　物納に充てることができる財産は、その納付すべきこととなった相続税の課税価格の計算の基礎となった財産又はその財産により取得した財産で、その財産の所在が国内にあるもののうち、次に掲げるものに限られる（相法41②）。

第1順位	① 不動産、船舶、国債証券、地方債証券、上場株式等（※1） （※1） 特別の法律により法人の発行する債券及び出資証券を含み、短期社債等を除く（注）。
	② 不動産及び上場株式のうち物納劣後財産に該当するもの（(3)参照）
第2順位	③ 非上場株式等（※2） （※2） 特別の法律により法人の発行する債券及び出資証券を含み、短期社債等を除く。
	④ 非上場株式のうち物納劣後財産に該当するもの（(3)参照）
第3順位	⑤ 動産

(注)　物納財産の順位が第1順位である「上場株式等」とは次のものをいう。
　　○　金融商品取引所に上場されている次の有価証券
　　　・　社債券（特別の法律により法人の発行する債券を含み、短期社債等に係る有価証券を除く。）
　　　・　株券（特別の法律により法人の発行する出資証券を含む。）
　　　・　証券投資信託の受益証券
　　　・　貸付信託の受益証券
　　　・　新株予約権証券
　　　・　投資信託の受益証券（証券投資信託を除く。）
　　　・　投資証券
　　　・　特定目的信託の受益証券
　　　・　受益証券発行信託の受益証券
　　○　金融商品取引所に上場されていない次の有価証券で、その規約又は約款に投資主又は受益者の請求により投資口の払戻し又は信託契約の一部解約をする旨及び当該払戻し又は当該一部解約の請求を行うことができる日が1月につき1日以上である旨が定められているもの
　　　・　投資法人の投資証券
　　　・　証券投資信託の受益証券

	具 体 例
上場されている	社債、転換社債型新株予約権付社債、特殊法人債、特定社債券、株式、優先株式、新株予約権証券、ETF、REIT、JDR、ETN、日銀出資証券、優先出資証券、特定目的信託の受益証券　等

上場されていない	オープンエンド型の証券投資信託の受益証券 オープンエンド型の投資法人が発行する投資証券 （注） 目論見書又はこれに類する書類で当該解約又は払戻しの請求を行うことができる日が1月につき1日以上であることを明らかにする書類の提出が必要となる。

　なお、税務署長は、相続税の納税義務者が物納の許可の申請をする場合において、その物納に充てようとする相続財産が特定登録美術品（美術品公開促進法に定める登録美術品のうち、その相続開始時において既に美術品公開促進法の登録を受けているものに限る。）であるときは、その特定登録美術品については、納税義務者の申請により、相続税法第41条第4項に定める物納に充てることができる財産の順位にかかわらず第1順位で物納を許可することができる（措法70の12①）（注）。

（注）　平成10年6月10日、美術品公開促進法（法律第99号）の制定に伴い、同法附則3項において租税特別措置法の一部改正が行われ、措置法第70条の11（相続税の物納の特例・現第70条の12）が追加されたものである。

(2)　物納不適格財産

　国において、管理又は処分をするのに不適当であると認める財産は物納の対象にならないと定められていたに過ぎず、通達（旧相基通42-2）に列挙された財産以外でも物納財産として不適当となる財産があったことから、物納の許可基準が分かりにくいものとなっていた。

　そこで、平成18年の改正では、様々な個別の事情が存在する財産一つひとつに適合する基準を明確に定めることは不可能であるが、管理又は処分をするのに不適格な基準を政令及び財務省令により細部にわたり規定することにより、できる限りその範囲を明らかにすることとされた。

　また、政令及び財務省令で範囲を規定することにより、これらに規定されたもの以外は物納可能となることが明らかとなった。

　具体的な、管理又は処分をするのに不適格な財産の範囲は、以下のとおりとされている（相法41②、相令18、相規21）。

① **不動産**
（例）　抵当権の目的となっている不動産
② **株式**
（例）　譲渡制限株式

(3) **物納劣後財産**

　従前の物納制度においては、例えば、物納財産が不動産である場合において、上記の管理又は処分をするのに不適当な財産に該当しない限り、どのような財産を物納財産とするかは納税者の選択に任されていた。当然ながら、納税者は自分で一番不必要だと思う財産を選択することになるが、このような財産は他の者にとっても必要としないものも多くあり、収納手続の遅れや、売却のネックになることがあった。そもそも物納制度は、納税者に代わって国が財産を市場で換金することにより、国家財政に役立てようとするものである。税制としてその財産に一定の市場価値を認め相続税を課税するからには、その市場価値を認めるというのは当然のことであるが、一方で、国家財政のためには、市場で売却しやすい財産を優先的に受け取り、速やかに売却するということも必要なことと考えられていた。

　そこで、平成18年の改正においては、前述したとおり、物納不適格財産の範囲を明確にするとともに、できる限り不適格となる範囲の縮小を図った上で、売却し難い財産を指定し、これを物納劣後財産と位置づけ、売却しやすい財産を優先的に物納することとされた。すなわち、不動産、株式などの財産の種類による順番に加えて、例えば、不動産の中で劣後するものとそうでないもの、株式の中で劣後するものとそうでないものといったように区分し、劣後しないものの物納を優先する仕組みとした（相法41④、相令19）。これにより、売却しやすい財産が優先的に物納に充てられることになる。

　具体的な物納劣後財産は、次のとおりである（相令19）。
（例）
・　地上権、永小作権若しくは耕作を目的とする賃借権、地役権又は入会権が設定されている土地

・法令の規定に違反して建築された建物及びその敷地

〔物納しようとする財産は、定められた順位によっていること。〕

　物納財産の優先順位は、第1、第2、第3の順である。すなわち、第2又は第3の順位の財産を物納できる場合は、税務署長において特別の事情があると認める場合の他は、第2順位の財産については、第1順位の財産について、第3順位の財産については、第1順位及び第2順位の財産について、納税者が物納申請の際現に有するもののうちに適当な価額のものがない場合に限られる（相法41⑤）（注1、2）。

(注1)　物納の認められる「課税価格計算の基礎となった財産」には、相続等によって財産を取得した者が、その被相続人から贈与により取得した財産で、その価額が相続税法第19条の規定により相続税の課税価格に加算されたものを含むものとして取り扱われる（相基通41－4）。

(注2)　物納の認められる「その財産により取得した財産」とは、相続財産を処分して取得した財産そのものをいうが、次の財産は、これに該当するものとして取り扱われる（相基通41－6）。

　　(イ)　課税価格計算の基礎となった株式又は出資証券の発行法人が合併した場合において、その合併によって取得した株式又は出資証券

　　(ロ)　課税価格計算の基礎となった株式又は出資証券がある場合において、その株式の消印、資本の減少又は出資の減少によって取得した株式又は出資証券

　　(ハ)　課税価格計算の基礎となった株式又は出資証券の発行法人が増資を行った場合において、その増資によって取得した株式又は出資証券（収納時に旧株式又は旧出資証券がある場合に、これらを物納税額に充ててもなお不足税額がある場合に限る。）。

〔納税義務者が物納をしようとする相続税の納期限までに所轄税務署長に物納の申請をすること。〕

　申請については、3で述べる。

3　物納の手続

(1)　物納の申請

　物納の許可を申請しようとする者は、その物納を求めようとする相続税の

納期限又は納付すべき日までに、延納によっても金銭で納付することを困難とする金額及びその困難とする事由、物納を求めようとする税額、物納に充てようとする財産の種類及び価額等の必要事項を記載した物納手続関係書類を添付して、申請書を所轄税務署長に提出しなければならない（相法42①、相令18①、相規22①②）。

　物納手続関係書類については、上記で述べたように、物納の申請書に添付して、相続税の法定納期限までに提出しなければならない。しかしながら、隣地の所有者から境界についてすぐに承諾が得られない場合、借地契約を口頭で行っていたため、文書により借地契約を締結するのに時間を要する場合など納税者の事情によっては、定められた期限までに物納手続関係書類のすべてを提出することができないことが予測される。このため、納税者が「物納手続関係書類提出期限延長届出書」を提出することにより、最長で1年間（1回の「物納手続関係書類提出期限延長届出書」の提出により3か月以内で納税者が定める日まで延長。複数回の提出可。）に限り、提出期限を延長することができることとされている（相法42④～⑦）。

　この物納手続関係書類提出期限延長届出書は、原則として、物納の申請書に添付して納税地の所轄税務署長へ提出することになる（相令19の2①）が、物納手続関係書類の全てを提出したと考えていた納税者がその提出期限後において、物納手続関係書類の一部が不足していたことを知った場合には、その提出期限の翌日から起算して1か月以内に限り、物納手続関係書類提出期限延長届出書を提出することができることとされている（相令19の2②）。

　物納の申請の許可又は却下については、その審査に相当の期間を要する事例も見受けられたが、従前の制度においては、審査期間について何らの定めもないこともあったが、物納の手続書類が整然と定められていなかったこと、物納の審査が遅れても納税者には何ら不利益となることがなかったことなど様々な事情が積み重なった結果として、審査に時間を要することとなっていた。

　そこで、平成18年の物納制度の改正において、審査期間を原則3か月（例

外として物納申請財産が多数ある場合などについて6か月、積雪などの理由により現地確認などの審査ができない場合には9か月）とすることとされている（相法42②⑯⑰）。

(2) 物納の手続

相続税の物納の手続の流れは、相続税法第42条に詳細な規定がある。ここでは、国税庁のホームページにあるフローチャートを紹介するにとどめる。

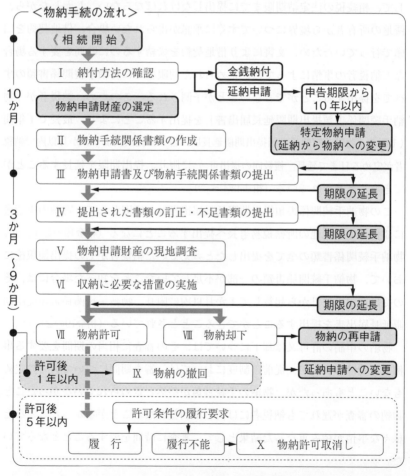

（出典：国税庁ホームページ（一部加工））

(3) 収納の手続

　物納の許可を受けた税額に相当する相続税は、物納財産の引渡し、所有権移転の登記その他法令により第三者に対抗することができる要件を充足したときに納付があったものとされる（相法43②）。なお、変更要求に対して適法な不服申立て（訴の提起を含む。）があった場合には、みなし取下げ規定の適用はない（相基通42－5）。

(4) 収納価額

　物納財産の収納価額は、原則として、課税価格計算の基礎となったその財産の価額による。ただし、税務署長は、収納の時までにその財産の状況に著しい変化を生じたときは、収納の時の現況により財産の収納価額を定めることができることとされている（相法43①）（注1、2）。

(注1)　例えば、証券取引所に上場されている株式の価額が証券市場の推移による経済界の一般的事由に基づき低落したような場合は「財産の状況に著しい変化を生じたとき」には該当しないと解されている（相基通43－3(8)(注)）。しかし、物納財産が宅地である場合において、その宅地が小規模宅地等の課税の特例の適用を受けたものであるときは、その収納価額は、特例の適用を受けた減額後の価額が課税価格計算の基礎となった財産の価額であると当局者は解している（「相基通逐条解説」678頁）。しかしこの見解には、疑問を呈する向きもある。例えば、前掲「争点相続税法」391頁では、次のように述べている。

　　「……行き過ぎた節税は問題外にしても、居住・事業の承継税制という目的の小規模宅地の特例は、『時価課税』ではないのである。この特例は、問題がありながらも生存権的財産についての課税価格の特例であり、『時価』である『宅地等の価額』から相続税の課税価格の計算上、減額をする特例にすぎない。特例の趣旨を考慮せず、単純に課税価格イコール収納価額というのは早急に見直し、『時価』をもって収納価額とすべきである。」

　　筆者も、この結論には賛成であり、現在の取扱いを改めるべきだと考える。

(注2)　上記のとおり、物納財産の収納価額については、収納時までの間にその財産の状況に著しい変化を生じたときは、収納の時の現況によりその財産の収納価額を定めることができることとされているが、その趣旨は、その現況に著しい変化を生じた財産が、収納の時の状態で相続若しくは遺贈又

は贈与によって取得した時にあったものとして、その取得した時における価額によって収納価額を定めることであるとされている。なお、「財産の状況に著しい変化を生じた」かどうかの判定は、原則として、許可の時における物納財産の現況によるとされている（相基通43－1）。

　また、物納の許可を通知した後であっても、その許可に係る物納財産の引渡し、所有権移転の登記その他法令により第三者に対抗することのできる要件を充足するまでの間において、納税義務者の責めに帰すべき事由により、その財産の状況に著しい変化を生じたときも、収納価額を収納の時の現況により定めることができるものとされている（相基通43－2）。

　この「収納の時までに当該財産の状況に著しい変化を生じたとき」とは、例えば、次のような場合をいうものとして取り扱われている（相基通43－3）。

(イ)　土地の地目変換があった場合（地目変換があったかどうかは土地台帳面の地目のいかんにかかわらない。）

(ロ)　荒地となった場合

(ハ)　竹木の植付け又は伐採をした場合

(ニ)　所有権以外の物権又は借地権の設定、変更又は消滅があった場合

(ホ)　家屋の損壊（単なる日時の経過によるものは含まない。）又は増築があった場合

(ヘ)　自家用家屋が貸家となった場合

(ト)　引き続き居住の用に供する土地又は家屋を物納する場合

(チ)　震災、風水害、落雷、火災その他天災により法人の財産が甚大な損害を受けたことその他の事由によりその法人の株式又は出資証券の価額が評価額より著しく低下したような場合

　この場合は、前述のように、証券取引所に上場されている株式の価額が証券市場の推移による経済界の一般的事由に基づき低落したような場合には、この「その他の事由」に該当しないものとして取り扱われることとされている。

(リ)　相続開始の時において清算中の法人又は相続開始後解散した法人がその財産の一部を株主又は出資者に分配した場合（この場合において、その法人

の株式又は出資証券については、課税価格計算の基礎となった評価額からその分配した金額を控除した金額を収納価額として物納に充てることができる。)

(ヌ) (イ)から(リ)までに掲げる場合のほか、その財産の使用・収益又は処分について制限が付けられた場合

(5) 物納に伴う過誤納金の還付

相続税の物納は、金銭納付と異なり、納付すべき税額に見合う価額の財産が必ずしもあるとは限らない。すなわち、物納に伴う過誤納が生ずる場合が生ずる。この過誤納額は、金銭又は物納財産により還付される。

① 超過物納

物納については、上記で述べたように金銭納付が困難な金額に限って認められることになるが、相続財産の大宗を占め、更に物納財産の大宗を占める不動産については、金銭納付が困難な金額と同一の金額の不動産が物納財産となることは考えられない。従来は、取扱いで金銭納付が困難な金額を上回る財産の物納が認められてきたが、最低限のものに限られていた。その結果、できる限り、金銭納付が困難な金額に近づくよう土地を分筆して納付することも行われてきたが、周辺の建物の敷地と比べて狭い場合には買い手がなかなかつかない状況となったり、残された土地を持つ納税者も使い勝手の悪い土地を所有することになるという問題が指摘されていたところである。

このため、平成18年の改正においては、物納財産の性質、形状、その他の特徴により金銭納付が困難な金額を超える金額の物納財産を収納することについて、明文化されている（相法41①、相基通41－3）。このことにより、金銭納付が困難な金額に近づけるために無理な分筆をして、結果として売却しにくい財産を収納することとなるといった問題が解消されよう。

このように物納により納付すべき相続税額（物納許可額）を超えた価額の財産を物納することになる場合には、過誤納が生ずるが、この過誤納額すなわち、物納財産の収納価額と相続税額との差額は、金銭をもって還付することとされている（相基通41－4）。

② 納付額の減額

物納財産の収納後に減額更正等によって納付相続税額が減少したことに伴い、物納許可額が減少した場合に過誤納が生ずる。

③ **課税価格の増加**

物納財産の収納後に物納に係る財産の評価額が調査等により増加しないことに従い、修正申告又は更正により、収納価額が納付すべき相続税額を超えることとなった場合に、過誤納が生ずる。

過誤納があった場合には、税務署長は、納税義務者の申請を待ってその物納した財産収納価額（国がその財産について有益費を支出していたときは、その費用の額に相当する金額を加算した金額）により還付することができる。この場合において、次のいずれかの場合に該当するときは、金銭で還付されることとなっている（相法43③④）。

① その物納に充てられた財産が既に換価されていた場合
② 公用若しくは公共の用に供せられており、又は供されることが確実であると見込まれる場合
③ 過誤納額が収納価額の2分の1に満たない場合

4 特定物納制度

(1) 特定物納の要件

税務署長は、延納の許可を受けた者について、延納税額からその納期限が到来している分納税額を控除した残額（以下「特定物納対象税額」という。）を変更された条件による延納によっても金銭で納付することを困難とする事由が生じた場合においては、その者の申請により、特定物納対象税額のうちその納付を困難とする金額として一定の額（一般の物納に係る延納によっても納付を困難とする金額に準じた額となる。）を限度として、物納の許可をすることができることとされた（相法48の2①、相令25の7①）。

(2) 特定物納の手続

(1)による物納（以下「特定物納」という。）の許可を受けようとする者は、その特定物納に係る相続税の申告期限の翌日から起算して10年を経過する日

までに、特定物納対象税額、金銭で納付することを困難とする金額及びその困難とする事由、特定物納の許可を求めようとする税額その他の一定の事項を記載した申請書に物納手続関係書類を添付し、これを納税地の所轄税務署長に提出しなければならないこととされた（相法48の2②）。

(3) 特定物納の許可又は申請の却下に係る審査期間

税務署長は、(2)の申請書の提出があった場合においては、その申請者及びその申請に係る事項について特定物納の要件に該当するか否かの調査を行い、その調査に基づき、その提出があった日の翌日から起算して3か月以内にその申請に係る特定物納の許可を求めようとする税額の全部又は一部についてその特定物納に係る財産ごとにその特定物納の許可をし、又はその申請の却下をすることとされた（相法48の2③）。

(4) 特定物納の申請に係る分納期限の延長

(2)による申請書の提出があった場合において、その申請により特定物納の許可を求めようとする税額のうち、その提出があった日から次に掲げる日までの間にその分納期限が到来する分納税額の納期限は、次に定める日まで延長することとされた（相法48の2④）。

① 申請の却下がされる日、申請を取り下げたものとみなされる日又は自ら申請を取り下げる日　これらの日の翌日から起算し1か月を経過する日
② 相続税の納付があったものとされる日　その納付があったものとされる日

(5) 特定物納に係る財産の収納価額

特定物納に係る財産の収納価額は、その特定物納に係る申請の時の価額による。ただし、税務署長は、収納の時までにその財産の状況に著しい変化が生じたときは、収納の時の現況によりその財産の収納価額を定めることができることとされている（相法48の2⑤）。

5　物納の撤回

(1) 総　説

賃借人等のある物納不動産が換価又は公共の用への供用がまだ行われないで現存している場合において、納税義務者が物納の撤回を希望し、かつ、撤回により納付すべき相続税額が本来の納付方法である金銭による即納又は延納ができると認められるときは、物納許可後一定期間内に限り、物納の撤回をすることが認められている。

この制度は、昭和47年の税制改正の際設けられたもので、賃借権等の存する不動産を相続した場合において、これを賃借人等に売却してその売却代金で相続税を納付しようとしても、権利関係が錯綜しているため、相続税の納期限までに売却できる見込みが立たず、金銭納付が困難であるため、やむを得ずこれらの不動産の物納を選択するケースがある。ところがこうした場合に、物納後に至って売却の見通しが立ち、納税者が物納財産を処分して本来の金銭納付に変更することを希望する例が見受けられるため、物納を撤回する制度を設けて、その要望に沿うこととされたものである。

(2) 要　件

物納の撤回は、次の要件に該当する場合において、物納の許可を受けた日から１年以内にその撤回の申請があった場合に限り認められる（相法46①）。税務署長は、その申請に基づき物納の撤回を承認し、又は申請を却下する（相法46③）。

① 物納の許可を受けた不動産のうちに賃借権その他の不動産を使用する権利の目的となっている不動産があること。

② その物納の許可を受けた者が、その後物納に係る相続税を、金銭で一時に納付し又は延納の許可を受けて納付することができることとなったこと。

ただし、その不動産が既に換価されていたとき又は公用若しくは公共の用に供されており若しくは供されることが確実であるときは承認されない（相法46①ただし書）。

(3) 延納の申請

物納の撤回による延納の申請をしようとする者は、相続税法第39条第１項の規定にかかわらず、物納の撤回の申請の際に、その延納の許可の申請をす

ることが認められる（相法47①②）。

なお、平成18年の改正に当たっては、基本的な考え方に変更はないが、物納手続全体としての審査期間の法定化等の物納手続の改正と同様の改正が行われている。

① 物納の撤回の審査期間

　物納の審査期間が、原則3か月（例外として、6か月又は9か月）とされたことは、先に述べたが、物納の撤回の審査期間についても同様に審査期間が3か月とされた。

　なお、この審査期間の例外としては、次のものがある。

イ　物納財産を撤回する場合に撤回する財産と一体として使用されるべき財産を追加するよう要請した場合には、その要請の通知が発せられた日から2か月以内とされている（相法46④）。

ロ　物納の撤回に係る相続税のうちに金銭で一時に納付すべき金額がある場合又は国が支出した有益費がある場合には、これらの納付を求める通知が発せられた日から2か月以内とされている（相法46⑤）。

② 一時に納付すべき相続税

　物納の撤回に係る相続税のうちに金銭で一時に納付すべき相続税があるときは、その旨の通知が発せられた日から1か月以内にその相続税が完納されることを条件として物納撤回の許可をすることができることとされていた（旧相令19の2⑥）が、平成18年の改正により一時に納付すべき相続税の完納をまって物納の撤回の許可又は却下を行うこととされている（相法46⑤）。

③ 有益費の納付に関する改正

　物納の撤回に係る財産について、国が支出した有益費があるときは、その額を財務局長等が告知することとされていた（旧相令19の4⑥）が、今回の改正により、有益費の完納をまって物納の撤回の許可又は却下を行うこととされている（相法46⑤）。

④ 物納の撤回財産に追加すべき不適格財産の範囲

　物納の許可があった二以上の不動産の一部について物納の撤回の申請が

あった場合又は物納の許可があった一の不動産を分割したその一部について物納の撤回の申請があった場合（これらの申請のあった財産以外の物納財産のうちにその物納の撤回により管理又は処分をするのに不適格となる財産がある場合に限る。）において、税務署長は、その不適格となる財産を物納の撤回の申請に係る財産に追加することを求め、納税者が物納の撤回財産にその不適格となる財産を追加するのをまって、撤回の申請の許可又は却下をすることができることとされていた。

この場合の不適格となる財産は、物納をすることができない財産と同様に「管理又は処分をすることが不適当」と定められていたが、今回の物納不適格財産の明確化と同様の改正が行われている。具体的には、他の不動産（他の不動産の上に存する権利を含む。）と社会通念上一体として利用されている不動産又は利用されるべき不動産として次に定めるものとされている（相法46④、相令25の4①）。

イ　二以上の者の共有に属する不動産で次に掲げる不動産以外のもの
　(イ)　当該不動産のすべての共有者が当該不動産について物納の許可の申請をする場合における当該不動産
　(ロ)　私道の用に供されている土地（一体となってその効用を有する他の土地とともに物納の許可の申請をする場合における当該土地に限る。）

ロ　がけ地、面積が著しく狭い土地又は形状が著しく不整形である土地でこれらの土地のみでは使用することが困難であるもの

ハ　私道の用に供されている土地（一体となってその効用を有する他の土地とともに物納の許可の申請をする場合における当該土地を除く。）

ニ　敷地とともに物納の許可の申請がされる建物以外の建物（当該建物の敷地に借地権が設定されているものを除く。）

ホ　他の不動産と一体となってその効用を有する不動産（これらの不動産のすべてが一の土地使用収益権の目的となっている場合で収納後の円滑な土地使用収益契約の履行が可能なものを除く。）

6 物納に係る問題点と私見

(1) 問題点

相続税の物納については、従来からいくつかの問題点が指摘されている（注）。それらのうち幾つかは、既に述べたように、平成18年の改正において立法的に解決されているが、なお、残された問題も少なくない。それを列挙してみると、次のとおりである。

① 物納適格財産の範囲が限定的過ぎるので、その枠を拡大すべきである
② 物納財産の収納価額の算定において、小規模宅地等の特例（措法69の4）の適用がある宅地等については、特例適用後の価額によることとされているが、特例適用前の価額によるべきである
③ 納税者固有の財産による物納を認めるべきである

（注）「争点相続税法」389～393頁参照

(2) 私　見

① 物納適格財産の範囲を拡大すべきであるという考え方について

考え方そのものとしては、物納適格財産の範囲を拡大することに異論はない。ただし、課税するときにはすべての財産を課税しながら、物納のときには限られた財産しか認めないのは、納税者の不満・不信を招くので、物納の枠を拡大すべきであるという考え方には問題がある。

すなわち、この考え方は、租税は本来金銭で納付すべきものであるという原則を忘れているのではないかということである。つまり、物納を広く認めよというのであれば、他の租税すなわち所得税や法人税にも物納を認めようということにならないだろうか。相続税だけに物納を認めているのは、既に述べたように相続税の負担が重く、かつ、相続税の課税対象に不動産が多い場合には金銭納付が困難になることも生じ得るので、特に金銭納付の原則の例外として物納を認めることとされたものであり、相続税は財産に課税する税であるから、課税された財産による物納を認めるというものではないということを理解すべきなのである。したがって、物納を認める場合の物納適格財産は、当然、その財産を当局が受け入れた後にそれを管理し、換価するの

に適当な財産に限られることはやむを得ないのである。

　この点でしばしば問題になるのは、取引相場のない株式の課税と物納の問題である。すなわち、取引相場のない株式は、一般に、その発行会社が過少資本で、かつ、配当をしないため内部留保が多いこと等から、その評価額は高額になる傾向があるが、取引相場のない株式の物納の受入れは困難である場合が多く、常に国会等で問題とされてきた経緯がある。

　そこで、実務上は、相続等により取得した財産のほとんどが取引相場のない株式であり、かつ、取引相場のない株式以外に物納に充てるべき財産がないと認められるときは、金銭で納付することを困難とする金額を限度として、物納申請を認める方向で所轄税務署長から財務局に調査依頼し、財務局が収納適格と認めるものについて物納が認められるという取扱いがされてきたが、これを通達上明文化すべしという要望が強かったので、平成4年の相続税法基本通達の改正の際、これまでの実務上の取扱いを踏襲するとともに、取扱いの明確化が図られたものである（相基通41－14）（注）。

（注）　国税庁徴収部管理課課長補佐ほか「相続税法基本通達の一部改正について」（国税速報・平成4年9月14日第4493号・大蔵財務協会刊・12～13頁）参照。

　具体的な取扱いとして、取引相場のない株式の物納申請があった場合には、その物納申請が金銭で納付することを困難とする金額を限度として上記のいずれの要件をも満たした上で、税務署では管理又は処分するのに不適当な財産であるか否かを管理官庁である財務局と協議することとされている。この場合において、管理官庁による調査の結果、物納申請がされた取引相場のない株式が管理又は処分するのに適当という回答があったときは、その株式の物納を許可することとされ、管理又は処分をするのに不適当という回答があったときは、「売却できる見込みのない有価証券」（相基通42－2(2)ハ）に該当するものとして納税者に対して物納財産の変更を求め（相法42②ただし書）又は延納申請への変更（相基通42－4）を指導する取扱いが行われている（注）。

(注) 物納された取引相場のない株式は、できる限り早急に処分することとされており、その処分方法は、原則として競争入札によることとされている。また、競争入札により処分することができない場合には、年1回以上、随意契約適格者に対して買受け勧奨を行うものとされている。

　更に、平成18年の改正では、株式のうち次のものは物納不適格財産として明定されている（相令18ニ、相規2⑩）。

イ　譲渡に関して証券取引法その他の法令の規定により一定の手続が定められている株式で、当該手続がとられていないものとして次に定めるもの

　a　物納財産である株式を一般競争入札により売却することとした場合（証券取引法第4条第1項の届出及び同法第15条第2項の目論見書の交付が必要とされる場合に限る。）において、当該届出に係る書類及び当該目論見書の提出がされる見込みがないもの

　b　物納財産である株式を一般競争入札により売却することとした場合（証券取引法第4条第5項の通知書の提出及び目論見書の交付が必要とされる場合に限る。）において、当該通知書及び目論見書の提出がされる見込みがないもの

ロ　譲渡制限株式

ハ　質権その他の担保権の目的となっている株式

ニ　権利の帰属について争いがある株式

ホ　二以上の者の共有に属する株式（共有者の全員が当該株式について物納の許可を申請する場合を除く。）

　なお、このような取扱いについては、次のような批判がある（前掲「争点相続税法」390頁）。すなわち、現行の取扱いは、事業の円滑な承認のため、是非見直すべきで、例えば、物納収納直後に国を相手に株式の消却（会社法178）ができることや、オーナー所有の株式を会社が自己株式として取得して消却することを制度化する等の方法を検討すべきであるとしている。ただし、現在は会社の自己株式の取得はかなり自由化されている（会社法156）。

②　小規模宅地や課税の特例の適用がある宅地の収納価額

これについては、筆者も前に述べたように小規模宅地等の課税の特例は、課税価格の減額措置であって、この減額後の価額は「時価」ではないのであるから、物納財産の収納価額は本来の「時価」によるべきで、現行のように減額後の価額をもって収納価額とするのは誤っており、早急に改めるべきものと考える。

なお、小規模宅地等は特例物納の対象にはならない（措法69の4⑧）。

③　納税者固有の財産による物納

この考え方については、首肯できる面もあるが、①で述べた物納の基本的な考え方からいくと、物納対象財産は相続税の課税対象となったものに限るべきで、安易に納税者固有の財産による物納を認めると、物納財産の枠の拡大にもつながりかねないという危惧も感じる。

第8編
雑　則

I 附带税

第1節 総 説

　附帯税は、国税の適正な納付を保障するための負担として、延滞税、加算税の制度があり、加算税は、過少申告加算税・無申告加算税・不納付加算税（源泉徴収所得税特有のもの）及び重加算税に分かれる。また、これとは別に延納期間中における利子に当たるものとして利子税の制度がある。附帯税のうち、延滞税及び加算税は国税通則法で定め、利子税については延納の制度がある所得税法及び相続税法で定めているが、延滞税の特例も各税法で定められている。

　附帯税の最初は、明治44年12月7日に設けられた延滞金の制度であるが、当時は賦課課税の時代であったため、国税を滞納し、督促を受けたが、その指定期限までに国税を納付しない場合に徴収されるものであった。

　昭和22年にわが国の所得税、法人税、相続税について申告納税制度が採用されるに至って、現行の附帯税制度の原型に当たる利子税、延滞加算税及び過少申告加算税等の各種加算税の制度が設けられた。その趣旨について、当時の当局者は、次のように述べている（「相続税・富裕税の実務」217〜218頁）。

　「申告納税制度においては、申告書の提出期限内に正直に申告書を提出し正当税額を納付した者と所定の申告期限後に申告納税する者、或いは納税義務があり乍ら全然申告をしないで税務官庁の決定に基づいて正当税額を追徴される者、更には申告はしたが申告額が過少なため税務官庁の更正に基づいて正当税額に対する不足税額を追徴される者等との間には、実質的に負担が異なることになるので、昭和22年の申告納税制度採用と同時に、加算税、追

徴税のいわゆる民事罰（Civil Penalty）の制度が設けられ今日に至っている。民事罰は、行政罰ともいわれ、懲役又は罰金という刑事罰（Criminal Penalty）に対するもので、裁判所ではなく、行政機関によって課せられるところに特色があり、これにより正当期限内に正当税額を納付することの間接強制がなされているわけである。」

　その後昭和37年に延納期間に課される利子税が延滞加算税から分離され、また従来の延滞加算税と延納以外の利子税が延滞税に統一されて現在に至っている。以下の検討は、いうまでもなく、相続税及び贈与税に関する附帯税に限られる。

第2節　利　子　税

1　総　説

　相続税法の規定による延納期間又は租税特別措置法の規定による納税猶予が認められている期間中は、まだ国税債務の履行遅滞ではないので、その期間については、延滞税ではなく期間の利益に対する利息の意味で利子税が課されることになっている。本稿では、相続税一般の利子税の検討に重点を置き、納税猶予に係る利子税は、要点のみとする。

2　物納の許可審査期間における利子税

(1)　物納に係る利子税

　物納の許可を受けた者は、その物納に係る相続税額の納期限又は納付すべき日（相続税法第51条第2項第1号の規定に該当する場合には同号に規定する期限後申告書又は修正申告書を提出した日とし、同項第2号の規定に該当する場合には同号に規定する更正通知書又は決定通知書を発した日とする。(2)において同じ。）の翌日から納付があったものとされた日までの期間につき、その相続税額を基礎とし、その期間に応じ、年7.3％の割合を乗じて算出した金額に

(2) 物納に係る利子税の免除

　(1)の場合において、(1)の納期限又は納付すべき日の翌日（相続税法第42条第4項の物納手続関係書類提出期限延長届出書（同法第45条第2項において準用する同法第42条第4項の物納手続関係書類提出期限延長届出書の提出があった場合には、その物納手続関係書類提出期限延長届出書。以下「最終物納手続関係書類提出期限延長届出書」という。）の提出があった場合には、その最終物納手続関係書類提出期限延長届出書に係る物納手続関係書類の提出期限の翌日）から納付があったものとされた日までの期間（物納手続関係書類の訂正又は提出を行う期間その他の一定の期間を除く。）に対応する部分の利子税は、納付することを要しない（相法53②）。

(3) 物納申請の却下等に係る利子税

　相続又は遺贈により財産を取得した者について、物納の申請の却下があった場合（その物納に係る相続税について相続税法第44条第2項において準用する同法第39条第1項の規定による延納の申請をした場合を除く。）又は物納の申請を取り下げたものとみなされる場合には、その取得した者は、その申請の却下又は取下げに係る相続税額の納期限又は納付すべき日の翌日からその物納の申請の却下があった日又は物納の申請を取り下げたものとみなされる日までの期間につき、その相続税額を基礎とし、その期間に応じ、年7.3％の割合を乗じて算出した金額に相当する利子税を納付しなければならない（相法53⑥）。

(4) 物納の許可の取消しに係る利子税

　物納の許可の取消しを受けた者は、(1)及び(2)にかかわらず、その取消しに係る相続税額の納期限又は納付すべき日（相続税法第48条の2第6項において準用する同法第48条第2項の規定により物納の許可の取消しがあった場合には、第48条の2第6項において準用する同法第43条第2の規定により納付があったものとされた日）の翌日からその取消しのあった日までの期間につき、その相続税額を基礎とし、その期間に応じ、年7.3％の割合を乗じて算出した金額

に相当する利子税を納付しなければならない。

なお、その取消しに係る物納財産につきその物納財産に係る納付があったものとされた日の翌日からその取消しのあった日までの期間内に国が取得した、又は取得すべき賃貸料その他の利益に相当する金額（国がその物納財産につき有益費を支出した場合には、その有益費の額に相当する金額を控除した金額）を返還することとされている（相法53⑦）。

3　相続税の延納の場合の利子税

(1)　原　　則

相続税の延納の許可を受けた場合には、その延納期間の日数に応じて、（参考）の表による利子税が課税される。この利子税は延納に係る相続税とあわせて納付しなければならない（通則法64①、相法52、措法70の11）。

平成12年度の税制改正において、課税相続財産のうちに不動産や特定の同族会社の株式等の占める割合が高い納税者を中心に、全体的に延納の利子税の割合を大幅に引き下げる措置が講じられ、更に課税相続財産の価額のうちに不動産の価額の占める割合が低い場合についても、次のとおり延納の利子税の割合を引き下げる特例措置が創設された（措法70の11）。

相続税法の規定により延納の許可を受けた相続税額（措置法第70条の8の2第3項、第70条の9第1項又は第70条の10第2項の規定の適用を受けた相続税額を除く。）についての延納の利子税の割合については、次の割合となった。

① 課税相続財産の価額のうちに不動産等の価額が占める割合が10分の5以上の場合

　イ　不動産等に係る延納相続税額……………………………年5.4％→年3.6％
　ロ　動産等に係る延納相続税額………………………………年6.0％→年5.4％

② 課税相続財産の価額のうちに不動産等の価額が占める割合が10分の5未満の場合

　イ　課税相続財産の価額のうちに立木の価額の占める割合が100分の30を超える場合の当該立木の価額に対応する延納相続税額

　　　　……………………………………………………………年5.4%→年4.8%
　ロ　イ以外の延納相続税額……………………………年6.6%→年6.0%
(2)　延納の申請の却下又は取下げの場合の利子税

　相続又は遺贈により財産を取得した者について、延納の申請の却下があった場合又は延納の申請を取り下げたものとみなされる場合には、その取得した者は、その申請の却下又は取下げに係る相続税額の納期限又は納付すべき日の翌日からその延納の申請の却下があった日又は延納の取下げがあったものとみなされる日までの期間につき、その相続税額を基礎とし、その期間に応じ、年7.3%の割合を乗じて算出した金額に相当する利子税を納付しなければならない（相法52④）。

4　贈与税の延納の場合の利子税

(1)　贈与税の延納の許可を受けた場合には、延納期間の月数に応じ、年6.6%の割合で利子税が課される。この利子税は相続税と同様に延納税額に併せて納付しなければならない（相法38③、52①）。

(2)　贈与税の延納の申請の却下があった場合又は延納の申請の取下げがあったものとみなされる場合には、贈与税の納期限の翌日から延納の申請の却下があった日又は申請の取下げがあったものとみなされる日までの期間については、年7.3%の割合の利子税を納付しなければならない（相法52④）。

5　災害等の場合の利子税の計算期間の見直し

(1)　準備期間・審査期間が延長された場合の利子税の取扱い

　次のイからホまでに掲げる場合には、それぞれイからホまでに定める期間に応じ年7.3%の割合の利子税を納付する必要があるが、災害により手続等が延長される期間については、災害その他手続を行うことができないことについてやむを得ない事由がある期間であることから、その期間は利子税の計算期間から除外することとされた（相法52④、53①③④⑥⑦）。

〔参考〕相続税・贈与税の延納等に係る利子税の割合の特例

区　分		延納期間	利子税年割合 本則	利子税年割合 特例	利子税年割合 特例 措法93 令和3年中
相　続　税　延　納（②、③を除く）	① 不動産等の価額に対応する税額	15年	5.4%(相52①イ)	3.6%(措70の11)	0.7%
不動産等の価額が課税相続財産の価額の50％以上の場合	② 不動産等の価額が課税相続財産の価額の75％以上の場合の不動産等の価額に対応する価額	20年	5.4%(相52①イ)	3.6%(措70の10)	0.2%
	③ 計画伐採立木の価額が課税相続財産の価額の20％以上の場合 イ 森林経営計画対象立木部分（ロを除く。）の税額 ロ 特定森林経営計画対象立木部分の税額	イ 20年 ロ 40年		1.2%(措70の8の2)	0.2%
	④ その他の財産に対応する税額	10年	6.0%(相52①イ)	5.4%(措70の11)	1.1%
不動産等の価額が課税相続財産の価額の50％未満の場合	① 立木の価額が課税相続財産の価額の30％を超える場合の立木の価額に対応する税額	5年	5.4%(相52①ロ)	4.8%(措70の11)	0.9%
	② ①の場合で、かつ、計画伐採立木の価額が課税相続財産の価額の20％以上の場合の森林経営計画対象立木部分の税額			1.2%(措70の8の2)	0.2%
	③ 特別緑地保全地区、歴史的風土特別保存地区等の土地の価額に対応する税額			4.2%(措70の9)	0.8%
	④ その他の財産の価額に対応する税額		6.6%(相52①イ)	6.0%(措70の11)	1.2%
贈　与　税　延　納		5年	6.6%(相53)		1.3%
農地等に係る相続税の納税猶予（20年営農で免除される者）			6.6%(措70の6⑧)		1.3%
農地等・山林・非上場株式等に係る納税猶予			3.6%(措70の4⑮等)		0.7%
物　納（納税署での審査期間を除く。）			7.3%(相53)		1.5%

イ 延納の許可の申請の却下又はみなし取下げがあった場合 申告期限等の翌日から却下又はみなし取下げがあった日までの期間
ロ 物納の許可があった場合 申請者の準備期間
ハ 物納の撤回があった場合 申告期限等の翌日から撤回に係る相続税を納付する日までの期間
ニ 物納の申請の却下又はみなし取下げがあった場合 申告期限等の翌日から却下又はみなし取下げがあった日までの期間
ホ 物納の許可の取消しがあった場合 申告期限等の翌日から取消しの日までの期間

(2) 災害等により延納の許可が第1回の分納期限より後になった場合の利子税の取扱い

　上記(1)の災害により手続等の期間を延長する措置が講じられたことから、延納の許可が申請書に記載された第1回の分納期限より後になる可能性がある。

　そのため、延納の許可が申請書に記載された第1回に納付すべき分納税額の納期限後にされた場合には、延納の許可を受けた日までに申請書に記載された納期限が到来した分納税額に係る利子税については、当該申請書に記載された第1回に納付すべき分納税額の納期限前に延納の許可があったものとして計算したところによることとされている（相法52⑤）。

6　物納を撤回した場合の利子税

　物納した不動産のうちに賃借権その他の不動産を使用する権利の目的となっている不動産がある場合には、その物納許可後1年以内に限り、その物納を撤回し、その相続税を即納又は延納することができる。この場合には、その相続税の法定納期限の翌日から即納の日までの期間又は延納期間のそれぞれの日数に応じ、2と同様の利子税が課税される（相法53③④）。

7　相続税の納税猶予の場合の利子税

　特例農地等について相続税の納税猶予の適用を受けていた農業相続人が、一定の要件に該当した場合には、納税猶予分の相続税に併せて相続税の申告書の提出期限の翌日から猶予期間までの期間の日数に応じ、年3.6％（特例農地等のうちに都市営農地等がない農業相続人にあっては、市街化区域内農地等に係る部分は6.6％）の割合による利子税を納付しなければならない（措法70の6㊵）。

8　贈与税の納税猶予の場合の利子税

　農地等の贈与を受けた受贈者がその贈与を受けた農地等につき贈与税の納税猶予の適用を受けていた場合において、その受贈農地等につき一定の要件に該当した場合には、納税猶予分の贈与税に併せて贈与税の申告書の提出期限の翌日から猶予期限までの期間の日数につき年3.6％の割合による利子税を納付しなければならない（措法70の4㉟）。

9　連帯納付義務に基づく相続税の利子税

　平成23年の改正で、相続税の連帯納付義務者が連帯納付義務を履行する場合における当該相続税に併せて納付すべき延滞税については、原則として、利子税に代えることとする改正が行われている（相法51の2）。内容については、延滞税の項で説明する。

10　利子税等の割合の特例制度（注）

(1)　趣　　旨

　利子税及び後述の延滞税は、延納を選択した者としない者又は納期限を遵守した者としない者との負担の公平、滞納の防止、滞納となった国税の早期納付の慫慂等を目的として課されるものであることから、その割合はこれらの目的にかなうものでなければならない。加えて利子税等は、納税者が自ら計算して納付すべきものであることを併せて考えれば、制度の安定性や明確

性についての十分な配慮も必要であるとされている。したがって、利子税等の割合は、こうした趣旨を踏まえ、より長期的かつ広範な観点から判断すべき性格のものであり、この制度の基本的見直しは、今後の中長期的な金利水準の動向を見極めた上で検討すべきものとされている。

しかしながら、平成7年9月に公定歩合が0.5％になり、その後も市中貸出金利等が低下してきているという状況の下、利子税等について、その軽減を求める要望が強くなり、こうした要望を踏まえ、現在の超低金利の状況を勘案し、当分の間の措置として、利子税、延滞税（年7.3％の割合の部分に限る。）及び還付加算金（本稿では説明を省略）の割合の特例制度が、平成11年の税制改正において創設されたが、平成25年の税制改正で、特例基準割合、延滞税の割合の見直し等が行われた。

本稿では、相続税及び贈与税に関する部分に限って検討することとする。

(注) この特例の平成25年の改正の趣旨は、「平成25年版・改正税法のすべて」852頁以下によった。

(2) 特例の基本事項

① 基準金利等の見直し

今回、延滞税等の特例割合の基準となる割合を「国内銀行の貸出約定平均金利（基準金利）＋1％」（改正前：「公定歩合（基準金利）＋4％」）とすることとされた。

具体的には、延滞税等の特例割合の基準となる割合については、各年の前々年の10月から前年の9月までの各月における「国内銀行の貸出約定平均金利（新規・短期）」の合計を12で除して計算した割合（この割合に0.1％未満の端数があるときは、これを切り捨てる。）として各年の前年の12月15日までに財務大臣が告示する割合に、年1％の割合を加算した割合とされた（以下この割合を「特例基準割合」という。）。

基準金利については、上記(1)のとおり、これまで「公定歩合」を用いていた。この「公定歩合」については、現在、補完貸付制度の適用金利として、日本銀行の政策金利である無担保コールレート（オーバーナイト物）の上限

を画する役割を担っているに過ぎず、政策金利としての意味合いはなく、平成11年改正時のように、「国民にとって最も明白でかつ分かりやすい」ものともいえない状況となっていた。こうした点を踏まえ、今回、日本銀行において毎月公表される、代表的な市中金利である「国内銀行の貸出約定平均金利（新規・短期）」を基準金利として採用することとされたものである。

　また、基準金利に１％を加算した割合を特例基準割合としたのは、①基準金利たる「国内銀行の貸出約定平均金利」（新規・短期：1.0％（平成24年10月時点））が、銀行の貸出残高に応じた加重平均値であるため、大口顧客の融資の金利に強く影響されているものであること、②同じ「貸出約定平均金利」であっても、地方銀行の場合は1.7％、信用金庫の場合は2.4％（それぞれ平成24年10月時点）となっていること、③住宅ローンの変動金利も2.4％（平成24年10月時点）となっていること等を踏まえ、多様な納税者に対して全国画一的に適用される国税として、（足元１％となっている）国内銀行の貸出約定平均金利に、１％の上乗せした水準を「特例基準割合」とすることとされたものである。

② 　**特例割合の適用期間**

イ　一般の利子税及び延滞税の特例割合の適用期間は、制度の分かりやすさ、計算の便宜等を考慮し、暦年とされている（措法93①、94①）。相続税・贈与税の延納申請の却下・取下げ、物納の許可の撤回等も同様である。

ロ　これに対し、相続税及び贈与税の延納利子税の場合の特例の適用期間は、各分納期間中は利子税の割合が変わらないことが望ましいことから、各分納期間によることとされている（措法93②③）。

③ 　**特例基準割合**

　特例割合は、その適用開始日よりも前に明らかになっていることが必要であるので、①で述べたとおり多様な納税者に対して全国画一的に適用される国税として、（足元１％となっている）国内銀行の貸出約定平均金利に、１％の上乗せした水準を「特例基準割合」とすることとされたものである。

　なお、この「国内銀行の貸出約定平均金利（新規・短期）」の年平均（前々

年の10月から前年の9月まで)については、日本銀行の公表データを基に一般に計算することは可能だが、予測可能性や法的安定性を確保する観点から、貸出約定平均金利(新規・短期)の年平均に相当する割合を、各年の前年12月15日までに財務大臣が告示することとされている(措法93②)。

〈平成26年以後の特例基準割合〉

平成26年……0.9＋1.0＝1.9％
平成27年……0.8＋1.0＝1.8％
平成28年……0.8＋1.0＝1.8％
平成29年……0.7＋1.0＝1.7％
平成30年……0.7＋1.0＝1.7％
平成31年……0.6＋1.0＝1.6％
令和1年……0.6＋1.0＝1.6％
令和2年……0.6＋1.0＝1.6％
令和3年……0.5＋1.0＝1.5％

④ 端数切捨て

　利子税等の特例割合は、計算件数が多いこと等から計算しやすいよう特例割合に係る0.1％未満の端数は切り捨てることとされている(措法93、94)。

(3) 相続税及び贈与税の延納利子税の割合の特例

① 相続税及び贈与税の延納利子税の割合の特例の見直し

　平成25年の改正で相続税及び贈与税の延納利子税の割合(年1.2％～年6.6％)は、各分納期間の開始の日の属する年の特例基準割合(以下「延納特例基準割合」という。)が年7.3％に満たない場合には、その分納期間においてはこれらの利子税の割合に、当該延納特例基準割合が年7.3％に占める割合を乗じて計算した割合(この割合に0.1％未満の端数があるときは、これを切り捨てる。)とされた(措法93③)。

② 相続税及び贈与税の納税猶予に係る利子税の割合の特例の見直し

　同じく平成25年の改正で相続税及び贈与税の納税猶予に係る年3.6％の割合(農地等についての相続税の納税猶予に係る都市営農農地等を有しない農業相

続人が有する一定の農地等に対する相続税については年6.6％の割合）は、特例基準割合が年7.3％に満たない場合には、その年中においては、これらの利子税の割合に、当該特例基準割合が年7.3％に占める割合を乗じて計算した割合（この割合に0.1％未満の端数があるときは、これを切り捨てる。）とされた（措法93⑤）。

なお、相続税及び贈与税の納税猶予制度には以下のものがある。

イ　農地等についての相続税及び贈与税の納税猶予（措法70の4、70の6）
ロ　山林についての相続税の納税猶予（措法70の6の4）
ハ　非上場株式等についての相続税及び贈与税の納税猶予（措法70の7、70の7の2、70の7の4）
ニ　医療法人の持分等についての相続税及び贈与税の納税猶予（措法70の7の5、70の7の9）

③　**分納期間**

分納期間とは、第1回に納付すべき分納税額又は第2回以後に納付すべき分納税額に併せて納付しなければならない利子税の額の計算の基礎期間をいう（措法93①）。

具体的には、第1回の分納期間は、延納税額の法定納期限又は具体的納期限から第1回に納付すべき分納税額の納期限までの期間であり、また、第2回以後の分納期間は、前回の分納税額の納期限の翌日からその回の分納額の納期限をいう（相法52①）。

④　**延納利子税の額の計算方法**

相続税及び贈与税の延納利子税は、各分納期間の分納税額を納付する場合に、その分納額に併せて納付しなければならない（相法52①）。したがって、各分納期間に係る延納利子税の額は、その分納期間の分納額の納付に際し、その分納期間の延納特例基準割合によってこの特例の適用の有無を判定し、この特例が適用されない場合には原則的割合により、この特例が適用される場合には特例割合により、それぞれ計算することになるわけである。

(4) 相続税及び贈与税の納税猶予等に係る利子税の割合の特例
① 制度の概要

既に述べたように、相続税及び贈与税の納税猶予に係る利子税の割合は年3.6%～6.6%、また、相続税の物納の撤回に係る利子税の割合は年5.4%～年6.6%の割合とされているが、各年の特例基準割合（前年11月30日を経過する時で判断）が年7.3%に満たない場合には、次の算式により計算した割合によることとされる（0.1%未満の端数は切り捨てる。）（措法93④⑤）。

$$原則的な利子税の割合 \times \frac{特例基準割合}{年7.3\%}$$

② 利子税の額の計算方法

これらの利子税は、納税猶予に係る相続税若しくは贈与税又は物納の撤回に係る相続税を納付する場合に、併せて納付しなければならない。したがって、これらの利子税の額は、その相続税又は贈与税の納付に際し、これらの利子税の額の計算の基礎期間について、その期間に対応する年（その期間が2以上の年にまたがる場合にはそれぞれの年）の特例基準割合によってこの特例が適用される期間の有無を判定し、この特例が適用されない期間については原則的割合により、この特例が適用される期間については特例割合により、それぞれ計算することになる。

11 利子税の具体的計算方法

(1) 計算の原則

既に述べたように、利子税は相続税又は贈与税の法定納期限等の翌日から計算される。

相続税の延納利子税額の計算の特色は、下図のように、各分納期限ごとに、それまでの延納税額の金額に係る利子税を計算することとされている点である。

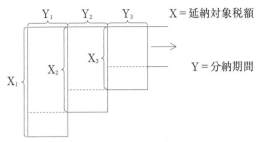

例えば X_1 は第1回の分納期限が到来する前の延納対象税額、Y_1 は第1回の分納期間を示す。したがって、第1回の分納期限において納付すべき利子税は、X_1 ×利子税割合× Y_1 となる。

(2) 利子税の計算の端数処理等

① 相続税の利子税の計算期間は、他の税と異なり、法定納期限の翌日から第1回の分納税額の納期限まで（第2回以後は、分納期限の翌日から次の分納期限まで）の日数により計算する（相法52①②）。

② 利子税の額の計算の基礎となる税額に10,000円未満の端数がある場合又はその税額の全額が10,000円未満である場合には、その端数金額又は全額が切り捨てられる（通則法118③）（注）。

③ 利子税の確定金額に100円未満の端数がある場合又はその全額が1,000円未満である場合には、その端数金額又は全額が切り捨てられる（通則法119④）。

（注） 相続税等の延納年割合額に1,000円未満の端数がある場合には、その端数はすべて最初に納期の到来するもの（例えば、全額の延納が認められる場合には、第1回の分納期限）に合算する（通則法119③）。

(3) 第1回の分納税額の納付の場合

第1回の分納税額の納付の際に併せて納付すべき利子税の額は、その延納税額（延納許可を受けた相続税額全額である。）を基礎とし、延納許可を受けた税額の法定納期限等（注1）の翌日からその分納税額の納期限までの日数に応じ、年6.6％（利子税割合の特例、延納特例基準割合の適用がある場合には、その割合による。以下11において同じ。）の割合を乗じて算出した金額に相当

する金額による（注2）。

(注1) この「法定納期限等」とは、期限内申告の場合は法定納期限（法定申告期限）（相法33）、一般の期限後申告、修正申告、更正又は決定の場合は、国税通則法に定める納付すべき日（通則法35②）である。さらに相続税の特例（相法32①）として、期限後申告書又は修正申告書を提出した場合にはその提出の日、更正通知書又は決定通知書を発した場合にはその発した日をそれぞれいうものとされる。

(注2) 不動産、立木等とその他の財産がともにある場合は、それぞれに対応する部分の税額に、それぞれに定められた利子税割合を適用して計算した利子税の額の合計額による（相法52①一、措法70の7、70の8、70の9、70の10）。例えば、課税相続財産の価額のうちに不動産等の占める割合が4分の3以上である場合には、次の①と②の合計額による（措法70の10②）。

① 不動産等に対応する部分の税額……年3.6％
② その他の部分の税額……年5.4％

なお、このような場合において、延納相続税として納付された税額に納付すべき税額に比し過不足がある場合には、まず利子税割合の高いその他の部分の税額から先に充当するものとされる（相令28の2）。

(4) 第2回の分納税額の納付の場合

第2回以後の分納額の納付の際に併せて納付すべき利子税の額は、その延納税額から前回までの分納税額の合計額を控除した税額を基礎とし、前回の分納税額の納期限の翌日からその回の分納税額の納期限までの期間の日数に応じ、利子割合を乗じて算出した金額に相当する金額による。

(5) その他

① 延納の取消しがあった場合

延納の許可を受けた者がその許可を取り消された場合（相法39⑥、40②）には、取消しがあった時以後に納付すべきであった分納税額の合計額を取消しがあった時に納期限が到来した分納税額とみなして利子税の額の計算を行う（相法52②）。

② 相続税の物納の撤回があった場合

相続税の物納の撤回の承認（相法43③）を受ける者は、その物納の撤回に係る相続税の納付に併せて、その相続税の納期限又は納付すべき日（同日前

に物納の許可の申請があった場合には、その申請があった日）の許可の翌日から次の相続税の区分に応じ、それぞれ次に掲げる日までの期間につき、所定の方法で計算した利子税を納付しなければならない（相法53③）。

(イ) 物納の撤回を承認する場合における一時納付額の通知（相法53③一）に係る相続税……その相続税を納付した日（相法43⑧一）

　この場合の利子税は、その相続税の額を基礎とし、その相続税の納期限又は納付すべき日（同日前に物納の許可の申請があった場合には、その申請があった日）の翌日からその相続税を納付した日までの期間の日数に応じ、利子税割合を乗じて算出した金額による（相令19の3①一）。

(ロ) 物納の撤回に係る延納の許可（相法47③）を受けた相続税……その延納期限（その期限前にその相続税の全部の納付があった場合には、その納付の日）（相法53③二）

　この場合の利子税は、(3)（第1回の分納税額の納付の場合）に準じて算出した金額による。ただし、「法定納期限等」については、納期限又は納付すべき日前に物納の許可の申請があった場合には、その申請があった日による（相令19の3①二）。

第3節　延滞税

1　総説

　延滞税は、国税を法定納期限までに完納しない場合において、その未納の税額の納付遅延に対して課される附帯税である。相続税等の延納等の利子税は納付遅延によるものではないので、この点において延滞税と利子税は異なるものである。

　延滞税は、国税の期限内における適正な実現を担保するとともに、期限内に適正に国税を履行した者との権衡を図るために設けられた附帯税であり、履行遅滞に対する損害賠償の性質を有する（「国税通則法精解」680頁）とされ

ている。

延滞税（利子税を含む。）の納税義務の成立は、国税に関する法律に定める課税要件事実が生じた時すなわち原則として国税の法定納期限を経過しても、なお納付されない事実がある時に成立するとされる（「国税通則法精解」694頁）。しかし、そのことを示す明文の法条はないようである。

なお、延滞税は、相続税のみならず、他の国税の履行遅滞についても課されるものであり、また、申告納税方式のみならず、賦課課税方式による国税についても課されるものである。本稿では、相続税、贈与税に関する延滞税のみについて取り上げる。

2　原則的な延滞税

(1)　延滞税の計算の基本

相続税又は贈与税を納付すべき日までに納付しなかった場合には、原則として、本税と併せて年14.6％（納期限の翌日から2か月を経過する日までの期間等については年7.3％……後述の延滞税の特例割合の項を参照）の額の延滞税を納付しなければならない（通則法60）。

(2)　延滞税を納付しなければならない場合

次のいずれかに該当する場合には、延滞税を納付する義務が生じる（通則法60①）。

イ　期限内申告書（相続税の義務的修正申告書（相法31②）でその提出期限内に提出されたものを含む。以下延滞税の項において同じ。）を提出した場合において、その提出により納付すべき税額を法定納期限（通則法28、相法33、50②）までに完納しなかったとき。

ロ　期限後申告書若しくは修正申告書（イの義務的修正申告書でその提出期限内に提出されたものを除く。以下延滞税の項にのおいて同じ。）を提出し、又は更正若しくは決定を受けた場合において納付すべき税額があるとき（通則法35②）。

(3) 延滞税の額

(イ) 原　　則

　延滞税の額は、法定納期限の翌日からその国税を完納する日までの期間に応じ、その未納の税額に年14.6%の割合を乗じて計算した額とされる（通則法60②本文）。ただし、納期限（延納の許可の取消しがあった場合には、その取消しに係る書面が発せられた日）までの期間又は納期限の翌日から2月を経過する日までの期間については、その未納の税額に年7.3%（特例基準割合適用年中においては、特例基準割合。詳細は後述）の割合を乗じて計算した額とされる（通則法60②ただし書）。この年当たりの割合は、閏年の日を含む期間についても365日当たりの割合とされている（利率等の表示の年利建て移行に関する法律25）。これを図示すると、次のようになる。

イ　相続税の期限内申告書を提出したが、納付は期限後となった場合

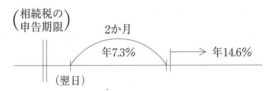

ロ　修正申告又は期限後申告により納付する場合

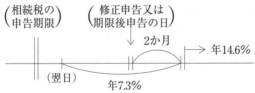

ハ　更正決定があった場合

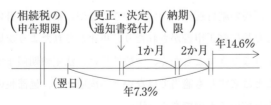

㈡ 相続税の延納税額が延納期限後に納付された場合

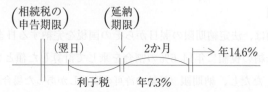

㈥ 修正・期限後申告又は更正決定に係る税額について延納する場合

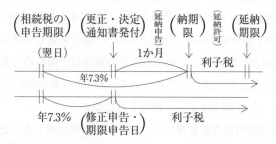

　なお、一部納付が行われた場合は、その一部を控除した額が、その納付の日の翌日以後の期間に係る延滞税の額の計算の基礎となる（通則法63①）。

　また、延滞税の計算の基礎となる税額は、法定納期限等までに納付されないいわゆる本税額であるから、各種加算税には延滞税は課されない。もちろん延滞税にさらに延滞税が課されることもない。

㈹　修正申告又は更正があった場合の特例

　修正申告書の提出又は更正があった場合において、次のⒶ又はⒷに該当するときは、その申告又は更正によって納付すべき国税については、延滞税の計算期間から、それぞれⒶ又はⒷに掲げる期間を除算することとして、延滞税を軽減することとされている（通則法61①）。

　延滞税は、国税の納付遅滞について課されるが、納税申告書の提出後1年以上も経過した後に修正申告がされたり、更正がされたような場合、税の逋脱があったようなときはともかく、一般的には、法定納期限まで遡って延滞税を課することは必ずしも適当ではないとの配慮から、延滞税の計算期間の特例が設けられているものである（注）。

（注）「国税通則法精解」725頁参照

Ⓐ　その修正申告又は更正に係る国税について期限内申告書が提出されている場合において、その法定申告期限から１年を経過する日後にその修正申告書が提出され、又はその更正に係る更正通知書が発せられたとき…その法定申告期限から１年を経過する日の翌日からその修正申告書が提出され、又は更正通知書が発せられた日までの期間。

　これを図示すると、次のようになる。

（修正申告の場合）

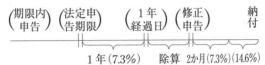

（更正の場合）

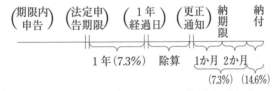

Ⓑ　その修正申告又は更正に係る国税について期限後申告書が提出されている場合において、その期限後申告書の提出があった日の翌日から起算して１年を経過する日後にその修正申告書が提出され、又はその更正に係る更正通知書が発せられたとき…その期限後申告書の提出があった日の翌日から起算して１年を経過する日の翌日からその修正申告書が提出され、又はその更正通知書が発せられた日までの期間。

　これを図示すると次のようになる。

（修正申告の場合）

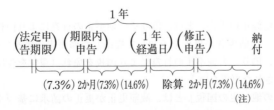

(更正の場合)

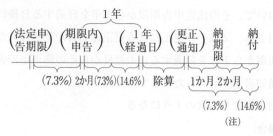

(注) この7.3％と14.6％が適用されるのは増税額の部分で、当初分はすべて14.6％になるのは当然である。

　この期間計算の特例は、偽りその他不正の行為により国税を免れた者に対して、その国税についての調査があったことによりその国税について更正があるべきことを予知して修正申告書の提出があった場合又は偽りその他不正の行為により国税を免れた者に対し、その国税に係る更正があった場合には、適用されない（通則法61①）。

(ハ) 減額更正後に修正申告又は更正があった場合の特例

　期限内申告書又は期限後申告書（期限内申告書等という。）が提出されており、かつ期限内申告書等の税額を減少させる更正（減額更正という。）がなされ、その後修正申告書の提出又は納付すべき税額を増加させる更正（増額更正という。）があった場合において、その申告又は更正によって納付すべき国税（期限内申告書等に係る税額に達する国税に限る。）については、延滞税の計算期間から、Ⓐ及びⒷに掲げる期間（特定修正申告書（注１）の提出又は特定更正（注１）により納付すべき国税その他一定の国税（注２）にあってはⒶの期間に限る。）を除算することとして、延滞税を軽減することとされている（通則法61②）。

(注１) 「特定修正申告書」とは、偽りその他不正の行為により国税を免れ（還付を受け）た納税者が更正を予知して提出した修正申告書をいい、「特定更正」とは、偽りその他不正の行為により国税を免れ（還付を受け）た納税者についてされた更正をいう。

(注２) 「その他一定の国税」とは、減額更正が更正の請求に基づく更正である

場合において、減額更正に係る更正通知書が発せられた日の翌日から起算して１年を経過する日までに修正申告書の提出等があったときのその修正申告書の提出等により納付すべき国税をいう。

　この改正は、平成26年12月12日に延滞税の計算期間についての最高裁判決を受けたものである。その最高裁判決においては、①納税者が相続税を法定納期限内に申告及び納付をした後、その申告に係る相続税額が過大であるとして更正の請求をした場合において、その後、②所轄税務署長において、相続財産の評価の誤りを理由に減額の更正処分をした後、③再び相続財産の評価の誤りを理由に当初の申告額に満たない増額の更正処分をしたときは、相続税の法定納期限の翌日から増額の再更正により納付すべき本税の納期限までの期間については延滞税は発生しない、とする旨の判示がなされた。

Ⓐ　期限内申告書等の提出により納付すべき税額の納付があった日（その日がその国税の法定納期限前である場合には、その法定納期限）の翌日から減額更正に係る更正通知書が発せられた日までの期間。

　　これを図示すると、次のようになる。

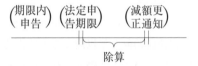

Ⓑ　減額更正に係る更正通知書が発せられた日（その減額更正が更正の請求に基づく更正である場合には、同日の翌日から起算して１年を経過する日）の翌日から修正申告書が提出され、又は増額更正に係る更正通知書が発せられた日までの期間。

　　これを図示すると次のようになる。

（減額更正が職権による場合）

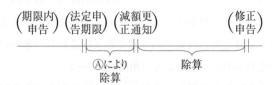

(減額更正が更正の請求に基づく場合)

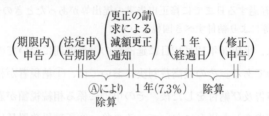

3 相続税及び贈与税に関する特例

(1) 後発的事由等の場合

① 延滞税の計算期間の特例

次の相続税については、それぞれ示す期間は、延滞税の計算期間に算入されない(相法51②)。

(イ) 相続等により財産を取得した者が、次の事由による期限後申告書又は修正申告書を提出したことにより納付すべき相続税額……法定納期限の翌日からこれらの申告書の提出があった日までの期間

　(ｲ) 期限内申告書の提出期限後に、その被相続人から相続等により財産を取得した他の者が相続開始前3年以内にその被相続人から贈与により取得した財産で相続税額の計算の基礎とされていなかったものがあることを知ったこと。

　(ﾛ) 期限内申告書の提出期限後に支給が確定した退職給与(相法3①二)の支給を受けたこと。

　(ﾊ) 未分割財産について相続分と異なった分割があったこと、認知の訴え、承認、放棄の取消しその他の事由により相続人に異動を生じたこと、遺留分侵害額の請求があったこと、条件付物納許可が取り消され、その物納財産について一定の事由が生じたこと、又は遺贈に係る遺言書が発見され、若しくは遺贈の放棄があったこと又はこれらの事由に準ずるものとして一定の事由が生じたこと(相法32①一～六)。

(ロ) 相続等により財産を取得した者について、次の事由による更正又は決定

があった場合におけるその更正又は決定により納付すべき相続税額……法定納期限の翌日からその更正又は決定に係る通知書を発した日（ロの事由による更正又は決定の場合にあっては、これらの通知書を発した日とその事由の生じた日の翌日から起算して4か月を経過する日とのいずれか早い日）までの期間。

(イ) その被相続人から相続等により財産を取得した他の者が相続開始前3年以内にその被相続人からの贈与により取得した財産で相続税額の計算の基礎とされていないものがあったこと。

(ロ) (イ)のロハの事由が生じたこと。

② **贈与税の場合の延滞税の期間の不算入**

贈与税について、次に掲げる期間は国税通則法第60条第2項の規定による延滞税の計算の基礎となる期間に算入しない（相法51③）。

(イ) 相続税法第21条の2第4項の規定の適用を受けていた者が、同法第32条第1号から第6号までに規定する事由が生じたことにより相続又は遺贈による財産の取得をしないこととなったため期限後申告書又は修正申告書を提出したことにより納付すべき贈与税額については同法第33条の規定による納期限の翌日からこれらの申告書の提出があった日までの期間

(ロ) 相続税法第21条の2第4項の規定の適用を受けていた者について、同法第32条第1号から第6号までに規定する事由が生じたことにより相続又は遺贈による財産の取得をしないこととなったため更正又は決定があった場合におけるその更正又は決定により納付すべき贈与税額については同法第33条の規定による納期限の翌日からその更正又は決定に係る国税通則法第28条第1項に規定する更正通知書又は決定通知書を発した日とその事由の生じた日の翌日から起算して4か月経過する日とのいずれか早い日までの期間

③ **延滞税の計算期間の起算日の特例**

次に示す相続税の延滞税の計算期間の起算日は、それぞれに示す修正申告期限の翌日とされている。

(イ) 相続税の当初の課税価格の計算の基礎に算入されなかった在外財産等についての価格の認定ができなかった場合において、その算定ができることとなったとき又は相続等により財産を取得した者がその財産を公益事業の用に供するために贈与した場合において、受贈者がその贈与の日から2年を経過した日までにその目的の用に供しないときにすべき修正申告又はその修正申告に係る更正又は決定による相続税額……その修正申告期限（措法69の3④、70⑨）

(ロ) 特別縁故者への相続財産の分与に伴う修正申告等……その修正申告期限（相法50②）

なお、これらの特例は、延滞税の性格に省み、その遅滞責任を問うことが適当でない期間について、延滞税を課さないこととされたものである。

(2) **延納の場合の延滞税額に関する特例**

延納の許可があった場合における相続税及び贈与税に係る延滞税については、その相続税等の額を、延納の許可を受けたものとその他のものとに区分し、さらにその延納の許可を受けたものを各分納税額ごとに区分して、それぞれの税額ごとに計算する。

そして、その延納の許可を受けた税額のうちに期限後申告、修正申告又は更正決定により納付すべきものがある場合には、その納付すべき税額に係る延滞税のうち法定納期限の翌日からその申告又は更正決定に係る納期限までの期間に対応するものとその他のものとに区分し、さらにその他のものについては各分納税額ごとに区分するものとされている（相法51①）。

(3) **手続ができないやむを得ない期間の除外の特例**

延納又は物納の許可の申請を取り下げた場合には、申告期限等の翌日から延納又は物納の申請を取り下げた日までの期間に応じた延滞税を納付する必要があるが、手続等が延長される期間については、災害その他手続を行うことができないことについてやむを得ない事由がある期間であることから、その期間は延滞税の計算期間から除外することとされた（相法51②三・四、③三）。

(4) **納税猶予税額に関する特例**

　農地等を贈与した場合の贈与税の納税猶予又は農地等についての相続税の納税猶予に係る贈与税額又は相続税額を滞納した場合における延滞税については、その贈与税額又は相続税額を、納税猶予を受けたものとその他のものとに区分し、さらにその納税の猶予を受けたものを各期限が異なるものごとに区分して、それぞれの税額ごとに計算することとされている（措法70の4㉖二、70の6㉜）。

(5) **連帯納付義務に係る相続税の延滞税の特例**

　平成23年の改正により、次のような制度が設けられた。

　連帯納付義務者が相続税法第34条第1項の規定により相続税を納付する場合における当該相続税に併せて納付すべき延滞税については、当該連帯納付義務者がその延滞税の負担を不当に減少させる行為をした場合を除き、次に定めるところによるものとされる（相法51の2①）。

① 連帯納付義務者は、納付基準日（相続税法第34条第7項の納付通知書が発せられた日の翌日から二月を経過する日又は同条第9項の督促に係る督促状が発せられた日のいずれか早い日をいう。以下この①において同じ。）までに同条第1項の規定により相続税を納付する場合には、次のイ又はロに掲げる場合の区分に応じ、それぞれイ又はロに定める期間（一定の規定により利子税を納付すべき期間を除く。）に対応する部分の延滞税に代え、当該期間に対応する部分の利子税を併せて納付しなければならないものとされる。

　イ　当該相続税について延納の許可を受けていた場合　次に定める期間

　　(イ)　未納の分納税額の納期限の翌日又は相続税法第39条第29項若しくは第40条第2項（相続税法第44条第2項又は第47条第11項において準用する場合を含む。）の規定による延納の許可の取消し（②イ(ロ)において「延納の許可の取消し」という。）があった日の翌日から納付基準日又は当該相続税を完納する日のいずれか早い日までの期間

　　(ロ)　当該相続税が国税通則法第35条第2項（申告納税方式による国税等の納付）の規定により納付すべき税額に相当するものである場合には、

当該相続税の相続税法第33条の規定による納期限の翌日から同項の規定による納期限又は納付すべき日までの期間
　ロ　イに掲げる場合以外の場合　当該相続税の相続税法第33条の規定による納期限の翌日から納付基準日又は当該相続税を完納する日のいずれか早い日までの期間
② ①により納付すべき利子税の額は、次に掲げる場合の区分に応じ、それぞれ次に定める額とされる。
　イ　①イに掲げる場合（①イ(イ)の期間に対応する部分に限る。）　納税義務者の次に掲げる税額を基礎とし、当該期間に、当該税額の区分に応じそれぞれに定める分納期間（分納税額に併せて納付しなければならない利子税の額の計算の基礎となる期間をいう。イにおいて同じ。）に適用されていた利子税の割合（当該分納期間に係る利子税の計算上適用されていた割合が二以上ある場合には、それらのうち最も低い割合）を乗じて算出した金額
　　(イ)　未納の分納税額　当該未納の分納税額の納期限の属する分納期間
　　(ロ)　延納の許可の取消しに係る税額　当該延納の許可の取消しがあった日の属する分納期間
　ロ　①イに掲げる場合（①イ(ロ)の期間に対応する部分に限る。）　納税義務者の未納の相続税額を基礎とし、当該期間に、年7.3パーセントの割合を乗じて算出した金額
　ハ　①ロに掲げる場合　納税義務者の未納の相続税額を基礎とし、①ロの期間に、年7.3パーセントの割合を乗じて算出した金額
③　連帯納付義務者は、納付基準日後に相続税法第34条第１項の規定により相続税を納付する場合には、①による利子税に加え、納税義務者の未納の相続税額を基礎とし、当該納付基準日の翌日から当該相続税を完納する日までの期間に応じ、年14.6パーセント（当該納付基準日の翌日から二月を経過する日までの期間については、年7.3パーセント）の割合を乗じて算出した金額に相当する延納税を併せて納付しなければならないとされる。
　なお、連帯納付義務者が①による利子税又は③による延滞税を納付した

場合には、納税義務者の相続税に係る延滞税の額のうち当該連帯納付義務者が納付した当該利子税又は延滞税の額に相当する額については、その納付があったものとみなされる（相法51の2③）。

4　延滞税の割合の特例制度

(1)　総　　説

この制度の趣旨及び内容については、利子税の解説の項で、延滞税についてもそのごく概要を触れているので、ここでは、確認の意味で、相続税及び贈与税に関する部分に限って説明する。

(2)　特例の内容

①　概　　要

延滞税の割合のうち年7.3％の割合は、各年の特例基準割合が年7.3％に満たない場合には、その年中においては、その特例基準割合に年1％を加算した割合とすることとされている。この割合に0.1％未満の端数があるときは、これを切り捨てるものとされている（措法94①）。

この特例基準割合は、既に述べたように、基準時点における国内銀行の貸出約定平均金利に1％の上乗せをしたもので、この特例基準割合が年7.3％に達しない場合に、年7.3％の延滞税についてその割合を軽減し、特例基準割合に年1％を加算した割合によって延滞税を課するものである。

②　特例の対象期間

この延滞税の割合の特例の対象となる期間は、延滞税の計算の基礎となる期間のうち年7.3％の割合によって延滞税が課される期間であり、原則として、前述したように、相続税等の法定納額限の翌日から具体的納期限までの期間及びその後2か月を経過する日までの期間である。

この特例基準割合は、その割合の適用開始日の1か月前の日を経過する時の公定歩合によることとされている。すなわち国内銀行の貸出約定平均金利に1％の上乗せをしたものによるのである（措法94①、93①）。この時点における割合が7.3％に達しなければ、その年中の本則7.3％の延滞税の割合は延

納特例割合によることとなる。

③ 年14.6％の割合の延滞税についての適用除外

②の延滞税の割合の特例は、年14.6％の割合については適用されないので注意する必要がある。

その理由については、実際に延滞税に14.6％の割合が適用される場合は、基本的には、納税の督促を受けてもそのまま放置している場合等滞納者が納税について誠意を示さない場合であり、このような滞納者に対しては、強く納付を促す必要があること等が考慮された結果であるとされている（「国税通則法精解」1647頁）。

④ 延滞税の年14.6％の割合の特例の創設

平成25年の改正で、延滞税の年14.6％の割合について、各年の特例基準割合が年7.3％に満たない場合には、その年（以下「特例基準割合適用年」という。）中においては、当該特例基準割合に年7.3％を加算した割合とされた（措法94①）。

従来の年14.6％の割合の延滞税については、昭和37年の国税通則法の改正において制定されたものであるが、それ以前は、利子税額及び延滞加算税額から構成されており、このうち利子税額は、滞納期間中、「納付遅延に対する一般の利子」に近いものとして課され、延滞加算税額は、督促状を発した日から10日経過後以降に、「行政罰的に」利子税額に上乗せする形で課されていた。

こうした経緯等を踏まえ、今回の改正において、延滞税の年14.6％の割合については、「期限内納付した者との公平性を図るための利息部分（通常の利子部分）」と、「早期納付を促すための部分」とで構成されているものと考え、早期納付を促すための部分（年7.3％）についてはこれを維持しつつ、通常の利子部分（年7.3％）について市中金利を踏まえた水準とすることにより軽減を図ることとされた。

⑤ 延滞税の年7.3％の割合の特例の見直し

同じく平成25年の改正で、延滞税の年7.3％の割合について、各年の特例

基準割合が年7.3％に満たない場合には、特例基準割合適用年中においては、当該特例基準割合に年１％を加算した割合（当該加算した割合が年7.3％を超える場合には、年7.3％の割合）とされた（措法94①）。

従来の納期限までの期間又は納期限の翌日から２月を経過する日までの期間に課せられる延滞税については、督促による納付しょうようの効果を高める等のため、年7.3％（特例により平成25年は4.3％）に軽減されている。これは、本来14.6％の割合であるべきところ、納期限後２か月間の延滞税を低い水準とし、延滞税の割合を段階的にすることで、早い段階での納付を促しているものと考えられる。

今回の改正において、特例基準割合に年１％を加算した割合としたのは、こうした早期納付を促す効果を維持するとともに、旧特例基準割合の水準（平成25年：4.3％）をも踏まえ、特例基準割合に一定の早期納付を促すための部分（１％）を加算することとされたものである。

⑥ **延滞税の免除金額の特例の見直し**

同じく平成25年の改正で、納税の猶予等をした国税に係る延滞税について免除し、又は免除することができる金額の計算の基礎となる期間であって特例基準割合適用年に含まれる期間（以下「軽減対象期間」という。）がある場合には、軽減対象期間に対応する延滞税の額のうち、当該延滞税の割合が特例基準割合であるとした場合における延滞税の額を超える部分の金額を免除することとされた（措法94②）。つまり、この軽減対象期間に対応する延滞税の額は、実質的な負担が特例基準割合相当額に軽減されることになる。

納税の猶予等がされた国税については、例えば事業廃止など、納税者の納付能力の減退といった状態に配慮し納税を猶予しているものであることから、早期納付を促す効果が求められる度合いは低いと考えられる。このため、今回の改正においては、納税の猶予等がされた国税に係る延滞税については、通常の利子税のみの金額（特例基準割合に相当する額）となるよう免除金額を定めることとされたものである。

⑦ **延滞税の額の計算方法**

延滞税は、その計算の基礎となる国税すなわち本税と併せて納付しなければならない（通則法60③）。したがって、延滞税の額は、その本税の納付に際し、その計算の基礎となる期間（延滞税の割合が年7.3％となる期間に限る。）について、その期間に対応する年（その期間が2以上の年にまたがる場合にはそれぞれの年）の特例基準割合によってこの特例の適用の有無を判定し、この特例が適用されない期間については、原則的割合により、また適用のある期間については特例基準割合によりそれぞれ計算することになる。

5　延滞税の端数処理

延滞税の計算の基礎となる税額に10,000円未満の端数がある場合又はその税額の金額が10,000円未満である場合には、その端数金額又はその金額が切り捨てられる（通則法118③）。また、延滞税の確定金額に100円未満の端数がある場合又はその金額が1,000円未満である場合には、その端数金額又はその金額が切り捨てられる（通則法119④）。

第4節　加算税総説

申告納税方式による国税は、納税者の行う申告により第一義的に確定する。したがって、適正な申告をしない者に対しては、一定の制裁を加え、申告秩序を維持する必要があるという考え方から、加算税、罰則の規定が設けられている。

加算税は、過少申告加算税、無申告加算税、不納付加算税及び重加算税の四種類が法定されているが、このうち不納付加算税は相続税・贈与税について課されることはないので、検討は省略する。

(1) 過少申告加算税、無申告加算税及び重加算税の納税義務は、その計算の基礎となる国税の法定申告期限を経過した時に成立し（通則法15②十三）、具体的な納税義務は賦課決定によって確定する（通則法32）。

(2) これらの加算税は、賦課決定通知書の発せられた日の翌日から起算して1か月を経過する日までに納付しなければならない（通則法35③）。なお、賦課課税方式による国税の徴収には、一般的には納税告知が必要とされるが、これらの加算税については必要がないものとされる（通則法36①一）。

これらの加算税の対象となる行為が罰則の対象になっている場合の二重処罰の問題については、重加算税の項で検討する。

「加算税」という名称は、本税に加えて課され、その本税の税目として徴収されることによるものといわれる（通則法69）（武田昌輔監修「DHCコンメンタール国税通則法」（第一法規出版刊。以下「コンメンタール通則法」という。）第2巻3533頁）。以下の加算税の記述についても、当然相続税及び贈与税に関連する部分に限るものである。

第5節　過少申告加算税

1　総　説

相続税又は贈与税に関し、次の場合において修正申告書の提出又は更正があったときは、その修正申告又は更正に基づき納付すべき税額に10％の割合を乗じて計算した金額に相当する過少申告加算税が課される（通則法65①）。

① 期限内申告書が提出されている場合。

② 期限後申告書が提出されている場合において、期限内申告書の提出がなかったことについて正当な理由があると認められるとき。

なお、その納付すべき税額が期限内申告に係る税額と50万円のいずれか多い金額を超えるときは、その超える部分に相当する税額については更にその5％に相当する金額が加算される（通則法65①）。ただし、過少申告であることについて正当な理由があると認められる税額の部分及び更正を予知してなされた修正申告以外の修正申告分には、過少申告加算税は課されない（通則法65④⑤）（注）。

(注) 過少申告加算税の趣旨について、次のような判例がある（大阪高裁（昭和63年（行コ）第60号）平成2年2月28日判決）。「過少申告加算税は、納付すべき税額が納税者のする申告により確定することを原則とする申告納税方式をとる国税につき、正確な申告を確保するため、期限内申告書が提出された場合において、修正申告書の提出又は更正があったときに、当該納税者に課される加算税であり（国税通則法65条1項）、申告納税制度を維持するために正確な申告を確保することをその目的としている。この正確な申告を確保する目的からすれば、期限内申告書に記載されるべき課税標準等（国税通則法2条6号イからハまでに掲げる事項をいう。）と、税額等（同号ニからヘまでに掲げる事項をいう。）のいずれもが正確に記載されなければならず、右税額等の計算方法を誤った場合と、右課税標準等を誤った場合とで、過少申告加算税の課税上の取扱いを異にする理由はないことになる。控訴人主張のように、過少申告加算税に租税罰則的、制裁的性格があるとしても、それは、正確な申告を確保する目的を達成するための手段と目すべきものであるから、資産所得合算制度を知らなかったことにより税額計算方法を誤った場合であっても国税通則法65条1項の適用は除外されないといわなければならない（なお、納税者の通常あり得べき過失に基づく過少申告の場合であっても、同様である。）。」

2 過少申告加算税の計算

(1) 原　則

① 計算方法

　過少申告加算税の額は、原則として、修正申告又は更正に基づき新たに納付すべき税額（いわゆる「増差税額」）をその額の計算の基礎とし、これに対し10％の割合を乗じて計算する（通則法65①）。

② 端数計算

　過少申告加算税の額を計算する場合の基礎となる増差税額が1万円未満であるときは、その全額が切り捨てられる。すなわち、過少申告加算税は課されないということである。また、増差税額に1万円未満の端数があるときは、その端数金額が切り捨てられる（通則法118③）。

　次に、以上により計算した過少申告加算税の確定金額に100円未満の端数

があるときは、その端数が切り捨てられる。また、加算税の金額が5,000円未満のときは、その全額が切り捨てられる（通則法119④）。すなわち、過少申告加算税が5,000円未満のときは、課税されないということである。

(2) 過少申告加算税の加重がされる場合

① 制度の内容

過少申告加算税が課される場合において、修正申告又は更正により納付すべき税額（その修正申告又は更正の前に修正申告又は更正があったときは、累積増差税額（注）を加算した金額）が、期限内申告税額相当額又は50万円のいずれか多い金額を超えるときは、その超える部分の税額に係る過少申告加算税は、通常の過少申告加算税の額に、さらにその超える部分の税額に５％の割合を乗じて得た額を加算した金額とされる（通則法65②）。

(注) 「累積増差税額」とは、過少申告加算税を計算しようとする修正申告又は更正の前に修正申告又は更正があるときにおけるその修正申告等により納付すべき税額の合計額をいうものとされる（通則法65③一）。ただし、㋑修正申告等による税額の減額更正、㋺不服申立て又は訴えについての決定・裁決又は判決による更正の全部又は一部の取消し、㋩期限内申告の基礎とされなかったことについて正当な事由があると認められるものがあるときのこれらの税額はその合計額から控除される。

② 制度の趣旨

この過少申告加算税の重課制度は、昭和59年の改正で設けられたもので、その趣旨について、当時の当局者は、次のように説明している（なお、当時は、過少申告加算税の税率は５％であった。）（「昭和59年版・改正税法のすべて」71頁）。

「改正前の過少申告加算税は、修正申告又は更正により納付すべき税額の５パーセントとされていました。その結果、本来申告すべき税額のほとんどについて期限内に申告している場合にも、逆に、ほんの一部を期限内に申告したのみでほとんどが申告漏れとなっている場合でも一律に５パーセントになるという問題がありました。他方、無申告の場合には、10パーセントの無申告加算税とされているところから、そのほとんどの部分が申告漏れとなっているときと、無申告のときとで、加算税は５パーセントと10パーセントと

いう大きな差が生じる結果となっていました。

そこで、このような較差をなくすために、過少申告の場合に、その申告漏れの割合により加算税の実質負担に差をつけ、申告漏れ割合が大きくなるに従って、過少申告加算税の実効割合が無申告加算税に近づくようにすることにより、より申告水準を向上させようとするものです。」

③ **計算例**

この過少申告加算税の加重を、具体的な設例で説明してみよう。

【設例1】
期限内申告により納付すべき税額（注）……………………………200万円
更正により納付すべき税額 …………………………………………500万円
加算税　500万円×10％＝ ……………………………………………50万円㋑
　　　　　　　　　　　（500万円－200万円）× 5 ％＝15万円㋺
合計　㋑＋㋺＝ ………………………………………………………65万円

過少申告加算税の割合は、次のとおり実質は13％となって、無申告加算税の15％に近い値になる。

65万円÷500万円＝13％

【設例2】
期限内申告により納付すべき税額 …………………………………200万円
更正により納付すべき税額 …………………………………………2,000万円
加算税　2,000万円×10％＝ …………………………………………200万円㋑
　　　　　　　　　　　（2,000万円－200万円）× 5 ％＝90万円㋺
合計　㋑＋㋺＝ ………………………………………………………290万円

過少申告加算税の割合は、次のとおり実質は14.5％となる。

290万円÷2,000万円＝14.5％

【設例3】
期限内申告により納付すべき税額 …………………………………500万円
外国税額控除（注）…………………………………………………100万円
第一次更正により納付すべき税額 …………………………………250万円
第二次更正により納付すべき税額 …………………………………750万円
第二次更正に係る加算税
750万円×10％＝ ……………………………………………………75万円㋑
｛(250万円＋750万円) －（500万円＋100万円）｝× 5 ％＝ ………20万円㋺

合計 ㋑+㋺ = ……………………………………………………95万円
(注) 外国税額控除（相法21又は21の9）がある場合には、この「期限内申告により納付すべき税額」に加算する（通則法65③二ハ）。

このように、加重の有無は、第一次更正分と第二次更正分を合計して判断する。なお、この例では第一次更正に係る過少申告加算税は、更正による増差税額が、期限内申告税額相当額以下なので、加重は行われない。

3 他の法律による過少申告加算税の特例

過少申告加算税には、他の法律による特例がいくつか設けられているが、相続税に関しては、次のような特例がある。

すなわち、特別縁故者として分与を受けたことにより、既に確定した相続税額に不足が生じた場合には、その事由が生じたことを知った日の翌日から10か月以内に修正申告書を提出しなければならないことになっているが、この修正申告書の提出が期限後となり又は更正を受けた場合でも、その増差税額に対しては無申告加算税ではなく過少申告加算税が課されることとなっている（相法31②、50②二）。

なお、この修正申告書がその提出期限内に提出されている場合は、これを期限内申告とみなし、加算税は課税されない（相法50②一）。

4 「正当な理由」がある場合の過少申告加算税の非課税

(1) 概　要

過少申告加算税は、修正申告又は更正による増差税額の計算の基礎となった事実のうちに、その修正申告又は更正前の税額の計算の基礎とされていなかったことについて正当な理由がある場合には、その部分について課税されない。また、過少申告加算税の5％加重が行われる場合にも、正当な理由があるときは、その部分の金額は、修正申告又は更正により納付すべき税額のうちから控除される（通則法65④）。

(2) 「正当な理由」がある場合
① 「正当な理由」の解釈上の問題点

　租税は、その性格上、賦課徴収については租税法律主義の原則が重要である（憲法30、84）。この租税法律主義の一環として課税要件明確主義がある。これは、「法律又はその委任のもとに政令や省令において課税要件及び租税の賦課徴収の手続に関する定めをなす場合に、その定めはなるべく一義的で明確でなければならない。みだりに不明確な定めをなすと、結局は行政庁に一般的・白紙的委任をするのと同じ結果になりかねないからである。……したがって、租税法においては、行政庁の自由裁量を認める規定を設けることは、原則として許されないと解すべきであり（中略）、また不確定概念（抽象的・多義的概念）を用いることにも十分に慎重でなければならない」と説かれている（金子宏「租税法（第23版）」（弘文堂）84〜85頁）。

　この点で、現在租税法において、不確定概念とされている「同族会社の行為計算否認規定」（所法157①、法法132、相法64①）をはじめとし、「不相当に高額」、「不適当であると認められる」、「相当の理由」、「必要があるとき」などが問題とされているが、この「正当な理由」についても同様の問題がある。

② 国税庁の取扱い

　そこで、こういった問題を解決するため、情報公開の一環として、従来外部には秘されていた加算税の「正当な理由」についての国税庁の取扱いが平成12年7月3日に明らかにされた。そして、相続税、贈与税においては、過少申告加算税を課さない「過少申告の場合における正当な理由があると認められる事実」（通則法65④）について、国税庁は、「通則法第65条の規定の適用に当たり、例えば、納税者の責めに帰すべき事由のない次のような事実は、同条第4項に規定する正当な理由があると認められる事実として取り扱う」こととされており（「相続税、贈与税の過少申告加算税及び無申告加算税の取扱いについて（事務運営指針）（平成12年7月3日課資2－264ほか。以下「相続税の過少申告加算税等指針」という。）」第1）、次のような事実が列挙されている。

(イ) 税法の解釈に関し申告書提出後新たに法令解釈が明確化されたため、そ

の法令解釈と納税者（相続人等から遺産（債務及び葬式費用を含む。）の調査、申告等を任せられた者又は受贈者から受贈財産（受贈財産に係る債務を含む。）の調査、申告等を任せられた者を含む。以下同じ。）の解釈とが異なることとなった場合において、その納税者の解釈について相当の理由があると認められること（注）。

　（注）　税法の不知若しくは誤解又は事実誤認に基づくものはこれに当たらないとされている。

(ロ)　災害又は盗難等により、申告当時課税価格の計算の基礎に算入しないことを相当としていたものについて、その後予期しなかった損害賠償等の支払いを受け、または盗難品の返還等を受けたこと。

(ハ)　相続税の申告書の提出期限後において、次に掲げる事由が生じたこと。

　㋑　相続税法第51条第2項各号に掲げる事由（期限後申告等で延滞税の特例が認められる場合）

　㋺　相続税法第3条第1項第2号に規定する退職手当金等の支給の確定

　㋩　保険業法第270条の6の10第3項に規定する「買取額」の支払を受けた場合

　なお、「申告所得税の過少申告加算税及び無申告加算税の取扱いについて（事務運営指針）」（平成12年7月3日課所4－16ほか）の第1の1(4)では、正当な理由の一つとして「確定申告の納税相談等において、納税者から十分な資料の提出等があったにもかかわらず、税務職員等が納税者に対して誤った指導を行い、納税者がその指導に従ったことにより過少申告となった場合で、かつ、納税者がその指導を信じたことについてやむを得ないと認められる事情があること」が挙げられているが、「相続税の過少申告加算税指針」では、「正当な理由」の例示として挙げられていない。しかし、こうした誤解による過少申告は申告所得税のみならず、相続税等でも当然生じ得る事態であり、指針に例示されていないからといって、相続税等については、このような誤指導による過少申告は「正当な理由」にならないと解すべきではあるまい。指針の柱書にもあるとおり、そこに挙げられているのは、あくまで例示なの

であるから、誤指導による過少申告で納税者の責めに帰すべきでないものは、当然「正当な理由」があるものと筆者は解するものである。

③ 判例の傾向

(イ) 「正当な理由」と不確定概念

国税通則法第65条第4項の「正当な理由」と不確定概念について、次のような判例がある（横浜地裁昭和51年11月26日判決、同旨東京高裁昭和53年12月19日判決）。

「租税法律主義のもとでは、租税法規の課税要件、課税除外の要件が一義的明確に規定されることが最も望ましいこと、特に、過少申告加算税のように……一種の行政的制裁措置である場合には、一層その要請が強い……。

しかしながら、租税法規は複雑にして多様な、しかも、活発にして流動的な経済現象をその規制の対象としているところから、あらかじめ予想されるあらゆる場合を具体的に法定することは、立法技術上限界があり、止むを得ず不確定的な概念を用いて抽象的概括的な規定をすることも許されるものといわなければならない。……したがって同条第2項（現行通則法65④）にいう「正当な理由」とは立法技術上止むを得ず用いられた不確定概念と考えるのが相当であるし、又右にいう「正当な理由があると認められるものがある場合」に該当するかどうかは、法の解釈適用の問題として、いわゆる法規裁量事項と解されるから、行政庁の自由裁量を許したものでもなく、まして行政庁に恣意的な解釈を許容したものでもないことは明白であるから、この規定が憲法31条に違反するということはできず、これに基づく右過少申告加算税賦課決定には原告主張の違法はない」

(ロ) 「正当な理由」の具体的内容

㋑ 「正当な理由」があると認められた事例

A　判　例

(a)　株主相互金融における株主優待金（名古屋地裁昭和37年12月8日判決）

「いわゆる株主相互金融を営む株式会社の株主優待金を法人税法上損金とすべきか否かについて、当該確定申告の直前まで税務当局としても取扱が確

定せず、一般的にもこれも損金と解する傾向にあった場合には、納税者が右優待金を損金に計上し、それに基づく法人税額を確定申告したことについて、正当な事由があると認められるから、右過少申告部分について過少申告加算税を賦課することは違法である。」

(b) 執行官が受領した旅費・宿泊料（札幌地裁昭和50年6月24日判決（注））

「原告は、昭和43年度および昭和44年度の所得税確定申告に当りその受けた旅費、宿泊料額を提示したうえ、被告係員からの助言のままに、右旅費、宿泊料を収入として計上しないで申告したものであることが明らかである。……従って、これを本件更正前の税額の計算の基礎とされていなかったことについては、原告は故意にこれを隠したものではなく、却って前示のごとく被告にその資料を提示したうえその助言のままにこれを収入として申告しなかったものであることに鑑みると、国税通則法65条2項（現行65条4項）所定の正当な理由があるものというのが相当であり、してみると本件過少申告加算税の賦課はすべて不適法といわなければならない。」

(注) ただし、この事件は、控訴審（札幌高裁昭和51年10月19日判決）において、執行官の旅費、宿泊料を収入金額に計上しなかったのは、納税者が自説に固執して行政指導に応じなかったものと認定されて、過少申告に「正当な理由」は認められないとして納税者側が逆転敗訴している。上告審である最高裁昭和52年6月14日第3小法廷判決も同旨。

(c) ダイヤモンド販売に係る物品税の還付請求（大阪地裁平成元年1月26日判決）

「原告が誤った本件還付請求申告をするに至ったのは、被告が、本件各申告に係る物品の小売がないのにもかかわらず、これがあるとの誤った見解をもとにして、原告がした本件各申告についての更正の請求に対して更正をしないことの通知の処分をしたことにその原因が存在するのであって、原告は、小売されたダイヤモンドが顧客から破産会社に返還されたものと法律構成をして、物品税法28条による物品税の還付を受けることが可能ではないかとの判断に基づいて、本件還付請求申告に及んだものである。

原告が本件還付請求申告をしたことは、ダイヤモンドの現実の占有状況からみて原告の右法律構成も十分可能であると考えられるところから、当時の状況下では無理からぬ行為であったということができることなどの事実に鑑みると、原告の本件還付請求申告に対し、適正な申告秩序を維持するための行政制裁である過少申告加算税を賦課することは相当でなく、本件更正処分で納付すべき税額とされた金額について国税通則法65条4項の「正当な理由」があるというべきである。」

(d) 当局者の税務解説と無利息貸付け（東京高裁平成11年5月31日判決、最高裁平成16年7月20日第3小法廷判決）

　この事件は、いわゆる「平和事件」といわれるもので、同族会社への無利息貸付けに所得税法第157条の同族会社の行為計算否認規定を適用して当局が課税し、争いとなったもので、高裁判決では次のとおり一審判決（東京地裁平成9年4月25日判決）の一部を変更し、過少申告加算税の賦課処分を取り消したものである。

　「控訴人提出の証拠（以下、「本件解説書」という。）は、個人から法人に対する無利息貸付については課税されないとの見解が記載されている解説書であるが、いずれも編者及び推薦者又は監修者として国税局勤務者が官職名を付して表示されており、………本件解説書は、正確にいえば私的な著作物であり、個人から法人に対する無利息貸付けについて本件規定の適用が一切ないことを保障する趣旨までは記載されていないが、各巻頭の「推薦のことば」、「監修のことば」等において、国税局その他の税務当局に寄せられた相談事例及び職務の執行の際に生じた疑義について回答と解説を示す形式がとられていることが記載されており、税務当局の業務ないし編者等の税務当局勤務者との密接な関連性をうかがわせるものである。したがって、税務関係者がその編者等や発行者から判断して、その記載内容が税務当局の見解を反映したものと認識し、すなわち、税務当局が個人から法人に対する無利息貸付けについては課税しないものとの見解であると解することは無理からぬことである。そして、証拠及び弁論の全趣旨によれば、控訴人の税務関係のス

タッフも本件消費貸借をするに際し税務当局が個人から法人に対する無利息貸付けについては課税しないとの見解であると解していたことが認められ、これをたんなる法解釈についての不知、誤解ということはできない。以上を総合すると、控訴人には本件各更正（ただし、前記違法と判断した部分を除く。）によって新たに納付すべき所得税があるが、過少申告加算税を課することが酷と思料される事情があり、国税通則法65条4項の正当の理由があるというべきである。なお、証拠（会計ジャーナル　昭和50年9月号）には、株主から同族会社に対する無利息貸付について本件規定が適用されるとの見解が記載されているが右雑誌の存在により、以上の判決が左右されることはない。また、本件各更正が信義則の適用によって違法ということができないとは前示のとおりであるが、このことと国税通則法第65条第4項の正当の理由に関する判断とは別のものである。

したがって本件各決定（過少申告加算税の賦課決定）は違法である。」

ところが、最高裁第3小法廷は、この判決を覆えし、次のように判示して当局側の過少申告加算税の賦課を支持している。

判決は、所得税法第157条《同族会社の行為計算の否認》の趣旨に触れた上で、3,455億円を優に超える多額の無利息融資に経営責任の事情は認めがたく、不合理・不自然な経済的活動であると断定するとともに、税務に携わる者であれば同条の適用の有無を十分に検討すべきであったと、納税者側を批判する内容になった。

また、控訴審が正当な理由が有ることの根拠にした解説書についても、そこに盛られた説例の内容は代表者個人に所得税法第36条1項の収入金額がない旨を解説したものにすぎないと示唆。つまり、経営責任の観点から無利息融資にも社会的、経済的な相当な理由がある場合を前提にしたものであり、不合理・不自然な経済活動である本件の貸付けとは事案を異にするという判断である。結局、多額の無利息融資に同族会社の行為計算否認規定が適用される可能性を疑ってしかるべきであったと顧問税理士等を戒め、正当な理由は認められないと斥けている。

(e) 在日アメリカ大使館からの給与の一部不申告（東京地裁平成16年4月19日判決（平13（行ウ）407号））

「偽りその他不正の行為」の意義について東京地裁平成16年4月19日判決（平13（行ウ）366号）と同様に解しつつ、納税者は、米国大使館の日本人職員の給与については、収入全体の大体60パーセントを申告すればよいという慣行を信じ、これに従って本件各係争年分の申告をしたものと認められるとして、納税者の請求を一部認容した。

しかし控訴審である東京高裁平成16年11月10日判決（平16（行コ）188号）（確定）は、納税者は、昭和30年代に米国大使館当局と国税当局との折衝の結果、付加給部分を控除し、給与等の収入金額の約60パーセント相当の基本給部分を基準として申告すればよいとの本件課税合意が成立したかのごとく主張するが、認定事実に照らせば、いまだ本件課税合意が成立したと認めるに足りる証拠はないというほかはなく、また、給与のうちいわゆるその他手当（その他給）は非課税部分であるから申告から除外し、基本給をベースに申告すればよいとする趣旨の慣行（以下「本件慣行」という。）の有無を検討するに、そもそも本件慣行の内容自体不明確で申告の客観的基準たり得ないのみならず、上記のとおり本件課税合意が認められず、米国大使館の日本人職員についての給与担当者の申告に関する指導があったことも認め難いことに照らせば、本件慣行が存在したこと自体極めて疑わしいといわざるを得ず、米国大使館の日本人職員の仲間のうちの中で、実際の給与収入金額を申告せず、その中から一部をことさら除外した申告がされてきたとはいえ、それは、信ずるに値する正当な根拠に基づくものではなく、たかだか仲間うちで日本の民間企業等で非課税とされる付加給については実質論に従い申告から除外してもよいという観点に立ち、これを事実状態として継続してきたにすぎないというべきであるから、本件過少申告行為は、何ら正当な根拠に基づくものではなく、真実の所得の金額が課税の対象となることを回避するため、その金額を秘匿し、所得の金額をことさらに過少にした内容虚偽の所得税確定申告書を提出することにより、納付すべき税額を過少にして、本来納付すべ

き税額との差額を免れる意図を有していたと推認するに難くなく、納税者の上記行為は、通則法第70条第5項所定の「偽りその他不正の行為」に該当するとして、本件更正処分等の取消請求を認容した原判決を取消し、納税者の請求を棄却した。

(f) 代理人が虚偽の資料等に基づき行った過少申告（大阪高裁平成3年4月24日判決（判例タイムズ763号216頁））（注）

　土地を1億円余で売却した納税者が、代理人に譲渡所得税の申告を依頼したところ、代理人は虚偽の領収書を作成する等して譲渡費用等を架空計上し、譲渡所得税を0円とする確定申告書を提出した上、納税者からは納税資金と称して1,800万円を騙取した事件について、「正当な理由」があるとした判例である。

（注）　しかし、この判例について、「通則法コンメンタール」3551頁は、判旨に反対する。その理由は、代理人の行為に係る法律効果は本人に帰属し、そのような効果と危険を承知の上で代理権を授与するものであるからであると説く。例えば、従業員がその雇用者（法人を含む。）の金銭を横領し、その横領に当たってそれを収入金額から除外し、又は仮装の経費を帳簿に計上した場合にも、その監督責任等からして正当な理由に該当しないし、代表権のある者の横領にあっても同様とする判例（最高裁第1小法廷昭和43年10月17日判決）もある。詳細については、重加算税の項で検討する。

(g) 過少申告に税理士のみならず課税当局の職員の加担があったことから過少申告に「正当な理由」があるとされた事例（最高裁平成18年4月25日第3小法廷判決）

　「納税者には、税理士から税務相談において教示された金額よりも180万円近く低い税額を示されながら、その根拠等について確認をすることなく、本件確定申告書の控え等の確認をすることなどもしていないといった落ち度が見受けられ、同税理士が本件不正行為に及ぶことを予測し得なかったからといって、それだけで、国税通則法65条4項にいう「正当な理由」があるということはできないが、税理士が本件不正行為のような態様の隠ぺい仮装行為をして脱税をするなどとは通常想定し難く、納税者としては適法な確定申告

手続を行ってもらうことを前提として必要な納税資金を提供していたといった事情があるだけではなく、それらに加えて、本件確定申告書を受理した税務署の職員が、収賄の上、本件不正行為に積極的に共謀加担した事実が認められ、租税債権者である国の、しかも課税庁の職員のこのような積極的な関与がなければ本件不正行為は不可能であったともいえるのであって、過少申告加算税の賦課を不当とすべき極めて特殊な事情が認められるから、真に納税者の責めに帰することのできない客観的な事情があり、過少申告加算税の趣旨に照らしてもなお納税者に過少申告加算税を賦課することが不当又は酷になる場合に当たるということができるから、同項にいう「正当な理由」があると認められる」

(h) 海外の親会社から、日本の子会社役員に付与されたストックオプション（自社株式の購入選択権）の権利行使益の所得区分については、従来は、一時所得として取り扱われており、課税当局の質疑応答集でもそのように解説していたといわれる。それが、平成10年頃から当局の取扱いが変わり、給与所得として課税されることになったが、これに関する法令の改正は全くなく、ようやく平成14年6月の所得税基本通達でその取扱いを明らかにしたものである。

課税当局は、このようなストックオプション（以下「SO」と略称）の所得区分の取扱いの変更に伴い、平成10年以前のSOに係る所得を一時所得として申告した納税者に対し修正申告を求め、応じない者に対しては更正処分を行った。

これに対し、このような所得区分の変更に不服のある納税者は、平成13年頃から、各地の地方裁判所に対し課税処分の取消しを求めて訴訟を提起し、平成14年末から判決が言い渡されはじめた。この事件について最初の判断は、東京地裁民事第三部の平成14年11月26日判決で、課税当局のSOは労務の対価で給与所得であるとする主張を退け、SOの利益は一時所得であるとして更正処分を取り消した。この日、他にも複数の判決が同様の判示を行っている。

次いで、東京地裁民事二部の平成15年8月26日判決も、一時所得とする判断を示し、SOは一時所得とする判断が固まるかに思わせた。

　ところが、横浜地裁平成16年1月21日判決が、SOを課税当局の主張どおり給与所得とする判断を示してから、流れが変わり、東京地裁民事第三八部平成16年1月30日も同旨の判断を下し、高裁の判断が注目されたが、東京高裁平成16年2月19日判決で、やはり給与所得として判示し、同年2月25日の東京高裁判決も同様な判断を示した。しかし、その後も東京地裁平成16年3月16日判決は、一時所得と判断し、下級審の判断は、まだ固まったといえない状態であった。

　このように、SOによる利益の所得区分の争いについて、最高裁判所第3小法廷は、平成17年1月25日判決は、給与所得と判断した。その判決過程には、疑問視する向きも少なくないが、形としては、一応の決着をみることになったのである。

　ところが、最高裁判所第3小法廷は、別件のSO訴訟（東京高裁平成16年10月7日判決に関するもの）についての上告及び上告受理申立てに対して、平成18年7月18日に上告を棄却するが、上告受理申立てについては、その理由を国税通則法第65条第4項の「正当な理由」の解釈適用の誤りという部分に限定して、上告審として受理する決定を行った。そして、口頭弁論が平成18年9月6日に行われたことから、原審の過少申告加算税賦課支持の判示がどのように最高裁に判断されるか注目を呼んでいたものである。

　なお、前述の横浜地裁平成16年1月21日判決は、所得区分は給与所得と判断したが、課税当局の過少申告加算税については、過少申告に、国税通則法第65条第4項の「正当な理由」を認めて過少申告加算税の賦課処分を取り消した。この判断は、控訴審である東京高裁平成17年5月31日判決もこれを支持しており、そういったことからも、最高裁判所の判断が注目されていたものである。

　最高裁判所第3小法廷は要旨次のように判示して、過少申告加算税の取消請求を認容した第一審の判決を容認し、課税当局の控訴を棄却した。

「(1) 外国法人である親会社から付与されたストックオプションについては、かつてこれを一時所得として取り扱い、課税庁の職員が監修した公刊物でもその旨の見解が述べられていたが、平成10年分の所得税の確定申告時ごろからその取扱いを変更し、給与所得として統一的に取り扱うようになった。

(2) この所得区分の問題については、一時所得とする見解にも相応の論拠があり、最高裁平成17年1月25日判決によってこれが給与所得と判断されるまでは、下級審の判例において判断が分かれていたものである。

(3) このような問題について課税庁が従来の取扱いを変更しようとする場合には、法令の改正によることが望ましく、通達を発するなどして変更後の取扱いを納税者に周知させ、これが定着するよう措置すべきものである。ところが、課税庁は、取扱いの変更時にはこれを明示せず、平成14年6月の所得税法基本通達の改正によって初めて変更後の取扱いを示した。

(4) そうであれば、少なくともそれまでの間は納税者において外国親会社から付与されたストックオプションが一時所得に当たるものと解して申告したとしても、無理からぬ面があり、それを課税庁の主観的な事情に基づく単なる法律解釈の誤りとはいえない。

(5) 以上のような事情の下においては、納税者が平成11年分の所得税についてストックオプションを一時所得として申告したことは、平成8年分から平成10年分までストックオプションを給与所得として増額更正を受けていたとしても、給与所得として申告しなかったことを考慮しても、納税者の責めに帰することのできない客観的な事情があり、過少申告加算税を課することは不当又は酷であるから国税通則法65条4項にいう「正当な理由」があるというべきである。」（最高裁平成18年10月24日第3小法廷判決）

B 裁決例
(a) 昭和47年12月22日裁決（裁決事例集 No.6－11頁）
過少申告加算税の賦課決定処分については、担当職員の誤指導がなかったと断定できる資料もないとしても、本件宅地上に請求人所有の建物があるた

め単なる自用地として評価することに問題があるとした請求人の判断は、法律の専門家でない一般人として無理からぬ点もあることからみて、国税通則法第65条第2項（過少申告加算税）の「正当な理由がある」ものに該当するのが相当である。

(b) 昭和57年2月17日裁決（裁決事例集 No.23-7頁）

請求人の代理人が本件登録免許税を不動産所得の金額の計算上必要経費に算入して申告をしたことについては、当該代理人が他の納税者の代理人として本件と同じく必要経費に算入することを求めた更正の請求に対して、原処分庁がそれを認めた更正処分をしたこと、及び必要経費に算入した申告について是正がなされていないことから、登録免許税を必要経費に算入することが正当なものと信じてなしたことが認められ、このような事情の下にあっては国税通則法第65条第2項に規定する正当な理由があったものというべきである。

(c) 平成元年6月8日裁決（裁決事例集 No.37-1頁）

受遺者の1人が遺贈の一部を放棄したことによって、相続人たる請求人が相続し、相続税の申告書を提出した場合には、その申告書に記載された相続税の課税価格のうち、受遺者が遺贈の一部を放棄したことによって初めて取得したと認められる部分については、相続税法第30条に規定する期限後申告書の性格を有しているものと認めるのが相当であり、請求人には当該部分を申告期限内に申告すべき義務はなかったというべきであるから、期限内申告書の提出がなかったことについて国税通則法第66条第1項ただし書に規定する正当な理由があると認められる場合に該当する。

(d) 平成9年6月30日裁決（裁決事例集 No.53-130頁）

租税特別措置法第37条の2に規定する特定事業用資産の買換えに係るいわゆる義務的修正申告書を提出すべき場合において、その納税者がそれ以前にその年分の所得税について更正処分を受け、審査請求中であったときは、その義務的修正申告書を提出すれば先の更正処分が修正申告に吸収されて消滅し、不服申立ての利益がなくなるとして、その義務的修正申告書を提出しな

かったことについて「正当な理由」があるとした事例がある（注）。

(注) この裁決については、課税処分等は総額主義であり、その内容いかんを問わないのであるから、その更正処分の税額と義務的修正申告をすべき税額の多寡を比較し、後者のほうが大きければその超える部分のみを修正申告すればよく、小さければ修正申告をしないこととなるが、いずれもその納税者の責任においてなし得ることであり、先の更正処分との関係から義務的修正申告書を提出することができないという理由はないので、裁決は誤りであるという批判がある（「コンメンタール通則法」3551頁）。筆者もこの見解を是認したい（通則法20、29を参照）。

ロ 「正当な理由」があると認められなかった事例

判例の大半は、この事例であるので、代表的な事例のみを掲げておく（なるべく、相続税等に関するものを挙げる。）。

(i) 納税者の法の不知・法令解釈の誤解（大阪高裁平成2年2月28日判決）
(ii) 法解釈の相違（福岡地裁平成3年2月28日判決）
(iii) 税理士の誤ったアドバイス（大阪地裁平成5年5月26日判決）（注1～3）

(注1) この事件は、相続財産について係争中のため、申告書上に「勝訴判決確定時に修正申告します」と付記したケースであるが、最高裁では、こうしたケースについて「正当な理由」が認められる要件について「当該財産が相続財産に属さないか又は属する可能性が小さいことを客観的に裏付けるに足りる事実を認識して申告書を提出したこと」としている（最高裁第1小法廷平成11年6月10日判決）。

(注2) 納税者は、税理士が隠ぺい仮装行為をして脱税をするなどとは予想し得なかったとしても、税務署職員や長男から税額は800万円程度と言われながら、これが550万円で済むとの同税理士の言葉を信じて、それ以上の調査、確認をすることなく、確定申告書の内容をあらかじめ確認せず、確定申告書の控えや納税に係る領収証等の交付を税理士に要求したり、申告について税務署に問い合わせたりはしなかった等の点で納税者には落ち度が見受けられ、他方、確定申告書を受理した税務署の職員が税理士による脱税行為に加担した事実は認められないから、真に納税者の責めに帰することのできない客観的な事情があり、過少申告加算税の趣旨に照らしてもなお納税者に過少申告加算税を賦課することが不当又は酷になるものとまでは認めることはできず、国税通則法第65条第4項にいう「正当な理由」があると認めることはできないとされた事例（最高裁平成18年4月25日第3小法

廷判決）がある。
(注3)　「税理士が税務の専門家として、できる限り合理的な法解釈を採ろうとしても、その解釈が結果的に税務当局の解釈と異なっていた場合には、加算税を賦課され、正当な理由もないとされる場合が多く（中略）、これでは、税理士は、そのような危険を回避しようとして、行政解釈の下請人に成り下がってしまうとして、「正当な理由」の柔軟な適用を望む声がある（三木義一「税理士の合理的会計処理と加算税の関係」税理39巻16号16頁）。難しい問題であるが、結局、裁判所で採用されないような解釈を採った結果責任である。「『合理的な法解釈』という美名に隠れて、片寄った解釈を採ってはならない」（「コンメンタール通則法」3551～3552の2頁）とする見解がある。しかし、筆者はこのような見解には賛成できない。そのような考え方でいけば、納税者が勝訴しない限りは、すべて「正当な理由」がないことになり、極論といわざるを得ない。税の専門家として、純粋な法解釈の問題として当局と争ったものであれば、その主張に一応の理があれば、「正当な理由」を認めてもよいのではないかと筆者は解する（少なくとも、柔軟な運用をすべきではないか）。

㈧　「正当な理由」の争点

　以上の㈦及び㈡で掲げた判例・裁決例の争点をとりまとめると、おおむね次の3種類に集約できよう（日税研論集「加算税制度」Vol.13（日本税務研究センター）23頁以下を参考とした。）
（ⅰ）　事実あるいは法令の誤解ないし不知等
（ⅱ）　法令会社上の見解の対立等
（ⅲ）　税務職員の誤指導等

(3)　**正当な理由がある場合の加算税の計算**

　正当な理由があると認められる事実が、修正申告書の提出又は更正によって納付すべき税額の計算の基礎となった事実の一部であるときは、その納付すべき税額から正当な理由があると認められる事実のみに基づいて修正申告書の提出又は更正があったものとした場合におけるその申告又は更正に基づいて納付すべき税額を控除した残余の納付すべき税額につき過少申告加算税が課される。すなわち修正申告書の提出又は更正によって納付すべき税額のうち正当な理由のある部分に係る納付すべき税額が下積みとなり、上積み部

分が正当な理由以外の部分に係る納付すべき税額となる(通則令27、相続税の過少申告加算税等指針第3-1)。

(4) 「正当な理由」の主張・立証責任

「正当な理由」の主張・立証責任は、学説・判例とも納税者側に求めている(注)。

(注) 次のような判例がある。
① 「正当な理由」を定めた規定は過少申告加算税を課さない例外規定であるから、その存在についての主張・立証責任は納税者側にある(横浜地裁昭和51年11月26日判決)。
② 「正当な理由」に係る規定の文言上、正当な理由があると主張する者において主張・立証の責任を負うものと解するのが相当である(東京高裁昭和55年5月27日判決)。

なお、前掲「加算税制度」Vol.13 50頁も同様な意見である。

5 延滞税の計算期間の見直しに伴う過少申告加算税の整備

平成26年12月12日の最高裁判決を契機に前述のとおり延滞税の計算期間の見直しが行われたことに伴い、運用上の取扱い(事務運営指針(1329頁参照))について法令上明確化することとした。

具体的には、修正申告等前にその修正申告等に係る国税について期限内申告書の提出により納付すべき税額を減少させる更正(期限内申告書に係る還付金の額を増加させる更正又は期限内申告書に係る還付金の額がない場合において還付金の額があるものとする更正を含み(通則令27②)、更正の請求に基づく更正を除く。)があった場合には、修正申告等に基づき納付すべき税額から期限内申告書の提出により納付すべき税額に達するまでの税額を控除して、過少申告加算税を課すこととされた(通則法65④二)。

この改正は、平成29年1月1日以後に法定申告期限が到来する国税について適用し、同日前に法定申告期限が到来した国税については、従前どおりとされている(平成28年改正法附則54③)。

6 更正を予知しないでした修正申告の場合の過少申告加算税の非課税

(1) 概　要

　過少申告加算税は、修正申告書の提出又は税務署長の更正による増差税額に対して課されるものであるが、修正申告書が提出された場合において、その提出が、その申告に係る国税についての調査があったことによりその国税について更正があるべきことを予知してされたものでない場合において、その申告に係る国税についての調査通知がある前に行われたものであるときは、過少申告加算税は課されない（通則法65⑤）（注）。

(注)　この非課税の趣旨について、次のような判例がある（大阪地裁昭和29年12月24日判決）。
　　「法人税法が基本的に申告納税主義を採っており、なお脱税の報告者に対する報奨金制度を採用しているところ（筆者注・当時の制度）などから考え、当該法人に対する政府の調査により更正又は決定のあるべきことを予知したものではなく、その調査の前に、即ち政府に手数をかけることなくして自ら修正又は申告をした者に対しては、過少申告加算税額、無申告加算税額、重加算税額の如きもこれを徴収せず、政府の調査前における自発的申告又は修正を歓迎し、これを慫慂せんとして右の如き規定となったものと解するのが相当である。」
　　なお、国税通則法第65条第2項の規定による過少申告加算税の加重に関して、更正を予知しないでした修正申告により納付すべき税額は、累積増差税額の計算上加算されないこととなる（「国税通則法精解」786頁）。

(2) 調査通知を受けて修正申告等を行う場合

① 趣　旨

　「税務調査を行う場合には、税務当局は納税者に対し原則として事前通知をすることが平成23年12月改正により法令上義務化されていますが、加算税制度において、調査による更正等を予知しないでされた修正申告等については、過少申告加算税が課されない（無申告加算税の場合には5％に軽減される）ことから、事前通知直後（更正等の予知前）に多額の修正申告又は期限後申告を行うことにより加算税の賦課を回避している事例が散見されていた

ところです。

　これまでは申告納税制度の普及を図るため自発的な修正申告等を奨励する目的で過少申告加算税等を調査による更正等の予知までの間は課さない（軽減する）こととされていましたが、今回の改正においては、こうした状況に対応し、当初申告のコンプライアンスを高める観点から、調査通知から更正等の予知までの間については、更正等の予知後の通常の加算税よりも一段低い水準の加算税を課すこととされました。

（注）　上記の「通常の加算税よりも一段低い水準」とする加算税の賦課については、調査通知により、その調査による更正等が行われる可能性が発現するものの、上記の加算税が更正等の予知に至る前の自発的な修正申告等を促す段階において課されることを踏まえたものです。」

※　上記の記述については、「平成29年版・改正税法のすべて」873～874頁によった。

② 内　　容

　修正申告書又は期限後申告書の提出が、調査に関する一定の事項の通知（以下「調査通知」という。）以後、かつ、調査による更正又は決定を予知してされたものでない場合には、これらの申告に基づいて納付すべき税額に5％（期限内申告税額と50万円のいずれか多い額を超える部分は10％）の割合を乗じて計算した金額に相当する過少申告加算税（期限後申告（その修正申告を含む。）の場合には、その納付すべき税額に10％（納付すべき税額が50万円を超える部分は15％）の割合を乗じて計算した金額に相当する無申告加算税）を課すこととされた（通則法65①②⑤、66①②⑥）。

（注）　上記の「調査に関する一定の事項の通知（調査通知）」とは、次の①から③までの事項の通知とされる（通則法65⑤、通則令27③）。

　　①　調査の対象となる税目（通則法74の9①四）
　　②　調査の対象となる期間（通則法74の9①五）
　　③　事前通知を行う場合の実地の調査において質問検査等を行わせる旨（通則法74の9①）又は事前通知を要しない場合（通則法74の10）において実地の調査を行う旨

　　　また、この「調査通知」には、納税者（本人）が自身に代えて税務代理人

に対して行うことに同意している場合（通則法74の9⑤⑥、通則規11の3①②）には、その税務代理人への通知も含む（通則令27④）。

(3) 「更正を予知してされたもの」の意義

この「更正を予知してされたもの」の解釈についても、種々の考え方がある。

① 国税庁の取扱い

「更正を予知してされたもの」の意義について、相続税の過少申告加算税等指針第1－2は、次のようにいう。

「(修正申告書の提出が更正があるべきことを予知してされたと認められる場合)

2　通則法第65条第5項の規定を適用する場合において、その納税者に対する臨場調査、その納税者の取引先に対する反面調査又はその納税者の申告書の内容を検討した上での非違事項の指摘等により、当該納税者が調査があったことを了知したと認められる後に修正申告書が提出された場合の当該修正申告書の提出は、原則として、同項に規定する『更正があるべきことを予知してされたもの』に該当する（注）。

(注)　臨時のための日時の連絡を行った段階で修正申告書が提出された場合には、原則として、『更正があるべきことを予知してされたもの』に該当しない。」

なお、国税庁の正式見解ではないが、通則法立案者は、「『予知してされたもの』とは、納税者に対する当該国税に関する実地又は呼出等の具体的調査がされた後にされた修正申告をいう」としている（「国税通則法精解」778頁）。

また、ここにいう「調査」には、国税査察官による調査も含まれるとする裁決例がある（国税不服審判所昭和46年8月9日裁決・裁決事例集No.46－1頁）。

② 判例の傾向

(イ)　課税当局による調査の前に任意に修正申告書を提出した場合をいうものとする例

㋐　最高裁昭和51年12月9日第1小法廷判決

過少申告加算税は、修正申告書の提出があったときでも、原則としては、賦課されるのであり（国税通則法65条1項）、その提出が、その申告に係る国税についての調査があったことにより当該国税について更正があるべきことを予知してされたものでないときに、例外的に課せられないこととされているにすぎないのである（同条3項・筆者注・現5項）。原審が確定した事実によれば、亡正夫が嘆願書を提出したのは、すでにその申告にかかる昭和39年分の所得税について調査を受けたのちであったというのであり、仮に、税務職員の適切な指導・助言により、亡正夫が、嘆願書を提出した時期に修正申告書を提出していたとしても、更正処分を受けるべきことを予知してこれを提出したことになるものというべきであって、過少申告加算税の賦課を免れないところであるから、亡正夫が所論の理由により修正申告をすることができなかったことと本件過少申告加算税の賦課の適否とは、無関係というべきである。

ロ　大阪地裁昭和29年12月24日判決（前出）・控訴審大阪高裁昭和33年11月27日判決

原告会社に対して直接調査が実施される前になされた修正申告書であっても、取引先調査等が実施されている場合等には、調査により更正を予知したことになる旨を判示したもので、調査後の修正申告が即更正を予知したものと推定しうるとされた事例である（注）。

（注）　ただし、調査着手後の修正申告がすべて更正を予知してなされたと解するのは適切でないとする次のような判例もある（東京高裁昭和61年6月23日判決）。

「修正申告書の提出が『調査があったことにより……更正があるべきことを予知してされたものでないとき』というのは、被控訴人が主張するように、税務職員が納税者の申告に係る国税について調査に着手さえすれば、その調査の進展段階を問うことなく、調査着手後になされた修正申告は、たとえ調査着手前に修正申告を決意していた場合であったも、すべて更正を予知してされたものではないといえないと解するのは適切な解釈とはいえない。文理上、右条項は調査着手以前に申告書が提出された場合を問題とするものではなく、調査着手後に提出された場合にその適用の有無を問題としているもの

であることは明白である。従って、調査着手後の提出はすべて予知してされたものであると解するのは、明らかに右の文理に反することになる。」

㋺ 納税者に対して直接的な調査がされ、その結果、先に申告した課税標準に脱漏があることを発見され、更正処分がされることを推測又は察知して修正申告をした者に加算税が課されるとした例

㋑ 和歌山地裁昭和50年6月23日判決

「『調査に因り…更正又は決定があるべきことを予知してなされたもの』あるいは『…調査があったことにより…更正があるべきことを予知してなされたもの』というのは、税務当局が、当該納税申告に疑惑を抱き、調査の必要を認めて、納税義務者に対する質問、帳簿調査等の実地調査に着手し、これによって収集した具体的資料に基づき、先の納税申告が適正なものでないことを把握するに至ったことを要するものと解すべきである。しかしそれ以上に、税務当局が、申告漏れの所得金額を正確に把握し、更正をなすに足りる全資料を収集していなければならないものでもない。そして、先の申告が不適正であり、かつ、申告漏れが存することが明らかになれば、いずれ当局によって更正がなされることは当然であるから、納税義務者において、当局の調査進行により先の納税申告の不適正が発覚することを認識しながら、修正申告書を提出することは、他に特段の事情がない限り、右にいう『調査があったことにより…更正があるべきことを予知してなされたもの』と推認することができるものと解すべきである。」

㋺ 東京地裁昭和56年7月16日判決

「修正申告書の提出が『調査があったことにより…更正があるべきことを予知してなされたものではないとき』というのは、税務職員がその申告に係る国税についての調査に着手してその申告が不適正であることを発見するに足るかあるいはその端緒となる資料を発見し、これによりその後調査が進行し先の申告が不適正で申告漏れの存することが発覚し更正に至るであろうということが客観的に相当程度の確実性をもって認められる段階に達した後に、納税者がやがて更正に至るべきことを認識したうえで修正申告を決意し修正

申告書を提出したものでないこと、言い換えれば右事実を認識する以前に自ら進んで修正申告を確定的に決意して修正申告書を提出することを必要とし、かつ、それをもって足りると解すべきである。原告は調査により申告に係る所得金額ないし税額に脱漏があることが発見され、過少申告が把握されるに至った後になって更正を予知してされた修正申告についてのみ加算税を賦課することが許される旨主張するようであるが、そのように解すると、税務職員の調査において前記のような資料を発見された後であっても所得金額ないし税額の脱漏を具体的に把握される前に修正申告を決意し、修正申告書を提出すれば加算税の賦課をのがれうる場合もあることになって前記法条の趣旨に反することになる。」

(ハ) 端緒把握説・客観的確実性説

上記(イ)及び(ロ)は、「不足額発見説」及び「調査着手説」といわれるが、最近「端緒把握説」が有力とされている（品川芳宣「附帯税の事例研究（第4版）」財経詳報社（75頁））。

この「端緒把握説」は、「客観的確実性説」ともいわれ、最近この傾向をもつ判例が現われているといわれる。

東京地裁昭和56年7月16日判決、大阪高裁平成12年11月17日判決、高松高裁平成16年1月15日判決等がそれとされる。最近では東京地裁平成24年9月25日（確定）がある。この判決は、情報公開請求で公表されたものである。

その概要は、次のとおりである。

① 本件は、原告が機械及び装置の増加償却の特例の適用要件である増加償却の届出書を提出していなかったにもかかわらず、増加償却の特例を適用して申告したものの、その後増加償却を行うことができないので減価償却費の償却限度超過額が生じていたとして、修正申告書を提出したのに対し、処分行政庁が過少申告加算税の賦課決定を行ったことから、本件修正申告書の提出は更正があるべきことを予知してされたものでないとき、に該当するとして過少申告加算税を課されたので、その取消しを求めた事案である。

② 争点は、修正申告書の提出が、「更正があるべきことを予知してされたものでないとき」に該当するか否かである。
③ 調査担当者が本件確定申告書における申告が不適正であることを発見するに足るかあるいはその端緒となる資料を発見し、これによりその後の調査が進行し、先の申告が不適正で申告漏れの存することが発覚し更正に至るであろうということが客観的に相当程度の確実性をもって認められる段階に達した後に、原告がやがて更正に至るべきことを認識した上で修正申告を決意し本件修正申告書を提出したものでないといえるか否かについて検討する。
④ 本件調査担当者は、本件確定申告書を収集していたにもかかわらず、○○らから本件修正申告書を提出したことを説明されるまで、届出書が提出されていないことについて何ら気付いていなかっただけでなく、届出書の提出の有無や増加償却計算の適否について関心を示し、これに関する質問や資料提出依頼をすることもなかったのである。そして、そもそも本件調査担当者において、本件修正申告書が提出される前に、確定申告書等を確認したことなどをきっかけとして、増加償却の特例の適用要件が充足されているか否か、あるいは増加償却計算が適正であるか否かについて調査しようと考えるに至っていたことをうかがわせる証拠も存在しない。
⑤ したがって、本件確定申告書等は、届出書が提出されていないことを発見するに足る資料とはいえないし、届出書提出の有無について調査する端緒となる資料ともいえないから、調査担当者が確定申告書等を収集していたことをもって、いわゆる客観的確実時期に達していたということはできないというほかない。
⑥ 原告は、本件臨場調査そのものによって本件届出書の不提出に気付いたものでないし、不提出に気付いた後は、延滞税の発生を止めるため、可及的速やかに修正申告書の提出及び追加納税を行ったものと認められるから、原告は、臨場調査における具体的な調査とは直接関係することなく、修正申告書の提出をしたものと認められる。

⑦ 以上によれば、原告は本件調査担当者において申告が不適正であることを発見するに足るかあるいはその端緒となる資料を発見し、これによりその後の調査が進行し、先の申告が不適正で申告漏れの存することが発覚し更正に至るであろうということが客観的に相当程度の確実性をもって認められる段階に達する前に、自発的に修正申告書を提出したものであると認められるから、本件修正申告書の提出は、「その申告に係る国税の調査があったことにより当該国税について更正があるべきことを予知してされたものでない」というべきである。

③ 「更正の予知」についての主張・立証責任

「更正があるべきことを予知して」された申告か否かの主張・立証責任は「正当な理由」と同様に納税者側にあるとする判例（東京高裁昭和61年6月23日判決）がある。

第6節　無申告加算税

1　総　説

相続税又は贈与税に関し、次の場合において修正申告書の提出又は更正若しくは決定があったときは、その修正申告又は更正若しくは決定に基づき納付すべき税額に15%（50万円を超える部分は5%を加算）の割合を乗じて計算した金額に相当する無申告加算税が課される（通則法66①）。無申告であることに着目して、過少申告加算税よりも高い税率により課税されるとされている（「国税通則法精解」794頁）。

(1) 期限後申告書の提出又は決定があった場合
(2) 期限後申告書の提出又は決定があった後に修正申告書の提出又は更正があった場合

なお、期限内申告書の提出がなかったことについて正当な理由があると認められる場合において期限後申告書の提出があったときは、無申告加算税で

なく、過少申告加算税が課税される（通則法66①ただし書、65①）。これは、無申告加算税が、正当な理由がないのに期限内申告書を提出しないことに対するペナルティーであることによるものである。したがって、期限後申告に対する修正申告には、過少申告加算税ではなく、無申告加算税が課されるものである（注）。

(注) 無申告加算税の課税趣旨について、次のような判例がある（東京地裁平成3年6月26日判決）。

　「無申告加算税は、申告納税制度を維持するためには納税者により期限内に適正な申告が自主的にされることが不可欠であることにかんがみて、申告書の提出が期限内にされなかった場合の行政上の制裁として課されるものであるから、国税通則法66条1項ただし書の『正当な理由』とは、期限内に申告ができなかったことについて納税者に責められる事由がなく、このような制裁を課することが不当と考えられる事情のある場合をいうものと解すべきである（同趣旨広島高裁平成2年7月18日判決）。」

　以上の点につき相続税の過少申告加算税等指針第2-3（無申告加算税を課す場合の留意事項）は、次のようにいう。

　「3　通則法第66条の規定による無申告加算税は、正当な理由がないにもかかわらず、期限内に申告書の提出がなかったことに基づいて課されるものであるから、次のことに留意する。
(1) 申告書が期限後に提出され、その期限後に提出されたことについて正当な理由があると認められた場合において、当該申告について、更に修正申告書の提出があり、又は更正があったときは、当該修正申告又は更正により納付することとなる税額については、無申告加算税を課さないで過少申告加算税を課す。」

2　無申告加算税の計算

(1) 計算方法

① 原　　則

　無申告加算税の額は、1で述べた期限後申告、修正申告、更正又は決定に基づき納付すべき税額（いわゆる「増差税額」）をその額の計算の基礎とし、これに対し15％の割合を乗じて計算する（通則法66①）。

② **無申告加算税割合の加重**

　平成18年の改正により、無申告加算税の賦課要件に該当する場合において、納付すべき税額（期限後申告又は決定後に修正申告書の提出又は更正があったときは、その国税に係る「累積納付税額」を加算した金額）が50万円を超えるときは、その申告等により納付すべき税額に15％の割合を乗じて計算した金額に、その超える部分に相当する税額（その申告等により納付すべき税額がその超える部分に相当する税額に満たないときは、その納付すべき税額）に5％の割合を乗じて計算した金額を加算した金額とすることとされた（注）。

　「累積納付税額」とは、期限後申告又は決定後の修正申告書の提出又は更正前にされたその国税について次に掲げる納付すべき税額の合計額（その国税について、その納付すべき税額を減少させる更正又は更正に係る不服申立て若しくは訴えについての決定、裁決若しくは判決による原処分の異動があったときはこれらにより減少した部分の税額に相当する金額を控除した金額とし、税額の計算の基礎とされていなかったことについて正当な理由があると認められるものがある場合は、その事実に基づく税額として一定の計算をした金額を控除した金額）をいう（通則法66③）。

　(i) 期限後申告書の提出又は決定に基づき納付すべき税額
　(ii) 修正申告書の提出又は更正に基づき納付すべき税額
（注）　この改正理由は、次のようにいわれている（「平成18年版・改正税法のすべて」674頁）。

　　インターネットによる取引が急増している中、多額の利益を得ていたにもかかわらず、無申告であるという事例が発生している。
　　無申告は、過少申告と異なり、申告義務を果たしていないという点において、申告納税制度の根幹を揺るがす重大な違反行為であることから、上記のような実態を放置することは適当ではなく、無申告加算税において何らかの対応を早急に講じる必要があると考えた。具体的には、期限内申告の促進、無申告の抑止の観点から、無申告加算税の割合について、少なくとも期限内申告を前提とする過少申告加算税の割合（15％）よりも高い割合とすることが適当と考えられた。ただし、追徴税額が少額である場合については、法益に対する侵害の度合いも小さいことから、現行の割合（15％）を据え置くこ

とが適当と考えられたものである。
(2) **端数計算**
過少申告加算税の項を参照されたい。

3　他の法律による無申告加算税の特例

相続税に関しては、第5節の3の過少申告加算税の項で述べたとおり、特別縁故者に対して分与が行われた場合の特例が設けられている（相法50②）。

4　「正当な理由」がある場合の無申告加算税の非課税
(1) **概　　要**
無申告加算税は、期限内申告書の提出がなかったことについて正当な理由があると認められる場合には課されない。このような場合には、期限内申告がなかったことについての行政制裁の対象たり得ないので、無申告加算税を課税する理由がないからである。
(2) **「正当な理由」の意義**
この点も過少申告加算税の項を参照されたいが、相続税の無申告加算税に関する判例と裁決例を次に紹介しておく。
① 判例（神戸地裁平成5年3月29日判決・同旨大阪高裁平成5年11月19日判決）

「原告らは、相続財産の一部とはいえ基礎控除額を超える財産を認識することができたにもかかわらず、その部分についてさえも申告書を提出せずに、納税者の自主的な申告に税金の徴収をゆだねた申告納税方式の趣旨そのものを没却させるような行為をしたのであるから、被告が右相続財産の全体について無申告加算税を賦課したとしても、それは自主的な納税方式を維持するためにやむを得ない手段として是認することができ、このことを不当視することはできない。また、原告らが主張する事情が正当な理由に当たるとすれば、同人らが申告期限内に判明している部分についてだけでも申告書を提出していれば、税額の計算の基礎に入れなかったことに正当な理由があると認

められる部分を控除したうえ無申告加算税が課される（通則法66条2項、65条4項）ものとされているのであるから、本件処分が納税者に不可能を強いるものということはできない。」

② 裁決例

(A) 国税不服審判所昭和46年2月24日裁決（東京国税不服審判所裁決事例集 No. 3－2頁）

　請求人が、申告期限である昭和45年3月16日の午後5時30分頃に出先のIポストに投函した所得税確定申告書には、同月17日の郵便日付印が押されているが、同日付の印が押されたことにつき請求人にやむを得ない事情があるものと認められるから、当該申告書は期限内申告書と認めるのが相当である。

(B) 国税不服審判所平成元年6月8日裁決（裁決事例集 No. 37－1頁）

　受遺者の一人が遺贈の一部を放棄したことによって、相続人たる請求人が相続し、相続税の申告書を提出した場合には、その申告書に記載された相続税の課税価格のうち、受遺者が遺贈の一部を放棄したことによって初めて取得したと認められる部分については、相続税法第30条に規定する期限後申告書の性格を有しているものと認めるのが相当であり、請求人には当該部分を申告期限内に申告すべき義務はなかったというべきであるから、期限内申告書の提出がなかったことについて国税通則法第66条第1項ただし書に規定する正当な理由があると認められる場合に該当する。

(3) **正当な理由がある場合の加算税の計算**

　過少申告加算税の項を参照されたい。

(4) **「正当な理由」の主張・立証責任**

　過少申告加算税の項を参照されたい。

5　更正を予知しないでした期限後申告・修正申告の場合の無申告加算税の軽減

(1) **概　　要**

　期限後申告又は修正申告には、納税者の自発的申告によるものとそうでな

いものとがあるが、過少申告加算税の場合は、自発的申告のときには、前述のように課税されないこととなっているとの同様の趣旨から、無申告加算税についても自発的申告を基因とする場合には、次のような特例が設けられている。

すなわち、期限後申告書又は修正申告書の提出があった場合において、その提出がその申告に係る国税についての調査があったことによりその国税について更正又は決定があるべきことを予知してされたものでない場合において、その申告に係る国税についての調査通知がある前に行われたものであるときは、その申告に基づく追徴税額に係る無申告加算税の額はその追徴税額に5％を乗じて計算した額によることとされている（通則法66⑥）。過少申告加算税と異なり、全くの非課税ではなく、10％の軽減であることに注意する必要がある（注）。

(注)　この無申告加算税の軽減規定が適用されるべきであるのに、当初の賦課決定において誤って国税通則法第66条第1項の規定を適用して10％（当時）の無申告加算税を課し、異議決定において5％の無申告加算税が課されるべきであるとして、当初の無申告加算税の賦課決定の一部が取り消された事件（相続税課税事件）で、原告は、当初の処分は法の適用条項を誤ったもので、処分の瑕疵は重大かつ明白であり、一部取消しをもって治癒されるものではないから、賦課処分は無効であると主張した。この主張に対して、次のような判示がされている（広島高裁平成2年7月18日判決・同旨最高裁平成2年12月6日第1小法廷判決）。「……、国税の期限後申告については、法は原則として66条1項本文による無申告加算税の賦課を定め、特例として、同条3項により、期限後申告が、その申告に係る国税についての調査があったことにより当該国税について更正または決定があるべきことを予知してなされたものでないときは、右無申告加算税を縮減する扱いをしているものと解される。

したがって、本件賦課決定が、本件相続人らの期限後申告につき、右原則的扱いとしての法66条1項本文を適用したことは、重大かつ明白な瑕疵とまではいえず、しかも、本件異議決定により法66条3項を適用すべき場合であるとして本件相続人らの無申告加算税を縮減しているから、本件賦課決定の右瑕疵はすでに是正されたものと解するのが相当である」

(2) 調査通知を受けて期限後申告を行う場合

① 趣　旨

1346頁(2)①を参照のこと。

② 内　容

1346頁(2)②を参照のこと。

(3) 「予知してされたもの」の意義

「予知してされたもの」の意義についても過少申告加算税の項の「更正を予知してされたもの」の意義と同様であるので、それを参照されたいが、次に若干の判例・裁決例を追加して参考に供したい。

① 判　例（静岡地裁平成11年2月12日判決）

　この事件は、平成7年分の地価税について、法定申告期限内に原告が税額相当額の納付をしたものの、関与税理士が地価税の申告書の期限内提出を失念し、税務署から申告書の提出がない旨の連絡を受け、直ちに申告書を提出したところ、無申告加算税を賦課され、この期限後申告の提出が「更正又は決定を予知して」されたものか否かが争いになった（注）。判決要旨は、次のとおりである。

　「通則法66条3項に規定される『調査があったことにより当該国税について更正又は決定があるべきことを予知してされたものでないとき』とは、税務職員がその申告に係る国税についての調査に着手して無申告が不適正であることを発見するに足るかあるいは端緒となる資料を発見し、これによりその後の調査が進行して納税者がやがて決定に至るべきことを認識した上で期限後申告を決意して期限後申告書を提出したものではない場合を指すものというべきであり、また、右条項の『調査』とは、課税庁が行う申告義務の認否等を認定するに至る一連の判断過程の一切を意味するものであり、課税庁の証拠書類の収集、証拠の評価あるいは経験則を通じての課税要件事実の認定、租税法等の法令解釈を経て賦課決定処分に至るまでの思考及び判断を含む包括的な概念を指すものと解すべきであるから、被告において、原告がやがて決定に至るべきことを認識した上で期限後申告を決意して期限後申告書

を提出したものと判断してなした本件処分に違法はない」

（注）　本事件の前審である国税不服審判所平成9年9月30日裁決・裁決事例集No.54-72頁について一杉直氏の評釈がある。同評釈の結論は、無申告加算税が適法な期限内申告をしない者に対する行政制裁であることを考えると、たとえ、税額の期限内納付がされていても、納税申告書の提出が期限後であれば、15％の無申告加算税の賦課はやむを得ないものであるとしている。筆者も基本的には同意見であるが、本判決は、「調査」の解釈に重点を置きすぎて納税者の納得が得られないように思う。むしろ、期限内申告がないことの行政制裁であって、本件の期限後申告が、調査を予知せず自発的にされたものとはいえないであろう旨を説示するべきではなかったか。

② **裁決例**

㈠　国税不服審判所昭和46年3月25日裁決・裁決事例集No. 2 - 1

　外部から認識できる調査等が行われず、申告案内書及び申告書用紙の送付を受けたにすぎない納税者が期限後申告書を提出した場合には、「調査があった」ことにより決定があることを予知してされた提出であるとすることにはならないとされたものである。裁決要旨は、次のとおりである。

　「……本件に関しては、上記認定の事実関係によると、そもそも原処分庁が本件につき調査を行なったこと自体これを認め難いのみならず、仮に内部的に何らかの調査検討を行なったとしても、上記法条の趣旨に照らし、実地あるいは、面接調査など外部からこれを認識しうべき具体的な調査等の行なわれていない限り、ここにいう『調査』があったとは解することができないものというべきである。

　原処分庁は、これに該るもの、ないしこれに代るものとして、更に上記申告案内書等の送付があった事実を主張するが、本文書の送付をもって直ちに上記法条にいう『調査があった』ものとすることは文理上にわかに採用し難いのみならず、（中略）該文書の送付は、必ずしも納税義務の確定的存在を前提としてなされるものとは限らず、広く納税義務の可能性が存するにすぎない場合にもこれがなされることのある、いわば行政指導上の措置なのであるから、該文書の送付をもって、上記法条にいう「調査があったことにより、

（決定等が）予知」される場合に該当することは未だ解し難いところといわなければならない。殊に本件においては、上述のとおり、請求人はかねてより自主申告の準備をしていたというのであるから、以上を総合すると、本件については、請求人の申告は、結論として自発的に行なわれた申告と見るのが相当である」

(ロ) 国税不服審判所平成3年2月27日裁決・裁決事例集 No.41-5（注）

本件は、租税特別措置法第37条の2第2項の規定による修正申告書の提出が「調査があったことにより当該国税について更正があるべきことを予知してされたものでないとき」に当たらないとされた事例である。裁決の要旨は次のとおりである。

「(1)請求人は、修正申告書の提出以前においては、課税標準が未確定というべきであるから、所得金額に対する調査が行われることはあり得ないと主張するが、租税特別措置法第37条第4項の適用を受けた場合においては、買換資産の取得価額の見積額によって譲渡所得の金額を計算して確定申告をすることによって課税標準は確定すると解すべきであるし、また、同法第37条の2の規定は、修正申告書の提出以前において所得金額に対する調査ができない旨を規定したものではないこと、及び、(2)①原処分庁は、本件調査を行う時点において、本件譲渡物件について、請求人が確定申告書に添付した売買代金を700,000,000円とする売買契約書のほかに、売買代金を800,000,000円とする売買契約書が存在することを把握しており、②調査担当職員は、本件調査において①の事実を念頭において本件譲渡物件の取引経過及び売買契約書の作成経過並びに譲渡代金の受領経過等の調査を行っていることから、本件譲渡物件の分離課税の長期譲渡所得の金額についての調査があったと認めるのが相当であるし、また、売買代金を700,000,000円とした売買契約書に基づき、本件譲渡に関する売買契約書の作成経過等を調査されたことによって、請求人は、調査担当職員の調査が進行するに従い、本件譲渡物件の譲渡価額を除外して確定申告した事実が発覚し、やがて原処分庁によって更正されることを認識したと認めるのが相当であること等から、本件修正申告

書の提出は、「その申告に係る国税についての調査があったことにより当該国税について更正があるべきことを予知してされたものでないとき」に当たらないというべきである」

(注) 本裁決については、税務事例 Vol. 31 – No. 10 – 12頁以下に荻野豊氏の評釈がある。

㈹ 国税不服審判所平成8年9月30日裁決・裁決事例集 No. 52 – 31頁（注）

本件は、申告漏れの土地譲渡について具体的に指摘した来署依頼状の送付後になされた修正申告書の提出は、国税通則法第65条第5項に規定する調査があったことにより更正があるべきことを予知してされたというべきであるとされた事例である。裁決の要旨は、次のとおりである。

「請求人は、本件修正申告書の提出が国税通則法第65条第5項に規定する調査があったことにより更正があるべきことを予知してされたものではないと主張するが、同法第65条第5項の『調査』とは課税庁が行う課税標準又は税額等を認定するに至る一連の判断過程の一切を意味するものであり、課税庁の証拠書類の収集、証拠の評価あるいは経験則を通じての課税要件事実の認定、租税法その他の法令の解釈適用を経て更正処分に至るまでの思考、判断を含む極めて包括的な概念であり、課税庁が確定申告書を検討して納税者の過少申告を把握し、これを当該納税者に連絡したような場合には「調査があったこと」に該当する。本件では申告もれの土地譲渡について具体的に指摘した来署依頼状の送付後に修正申告書が提出されているから、修正申告は調査があったことにより更正があるべきことを予知してされたというべきである」

(注) 本裁決については、税務事例 Vol. 31 – No. 10 – 4頁以下に垂井英夫氏の評釈がある。

(4) 無申告加算税の不適用制度

平成18年の改正により、期限後申告書の提出があった場合において、その提出が、その申告に係る国税についての調査があったことによりその国税について決定があるべきことを予知してされたものでなく、期限内申告書を提

出する意思があったと認められる一定の場合に該当してされたものであり、かつ、当該期限後申告書の提出が法定申告期限から1月を経過する日までに行われたものであるときは、無申告加算税は課さないこととする無申告加算税の不適用制度が設けられた（通則法66⑦）。

期限内申告書を提出する意思があったと認められる一定の場合とは、次のいずれにも該当する場合であるとされている（通則令27の2①）。

① 自主的な期限後申告書の提出があった日の前日から起算して5年前の日（消費税等や航空機燃料税等である場合には、1年前の日）までの間に、その期限後申告書に係る国税の属する税目について、期限後申告書の提出又は決定を受けたことにより無申告加算税又は重加算税を課されたことがない場合で、かつ、国税通則法第66条第7項《無申告加算税の不適用制度》の規定の適用を受けていない場合

② ①の期限後申告書に係る納付すべき税額の全額が法定納期限（その期限後申告書に係る納付について、口座振替納付を利用している場合には、その期限後申告書を提出した日）までに納付されていた場合

(参考) この関係を具体例で図示すれば、以下のようになる。

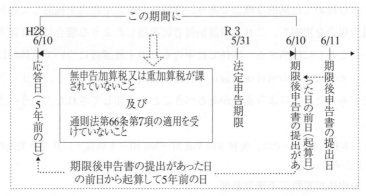

なお、本特例の適用を受けた期限後申告書が提出された場合において、修正申告書の提出又は更正があったときは、過少申告加算税が課されることとなるため、これに関する所要の規定が整備されている（通則法65①、③二）

(注)。

(注) 近年、納付すべき税額は法定納期限内に全額納付していたにもかかわらず、申告書については、事務的な手違いで数日後に税務署に提出されるという事例が見受けられた。

申告納税方式による国税については、納税申告が納税義務を確定させる重要な意義を有するところから、その申告の適正を担保するため、行政制裁として無申告加算税制度が設けられており、災害等により、期限内申告書の提出ができなかったことについて正当な理由があると認められる場合を除いては、無申告加算税を課すこととされている。

しかしながら、無申告加算税制度の趣旨からすれば、期限内申告書を提出する意思があったと認められる場合で、かつ、法定申告期限後速やかに提出されたような場合にまで行政制裁を課すことは、誠実な納税者の適正な申告納税の意欲をそぐ結果ともなりかねない。

そこで、平成18年の改正により、自主的な期限後申告書の提出があった場合において、その提出が、期限内申告書を提出する意思があったと認められる一定の場合に該当し、かつ、法定申告期限から2週間以内に行われたものであるときは、無申告加算税は課さないこととされた。

この改正は、平成17年のＸ電力事件が背景にあったものと思われる。

この事件は、Ｘ電力が法定の納期限までに約250億円の消費税（地方消費税を含む。）を納付していながら、肝心の消費税の申告書を申告期限内に提出することを失念し、申告期限から11日後にようやく申告書を提出したところ、課税当局は、12億円余の無申告加算税をＸ電力に課税した。Ｘ電力は、この課税処分を不服として訴訟に及んだが、平成17年9月16日大阪地方裁判所はこの請求を棄却し、Ｘ電力側が控訴を断念したため、12億円余の無申告加算税を納付することとなって決着した。

今回の改正は、このようなケースを救済するためのものと思われるが、実際にこのようなケースが続発するとは考えられない。

(5) 短期間に繰り返して無申告又は仮装・隠蔽が行われた場合の無申告加算税等の加重措置

① 趣　旨

「これまでの無申告加算税又は重加算税の水準（割合）にあっては、無申告又は仮装・隠蔽が行われた回数にかかわらず一律であるため、意図的に無申告又は仮装・隠蔽を繰り返すケースも多いことから、こうしたケースに対

する行政制裁としての牽制効果は十分なものではないと考えられる状況にあったところです。

　今回の改正においては、こうした状況に対応し、悪質な行為を防止する観点から、過去5年以内に無申告加算税又は重加算税を課された者が、再び調査を受けて無申告又は仮装・隠蔽に基づく修正申告等を行った場合には、無申告加算税又は重加算税について10％加重する措置を創設することとされました。」

（注）　上記の記述については、「平成29年版・改正税法のすべて」874～875頁によった。

② **内　容**

　期限後申告書若しくは修正申告書の提出（調査による更正等を予知してされたものに限る。）、更正若しくは決定又は納税の告知若しくは納税の告知を受けることなくされた納付（以下「期限後申告等」という。）があった場合において、その期限後申告等があった日の前日から起算して5年前の日までの間に、その期限後申告等に係る税目について無申告加算税（調査による更正等を予知してされたものに限る。）又は重加算税（以下「無申告加算税等」という。）を課されたことがあるときは、その期限後申告等に基づき課する無申告加算税（15％、20％）又は重加算税（35％、40％）の額は、その期限後申告等に基づいて納付すべき税額に10％の割合を乗じて計算した金額を加算した金額とする（通則法66④、68④）。

（注1）　上記の無申告加算税等の加重措置について、「10％の割合」という水準は、現行の加算税率の水準（多額の期限後申告である場合の無申告加算税は20％、重加算税は40％）を踏まえつつ、全体として短期間に繰り返して無申告又は仮装・隠蔽を行う悪質な者に対する牽制効果を的確に発揮できる加重後の加算税の水準とする（加重後の無申告加算税は30％、重加算税は50％）との考えに基づくものである。

（注2）　上記の繰り返して無申告又は仮装・隠蔽を行う期間について、「期限後申告等があった日の前日から起算して5年前の日までの間」という設定は、更正・決定等の期間制限が租税債権・債務に係る法律関係の安定化・公平を図る観点から基本的に「5年」とされていること（通則法70①）等を踏

まえたものである。
(注3) 次の①〜③の期限後申告等については、上記の無申告加算税に係る加重措置の対象外とされている（通則法66④）。
① 期限内申告書の提出がなかったことについて正当な理由があると認められる期限後申告等（通則法66①ただし書）
② 「無申告加算税の不適用制度」の適用がある期限後申告（通則法66⑦）
③ 調査による更正等を予知してされたものでない期限後申告又は修正申告

上記の①及び②については、無申告加算税自体が課されないこと、また、③については、上記の加重措置が悪質な行為を繰り返す者に対する牽制効果を高める観点から行うものであり、調査による更正等の予知前にされる自発的な修正申告書又は期限後申告書の提出についてまで効果を及ぼす必要はないとの考えに基づくものである。

第7節　重加算税

1　総　説

⑴　趣　旨

申告納税方式による国税に係る納税申告の重要性はいうまでもないが、納付すべき税額の計算の基礎となる事実について隠蔽又は仮装という不正手段が用いられていたときは、これに特別の行政制裁を課して、適正な申告をした納税者との権衡を図る必要がある。このような不正手段に対する行政制裁として、重加算税が課されるのである。

なお、重加算税は、それが税として課されるところから、形式的には申告秩序維持のための行政制裁であるといえるであろうが、その課税要件や負担の重さからみて、実質的には刑罰的色彩が強く、罰則との関係上、二重処罰ではないかという疑問が常に提起されるが、この問題は最後に触れることとする。

(2) 課税要件

申告納税方式による国税(相続税・贈与税はこれに該当する。)に係る重加算税には、次の2つがある。

① 過少申告加算税に代えて重加算税が課される場合

過少申告加算税が課される場合において、納税者がその相続税又は贈与税の課税標準等又は税額等の計算の基礎となるべき事実の全部又は一部を隠蔽し、又は仮装し、その隠蔽し、又は仮装したところに基づき納税申告書を提出していたときは、その納税者に対し、過少申告加算税の額の計算の基礎となるべき税額に係る過少申告加算税に代え、その基礎となるべき税額に35%の割合を乗じて計算した金額に相当する重加算税が課される(通則法68①)。ただし、その税額にその税額の計算の基礎となるべき事実で、隠蔽し、又は仮装されていないものに基づくことが明らかであるものがあるときは、当該税額から、その隠蔽し、又は仮装されていない事実のみに基づいて修正申告又は更正があったものとした場合におけるその申告又は更正に基づき納付すべき税額を控除した税額に対して重加算税が課される(通則法68①かっこ書)。

なお、国税通則法第65条第2項により加重された過少申告加算税が課される場合において、重加算税が課されるときは、重加算税は、加重された過少申告加算税に代えて課されるものとなっている(通則令27の3)。

この関係を設例で示してみよう。

【設例】
(i) 更正による増差税額　　　1億2,000万円
(ii) (i)のうち重加算税対象税額　　4,000万円
期限内申告税額　　　　　　増差税額

（次の②の場合も同様である。）

② 無申告加算税に代えて重加算税が課される場合

　無申告加算税が課される場合（更正又は決定を予知しないで申告があった場合を除く。）において、納税者がその相続税又は贈与税の課税標準等又は税額等の計算の基礎となるべき事実の全部又は一部を隠蔽し、又は仮装し、その隠蔽し、又は仮装したところに基づき法定申告期限までに納税申告書を提出せず、又は法定申告期限後に納税申告書を提出していたときは、その納税者に対し、無申告加算税の額の計算の基礎となるべき税額に40％の割合を乗じて計算した金額に相当する重加算税が課される（通則法68②）。その税額の計算の基礎となった事実のうちに、隠蔽又は仮装に基づかないものがあるときの重加算税の計算については、①と同様である（通則法66②、通則令27②）。

(3) 短期間に繰り返して無申告又は仮装・隠蔽が行われた場合の無申告加算税等の加重措置

① 趣　　旨

　1389頁の(5)①を参照のこと。

② 内　　容

　1390頁の(5)②を参照のこと。

2　隠蔽又は仮装の意義

(1) 総　　説

　重加算税の課税要件である事実の隠蔽又は仮装の内容については、法令は

何ら明らかにしていないので、専ら解釈によることになる。以下、この点について主なポイントを中心として検討しよう。

① **国税庁の取扱い**

国税庁は、「相続税及び贈与税の重加算税の取扱いについて」(事務運営指針・平成12年7月3日課資2-263ほか。以下「重加指針」と略称する。)の「第1 賦課基準」において「納税者がその国税の課税標準等又は税額等の計算の基礎となるべき事実の全部又は一部を隠ぺいし、又は仮装し」とは例えば、次に掲げるような事実(以下「不正事実」という。)がある場合をいうとして、次の例示を行っている。

(イ) 相続税関係

㋑ 相続人(受遺者を含む。)又は相続人から遺産(債務及び葬式費用を含む。)の調査、申告等を任せられた者(以下「相続人等」という。)が、帳簿、決算書類、契約書、請求書、領収書その他財産に関する書類(以下「帳簿書類」という。)について改ざん、偽造、変造、虚偽の表示、破棄又は隠匿をしていること。

㋺ 相続人等が、課税財産を隠匿し、架空の債務をつくり、又は事実をねつ造して課税財産の価額を圧縮していること。

㋩ 相続人等が、取引先その他の関係者と通謀してそれらの者の帳簿書類について改ざん、偽造、変造、虚偽の表示、破棄又は隠匿を行わせていること。

㋥ 相続人等が、自ら虚偽の答弁を行い又は取引先その他の関係者をして虚偽の答弁を行わせていること及びその他の事実関係を総合的に判断して、相続人等が課税財産の存在を知りながらそれを申告していないことなどが合理的に推認し得ること。

㋭ 相続人等が、その取得した課税財産について、例えば、被相続人の名義以外の名義、架空名義、無記名等であったこと若しくは遠隔地であったこと又は架空の債務がつくられてあったこと等を認識し、その状態を利用して、これを課税財産として申告していないこと又は債務として申告してい

ること。
(ロ) 贈与税関係
㋑ 受贈者又は受贈者から受贈財産（受贈財産に係る債務を含む。）の調査、申告等を任せられた者（以下「受贈者等」という。）が、帳簿書類について改ざん、偽造、変造、虚偽の表示、破棄又は隠匿をしていること。
㋺ 受贈者等が、課税財産を隠匿し、又は事実をねつ造して課税財産の価額を圧縮していること。
㋩ 受贈者等が、課税財産の取得について架空の債務をつくり、又は虚偽若しくは架空の契約書を作成していること。
㋥ 受贈者等が、贈与者、取引先その他の関係者と通謀してそれらの者の帳簿書類について改ざん、偽造、変造、虚偽の表示、破棄又は隠匿を行わせていること。
㋭ 受贈者等が、自ら虚偽の答弁を行い又は贈与者、取引先その他の関係者をして虚偽の答弁を行わせていること及びその他の事実関係を総合的に判断して、受贈者等が課税財産の存在を知りながらそれを申告していないことなどが合理的に推認し得ること。
㋬ 受贈者等が、その取得した課税財産について、例えば、贈与者の名義以外の名義、架空名義、無記名等であったこと又は遠隔地にあったこと等の状態を利用して、これを課税財産として申告していないこと。
② 学　説
次に、「隠蔽・仮装」の意義に関する学説のいくつかを紹介する。
㋑ 国税通則法立法法当時の関係者の考え方
国税通則法の立案関係者は、「隠蔽・仮装」の意義について、次のように述べている（「国税通則法精解」813頁）。
「事実の隠蔽は、二重帳簿の作成、売上除外、架空仕入若しくは架空経費の計上、たな卸資産の一部除外等によるものをその典型的なものとする。事実の仮装は、取引上の他人名義の使用、虚偽答弁等をその典型的なものとする。いずれも、行為が客観的にみて隠蔽又は仮装と判断されるものであれば

たり、納税者の故意の立証まで要求しているものではない。この点において、罰則規則における「偽りその他不正の行為」(例えば、所得税法238条1項)と異なり、重加算税の賦課に際して、税務署長の判断基準をより外形的、客観的ならしめようとする趣旨である」

㋺ 金子教授の説

金子教授の説は、次のとおりである (「租税法 (第23版)」890～891頁)。

「重加算税は、納税者が隠蔽・仮装という不正手段を用いた場合に、これに特別に重い負担を課すことによって、申告納税制度および源泉徴収制度の基盤が失われるのを防止することを目的とするものである。……

ここに事実の隠蔽とは、売上除外、証拠書類の廃棄等、課税要件に該当する事実の全部又は一部をかくすことをいい、……事実の仮装とは、架空仕入・架空契約書の作成・他人名義の利用等、存在しない課税要件事実が存在するように見せかけることをいう。隠蔽と仮装とは同時に行われることが多い(たとえば、二重帳簿の作成のように、存在する事実をかくし、存在しない事実があるように見せかけること)。架空名義で取引を行い、その利益を申告しなかった場合には、利益の有無ならびに利益の金額につき認識を欠いていたとしても、隠蔽・仮装の事実があったと考えるべきであろう……」

㋩ 松沢教授の説

松沢教授の説は、次のとおりである (「租税法講座2・租税実体法」(ぎょうせい) 336～337頁)。

「「隠ぺい・仮装」とは租税を逋脱する目的を持って故意に収税官吏に対し、納税義務の発生原因たる計算の基礎となる事実を隠匿し、または、作為をほどこして虚偽の事実を附加せしめて収税官吏の調査を妨げて納税義務の全部または一部を免れる行為をいうものである。いずれも故意によることを要件とする (傍点筆者)。

重加算税は行政秩序罰であるから、その性質上純粋な形式犯と考えられ、主観的責任条件を要せず、形式的違反をもって足るとする考え方もあるが、しかし、重加算税の本質が悪質な不正行為者を制裁するため、著しく重い税

率を賦課している立法趣旨および隠ぺい仮装の文言それ自体故意による積極的な行為を予定していること、さらに国税通則法が本条とは別に租税の不正行為につき、「偽りその他不正の行為による」場合の更正の期間制限の特例を規定しており（国税通則法70条2項4号）、同条が議論はあるが積極的行為を伴わない場合でも、その適用をうける場合があると解されることと対比してみても、故意による積極的行為に限ると解すべきである（故意を要件とすることにつき大阪高判昭和33年11月27日行裁例集9巻12号2631頁）（注）。すなわち更正等の期間制限の特例の要件たる「偽りその他不正の行為」とは仮装・隠ぺいを含み、それよりも広い観念である」

(注) ここに引用されている大阪高裁昭和33年11月27日判決の要旨を次に掲げておこう。

「原告会社が、設立当初より資産の隠ぺいによる脱税を企図し、税務署関係専用の帳簿を作成して申告を行い、別勘定の取引においては証憑書類等をその都度破棄し、取引にも仮装名義を用いてその実態をくらましていた事実が認められるほか、同業者が脱税嫌疑で強制調査が行われたことを知るや架空名義の預金を全部払出して預金通帳を焼却したときは、右預金を申告しなかったのは当時これを故意に隠ぺいする意図に基づいたものと認めるのが相当である。」

(二) 碓井教授の説

碓井教授の説は、次のとおりである（「重加算税賦課の構造」税理22巻12号5～6頁）。やや長文であるが、重要なので引用する。

「次に、隠ぺい・仮装の態様に関して、事実の隠ぺいは、「二重帳簿の作成、売上除外、架空仕入若しくは架空経費の計上、たな卸資産の一部除外等」を典型とし、事実の仮装は、「取引上の他人名義の使用、虚偽答弁等」を典型とするといわれている。ただし、隠ぺい（隠すこと）と仮装（みせかけること）とは、相互に関係しあっており、例えば架空経費の計上は、事実の仮装であると同時に所得を隠ぺいすることとなる。

ところで、隠ぺい・仮装の態様をめぐって、若干の問題がある。第一に、何らかの記録等を最初から残しておかなかったこと（例えば、契約書を作成

しないこと）が、隠ぺいにあたるかどうかである。シャウプ勧告は、「将来に徹底的教育運動及び正当な帳簿記録をつける必要が広く認識されるように考案された他の活動が実行された後、正当な帳簿記録をつけることを故意に怠った場合刑罰を適用することが適当であるかもしれない」（附録41頁）と指摘したが、今日に至るも、このような刑罰規定はできていない。青色申告者の記帳義務違反に対しては、青色申告書提出承認の取消処分がなされるのみである。他方、昭和36年の「国税通則法の制定に関する答申」では、「極端な場合には、故意に記帳をしないか又は記帳を著しく不完全にして、隠ぺい又は仮装の証明を実際上不可能にする場合等その証明がされる場合よりもかえって悪質な場合もあり得よう」(21頁)と述べて問題点を指摘している。これは、理論上は、故意に記録を残さない場合も「隠ぺい」にあたることを前提にするものであろう。しかし、一般的な記帳義務を課していない今日においては、記録を残さないことのみでは、隠ぺいの要件を満たしていないものと解すべきであろう。

　第二に、過少申告の場合に申告書への虚偽記入行為も、隠ぺい又は仮装に含まれうるという解釈が通用していたようであるが、通則法68条1項は、「国税の課税標準等又は税額等の計算の基礎となるべき事実」の隠ぺい又は仮装があり、それに「基づき納税申告書を提出していた」ことを要件としているのであるから、申告書における虚偽記入は、隠ぺい又は仮装に含まれないと解すべきである。租税を免れることを目的とする虚偽記入の場合に不均衡が存在するようにみえるが、基礎となるべき事実についての隠ぺい又は仮装が存在しない場合には、税務調査権の発動によって課税標準等又は税額等を認定することができるのであるから、かかる解釈も不当であるとはいえまい。昭和29年通達（直所1－1）83においては、「明らかに故意に収入の相当部分を除外して」申告した場合を含めていたのであるが、国税通則法に関する権威ある解説書である「国税通則法精解」が虚偽申告自体に触れていないことからすれば、今日では、国税行政関係者の見解も私の見解と一致しているのかも知れない。

第三として、国税職員に対する虚偽答弁が隠ぺい又は仮装にあたるかどうかという問題がある。まず虚偽答弁については、各租税法律が処罰規定を設けて、その制裁を予定していることに注意しておきたい。そして、重加算税は、確かに「徴税の実」をあげようとするものであるが、その基礎となる隠ぺい・仮装行為は、調査に際しての国税職員に対する行為を含まないと解するのが正当ではないかと思う。過少申告をした納税義務者に対して税務調査をし、虚偽答弁があった場合が通則法68条の要件にあてはまるとすることは、文理上無理があるように思える。虚偽答弁に対して加算税によって制裁を加えるという政策も、ありうるであろう。民事詐欺罪というシャウプ勧告の趣旨を実現するためにも、そのような制度が必要であるといえるかも知れない。しかし、それは、その旨の規定を設けない限り無理なのではないかと考える。重加算税の納税義務の成立時期が、法定申告期限又は法定納期限の経過の時であるとされているので（通則法15②十五、十六）、仮に、虚偽答弁が含まれるとすれば、これらの期限が到来する前の税務調査に際して虚偽答弁のみが重加算税の対象となり、期限後の調査に際して虚偽答弁しても賦課要件を満たさないことになる。この２つの場合の違いをもたらすような解釈の不合理性を知ることができる。」

(ホ)　村井教授の説

　村井教授の説は、次のとおりである（「逋脱犯の成立要件と重加算税の課税要件」税理19巻14号78頁）。

　「申告納税方式の下で重加算税の対象となるのは、過少申告ないし無申告のうち、隠ぺい又は仮装の事実が認められる場合である。……それではこの要件のうち、事実の隠ぺいとは何か。一般には、これは二重帳簿の作成、売上除外、架空仕入もしくは架空経費の計上、たな卸資産の一部除外等によるものをその定型的なものと解されている。また事実の仮装とは、取引上の他人名義の使用、虚偽答弁等をいうものと解されている。これらの定型的な事実は、いずれも通常の場合、逋脱の結果とリンクすることによって、同時に不正行為の要件を構成することが少なくなかろう。ただし、ここで特に注意

を要するのは、この隠ぺい又は仮装の要件が必ずしも反社会的な不正行為を要求するものではなく、また必ずしも逋脱結果とリンクする必要もないということである。もっとも重加算税の課税要件として、故意を含むものとする見解もかなり有力であり、それによれば、「隠ぺい、仮装」という文言自体のなかに既に租税を免れようとする「故意」の要素が含まれるとする。しかしながら、その場合でも反社会的な不正行為と断ずる要素がない限り、逋脱犯は成立しないから、両者の要件は、なおも明確に区別すべきであろう。」

(ヘ) 広瀬氏の説

広瀬正氏は、次のように説いている（「重加算税の対象となる逋脱所得の範囲」税理19巻14号83頁）。

「そこで「隠ぺい、仮装」とは何かということになるが、通常の解釈としては租税を逋脱する目的をもって、故意に課税所得の発生原因となる事実を隠匿し、又は作為をほどこして虚偽の事実を附加せしめ、納税義務の全部又は一部を免れる行為をいい、いずれの場合にも故意による積極的行為たることが必要とされている（北野弘久「税法学の基本問題」（成文堂）394頁）。また、当該行為は納税義務者本人の行為に限定すべき理由はなく、広く家族使用人等の関係者のかかる行為も含まれる。けだし納税者本人が知らないからといって重加算税の賦課を免れるとすると制度の機能を発揮しえない結果となるからである（大阪高裁昭和36.12.27判決参照）。」

③ 判　例

次に、「隠ぺい、仮装」の意義について判示した判例をいくつか掲げておく。

(イ) 和歌山地裁昭和50年6月23日判決

国税通則法68条1項に規定する「……の計算の基礎となるべき事実の全部又は一部を隠ぺいし、又は仮装し」たとは、不正手段による租税徴収権の侵害行為を意味し、「事実を隠ぺい」するとは、事実を隠匿しあるいは脱漏することを、「事実を仮装」するとは、所得・財産あるいは取引上の名義を装う等事実を歪曲することをいい、いずれも行為の意味を認識しながら故意に

行うことを要するものと解すべきである。

(ロ)　名古屋地裁昭和55年10月13日判決

国税通則法68条は、不正手段による租税徴収権の侵害行為に対し、制裁を課することを定めた規定であり、同条にいう「事実を隠ぺいする」とは、課税標準等又は税額の計算の基礎となる事実について、これを隠ぺいしあるいは故意に脱漏することをいい、また「事実を仮装する」とは、所得、財産あるいは取引上の名義等に関し、あたかも、それが事実であるかのように装う等、故意に事実を歪曲することをいうと解するのが相当である。

(ハ)　大阪地裁昭和56年２月25日判決（同旨大阪高裁昭和57年９月３日判決）

国税通則法68条１項にいう「納税者がその国税の課税標準等又は税額等の計算の基礎となるべき事実の全部又は一部を隠ぺいし、又は仮装し、その隠ぺいし、又は仮装したところに基づき納税申告書を提出し」た場合とは、相続税についてみると、相続人又は受遺者が積極的に右の隠ぺい、仮装の行為に及ぶ場合に限らず、被相続人又はその他の者の行為により、相続財産の一部等が隠ぺい、仮装された状態にあり、相続人又は受遺者が右の状態を利用して、脱税の意図の下に、隠ぺい、仮装された相続財産の一部等を除外する等した内容虚偽の相続税の申告書を提出した場合をも含むと解するのが相当である。

(ニ)　大阪地裁昭和62年２月24日判決

本件贈与証書及び和解調書が真実の贈与意思を伴うものでなく租税回避の目的で作成されたことを知りながら、課税庁の申告指導において、右贈与証書及び和解調書を提示して本件贈与税が既に時効完成している旨を答弁して法定申告期限までに申告しなかったことは、贈与の時期に関する事実を隠ぺいし又は仮装し、これに基づいて納税申告書を提出しなかった行為に該当するから、重加算税の賦課決定処分は相当である。

(ホ)　最高裁昭和62年５月８日第２小法廷判決

国税通則法68条に規定する重加算税は、同法65条ないし67条に規定する各種の加算税を課すべき納税義務違反が事実の隠ぺい又は仮装という不正な方

法に基づいて行われた場合に、違反者に対して課される行政上の措置であって、故意に納税義務違反を犯したことに対する制裁ではないから（最高裁昭和43年（あ）第712号同45年9月11日第2小法廷判決・刑集114巻10号1333頁参照）、同法68条1項による重加算税を課し得るためには、納税者が故意に課税標準等又は税額等の計算の基礎となる事実の全部又は一部を隠ぺいし、又は仮装し、その隠ぺい、仮装行為を原因として過少申告の結果が発生したものであれば足り、それ以上に、申告に際し、納税者において過少申告を行うことの認識を有していることまでを必要とするものではないと解するのが相当である。

(ヘ) 大阪高裁平成3年4月24日判決

　国税通則法68条（重加算税）1項に定める重加算税の課税要件である「隠ぺい・仮装」とは、租税を脱税する目的をもって、故意に納税義務の発生原因である計算の基礎となる事実を隠匿し、又は、作為的に虚偽の事実を附加して、調査を妨げるなど納税義務の全部又は一部を免れる行為をいい、このような見地からは、重加算税の実質は、行政秩序罰であり、その性質上、形式犯ではあるが、不正行為者を制裁するため、著しく重い税率を定めた立法趣旨及び「隠ぺい・仮装」といった文理に照らし、納税者が、故意に脱税のための積極的行為をすることが必要であると解するのが相当である。

(ト) 京都地裁平成4年3月23日判決

　国税通則法68条1項の隠ぺいし、仮装するとは、申告納税制度をとる所得税について租税を逋脱する目的をもって、故意に納税等の計算の基礎となる事実を隠ぺいし、又は作為的に虚偽の事例を附加して調査を妨げるなどの行為をいう。隠ぺいは、右起訴事実を隠匿し、その事実の存在を不明にし、仮装は、虚偽の事実を附加し、その事実が存在するかのように装うことをもって足り、その発見の難易を問うものではない。もとより、納税者において、その行為を、隠ぺい又は仮装と表しただけでは足りず、客観的な隠ぺい、仮装行為が必要である。

(チ) 大阪高裁平成6年6月28日判決

国税通則法68条1項の規定にいう事実の「隠ぺい」とは、納税者がその意思に基づいて、特定の事実を隠匿しあるいは脱漏することを、事実の「仮装」とは、納税者がその意思に基づいて、特定の所得、財産あるいは取引上の名義を装う等事実を歪曲することをいうものと解すべきであり、必ずしも「操作」をすることを必要としないものと解するのが相当である。

(リ) 最高裁平成7年4月28日第2小法廷判決（（チ）の上告審）

　……重加算税を課するためには、納税者のした過少申告行為そのものが隠ぺい、仮装に当たるというだけでは足りず、過少申告行為そのものとは別に、隠ぺい、仮装と評価すべき行為が存在し、これに併せた過少申告がされたことを要するものである。しかし、右の重加算税制度の趣旨にかんがみれば、架空名義の利用や資料の隠匿等の積極的な行為が存在したことまで必要であると解するのは相当でなく、納税者が、当初から所得を過少に申告することを意図し、その意図を外部からもうかがい得る特段の行動をした上、その意図に基づく過少申告をしたような場合には、重加算税の右賦課要件が満たされるものと解すべきである。

(2) まとめ

　以上、「隠ぺい又は仮装」の意義について立法当局者の考え方、学説及び判例の概要をひとわたり見てきたのであるが、これらを検討してみると、次のような点が問題となるように思われる。

① 税を免れようという意思すなわち故意が必要か
② 不申告、虚偽申告、つまみ申告のように積極的な隠蔽・仮装行為がない場合は重加算税は課税できるか
③ 不正行為者は本人でなければならないか
④ 重加算税の課税原因の成立時期
⑤ 税務調査の際の虚偽答弁等は、隠蔽・仮装となるか
⑥ 刑事罰適用時の要件たる「偽りその他不正の行為」との関係はどうか

　紙数の制約から十分な検討は困難であるが、以下これらの問題について順次述べることとしたい。

3 重加算税の賦課について「故意」は必要か

(1) 総　説

まず、重加算税の課税要件としての隠蔽・仮装について、税を免れる意図即ち故意が必要とされるかどうかが問題となる。この意味は、故意の存在が課税要件として立証の必要があるかということで、故意は必要ではないかという意味ではないと考える。故意なくして隠蔽・仮装が行われることなどあり得ないからである。

以下、学説・判例について概観してみることにする。

(2) 学説・判例

① **客観的に隠蔽・仮装と認められる行為があれば足り、故意の立証は必要がないという考え方**

(イ) 学　説

㋐ 通則法立法当時の関係者の考え方

国税通則法制定当時の当局者は、「事実の隠蔽は、二重帳簿の作成、売上除外、架空仕入若しくは架空経費の計上、たな卸資産の一部除外等によるものをその典型的なものとする。事実の仮装は、取引上の他人名義の使用、虚偽答弁等をその典型的なものとする。いずれも、行為が客観的にみて隠蔽又は仮装と判断されるものであればたり、納税者の故意の立証まで要求しているものではない。」(「国税通則法精解」813頁)（注1、2）としている。

(注1)　現行の取扱い（例えば、重加指針）においても、帳簿書類の改ざん、偽造、変造、虚偽の表示、破棄又は隠匿を隠蔽・仮装とされる「不正事実」として例示しているが後述の旧通達のような「故意」は挙げられていない。

(注2)　これに対し、例えば旧所得税法基本通達（昭和26年1月1日直所1-1）704では、隠蔽・仮装の例示として、「……いわゆる二重帳簿を作成し、故意に架空の取引を記載し、……又は故意に科目を偽る等故意に総所得金額……を減額する事実があって……」とされており、「故意」が必要とされていた。ただ、これがなぜ現行のように「故意」が省かれたのかは

不明である。

(ロ) 金子教授の説

金子教授は、「ここに隠蔽・仮装とは、その語義からして故意を含む観念であると解すべきであり、事実の隠蔽とは、売上除外、証拠書類の廃棄等、課税要件に該当する事実の全部または一部をかくすことをいい、事実の仮装とは、架空仕入・架空契約書の作成・他人名義の利用等、存在しない課税要件事実が存在するように見せかけることをいう。隠蔽と仮装とは同時に行われることが多い（たとえば、二重帳簿の作成のように、存在する事実をかくし、存在しない事実があるように見せかけること）。」として故意を必要とされている（「租税法（第23版）」890～891頁）。

(ロ) 判　例

判例では、現行重加指針とは異なり、「故意」について無視するものは見当たらないことは後述のとおりである。この点、現行重加指針と判例の離齬を指摘する意見がある（品川芳宣「附帯税の事例研究（第4版）」（財経詳報社。以下「附帯税の事例研究」という。）313頁）。

② 隠蔽・仮装の認識があれば足り、過少申告等の認識を要しないとする考え方

(イ) 学　説

この説の代表的なものは、寺西輝泰氏の説であろう（「租税制裁における故意」税理19巻14号61頁）。やや長文の引用であるが、重要なので引用する。

「すなわち、重加算税の賦課要件としての故意というのは、期中における経理処理の際に、課税要件となる事実（税額計算の基礎となる事実といってもよい。）についてこれを隠ぺい又は仮装することについての認識があれば、その後、当該事業年度の税の申告に際し、右仮装又は隠ぺいした事実に基づいて申告する、あるいは申告しないなどという点についての認識を必要とするものではなく、結果として過少申告、無申告あるいは不納付という事実が生ずれば足りるものといえるのである。そして、たとえ、期中において経理ミスなどによって、行為者の意識しない事実に相反する経理処理がなされた

としても、申告期限前にこの誤処理を発見しながら、これを訂正しなかった場合には、訂正しないという積極的な意識がある以上、その時点で事実を隠ぺい又は仮装したことになり、また、認識して訂正しない点で故意が認められることになるのである。

　重加算税の賦課要件としての故意とは、課税要件事実について、事実と相反する経理処理がなされていることについて、納税者が、積極的に事実と相反する経理処理をしようとする意思があったこと、あるいは事実と相反する経理処理がなされていることを知りながら、あえてこれをそのまま放置して訂正しないでおこうとする意思があったことをいうのである。」

(ロ)　判　　例

　　(イ)のような考え方に沿う判例としては、次のようなものがある。

④　熊本地裁昭和57年12月5日判決

　「国税通則法68条に規定する重加算税は、同法65条ないし67条に規定する各種の加算税を課すべき納税義務違反が、課税要件事実を隠ぺいし、または仮装する方法によって行われた場合に、行政機関の行政手続により違反者に課せられるもので、これによってかかる方法による納税義務違反の発生を防止し、もって申告納税制度の信用を維持し、徴税の実を挙げようとする趣旨に出た行政上の制裁措置であり、故意に所得を過少に申告したことに対する制裁ではないものである。従って、税の申告に際し、仮装、隠ぺいした事実に基づいて申告する、あるいは申告しないなどという点についての認識を必要とするものではなく、結果として過少申告などの事実があれば足りるものと解すべきである。もしそのような認識まで必要であると解すると、本来違反者の不正行為の反社会性ないし反道徳性に着目してこれに対する制裁として科せられる刑罰とは、趣旨や性質を異にするものであるにも拘らず、刑事犯としての脱税犯の犯意と同じことになり、重加算税の行政上の制裁という本質からも外れることになるからである。」

⑩　最高裁昭和62年5月8日第2小法廷判決（前出④の上告審）

　この判決では、「隠ぺい・仮装行為を原因として過少申告の結果が発生

したものであれば足り、それ以上に、申告に際し、過少申告を行うことの認識を有していることまでを必要とするものではない」と判示しており、前述の寺西氏の意見に添うものとする考え方がある（「附帯税の事例研究（第4版）」308頁）。

㈧　その他

　この最高裁判決とほとんど同趣旨の判決がその後続出している。そのいくつかを例に挙げる。

　　a　福井地裁平成2年4月20日判決
　　b　大阪地裁平成3年3月29日判決
　　c　名古屋高裁金沢支部平成3年10月23日判決（aの控訴審）
　　d　神戸地裁平成4年9月30日判決
　　e　名古屋地裁平成4年12月24日判決
　　f　名古屋地裁平成5年12月22日判決
　　g　名古屋高裁平成6年12月27日判決（fの控訴審）
　　h　東京地裁平成6年5月11日判決
　　i　横浜地裁平成10年6月24日判決
　　j　東京高裁平成11年2月24日判決（iの控訴審）
　　k　山口地裁平成11年4月27日判決

以上の判決はほとんど前記㈣最高裁判決を引用して判示している。

③　**過少申告等について税を免れる意識が必要という考え方**

㈑　学　　説

㋑　碓井教授の説

　この考え方をとる学説の代表として碓井教授は、次のように説く（前掲「重加算税賦課の構造」4〜5頁）。

　「……重加算税と罰金との間には、賦課手続及び適用法規に違いのあることは否定できない。後者は、刑事訴訟の手続により裁判所で宣告されるのに対し、前者は、行政庁自身の行政処分により賦課されることになっているからである。しかし、そのことが、要件規定の解釈を直ちに左右する

ものではない。この点で、隠ぺい又は仮装に関して、『必ずしも反社会的な不正行為を要求するものではなく、また必ずしも逋脱結果とリンクする必要もない』との見解（筆者注……村井正「逋脱犯の成立要件と重加算税の課税要件」税理19巻14号78頁）があることに注目したい。隠ぺい又は仮装の行為の時点において租税を免れようとする意図まで認められることを要しないとの見解は、逋脱犯との要件の違いを説明するのには、便利であろうが、他方において、単純な加算税が既に存在しているのに、それに制裁を加重するには、それなりの理由がなければならないことを考えると、租税を免れようとする意図を要すると解すべきであろう。ただし、その意図は、仮装・隠ぺい行為の時点に存在すれば、それで足りるのであって、申告・無申告・不納付の時点まで継続することは必要ではない。要するに、『個々の会計的処理における"故意"の有無』がポイントになるわけである。

　以上に述べたところから、最高裁判決（筆者注……最高裁昭和45年9月11日第2小法廷判決）が違反者の不正行為に対する制裁であることを否定し、これをふまえた一部の学説が故意を必要としないとしている点には、反対しておきたい。隠ぺい・仮装に故意を要するとの立場に立ちつつも、『課税要件事実について、事実と相反する経理処理がなされていることについて、納税者が、積極的に事実と相反する経理処理をしようとする意思があったこと、あるいは事実と相反する経理処理がなされていることを知りながら、あえてこれをそのまま放置して訂正しないでおこうとする意思があったことをいう』（筆者注……「租税制度における故意」税理19巻14号61頁）との見解があるが、これだけで足りるものとすれば、租税を免れる目的以外の理由で事実を隠ぺい・仮装した場合にまで重加算税が賦課されることになり、『徴税の実』をあげることを重視しすぎた解釈であるといわねばならない。民事詐欺罰則というシャウプ勧告の趣旨からしても、租税を免れる目的による隠ぺい・仮装行為に限定すべきものと思う。』

㋺　松沢教授の説

松沢教授は、次のように説く（「租税法講座2・租税実体法」336頁）。

「『隠ぺい・仮装』とは、租税を逋脱する目的を持って故意に収税官吏に対し、納税義務の発生原因たる計算の基礎となる事実を隠匿し、または、作為をほどこして虚偽の事実を附加せしめて収税官吏の調査を妨げて納税義務の全部または一部を免れる行為をいうものである。いずれも故意によることを要件とする。」

(ハ)　北野教授の説

北野教授も上記に類似の見解を示している（北野弘久「税法学の基本問題」（成文堂）403頁）。

(ロ)　判　例

(イ)　和歌山地裁昭和50年6月23日判決

この判決は、既述のように、隠蔽又は仮装の行為について、「いずれも行為の意味を認識しながら故意に行なうことを要するものと解すべきである」と故意を必要とすることを明確に判示したものといわれている。ただ、税を免れる意識が必要かについては、判決は、「代表者Xのなした行為は、いずれも法人税を免れるための不正手段として典型的なものということができるのであって……」とあり、行為者の税逋脱の意識まで必要とするようには読みとれないとする意見がある（「附帯税の事例研究」290頁）。

(ロ)　名古屋地裁昭和55年10月13日判決

この判決も、既述のように、税額計算の基礎となる事実について「……故意に脱漏することをいい……故意に事実を歪曲することをいう……」と判示して、故意が必要なことを強調するが、税を免れる意識の存否については判断していない。

(ハ)　仙台地裁平成5年8月10日判決

「納税者が故意に課税標準等又は税額等の計算の基礎となる事実の全部又は一部を隠ぺいし又は仮装し、その隠ぺい又は仮装行為を原因として過少申告の結果が発生したものであることが必要であり、ここでいう故意があるというためには、当該納税者が隠ぺい又は仮装行為と評価されるべき

客観的事実を意図的に実現したことが必要であると解すべきである」
この判示も、租税の逋脱の意思まで必要かどうかには触れていない。

㈢　最高裁平成7年4月28日第2小法廷判決

「重加算税を賦課するためには、過少申告行為そのものが隠ぺい、仮装に当たるというだけでは足りず、過少申告行為そのものとは別に、隠ぺい仮装と評価すべき行為があり、これに合わせた申告がされることを要するものである。しかし、……、架空名義の利用や資料の隠匿等の積極的な行為が存在したことまでは必要であると解するのは相当でなく、納税者が当初から所得を過少に申告することを意図し、その意図を外部からもうかがい得る特段の行動をした上、その意図に基づく過少申告をしたような場合には、重加算税の右賦課要件が満たされるものと解すべきである。」

この判決は、同じ最高裁判決でも既述の昭和62年5月8日判決とやや異なり、過少申告の意図が必要であるような判示となっている。

なお、東京高裁平成14年1月23日判決も、これとほとんど同様な判示をしている。

(3) まとめと私見

以上のように、学説としては、故意の存在を不要とするものはないが、過少申告の認識まで必要かという点で分かれるといえよう。

また、判例としても、さまざまなものがあるが、隠蔽・仮装とみられる行為があれば足り、過少申告の認識までは必要がないというのが大勢であるというべきであろうか。

筆者の私見としても、過少申告の認識までを立証することは実務的に困難であろうから、客観的に隠蔽又は仮装とみられる行為があり、それが故意になされていると認められるものであれば、法文に照らしても、重加算税の賦課要件を満たすものではないかと考えている。

4 不申告、虚偽申告、つまみ申告のように積極的な隠蔽・仮装行為がない場合に重加算税が課税できるか

(1) 総　説

　納税者が全く記帳をせず、納付税額を過少に記載した納税申告書を提出した場合には、重加算税を課税できるかという問題がある。また、所得があるのに故意に申告しなかったり、収入金額の一部を漏らして、内容虚偽の納税申告書（いわゆるつまみ申告）をした場合に重加算税が課税できるかという問題もある。

　すなわち、国税通則法第68条第1項において、重加算税は、「課税標準等又は税額等の計算の基礎となるべき事実の全部又は一部を隠蔽し、又は仮装し、その隠蔽し、又は仮装したところに基づき」過少申告をした場合に課税されることとなっている。したがって、積極的な不正工作を伴わない行為、すなわち、故意に申告を怠ったり、収入金額の一部を脱漏して申告したり、申告書の内容を偽って申告したり、さらには虚偽申告の後税務調査において虚偽の答弁をしたりすることが、文理上その課税要件を満たすといえるのか疑問のあるところである。また、最初から記帳せず、無申告のまま放置したり、あるいは所得の一部だけを拾い出して申告したり（つまみ申告）したような場合も、重加算税の賦課要件を満たしたことになるのか、文理解釈上問題のあるところである。

　まず、学説・判例についてみてみよう。

(2) 学説・判例

① 学　説

(イ) 碓井教授の説

　碓井教授の説は、次のとおりである（前掲「重加算税賦課の構造」5～6頁）。

　「ところで、隠ぺい・仮装の態様をめぐって、若干の問題がある。第一に、何らかの記録等を最初から残しておかなかったこと（例えば、契約書を作成しないこと）が隠ぺいにあたるかどうかである……昭和36年の『国税通則法

の制定に関する答申」では、「極端な場合には、故意に記帳をしないか又は記帳を著しく不完全にして、隠ぺい又は仮装の証明を実際上不可能にする場合等その証明がされる場合よりもかえって悪質な場合もあり得よう」(21頁)と述べて問題点を指摘している。これは、理論上は、故意に記録を残さない場合も「隠ぺい」にあたることを前提にするものであろう。しかし、一般的な記帳義務を課していない今日においては、記録を残さないことのみでは、隠ぺいの要件を満たしていないものと解すべきであろう。

第二に、過少申告の場合に申告書への虚偽記入行為も隠ぺい又は仮装に含まれるという解釈が、通用していたようであるが、通則法68条1項は、「国税の課税標準等又は税額等の計算の基礎となるべき事実」の隠ぺい又は仮装があり、それに「基づき納税申告書を提出していた」ことを要件としているのであるから、申告書における虚偽記入は、隠ぺい又は仮装に含まれないと解すべきである。」

(ロ) 池本征男氏の説

池本氏は、収入金額の未記帳、脱漏等をもって積極的な隠蔽行為があったと認定することは困難であるとした上で、次のように説く(「判例からみた重加算税の賦課要件」税経通信38巻12号45~47頁)。

「もっとも、記帳のある者が記帳のない者に比して重加算税の取扱い上不利益な結果となるのは、申告納税制度の維持を目的とした重加算税制度の本旨にも反することになるので、「隠ぺい又は仮装の行為」の有無の判断に当たっては、より慎重さが必要であろう。従って、帳簿に記載せず又は何らの記録も残さないで所得を脱漏していた場合には、右事実以外の諸要素を勘案して、何らかの操作が行われているかどうかを見極める必要がある。例えば、隠ぺいした所得を税務調査によって発見されないために故意に原始記録を破棄した場合などの故意の存在を推認せしめ得る程度の立証をすることによって、右行為も「隠ぺい行為」に該当することになる。(筆者注：また虚偽申告行為等に関しては)これらの判決をみる限り虚偽申告行為も「隠ぺい又は仮装の行為」に当たると解せなくもないが、当事者の主張、判決の事実認定を

みる限り他人名義による申告等一連の行為をとらえて「隠ぺい又は仮装の行為」と判断したものであって、単に虚偽申告自体が「隠ぺい又は仮装行為」に当たると解するのは早計であろう。」

(ハ) 松沢教授の説

　松沢教授は、次のように説いている（税法学534号144～146頁）。すなわち、後述の最高裁平成6年11月22日第3小法廷判決及び既述の最高裁平成7年4月28日第2小法廷判決の評釈において、「「ことさらの過少申告」は、確かに事前の所得秘匿行為を伴うものではないが、真実の所得金額を隠ぺいしようとする確定的な意図の存在と、その確定的な意図を外部からもうかがい得る特段の行為をしたことと、別途これに基づく過少申告がされることの双方によって重加算税が賦課されるのである。」とし、いわゆるつまみ申告については、ことさらとは何かに帰することになるとし、最高裁平成7年4月28日判決については、「「ことさらの過少申告」について「当該申告によって税を逋脱せしめることの積極的な意思の存在と、あえて右申告に及ぶ行為である……行為の態様において、客観的にみて、あえて右申告に及ぶ行為であることが外形的に明らかな場合を指称する」「客観的にみて税を免れようとする外部的附随事情」を具備したところの過少申告行為であるとの同教授の私見を採用したものだと述べている。

(ニ) 三木教授の説

　三木義一教授は(ハ)で述べた最高裁の両判決について、次のように批判する（「判例時報」1546号177頁）。

　「「重加算税の成立時期は、法定申告期限の経過の時である（国税通則法15条2項15号）から、隠ぺい、仮装行為は、この期限が到来する前の行為だけが加算税の対象となるのが原則である。したがって、隠ぺい・仮装行為の存否は確定申告書提出時を中心に判断すべきであって、右期限後の隠ぺい仮装行為の存否は法定申告時における隠ぺい・仮装行為の存否を推認させる一間接事実となりうるにすぎない」という解釈がやはり妥当であろうし、この基準に照らせば両事例とも重加算税の適用は否定されるべきであろう。」

㈭　品川教授の説

　品川芳宣教授は、次のようにいう（「附帯税の事例研究・第4版」381頁）。

　「確かに、国税通則法68条の規定の文言からすれば、まず最初に課税要件事実を隠ぺいし又は仮装する行為があって、それに基づいて納税申告書を提出したり、その提出・納付を怠ったりすることが重加算税の賦課要件とされているのであるが、前述の各種の行為は、虚偽の内容を記帳した申告書の提出と併せて実質的に課税要件事実を隠ぺい又は仮装するものである。更にいい得ることは、帳簿の備付けも記帳もしない、取引の原始記録を保存しないばかりか作成もしない、そして申告もしないという、形に何も残さないという行為が、実質的には最も悪質な隠ぺい行為であるということもできる。このことは、巷間、なまじ帳簿をつけ記録を保存していると重加算税が賦課されるが、何も記録を残さなければ重加算税の賦課は免れるという税の執行に対する批判（皮肉）を考慮した場合にも、見逃すことのできない事実であろう。特に、昭和59年以降、事業等を営む者で所得金額300万円を超える者については、帳簿の備付け、記帳が義務付けられていること（所法231の2）に鑑み、そのことが一層強くいい得るものと考えられる。

　従って、不申告行為やつまみ申告行為あるいは虚偽申告行為等が隠ぺい又は仮装行為と認定し得るか否かについては、国税通則法68条の文言にのみ拘泥すべきではなく、同条の立法趣旨、所得税法上の記帳義務制度等を考慮し、それらの行為の前後における事実関係を総合して「隠ぺい・仮装」行為であることを推認して判断されるべきであろう。この場合、右の「文言にのみ拘泥すべきではなく」とは、国税通則法68条の文理解釈を否定するのではなく、法定申告期限等の後の各種の不正行為について「隠ぺい・仮装」の推認事項としてとらえてきた従来の裁判例の考え方を一層深めようとするものである。換言すると、法定申告期限等には、「隠していた」又は「隠れていた」所得について、その後の事実関係を総合して「隠ぺい・仮装」行為によるものと推認しようとするものである。」

② 判　例

㈤　福岡高裁昭和51年6月30日判決

　この事件は、訴外会社3社の役員等として給与所得を得るとともに、解撤船の権利売買及びそのあっせんに係る事業所得を得ていた被控訴人Xが、所得税の確定申告に際して、給与所得のみを申告し、本件所得を申告しなかったことに対して、控訴人と税務署長が、①Xに対する調査を実施したところ、Xは解撤船の権利の売買及びあっせんをしている事実は認めたものの「権利売買及び売買を斡旋した解撤船名は記憶がない」、「売買等取引の件数及び取扱いトン数等は船舶登記を調べればわかるだろう」、「売買については契約書等は全く作成せず、領収証等も作成せず、関係書類は全くなく、売却先も全くわからない」、「売買価額も以前のことで記帳していない」などと答えるのみで、具体的事実については全く明らかにしなかったため、②記帳した取引件数及び取扱いトン数を基礎に所得金額を推計し、「偽りその他不正の行為により税額を免れた」として、国税通則法70条4項（除斥期間5年）を適用して更正処分を行うとともに、③重加算税の賦課決定処分を行った事例である。これに対し、第1審（福岡地裁昭和50年3月29日判決）は課税庁が敗訴したが、控訴審判決は、次のように判示した。

　「被控訴人Xが申告納税方式を採る所得税に関し、昭和39年分及び同40年分の確定申告に際し、真実の所得を秘匿し、それが課税の対象となることを回避するため、所得の金額をことさら過少にした内容虚偽の確定申告書を提出し、正当な納税義務を過少にして、その不足税額を免れる偽りの不正行為、いわゆる過少申告をなしたものであることは、前記において認定したとおりであるところ、このことは、国税通則法68条1項の、国税である所得税の税額計算の基礎となる所得の存在を一部隠ぺいし、その隠ぺいしたところに基づき、納税申告書を提出したことに該当するものというべきである。」

㈥　最高裁昭和52年1月25日第3小法廷判決（㈤の上告審判決）

　㈤の判決に対し、Xは不服として、上告したが、最高裁は、次のとおり判示して、控訴審の判断を支持した。

　「国税通則法70条4項（現5項）にいう「偽りその他不正の行為」とは、

税額を免れる意図の下に税の賦課徴収を不能または著しく困難にするような何らかの偽計その他の工作を伴う不正の行為を行っていることをいい、単なる不申告行為はこれに含まれないが、過少申告行為は偽りの工作的不正行為としてこれに当たる。

真実の所得を秘匿し、所得金額をことさら過少にした内容虚偽の過少申告に対して重加算税の賦課決定をしたことは適法である。

なお、納税者が真実の所得を秘匿し、それが課税の対象となることを回避するため、所得の金額をことさら過少にした内容虚偽の所得税確定申告書を提出し、正当な納税義務を過少にしてその不足税額を免れる行為、いわゆる過少申告行為も、それ自体単なる不申告の不作為にとどまるものではなく、偽りの工作的不正行為といえるから、右にいう「偽りその他不正の行為」に該当すると判断している。そして、このことは所得税の税額計算の基礎となる所得の存在を一部隠ぺいし、その隠ぺいしたところに基づき、納税申告書を提出したことに該当するもので重加算税の賦課決定は違法でない。」（注1、2）

(注1) この事件の第1審である福岡地裁昭和50年3月29日判決は、Xの主張を認めて原処分の全部を取り消したもので、課税庁が控訴したものである。

(注2) この判例は、「つまみ申告」に係るものとされるが、認識ある過少申告行為をもって重加算税の賦課要件を充足するとしたものかどうかという点については、必ずしも判然としないと当時の当局者も述べている（佐藤孝一「ことさらの過少申告と重加算税」（税経通信93年10月号209頁））。

(ハ) 最高裁昭和63年10月29日第1小法廷判決

この事件は、第1審（釧路地裁昭和61年5月6日判決）、控訴審（札幌高裁昭和63年4月23日判決）を経て、上告されたものである。

本事件は、X社の譲渡資産と買換資産の価額に、1,300万円の開差があったため、架空の車両売買契約書を作成して、譲渡益を一切申告しなかったもので、譲渡益が生じていることを認識しながら、これを申告しなかったのは、事実の隠ぺいに該当するとして重加算税を賦課した原処分を維持した（注）。

(注) この判例も、つまみ申告に関するものとされているが、やはり重加算税の

課税要件を満足するものかどうかについては疑問があるとされている（(ロ)の(注2) 論文209頁）。

(ニ) 京都地裁平成4年3月23日判決

この事例は、次の(ホ)の本件控訴審で課税当局が敗訴となり、(ヘ)の上告審でようやく課税当局が勝訴に至り、一時当局に大きなショックを与えた事件である。

この事例はサラリーマン金融を営んでいたＸ（控訴中に死亡し、以後は妻のＸ′が当事者となった。）が、貸付金に係る利息収入を申告していなかったとして、所轄のＹ税務署長が更正処分を行うとともに重加算税を課したものである。双方の主張のポイントは、次のとおりであった。

(Ｘの主張)

　総所得金額を過少に記載して納税申告書を提出する行為は、国税通則法68条1項にいう「税額等の計算の基礎となるべき事実の全部又は一部を隠ぺいし、又は仮装し」た場合に該当しない。

　Ｘは会計帳簿をすべて正常に記録し、その記録は本来あるべきところに保管していたのであり、課税標準の基礎となるべき事実を隠ぺいし、又は仮装したところに基づいて納税申告書を提出したわけではないから、重加算税の賦課は、国税通則法68条1項の要件を欠いている。

　また、本件のような期限内申告書が提出されている場合は、隠ぺい、仮装の行為は、期限内申告書提出前にされていることが必要である。

(Ｙ税務署長の主張)

　課税要件事実の隠ぺい又は仮装による過少申告を防止し、申告納税制度の信用を維持するという重加算税制度の趣旨に照らせば、重加算税賦課の要件である「隠ぺい又は仮装」の行為は、法定申告期限前にされているものである必要はない。

　Ｘは、申告すべき所得金額がいくらであるかを把握していたにもかかわらず、事業の拡大を目的として税金はできるだけ少なくしようと考え、把握していた所得金額と大差のある確定申告書を提出していたことが明らかであり、

右のようなXのことさらの過少申告行為は、「税額等の計算の基礎となるべき事実を隠ぺい又は仮装し」た場合に該当し、国税通則法68条1項の要件を充足するものである。

仮に、過少な納税申告書の提出自体は国税通則法68条1項に該当しないとしても、Xは会計帳簿を一切提出せず、利息収入を過少に記載した明細書を提出し、Xの真実の所得の確認を妨げる行為を行うなど、課税標準等又は税額等の計算の基礎となるべき事実を隠ぺい又は仮装していた。

(京都地裁の判断)

次のとおり判示して、重加算税の賦課処分を維持した。

計画的な意図の下に総所得金額を過少に確定申告を行い、最終修正申告との較差は極めて大きく、確定申告後の調査において、会計帳簿の一部を秘匿して提出せず、提出した利息収入明細書は、その一部を隠ぺいし過少に記載されていた事実が認められる。

右事実及び弁論の全趣旨を併せ考えると、本件確定申告書の提出前に会計帳簿等に工夫を加えるなどして課税標準等又は税額等の計算の基礎となる事実の一部を隠ぺいし、これに基づき過少な確定申告書を提出していた事実が推認できる。

㈭ 大阪高裁平成5年4月27日判決

㈡の事件は、納税者の控訴により、大阪高裁で審理されたが、その判決は、第1審判決を取り消し、Xの請求を認容するもので、当時の課税当局は大きな衝撃を受けたものだった。判決の要旨は、次のとおりである。

「重加算税を課すためには、納税者が故意に課税標準等又は税額等の計算の基礎となるべき事実の全部又は一部を隠ぺい・仮装し、右行為に基づいて過少申告の結果が発生することが必要であり、事実としての隠ぺい・仮装行為と過少の納税申告書の提出行為とは別々であることが必要であるとともに、両者の間に因果関係が存在することが必要である。

いわゆる『つまみ申告』の場合、正しい総所得金額と申告者の申告額との間の較差が極めて大きいことのみによって『ことさらの過少申告』の行為に

該当するということはできず、その他に申告者の過少申告に至った経緯等の事情を総合判断して、その該当性を判断すべきである。

本件虚偽資料の提出と確定申告あるいは修正申告との間には直接の関連性はないし、Ｘは正常な会計帳簿類を作成していた上、取引記録等も揃えており、税務調査にもごく普通に協力していたことなどから『ことさらの過少申告』に当たらない。

重加算税の納税義務の成立時期は、法定申告期限の経過時である（国税通則法15条2項15号）から、隠ぺい・仮装行為は、この期限が到来する前の行為だけが加算税の対象になるのが原則であり、隠ぺい・仮装行為の存否は、確定申告書提出時を中心に判断すべきであって、右期限後の隠ぺい・仮装行為は、法定申告時における隠ぺい・仮装行為の存否を確認させる一間接事実となり得るにすぎない。」

筆者は、この大阪高裁判決は、国税通則法68条1項の文理に極めて忠実で、かつ、論理的にも筋のとおった解釈であると考えており、高く評価するものである。しかし、従来の課税当局の運用の点からいくと、非常なショックを当局は受けたようである。そこで、当局は直ちに上告し、最高裁の判断を仰いだ。

(ヘ)　最高裁平成6年11月22日第3小法廷判決

(ホ)の大阪高裁の判決を不服とした課税当局は直ちに上告に及び、控訴審判決を破棄し、当局勝訴となる判決が下された。まず、判旨のごく概要を次に紹介しておく。

「認定事実からすると、Ｘは、単に真実の所得金額よりも少ない所得金額を記載した確定申告書であることを認識しながらこれを提出したというに止まらず、本件各確定申告の時点において、白色申告のために当時帳簿の備付け等につきこれを義務付ける税法上の規定がなく、真実の所得金額を隠ぺいしようという確定的な意図の下に、必要に応じ事後的にも隠ぺいのための具体的工作を行うことも予定しつつ、正確な所得金額を把握し得る会計帳簿類から明らかに算出し得る所得金額の大部分を脱漏し、所得金額を殊更過少に

記載した内容虚偽の確定申告書を提出したことが明らかであるから、本件確定申告は、単なる過少申告行為にとどまるものではなく、国税通則法68条1項にいう税額等の計算の基礎となるべき所得の存在を一部隠ぺいし、その隠ぺいしたところに基づき納税申告書を提出した場合に当たる（最高裁昭和48年3月20日第3小法廷判決・刑集27巻2号138頁）。」

次に上記最高裁判決をやや詳しく再度記しておく。判決は次のとおりである。

「……原審（著者注・大阪高裁判決）のこの判断は是認することができない。その理由は、次のとおりである。

(1) 原審の確定した前記事実関係によれば、甲は、会計記帳類や取引録等により自らの事業規模を正確に把握していたものと認められるにもかかわらず、確定申告において、3年間にわたり最終申告に係る総所得金額の約3％ないし4％にすぎない額（差額で約8億円ないし16億円少ない額）のみを申告したばかりでなく、その後2回ないし3回にわたる修正申告を経た後に初めて飛躍的に多額の最終申告をするに至っているのである。しかも、確定申告後の税務調査に際して、真実よりも少ない店舗数や過少の利息収入金額を記載した本件資料を税務署の担当職員に提出しているが、それによって昭和55年分の総所得金額を計算すると最終修正申告に係る総所得金額の約17％の額（差額で約14億円少ない額）しか算出されない結果となり、本件資料の内容は虚偽のものであるといわざるを得ない。その後、同職員の慫慂に応じて修正申告をしたけれども、その申告においても、職員から修正を求められた範囲を超えることなく、最終修正申告に係る総所得金額の約7％ないし13％にとどまる金額（差額で約7億7,600万円ないし15億2,000万円少ない額）のみを申告しているに過ぎない。

(2) 以上のとおり、甲は、正確な所得金額を把握し得る会計帳簿類を作成していながら、3年間にわたり極めてわずかな所得金額のみを作為的に記載した申告書を提出し続け、しかも、その後の税務調査に際しても過少の店舗数等を記載した内容虚偽の資料を提出するなどの対応をして、真実の所

得金額を隠ぺいする態度、行動をできる限り貫こうしているのであって、申告当初から、真実の所得金額を隠ぺいする意図を有していたことはもちろん、税務調査があれば、更に隠ぺいのための具体的工作を行うことをも予定していたことも明らかといわざるを得ない。

(3) このような事情からすると、甲は、単に真実の所得金額より少ない所得金額を記載した確定申告書であることを認識しながらこれを提出したというにとどまらず、本件各確定申告の時点において、白色申告のため当時帳簿の備付け等につきこれを義務付ける税法上の規定がなく、真実の所得の調査解明に困難が伴う状況を利用し、真実の所得金額を隠ぺいしようとする確定的な意図の下に、必要に応じ事後的にも隠ぺいのための具体的工作を行うことも予定しつつ、前記会計帳簿類から明らかに算出し得る所得金額の大部分を脱漏し、所得金額を殊更過少に記載した内容虚偽の確定申告書を提出したことが明らかである。

(4) したがって、本件各確定申告は、単なる過少申告行為にとどまるものではなく、国税通則法68条1項にいう税額等の計算の基礎となるべき所得の存在を一部隠ぺいし、その隠ぺいしたところに基づき税務申告書を提出した場合に当たる（最高裁昭和46年（あ）第1901号、同48年3月20日第3小法廷判決・刑集27巻2号138頁参照）。」

(3) まとめと私見
① 課税当局者の考え方
(イ) 重加指針の考え方
　まず、国税庁は、「法人税の重加算税の取扱いについて（事務運営指針）」（平成12年7月3日課法2－8ほか（以下「法人税重加指針」という。））第1の1(2)③において、「隠ぺい又は仮装」に該当する場合の例示として「帳簿書類の作成又は帳簿書類の記載をせず、売上げその他の収入（営業外の収入を含む。）の脱漏又は棚卸資産の除外をしていること」を挙げている。これについての課税当局者の解説は一切公表されていないが、単なる棚卸資産の計上漏れ、収入の記帳漏れまでも重加対象となりかねない（故意の必要性につい

ては、一切触れていない。)。

　ところが、「申告所得額の重加算税の取扱いについて（事務運営指針）」（平成12年7月3日課所4-15ほか（以下「所得税重加指針」という。））では、そうした例示がなく、逆に法人税重加指針にはない「調査等の際の具体的事実についての質問に対し、虚偽の答弁等を行い、又は相手先をして虚偽の答弁等を行わせていること及びその他の事実関係を総合的に判断して、申告時における隠ぺい又は仮装が合理的に推認できること」（所得税重加指針第1の1(8)）を隠ぺい・仮装の例示として挙げている。また、「相続税及び贈与税の重加算税の取扱いについて（事務運営指針）」（課資2-263ほか（以下「相続税等重加指針」という。））第1の1(4)、2(5)でも同様であって、各重加指針でも必ずしも統一がとれていないようにも見受けられる（注）。
（注）　「附帯税の事例研究（第4版）」379頁でも、同様の指摘を行っている。

㈹　「通則法精解」の考え方

　国税通則法制定当時の立案者の執筆に係る「国税通則法精解」815頁(9)では、隠蔽・仮装の事例の1つとして、次の判例を挙げている（最高裁昭和63年10月27日判決）。

　「会社の有する固定資産の売却により譲渡益が生じていることを認識しながらこれを申告しないことでもって重加算税の賦課要件が充足される」（一審判決引用）

　この判例は、原告の代表取締役が税務知識を相当有していたことが窺われ、のみならず、原告の確定申告書等の作成の依頼を受けていた者から譲渡益が生じる旨の指摘を受けたにもかかわらず、赤字経営が続いていたのでことさら当該譲渡益を申告する必要がないと判断したと推認するのが相当とされた事例と説明されている（「国税通則法精解」815頁）。

　この事件は、最高裁判例とはいいながら、重加算税の賦課基準について単純に一審判決を引用したに過ぎないものであり、適当な判例とは筆者には思えない。

　このほか、前に引用した最高裁昭和52年1月25日判決も、つまみ申告に重

加算税を課すことを是認した判例として引用されるが、これは国税通則法第70条第5項の更正の期間制限の特例の要件である「偽りその他不正の行為」に該当するとされた事例で、判例は重加算税の課税を是認しているが、「偽りその他不正の行為」の判断が隠蔽・仮装行為の判断と同一となるかは疑問のあるところである（注）。

(注) そのためか、現在の「国税通則法精解」の改訂前の第11版の633頁では、隠蔽・仮装の例として挙げられていた本判例が、現行版では挙げられていない。

　なお、(2)②(ヘ)の最高裁判例が引用する最高裁昭和48年3月20日判決は、逋脱犯における「詐欺その他不正の行為」に過少申告行為が該当するという判例で、これを「隠蔽・仮装」に当たる例として引用したのは誤解ではないかと筆者は考える。

② 私　見

　つまみ申告が一般的に隠蔽・仮装行為として認められた根拠とされる前記最高裁平成6年11月22日判決は、単に認定した事実に基づき隠蔽・仮装があったと判断したもので事例判決の1つと考えるのが穏当な理解ではなかろうか。これがつまみ申告がそれだけの理由で、一般的な重加対象と認めた判決というのは正しい理解ではない。何となれば、この判決は、認定事実によって具体的な重加算税の課税要件充足の判断を何らしていないからであり、それが、この判決の物足りないところでもある。

　最後に、前にも述べたとおり、筆者は、この最高裁判決の原審である大阪高裁平成5年4月27日判決を、最近の判例に珍しい理論的な正しい判決として支持するものである（注）。

(注) 最近、重加算税の賦課に関する税務執行が極めて厳しくなり、単純なつまみ申告でもすべて隠蔽・仮装として重加算税を課税する傾向が強まっていることを特に指摘したい。

5 重加算税の対象となる隠蔽・仮装の行為者の範囲
(1) 総　説

　国税通則法第68条の規定によれば、重加算税は「納税者がその国税の課税標準等又は税額等の計算の基礎となるべき事実の全部又は一部を隠蔽し、又は仮装し、その隠蔽し、又は仮装したところにより納税申告書を提出していたとき」に課される。そして、「納税者とは、国税に関する法律の規定により国税（源泉徴収による国税を除く。）を納める義務がある者（国税徴収法に規定する第二次納税義務者及び国税の保証人を除く。）及び源泉徴収による国税を徴収して国に納付さなければならない者をいう」（通則法2五）とされる。

　したがって、国税通則法の厳格な文理解釈によると、隠蔽・仮装の行為者は、納税者本人（法人の場合は代表者）のみに限定すべきであるということになる（注）。

(注)　この考え方を宣明した判例がある（大阪地裁平成10年4月30日判決）。その箇所を引用すると次のとおりである。

　　「重加算税は、刑罰とはその趣旨及び性質を異にするが、過少申告加算税及び無申告加算税とともに納税者に対するいわゆる制裁税の性質を有することは明らかであり、通則法上は、過少申告加算税及び無申告加算税においても、納税者が申告期限内に申告できなかったことや過少申告となったことにつき正当な理由があるときは賦課されないものとされていること（通則法65条4項、66条1項但書）、更にそれに加えて、重加算税の税率が無申告加算税及び過少申告加算税のそれに比して著しく高率であって、重加算税は、過少申告加算税や無申告加算税よりも納税者に対する制裁の性質がより強度の税であることからすると、通則法68条2項の解釈において、「納税者が」仮装又は隠ぺい行為をしたとの要件も、これを厳格に解すべきものであることは明らかであり、これを安易に類推解釈することは許されないというべきである。特に、右の要件としての仮装又は隠ぺい行為については、あくまで納税者本人の行為に限定されていることは条文の文言上明らかであり、被告（筆者注・課税庁側を指す。）の主張は、これに反する限りにおいて失当である。」

　　ただし、本件は、納税者が第三者に申告手続を委任し、その第三者が積極的に仮装・隠蔽行為を行ってそれに基づく申告を行い、委任した納税者もそれを期待して申告手続を委任したときは、一連の事実関係を総合的に評価して、納税者本人が仮装隠蔽行為をしたものと解してよい場合があり、そうでない

と第三者に委任して仮装隠ぺい行為をしても重加算税を課税できないことになり、制度の趣旨が没却されるとして具体的な事実認定を行い、納税者自身も仮装隠蔽行為をしたと限定している。

　この判決については、誤りであるとする批判（「コンメンタール国税通則法」3628頁）もあるが、筆者は、文理上正当な解釈であって、誤りとは考えない。問題があるなら、むしろ、立法的に解決すべきものと考えている。

しかし、このように通則法68条の文言を厳格に解釈すると、納税者以外の親族、従業員あるいは代理人等が極端な例で言うと、納税者の意を受けて仮装隠蔽を行って税を免れても、重加算税を課税できないことになり、相当ではない。したがって、以下にみるように細部については種々の異論もあるが、学説判例とも、納税者以外の従業員、受任者等の仮装隠蔽行為も重加算税の賦課要件を満たしているとする見解が通説となっている。筆者も、制度の趣旨からいってある程度やむを得ないものと考えるが、本来は、法令の文言を正しくすべきで、立法的解決を図るべきものと考えている。

(2)　国税庁の取扱い

隠蔽又は仮装の行為者は、相続税等重加指針第1の1(2)及び2(1)によれば、相続人、受遺者、受贈者のほか、相続人等から財産の調査、申告等を委任された者を含んでいると解しているようである。しかし、相続人の配偶者や家族、従業員の隠蔽、仮装行為を重加算税の賦課要件としてどう考えているのかは明らかではない。

また、ある相続人の行った隠蔽、仮装の行為が、他の相続人に対していかなる影響を及ぼすかについても明らかにされていない。これについては、他の相続人がその事情を知らなかった場合に、当該他の相続人に対しても重加算税を課しうるのかが最大の問題とされる。後述の判例及びその評釈者には、絶対的不知の相続人にも課すべきであると考えるものすらある。

そこで、次に学説・判例の考え方をみてみよう。

(3)　学説・判例

(イ)　学　説

①　中川教授の説

中川一郎教授の説は次のとおりである（中川一郎「大阪地裁昭和36年8月10日判決評釈」税法学130号）。

「単なる文理解釈からすれば、納税義務者本人が隠ぺい又は仮装の行為をなさなければ、重加算税は課せられないことになる。然し、重加算税を設けた制度の趣旨を考慮して解釈するならば、納税義務者本人に限らないこととなる。…所得の隠ぺい又は仮装は、何びとの行為によるも関係なく、又それを納税義務者が知っていると否とを問うことなく、所得の隠ぺい又は仮装がなされたところに基づき申告納税違反が発生すれば、重加算税は課せられることになるのである。」

しかし、隠蔽仮装行為を誰が行っても、重加算税の賦課ができるという考えは、いささか広過ぎるように感じられる。

② 武田教授の説

武田昌輔教授は、次のように述べる（武田昌輔「使用人等による不正行為と租税逋脱に関する若干の考察」税理30巻5号5項）。

「要するに、規定の文言によれば、納税者が「隠ぺいし、又は仮装し、その隠ぺいし、又は仮装したところに基づき」としているところであるから、その事実を隠ぺいすることも仮装することもできない状態にある者に対しては基本的には重加算税は課せられないと解すべきである。

したがって、たとえば、従業員が隠ぺい又は仮装した場合においても、その従業員の地位及びその状況に応じて判断すべきである。つまり、その従業員が家族等であって、本人のために隠ぺい又は仮装して過少申告したような場合においては、後述のように、利害関係同一集団に属する者については、本人がそれを知りうるかあるいは知りうる状況にあること、さらには、その隠ぺい等によって得られる利益が本人の同一利害集団に属することなどの関係にあるから、その隠ぺい又は仮装による重加算税は、本人が負うべきであろう。

これに反して、このような利害関係同一集団に属さない従業員（つまり、赤の他人）が、自らの利得のために行われた隠ぺい又は仮装による過少申告

は、隠ぺい仮装はその従業員のみの利得を目的としたものであって、納税者自身は全くあずかり知らないところであるから、これに対して重加算税は課すべきでないということになろう。末端の従業員の売上代金の横領などは、これに属するものとみるべきである。」

③ 吉良教授の説

吉良実教授は、次のように説く（吉良実「重加算税の課税要件と逋脱犯の成立要件」税理24巻1号73頁）。

「…その結果、納税者の使用人が「事実の隠ぺい・仮装」の行為をし、納税者本人がそれを知りながら、それに基づいて過少申告等をした場合においても、納税者本人に対して重加算税を課することができるものと解する。…もっとも、大阪地裁昭和36・8・10判決等は、納税者本人・会社の代表者等が、使用人等の「隠ぺい・仮装」の行為を知らないで虚偽申告等をした場合でも、納税者本人に重加算税を課すことができるような表現をしているが、私は賛成できない。」

この吉良説は、②の武田説と似ている。

(ロ) 判　例

① 大阪地裁昭和36年8月10日判決

この判決は、従業員の仮装隠ぺい行為を納税者本人が知らないで行った過少申告について重加算税を課税することを認めた著名な判決で、前述のとおり中川一郎教授や吉良実教授らがコメントを行っている。判例の要旨は次のとおりである。

「そこで、家族又は使用人等の従業者が納税義務者のために所得の事実を隠ぺい、又は仮装し、これに基づく所得の無申告又は過少申告があれば、納税義務者本人が右事実を知らない場合でも重加算税が賦課されるべきか否かを考えることとする。重加算税の制度の主眼は隠ぺい又は仮装したところに基づく過少申告又は無申告による納税義務違反の発生を防止し、もって申告納税制度の信用を維持し、その基礎を擁護するところにあり、納税義務者本人の刑事責任を追及するものではないと考えられる。従って納税義務者本人

の行為に問題を限定すべき合理的理由はなく、広くその関係者の行為を問題としても違法ではない。かえって、納税義務者本人の行為に問題を限定しなければならないとすると、家族、使用人等の従業者が経営活動又は所得申告等に関することの決してまれではない実状に鑑みて重加算税の制度はその機能を十分に発揮しえない結果に陥ることはあきらかである。(従業者の行為によるときは納税義務者の故意を立証することは容易でなく、発覚したときも従業者自身は重加算税の賦課を受けることはないから、納税義務者が従業者の行為を隠れて不当な利得をはかる虞がある。) したがって、重加算税の制度上は従業者の行為は納税義務者本人の行為と同視せらるべく、従業者による所得の事実の隠ぺい又は仮装を納税者本人に知らせずして右隠ぺい又は仮装したところに基づき、所得の過少申告をし又は所得の申告をしなかったときは、納税者が正当なる所得を申告すべき義務を怠ったものとして重加算税が賦課せられるものと解するのが相当である。」

② 大阪地裁昭和56年2月25日判決

仮装・隠蔽行為者に関する判例は非常に多く、これをすべて列挙することは、本稿の性格上広過ぎるので、相続税関係の判例に限定したものを挙げてみる。まず、被相続人等の行為により相続財産が隠蔽された状態にあり、相続人等がその状態を利用して内容虚偽の申告をした場合には、重加算税が課されるとした上掲判決の要旨は、次のとおりである。

「(隠ぺい又は仮装したところにより申告した場合とは) 相続税についてみると、相続人又は受遺者が積極的に右の隠ぺい、仮装の行為に及ぶ場合に限らず、被相続人又はその他の者の行為により、相続財産の一部等が隠ぺい、仮装された状態にあり、相続人又は受遺者が右の状態を利用して、脱税の意図の下に、隠ぺい、仮装された相続財産の一部等を除外する等した内容虚偽の相続税の申告書を提出した場合をも含むと解するのが相当である。

これを本件についてみると、前記一、二で認められる事実によれば、(イ)本件申告外預金は、本件申告分預金とほぼ同じ状況で管理されてきた。(ロ)本件申告外預金のうち、記名式預金についてはいずれも架空名義でなされており、

無記名式預金についてはいずれも架空名義の届出印でなされていて、通常の調査では本件申告外預金が被相続人の相続財産の一部であることは確知しにくい状態におかれていた。(ハ)原告（相続人）は、被相続人の生前中にその妻として本件申告外預金の管理に携わっていたのであるから、結局原告は、被相続人の相続財産の一部である本件申告外預金が通常の調査では確知しにくい状態即ち隠ぺいされた状態にあることを利用して、脱税の意図の下に、これを除外した内容虚偽の相続税の申告書を提出したものというべきである。」

また、本件の控訴審判決である大阪高裁昭和57年９月３日判決も、同様の判示を行っている。

なお、本件判決について品川教授は、「本件においては、被相続人の隠ぺい・仮装行為を相続人（妻）が認識していたことを前提として、本件各判決が導き出されているものであるが、相続人等が被相続人の隠ぺい・仮装行為を認識していなくとも、それを知り得る状態にあった場合においては、同様に解すべきであると思われる」（「附帯税の事例研究（第４版）」333頁）としている。しかし、筆者は、法令の文言からすると相続人が被相続人の隠ぺい・仮装行為を利用したことをもって相続人の隠ぺい・仮装行為と見ること自体、拡張解釈と思えるので、相続人がその認識を欠いても、それを知り得る状態にあった場合の過少申告にまで重加算税を課するという考え方には反対である。

③　岐阜地裁平成２年７月16日判決

この事件は、被相続人Ａの妻X_1と子X_2がＡの遺産の割引債券を遺産に含めないで申告したとして重加算税を課税され、X_1らは、Ａは割引債券を別人名義で証券会社に預けてあったことは知らなかったとして処分の取消しを求めて争った。この判決要旨は次のとおりである（なお、控訴審の名古屋高裁平成３年６月12日判決及び上告審の最高裁平成３年10月17日第１小法廷判決も同趣旨である。）。

「X_2は、Ａが入院中であった昭和57年12月に、同人の使者又は代理人と

して本件債券の購入の交渉に従事していたものであり、さらに、Aの死亡後である昭和58年12月には、本件債券の乗り換え分の債券の購入契約を締結していたのであるから、本件債券の存在及びこれが相続財産に含まれることを知悉していたというべきである。にもかかわらず、本件債券の存在を秘して相続税申告書を提出したのであるから、これは国税通則法68条1項所定の「国税の課税標準等の計算の基礎となるべき事実の一部を隠ぺいし、その隠ぺいしたところに基づき納税申告書を提出していた」場合に相当すると認めるべきである。

X_1については、AやX_2と同居していたものであり、しかも、Aが自宅においてD証券の担当従業員と交渉していた際に茶を出したことなどが認められ、また、AやX_2が本件債券の存在をX_1に対して秘匿していたような特段の事情を認めるに足る証拠がない以上、当然家族として本件債券の存在及び相続財産に含まれることを認識していたと推認すべきである。したがってX_1についても、X_2と同様、本件債券の存在を秘して相続税申告書を提出したのであるから、国税通則法68条1項所定の事実の隠ぺいの場合に相当すると認められる。」

しかし、X_1はともかく、X_2については、家族であるから相続財産の存在を秘匿していた事情が認められない以上、当然存在を認識していたという推認は、やや乱暴ではないかと思える。次の国税不服審判所昭和62年7月6日裁決を参照されたい。

④ **国税不服審判所昭和62年7月6日判決（裁決事例集 No.34－1頁）**

③とはやや異なる事例であるが、共同相続人の1人が相続財産の隠ぺいを行った場合において、その隠ぺいにかかわっていない他の相続人に対する重加算税が賦課できるかという問題が審理された事例が、国税不服審判所の上掲の裁決例である。その要旨は次のとおりである。

すなわち、隠ぺいされて相続財産として申告されていなかった無記名定期預金の原資は、被相続人及び相続人ら一族の不動産の賃貸料収入等であるから、その預金のうちに被相続人に帰属すべき金額があるにもかかわらず、本

件無記名定期預金が無記名であったことを奇貨として被相続人の遺産から除外して相続税の申告書を提出した場合には、本件無記名定期預金を管理していた相続人は重加算税の課税要件を満たすが、本件無記名定期預金の存在を了知していなかった他の相続人は、重加算税の課税要件を備えていないので、重加算税を賦課した原処分は相当でないとして、当該他の相続人に対して賦課された重加算税を取り消したものである。

　この裁決については批判が多いようで、例えば、「コンメンタール通則法」3629頁では、通常、相続人の1人（例えば、長男）が相続財産を調査し、その指示に従って他の相続人も申告するのであるから、そのような事情が認められれば、その存在を知らなかった相続人に対しても重加算税を賦課すべきではないかと考えるとしている。この論者は、全く事情を知らない相続人に対して重加算税が課されるのはおかしいとする考え方は、事情を知らなかった相続人は、事情を知っていてなおかつこれを明らかにしなかった相続人に対して損害賠償請求権が生ずることを見落としていると指摘する。しかし、筆者は、この考え方に反対である。損害賠償請求権が生ずるからといって、事情を知らない相続人に行政罰である重加算税を課してよいという考え方は本末転倒であり、重加算税の賦課の趣旨を理解していないものというほかはない。また、本件裁決は、審判所の審理不尽ではないかとの批判もある（堺沢良「審査裁決事例紹介」税経通信45巻1月号253頁）。確かに、その辺の事実認定の根拠が明らかにされていないうらみはあるが、それは、審理の方法の問題であって、特定の相続人の隠ぺい・仮装行為を行ったという認定ができる理論的根拠にはなっていない。税負担の回避を憎む余り、法文を拡大解釈して、これを威嚇しようとするかの如き風潮には、極めて憂慮に耐えないものがある（注）。

(注)　磯部律男・鳥飼重和対談「租税は国の柱・納税者はカスタマーだ」バンガード2003年2月号（バンガード社）23頁以下

⑤　税理士の関与と隠蔽・仮装行為の関連についての判例・裁決

　隠蔽・仮装の行為者の範囲に関する判例は多いので、ここでは、相続税に

関連のある税理士等の関与している事件を中心にとり上げる。

(イ) 納税者が自らの判断と責任において税理士を選任し、申告手続を委任した場合には、税理士の申告行為は、納税者が行ったと同様であるから、重加算税の責任も負うべきであるとされた事例（長野地裁平成12年6月23日判決）

「認定事実によれば、原告は、原告を含む相続人3名の代表のAに対して、本件相続税の申告に関する資料収集等の準備行為やB税理士への申告手続の依頼等の申告に必要な行為を委任し、Aから申告に関する一切の依頼を受けたB税理士が、その事務所に勤務するC税理士を介して本件申告書を提出したのであるが、AがC税理士に対して本件各預金の存在を隠匿したため、過少申告となったものであって、Aが本件申告に関し隠ぺい行為を行ったことが認められるところ、納税者が自らの判断と責任において第三者を選任し、申告手続を委任した場合には、第三者が納税者に代わって行った申告行為は、納税者が行ったと同様に扱われるものであるから、これに付随する重加算税の責任も、納税者が不適正な申告について認識していたか否かにかかわらず、当然負うべきものであって（最高裁平成5年6月10日第1小法廷判決、右の原審大阪高裁平成3年8月8日判決参照）、原告においても隠ぺいが存したというべきである。」

(ロ) スナック店を営む原告がその委任している税理士に帳簿等を秘匿したことによる過少申告について、原告に重加算税が課された処分が支持された事例（横浜地裁平成11年4月12日判決）

「1 重加算税を課すためには、納税者のした過少申告行為そのものが隠ぺい又は仮装に当たるというだけでは足りず、過少申告行為そのものとは別に隠ぺい又は仮装と評価すべき行為が存在し、これに合わせた過少申告がされたことを要するものというべきであるが、右の重加算税制度の趣旨にかんがみれば、架空名義の利用や資料の隠匿等の積極的な行為が存在したことまで必要であると解するのは相当ではなく、納税者が当初から所得を過少に申告することを意図し、その意図を外部からも窺い得る特段の行動をした上、

その意図に基づく過少申告をしたような場合には、重加算税の賦課要件が満たされたものというべきである（最高裁平成7年4月28日第2小法廷判決）。そして、納税者が自己が委任している税理士に帳簿等を秘匿する行為も右の場合に含まれると解するのが相当である。なぜならば、税理士は、税務に関する専門家として、独立した公正な立場において納税義務の適正な実現を図ることを使命とするものであり（税理士法1条）、納税者が課税標準等の計算の基礎となるべき事実を隠ぺい又は仮装していることを知ったときは、その是正をするよう助言する義務を負うものであって（同法41条の3）、納税者から正しい帳簿等が提出されればそれに従い正しく税務申告したはずであるから、納税者がこのような職責を負う税理士に提出すべき帳簿等を提出しないことは、重加算税の賦課要件を検討するに当たって無視し得ないからである。

2　原告は、青色申告の承認を受けた者としての税法上の義務に違反して、売上金額に関する唯一の原始資料である売上伝票を破棄し、顧問税理士から、毎年決算の際に、あらかじめ収入金額や必要経費に係るすべての書類を持参するように指示されていたにもかかわらず、本件確定申告に際し、同税理士に、提出した書類が原告の事業所得に係るすべてのものであり、売上金額は整理簿に記入した以外はない旨の虚偽の申立てを行い、売掛帳とその回収口座にしていた預金通帳を秘匿し、同税理士をして過少な所得金額による確定申告書を作成させ、これを被告税務署長に提出させていたのであるから、原告は当初から平成3年分及び4年分の事業所得を過少に申告することを意図し、その意図を外部からも窺い得る特段の行動をした上、その意図に基づく過少申告をしたものというべきである。」

(ハ)　顧問税理士が納税者に無断で隠蔽・仮装に基づく過少申告をし納税者がそれを容易に認識ないし予想しえなかった場合には重加算税賦課の要件はみたされないと解すべきであるとされた事例（最高裁平成18年4月20日第1小法廷判決Ⓐ・同旨最高裁平成18年4月25日第3小法廷判決Ⓑ）

Ⓐ　「納税者は、①専門家である税理士を信頼して適正な申告を依頼したものであり、税理士が脱税を行っていた事実を知っていたとうかがうことも

できないこと、②納税者が、税理士資格を有し、長年税務署に勤務していた税理士を信じたとしてもやむを得ず、同税理士が隠ぺい仮装行為を行うことまでを容易に予測し得たということはできないこと、③納税者が、本件確定申告書に虚偽の記載がされていることその他税理士による隠ぺい仮装行為を認識した事実も認められず、また、容易に認識し得たというべき事情もうかがわれないこと、④他方、税務職員や長男から税額を800万円程度と言われながらこれが550万円で済むとの税理士の言葉を信じた点や、確定申告書の内容をあらかじめ確認せず、申告書の控えや納付済みの領収証等の確認すらしなかった点など、納税者にも落ち度はあるものの、これをもって税理士による隠ぺい仮装行為を納税者本人の行為と同視することができる事情に当たるとまでは認められないことから、納税者につき国税通則法68条1項所定の重加算税賦課の要件を満たすということはできない」

Ⓑ 「納税者は、①税理士が適法に確定申告手続を行うものと信頼して、確定申告手続を委任したものであり、②税理士資格を有し、国税局に勤務していた税理士が、税法上許容される節税技術、計算方法等に精通していると信じたとしてもやむを得ず、同税理士がそのような専門技術を駆使することを超えて自ら隠ぺい仮装行為を行うことまでを容易に予測し得たということはできないこと、また、③税理士が適法に確定申告手続を行うものと信頼して委任した納税者において、不正行為を容易に確認し得たというべき事情もうかがわれないこと、④他方、税務相談で教示された金額よりも約180万円も低い金額を示されたにもかかわらず税理士の言葉を容易に信じた点や本件確定申告書の控えの確認すらしなかった点など、納税者にも落ち度はあるものの、これをもって同税理士の本件不正行為を本人の行為と同視することができる事情に当たるとまでは認められないことからすると、税理士の本件不正行為をもって納税者本人の行為と同視することはできない」

㈡ 顧問契約を締結している税理士が、重加算税の課税要件を満たす過少申

告をした場合、これを請求人が認識していたか否かにかかわらず、請求人は重加算税を負うとした事例（国税不服審判所平成3年7月25日裁決・裁決事例集No.42-13頁以下）

「税理士が、請求人に代わって行った税務申告等の行為は、納税義務者である請求人が行ったと同様に扱われるべきであるから、これに付随する重加算税の責任も、請求人が本件確定申告について不適正であることを認識していたか否かにかかわらず、当然請求人を負うと解すべきである。」（注）

（注）　請求人は、この点につき、各年分の過少申告は税理士が勝手に行ったものであり、また、同税理士に過少申告をするよう指示したこともないから、原処分庁が重加算税を賦課決定したことは違法である旨を主張していた。

㈲　税理士の使用人による隠ぺい・仮装に基づく納税申告書の提出が、請求人の行為によるものであるとされた事例（国税不服審判所昭和55年4月30日裁決・裁決事例集No.20-9頁）

「税理士の使用人が、独断で、事業所得の計算の基礎となる収入金額を圧縮したところにより決算書及び確定申告書を作成、提出したものであり、請求人本人は当該使用人からその内容説明を受けず、また、収入金額を記帳した帳簿との対査等を行っておらず、当該申告が所得金額を過少に申告したものであることを知らなかったから、請求人には仮装又は隠ぺいの意図がなかった上、そのような行為もしていない旨主張するが、その主張が信用できない状況では、請求人と申告書作成等の受任者との間にいかなる事情が存したにせよ、また、このことについて受任者がどこまで関与したかにかかわらず、請求人本人が記帳し、保存している帳簿に基づく収入金額を不正に操作し、これによって所得金額を過少に表示した決算書及び確定申告書を作成し、請求人が押印して最終的に完成させた上、提出したことは、国税の課税標準の計算の基礎となる事実の一部を隠ぺい又は仮装したところに基づいて納税申告書を提出したことに該当する。」

(4) 私　見

　筆者は、度々申し上げるように、租税法は強制力をもって、国民に税を課

するものであるから、租税法律主義は厳格に適用されるべきもので、妄りに拡張解釈をすることは基本的に反対である。それは、納税者の予測可能性を奪うもので、租税法律主義に反するものだからである。それを、租税回避を憎むあまり、明文で読みようのない無理な解釈で通そうという最近の風潮には、筆者は、極めて危惧を感じており、権力行政といわれても仕方のないことではないかとさえ思いたくなる。

ことに、この無理な解釈は、重加算税に関する規定のそれに際立っている感じがする。(3)(ロ)④でも触れたが、秘匿預金の存在を知らない他の相続人にも、秘匿した相続人と同様に重加算税を課すべしとする論者が、その根拠として他の相続人は秘匿行為をした相続人に対し損害賠償請求権があるからというのに至っては、あまりの権力的思考に慄然とする（注）。この論者は、重加算税が課税されなくても、過少申告加算税が課税されるということを知らないのではないかと思いたくなる。事情を知らない相続人に対しては、それでも重すぎると筆者は考えるのだが……。

(注) 八ツ尾順一氏も、この論者に対し、相続人が被相続人の隠蔽・仮装を知らない限り、相続人に対して重加算税を賦課決定することは常識的に考えても妥当ではないであろうと批判する（同氏著「事例からみる重加算税の研究」（清文社）178頁）。

そこで、法文では、隠蔽・仮装の行為者は、納税義務者（相続人、受遺者、受贈者）であるのだから、本来なら他の者の隠蔽・仮装行為は、重加算税の賦課要件を満たないことになる。しかし、それでは、納税義務者が自己が隠蔽・仮装を行っていないと主張した場合、それが虚偽であることを立証しないと、例えば納税義務者が家族に隠蔽・仮装を指示して行わせても重加算税の課税ができないことになる。これには、立証ができない以上やむを得ないとする割り切り方もあるが、やはり、本来は法文の改正を行うべき事柄であり、それが王道である。

しかし、それでは、早急な解決は困難であるとするならば、取り敢えず最小の類推ないし拡大解釈をするとして、どこまでの範囲を認めるかというこ

とになろう。

筆者の私見としては、

(イ) 前述の武田教授の説かれるその隠蔽・仮装によって利益が得られる「利害関係同一集団」に属する者、例えば納税義務者の家族の行為は、納税義務者本人もそれを知りうる状況にあるから、仮装・隠蔽が行われたことを黙認したことが推定されるという意味において、納税義務者が行ったものと同視してよいであろう。ただし、赤の他人である従業員の行為は含まれないとすべきである。

(ロ) 納税義務者が、正式に申告を委任した税理士又はその従業員の仮装・隠蔽行為は、委任の効果は委託者に及ぶとする民法理論に準じて、重加算税の対象となることはやむを得ないであろう。納税義務者が財産を秘匿して税理士に告知しないことは、当然納税義務者が責任を負うべきであろう。

(ハ) 共同相続人の1人が財産を秘匿したことによる過少申告の責任は、当該秘匿した相続人に負わせるべきで、他の相続人に重加算税を課税することはできない。また、被相続人の隠蔽・仮装を知らないで過少申告がされた場合も同様に解すべきである。もっとも、この辺は、立証技術の問題かも知れない。

6 重加算税の課税原因の成立時期

(1) 総　説

国税通則法第68条第1項の規定によれば、納税者が、その国税の課税標準等又は税額等の計算の基礎となるべき事実の全部又は一部を隠蔽し、又は仮装し、その隠蔽し、又は仮装したところに基づき納税申告書を提出していたときは、その納税者に対し、過少申告加算税に代えて、35％の重加算税が課される。また、隠蔽し、又は仮装したところに基づき、法定申告期限までに納税申告書を提出せず、又は法定申告期限後に納税申告書を提出していたときは、その納税者に対し、無申告加算税に代えて、40％の重加算税が課される（通則法68②）。そして、これらの重加算税の納税義務は、法定申告期限の

経過の時に成立する(通則法15②十三)。

このことからいえば、隠蔽又は仮装の行為は法定申告期限までに行われていることは法律上当然ということになる。法定申告期限後に行った隠蔽・仮装により、法定申告期限経過時に重加算税の納税義務が成立するというのは、矛盾撞着以外の何物でもないからである。仮にそのような場合は遡及して重加算税の納税義務が成立するという考え方をとろうとしても、そのような納税者に不利となる遡及適用は認められるものではないだろう。

しかし、実際には、各税の重加算税通達はこの点をあいまいにしており、また、判例にも、問題事例が少なくないのが現状で、立法的な解決が望まれるところである。

(2) 国税庁の取扱い

隠蔽又は仮装行為の成立時期については、重加指針では、何ら触れていないが、例えば、同指針第1・1(4)では「相続人等が、自ら虚偽の答弁を行い又は取引先その他の関係者をして虚偽の答弁を行わせていること及びその他の事実関係を総合的に判断して、相続人等が課税財産の存在を知りながらそれを申告していないことなどが合理的に推認し得ること。」を重加算税の課税対象となる「不正事実」の例として挙げているが、その時期については全く言及していない。読み様によっては、調査の段階でそのような事実が把握できればよいともとれるあいまいな表現である(注)。

(注) 申告所得税重加指針第1・1(8)では、「調査等の際の具体的事実についての質問に対し虚偽の答弁を行い……申告時における隠ぺい又は仮装が合理的に推認できること」を不正事実として例示し、重加算税の納税義務の成立時期をやや意識したような表現となっているが、法人税重加指針には、このような表現はなく、各税とも統一のとれない表現になっている。

(3) 学説・判例

(イ) 学　説

① 碓井教授の説

碓井光明教授は、次のように述べる(「重加算税賦課の構造」6頁)。

「……隠ぺい・仮装行為は、調査に際しての国税職員に対する行為を含まないと解するのが正当ではないかと思う。過少申告をした納税義務者に対して税務調査をし、虚偽答弁があった場合が、通則法68条の要件にあてはまるとすることは、文理上無理があるように思える。……重加算税の納税義務の成立時期が、法定申告期限又は法定納期限の経過の時であるとされているので（通則法15②十五、十六）、かりに、虚偽答弁が含まれるとすれば、これらの期限が到来する前の税務調査に際しての虚偽答弁のみが重加算税の対象となり、期限後の調査に際して虚偽答弁しても賦課要件を満たさないことになる。」

② 池本征男氏の説

池本氏は、次のように述べる（「判例からみた重加算税の賦課要件」税経通信38巻12号48〜49頁）。

「……法定申告期限後に「隠ぺい又は仮装の行為」がなされた場合に重加算税を賦課し得るかについては、文理解釈のうえからは問題があるにしても、悪質な所得隠ぺい工作があるにもかかわらず、実行行為が申告の前段階としてなされたか後段階としてなされたかによって、租税負担上差異のあるのは妥当でない。重加算税制度の趣旨、目的に照らしても、「隠ぺい又は仮装の行為」と過少申告等との間に因果関係が認められるならば、行為の時期を問う必要はないものと考える。」

㈡ 判　例

① 法定申告期限以前に隠蔽・仮装行為が必要とする判例

重加算税の課税原因については、法定申告期限時に成立するものと考えている判例が多いようである。

㋑　大阪地裁昭和29年12月24日判決

「修正申告において隠ぺい又は仮装の意思なくして過少申告をした場合であっても、もし確定申告において隠ぺい又は仮装していたとすれば、その部分に対する重加算税の賦課を免れることはできない。」

㋺　大阪地裁昭和50年5月20日判決（注1）

「本件重加算税は、原告が昭和43年分の所得税の確定申告をするにあたり、本件土地の同年中の売買を隠ぺいしてその譲渡所得につき申告をしなかったことに対し、賦課されたものであって、申告期限後の原告の行為は、右確定申告時において原告が隠ぺい又は仮装の意思を有していたか否かを判断するための資料となるにすぎない。したがって、原告が申告期限後に譲渡所得の帰属年分を仮装するための売買契約書を作成した時点で課税庁がすでに昭和43年中の売買の事実を確知していたとしても、右事実は重加算税賦課の要件事実である隠ぺい又は仮装の意思に消長を来すものではない。」

(ハ) 名古屋地裁昭和55年10月13日判決

「ところで、国税通則法68条は、不正手段による租税徴収権の侵害行為に対し、制裁を課することを定めた規定であり、同条にいう「事実を隠ぺいする」とは、課税標準等又は税額等の計算の基礎となる事実について、これを隠ぺいしあるいは故意に脱漏することをいい、また「事実を仮装する」とは、所得、財産あるいは取引上の名義等に関し、あたかも、それが事実であるかのように装う等、故意に事実を歪曲することをいうと解するのが相当である。

そして、同条該当の所為の判断は、確定申告時を基準としてなされるべきものであることは、多言を要しない。」

(二) 大阪高裁平成5年4月27日判決（注2）

「重加算税の納税義務の成立時期は、法定申告期限の経過時である（国税通則法15条2項15号）から、隠ぺい・仮装行為は、この期限が到来する前の行為だけが加算税の対象となるのが原則であり、隠ぺい・仮装行為の存否は、確定申告書提出時を中心に判断すべきであって、右期限後の隠ぺい・仮装行為は、法定申告時における隠ぺい・仮装行為の存否を確認させる一間接事実となり得るに過ぎない。」

(ホ) 宇都宮地裁平成12年8月30日判決（注3）

「X_1はA青果の出資210口が本件相続により取得した財産であるにもか

かわらず、これを相続財産に含めず、本件相続に係る相続税の申告を昭和63年4月30日、被告に提出したことが認められるところ、A青果の昭和63年3月期の確定申告書は、本件相続にかかる相続税の申告書が提出された同年4月30日後に提出されたものであり、右相続税の申告書が提出された時期までに右確定申告書が提出されたかどうかは明らかでなく、他に、X_1が右相続の申告の時点において、A青果の出資210口について仮装隠ぺいしていたと認めるに足りる証拠はない。また、被相続人が昭和62年2月7日にC卸売センター及び有限会社Dからそれぞれ20株のNTT株式を取得し、本件相続によりX_1が右株式を相続したが、X_1がこれを相続財産に含めず、本件相続に係る相続税の申告書を被告に提出したことが認められるところ、C卸売センターの昭和62年7月期の有価証券勘定及び有限会社Dの昭和62年11月期の有価証券勘定が改ざんされた時期は、本件相続に係る相続税の申告後であると推認され、右相続税の申告の時点において、本件NTT株式について、仮装・隠ぺいしていたものとは言い難く、結局、本件相続税に係る相続税の申告が仮装・隠ぺいしたところに基づいて提出されたものと認めることはできない。」

(注1)　㈩の判決については、他の判例と同様に、隠蔽又は仮装行為の成立時期を確定申告時におくものとする見解（「附帯税の事例研究」364頁）がある一方、措辞必ずしも明らかではないが、確定申告後の隠蔽・仮装行為でも重加算税が課しうる判例と解しているような考え方もある（「重加算税の研究」53～55頁）。確かにこの判例は、確定申告時に隠蔽・仮装の意思を有したかどうかの判断材料として、隠蔽・仮装の行為を考え、それが事後であってもよいと考えているようにも読め、その辺が必ずしもよく分からない判例である。

(注2)　この上告審判決である最高裁平成6年11月22日は、前述のとおり具体的な重加算税の賦課要件事実の充足の判断をしておらず、極めて物足りない判決である。かえって、課税庁側がこの判決で、つまみ申告に重加算税が課税できる根拠を得たものとしていることを問題視したい。

(注3)　この判決の控訴審判決である東京高裁平成13年4月25日判決（確定）では、これと異なった判断の下に、隠蔽・仮装したところにより相続税

の申告書を提出したものと判示し、原審の判断を覆したものである（本件については、大野重國氏の評釈がある（「租税判例研究」税理平成14年2月号208頁以下）。）。なお、大野氏は、この控訴審判決を仮装行為が納税申告後に行われても重加算税の課税を認めた事例としているが、判決文を読む限りは疑問である。

② **法定申告期限以後の隠蔽・仮装行為について、重加算税の課税を認めた判例**

（イ）　名古屋地裁昭和44年5月27日判決（注）

「……相続開始時において本件定期預金の存在を知らなくとも、本件の場合についていえば第一次修正申告時までにその認識があり、これを隠蔽した事実があれば足りうるものと解されるところ……」

（注）　この判決では、重加算税の成立時期との関係をどのように解しているのか判然としない。

（ロ）　東京高裁昭和48年10月18日判決（注）

「申告後の税務調査の確認調査の際に当該職員を誤信せしめた事実によれば、当該申告は所得税額の計算の基礎となるべき事実を隠ぺい又は仮装してなされたものと認めるのが相当である。」

（注）この判例も、隠蔽・仮装の成立時期について言及していない。

（ハ）　東京高裁昭和52年7月25日判決

「原告には……毎事業年度毎に家賃収入……また……定期預金利息の所得があり、それぞれ当該事業年度の益金に計上されるべきところ、原告は、右金額をその帳簿書類にまったく記載せず、右各事業年度の確定した決算の益金として計上しなかったことに加え、被告の調査に際し、家賃収入についての質問にはことさらその事実を隠し調査を拒んだこと、またあづま荘から延滞賃料として……が支払われた後になって、右支払い事実がなかったかのように仮装して……あづま荘の債務を免除したかのように書類を作成したこと、前記の定期預金についても、これが原告に帰属しないと主張して、事実に反する経過等を記載した書類を作成したり、前記認定のように架空の領収書を作成したりして、ことさらに右定期預金が……個人

のものであることを仮装したこと、被告の調査に対する回答や審査請求においても右のように事実に反することを主張し、あるいは事実関係をことさらに隠ぺいして争ったことが認められ、この認定を覆すに足る証拠はない。

　右認定事実によれば、原告には、益金に計上されるべき家賃収入あるいは定期預金利息について、これに対する課税を回避しようとする意図が当初からあったものと推認することができ、そうとすれば、原告は右家賃収入があるにもかかわらずこの事実を隠ぺいし、その隠ぺいしたところに基づいて確定申告し、あるいは右事実を隠ぺいして納税申告書を提出しなかったものであり、また、前記定期預金利息が支払われた事実を隠ぺい又は仮装し、その隠ぺい又は仮装したところに基づいて確定申告したものといわなければならない。」

(三)　静岡地裁昭和57年1月22日判決（注1、2）

　この事件は、原告が、土地の譲渡所得について決定処分を受けた後、金銭消費貸借に係る偽造した借用証書や元利金額領収書を用いて取得費として控除すべき支払利息の存在を申し立て、これに基づき減額更正処分がなされたが、その後の税務調査において、その虚偽性が明らかになると、原告はそれとは別の借入金がある旨申し立て、他の利息受取りの領収書等を提出した。

　判決は、これにつき、原告から提出された領収書はいずれも偽造に係るものと認められ、他の証拠資料も原告が本件土地譲渡における譲渡所得金額を少なくするため、借入金利息支払の事実を仮装する意図のもとに被告に提出されたものと認め、かように借入金利息支払を仮装した事実が通則法68条2項に該当することは明らかである旨を判示している。

(注1)　本件は、法定申告期限後の仮装・隠蔽を認めた事例であるが、隠蔽又は仮装の行為によって減額更正を受けたことが国税通則法68条2項に定める賦課要件を満たすことになるのか否かについては、疑問を残すところであろうし、同法15条2項に定める納税義務の成立時期との関係上も

疑問を残すとの見解（「附帯税の事例研究（第4版）」388頁）がある。筆者もこの見解に賛成する。
（注2）　水野勝氏は、「加算税の納税義務の成立時期は、加算税が賦課決定できる期間を本税について更正、決定又は納税告知できる期間と同一にするという観点から定められたものであるから、これをもって、決定申告期限又は法定納期限後に隠ぺい又は仮装があった場合には重加算税を課すことができないと解すべきではない」（水野勝「租税法」（有斐閣）109頁）と説かれ、また、別の論者は、前掲の隠蔽・仮装行為の存否は、法定申告期限前の行為のみで判断すべきで、重加算税の成立時期は法定申告期限の経過の時であるとする大阪高裁平成5年4月27日判決を批判し、納税義務の成立に関する規定の趣旨が繰上保全差押等との関係から定められていること等から見て疑問であるという（「DHC コンメンタール国税通則法」3646頁）。

しかし、同一規定内にある納税義務の成立時期の解釈に関し、何らの明文もないのにこのように加算税だけは、別意に解すべきであるという考え方には、筆者は賛成できない。あまりにも、便宜主義的な解釈には、いくら徴税確保のためとはいえ、歯止めがなくなるようで、支持することはできない。あくまで、厳格な文理解釈によるべきであると考える。

(4) まとめと私見

以上の判例・学説の紹介で、ほぼ理解頂いたと思うが、学説としては、隠蔽・仮装行為を申告前の行為に限るとするものと行為の時期を問わないとするものが相半ばしているといえようか。また、判例としては、前者の考え方をとるものが多いが、課税原因の成立時期の判断を避けて、重加算税の課税を是認している判決が最近目立つところで、前でも触れた最高裁平成6年11月22日判決は、その最たるものである。

筆者のこれらの学説・判例に対する私見は今まで、折に触れて述べたとおり、重加算税の賦課規定は、国民に対し、35～40％もの高率の負担を強いるものであるから、いうまでもないが、厳格な文理解釈によるべきであると考える。学説・判例の中には、隠蔽・仮装の工作が悪質であるとか、虚偽の答弁をしたからという理由で、「文理解釈の上からは問題あるにしても」実行行為が申告前であるか後であるかで負担の差があるのは妥当でないとする考

え方があるようだが、法文の上から問題があるのなら、そのような解釈は正しくないといわざるを得ない。

もとより、筆者は、悪質な隠蔽・仮装行為や、虚偽答弁があってもそれにペナルティーを科すことは不要だと考えているわけではない。しかし、このような論法は、拡大解釈の危険がきわめて大きく、筆者が最近指摘している行為計算否認規定の拡大解釈の傾向と相まって、非常な危惧を感じているものである。現在の規定が不備であるなら、世間に、その改正案を示して、賛同を受けるように努力すべきで、その努力を放棄して、規定の拡大解釈で乗り切ろうという考え方には賛成できない。

7 刑事罰と重加算税賦課の併課の二重処罰問題その他

(1) 総説

次に、最後の問題として重加算税と罰則の適用は二重処罰ではないかとの疑問を検討するとともに、最初に問題点として挙げていた「隠蔽・仮装行為」と刑事罰の適用要件たる「偽りその他不正の行為」との関連について併せて検討する。なお、同じく最初に問題点の1つとして挙げていた税務調査の際の虚偽答弁等と隠蔽・仮装行為との関係については、6の重加算税の課税原因の成立時期の検討のうちに取り上げているので重ねての検討は省略する。

(2) 重加算税と刑事罰は二重処罰ではないのか

① 問題の所在

既にみてきたように、隠蔽・仮装行為により過少申告を行った、あるいは申告義務があるのに申告をしなかった者に対しては、重加算税が課されるのであるが、さらに偽りその他不正の行為により相続税又は贈与税を免れた者は5年以下の懲役若しくは500万円以下の罰金に処せられ、又はこれらが併科されることになっている。このように、重加算税は、形式的には申告秩序維持のためのいわゆる行政制裁であるといえるが、その課税要件や負担の重さからみて、実質的には刑罰的色彩が強く、罰則との関係上、二重処罰では

ないかとの疑問が常に出されている。

そこで、まず、この問題について検討してみよう。

② **学　説**

(イ)　課税当局者の説

まず、国税通則法の法案立案関係者の著作では、次のようにいう（「国税通則法精解」810頁）。

「…確かに、重加算税は、詐欺行為であった場合にその全部について刑事訴追をすることが実際問題として困難であり、また、必ずしも適当でないところから、課されるものであることは否定できないのであるが、しかし、このことから同一事件に対し懲役又は罰金のような刑事罰とを併科することを許さない趣旨であるということはできない。

重加算税は、納税義務の違反者に対してこれを課することにより、納税義務違反の発生を防止し、もって納税の実をあげようという行政上の措置にとどまると考えるべきである。したがって、重加算税は、制裁的意義を有することを否定できないが、元来納税義務違反者の行為を犯罪とし、その不正行為の反社会性ないし反道徳性に着目して、これに対する制裁として科される刑事罰とは、明白に区別すべきである。

このように考えれば、これを課すとともに刑事罰に処しても、二重処罰と観念すべきではない。このことは「ある事業に対し、民法上の不法行為に基づく損害賠償義務を命ずるとともに別箇の立場から犯罪として刑罰の制裁を加えるのと同じである」（昭26.1.26富山地裁）ということができ…」

(ロ)　金子教授の説

金子宏教授は、次のようにいう（「租税法（第23版）」882頁）。

「このように、一個の行為に対して、一方で加算税を課し、他方で刑罰を科すことが、憲法39条の二重処罰の禁止に反しないかどうかが問題となるが、加算税は、刑事制裁と異なり、申告義務および徴収納付義務の適正な履行を確保し、ひいては申告納税制度および徴収納付制度の定着を図るための特別の経済的負担であって処罰ないし制裁の要素は少ないから、それは二重処罰

(ハ) 村井教授の説

村井正教授は、次のように説く（「逋脱犯の成立要件と重加算税の課税要件」（税理19巻14号79・80頁））。

「…重加算税と逋脱犯の要件が一部重複することは、既にみたとおりであるが、このことのコロラリーから、重加算税を実質的刑罰ととらえることにはならないであろう。刑法学者は条件つきで実際には重加算税が制裁的機能を営むことを指摘しているものの、なおも行為の反倫理性の程度から、これを刑罰と区別している。そうなると、重加算税が制裁的機能を帯有するものかどうかのきめ手となるのは、納税倫理がどのように変遷したかということにかかっているものと思われる。時代とともに国民の納税倫理（意識）が向上しつつあるものとすれば、重加算税についてもこれを一層刑罰視する考え方が強くなるものと思われる。重加算税を行政罰とみて、両者の併科を肯定するとしても、量定に関する一層の調整的運用が望まれる所以である。」

(ニ) 北野教授の説

北野教授は、次のように説く（北野弘久著「税法学原論第6版」（青林書院）508頁以下）。

「最高裁は重加算税と刑罰との併科は憲法39条に違反しないとしているが（最高裁1958年4月30日判決…）、実質的に同一行為に対する二重制裁であることは否定し得ず、その意味では少なくとも憲法39条の趣旨に反するものといわねばならない。」

(参考)

この問題に関して、「国税通則法の制定に関する答申（税制調査会第二次答申）及びその説明」102頁では、次のように述べている。

「重加算税の性質について、それが税として課されるところから、形式的には申告秩序維持のためのいわゆる行政罰ではあるといえようが、その課税要件や負担の重さからみて、実質的に刑罰的色彩が強く、罰則との関係上二重処罰の疑いがあるのではないかという意見がある。

前記2・1にみたように重加算税額は、詐欺行為があった場合にその全部

について刑事訴追をすることが実際問題として困難であり、また必ずしも適当でないところから、課されるものであることは否定できない。
　しかし、そのことから同一事件に対し懲役又は罰金のような刑事罰とを併科することを許さない趣旨であるということはできないであろう。
　むしろ、重加算税は、このような場合において、納税義務の違反者に対してこれを課すことにより納税義務違反の発生を防止し、もって納税の実をあげようとする行政上の措置にとどまると考えるべきであろう。したがって、重加算税は、制裁的意義を有することは否定できないが、そもそも納税義務違反者の行為を犯罪とし、その不正行為の反社会性ないしは反道徳性に着目して、これに対する制裁として科される刑事罰とは、明白に区別すべきであると考えられる。
　このように考えれば、重加算税を課すとともに刑事罰に処しても、二重処罰と観念すべきではないと考えられる。」

③　判　例
(ｲ)　最高裁昭和33年4月30日大法廷判決（注）
　この判例は、現行の重加算税に相当する追徴税が課されていた時代の事件に関するもので、次のように判示している。
　「法人税法（昭和22年法律28号。昭和25年3月31日法律72号による改正前のもの。以下単に「法」という。）43条の追徴税は、申告納税の実を挙げるために、本来の租税に附加して租税の形式により賦課せられるものであって、これを課することが申告納税を怠ったものに対し制裁的意義を有することは否定し得ないところであるが、詐欺その他不正の行為により法人税を免れた場合に、その違反行為者及び法人に科せられる同法48条1項および51条の罰金とは、その性質を異にするものと解すべきである。すなわち、法48条1項の逋脱犯に対する刑罰が「詐欺その他不正の行為により云々」の文字からも窺われるように、脱税者の不正行為の反社会性ないし反道徳性に着目し、これに対する制裁として科せられるものであるに反し、法43条の追徴税は、単に過少申告・不申告による納税義務違反の事実があれば、同条所定の已むを得ない事由のない限り、その違反の法人に対し課せられるものであり、これによって、過少申告、不申告による納税義務違反の発生を防止し、以って納税の実を挙

げんとする趣旨に出でた行政上の措置であると解すべきである。法が追徴税を行政機関の行政手続により租税の形式により課すべきものとしたことは追徴税を課せられるべき納税義務違反者の行為を犯罪とし、これに対する刑罰として、これを課する趣旨でないことは明らかである。追徴税のかような性質にかんがみれば、憲法39条の規定は刑罰たる罰金と追徴税とを併科することを禁止する趣旨を含むものでないと解するのが相当であるから所論違憲の主張は採用し難い。」

(注) ただし、この大法廷判決に対し、最高裁昭和39年2月18日判決は、次のようにいう（碓井『重加算税賦課の構造』3頁）。「いかなる意味においても処罰たる性質を持たない旨を判示しているものと解することはできない。追徴税（加算税）が納税義務者の申告義務違反に対する不利益処分である以上、処罰たる性質を全く有しないとはいい切れない。」

(ロ) 最高裁昭和45年9月11日第2小法廷判決

これは、国税通則法制定後の重加算税に関する判決であり、基本的には(イ)の判決を踏襲しているとされる。

「所論は、重加算税のほかに刑罰を科することは、憲法39条に違反する旨主張する。

しかし、国税通則法68条に規定する重加算税は、同法65条ないし67条に規定する各種加算税を課すべき納税義務違反が課税要件事実を隠ぺいし、または仮装する方法によって行われた場合に、行政機関の手続により違反者に課せられるもので、これによってかかる方法による納税義務違反の発生を防止し、もって徴税の実を挙げようとする趣旨に出た行政上の措置であり、違反者の不正行為の反社会性ないし反道徳性に着目してこれに対する制裁として科せられる刑罰を科しても憲法39条に違反するものではないことは、当裁判所大法廷判決の趣旨とするところである（昭和33年4月30日大法廷判決・民集12巻6号938頁参照。なお、昭和36年7月6日第1小法廷判決・刑集15巻7号1054頁参照）。そして、現在これを変更すべきものとは認められないから、所論は、採ることができない。」

(ハ) 最高裁昭和62年5月8日第2小法廷判決

「国税通則法68条に規定する重加算税は、同法65条ないし67条に規定する各種の加算税を課すべき納税義務違反が事実の隠ぺい又は仮装という不正な方法に基づいて行われた場合に、違反者に対して課される行政上の制裁措置であって、故意に納税義務違反を犯したことに対する制裁ではないから…」

(ニ) 東京高裁平成11年2月24日判決

比較的新しい判決として上掲の判決を引用するが、(ロ)の最高裁判決を踏襲している。

「重加算税は納税義務に違反した者に対する行政上の制裁措置であり、刑事責任を定めたものではないから…」

④ まとめと私見

(イ) 二重処罰とは

憲法第39条は、「何人も、実行の時に適法であった行為又は既に無罪とされた行為については、刑事上の責任を問われない。又、同一の犯罪について、重ねて刑事上の責任を問はれない。」とある。問題は、税の逋脱があったときに適用される罰則と重加算税が、この憲法39条の後段の規定に抵触し、違憲となるのではないかという疑問であることである。

この問題について、上にみたように、判例はほとんど二重処罰ではなく、違憲にならないとしている（もっとも、前出の最高裁昭和39年2月18日判決のように、重加算税（追徴税）の処罰の性質が全くないとはいい切れないとするものもある）。

(ロ) 私　見

これに対して、学説は、二重処罰か否かについて賛否両論が相半ばするように思う。碓井教授の次の指摘が、問題のポイントを突いていると思うので、ここで引用しておきたい（「重加算税賦課の構造」7頁）。

「重加算税に関する議論が、罰金と追徴税の併科の合憲性に関する最高裁の判決を基礎とすることによって、誤った方向に進んだように思われてなら

ない。現行の重加算税に関する規定を直視して議論を進めるべきではないかと思う。そして重加算税が、建前としては、租税の一種として、法定の課税要件事実の充足によって成立するとされているにもかかわらず、実態においては、納税義務者に対する税務行政庁の威かく手段として利用されている面もあるのではないかと推測される。」

　誠に適確な指摘という他はない。更に、重加算税に関する税務行政の執行の行過ぎは、先に引用したように元国税庁長官ですら慨歎するほどである。筆者は、先に引用したつまみ申告に重加算税賦課を認めた最高裁平成6年11月22日判決の出現もその傾向に拍車をかけたのではないかと思っている。

　このような税務行政の現状から見れば、現実の重加算税の運用は、税務行政庁による処罰に近い実状ではないかとさえ疑いたくなる。

　このような実態を打開するには、その実現には慎重を要するが、北野教授の提案する税法違反についてはすべて刑事制裁制度に一元化し、重加算税制度を存続させるなら、重度の税法違反に対しては刑罰のみを科し、それに至らない軽度の税法違反に対する加算税のみを課することとして、税務制裁制度を二元的に構成するという提案（「税法学原論（第6版）」509頁）は、検討の対象の一つとして取り上げられてしかるべきではないかと考えている。

(3)　「隠蔽・仮装行為」と「偽りその他不正の行為」との関係

① 問題の所在

　税の逋脱に関しては、重加算税の賦課のほか、延滞税の計算期間の特例の除外（通則法61①）、除斥期間の延長（通則法70⑤）、国税の徴収権の消滅時効の進行停止（通則法73③）があり、また各税法の罰則規定、青色申告の承認の取消し事由（例えば所法150①）、配偶者に対する相続税の軽減の不適用（相法19の2⑤）があるが、これらの規定では、「偽りその他不正の行為」のあることが要件とされており、これと重加算税の課税要件である「隠蔽又は仮装の行為」との関連が問題となる。なお、この問題は一部、既に論じているが、ここでもう一度検討する。

② 学　　説

(イ) 当局者の説

　法案立案関係者の見解は、次のとおりである（「国税通則法精解」813〜814頁）。

　「事実の隠蔽は、二重帳簿の作成、売上除外、架空仕入若しくは架空経費の計上、たな卸資産の一部除外等によるものをその典型的なものとする。事実の仮装は、取引上の他人名義の使用、虚偽答弁等をその典型的なものとする。いずれも、行為が客観的にみて隠蔽又は仮装と判断されるものであればたり、納税者の故意の立証まで要求しているものではない。この点において、罰則規定における「偽りその他不正の行為」（例えば、所法238①）と異なり、重加算税の賦課に際して、税務署長の判断基準をより外形的、客観的ならしめようとする趣旨である。

　重加算税の課税要件である「隠蔽・仮装」と罰則規則における「偽りその他不正行為」とは、現実には多くの場合相互に一致して重なりあうであろうが、厳密には別個のものである。したがって、例えば、さかのぼって青色申告承認処分が取り消された場合におけるその事業年度の犯則税額は、青色申告の承認がないものとして適正に計算した場合の法人税額からその申告に係る法人税額を差し引いた額であるが、青色承認取消益にあってはその税額等の計算の基礎となる事実について隠蔽・仮装がない場合も多いところから、重加算税を課し得ない場合もあろうし、逆に、簿外貸付けに係る認定利息については、実務上、隠蔽、仮装ありとして重加対象とされる場合が多いが、これは、税務上の擬制であるところから、偽りその他不正の行為により免れた税額として犯則税額は構成しないとされる場合が多い。」

(ロ) 八ツ尾教授の説

　八ツ尾順一教授は、同氏の著作「新訂増補・事例からみる重加算税の研究」（清文社）58〜59頁において、次のように説く。

　「解釈としては、ほ脱犯の場合、「故意」がその過少申告自体に必要であるのに対し、重加算税の場合には、「隠ぺい・仮装」の行為の認識で足りるという考え方をとるならば、重加算税の課税要件の方が、ほ脱犯のそれよりも広いと解することが可能である（もちろん、両者は重複する部分が多い。）。

そして、そのように解釈する方が、一般的な常識（ほ脱犯に対する罰則が行為の反社会性、反道徳性に着目して科されるものであるとするならば、重加算税の賦課要件よりもほ脱犯の構成要件の方が、適用に当たっては、より厳格であるべき）から考えても妥当なように思える」

(ハ) 松沢教授の説

松沢智教授は、次のようにいう（「租税法講座2・租税実体法」（ぎょうせい）337頁）。

「重加算税は行政秩序罰であるから、その性質上純粋な形式犯と考えられ、主観的責任条件を要せず、形式的違反をもって足るとする考え方もあるが、しかし、重加算税の本質が悪質な不正行為者を制裁するため、著しく重い税率を賦課している立法趣旨および隠ぺい仮装の文言それ自体故意による積極的な行為を予定していること、さらに国税通則法が本条とは別に租税の不正行為につき、「偽りその他不正の行為による」場合の更正の期間制限の特例を規定しており（国税通則法70条2項4号）、同条が議論はあるが積極的行為を伴わない場合でも、その適用をうける場合があると解されることと対比してみても、故意による積極的行為に限ると解すべきである（故意を要件とすることにつき大阪高判昭和33年11月27日行裁例集9巻12号2631頁）。すなわち、更正等の期間制限の特例の要件たる「偽りその他不正の行為」とは仮装・隠ぺいを含み、それよりも広い観念である（月報8巻11号149頁協議会結果参照）。すなわち、偽りその他不正の行為とは脱税を可能ならしめる行為であって社会通念上不正を認められるいっさいの行為を包含するものと解される（名古屋地判昭和46年3月19日税務訴訟資料62号344頁）。したがってそれは積極的行為を伴わない場合でも、逋脱の犯意があるときは該当し得る。」

(ニ) 大淵教授の説

大淵博義教授は次のようにいう（「重加算税の研究」60頁より引用。原典出所不記載のため）。

「更正の除斥期間は法律関係の早期安定という観点から、本来納付すべき税額を徴収することを制限するという規定であるから、『偽りその他不正の

行為』という反社会的行為・反道徳的行為を行ったために、その期間が延長されるとしても、そのことは課税手続上の問題であり、正当税額を納付するという点で納税者に格別の不利益を与えるというものではない。このような観点からすれば、更正の除斥期間における『偽りその他不正の行為』の概念は、責任主義に立つほ脱犯の刑事罰の構成要件である故意を絶対的な要件と考える必要はないということができる。」

③ 判　例

(イ) 名古屋地裁昭和46年3月19日判決

「…右にいう「偽りその他不正の行為」とは脱税を可能ならしめる行為であって、社会通念上不正と認められる一切の行為を包含するものと解すべきところ…。

なお、原告は、裁決により「原告が事実の一部を偽装したとは認めがたい」と判断されているから、被告は右判断に拘束され原告が偽りその他不正の行為をしたとの理由で法定申告期限より3年を経過した日以後に更正処分をすることはできないと反論するが、一般に、裁決により原処分が取り消された場合の拘束力とは、原処分が当初よりなかったものとみなされ、関係行政庁はこれに拘束されるという意味でしかないところ、〈証拠略〉によれば、裁決により「原告が事実の一部を偽装したことは認めがたいから、重加算税賦課決定した原処分は相当でない」として重加算税賦課決定が取り消されているのであるから、被告は、再び重加算税賦課決定をし得ないという拘束を受けるにすぎず、更正期間制限についての観点からは何らの拘束を受けるものではない。」

(ロ) 東京高裁平成5年2月25日判決

「なお、同法（筆者注・国税通則法）70条2項4号の「偽りその他不正の行為」と同法68年の「隠ぺい」「仮装」とは、その他の要件及び効果を異にするものであって、具体的事実において常に軌を一にして適用されねばならない理由はなく、被控訴人が右とは事業年度の異なる昭和57年3月期の控訴人の法人税の更正を行った際にこれらの者に重加算税の賦課決定処分を行わ

なかったことは、前記判断の妨げとはならない。したがって、被控訴人は、法定申告期限から５年を経過する日までの期間内に更正処分を行うことができるから、被控訴人がした控訴人の昭和54年３月期の法人税についての更正処分に更正の期間制限を徒過した違法はなく、適法である。」

(ハ) 大津地裁平成６年８月８日判決

「…納税者から納税手続の依頼を受けた第三者、即ち履行補助者（履行代理者）により隠ぺい又は仮装が行われた場合にも、原則として、重加算税の賦課要件を充たし、かつ、国税通則法70条５項のいう不正の行為の要件を充たすと解するのが相当である」

④ **まとめと私見**

この問題については、上記にみてきたように、定説といえるものがないようである。「隠蔽・仮装行為」と「偽りその他不正の行為」とが同じであるという考え方はないようであるが、どちらが広い概念と考えるかについては、両説があるようである。もっとも、松沢教授のように、重加算税の賦課に「故意」が必要と考えるかどうかにもよるのであろう。筆者の全くの私見では、「偽りその他不正の行為」の方が「隠蔽・仮装行為」よりも広い概念と考えるべきではないかと考えているが、この点に関しては、まだ確定的な意見を持っていない。

しかし、重加算税の賦課、除斥期間の特例、罰則の適用に広く関係する問題であるので、国税庁としては、行政解釈をすみやかに公表して、批判を仰ぐべきではないかと考えている。

Ⅱ 同族会社等の行為又は計算の否認等

第1節 総　説

1　現行制度の概要

① 同族会社等の行為又は計算で、これを容認した場合においてはその株主若しくは社員又はその親族その他これらの者と一定の特別の関係がある者の相続税又は贈与税の負担を不当に減少させる結果となると認められるものがあるときは、税務署長は、相続税又は贈与税についての更正又は決定に際し、その行為又は計算にかかわらず、その認めるところにより、課税価格を計算することができるものとされている（相法64①）。

② 平成18年の改正において、同族会社等の行為又は計算につき、法人税法第132条第1項若しくは所得税法第157条第1項又は地価税法第32条第1項の規定の適用があった場合におけるその同族会社等の株主若しくは社員又はその親族その他これらの者と一定の特別の関係がある者の相続税又は贈与税に係る更正又は決定についても、上記①に準じて行うこととされた（相法64②）。

③ ここにいう「同族会社」とは、法人税法第2条第10号に規定する同族会社又は所得税法第157条第1項第2号に掲げる法人をいう（相法64③）。

④ なお、平成13年の改正において、移転法人又は取得法人の行為又は計算についても、同様な否認規定が設けられている（相法64④）が、これについては、最後に簡単に紹介するに止める。

2 創設の理由

この規定は、昭和25年の相続税法の改正において設けられたもので、その趣旨について当時の当局者は、次のように述べている。

(1) 「相続税・富裕税の実務」における説明（同書126～127頁）

「㈠ 一般的に云えば会社に対して財産を正式の形で遺贈又は贈与するということは極めて稀であろうが、時価より低い価額で現物出資又は財産の譲渡をするとか或いは対価を受けないで会社に対してその債務を免除することは相当に多い。これらの事由に因って会社が財産を取得したときには、会社自体に対しては法人税が課せられる訳であるから、相続税（筆者注・昭和25年当時は、相続・贈与による財産取得はすべて一生累積課税による相続税が課されていた。）を課税する必要はない。併し、それによって会社財産が増加することによって、その株式又は出資の価額が増加することになるので、既述の如く、法第9条の規定によって、その株主又は出資者がその財産の出資者、譲渡者又は債務免除をした者から、その株式又は出資の価額が増加した部分に相当する金額の利益を受けたことになり、それだけ贈与又は遺贈に因り財産を取得するものとみなされて相続税の課税を受けることになる。

㈡ ところが、所謂同族会社の場合には、右の方法によって課税するだけでは不充分なことがある。特に今回の改正においては、相続税の税率が相当高率となったのでその課税を免がれるために同族会社を利用する方法が採られることが予想される。例えば、父が100万円の価値のある財産を10万円と評価して現物出資し、子が10万円現金出資し、合わせて資本金20万円の株式会社を創立したような場合には子の所有する株式の価額は額面より多くなるが、父の所有株式の価額が増加した分は父の死亡の時でないと課税できない。そこでこのような場合には、父の出資価額100万円と割当株式の額面額との差額は会社の父に対する負債として処理せしめておき、後に相続開始のとき一括課税するのが適当な場合がある。

このような場合に備えて、相続税法においても、所得税法及び富裕税法と同様、同族会社の行為又は計算の否認に関する規定が設けられている。…

…」

しかし、この説明だけでは、どのようなことを考えているのか不明であるし、現在の実務ではこのような処理が行われているとは聞いていない。

(2) 下条進一郎氏の説明（財務経済弘報第182号「改正相続税法詳解」8頁）

「同族会社又は公益法人等を経由乃至利用して相続税負担の不当な軽減を図らんとする場合を予想して、新法は、次の如き措置を講ずることとしている。

（第64条の規定を掲げて）…例えば同族会社の特別の関係者が同会社に贈与した場合等は贈与とせず、貸金として計算することになるわけである。」

しかし、この説明も、これだけでは意味がよく分からないが、恐らく、贈与では個人の財産が減少して相続税を免れることになるから、貸金として個人財産に残すことを考えているのであろう。しかし、贈与は個人が行うのになぜ同族会社の「行為」を否認するのか。

(3) 田口豊氏の説明（「新版・相続税法（第2版）」363頁）

「たとえば、同族会社が株主等から現物出資を受けた財産の評価を時価よりもはるかに低くしているときは、その株主等の相続税または贈与税を更正又は決定する場合に会社の評価によらず税務署長の規定する時価の評価額によることとなるのである。」

しかし、この説明も、具体的に株主等にどのような課税を行うことを考えているのか明らかでない。それに会社財産の評価が不適正なら、その否認の根拠は、相続税法第22条の時価評価の原則によればよく、あえて行為計算の否認規定を援用するまでもないのではなかろうか。

(4) 結　論

結局、この相続税法第64条の行為計算否認規定は、当初考えられていた適用形態が実行できなくなり、事実上行使されなかったのではないかと推測される。それは、この適用に係る訴訟事例がほとんどなかったことからもいえると思われる。

3 行為計算否認規定の沿革と現状

租税法における行為計算否認規定は、大正12年の所得税法の改正により創設された（なお、当時は、法人の所得に対しても所得税が課税されていた。）。創設当初の規定は、次のとおりであった。

> 第73条ノ3　前条ノ法人（注1）ト其ノ株主又ハ社員及其ノ親族、使用人其ノ他特殊ノ関係アリト認ムル者トノ間ニ於ケル行為ニ付所得税逋脱ノ目的アリト認ムル場合ニ於テハ政府ハ其ノ行為ニ拘ラス其ノ認ムル所ニ依リ所得金額ヲ計算スルコトヲ得

しかし、この規定は、当時存した所得審査委員会（注2）の決議を経なければ発動できない等の問題があって、十分に機能を発揮できなかった。

(注1)　株主等の1人とその特殊関係者との株式金額等の合計額がその法人の株式金額等の合計額の2分の1以上である法人（第73条ノ2）を指すが、「同族会社」の定義はまだ設けられていなかった。
(注2)　当時の税務監督局（現在の国税局）の所轄内に置かれ、収税官吏3人と所轄内の各府県の調査委員各1名から成っていた。

そこで、大正15年の所得税法の改正において、次のように改められ、所得審査委員会の決議は要しないものとされた。

> 第73条ノ2　同族会社ノ行為又ハ計算ニシテ其ノ所得又ハ株主社員若ハ之ト親族、使用人等特殊ノ関係アル者ノ所得ニ付所得税逋脱ノ目的アリト認メラルルモノアル場合ニ於テハ其ノ行為又ハ計算ニ拘ラス政府ハ其ノ認ムル所ニ依リ此等ノ者ノ所得金額ヲ計算スルコトヲ得

この改正理由については、次のように説かれている（矢部俊雄「会社の改正所得税・営業収益税・資本利子税とその実際」（昭和2年）282頁）。

「大正9年配当金綜合課税法実施後の成績に徴すれば、所得の綜合課税を免れんが為め同族会社を通じて種々なる合法的手段に依り負担の軽減を図らんとする者が漸次多くなって到底之を放置するを容さざるに至った。そこで大正12年中所得税法に改正を加え、同族会社とその出資者又はその縁故者と

の間に成立した行為にして脱税の目的に出でたりと認められる場合は、税務官庁は所得審査委員会の決議を経てその行為を否認し所得金額の計算をなし得ることとしたのである。

ところがその後の実績に照すに未だそれだけでは充分にこの種の方法に依る脱税を防止することができない憾があったので、改正税法はさらにその認定課税の範囲を拡張し苟しくも同族会社の行為又は計算にして、脱税の目的に出でたりと認められるものあるときは、事前に所得審査委員会に附議するを要せずすべて税務官庁の認定により、その行為又は計算を否認して所得金額を計算し得ることとしたのである。

同族会社の行為又は計算にして所得税逋脱の目的に出でたりと認められるものとは如何なる場合をいうのであるかということは、畢竟各箇々の場合において諸般の事実並に事情等を綜合達観して判定すべき事実の認定問題に属するから、今ここにこれを挙げるわけにはいかないが、たとえば逋脱の目的を以て同族会社の財産を時価より低い価格でその社員に売却して、時価と売却価額との差額を社員に利得せしめた場合の如きはこれを逋脱の目的に出でた行為というを得べく、又同じく社員個人の負担すべき寄付金を同族会社の損金に計算した場合の如きはこれを逋脱の目的に出でた計算というべきであろう。」(注)

(注)　第51回貴族院特別委員会において、当時の主税局長は、行為とは例えば「社員に対する資産の低額譲渡」や「個人所有の株式を、その株式の配当期の直前に配当含みで会社に売却し、会社が配当金受領後配当落ち価額で個人が買戻す場合」等を指し、一方、計算とは「現物出資の過大評価による当該事業年度の利益と、その資産の最大償却費との相殺」等をいうとしている（村上泰治「同族会社の行為計算否認規定の沿革からの考察」（税大論叢第11号）247頁より引用）。

この改正の経緯についてはなお書くべきこともあるが、本稿では、以上の説明に止めることとする。しかし、この改正により①「同族会社」の定義が設けられたこと、②否認の対象が会社と株主等との間の行為であったものが会社の行為・計算に改められていること、③税逋脱の目的が適用要件である

ことは改められていないことを特に指摘しておきたい。

その後昭和15年の改正で、所得税法は個人の所得のみを対象とし、法人の所得については法人税法が新たに制定され、同族会社の行為計算否認規定もそれぞれ別個に規定された。

戦後の改正では、昭和22年の改正で「法人税逋脱ノ目的」が「法人税を免れる目的」とされたが、昭和25年のシャウプ勧告に基づく大改正の際、現行のように「これを容認した場合においては法人税の負担を不当に減少させる結果となると認められるものがあるとき」にこの規定が適用されることに改められた。

なお、前述のように、平成13年の改正において、企業再編税制・連結納税税制の創設に伴う新たな会社の行為計算の否認規定が設けられているが、これは、同族会社のみに限らないのと、法人税における適用事例が最近出ているので、最後に問題点だけを指摘しておきたい。

ところが、前述のとおり、突如として平成18年の改正で同族会社等の行為又は計算につき、法人税法第132条第1項若しくは所得税法第157条第1項又は地価税法第32条第1項の規定の適用があった場合におけるその同族会社等の株主若しくは社員又はその親族その他これらの者と一定の特別の関係がある者の相続税又は贈与税に係る更正又は決定については、上記1①に準じて行うこととされた（相法64②）。

これについては、後述するとおり、税制改正の大綱等では全く明らかにされず、法案の段階ではじめて公けになったもので、当局はこの改正理由について一切コメントをしていない。この問題も後述する。

以上のような経緯を経て、現在、同族会社等の行為計算否認規定は、法人税法第132条、所得税法第157条、相続税法第64条、地価税法第32条及び地方税法第72条の43にみられるが、その規定振りには差がある。すなわち、法人税法、所得税法及び相続税法を見ると、

① 法人税法の場合は、同族会社自体の法人税負担の不当減少を要件としている。

② 所得税法及び相続税法の場合は、同族会社の株主等又はその特殊関係者の所得税又は相続税若しくは贈与税負担の不当減少を要件としている。

4 「税負担の不当減少」の解釈について

このような同族会社の行為計算の否認規定の解釈についての判例・学説は、大別して2つの流れがある。これを仮に「同族対比説」、「合理性基準説」と名付けて比較検討してみよう。

(1) **同族対比説**

(イ) 総　説

同族会社の行為計算の否認規定は、非同族会社では通常なし得ないような行為計算、換言すれば同族会社なるが故になし得る行為計算を否認し、非同族会社が通常なすであろうような行為計算に引き直して課税するための規定であるとする考え方である。

この考え方は、否認規定を適用するに当たって、常に同族会社と非同族会社を対比させて考えて行こうとするもので、仮にこれを同族対非同族対比の基準と呼ぶなら、このような基準に照らして否認規定の適用の可否を判断しようとするものといえよう。

(ロ) 学　説

この説をとる学者としては、例えば武田昌輔教授がある。武田教授は「不当に減少させるかどうかは、同様な行為を非同族法人において想定した場合に、はたして同様の行為又は計算が行われるかどうか等に照らして判断するなど、客観的な判断が必要であろう」(「立法趣旨・法人税法の解釈（5訂版）」(財経詳報社) 464頁) としている。なお、忠佐市氏も同様の見解であるといわれるが、武田教授説ほど明確ではないように思う (忠佐市著「租税法要綱 (第7版)」(森山書店) 244頁)。

(ハ) 判　例

この見解に立つ判例は比較的早くから表れている。その幾つかを次に掲げる。

① 東京地裁昭和26年4月23日判決

　「同族会社の行為計算否認の規定は、同族会社を非同族会社よりも不利益に取り扱うためのものではなく、税金逋脱の目的で非同族会社では通常なし得ないような行為計算を否認して、非同族会社が通常なすであろうような行為計算に引き直して、課税するためのものである。」

② 東京地裁昭和33年12月23日判決

　「法人税法31条の3（筆者注・昭和40年改正前の規定。④まで同じ。）のいわゆる同族会社の行為計算否認の規定は、同族会社と非同族会社の課税負担の公平を期するため、同族会社であるが故に課税負担を免れるような行為計算を容易に選ぶことができたと認められる場合には、その行為計算にかかわらず、もしその行為計算を選ぶことが困難であるとしたならば、それと同一の経済的効果を達するため通常採用されるであろうところの行為計算にしたがって課税標準を定めるところにあると解すべきである。」

③ 広島地裁昭和35年5月17日判決

　「法人税法31条の3のいわゆる同族会社の行為計算否認の規定の趣旨は、同族会社のように同族関係者によって経営の支配権が確立されているところでは、税金逋脱の目的をもって、非同族会社では、容易になし得ないような行為計算をするおそれがあるので、両者の課税負担の公平を期するため、かかる場合には、その行為計算を否認し、非同族会社が通常するであろうところの行為計算にしたがってその課税標準を計算しうる権限を徴税機関に認めた規定と解すべきである。」

④ 東京高裁昭和40年5月12日法人税法違反被告事件判決

　「法人税法31条の3の規定の法意は、たとえ同族会社の行為又は計算が法律的には一応適法であるとしても、それが通常の法人経理においてはなされなかったと思われるような不当なものであり、これを容認することが社会通念上一般の法人との間の課税の均衡を失すると判断される場合に、課税上その行為又は計算を否認したうえ、通常の法人経理においてなされるべきところに従ってこれを調整する権限を税務署長に与えたものであ

⑤　広島地裁平成2年1月25日判決

以上のほか、同趣旨の判例として鹿児島地裁昭和50年12月26日判決、東京地裁昭和51年7月20日判決等があるが、比較的新しい判例として、上掲広島地裁の判決要旨を下に掲げておく。

「法人税法132条（同族会社の行為又は計算の否認）の規定の趣旨は、同族関係者によって会社経営の支配権が確立されている同族会社においては、法人税の負担を不当に減少させる目的で、非同族会社では容易になし得ないような行為計算をするおそれがあるので、同族会社と非同族会社との租税負担の公平を期するために、同族会社であるがゆえに容易に選択することのできた、純経済人として不合理な租税負担を免れるような行為計算を否認する権限を認めたものであって、同族会社に対してのみこのような行為計算の否認規定を設けたことについては十分合理的な理由があるものというべきである。」

(2) **合理性基準説**

(イ)　総　　説

同族会社の行為計算の否認規定は、同族会社の行為計算で純経済人の選ぶ行為形態として不合理なものを否認し、これを合理的なものに引き直して課税するための規定であると解する考え方である。

この考え方は、同族会社なるがゆえに容易になし得るか否かではなく、それが純経済人として合理的なものか否かを問題とするものであって、否認規定の適用を、合理性の基準に照らして判断しようとするものである。

(ロ)　学　　説

①　金子教授の説（「租税法（第23版）」532～533頁）

「（同族対比説・合理性基準説を説明した上で）いずれの考え方をとっても、具体的事件の解決に大きな相違は生じないであろうが、非同族会社の中には、同族会社にきわめて近いものから所有と経営の分離した巨大会社に至るまで、種々の段階のものがあり、何が同族会社であるがゆえに容易にな

し得る行為・計算にあたるかを判断することは困難であるから、抽象的な基準としては、第２の考え方をとり、ある行為または計算が経済的合理性を欠いている場合に否認が認められると解すべきであろう。そして、行為・計算が経済的合理性を欠いている場合とは、それが異常ないし変則的で租税回避以外に正当な理由ないし事業目的が存在しないと認められる場合のみでなく、独立・対等で相互に特殊関係のない当事者間で通常行われる取引（アメリカ租税法でarm's length transaction（独立当事者間取引）と呼ばれるもの）とは異なっている取引には、それにあたると解すべき場合が少なくないであろう。この規定の解釈・適用上問題となる主要な論点は、当該の具体的な行為計算が異常ないし変則的であるといえるか否か、その行為・計算を行ったことにつき正当な理由ないし事業目的があったか否か、および租税回避の意図があったとみとめられるか否か、である。」

② その他

このほか、広瀬正氏も、この説を支持しているとされている（北野弘久編「日本税法体系２」（学陽書房）222頁）。

(ハ) 判　　例

この見解をとる判例は、前説に比し、かつては少数派だったようだが、最近の傾向としては大多数の判例がこの説によるもののようである。そのいくつかを次に掲げる。

① 東京高裁昭和26年12月20日判決（前掲(1)(ハ)①の東京地裁昭和26年4月23日判決の控訴審判決）

「本件一連の行為からして法人税逋脱の目的ありと認められるためには若し税金逋脱の目的を抜きにして見た場合、純経済人の選ぶ行為形態として不合理なものであると認められる場合でなければならない」

② 大阪地裁昭和31年12月24日判決

「法人税法31条の３（筆者注・昭和40年改正前の規定）の規定の趣旨が……いわゆる『かくれた利益処分』によって租税の負担を免れることを防止することにあることから考えて、その判断の基準は、当該行為又は計算が、

経済的観察において実情に合目的的に適したものかどうか、経済的事情からみて正常か異常か、合理的であるか合理的でないかにあるというべきであって……」

③ 東京地裁昭和40年12月15日判決

「「法人税の負担を不当に減少させる結果となると認められる」かどうかは、もっぱら経済的、実質的見地において、当該行為又は計算が経済人の行為として不合理、不自然のものと認められるかどうかを基準として、これを判定すべきものであり……」

④ その他

以上のほかにも、合理性基準説をとる判例は多く、例えば名古屋地裁昭和44年4月5日判決、東京地裁昭和46年3月30日判決、同昭和47年3月9日判決、名古屋地裁昭和48年12月26日判決、東京高裁昭和49年6月17日判決、札幌高裁昭和51年1月13日判決、那覇地裁平成7年7月19日判決等が挙げられ、最近のものとしては、東京地裁平成8年11月29日判決、名古屋地裁平成11年5月17日判決、東京地裁平成12年11月30日判決、東京高裁平成13年7月5日判決等があり、現在の判例の傾向は、ほとんど合理性基準説によっているといえよう。

最近の事件としては、平成26年5月29日東京地裁判決がある。

この事件はIBM事件として知られ、海外の親法人から同族会社である内国法人が日本IBMの全発行済株式を取得した後、発行元の日本IBMに3回に分けて譲渡した結果生じた譲渡損失を損金に算入して欠損金額を生じさせ、その欠損金額を連結所得の計算上、損金に算入して申告をしたことがそもそもの発端になっている。

この申告を受けた原処分庁が、同族会社の行為計算の否認(法法132①)の規定を適用して、損金算入を否認する旨の更正処分をしてきたため、内国法人(原告)が、原処分は行為計算否認規定の適用要件を満たさずになされた違法なものであると主張して提訴、その取消しを求めたという事案である。

つまり、有価証券の譲渡損失の損金算入に伴い欠損金額を発生させたことが法人税の負担を不当に減少させたものと評価できるか、不当と評価できる場合に、原処分庁による課税標準等の引き直し計算が適法であるか否か、さらに更正の理由附記の不備による違法があったか否かも争点になっている。

判決は、同族会社の行為計算の否認規定の趣旨を解釈した上で、原処分庁側の主張を検討し、まず原告法人を日本IBMの中間持株会社にしたことに正当な理由ないし事業目的がなかったとは言い難いと指摘。また、一連の行為を構成する融資が独立した当事者間の通常の取引とは異なるという主張に対しても、独立した当事者間の通常の取引として到底あり得ないとまでは認め難いというべきであるし、そうと認められる証拠ないし事情等も格別見当たらないと指摘して斥けた。

さらに、有価証券の譲渡を含む一連の行為に租税回避の意図が認められるか否かについても、近い将来に連結納税の承認を受けて有価証券の各譲渡によって生ずる譲渡損失額を連結所得の金額の計算上損金に算入することを想定した上でプロジェクトの実行を承認して、その後、グループ全体でそれを想定して一連の行為をしてきたものとまでは認め難いと指摘して、原処分庁側の主張を悉く斥けた。国側は判決を不服として控訴している。

(3) **両説の検討**

(イ) 同族対比説に対する批判

以上の両説のうち同族対比説については、既に述べたとおり金子宏教授が批判を加えているほか、広瀬正氏の次のような批判がある（前掲「日本税法学体系2」222頁）。

「しかし、現在の法人の実情をみると、税法上の同族会社と非同族会社の区別が直ちになし得る行為となし得ない行為とを分ける基準とはならず、非同族会社であっても不自然、不合理な行為によって税負担を減少する事実も認められる。したがって、同族会社と非同族会社の対比のなかに不当減少の判断を求めようとする前者の見解（筆者注・同族対比説）は妥当とは考えら

れず、これを判示した判例の多くは過去のものである。」

　もっとも、この両説のいずれをとっても、結論は原則として大きな違いはないとする見解が多い。

① 清永敬次教授の説（別冊ジュリスト「租税法判例100選・第1版」42頁）

　清永教授は、上記両説の最初の指摘者といわれているが、この両説について、次のように述べられる。

　「これらの二つのいずれの立場に立つとしてもそれぞれ問題となった具体的事例の結論については原則として大きな違いは生じないであろう。なぜならば、非同族会社の通常の行為計算＝合理的なもの、同族会社で行なわれやすい行為計算＝合理的でないもの、という式が通常妥当すると思われるからである。」

② 広瀬正氏の説（前掲「日本税法体系2」122頁）

　「否認された後課税庁によって引き直される行為計算の基準を、前者は非同族会社の行為計算に、後者は社会通念上、経済人の選択する行為計算に求めているのであるが、これは非同族会社が経済人として経済的合理性をもって行為することを前提にすれば、結論として大きな相違は生じない筈である。」

③ 金子教授の説（「租税法（第23版）」532頁）

　「いずれの考え方をとっても、具体的事件の解決に大きな相違は生じないであろうが……」

　しかし、確かにいずれの説をとっても、同族会社の行為計算の否認に関しては大きな違いは生じないであろうが、次の項のこの規定が創設規定か確認規定かの検討で触れるように、この行為計算の否認の考え方が非同族会社にも及ぼし得るものであるか否かという極めて重要な命題については、いずれの考え方をとるかによって結論が異なることになりかねない。この点について清永教授は「租税法判例100選（第1版）」42頁で次のように指摘する。

　「しかしながら、後の立場（筆者注・合理性基準説）によるときは、合

理的な行為計算であるかどうかは同族非同族を問わず問題とされうるのであるから、合理性の基準は本来非同族会社にも適用されうるものである。これに対して、同族非同族対比の基準（筆者注・同族対比説）による否認は本来非同族会社には適用されないものといわなければならない。このような違いから、合理性の基準による判例の立場は非同族会社についても行為計算の否認を認める立場と容易に結び付くものであろう。」

(4) 私　見

　筆者は、常に述べるとおり、法文の規定を第一義に考える者であるから、この行為計算規定が同族会社の行為計算否認規定である以上、この規定の解釈理念は、非同族会社ならとるであろうと期待される経済的合理的な行為計算を想定し、それとの比較によって、具体的な同族会社の行為計算をどう判断するかというスタンスを厳守すべきものと考える。

　これについて、上記の一部学説にあるような非同族会社といっても千差万別であるから、同族会社であるが故に容易になし得る行為計算を判断するのは困難であるとか、非同族会社でも不自然・不合理な行為で税負担を減少する事実があるから合理性基準説をとるべきであるという考え方は、問題をすり替えているように筆者には思える。

　合理性基準説の説くところは、一応もっともらしいが、実はこの説の最も危険な点は、先ほど触れたように、この考え方が非同族会社にも及ぼし得るという問題のほか、後の個別判例の検討で筆者が指摘するように、必ずしも経済的合理的な行為をとると期待できない個人株主等やその特殊関係者間との行為にまで、この合理性基準説を持ち込んで、この否認規定の適用を支持する判例が、最近頻発していることである。これらの判例は、「同族会社の行為計算」を「同族会社の一方を当事者とする取引」と法文から全く逸脱した解釈をとっており、その点からも、法律解釈を誤った（曲解した）判決と考えているものであるが（詳細は拙稿「行為計算の否認規定～事例検討と最近の動き(1)～(3)」（税務QA2003年3月～5月（税務研究会））を参照されたい。）、合理性基準説は、そのような危険な拡大解釈に走る要因になりかねないこと

を、とりあえず指摘しておきたい。

第2節　租税回避行為と行為計算否認規定

1　租税回避行為
(1) 意　義

　行為計算否認規定の適用に関し、この規定と租税回避行為の否認との関連がしばしば問題とされる。そこで、この際、租税回避行為について、検討をしておきたい。

　まず、税法上租税回避行為について明確な定義があるわけではないが、学説のいくつかをここで紹介しよう。

(イ)　金子宏教授の説（「租税法（第23版）」133～134頁）

　「私的自治の原則ないし契約自由の原則の支配する私法の世界においては、当事者は、一定の経済的目的を達成しあるいは経済的成果を実現しようとする場合に、どのような法形式を用いるかについて選択の余地を有することが少なくない。このような私法上の選択可能性を利用し、私的経済取引プロパーの見地からは合理的な理由がないのに、通常用いられない法形式を選択することによって、結果的には意図した経済的目的ないし経済的成果を実現しながら、通常用いられる法形式に対応する課税要件の充足を免れ、もって税負担を減少させあるいは排除することを、租税回避（tax avoidance, Steuerumgehung）という。」

(ロ)　田中二郎教授の説（「租税法（第3版）」（有斐閣・法律学全集11）178頁）

　「租税回避行為というのは、迂回行為や多段階行為によって租税負担を不当に軽減・回避しようとする行為である。例えば、旧所得税法（昭和36年の改正前）によれば、有価証券の譲渡による所得は、それが事業所得とされる場合を除き、一般に非課税とされていたために、土地売買を、土地の現物出資のよる法人の設立とその株式の譲渡という形に変形することによって課税

を免れるような事例があった。このような場合には、課税の公平を確保するため、仮装された法形式に拘泥することなく、本来、その実情に適合すべき法形式に引き直し、その結果に基づいて課税しなければならない、という考え方が租税回避行為の否認である。」

(ハ)　武田昌輔教授の説（「租税回避行為の意義と内容」（日税研論集14「租税回避行為」）7頁）

「したがって、狭義の「租税回避行為」は、第一としては外見としてその行われた行為は法律上有効であり、第二としては、その形式が、その実質と一致していることであり、第三は、それが異常な法形式が採用されていることであり、第四は主として租税軽減を行うことを目的としていることである、と考えられる。」

(2)　租税回避行為は否認できるか

ドイツ租税通則法（1977年 Abgabenordnung）第42条は、次のように、一般的な租税回避行為の否認規定となっている（前掲田中「租税法」179頁）。

「法の形式可能性の濫用により租税法律を回避することはできない。濫用が存在するときは、経済的事実に相応する法的形式をした場合に発生すると同じように租税請求権が発生する。」

しかしながら、わが国では、かつて、政府税制調査会の「国税通則法の制定に関する答申」（昭和36年）4頁で、次のように一般的否認規定を設けることを勧告したが、結局、立法化はされなかった（注）。

「税法においては、私法上許された形式を濫用することにより租税負担を不当に回避又は軽減することは許されるべきではないと考えられている。このような租税回避行為を防止するためには、各税法において、できるだけ個別的に明確な規定を設けるよう努めるものとするが、諸般の事情の発達変遷を考慮するときは、このような措置だけでは不充分であると認められるので、上記の実質課税の原則の一環として、租税回避行為は課税上これを否認することができる旨の規定を国税通則法に設けるものとする。」

(注)　当時の当局者は、この点について、次のように述べている（福田光一「国

税通則法の解説」（税務弘報 Vol. 10 – No. 6・改正税法詳解特集号（昭和37年5月臨時増刊号））、134〜135頁）。

「これらの事項については、その制定の趣旨がよく理解されないままに、単純に徴税強化として誤って喧伝されたうらみがある。すなわち、国税通則法の制定の趣旨が前述のとおりであるところから、通則法の制定を機会に徴税の強化ということは毛頭考えられていないのである。

しかし、これらの点は純理論的には、理解できるとしても、実定法として規定することについては、今後における納税者の記帳慣習の習熟や判例学説の一層の展開をまつ方がより適当であるとの理由により、国税通則法への立法化が見送られ、将来における慎重な検討に委ねられた。」

したがって、現在のところ、わが税法には、ドイツ租税通則法第42条のような、一般的な租税回避行為の否認規則はなく、やや包括的な規定として、同族会社等の行為計算否認規定が、所得税法、法人税法、相続税法、地価税法及び地方税法に設けられているほか、若干の個別否認規定がある。相続税法に関しては、養子を法定相続人数に含めることが相続税の負担の不当減少になると認められる場合に、その養子の数を法定相続人の数に含めないで相続税を計算できる旨の規定（相法63）が設けられている。

そこで、問題となるのは、現行の否認規定に該当しないが、当局の目から見れば租税回避行為に該当すると認められるケースが発生した場合、それを否認することができるかということである。以下、学説・判例で検討しよう。

(イ) 学　　説
㋑　否認できるとする説
(A)　田中二郎教授の説（前掲田中「租税法」89頁、128頁）

「租税法上、いわゆる実質課税の原則をうたい、同族会社の行為計算の否認その他租税回避行為の禁止に関する規定を設けて、この趣旨を明示しているものがあるが、これらの規定も、租税の公平負担を建前とする租税法の解釈上、規定の有無にかかわらず、当然に認められるべき原則を明らかにした一種の宣言的規定とみるべきであろう。」

「租税回避防止の見地から認められる同族会社の行為又は計算の否認の

ごときも、これに関する定めは、解釈原理の宣言的表現として理解されるべきである。」

(B) 松沢智教授の説(「新版租税実体法(補正版)」(中央経済社)22頁)

「……「租税回避行為」とは、当事者間において、真実その有効な法律効果を期待するため、私法上は適法であるが、そこに社会通念と一致しない経済的に異常不合理性が認められ、その結果租税回避に結び付くため税法上否認しうる。」

(C) 広瀬正氏の説(「同族会社の行為計算の否認」(日本税法体系２．220頁))

「思うに行為計算否認の問題は、「負担の公平」の要請を満たしつつ租税法律主義の要請にも反しないような調整を、どのように理論構成するかにある。もちろん所要の立法により実定法を漸次整備補足して行くことは必要であるが、あらゆる場合を予見し個別具体的に明文規定を設けることは複雑にして流動的な経済社会において当然限界が考えられる以上、税法に規定が欠けていることに乗じて為にする納税者が私法上許された形式を濫用して不当に回避することもありうるわけであるから、かかる場合にこれを黙過してよいとすることは「負担の公平」を生命とする税法のとるべき態度とはいえない。……したがって、非同族会社であっても、その行為計算が不当に法人税を減少するような場合にはこれを同族会社の否認規定に準じて適用しうると解するのが相当と考える。」

㊁ 否認できないとする説

(A) 金子宏教授の説(「租税法(第23版)」138〜139頁)

「……この場合に否認が認められないと解すると、租税回避を行った者が不当な利益を受け、通常の法形式を選択した納税者との間に不公平が生ずることは否定できない。したがって、公平負担の見地から否認規定の有無にかかわらず否認を認める見解にも一理がある。しかし、租税法律主義のもとで、法律の根拠なしに、当事者の選択した法形式を通常用いられる法形式にひきなおし、それに対応する課税要件が充足されたものとして取り扱う権限を租税行政庁に認めることは困難である(引用判例省略)。また、

否認の要件や基準の認定をめぐって、租税行政庁も裁判所もきわめて複雑なそして決め手のない負担も背負うことになろう（省略）。したがって、法律の根拠がない限り租税回避行為の否認は認められないと解するのが、理論上も実務上も妥当であろう（省略）。もちろん、このことは租税回避行為が立法上も容認されるべきことを意味しない。新しい租税回避の類型が生み出されるごとに、立法府は迅速にこれに対応し、個別の否認規定を設けて問題の解決を図るべきであろう。」

(B) 佐藤義行弁護士の説（「租税回避行為と租税逋脱行為」（日本税法体系1．115〜116頁）

「租税法律関係において、国民は公平平等に取扱われ、租税負担は国民に公平に配分されなければならないことは、租税法の最も重要な基本原則であり、近代法の平等原則に由来する。しかし、この租税の公平負担の実現さえ可能であれば、租税法律主義の原則が要請する課税要件明確主義に反してもよいということにはならない。租税法律主義は、すぐれて憲法上の要請であり（憲法84条）、一方、租税回避行為がもたらす租税負担の不公平は、"法律に基づいて適法に課税された者との比較において課税されなかった不公平"であるから、"違法に課税された不公平"と同質ではない。租税回避行為のもたらす「租税負担の不公平」は立法措置の怠惰か立法技術の拙劣に由来する。そうだとすれば、租税回避行為につき、租税実定法の定めなくしてこれを否認する途をひらき租税法律主義に背反するおそれのある解釈論を展開すべきではない。」

(C) 忠佐市氏の説

(a) 「……(i)なにが租税負担回避行為であるかは法律で定められるべきはずであり、(ii)かつ、その法律の定めに該当する事実がある場合においていかなる租税法が適用されるべきかについても法律の定めによるべきはずである、と私は考える。(iii)租税負担の公平の原則という不確定概念を租税法律主義の原理にも優先させるべき論拠は考えられないからである」（「租税法の基本論理」（大蔵財務協会）175頁）

(b)　「すなわち、以下のように論じてきている一派がある。租税回避否認の論理は、租税法上の当然の法理なのであって、同族会社の行為計算否認の規定はその先端に位置する部分的なものにすぎない。租税回避の事実があるときはそれがなかった場合の規定によって課税されるべきことは当然の事理であるとする論調がそれである。そうした超法規的な論理は、租税法律主義の原理に優先するものではないと解されるべきはずである」(「課税所得の概念論・計算論」(大蔵財務協会) 529頁)

(D)　北野弘久教授の説 (「税法学原論 (第6版)」(青林書院) 132～133頁)

「この租税回避行為を否認するためには、税法の格別の個別規定を必要としないという議論がしばしばなされる、その根拠として、税法固有の実質課税の原則がもちだされる。しかし、右のような議論は正当ではない。租税回避行為の否認は立法府の課題であって、行政府・裁判所の課題ではない。なぜなら、租税回避行為は理論上は分別して観念できるが、現代の発達した社会においては現実には分別することがきわめて困難であり、もし、法の個別的否認規定がないのに、実質課税の原則ということで租税回避行為の否認を認めることは、租税法律主義の法的安定性・法的予測可能性が極度におかされることになるからである。かくて、ある行為が理論上は租税回避行為に該当する場合であっても、それを否認する法の個別規定がないかぎり、それは、結局、実定税法上は節税行為 (適法行為) となると解すべきである。その意味では、税法学上は租税回避行為を論ずる実益はないといえよう。」

(E)　清永敬次教授の説 (「同族会社の行為計算の否認」(租税判例100選〔第1版〕) (別冊ジュリスト・有斐閣) 43頁)

「そこで、このような観点から、同族会社の行為計算の否認規定の性格をどのように解するかが問題となる。この規定は税法の他の規定から当然否認の対象となりうる行為計算をも適用対象とするものであろうか。これについては、とくに同族会社の行為計算の否認規定のきわめて漠然とした規定の仕方からいって、肯定および否定の二つの答えがなされうるであろ

う。しかし、税法がとくに同族会社についてのみこのような規定を置いたのは、このような規定がなければ否認しえない行為計算のあることを考えてのうえのことであると解さざるを得ないから、右の答えは当然否定的なものでなければならないであろう。」

(F) 山田二郎氏の説（「同族会社の系列会社に対する製品の低価販売について行為計算の否認規定を適用した更正処分が適法とされた事例」（税務事例 Vol.14 - No.2) 5頁）

「しかし法（筆者注・法人税法の意）132条1項は、同族会社の行った低額譲渡等について、実際に認識できるのは低額譲渡等そのものだけであるが、その取引が正常でないと判定できるときに、税務署長の権限で正常取引にフィクションできることにし、この仮想の事実関係に基づいて所得計算をすることを認めているのもであり、まさしくドラスティックな権限を税務署長に与えているものである。」

(G) その他

その他中川一郎博士が、上掲と同様な説を述べられているといわれるが、現在文献で確認できないので、文献名だけを掲げておく。

（文献）税法学体系（ぎょうせい）95頁

(ロ) 判 例

㋑ 否認できるとするもの

(A) 大阪高裁昭和39年9月24日判決

「……私法上許された法形式を濫用することにより租税負担を不当に回避し又は軽減することが企図されている場合には、本来の実情に適すべき法形式に引直してその結果に基づいて課税しうることも認められなければならない。」

(B) 東京地裁昭和40年12月15日判決（同旨・東京高裁昭和43年8月9日判決）

「「法人税の負担を不当に減少させる結果となると認められる」かどうかは、もっぱら、経済的、実質的見地において、当該行為計算が経済人の行為として不合理、不自然のものと認められるかどうかを基準としてこれ

を判断すべきものであり、同族会社であるからといって、この基準を越えて広く否認が許されると解すべきでないと同時に、非同族会社についても、右基準に該当するかぎり否認が許されるものと解すべきである。」

(C) 神戸地裁昭和45年7月7日判決（注）

「税法上所得を判定するについては、単に当事者によって選定された法律形式だけでなく、その経済的実質をも判定すべきであり、当事者によって選定された法律的形式が経済的実質からみて通常採られるべき法律的形式とは一致しない異常のものであり、かつそのような法律的形式を選択したことにつき、これを正当化する特段の事情がないかぎり、租税負担の公平の見地からして、当事者によって選択された法律的形式には拘束されないと解するのが相当である。」

　（注）　この判例は、むしろ実質課税の原則に関するものと思うが、前掲「金子租税法（第23版）142頁」では、明文の否認規定がなくても否認を認めた判例の一つとされているので、ここに引用した。

(D) 東京地裁昭和46年3月30日判決

「法人税法は法人が純経済人として経済的合理的に行為計算を行なうことを予定してかような合理的行為計算に基づいて生ずる所得に課税し、租税収入を確保しようとするものであるから、同族会社であると否とを問わず、法人が租税の回避もしくは軽減の目的でことさらに不自然、不合理な行為計算をすることにより、不当に法人税の負担を免れる結果を招来した場合には、税務署長はかような行為計算を否認し、経済的合理的に行動したとすれば通常とったであろうと認められる行為計算に従って課税しうるものと解すべきである。」

(E) 広島高裁昭和43年3月27日判決

「法人税法は法人が経済人として経済的合理的に行為計算を行うことを前提として、合理的行為計算にもとづいて発生する所得に対し課税し、適正な租税収入を確保しようとするものであるから、ある法人が経済的合理性を無視した不自然な行為計算をとることにより、不当に法人税を回避軽

減したことになる場合には、税務当局は、そのような行為計算を否認して、当該法人が経済的合理的に行動したとすれば通常とったであろうと認められる行為計算に従い、課税を行い得るものと、いわねばならない。」

(F) 最高裁平成17年12月19日第2小法廷判決

後述㋺(F)の大阪地裁平成13年12月14日判決に係る事件の最終審である。内容については、後述㋺(F)を参照されたい（注）。

（注） もっとも、この最高裁判決は、租税回避を否認した判例とは必ずしもいえない。

㋺ 否認できないとするもの

(A) 東京高裁昭和47年4月25日判決

「同族会社以外の者の租税回避行為については、同族会社の行為計算の否認のほか一般的に租税回避行為の否認を認める規定のないわが税法においては、租税法律主義の原則から右租税回避行為を否認して通常の取引形式を選択しこれに課税することは許されないというべきである。」

(B) 東京高裁昭和49年6月17日判決

「同族会社の租税回避行為の否認に関する法人税法の規定（旧法人税法31条の3）は、取引当事者が経済的動機に基づき自然、合理的に行動したとすれば、普通とったはずの行為形態をとらず、ことさら不自然、不合理な行為形態をとることにより、法人税回避の結果を生じた場合、あるいは取引当事者が達成しようとした経済的目的を達成するためにはいっそう自然、合理的な行為形態が存するのにことさら不自然、不合理な行為形態をとることによって法人税回避の結果を生じた場合に、取引当事者が経済的動機に基づき自然、合理的に行動したとすれば、普通とったであろうと認められる行為計算が行われた場合と同視して法人税を課することができるものとする趣旨と解される。従って、当該取引行為（これに基づく行為計算）が不合理、不自然なものと認められるかどうかはもっぱら取引当事者が当該取引行為によって達成しようとした経済的目的に照らして判定さるべきものであって、その取引形態が単に民法・商法の見地からは異常、不

自然、不合理なものであるということだけでただちに租税回避行為に当るとすることはできないものと解すべきである。」

(C) 東京高裁昭和50年3月20日判決

「同族会社以外の者の租税回避行為については、同族会社の行為計算の否認のほか、一般的に租税回避の否認を認める規定のないわが税法においては、租税法律主義の原則から右租税回避行為を否認して通常の取引形式を選択しこれに課税することは許されないというべきである。」

(D) 大阪高裁昭和59年6月29日判決

「租税回避の目的で行われた取引行為であっても、どの程度でこれを否認できるかは、法の明文の規定、租税法の一般原則や解釈に従って行われるべきもので、租税回避行為であるだけの理由でその効果を全て否定できるものではない。」

(E) 東京高裁平成11年6月21日判決（注）

「……いわゆる租税法律主義の下においては、法律の根拠なしに、当事者の選択した法形式を通常用いられる法形式に引き直し、それに対応する課税要件が充足されたものとして取り扱う権限が課税庁に認められているのもではないから、本件譲渡資産及び本件取得資産の各別の売買契約とその各売買代金の相殺という法形式を採用して行われた本件取引を、本件譲渡資産と本件取得資産との補足金付交換契約に引き直して、この法形式に対応した課税処分を行うことが許されないことは明らかである。」

（注）この事件は、国側が高裁判決を不服として上告したが、平成15年6月13日に最高裁が上告不受理の決定を行ったので、完結をみている。この高裁判決は、また、税負担の軽減について、次のように注目すべき判示を行っている。

「本件取引に際して、亡AらとB企画の間でどのような法形式、どのような契約類型を採用するかは、両当事者間の自由な選択に任されていることはいうまでもないところである。確かに、本件取引の経済的な実体からすれば、本件譲渡資産と本件取得資産との補足金付交換契約という契約類型を採用した方が、その実体により適合しており直截であるという感は否

めない面があるが、だからといって、譲渡所得に対する税負担の軽減を図るという考慮から、より迂遠な面のある方式である本件譲渡資産及び本件取得資産の各別の売買契約とその各売買代金の相殺という法形式を採用することが許されないとすべき根拠はないものといわざるを得ない。」

(F) 大阪地裁平成13年12月14日判決（注）

　この事件は、ある銀行（RI銀行とする。）が外国税額控除に余裕枠があったことを利用し、その余裕枠を利用する目的で、在外支店が手形又は債権の買取りを行い、それらに係る受取利息に対して課された相手国政府による源泉徴収税額を控除対象となる外国法人税に相当するとして、外国税額控除を適用して確定申告を行い、課税当局は、これら一連の取引は租税回避行為に当たるとして外国税額控除を否認したため、争いとなったものである。大阪地裁は、この件につき、RI銀行の行った取引は、外国税額控除の利用を前提として行われたものであるが、顧客に金融サービスを提供し、自らも利鞘を確保する目的で行われていることから、金融機関としての正当な事業目的のある取引であるとして、課税庁の更正処分を取り消し、控訴審である大阪高裁平成15年5月14日判決も同様の判断を示した。

（注）　SU銀行の係わる同様の事件で、第1審である大阪地裁平成13年5月18日判決は、上記と同様の判断により、国側の主張をすべて退けたが、控訴審である大阪高裁平成15年6月14日判決では、SU銀行の行為は、正当な事業目的がないとして国側の主張を認め、全く逆の結果となって、最高裁の判断に注目が集まっていた。なお、SA銀行の係る同様の事件は地裁、高裁ともRI銀行と同じ判決であった。

（これらの事件に係る最高裁判決）

　このように、RI銀行事件、SU銀行事件及びSA銀行事件については、地裁段階では、三事件とも銀行側が勝訴したが、高裁段階では、RI事件及びSA事件は銀行側勝訴、SU事件は国側勝訴と結果が分かれた。そのため、最高裁判所の判断に注目が集まったが、RI事件及びSA事件はいずれも国側が勝訴し、SU事件はRI事件と同じ最高裁第2小法廷の担当事件であったため、上告人SU銀行の上告は棄却、上告審として受理しな

い旨の決定がなされ、結局、三事件とも国側勝訴となって終結に至った。ここでは、RI事件に係る最高裁平成17年12月19日第2小法廷判決（最高裁ホームページより引用：SA事件の最高裁平成18年2月23日第1小法廷判決も同趣旨）を紹介しておく（注）。

「原審（筆者注・大阪高裁平成15年5月14日判決を指す）は、上記事実関係の下において、本件取引に係る外国法人税について法人税法69条が適用されるべきであると判断し、これに反する本件各処分は違法であるとして、被上告人の取消請求をいずれも認容した第一審判決に対する控訴を棄却した。原判決の理由の趣旨は、次のとおりである。

(1) 本件取引の経済的目的は、C社及びB社にとっては、……クック諸島における源泉税の負担を軽減することにあり、被上告人（筆者注・RI銀行）にとっては、外国税額控除の余裕枠を提供し、利得を得ることにあるのである。このような経済的目的に基づいて当事者の選択した法律関係が真実の法律関係ではないとして、本件取引を仮装行為であるということはできない。

(2) 被上告人は、金融機関の業務の一環として、B社への投資の総合的コストを低下させたいというC社の意図を認識した上で、自ら外国税額控除の余裕枠を利用して、よりコストの低い金融を提供し、その対価を得る取引を行ったものと解することができ、これが事業目的のない不自然な取引であると断ずることはできない。したがって、本件取引が外国税額控除の制度を濫用したものであるということはできない。

しかしながら、原審の上記(2)の判断は是認することができない。その理由は、次のとおりである。

(1) 法人税法69条の定める外国税額控除の制度は、内国法人が外国法人税を納付することとなる場合に、一定の限度で、その外国法人税の額を我が国の法人税の額から控除するという制度である。これは、同一の所得に対する国際的二重課税を排斥し、かつ、事業活動に対する税制の中立性を確保しようとする政策目的に基づく制度である。

(2) ところが、本件取引は、全体としてみれば、本来は外国法人が負担すべき外国法人税について我が国の銀行である被上告人が対価を得て引き受け、その負担を自己の外国税額控除の余裕枠を利用して国内で納付すべき法人税額を減らすことによって免れ、最終的に利益を得ようとするものであるということができる。これは、我が国の外国税額控除制度をその本来の趣旨目的から著しく逸脱する態様で利用して納税を免れ、我が国において納付されるべき法人税額を減少させた上、この免れた税額を原資とする利益を取引関係者が享受するために、取引自体によっては外国法人税を負担すれば損失が生ずるだけであるという本件取引をあえて行うというものであって、我が国ひいては我が国の納税者の負担の下に取引関係者の利益を図るものというほかない。そうすると、本件取引に基づいて生じた所得に対する外国法人税を法人税法69条の定める外国税額控除の対象とすることは、外国税額控除制度を濫用するものであり、さらには、税負担の公平を著しく害するものとして許されないというべきである。

以上によれば、原案の前記判断には、判決に影響を及ぼすことが明らかな法令の違反がある。論旨は理由があり、原判決は破棄を免れない。そして、被上告人の請求はいずれも理由がないから、第一審判決を取り消し、被上告人の請求をいずれも棄却することとする。」

（注）これらの判決についての詳しい論評は、拙稿（税務QA'06年7～9月号）を参照されたい。

(G) 東京地裁平成13年11月9日判決

この事件はO社が100％の持分を有する外国法人AT社の出資の増資を同じくO社の関連外国法人AF社に特に有利な第三者割当てを行い、その結果O社の持分は6.25％に激減し、D社の持分が93.5％となった。課税庁は、これに対し、租税回避として、O社に課税し争いとなったが、第1審では国側が敗訴した。

課税当局は、この東京地裁判決を不服とし、その取消しを求めて控訴に及んだ。控訴審判決（東京高裁平成16年1月28日判決）は、第1審判決と異

なり、増資により法22条2項に規定する事実が生じたと認め、O社の請求を棄却した。

O社は、上記控訴審判決を不服として、課税処分の取消しを求めて、最高裁判所へ上告した。

上告審判決（最高裁平成18年1月24日第3小法廷判決）は、O社からAF社への資産価値の移転は、O社において意図し、AF社において了解したところが実現したものということができるから、本件は法22条2項の適用される取引に当たるとした。しかし、課税所得の計算の基礎となった株式の評価については、企業の継続を前提としていても、平成7年2月当時においては法人税額等相当額を控除して評価すべきであると判示して、原判決（上記高裁判決）を破棄し、O社の納付税額等の算定のため、本件を東京高裁に差し戻した。

最高裁判決の要旨は、次のとおりである。

1 法22条2項の適用の可否

O社は、AT社の唯一の株主であったというのであるから、第三者割当てにより同社の新株の発行を行うかどうか、誰に対してどのような条件で新株発行を行うかを自由に決定することができる立場にある。したがって、著しく有利な価額による第三者割当増資を同社に行わせることによって、その保有する同社株式に表章された同社の資産価値を、同株式から切り離して、対価を得ることなく、第三者に移転させることができたものということができる。そして、O社がAT社の唯一の株主という立場において、同社に発行済株式総数の15倍の新株を著しく有利な価額で発行させたのは、O社のAT社に対する持株割合を100％から6.25％に減少させ、AF社の持株割合を93.75％とすることによって、AT社株式200株に表章されていた同社の資産価値の相当部分を対価を得ることなくAF社に移転させることを意図したものということができる。また、前記の事実関係等によれば、上記の新株発行は、O社、AT社、AF社及びS財団の各役員から意思を

通じて行ったというのであるから、AF社においても、上記の事情を十分に了解した上で、上記の資産価値を受けたものということができる。

以上によれば、O社の保有するAT社株式に表章された同社の資産価値については、O社が支配し、処分することができる利益として明確に認めることができるところ、O社はこのような利益をAF社との合意に基づいて同社に移転したというべきである。したがって、この資産価値の移転は、O社の支配の及ばない外的要因によって生じたものではなく、O社において意図し、かつ、AF社において了解したところが実現したものということができるから、法22条2項にいう取引に当たるということができる。

2 株式の評価

(1) AT社の有するB放送株式について

企業の継続を前提とした株式の評価を行う場合であっても、法人税額等相当額を控除して算定された1株当たりの純資産価額は、平成7年2月当時において、一般には通常の取引における当事者の合理的意思に合致するものとして、法人税法基本通達（平成12年課法2－7による改正前のもの）9－1－14(4)にいう「1株当たりの純資産価額等を参酌して通常取引されると認められる価額」に当たるというべきである。…平成7年2月当時におけるB放送の1株当たりの純資産価額の評価において、企業の継続を前提とした価額を求める場合であることのみを根拠として、法人税額等相当額を控除することが不合理であって通常の取引における当事者の合理的意思に合致したものであるということはできず、他に上記控除が上記の評価において著しく不合理な結果を生じさせるなど課税上の弊害をもたらす事情がうかがわれない本件においては、これを控除して1株当たりの純資産価額を控除すべきである。

(2) B放送等が保有するFテレビ株式について

平成7年2月当時のFテレビ株式は取引相場のない株式で、筆頭株主は51.1％ないし45.6％の持株を有しており、B放送等の持株比率は28.4％であるから、同族株主以外の株主に該当し、その持株は、配当還元方式に

より評価すべきことになる。もっとも、B放送等のFテレビの持株比率は、同社株主に該当するか否かの判断基準である30％を下回ってはいるが、その割合は低いものではない。…そうであるとすれば、本件において同株式を配当還元方式で評価することが著しく不合理な結果を生じさせるなど、課税上の弊害をもたらす場合もあると考えられる。

ところが、原審は持株比率や課税上の弊害について何ら審理判断をしていない。…課税上の弊害があるとして時価純資産価額方式で評価すべき場合には、B放送株式の純資産価額の算定において法人税額等相当額を控除するのであるから、Fテレビの純資産価額については、重ねて法人税額等相当額を控除することなく算定すべきである。

(3) AT社が保有するAテレビ株式について

平成7年2月当時のAテレビ株式は取引相場のない株式で、筆頭株主の持株割合は38.3％であり、AT社等のそれは21.4％であるから、同族株主以外の株主に該当し、その持株は配当還元方式により評価すべきことになる。もっとも、O社及びS財団は、O社の設立したJ社にAテレビ株式を1,242株及び335株をそれぞれ1株540万円で譲渡しているので、配当還元方式で評価することは課税上弊害をもたらす場合もあると考えられるが、原審は、持株比率や課税上の弊害について何ら審理判断をしていない。

仮にAテレビ株式を配当還元方式で評価するにと課税上の弊害があるとすれば、純資産価額方式により評価すべきことになる。この場合には、法人税額等相当額を控除することが通常の取引における当事者の合理的意思に合致するものであるかどうか、ひいては、前記の課税上の弊害があるかどうかを判断するために、O社又はその主要株主とO社の子会社との間におけるAテレビ株式の各売買からうかがわれる関係者の同株式の価額についての認識等を審理すべきである。

3 結 論

以上によれば、原判決は破棄を免れない。そして、Fテレビ株式及びAテレビ株式の評価に関して上記各点を審理するとともに、B放送株式を時価

純資産価額方式（法人税額相当額は控除する）により評価し、これらに基づいてAT社の純資産価額、同社の資産価値のうちAF社に移転した額及びこれを前提としたO社の納付すべき税額を算定させるため、本件を原審に差し戻すこととする（注）。

(注) この判決についての論評は、拙稿（税務QA'06年6月号31頁以下）を参照のこと。

(H) 最高裁平成23年2月18日第2小法廷判決

ところが、最近「武富士事件判決」で知られる上記判決において、須藤裁判長の補足意見ではあるが、明瞭な規定なき租税回避行為の否認を明確に否定した。

「3 既に述べたように、本件贈与の実質は、日本国籍かつ国内住所を有するAらが、内国法人たる本件会社の株式の支配を、日本国籍を有し、かつ、国内に住所を有していたが暫定的に国外に滞在した上告人に、無償で移転したという図式のものである。一般的な法形式で直截に本件会社株式を贈与すれば課税されるのに、本件贈与税回避スキームを用い、オランダ法人を器とし、同スキームが成るまでに暫定的に住所を香港に移しておくという人為的な組合せを実施すれば課税されないというのは、親子間での財産支配の無償の移転という意味において両者で経済的実質に有意な差異がないと思われることに照らすと、著しい不公平感を免れない。国外に暫定的に滞在しただけといってよい日本国籍の上告人は、無償で1,653億円もの莫大な経済的価値を親から承継し、しかもその経済的価値は実質的に本件会社の国内での無数の消費者を相手方とする金銭消費貸借契約上の利息収入によって稼得した巨額な富の化体したものともいえるから、最適な担税力が備わっているということもでき、我が国における富の再分配などの要請の観点からしても、なおさらその感を深くする。一般的な法感情の観点から結論だけをみる限りでは、違和感も生じないではない。しかし、そうであるからといって、個別否認規定がないにもかかわらず、この租税

回避スキームを否認することには、やはり大きな困難を覚えざるを得ない。けだし、憲法30条は、国民は法律の定めるところによってのみ納税の義務を負うと規定し、同法84条は、課税の要件は法律に定められなければならないことを規定する。納税は国民に義務を課するものであるところからして、この租税法律主義の下で課税要件は明確なものでなければならず、これを規定する条文は厳格な解釈が要求されるのである。明確な根拠が認められないのに、安易に拡張解釈、類推解釈、権利濫用法理の適用などの特別の法解釈や特別の事実認定を行って、租税回避の否認をして課税することは許されないというべきである。そして、厳格な法条の解釈が求められる以上、解釈論にはおのずから限界があり、法解釈によっては不当な結論が不可避であるならば、立法によって解釈を図るのが筋であって（現に、その後、平成12年の租税特別措置法の改正によって立法で決着が付けられた。）、裁判所としては、立法の領域にまで踏み込むことはできない。後年の新たな立法を遡及して適用して不利な義務を課すことも許されない。結局、租税法律主義という憲法上の要請の下、法廷意見の結論は、一般的な法感情の観点からは少なからざる違和感も生じないではないけれども、やむを得ないところである。」

(3) **行為計算否認規定は確認規定か創設規定か**

(イ) 意　　義

すでに検討したような同族会社の行為計算否認規定の考え方が明文の規定がなくても、非同族会社にも及ぼし得るかという問題のもう一つ別の側面として、同族会社の行為計算の否認規定は確認規定か創設規定かという論争がある。すなわち、次のとおりである（注1）。

(A) 租税の賦課はすべて法に基づいてのみ行われるべきであり、その解釈もそこに規定されている用語の一般的意味内容に従ってなさればならないのであって、課税要件となる適法な私法行為を法の根拠なくしてみだりに否認することは、法的安定性と予測可能性を保障する租税法律主義から許されない。したがって、同族会社の行為計算否認の規定は、特に同族会社に

ついてのみ認められた創設規定である。
(B) 税の負担を不当に減少する行為を否認することは「負担の公平」なる税法解釈の基本原則から当然認められるべき条理であって、この意味の実質主義はそのための明文規定を必要とせず一般に認容されるところであるから、同族会社の行為計算否認の規定も、この実質主義を特に問題の多い同族会社について明文化した宣言的確認規定である。
(注1) 広瀬正「同族会社の行為計算の否認」(日本税法体系2. 218~219頁)

また、ほとんど同趣旨の説として、次のような見解がある（注2）。

「同族会社の行為計算否認規定については、そもそもこれは税法の所得概念規定およびその解釈を超えて否認する権限を特に与えているものであり、創設的規定であると解する説と、税法の基本原則である実質主義を問題の多い同族会社について確認的に規定した宣言的規定であり、所得概念規定を超えてまでの否認を認めるものではないと解する説とがある。」
(注2) 平石雄一郎「同族会社の行為計算の否認」(租税判例100選第2版・93頁)

(ロ) 学　説

特に論点を確認規定か創設規定かに絞って論じたものはないが、租税回避行為を一般的に否認しうるか否かについての賛成論者は確認規定説、反対論者は創設的規定説と考えてよいであろう。これらの説の内容はすでに掲げているので、ここでは、再度、各説をとる論者と文献名をあげるに止めておく。

(A) 確認規定説
　(イ) 田中二郎教授（前掲「租税法・第3版」89頁、128頁）
　(ロ) 松沢智教授（前掲「新版租税実体法・補正版」34頁）
　(ハ) 広瀬正氏（前掲書220頁）

(B) 創設規定説
　(イ) 金子宏教授（前掲書127頁）
　(ロ) 佐藤義行弁護士（前掲書115~116頁）
　(ハ) 忠佐市氏（前掲書175頁、529頁）

㊁　北野弘久教授（前掲書132～133頁）
　㊎　清水敬次教授（前掲書43頁）
(ハ)　判　　例
　判例も、特に、確認規定か創設規定かを重点に論じたものはないが、前に引用した判例で、非同族会社の租税回避を否認し得るとしたものは前者、否認し得ないとするものは後者といいうるであろう。その典型として前者については東京地裁昭和46年3月30日判決が、後者については東京高裁昭和50年3月30日判決が挙げられよう（注）。
(注)　このほか、大阪高裁昭和59年6月29日判決も同趣旨とみてよいであろう。また、一般的な税負担軽減策に対する当局の課税を否認した東京高裁平成11年6月21日判決にも注目すべきである。
㈡　課税当局の見解
　この問題について課税庁側が、次のように同族会社の行為計算否認規定が創設的規定であると主張している事例があるので注目すべきである（注）。
　「……本件規定（筆者注・所得税法157条）は、……発生した所得の帰属（所得の配分）のみならず、外部からの経済的価値の流入が認められない場合であっても、所得の発生を擬制し、同法36条の収入金額とすべき金額又は総収入金額に算入すべき金額を計算して課税し得る規定と解するのが相当であり、このことは、大正12年における所得税法改正当時における同族会社の行為計算の否認規定が創設的規定であると説明されていた沿革等に照らしても明らかである。」
(注)　いわゆる「平和事件」第1審における被告K税務署長の主張を引用したものである。

(4)　まとめと私見
　租税回避行為については、上記のように、学説・判例ともに、これを否認しうるか否かについて賛否両論があるが、私見としては、最近の傾向は、学説・判例ともに、具体的な否認規定がないのに租税回避行為として否認することは、できないとする考え方が有力となりつつあると考える。そして、こ

の傾向への決定打として、譲渡契約と補足金交付契約とを一連の契約とみて課税当局が否認して課税した事件について、譲渡所得税負担の意図があることを認めつつも、当事者の契約を否認して課税することはできないとした前回の東京高裁平成11年6月21日判決が、当局の上告を不受理とした最高裁の決定により、確定したことがあげられよう（注）。

（注）ただし、この判例自体には、やや筆者としては疑問の点もないわけではないが、それは別の機会に論じたい。
　　筆者も、常に申し上げるとおり、強行法規である租税法については、納税者の権利を守る見地から租税法律主義の厳格な適用が行われるべきであると考えるので、規定なくして租税回避行為の否認を行うことはできないと解するものである。

ただ、(2)の判例(F)でみた外国税額控除に関する最高裁判決は、明文のない外国税額控除の適用要件を趣旨解釈として示したもので、これを制限的ながら趣旨解釈で租税回避を認めないこととする最高裁の初判断と評価する向きがあった。

しかし、前述の武富士事件に係る最高裁平成23年2月18日第2小法廷判決で、この問題は、明文のない限り、租税回避行為は否認できないという司法の判断がようやく明確になったと評価できよう。

第3節　相続税法における同族会社の行為計算否認規定の適用状況と問題点

1　浦和地裁昭和56年2月25日判決

すでに述べたように、相続税法64条の規定により同族会社の行為計算が否認された事件で訴訟となったケースは極めて少ないが、この浦和地裁判決は、その最初の訴訟事案である。

この事件は、他にも幾つか重要な争点があるが、それらは省略して、行為計算否認に係る部分だけを簡単に紹介する。

(事件の概要)

　この事件は、同族会社の株主であった被相続人が、生前、当該同族会社に対して行った債務免除（その結果、被相続人の課税対象遺産が減少した。）に関するもので、これに対し、課税庁は、相続税法64条の規定によりその債務免除を否認して、相続税の更正処分を行い、争いとなった。

(課税庁の主張)

　相続税法64条の否認の対象となる「同族会社の行為」は、立法経緯等からみて「同族会社とかかわりのある行為」と解すべきで、会社の役員又は株主の行為は同族会社の行為と同視することができる。

(裁判所の判断)

　「……同条（筆者注・相続税法64条を指す）1項にいう「同族会社の行為」とは、その文理上、自己あるいは第三者に対する関係において法律的効果を伴うところのその同族会社が行なう行為を指すものと解するのが当然である。そうだとすると、同族会社以外の者が行なう単独行為は、その第三者が同族会社との間に行なう契約や合同行為とは異なって、同族会社の法律行為が介在する余地のないものである以上、「同族会社の行為」とは相容れない概念であるといわざるをえない。」

　この点について、課税庁は以後主張を行わなかったので、この問題に関しては、浦和地裁の判旨で確定したことになる。

(判示に対する批評)

　この判示に対しては、おおむね賛成の意見が多かった。例えば、碓井光明「相続税法64条1項にいう「同族会社の行為」の意義等」（判例時報1037号（判例評論280号）157頁以下、畠山武道「租税判例研究第149回」（ジュリスト1982年11月5日号・No.778・112頁以下）があり、課税庁側の評釈者も判示自体には反論していない（税務事例1994年8月号15頁）（注）。

　（注）　もっとも、この課税庁側の評釈者は、会社の役員あるいはこれを支配する株主等の行為のうち、同族会社と密接不離の関係からみて、同族会社の行為と同一視することができる場合すべてが一般論として否認されたものではな

いと解すべきであろうとしているが、なぜそのように解することができるのか理由は説明されていない。

2　大阪地裁平成12年5月12日判決とその問題点

(1)　事件の概要（相続税法64条1項に関する部分のみを掲げる）

原告Xは、平成3年6月14日付けでA有限会社を設立した。A社はXが3分の2、その婿養子Bが3分の1を出資し、駐車場経営及び不動産賃貸業等を目的としていた。

ところで、Xの父（当時83歳）Cは、A社設立と同じ日に、その所有する宅地等について、A社に対し、駐車場事業の用に供する目的で、地代を年額3,684万円、存続期間を60年とする地上権を設立したが、平成3年6月20日Cは死亡した。A社は同月30日に駐車場施設の工事を発注し、駐車場事業を開始した。なお、A社は、この地代の支払いのため大幅な営業損失を生じている。

Xは、Cからの相続に係る相続税の申告に対し、地上権の設定によりCの有する宅地等の評価を更地価額の10％として申告したところ、所轄Y税務署長は、相続税法64条1項の規定を根拠としてこの申告を否認し、更正処分を行い、争いとなった。

(2)　Y税務署長の主張

本件宅地等は、本件地上権が設定されている状態を前提とすると、相続税法23条が適用され、地上権割合90％が控除されることになる。この場合、賃借権が設定されている状態と比較して、Xの相続税負担を大幅に減少させる結果となって、本件地上権の設定は、不自然、不合理である。本件宅地等については、相続税法64条1項を適用し、賃借権が設定されている状態を想定した上で、更地価額に80％を乗じて課税価格を計算すべきである。

(3)　原告Xの主張

本件宅地等について、通常人間であれば地上権ではなく賃借権が設定されたはずだとはいえず、本件地上権の設定は、不自然、不合理ではない。本件

地上権の地代は、法人税法施行令137条の「相当の地代」の水準に設定したものであり、経済合理性がある。本件宅地等には、本件地上権による制限が現実に存在している以上、相続税法64条1項の適用により、現実に存在する本件地上権をないものと擬制し、現実は存在しない賃借権を想定して評価することは、客観的な交換価値の探究を旨とする財産評価理論に照らして許されない。

(4) 裁判所の判断

① 相続税法64条1項によれば、同族会社を一方の当事者とする取引が、経済的な観点からみて、通常の経済人であれば採らないであろうと考えられるような不自然、不合理なものであり、そのような取引の結果、当該同族会社の株主等の相続税又は贈与税の負担を不当に減少させる結果となると認められるものがある場合には、税務署長は、当該取引行為又はその計算を否認して、通常の経済人であれば採ったであろうと認められる行為又は計算に基づいて相続税又は贈与税を課すことができるものと解するのが相当である。

② A会社は同族会社であり、Xの父CとA会社の地上権設定契約についてみると、駐車場経営という利用目的に照らすと、本件宅地等の使用権原が賃借権ではなく、極めて強固な地上権として設定されたことは極めて不自然である。また、本件地上権の内容も、営業収益と比較して余りに高額に設定された地代の支払のためにA会社が大幅な営業損失を生じている点及びCの年齢を考えると、経済的合理性をまったく無視したものであるといわざるを得ない。そうすると、本件地上権設定契約は、通常の経済人であれば到底採らないであろうと考えられるような不自然、不合理な取引であるということができる。

そして、財産評価基本通達25項、86項及び相続税法23条の規定によれば、本件地上権の存在を前提とした場合、本件宅地等は、自用地の価額からその90％相当額を控除したものとして評価されることになるため、Xらの相続税の負担を大幅に減少させる結果となることが明らかである。

よってY税務署長は、相続税法64条1項を適用してA会社とCとの本件地上権設定行為を否認することができるというべきである。
③　原告は、同族会社にとっての採算性は相続税法64条1項の規定を適用する根拠とならず、また、法人税法施行令137条の「相当の地代」を設定したA会社とCの行為を相続税法において否認することも不合理であると主張する。

しかしながら、まず、同族会社にとっての採算性も、通常の経済人の取引行為として不自然、不合理なものであるかどうかという相続税法64条1項の規定の適用の有無を判断する際の一つの資料になることは明らかである。

次に、法人税法施行令137条は、法人税を課税するに当たって権利金の認定課税を要するか否かに関し、権利金の授受に代わるものと評価することができるだけの高額の地代を意味する「相当の地代」を支払っていれば法人税について権利金の認定課税を行わないことを意味するにとどまり、当該土地の使用がいかなる法律関係においても正常な取引条件でされたものとして取り扱うことまでを意味するものではない。したがって、原告の主張は失当である。
④　原告は、A会社は長期的にみれば採算をとることが可能であったから、本件地上権の設定は不合理なものではないと主張する。しかし、A会社は、本件地上権の設定を受けた後、地代の支払が主な原因となって、3事業年度にわたり大幅な営業損失を生じていたのであり、およそ正常な経済行為とはいい難いから、右主張も採用の限りではない。
⑤　Y税務署長は、相続税法関係個別通達「相当の地代を支払っている場合等の借地権等についての相続税及び贈与税の取扱いについて」(昭60直評9・直資2－58、改正平3課資2－51・課評2－7)(以下「相当地代通達」という。) 6項(1)に準じ、更地価額に80%を乗じて課税価格を計算している。当該規定は、土地所有者が高額の地代を収受することによって土地の資本的活用を十分図ることができる場合においては、借地権としての経済的価

値はほとんど認識されず、当該土地の底地価額は自用地としての価額とほぼ同額に評価されるべきであるとの理由に基づくものである。かかる趣旨は、本件宅地等のように借地法の適用のない借地権についても妥当する上、一般に借地法の適用のある借地権の方が借地法の適用のない借地権に比して権利保護の程度が弱いことをも併せ考慮すると、Y税務署長が、本件宅地等を相当地代通達6項(1)に準じて、自用地としての価額の80％に相当する金額によって評価したことは合理性があるというべきである。

(5) **控訴審及び上告審の判断**

この事件の控訴審判決である大阪高裁平成14年6月13日判決は、ほとんど原審の判断の引用で、否認の対象は「同族会社と株主との間の行為」としているほかは、原審判断の後追いに終始している。

また、原告側は、控訴審判決を不服として上告したが、最高裁判所は、平成15年4月8日第3小法廷の決定で、上告の棄却と上告審としての不受理が確定した。すなわち、門前払いとなって、この事件は終結し、控訴審の判断が確定したわけである（注）。

(注) この事件とほとんど同様の事件で、同じく、60年の地上権設定契約による地上権評価を相続税法第64条1項の規定により否認した課税庁の処分を、前掲判示とほぼ同様な趣旨で支持した大阪地裁平成15年7月30日判決がなされている。

(6) **本判決の問題点**

この事件は、他にも農地の評価、いわゆるA社B社方式による出資評価額の引下げ等の争点があり、この判決もそうした面に影響されているのかも知れないが、少なくとも、相続税法第64条1項の規定による行為計算否認に係る判例としては問題が多すぎると考える。以下、その問題点を挙げて検討しよう。

① **相続税法第64条1項による否認の対象は、「同族会社の行為計算」であるのに、なぜ「同族会社を一方の当事者とする取引」が否認できるのか**

相続税法第64条1項による否認の対象は、「同族会社の行為又は計算」で

あって、株主や社員の行為ではないことは、法文で明らかである。それなのに、法文からは読み取れない「同族会社を一方の当事者とする取引」をなぜ否認しようとするのか。

筆者が思うに、これは、所得税における「平和事件」の判決（前出の東京地裁平成9年4月25日判決）と同様に、同族会社と株主等が当事者である取引、端的にいえば、株主等が同族会社を相手として行った取引を否認の対象とするものである。しかし、前出の浦和地裁昭和56年2月25日判決は、そのような考え方を採っていないことはすでにみたとおりである。

しかるに、本件判決は、先例を全く無視するもので、本件判決の判旨に賛成する評釈者ですら、先例判決は妥当な判決で、本件判決は文理から離れており、文理に忠実であった先例判決と対照的であって、もしも本件判決が先例判決からの離脱を意図しているとすれば疑問があるとしている（増井良啓「相続税法64条1項を適用した事例」ジュリスト1199号・113頁）。

㋑ 本件判決への賛成意見

ただし、増井氏は、上掲論文113頁において、本件では、同族会社たるA社自体の行為として地上権を設定しているから、結論に影響するものではなく、傍論として読むべきであろうとしている。

㋺ 本件判決への反対意見

これに対し、田中治教授は、「同族会社「の」行為」という文言に即した理解と、「同族会社を「一方の当事者とする」行為」という理解とでは、相当に異なっているというべきであるとし、さらに、本判決は、「同族会社を一方の当事者とする取引」について経済的合理性を求め、地上権設定者である被相続人が高齢（83歳）であることを一つの理由として、「通常の経済人であれば到底採らないであろうと考えられるような不自然・不合理な取引である」と断じているが、この考え方は、先例の考え方からの離脱を図ったものというべきであり、また、経済人の範囲の中に同族会社だけでなく、個人（被相続人）をも含めた点において、厳格な法の解釈を逸脱したものといってよいと指摘している（「地上権の設定と租税回避行為の

否認」税経通信2001年10月号・259頁)。

(ハ) 私　見

　筆者は、この田中教授の見解に全面的に賛成であり、さらに、次の２点をつけ加えておきたい。

　(A) 地上権設定というＡ会社の行為があるから「同族会社の行為」として否認できるという増井氏の見解には反対である。なぜなら、地上権は、その被設定地の所有者が設定に同意しなければ設定できないのだから、単純にＡ社の設定行為が否認対象となるという理解には賛成しかねるものである。否認対象となるのは、むしろ被相続人の設定受入行為であるが、法文がこれを対象としていないことは明らかである。

　(B) 本件判決の論法で行くと、偶々同族会社と株主等との取引行為には、経済的合理性がなければ否認できるというが、それでは、なぜ、更に経済的合理性が乏しい個人間の取引行為は否認できるとする規定がないのか全く説明できない。偶々取引の相手方が同族会社のときだけ否認できるという極めて珍妙な結論になる。これは、判決の考え方が誤っているとしかいいようがない。

② **本件事案におけるどの事実が租税負担の不当減少になるのか**

　本件判決では、不当減少の理由として、次の点を挙げている。

(イ)　駐車場のために地上権を設定するのは不自然・不合理である。

(ロ)　Ａ会社が大幅な損失を計上してまで、高額な地代を支払うのは、不当な租税回避である。

(ハ)　「相当な地代」は、法人税での権利金認定課税を回避するためのもので、相当な地代を支払っても、相続税・贈与税の課税上それが適当な地代であるということにはならない。

　この判旨に対し、前掲の増井氏はおおむね判決の理由に賛成し、判旨を支持している。

　しかし、これに対し、次のような反対意見がある。

⑦　品川芳宣教授の意見(「相続税法64条と評価通達６項の関係」税研2001年５

月号・96～97頁）
(A) 地上権は、地上及び地下の一切の設備を含む工作物等を所有することを目的とする権利（物権）であるから、駐車場設備のために地上権が設定されたからといって、一概に不自然・不合理とはいい難い。
(B) A会社がCに支払う地代が高額であることについては、A会社に対する地上権の認定課税を避ける意味があったことが推測され、かつ、Cにとっては多額な所得税負担を負うというリスクを伴うことになるから、地代が高額であることをもって、不当に租税を回避したともいい難い。
(C) しかも、A会社が支払った地代は「相当の地代」で法人税法上は「正当な取引条件」で行ったものとされる。また、相続税・贈与税に適用される「相当地代通達」においても、6％の地代を「相当の地代」としているから、納税者側から見れば、法人税の上で正常な取引とされるものは、相続税の上でも正常な取引として取り扱われるものと信じることには無理からぬものがある。

㈹ 田中治教授の意見（前掲論文257～258頁）

田中教授は、相続税の負担の不当減少について、不当性の判断は、同族会社によってされた行為や計算の異常性に着目すべきものとした上で、次のように判旨を批判する。
(A) 会社が一定の事業を継続的・安定的に営む場合には、相手方の同意がある限り、賃借権ではなく、地上権の設定を求めることそれ自体は異常ではない。選択が自由であればむしろ地上権の設定の方が経済的合理性がある。
(B) 高齢者の財産に長期間の地上権を設定することが評価の不当圧縮につながるというのであれば、相続税法23条の改正で対処すべきである。
(C) 会社が、その事業を長期・安定的に営むためには、地上権の設定が最も合理的で他の方法は考えられない。
(D) もし、納税者の権利設定行為が実体のない架空のものと考えるなら、自用地として評価すべきであり、相続税法64条の問題ではない。

③ 筆者の補足

　筆者の本判決に対する見解等は、3で述べるが、そもそも、土地の利用権として民法は、地上権と賃借権の選択を認めているのであり、その選択の理由としては当然、税負担の軽減を意図することもあり得ることである。たしかに地上権を設定する方が宅地の評価を軽減することになるが、それは、相続税法23条と評価通達が余りにもアンバランスであることによるので、有利な方を選択したからといって、それが税負担の不当回避というのは本末転倒である。

3　私　見
(1) 概　括

　以上に見てきたとおり、同族会社の行為否認規定の適用に係る訴訟事件のうち、所得税及び相続税に関連するものに対する裁判所の解釈が文理から大きく離れ始めていることが目立っている。この傾向は、所得税の事件（平和事件）である東京地裁平成9年4月25日判決を始めとして、上記の相続税に関する大阪地裁平成12年5月12日判決、同平成15年7月30日判決があり、また、所得税に関する福岡地裁平成11年6月29日判決もある（注）。

（注）　この判決も、株主と同族会社との間の地上権設定行為が経済的合理性を欠くという理由で所得税法157条の適用を否認しており、文理に即した解釈から逸脱しているといわざるを得ない。

　ことに、前記大阪地裁判決の「同族会社の行為」を「同族会社を一方の当事者とする行為」と拡張する解釈は、租税法律主義尊重の立場から極めて危険なものといわざるを得ない。しかも、このように解釈を拡張して、事実上個人の行為を否認の対象にとり込んだ上、本来経済的合理性をもって律し得ないはずの個人の行為の是否認の判断基準に、本来利益追求体である法人の行為の判断にのみ適用すべき経済的合理性を持ち込むなど、二重の強引な判断を行っている。これは、租税法律主義の原則を有名無実にするものとしか考えられない。このような判断の最初のケースである平和事件判決で、裁判

所はこの判断の根拠として立法経緯を盛んに持ち出しているが、文理解釈上無理な判断と承知しているからではなかろうか。しかし、いくら立法経緯を説いたところで、現行の法文上読めないものは読めないのである。

もっとも、納税者を救済するための判断なら多少の拡張解釈が許されてもよいかも知れないが、行為計算否認規定は、国民の権利を侵害するものであるから、当然、厳格な法解釈を行うべきである(注)。

(注) 現に、課税庁や裁判所は、租税特別措置法に関する訴訟事件では、租税特別措置は税負担の公平上問題があるから、法の解釈は厳格であるべきだといっている。

筆者は常にいうように、悪質な租税回避を支持するつもりはなく、ただ、租税を回避するだけの目的で、他には何の意味もない行為を擁護するつもりもない。当局の処分が厳正公平なものであれば常に支持支援するものである。ただ、租税回避行為を憎むあまり、法の不備のため法文上は読めない拡張解釈を、租税負担公平の名の下に強引に行い、裁判所が支持するという最近の風潮を極めて危惧するのである。このようなことは、かえって国民の当局への不信感を抱かせることになりかねないからである。

追及すべき租税回避があり、それが法の不備でできないというのであれば、立法によって手当てすべきであり、租税回避が許せないからといって、法の拡張解釈に走ることは、法に対する信頼を揺がせるものである。

ただ、繰り返し紹介しているように、最近の武富士事件に関する最高裁平成23年2月18日第2小法廷判決中の須藤裁判長の補足意見で、武富士事件のような明らかな租税回避行為であっても、明文の否認規定がない以上、租税回避行為を否認することはできないという考えが明らかにされたことで、従来の流れに歯止めがかかったように思えるが、今後の税務行政にどのような影響を与えるのか注目していきたい。

(2) **クロス取引に係る裁判とその評価**

筆者は、課税庁が最近頓に、租税負担の軽減を図ることはすべて悪であると考える傾向が強くなっているように思え、これが、問題の発端ではないか

と考える。この点について、株式のクロス取引に関する国税不服審判所の裁判（平成2年4月19日裁判（裁決事例集No.39・106頁））が適切な参考となると思われるので、その内容の要約を紹介する。

いわゆるクロス取引を行って、値下がりしている保有株式を売却すると同時に、同一銘柄の株式を同株数、同価額で購入することにより生じた売却損について、課税庁は、かかる取引は手数料等の実損を生じるだけで、積極的なメリットは全くないもので、このクロス取引は、単に売却損を発生させ、他の株式の売買益と通算して税負担を減少させる目的で行ったものと認められるから、所得税法に内在する実質課税の条理に基づき、本件取引はなかったものとして所得計算を行うべきであると主張した。

この課税庁の主張に対して、審判所の裁決は、①本件売却損は、保有株式の値下がりによる損失を現実の売却により顕在化させただけであって意図的に作り出したものではないから、結果として損失が生じたとしても、不自然、不合理なものとはいえないし、②保有株式の値下がりによる損失を顕在化させる目的で本件取引をしたものであっても（筆者注・現に請求人はそのように主張している（同事例集108頁））、株式取引が極めて経済的危険の多い取引であり、所得税が経済的取引上考慮されるべき経済的負担であることを考えると、そのような目的があるからといって、これを不自然、不合理として否定することはできず、③現実の取引によって値下がり損失を実現している以上、評価損と同視することはできず、仮装ないし不自然な取引ともいえないから、その行為は租税回避に当たらないとして課税庁の主張を退けたのである。

筆者は、この裁決は、審判所の名裁決の一つとして高く評価するもので、特に②で、租税負担を軽減する目的があっても、必ずしも不自然、不合理とはいえないと判断したところなどは、最近の課税庁の税負担軽減策に対する過剰な反応に向けた頂門の一針というべきものではなかろうか（注）。

（注）　このクロス取引に係る所得税に関する裁決と同趣旨の法人税に係る裁決（平成4年6月30日裁決）があるが、なぜか公表されなかった。ただ、実務上の取扱いは、所得税と同様に市場を通したクロス取引で一定のものについて

は認めるものとされていた（日本証券業協会の照会に対する国税庁の回答……税務通信No.2618・平成12年4月3日号2頁以下を参照）。ところが、平成12年の法人税基本通達の改正において、日本公認会計士協会の実務指針の改正を口実として、突如、クロス取引を売却とせず、金融取引とすることに改めて、クロス取引による損出しを認めないこととしながら、個人のクロス取引については会計上の制約がないからという理由で従来どおりの取扱いとしている（税務通信No.2642・平成12年10月2日号4頁以下）。法律の改正もないのに、なぜ売買を金融取引として取扱いを変更できるのか全く理由がない。

また、行為計算規定とは異なる問題であるが、株式評価に関して財産評価基本通達6項を適用した事件で、課税庁勝訴の事件ではあるものの、課税庁側を皮肉った判例が現われている。すなわち東京高裁平成12年9月26日判決では、同通達6項を適用するならば、事前に国税庁長官の指示を公表しておくことが相当であり、このような方法によらない本件各処分の対処方法は、課税上の信義則ないしいわゆるアムビギュイティ（筆者注・ambiguity……「不明瞭な表現」）の法理に反するきらいがあるとしている。極めて適切な警句である。

第4節　税目間の調整を目的とした行為・計算否認規定の創設

　平成18年の改正で同族会社等の行為又は計算につき、法人税法第132条第1項若しくは所得税法第157条第1項又は地価税法第32条第1項の規定の適用があった場合におけるその同族会社等の株主若しくは社員又はその親族その他これらの者と一定の特別の関係がある者の相続税又は贈与税に係る更正又は決定については、第1節に準じて行うこととされた（相法64②）。

　ところが、この趣旨の規定は、相続税法のみならず、所得税法、法人税法、地価税法にも設けられた。しかも、同族会社の行為又は計算の否認規定についてこのような改正の内容が初めて明らかになったのは改正法案においてで

ある。その前段の大綱や要綱ではなんら触れられておらず、突如、法案化されたことから、実務界にも少なからず衝撃が走った。

加えて、この改正の考え方についての当局からのコメントは一切ないことが、この改正の不明朗さを物語っている。

この改正については、次のようなことがいわれている。

「所得・法人・相続の各税目に設けられている行為計算の否認規定の適用について、相互間の調整を図ることがねらいだ。例えば法人税において否認規定によって役員給与を損金不算入とされた場合に、現行では所得税においてその役員の給与所得を減額するなどの調整がうやむやにされていたが、今後は相応の調整が図られることが法律で手当てされることになる。」法人で所得加算されれば、個人ではその分を減算するという「従来からの当然の処理を確認したにすぎない」と立案元の財務省はコメントしている。

法案の文言が具体性を欠いたこともさまざまな憶測を呼んだ。例えば、法人税で否認規定の適用があった場合には所得税に係る「更正又は決定について準用する」といった書きぶりになっており、「（否認規定を）ダブル適用されるのでは？」などといった課税強化を危惧する声も聞かれていた。

財務省は、この改正について二重課税でないことをまずは強調。ある税目で否認規定が適用され、所得等に変動が生じた場合はこれに関連する他の税目において調整することがその趣旨であると説明している。

税務調査などの現場に立ち会う税理士からは、こうした調整を慣習的にやってきていたという声もあれば、根拠条文がないためできなかったという声も聞かれる。要は、調整したりしなかったりというばらつきがあったのは事実なのだろう。

今後は、このような調整規定が設けられたことで、各税目間に横串を通した「税目横断的」な視点が課税当局にもより一層求められてきそうだ。否認規定を適用して、ある税目で税額が増えることと、他の税目で調整した結果減ることを天秤にかけるような総合的な視点である。

一つの税目に否認規定を適用してあとは知らん顔という処分が今後なる分、

濫発の抑止につながるのではとの希望的観測もある。

　もっとも、伝家の宝刀との異名どおり、十年一日のごとく鎮座ましませばこのような改正も必要ないのであろうが…。依然として憶測が尽きない改正ではある。」（速報税理2006年3月21日号6頁）

　「改正の趣旨は既報のとおり、ある税目で行為計算の否認規定が適用されて増額更正された場合に、その税目に関連する他の税目においてこれに見合う分の減額更正をするといった税目間の調整であるが、減額更正をするかしないかは個々の事案の内容による」との見解が課税当局からは聞かれている。

　具体的な適用方法について、個々の事案によりけりとなると実際の適用にばらつきが生じることも懸念される。

　例えば所得税法第157条第3項ではおおむね以下のように示されている。

　「第1項の規定（所得税法における同族会社の行為計算の否認規定）は、法人の行為又は計算につき、法人税法もしくは相続税法における同族会社の行為又は計算の否認等の規定の適用があった場合における第1項の居住者の所得税に係る更正又は決定について準用する」となっている。

　条文中の「第1項の規定」とは周知のとおり、ある個人の所得税の負担を不当に減少させる結果となると認められるときは、税務署長の認めるところにより、申告金額等を計算することができる——という行為計算の否認規定の柱となる部分である。

　この第1項の文末の「計算することができる」というくだりと改正によって新設された条文（所法157③）の同じく文末の「準用する」との語尾とが相まって、その意味するところはいよいよ玉虫色を呈してくる。

　「準用する」の意味は、冒頭でも触れたとおり、減額更正するという趣旨であることに変わりはないものの、第1項の「計算することができる」というくだりも含めて「準用する」ことになる点に注意する必要がありそうだ。第1項はその語尾にあるようにいわゆる「できる規定」であって、しなければならない「義務規定」ではない。当然それを準用する場合にも、減額更正する場合もあるし、しない場合もある。それは個々の事案を見定めて……と

いうわけだ。

　文理解釈上はそのとおりであるにしても、納税者としてはより明確な指針がほしいところであろう。今回の改正の趣旨はこれまでの取扱いの確認であることを踏まえ、明確な指針を公表することが望まれる。」（速報税理2006年5月11日号9頁）

第5節　企業再編税制創設に伴う法人の行為計算否認

1　規定の内容

　平成13年度の税制改正において、いわゆる企業再編税制が整備されたが、これに伴い各税法において、企業再編に伴う租税回避を否認できるよう、法人の行為計算の否認規定が設けられた。相続税法においても第64条に次のような内容を持つ第3項（現第4項）が追加された。

　すなわち、合併、分割、現物出資若しくは法人税法第2条第12号の6に規定する事後設立又は株式交換若しくは株式移転（以下「合併等」という。）をした法人又は合併等により資産及び負債の移転を受けた法人（当該合併等により交付された株式又は出資を発行した法人を含む。）の行為又は計算で、これを容認した場合においては、当該合併等をした法人若しくは当該合併等により資産及び負債の移転を受けた法人の株主若しくは社員又はこれらの者と特別の関係がある者の相続税又は贈与税の負担を不当に減少させる結果となると認められるものがあるときは、税務署長は、相続税又は贈与税についての更正又は決定に際し、その行為又は計算にかかわらず、その認めるところにより、課税価格を計算することができることとされている。

　この規定の創設理由について、当時の当局者は、次のように説明している（「平成13年版・改正税法のすべて」492頁）。

　　「一方、従来より、法人税においては、合併や現物出資を利用した租税回

避行為が指摘されてきましたが、近年の企業組織法制の大幅な緩和に伴って、組織再編成の形態や方法は相当に多様となっており、組織再編成を利用する複雑、かつ、巧妙な租税回避行為が増加するおそれがあります。

そこで、これらに対しても適正に課税を行うことができるように、相続税、贈与税及び地価税においても租税回避防止規定を措置することとされました。」

2　この規定に対する意見

この規定は、不確定概念の典型的事例といえ、上記の説明から判るように、否認すべき対象が何か、全くイメージも湧かないものを予め否認規定を置いておくというもので、このような立法が許されるものかどうか大いに問題がある。当然ながら、この規定については批判的見解が多い。

(1)　**武田昌輔教授の見解**（「組織再編税制における租税回避否認規定をめぐる諸問題」税理平成13年4月号56頁以下）

法人税法第132条の同趣旨規定についてのものであるが、要旨は、①およそ租税回避の要件は明確であるとはいえないものであり、特に組織再編成の場合の租税回避行為については、慎重に対応すべきものである。②組織再編成においては、どのような事例が租税回避に該当するのかが予想できないため、包括的な否認規定を設けるのは妥当なものとはいえないとするものである。

(2)　**大淵博義教授の見解**（「組織再編成・連結納税制度における包括的租税回避否認規定の意義と問題点」税理平成14年4月号7頁以下）

この論文も法人税法第132条の同趣旨規定に関するものであり、種々の問題点を指摘したうえ、「現行の同族会社の行為計算の否認規定の適用が混迷し課税庁による裁量的行為により課税関係が形成せられている現状に鑑みれば、包括的租税回避行為の否認規定が予定している「否認される租税回避行為」の包括的定義を実定法に盛り込むことが、その混乱に歯止めを掛けることになり、納税者の予測可能性も担保されるものと考える」としている。

Ⅱ 同族会社等の行為又は計算の否認等　1507

しかし、そのような立法はほとんど期待できないであろう。

(3) 村井正教授の見解（「連結納税制度と行為計算否認規定」税経通信平成14年8月号17頁以下）

村井教授の論稿は、連結納税制度における行為計算否認規定を論じたもので、この制度は相続税法には設けられていないが、やはり同様に問題のあるものである。同教授も結局、新設規定（法法132の3）は、何が不当な行為計算にあたるかについて予め合理的な基準を設計しておくべきであり、そうしないと連結納税制度を利用する際に全く予測可能性が立たず、利用者を徒に萎縮させるだけであるとする。

(4) 私　見

筆者も全くこれらの見解に同意見であり、このような不確定概念の典型のような租税法規は違憲であるとの議論を招くことにもなり、もし、実際にこの規定による否認が行われれば、この点が必ず論点の重要なポイントとなるであろうと考える。そのためにも、内容について、もう少し具体的な規定を設ける必要があると考える。

(5) この規定を適用した判例（東京地裁平成26年3月18日判決・控訴中）

最近、法人税の事例であるが、法人税法132条の2を適用した初の判例が示されている。

この事件は、ヤフー事件と呼ばれ、インターネット関連事業に携わる法人（原告）が関連会社の子会社の発行済株式全部を譲り受けた後、その子会社を被合併法人とする合併を行った後、法人税の申告の際に被合併法人側の未処理欠損金額（約542億円）を損金に算入して申告したのが発端である。この申告に対して原処分庁が、合併法人側の一連の行為は適格合併の要件を形式的に満たしただけの、租税回避を目的にした異常かつ変則的なもので法人税の負担を不当に減少させるものであると判断して、法人税法132条の2（組織再編成に係る行為又は計算の否認）を適用して損金算入を否認、更正処分等をしてきた。これを受けて合併法人側が原処分等は同条の要件が満たされていないにも拘わらずされた違法なものと主張、その取消しを求めて提訴した

という事案である。

つまり、適格合併の要件の充足、組織再編成に係る行為計算否認規定と同族会社の行為計算否認規定が同趣旨のものか否か等に、事件のポイントはある。

そこで判決は、組織再編成税制の概要を整理するとともに、組織再編成に係る行為・計算の包括否認規定が設けられた趣旨を解釈。その上でまず、共同で事業を営むための適格合併等の要件の一つである特定役員引継要件に触れ、形式的には要件が充足されているものの、役員の去就という観点から、合併の前後を通じて移転資産に対する支配が継続している状況があるとはいえず、立法趣旨に全く反する状態になっていることは明らかと断じた。

また、組織再編成に係る行為又は計算の規定（法法132の2）に基づく否認は、更正又は決定を受ける法人の行為又は計算に限らず、更正又は決定を受ける法人以外の法人であって、同規定の各号に掲げられた行為又は計算も含まれるという解釈を示した。結局、特定役員引継要件を満たすための役員就任は原告側法人の行為であり、これを容認すると法人税の負担を不当に減少させる結果になることから、同規定に基づいて否認できると判示して棄却した。法人側は控訴している。

第6節　実質課税の原則と租税回避

1　総説

相続税法においては、いわゆる実質課税の原則に関する所得税法第12条のような規定を欠くので、この原則の相続税への適用の有無を検討する前に、所得税の「実質所得者課税の原則」（所法12）についての検討をまず行うこととする。

所得税法第12条の「実質所得者課税」の規定は、税法の「実質主義」の一側面である「所得の帰属に関する実質主義」を宣明したものといわれている

(注解所得税法研究会「六訂版・注解所得税法」(大蔵財務協会。以下「注解所得税法」という。)188頁)。この規定は、昭和40年の改正前は「実質課税の原則」というタイトルになっていた。税法上の実質主義に立脚した規定として同族会社の行為計算否認規定などが挙げられている(「注解所得税法」189頁)。

2 沿　革

(1)　昭和24年中小企業等協同組合法の制定により企業組合の制度が創設された。

　ところが、個人営業者で組合を作り法人化しながら、自分の営業所をそのまま組合の事業所とし、自分はその事業所長になって、従来どおり個人営業を続けるという、いわば形式は法人、実態は個人のままでいる不良組合が出てきた。

　特に、福岡に本部をもち、九州一円から山陽道に及んだ「K企業組合」は、事業所2400、組合員3000、営業種目数十種に及んだ。

(2)　こういった税金逃れの企業組合かどうかを調査するための check point として昭和25年10月24日直所1-98、直法1-24のいわゆる9原則通達(のちに昭和29年4月20日直所8-15のいわゆる36原則通達に発展)が出され、また昭和28年の所得税法改正で第3条の2として実質課税の原則が明文をもって規定された。……現在は所得税法第12条となっている(注)。

　(注)　昭和28年の改正に際して、いわゆる9原則通達を規定化する所得税法第46条の3(現行第158条)もあわせて設けられている。
　　　　その趣旨は、法人に多数の営業所があり、そのうち相当数(3分の2以上)の営業所の所長等が従来その営業所で個人として同一の事業を営んでいたこと等一定の要件に該当するときは、その所長等をその営業所の所得者とみるというものである。

(3)　K企業組合のケースは実質課税の原則により、個人課税を行った。その際の争点の一つとして、第3条の2は創設的規定であり、これを遡って、実質課税を適用したのと同じであって、法律不遡及の原則に違反するのではないかということが争われたが、最高裁昭和37年6月29日第2小法廷判

決(刑事)(原審福岡高裁昭和34年3月31日判決)は、所得税法3条の2は確認的規定であるとして次のとおり判示した。

「昭和28年8月7日法律173号所得税法の一部を改正する法律により新らたに追加された同法3条の2の規定は、従来から所得税法に内在する条理として是認された原則をそのまま成文化した確認的規定であって、これによって所得税法が初めて右原則を採用した創設的規定ではないと解するのが相当であり、右原則によって所得税を課せらるべき納税義務者が同法69条1項前段の行為をした場合、これを同条項によつて処罰することは、その行為が同法3条の2の規定制定以前のものであっても、単なる慣習や常識で同法69条1項前段の犯罪構成要件の不備空白を埋めたり、また刑罰を遡及して適用したりしたことにならないから憲法31条、同法39条に違反しない。」

その後も、最高裁は、昭和39年6月30日第3小法廷判決(刑事)及び昭和39年9月17日第1小法廷判決(刑事)において同趣旨の判示を行っている。

3 実質所得者課税の規定の解釈について

(1) 実質主義と表見主義

租税負担の公平を旨とする租税法では「実質主義」をとることは当然だが、すべての租税法が実質主義をとっているわけでもない。例えば固定資産税の納税義務者である固定資産の所有者は、登記簿・課税台帳に登記・登録されている者とされる(地方税法343①~③)。これは「表見主義」の事例である(注)。

(注) 実務上の便宜・比例税率であり、総合課税でないこと等がその理由と考えられる。

(2) 法的実質主義と経済的実質主義

この規定の解釈について2つの考え方がある。

① 法的実質主義

所得の法律上の帰属について、外観(形式)と実質とが相違している場合

に実質に即して帰属を決めるという考え方である。

　（批判）
　イ　「単なる名義人」は正に「名義人」で、「収益を享受する者」が「法律上の権利者」となる。しかし、「法律上帰属するとみられる」とあるのに単なる名義人＝法律上の非権利者と考えること及び収益享受者が必ずしも法律上の権利者と限らないのにイコールと考えることに文理上無理がある。
　ロ　法律上当然のことで、ことさら実質主義ということもない。
② **経済的実質主義**
　所得の法律上の帰属と経済上の帰属とが相違している場合に、経済上の帰属に即して所得の帰属を決めるという考え方である。

　（批判）
　イ　①の批判イと逆で「法律上帰属するとみられる者が単なる名義人」とあるのを「法律上の権利者」と解するのでこれも少し無理がある。
　ロ　収益享受者を法律上の権利の所在と離れて事実上の状態とみるというが、法律上の権利なくして収益を享受するのは違法所得のケースだけではないか。
　ハ　法律上の関係を離れて収益享受の事実を認定する基準を設けるのは困難である。
③ **通達の考え方**
　所得税基本通達12－1は、資産からの収益享受者は、収益の基因となる資産の真実の権利者で判定し、それが明らかでないときは資産の名義者を真実の権利者と推定するとしている（法的実質主義の考え方）（注）。

（注）　樫田明ほか共編「令和3年版・所得税基本通達逐条解説」（大蔵財務協会）110頁でも、この12－1については法12条は経済的実質主義をいうという考えもあるが、少くとも法律上の真実の権利者が経済実質的にも収益の帰属者であるという考え方に立ち、法形式が法的実質と異なる場合にはその実質によるといっている。

また、同解説では「収益を享受する者」とは例えば貸家の所有者が家賃を親族に自由に消費させていても、第一次的には所有者が収益を享受しているとみるべきであって、その親族は単に第二次的にその分配にあずかっているとみるべきであるといっている。

④ 判例の傾向

イ　税法が古くから実質主義をとっていた例証として、株式配当については、株主名簿の記載に関係なく、株式の実質上の権利者の所得としてきている。これは戦前の行政裁判所の時代から判例があるといわれ、父が扶養親族の名義で行った預金及び利息は、反証のない限り父のものと認定した判例がある（東京地裁昭和32年1月31日判決）。これは法的実質主義の考え方といえよう。

ロ　一方、老母及び未成年の子の登記名義の家から生ずる家賃は一応、母及び子の所得と推認しつつ実質的に、これらを扶養し、生計を主宰している者に帰属するとしたものもある（大津地裁昭和32年9月24日判決）。これは経済的実質主義の考え方といえよう。

ハ　会社設立の際の手続に欠陥があり、（原始定款への記載がない等）法律的には会社財産といえない財産（法人成りの引継財産）の他への譲渡益を法人に帰属するとした判例がある（千葉地裁昭和45年12月25日判決）。

これは会社が現実にその財産の使用収益をしているということで収益は法人のものと認めたが、「税法上の法律効果とは別個に事実上発生存在している経済的効果に対し、税法上、税を課するのはその実質主義の建前から許される」として、明白に私法上の法律秩序を離れて税法上の実質主義を認めた判決であるといわれている。

もっとも、同じケースで、これと反対の判例もある。手続を欠いていることを重視したものである（富山地裁昭和40年3月26日判決）とされている。

4　相続税と実質課税の原則

相続税法には、実質課税の規定を欠くが、これは、所得税法、法人税法に

ついて、沿革で述べたような事情からまず規定が設けられたものと思われ、相続税法に実質課税の原則の適用がないと解すべきではない。例えば娘を保険金受取人としていた父が娘名義でその保険金を取得した事例につき、当局が負担者たる父から娘への贈与として贈与税を課税したのを取り消した次のような判例がある（大阪高裁昭和39年12月21日判決）。

　相続税法第5条1項にいう「保険金受取人」は、保険契約によって決定された契約上（但し名義人という趣旨ではない）の受取人をいうのであるが、保険契約上殊に保険証券等の文書上に受取人として記載された者即ち名義人が常に右法条の受取人に該当するものと解することはできず、名義人が形式的便宜的に指定されたに過ぎないような場合は、すでに当該保険契約上、保険者との関係においても、実質的な契約上の受取人は右名義人とは別人である。（娘は実質的に関与していなかったとみている。）

　これは、法的実質主義か経済的実質主義か微妙な判例である。私法上、娘が保険契約上の権利者でないといい切れるかどうかわからない。本件は、法的実質主義に立って非課税を結論付けたごとくだが、私法上の法律関係を厳密に穿鑿せず、贈与の実質なしというように判断したものといえ、むしろ経済的実質主義に近いのでないかといわれている。

5　私　見

　要するに、所得税法第12条の解釈は一方に割り切るのは適当ではない。文理上は経済的実質主義に従って解釈しつつ、しかし、その具体的適用に当たって、完全に私法秩序から乖離する場合は、3の(2)の④のハのような限定された場合（ロは広すぎる）とし、原則的には法的実質主義に沿った内容として解釈するのが無難ではなかろうか（注）。

(注)　金子宏教授は「文理的にはどちらの解釈も可能である。しかし、経済的帰属説をとると納税者の立場からは法的安定性が害されるという批判がありうるし、税務行政の見地からは経済的に帰属を決定することは実際上多くの困難を伴うという批判がありうる」として法律の帰属説を妥当としている（「租

税法（第23版）」182頁）。

また、明文はないが、相続税についても、所得税と同様に実質課税（帰属）の考え方は妥当であろう。

6　実質課税の原則にからむ諸問題

(1)　事実認定における実質判断

これは、法律の適用の前提問題で、税法固有の問題ではない。

(2)　仮装行為

税負担の軽減のためその真に意図した経済的実質と異なる形式を意図的に作り出すこと……通謀虚偽表示が適例

これは善意の第三者に対する関係を除き無効で、実質を伴わない行為は当然税法上無視される。仮装行為の否認は実質主義の問題ではない。

(3)　租税回避行為

ある経済的目的を達成するために通常とられる取引形式に代えて特殊な取引形式がとられ、その結果基本的に同じ経済的目的を達成しながら、もし、その形式に従って税法が適用されると、通常とられる取引形式によった場合に比して租税負担が軽減される場合をいうとされていることは前述した。

この租税回避行為の否認の論拠として税負担公平の見地から実質課税の原則が持ち出されることが多い。訴訟における最近の傾向として、これを「私法上の法律構成による否認」という主張が当局からされることが多くなっている。その一例として、すでに租税回避の問題でとり上げた外国税額控除の否認に係る事件（最高裁平成17年12月19日判決に係るもの）での当局の主張を次に示しておく。

「私法上の法律構成による否認とは、裁判所が私法上の当事者の真の意思を探求する形で事実認定を行い、その結果として課税が行われるものである。

課税は、第一義的に私法の適用を受ける経済取引の存在を前提として行われるのであるから、私法上の法律構成においても、当事者間の表面的形式的合意にとらわれることなく、経済的実態を考慮して実質的に認定し、当事者

が真に意図した私法上の法律構成による私法上の合意内容に基づいて課税を行うことになる。例えば、裁判所による事実認定の結果として納税者側の主張と異なる課税要件該当事実を認定し、課税が行われることは当然のことであるし、また、通謀虚偽表示の場合には、当事者の外形的な表示にとらわれず、民法上認定される当事者の真の意思に基づき課税が行われることもあり、結果として当事者が課税を免れるために外形上作り出された表面的な私法上の法律関係は無視されることになる。

したがって、私法上の法律上の法律構成による否認とは、いわば真実の法律関係に基づく課税にすぎない。……」

しかし、このような主張自体は、当局を勝訴させた最高裁判決でも全く認められていない（注）。最近の武富士事件に係る最高裁判決でも然りである。

（注） 詳しくは、拙稿「租税回避をめぐる最近の最高裁判決の検討第2部（中編）」税務QA7月号25頁以下を参照して頂きたい。

また、このような考え方は、学説としても受け入れないものが多い。その一例として、水野忠恒教授の説を挙げておく（「租税法（第5版）」（有斐閣）294頁）。筆者もこの考え方に賛成する。

「……なお、実質所得者の原則を定める所得税法12条の規定は、旧所得税法においても同一の定めがなされていたが、そこでは、「実質課税の原則」という名称がつけられていた。国税当局では、いまだに、実質課税の原則を根拠に、納税者の取引や行為を否認して、その実質に応じた課税を主張することがある。しかしながら、その実態は、仮装行為の否認を超えて租税回避行為の否認がなされている場合が少なくない。しかし、実質課税の原則は、もともと、所得の帰属の判定における原則として限定されたものであり、現在でも、実務上、租税回避の否認に実質課税の原則を根拠とすることには法的根拠を欠き、異論を唱えざるをえないと思う。」

Ⅲ　申告書の公示

第1節　総　説

1　概　要

(1)　相続税の申告書の公示

相続税の申告書の提出があった場合において、次に掲げる場合に該当するときは、税務署長は、その提出があった日から4か月以内に、その記載に従い、その者の氏名、納税地及び課税価格を少なくとも1か月間公示しなければならないこととされていた（旧相法49①）。

① その申告書に記載された課税価格が2億円を超える場合

② その申告書に添付された財産等の明細書（相法27④）に記載された被相続人の死亡の時における財産の価額（債務の金額の控除後）が5億円を超える場合

(2)　贈与税の申告書の公示

贈与税の申告書の提出があった場合において、その申告書に記載された課税価格が4,000万円を超えるときは、税務署長は、その提出があった日から4か月以内に、その記載に従い、その者の氏名、納税地及び課税価格を少なくとも1か月間公示しなければならないこととされていた（旧相法49②）。

(3)　平成18年の改正により上記(1)(2)の申告書の公示制度が廃止された

公示制度の廃止は、平成18年4月1日以後に公示するものから廃止され、同日前に行った公示については、従前どおりとされている（平成18年改正所法等附則59③）。

2 沿　革

(1) 申告書の閲覧制度の創設

　現行の申告書の公示制度の前身は、昭和22年に創設された申告書（更正等に関する書類を含む。）の閲覧制度と第三者通報制度である。これは、不誠実な納税義務者が過少申告をして税を免れることは、国家財政の擁護だけでなく、社会正義の見地からもゆゆしき問題であるので、これを防止するため、無申告や過少申告の事実を知っている者が、これを政府に報告することを報償金を出して奨励したものである（注）。

（注）　閲覧は手数料を納めれば、誰にでも認められた。また、報償金は増差税額の10％（最高限度10万円）以下とされていた。

(2) シャウプ勧告と昭和25年の改正

　昭和24年に来日したシャウプ使節団の日本税制報告書では、「申告書の秘密性」と題して、申告書の閲覧制度を所得の公示制度に改めるよう次のように勧告した。ただし、第三者通報制度については言及していない（報告書附録D・C節第3款d）。

　「現在、申告書は秘密に附せられていない。なぜなら少額の手数料を払えば誰でも他の納税者の申告書を調べることができるからである。この慣行は、通報者の手を借りて税務行政の執行を援助させようとしたものである。しかし、両者を比べて見れば、申告書の記載事項を秘密にする方がより多くの全般的協力をもたらすように思われる。それ故、申告事項を秘密にする方が適当であろう。しかし、税務行政の執行の一助として比較的大所得を有する納税者の姓名、および所得を一般に知らせることは依然として望ましい。そうすればこのような所得について情報をもっている者が相当多額な過少申告には気がつくであろう。比較的大所得を有する納税者、例えば25万円を超える所得を有する者およびその純所得に関する一覧表を各税務署に掲示し、一般の閲覧に供すればこれを達成することができる。」

　この勧告を受けて、昭和25年の税制改正において申告書の閲覧制度が申告書の公示制度に改められた。しかし、第三者通報制度はまだ存置されていた。

(3) 第三者通報制度の廃止とその後

昭和29年度の改正において、第三者通報制度が廃止された。これは、通報によって報償金を受けることを職業化した者が現われるような弊害があること、経済状況も正常化し、あわせて税務調査技術も向上した等の理由により第三者通報制度の必要性がなくなったからであるとされている。

しかし、高額所得者や財産家等についてはなお申告書の公示制度が存置され、漸次公示限度額の引上げが行われてきた。廃止前の公示限度は、昭和63年末の抜本改正の際定められたものである。

(4) 制度自体の廃止

上記のとおり、平成18年の改正において制度自体が廃止された。

(参考)
1 旧制度の内容
(1) 相続税の場合
① 公示をすべき場合

相続税の申告書の提出があった場合で、①申告書に記載されたその者の課税価格が2億円を超えるとき又は②相続税の申告書に記載された被相続人の死亡の時の純遺産額(財産の価額から債務の金額を控除した金額)が5億円を超えるときは、所轄税務署長は、次の②の事項を公示しなければならないものとされていた(旧相法49①)。

この公示すべき「申告書」は、次のとおりであった(旧相基通49-1(1))。

(イ) 課税価格が2億円を超える期限内申告書及び期限後申告書
(ロ) 修正後の課税価格が2億円を超える場合におけるその修正申告書
(ハ) 期限内申告書及び期限後申告書並びに修正申告書に添付された相続税法27条3項に規定する明細書に記載された被相続人の死亡の時における債務控除後の財産の価額が5億円を超える場合のこれらの申告書

したがって、純遺産額が5億円を超える場合には、自己の課税価格が2億円以下である相続人についても公示されることになっていた。

② 公示しなければならない事項

　税務署長が公示しなければならない事項は公示要件に該当する者が提出した申告書に従い、㈶その者の氏名、㈹納税地及び㈻課税価格である。なお、更正又は決定により、課税価格や純遺産額が公示要件を超える場合には公示は行われない。

③ 公示期間

　公示期間は、申告書の提出があった日から4か月以内に、少なくとも1か月間とされていた。

(2) 贈与税の場合

① 公示をすべき場合

　贈与税の申告書の提出があった場合で、その申告書に記載された課税価格が4,000万円を超えるときは、所轄税務署長は、次の②の事項を公示しなければならないものとされていた（旧相法49②）。

　この公示すべき「申告書」は、次のとおりであった（相基通49－1(2)）。
　㈶　課税価格が4,000万円を超える期限内申告書及び期限後申告書
　㈹　修正後の課税価格が4,000万円を超える場合におけるその修正申告書

② 公示しなければならない事項

　公示要件に該当する者が提出した申告書に従い、㈶その者の氏名、㈹納税地及び㈻課税価格で、相続税と同様に、更正又は決定により、課税価格が公示要件を超える場合には公示は行われないこととされていた。

③ 公示期間

　相続税と同様に、申告書の提出があった日から4か月以内に、少なくとも1か月間とされている。

(3) 他の税の公示制度との比較

① 公示期間

　所得税の場合、公示期間は、その申告書の年分の翌年5月16日から同月31日までとされ、したがって対象となる申告書も翌年3月31日までに提出されたものに限られていた。

② 公示事項

所得税の場合のみ、所得税額が公示され、所得金額は公示されないこととされていた（旧所法233）。

③ 公示場所

相続税については、特に公示の方法は定められていないが、
(イ) 所得税については、その税務署の掲示場その他その税務署内の公衆の見やすい場所に掲示する方法によるものとされる（所規106）。
(ロ) 法人税については、その税務署の掲示場に掲示する方法によるものとされていた（旧法規68）。

2 公示制度に対する批判

この申告書の公示制度については、主として所得税、法人税のものに対してであるが、過少申告を防ぐ心理的効果や第三者からの当局への情報提供等のメリットはあるが、制度本来の目的以外の目的で利用される傾向が強く、プライバシーの侵害になるとの批判が強くなってきており、制度自体を廃止するべきでないかという意見もある。

この制度について論じたものとして、次のような意見がある（「北野コンメンタール相続税法」432～433頁）。

「ところで、本条により、つぎに掲げる公示要件に該当する納税義務者の申告書記載事項が公示されることになるが、その納税義務者の資産状態の一部を承諾なしに公開するという点で、その納税義務者のプライバシーを侵害する恐れはないかとの疑問がなきにしもあらずである。たとえば、国税通則法123条の納税証明書の交付のように、納税義務者の資力、信用力等を的確に表示する有力な資料は、納税義務者の意に反しないように納税義務者の請求によって交付することになっている。第三者の請求による交付を原則として認めていない。このことは、納税義務者のプライバシー保障の法益の配慮がなされていると考えなければならないのであろう。本条の公示は、納税義務者の請求・承諾によるものではなく、一定の公示要件に該当する場合になされるものである。納税義務者のプライバシー保障の要請は一層重大である

といえよう。しかし、反面、本条の効果として、適正な申告を担保しうる効果のあることも見逃しえない。納税義務者のプライバシー保障の要請と適正な申告の担保要請との法益考量の問題が生じる。けだし、現行法では、納税義務者の氏名、納税地および課税価格のみを公示内容としており、法施令7条にいう申告書に添付すべき明細書の記載事項のごとく納税義務者の詳細な資産内容目録の公示を定めていないために、その限度で相当と思える。」

3　私　見

　筆者も、プライバシー保護の見地から問題はあるが、過渡的な措置として公示制度自体の存続はやむを得ないものと考えていた。ただし、公示事項をもっと制限して、遺産額及び相続人の氏名のみに止め、公示限度5億円（純遺産ベース）は現在の経済状勢では妥当ではないかと考えるが、納税地及び各人の課税価格はプライバシー保護の面から公表しない方がよいのではなかろうかと考えていた。

Ⅳ　市町村長等の通知

1　総説

　市町村長その他戸籍に関する事務をつかさどる者は、死亡又は失踪に関する届書を受理したときは、その届書に記載された事項を、その届書を受理した日の属する月の翌月末日までにその事務所の所在地の所轄税務署長に通知しなければならないこととされている（相法58①）。この規定により市町村が処理することとされている事務は、地方自治法第2条第9項第1号に規定する第1号法定受託事務とされている（相法58②）。

　この通知義務は昭和25年の改正で設置されたもので（注）、その設置の理由について当時の当局者は、「相続に因り取得する財産が相続税課税の対象となる財産で最も大きな部分を占めるので、この相続開始通知が相続税の事務処理を図る上において大きな基礎となるわけである。従って、税務署長は市町村長等がその届書を受理したときは、速やかに税務署長に通知するようとくと協議しておかねばならない」（前掲「相続税・富裕税の実務」253～254頁）と説明している。

（注）　昭和24年以前も、同様な趣旨の規定が設けられていた（旧相法18）。

2　通知義務者

　この規定による通知義務者は、「市町村長その他戸籍に関する事務をつかさどる者」とされている（相法58①）。

　すなわち、戸籍に関する事務は、市町村長がこれを管掌することとされているが（戸籍法1①）、そのほか、東京都の特別区の区長及び地方自治法第252条の19第1項の指定都市の区の区長も、戸籍に関する事務を管掌すること

されている（同法4）。

3 通知すべき事項

通知すべき事項は、死亡又は失踪に関する届書の記載事項である（相法58①）。その事項は次のとおりである（注）。

(1) **死亡届書の記載事項**（戸籍法86②、戸籍法施行規則58）。
① 死亡年月日時及び場所
② 死亡者の男女の別
③ 死亡者が日本の国籍を有しないときは、その旨
④ 死亡当時における配偶者の有無及び配偶者がないときは、未婚又は直前の婚姻について死別若しくは離別の別
⑤ 死亡当時の生存配偶者の年齢
⑥ 出生後30日以内に死亡したときは、出生の時刻
⑦ 出生後8日以内に死亡したときは、死亡者の出生の届出をした市町村名及び届出年月日
⑧ 死亡当時の世帯の主な仕事並びに国勢調査実施年の4月1日から翌年3月31日までに発生した死亡については、死亡者の職業及び産業
⑨ 死亡当時における世帯主の氏名
（注） 死亡届書の提出義務者は、同居の親族、その他の同居者、家主、地主又は家屋若しくは土地の管理人の順とされるが、順序にかかわらず届出ができ、また、同居の親族以外の親族も届出をすることができる（戸籍法86②、③）。死亡の届出は、死亡の事実を知った日から原則として7日以内にしなければならない（同法86①）。

(2) **失踪宣告の届書の記載事項**（戸籍法94、63）（注）
① 失踪宣告に係る裁判が確定した日
② 民法第31条の規定により死亡したとみなされる日
（注） 失踪宣告の届書の提出義務者は、失踪宣告の裁判の訴を提起した者で、裁判確定後10日以内にしなければならない（戸籍法94、63①）。

4 通知の期限

市町村長が通知をすべき期限は、死亡又は失踪に関する届書を受理した日の属する月の翌月末日である(相法58①)。

5 通知をすべき相手方

通知をすべき相手方は、市町村長その他戸籍に関する事務をつかさどる者の事務所の所在地の所轄税務署長とされている(相法58①)。

Ⅴ 調書の提出

1 総説

次に掲げる者で、国内に営業所、事務所その他これらに準ずるもの(以下Ⅴにおいて「営業所等」という。)を有するものは、その支払った生命保険金等について、それぞれに定める調書を作成し、営業所等の所在地の所轄税務署長に提出しなければならない(相法59①~③)。

(1) 保険会社(保険業法第2条第18項に規定する少額短期保険業者及び共済事業を行う者を含む。) 支払った保険金(退職手当金等に該当するものを除く。)に関する受取人別の調書(「生命保険金・共済金受取人別支払調書及び損害(死亡)保険金・共済金受取人別支払調書」という。)

(2) 退職手当金等を支給した者 支給した退職手当金に関する受給者別の調書(「退職手当金等受給者別氏支払調書」という。)

(3) 信託会社(信託業務を営む金融機関を含む。) 引き受けた信託(投資信託以外の信託で受益者と委託者とが同一人でない信託に限る。)に関する受益者別(相続税法第4条第2項第2号から第4号までに掲げる信託(受益者が確定し、特定せず又は不存在の信託・停止条件付信託)にあっては、委託者別)の調書(「信託に関する受益者別(委託者別)調書」という。)

2 調書の提出義務者

支払調書等の提出義務者は、保険会社、共済事業を営む者、退職手当金等の支給者及び信託銀行で国内に営業所、事務所その他これらに準ずるものを有するもので、保険会社には、外国保険事業者に関する法律の規定による免許を受けた外国保険事業者が含まれる。

また、「共済事業を営む者」とは、生命保険に類する生命共済、傷害保険に類する傷害共済のうち、その支払う共済金が相続又は遺贈によって取得したものとみなされることとなる共済事業を営む者である（相令1の2①、②）。

3　調書の提出期限

調書の提出期限は、保険金、共済金、退職手当金等についてはその支払又は支給をした月、引き受けた信託についてはその引き受けた月のそれぞれ翌月15日までとされている（相法59①）。

4　調書の提出先

支払調書の提出先は、その調書を作成した営業所等の所在地の所轄税務署長である（相法59①）。

5　調書の記載又は提出を要しない場合

支払調書に記載することを要しない保険金等は受取人、受給者、受益者又は委託者別の額が次の金額以下の場合である（相規30③⑦）。

(1)　保険金の場合　100万円
(2)　退職手当金の場合　100万円
(3)　信託の場合　引き受けた信託財産の評価額50万円

6　保険に関する調書の見直し

平成27年税制改正により、保険に関する調書に関して見直しがあった。

以下、当局の解説をみていく（「平成27年版・改正税法のすべて」541～542頁）。

(1)　改正の趣旨及び内容

保険契約者は解約によりいつでも解約返戻金を受け取ることができるため、保険契約者が死亡した場合には、その者の払込保険料により形成された解約返戻金相当額については、生命保険契約に関する権利として相続税が課税されるが、改正前の調書制度では保険契約者の死亡により契約者名義が相続人

に変更されても、保険金の支払事由が生じていないため調書が提出されず、税務署が把握するのは容易ではなかった。このため、生命保険契約に関する権利について申告が漏れている場合があった。

また、生命保険金等について所得税が課される場合において所得金額の計算上控除できるのは、原則としてその生命保険金等の受取人本人が払い込んだ保険料等に限られるが、例えば法人が契約した生命保険契約について、個人に名義を変更した後その個人に対して保険金が支払われた場合に、本来所得金額の計算上控除できない旧契約者（＝法人）の払込保険料をも含めて控除しているなど、正しい所得税の申告が行われていないケースがあった（贈与税においても類似のケースがあった。）。

こうした問題に対応するため、保険に関する調書について、次の見直しが行われた。

① **死亡による契約者変更の場合の調書の創設**

保険会社等で日本国内に営業所等を有するものは、生命保険契約又は損害保険契約の契約者が死亡したことに伴いこれらの契約の契約者の変更の手続を行った場合には、その変更の効力が生じた日の属する年の翌年１月31日までに、一定の事項を記載した調書をその調書を作成した営業所等の所在地の所轄税務署長に提出しなければならない。

② **保険金等の支払調書の記載事項の追加**

保険金の支払をする保険会社等で日本国内に営業所等を有するものは、保険金の支払を受ける者の各人別に、次に掲げる事項の記載が追加された。

【改正により追加された事項】

・　契約の締結後にその契約に係る契約者の変更（その契約に係る契約者の死亡に伴い行われるものを除く。）が行われた場合には、次に掲げる事項

　イ　契約者の変更（その契約に係る契約者の変更が２回以上行われた場合には、最後の契約者の変更）前の契約者の氏名又は名称及び住所若しくは居所又は本店若しくは主たる事務所の所在地

　ロ　その契約に係る現契約者が払い込んだ保険料の額

ハ　その契約に係る契約者の変更が行われた回数

(2)　**適用関係**

　上記(1)①の改正は、保険会社等の営業所等が生命保険契約又は損害保険契約の契約者が死亡したことに伴い契約者の変更の手続を行うことにより、平成30年1月1日以後に変更の効力が生ずる場合について適用される。

　上記(1)②の改正は、保険会社等の営業所等が契約者の変更（契約者の死亡に伴い行われるものを除く。）の手続を行うことにより、平成30年1月1日以後にその契約者の変更の効力が生じる場合について適用される。この場合、平成30年1月1日前に効力が生じた契約者の変更の回数は、記載すべき変更の回数には含まれないものとされる。

7　光ディスク等の提出と調書

　上記の調書は、その調書を提出すべき者が、所轄税務署長の承認を受けた場合には、その調書に記載すべきものとされる事項を記録した記録用の媒体（光ディスク、磁気テープ又は磁気ディスク。以下「光ディスク等」という。）の提出をもって調書の提出に代えることが認められる（相法59⑥、相令30③、⑤、相規30⑨⑩）。この光ディスク等は、調書とみなされて取り扱われる（相法59⑧）。

　この承認を受けようとする者は、その者の氏名又は名称及び住所、その提出しようとする光ディスク等の種類その他一定の事項を記載した申請書をその者の所在地の所轄税務署長に提出する必要がある（相令30③、相規30③）。この申請書の提出を受けた税務署長は、その申請について承認し、又は承認しないこととしたときは、申請者に対して、その旨を書面により通知するものとされている（相令30④）。

　平成23年の改正で、調書のうち、その提出期限の属する年の前々年の1月1日から12月31日までの間に提出すべきであった調書の枚数が1,000以上（令和3年1月1日以後に提出すべき調書については、100枚以上と引き下げられた。）であるものについては、当該調書に記載すべきものとされる事項を電子情報

処理組織を使用する方法又は光ディスク等を提出する方法のいずれかにより税務署長に提供しなければならないこととされた（注）。

（注）　上記の改正は、平成26年１月１日以後に提出すべき調書について適用する（附則第20条関係）。

(1)　調書のうち、当該調書の提出期限の属する年の前々年の１月１日から12月31日までの間に提出すべきであった当該調書の枚数として財務省令で定めるところにより算出した数が1,000以上であるものについては、当該調書を提出すべき者は、当該調書に記載すべきものとされるこれらの規定に規定する事項（以下この条において「記載事項」という。）を次に掲げる方法のいずれかにより所轄税務署長に提供しなければならない（相法59⑤）。

①　財務省令で定めるところによりあらかじめ税務署長に届け出て行う電子情報処理組織（行政手続等における情報通信の技術の利用に関する法律（平成14年法律第151号）第３条第１項（電子情報処理組織による申請等）に規定する電子情報処理組織をいう。）を使用する方法として財務省令で定める方法

②　当該記載事項を記録した光ディスク、磁気テープその他の財務省令で定める記録用の媒体（以下「光ディスク等」という。）を提出する方法

(2)　調書を提出すべき者（前項の規定に該当する者を除く。）は、政令で定めるところにより所轄税務署長の承認を受けた場合又は提出すべき調書の提出期限の属する年以前の各年のいずれかの年において(1)に基づき記載事項を記録した光ディスク等を提出した場合には、その者が提出すべき調書の記載事項を記録した光ディスク等の提出をもって当該調書の提出に代えることができる（相法59⑥）。

(3)　調書を提出すべき者が、所轄税務署長の承認を受けた場合には、その所轄税務署長以外の税務署長に対し、記載事項を電子情報処理組織（e-Tax）を使用する方法又はその記載事項を記録した光ディスク等を提出する方法のいずれかの方法により提供できることとされた（相法59⑦、相令

(4) 上記の所轄税務署長の承認を受けるための申請書の提出があった場合において、その提出の日から2か月を経過する日までに、承認又は不承認の通知がなかったときは、その日においてその承認があったものとみなすこととされた（相令30⑥）。

8 調書の請求

　税務署長は、国内に営業所又は事務所を有する法人に対し、相続税又は贈与税の納税義務者又は納税義務があると認められる者の財産又は債務に関する調書を請求することができる（相法59④）。この請求による調書については、提出期限が定められていない。これは、請求する調書の内容によって、税務署長が適宜その期限を定めるべきで、一律の期限を設けないこととしているかとも考えられるが、少なくとも、請求の際に提出期限を定めるべきであり、それが法定されていない以上罰則の適用はできないとする意見がある（「北野コンメンタール相続税法」483頁）。

　なお、この調書の請求については、次のような見解がある（「北野コンメンタール相続税法」481〜482頁）。

　「ところで、相続税または贈与税の『納税義務者』についての定義は、法1条および1条の2（筆者注・旧法）に定められているが、「納税義務があると認められる者」についての定義規定はいずれにも存しない。当該文言は、所得税法234条に定める質問検査権との関係において最近特に問題となっており、学説・判例等においても未だ統一した見解のないところである。思うに、相続税または贈与税ともに申告納税制度を採用しており、この制度の下では納税者の申告によって納税義務が第一次的に確定する。このような申告納税制度の本旨との関連において、『納税義務があると認められる者』とは、未だ確定申告書を提出していない者ではあるが、類似者の相続または贈与の財産形態または部内調査等により合理的・客観的に認定したところ納税義務があると認められるべきであると解するのが相当である。（北野弘久「質問検

査権のあり方と受忍義務」『税経通信』28巻3号62頁、同『現代税法の構造』（昭和47年勁草書房）328頁）。税務署長が納税義務者又は納税義務があると認められる者の調書を請求しうる場合は、つねにその請求に合理的・客観的な理由がなければならない。

　被請求者である法人は、自らの財産または債務に関する調書の提出義務を負う者ではなく、税務署長の請求により、納税義務者又は納税義務があると認められる者の財産又は債務に関する調書をこれらの者の承諾なしに提出しなければならない。したがって、税務署長が当該法人に係る調書を請求したことに対して当該法人がその請求の理由を求めた場合には、当該法人に対して納税義務者または納税義務があると認められる者に該当する旨の合理的・客観的な理由を開示する必要があると解する。何人も他人の財産または債務を何らの理由なくして公知させる義務はないからである。」

9　私　見

　この規定は、「被相続人に係る銀行預金等を銀行等に照会するのは、この規定に基づく」（「相続税・富裕税の実務」255頁）と説明されているが、法人と納税義務者との関係、調書の内容について、あまりにもあいまいであり、今日まで訴訟の対象にならなかったのが不思議なくらいである。恐らくは、質問検査権の一環として理解されてきたのであろうと思われるが、租税法律主義の見地から、もう少し規定の整備を図る必要があるのではなかろうか。

Ⅵ 質問検査権その他調査関係規定

第1節　質問検査権

1　総　説

⑴　国税庁、国税局又は税務署の当該職員は、相続税若しくは贈与税に関する調査又は相続税若しくは贈与税の徴収又は地価税に関する調査について必要があるときは、

①　次の㋑から㋩までの者に質問すること

②　㋑の者の財産又はその財産に関する帳簿書類（注1）その他の物件を検査すること

が認められる（通則法74の3①）。

　　（注1）　この「帳簿書類」には、その作成又は保存に代えて電磁的記録（電子的方式、磁気的方式その他の人の知覚によっては認識することができない方式で作られる記録であって、電子計算機による情報処理の用に供されるものをいう。）の作成又は保存がされている場合における当該電磁的記録が含まれる（通則法34の6③）。

　（注2）　地価税に関する説明は省略している。

　㋑　納税義務者又は納税義務があると認められる者

　㋺　「Ⅴ　調書の提出」で説明した調書を提出した者又はその調書を提出する義務があると認められる者

　㋩　納税義務者又は納税義務があると認められる者に対し、債権若しくは債務を有していたと認められる者又は債権若しくは債務を有すると認められる者

　㋥　納税義務者又は納税義務があると認められる者が株主若しくは出資

者であったと認められる法人又は株主若しくは出資者であると認められる法人
　ホ　納税義務者は納税義務があると認められる者に対し、財産を譲渡したと認められる者又は財産を譲渡する義務があると認められる者
　ヘ　納税義務者又は納税義務があると認められる者から、財産を譲り受けたと認められる者又は財産を譲り受ける権利があると認められる者
　ト　納税義務者又は納税義務があると認められる者の財産を保管したと認められる者又はその財産を保管すると認められる者
(2)　国税庁、国税局又は税務署の当該職員は、特定の納税義務者又は納税義務があると認められる者に係る相続税若しくは贈与税に関する調査又は当該相続税若しくは贈与税の徴収について必要があるときは、公証人の作成した公正証書原本のうち当該納税義務者又は納税義務があると認められる者に関する部分の閲覧を求め、又はその内容について公証人に質問することが認められている（通則法74の3②）。
(3)　当該職員は、(1)により質問し若しくは検査する場合又は(2)により閲覧を求め、若しくは質問する場合においては、その身分を示す証票を携帯し、利害関係人の請求があったときは、これを提示しなければならないこととされている（通則法74の3③）。
(4)　(1)及び(2)による質問又は検査の権限は、犯罪捜査のために認められたものと解してはならないこととされている（通則法74の3④）。

2　沿　革

(1)　所得税の質問検査権

　我が国の租税制度に質問検査権が導入されたのは、明治20年の所得税法創設に遡る。ただし、当時は税務官署がなく、所得税の調査は、府県知事及び都区長が担当し、調査委員会が調査を行ったが、調査権限は、納税者本人に対する罰則のない尋問権だけであった。これは、当時の立法機関である元老院（帝国議会の開設は、明治23年である。）が政府原案にあった関係人尋問権、

検査権及び罰則を削除してしまったからであるとされる(注)。

(注) この沿革についての記述は、北野弘久編「質問検査権の法理」(成文堂刊)(特に吉田敏幸「質問検査権の歴史的考察」前掲書615頁以下、井上一郎「戦後における質問検査権強化の背景とこれを裏付ける2、3の資料」前掲書625頁以下)、「DHC会社税務釈義(第一法規)第8巻」5101の2頁以下、「DHC相続税法コンメンタール(第2巻)」3520の1頁以下を参考としている。

次いで、明治32年の所得税法全文改正において、税務職員による「納税義務者又は納税義務アリト認ムル者」に対する質問権(検査権・罰金等はない。同法34)が初めて設けられた(注)。

(注) 明治29年に、独立の税務機関として税務管理局(現在の国税局)及び税務署が設けられている。

その後徐々に質問検査権の範囲が拡大され、昭和15年の税制大改正(法人税法が独立して制定された。)においては、納税義務者等への質問検査に対する不答弁等には罰則が適用されるに至った。そして、戦後の昭和22年の所得税法改正において現行の規定とほぼ同様の質問検査権及び罰則が定められ、昭和40年の所得税法全文改正後も、所得税法第234条等に引き継がれていたが、平成23年12月の改正により、各税法の質問検査権の規定が、通則法に移されて現在に至っている。

平成21年の総選挙で勝利を収め政権の座に就いた民主党は、平成22年度税制改正大綱(平成21年12月22日閣議決定)において、「公平・透明・納得」の税制を実現する観点から、納税者権利憲章の制定等について「1年以内を目途に結論を出す」こととされた。これを受け、政府税制調査会において、納税環境整備小委員会の専門的・実務的観点からの検討を経て、専門家委員会では「納税環境整備に関する論点整理」(平成22年9月14日)が、その後、納税環境整備PTでは平成23年度税制改正に盛り込むべき事項等についての「納税環境整備PT報告書」(平成22年11月25日)が、それぞれ取りまとめられた。このPT報告書を踏まえ、平成23年度税制改正大綱(平成22年12月16日閣議決定)において、納税者権利憲章の策定、税務調査手続の明確化、更正の請求期間の延長、処分の理由附記の実施等の国税通則法の改正について

取り組むことが示された。

　この税制改正大綱に基づき、上記の内容が盛り込まれた「所得税法等の一部を改正する法律案」が平成23年１月25日に国会に提出されたが、参議院で与野党の議席数が逆転する国会状勢の下、年度内成立には至らなかった。その後、民主党、自由民主党及び公明党による三党合意（同年６月８日）を経て、同法案の題名が「経済社会の構造の変化に対応した税制の構築を図るための所得税法等の一部を改正する法律」に改められたほか（同月10日内閣修正）、「東日本大震災からの復興のための事業及びＢ型肝炎対策の財源等に係る税制改正大綱」（同年10月11日政府税制調査会）に基づき、「納税者権利憲章の策定」及び「新たな税務調査手続の追加」に係る改正を見送るとともに、施行時期を１年間繰り延べて原則として平成25年１月１日とするなどの見直しが行われた上で（平成23年10月28日内閣修正）、同法案は同年11月30日に参議院本会議で可決・成立し、同年12月２日に公布された（平成23年法律第114号）。この結果、「納税者権利憲章の制定」、「新たな税務調査手続の追加」は見送られ、次の３つが通則法の改正によって行われるに止まった。

　①　更正の請求関係の改正
　②　税務調査手続の見直し
　③　処分の理由附記

(2)　相続税の質問検査権

　所得税が上記のように、創設当初から、質問検査権に関する規定に設けられていたのに対し、明治38年にはじめて制定された相続税法については、税務官吏による質問検査権のような規定は全く置かれていない。納税義務確定の手続規定としては、相続税の課税価格は政府が決定し、相続人に通知すること（当時の相法13）、相続が開始したときは、相続人は所轄税務署長に、３か月以内に相続財産の目録、債務の明細書を提出すること（同上相法11）の規定はあるが、調査・質問・検査等の規定はない。しかし、当時の当局者の解説（宇佐美邦雄「相続税の課税と手続」（東京賢文館・昭和４年刊）222頁以下）によれば、上記の目録・明細書の提出があれば、これを調査し、財産評

価等を行って課税価格を決定すべきことが説かれており、また、期限内に上記の財産目録の提出がない者に対しては、その提出を催告すべきことも述べられている（当時の相法22）。しかし、質問検査権については、何ら触れられていないし、また、明確な規定もない。

その理由について触れている文献は、現在のところ見当たらないが、筆者の全くの私見では次のようなことが理由ではないかと推測する。

すなわち、相続税は、それまで我が国にはなかった税種であったため、我が国固有の家族制度と相容れざるものであるとか、税率が過重で納税者の苦痛が甚大であるとか、あるいは社会主義を輸入するものである等の非難が強かった。また、日露戦争における戦費調達のための特別税であるから戦争終結により廃止すべきという論もあった（注）。

（注）「明治大正財政史（第6巻）」233頁、前掲「相続税法義解」24頁以下参照。

そこで、政府は、相続税の実施に当たっては慎重を期すこととし、明治38年1月にその施行に当たり大蔵大臣訓示を各税務監督局長に示達した。例えば、財産目録の届出があった場合には、甚だしき不正があると認められる場合以外はなるべく届出の価額によるべし（同訓示第2）とか、課税価格の決定は大体において実額をつかめばよい（同訓示第3）とか、家宝、什器、書籍、家具等で営利目的でなく、所得も生じないものは目録に記載がなければ強いて課税しなくてよい（同訓示第6）とか、現行の税務執行からは想像もできないような内容のものであった。

このような当時の状況からすれば、新設の相続税について質問検査権を設けることなど論外であるということであったのかも知れない。

したがって、相続税法に質問検査権の規定が設けられたのは、昭和13年の改正が初めてであった。その内容は、おおよそ次のようなものであった（平田敬一郎「相続税法講義案（昭和18年）」（大蔵省税務講習会）199～200頁）。

(A)　税務署長又は其の代理官は相続税に関する調査上必要があるときは被相続人、納税義務者又は納税義務があると認める者に対し質問することができる（当時の相法12の3）（注）。

(注) 読者は「被相続人」に対する質問とは何かと思われようが、当時の民法による相続には、今日の死亡による相続のほかに、家督相続については、戸主の隠居若しくは国籍喪失、戸主が婚姻若しくは養子縁組の取消しによってその家を去ったとき、女戸主の入夫婚姻若しくは入夫の離婚（旧民法964）が相続原因となり得たのである。つまり、被相続人が生存している相続があったのである。

(B) 税務署長又はその代理官は相続税に関する調査上必要があるときは、生命保険金の支払調書を提出する義務のある者に質問することができる（当時の相法12の4①）。

(C) 税務署長又はその代理官は、相続税に関する調書上必要があるときは、被相続人、納税義務者若しくは納税義務があると認められる者に金銭若しくは物品を支払う義務を有すると認められる者に対し、又は被相続人、納税義務者若しくは納税義務があると認められる者より金銭若しくは物品の支払を受ける権利を有すると認められる者に対し、その金額、数量、価額、支払期日等につき質問することができる（当時の相法12の4②）。

なお、昭和13年の改正では、質問に対する不答弁について罰則がなかったが、昭和15年の改正で不答弁又は虚偽答弁は罰金又は科料に処せられることになった。

これらの改正の理由については、まだ、明確な説明のある文献を見出していないので、理由は不明である。

その後、戦後に至り、相続税にも申告納税制度が設けられたことに伴い、質問検査権も現行のように改められた。さらに、シャウプ勧告に基づく昭和25年の改正で、質問検査権は税務の調査のためのものであって、犯罪捜査のために認められるものと解してはならない旨の規定が追加された。

その後、公証人の作成した公正証書の閲覧権、公証人への質問権が昭和28年に設けられる等の若干の改正を経て、平成23年の改正で相続税の質問検査権の規定が他の税とともに通則法74の3に移されて今日に至っている。

3 質問検査権の趣旨と性格

(1) 総　説

「税務職員の質問検査権の的確な行使は、すべての納税義務者をして租税法に定める納税義務を確実に履行せしめることの担保となるものである。したがって、それは租税行政上の公平を保障する枢要な担い手となる。他面、税務職員によるこれらの権限の行使は、多かれ少なかれ納税義務者に負担を強いることとなるものであり、これが濫用されれば、私生活の平穏を害する結果ともなりかねない」(通則法答申80頁)。

そこで、次に質問検査権の趣旨と性格に関する学説・判例を検討してみよう。なお、平成23年の改正後の判例がほとんど見当たらないことと相続税の質問検査権に関する判例は少ないので、改正前の判例及び所得税を中心としたものとならざるを得ないことをあらかじめお断りしておきたい。

(2) 判　例

旧所得税法第234条第1項の質問検査権の意義について、次のような判例がある（最高裁昭和48年7月10日決定）(注)。

「所得税の終局的な賦課徴収にいたる過程においては、原判示の更正、決定の場合のみではなく、ほかにも予定納税額減額申請（所得税法113条1項）または青色申告承認申請（同法145条）の承認、却下の場合、純損失の繰戻による還付（同法142条2項）の場合、延納申請の許否（同法133条2項）の場合、繰上保全差押（国税通則法38条3項）の場合等、税務署その他の税務官署による一定の処分のなされるべきことが法令上規定され、そのための事実認定と判断が要求される事項があり、これらの事項については、その認定判断に必要な範囲内で職権による調査が行なわれることは法の当然に許容するところと解すべきものであるところ、所得税法234条1項の規定は、国税庁、国税局または税務署の調査権限を有する職員において、当該調査の目的、調査すべき事項、申請、申告の体裁内容、帳簿等の記入保存状況、相手方の事業の形態等諸般の具体的事情にかんがみ、客観的な必要性があると判断される

場合には、前記職権調査の一方法として、同条 1 項各号規定の者に対し質問し、またはその事業に関する帳簿、書類その他当該調査事項に関連性を有する物件の検査を行なう権限を認めた趣旨であって……質問検査制度の目的が適正公平な課税の実現を図ることにあり……」

(注) 本件の判断が「決定」となっているのは、被告人の上告理由がすべて適法なものではないと判断されたことによるものと思われる。

(3) 学　　説

同じく、旧規定に関わる学説が中心である。

(イ) 山田二郎氏の見解（「税理」昭和44年12月号 9 頁）

「税法上の質問検査権そしてこれに対応する国民の真実応答義務の法的根拠は、国民の納税義務（憲法30条）に由来するものであり、国民に適正に租税を負担させようという公益目的ないし行政目的から容認されているものと考えられる。」

(ロ) 堀田力氏の見解（「税理」昭和46年 4 月号35頁）

「租税法における基本理念は、いうまでもなく課税の適正公平にあるのであって、申告納税方式によるか賦課課税によるかは、これを実現するためにいずれが適切かという観点から個々の課税手続の性質や国民の納税意識等を考慮し、立法政策として決められるものである。つまり、申告納税方式は適正公平な課税実現の一つの手段なのであり、この手段のために課税が不適正になってよく、そのため不公平を招いてよいということはありえない。自主申告制度を理由に調査を否定し、あるいはその範囲を文理を超えて縮減しようとするのは、本末転倒の思想であり、法体制に合致しないというほかないであろう。」

(ハ) 忠佐市氏の見解（「税経通信」昭和43年 8 月号15頁）

「通常調査の場合における質問検査権の行使については、現に見受けられる人員構成および徴税費のあり方からすれば、税務行政庁の裁量に委ねられていると考えざるを得ない。もとよりそれは法規裁量と考えられるべきである。すなわち、裁量の基準が存在する。抽象化すれば、その骨格となるもの

は経済性の原則とも呼ぶべきことになろう。すなわち、最小の負担において最大の能率をあげることである（もちろん、キメの細かな手を打つ対立原則が必要である）。」

㈡　山口憲弥氏の見解（「税務弘報」昭和45年10月号124～125頁）

「したがって、自発的協力をおしまない納税者に対して質問検査権の行使が円滑に行われるのに、協力を拒む納税者に対しては、必要な質問検査権の行使が十分に行なわれないというようなことがあってはならないことは当然である。

正当な所得を申告している納税者は、その所得金額が正当であるかどうかを確認すべき税務調査を拒む何らの必要がないことから考えると、協力を拒む納税者についてこそ、協力を惜しまない多数の納税者との課税の公平を図るためにも、必要な質問検査権の行使が十分に確保されなければならない。

以上要するに、質問検査権の行使にあたって、いかなる範囲の手段方法が許されるかは、調査対象者の記帳状況、取引証拠書類等の保存状況、税務調査に対する協力度等の要素等との相関関係において判断されるべき問題であって、税法に定める納税義務の適正な実現を確保するという目的にてらして、その必要性が決定されるものと考えられる。」（注）

（注）　このほか、同趣旨の意見は次のとおりである。
　　　岩橋憲治氏（「税理」昭和44年12月号86頁）
　　　光広龍夫氏（「税務弘報」昭和45年4月号99頁）

㈥　北野弘久教授の見解（「税法学原論（第6版）」（青林書院）378頁）

「実体税法上の調査権のうち通常の課税処分のための調査権は、納税義務確定のために認められるものである。より具体的にいえば、適正な課税処分（更正・決定・賦課決定等）を行うための資料を得ることを目的とし、純粋に行政目的のものである。この調査権は、その性格上被調査者の同意を前提としてのみ行使しうる。つまり、被調査者の任意の協力を前提とする任意調査としてのみ成立する。しかるに、この調査権の行使に対して現行法は罰則をもって「担保」、「強制」することとしている。一方、国犯法上の調査権は、

終局的には犯則事件の通告処分または告発を目的としてその証ひょうを発見・収集するために認められるものである。この調査権については、任意調査の手段のほかに裁判官の許可状による強制調査の手段も認められる。両者は、明らかに異なった目的・性格を有する。

　人々がもっとも日常的に接する調査権の行使は、ここにいう通常の課税処分のための調査権である。それだけに、とりわけこの調査権のあり方が重要になってくる。各個別税法はそれぞれ税務職員の質問検査権に関する規定を設けているが、その規定はきわめて簡潔であり、かつ不備である。そのことは、税務職員の質問検査権行使について法的限界が存在しないことを意味するものではない。各質問検査権の行使には、税法学上は厳格に一定の法的限界が存在するのである。この法的限界をこえた質問検査権の行使は違法である。」

㈻　板倉宏氏の見解（「判例時報」575号128〜129頁）

　「税務当局は、国税犯則取締法による裁判官の許可を得て臨検、捜索、差押などができるのであり、刑罰の威嚇のもとに、ひろく検査権をみとめることは、実質的には、令状によらない強制捜査をみとめるにもひとしいことになってしまう。そうすると、青色申告者のように、帳簿の備付が義務づけられていないいわゆる白色申告者に対して、調査の理由を一切具体的に説明せず、ただ調査の必要があるからだということだけで、刑罰の威嚇のもとに包括的に書類一切を求め、包括的に得意先仕入先全部の住所氏名を告げ、さらには工場内を見せることなどを要求したりすることは、とうてい許されないわけである。」

4　個別問題の検討

(1)　「当該職員」の意義

　質問検査権を行使する「当該職員」とは、国税庁、国税局又は税務署の職員のうち、その調査を行う国税に関する事務に従事している者をいうものとされている（国税通則法第7章の2（国税の調査）関係通達の制定について（平

成24年9月1日課総5－9ほか。以下「調査通達」という。）1－3）。すなわち、相続税若しくは贈与税に関する調査を行う事務に従事している者をいう（国税通則法（税務調査手続関係）通達逐条解説（以下「調査通達解説」という。）37頁。）。

(2) 「調査」又は「徴収」について必要があるとき

(イ) 総　説

　質問検査権を行使しうる要件としては、法は「調査又は徴収について必要があるとき」と規定しているのみで、その範囲、行使の時期、程度、方法、手段等については特段の規定は設けられていない。(ロ)の最高裁決定では、権限ある税務職員の合理的な選択に委ねられているとする。

(ロ)　最高裁昭和48年7月10日第3小法廷決定

　「所得税の終局的な賦課徴収にいたる過程においては……税務官署による一定の処分のなされるべきことが法令上規定され、そのための事実認定と判断が要求される事項があり、これらの事項については、その認定判断に必要な範囲内で職権による調査が行なわれることは法の当然に許容するところと解すべきものであるところ、所得税法234条1項の規定は、国税庁・国税局または税務署の調査権限を有する職員において、当該調査の目的、調査すべき事項、申請、申告の体裁内容、帳簿等の記入保存状況、相手方の事業の形態等諸般の具体的事情にかんがみ、客観的な必要性があると判断される場合には、前記職権調査の一方法として、同条1項各号規定の者に対し質問し、またはその事業に関する帳簿、書類その他当該調査事項に関連性を有する物件の検査を行なう権限を認めた趣旨であって、この場合の質問検査の範囲、程度、時期、場所等実定法上特段の定めのない実施の細目については、右にいう質問検査の必要があり、かつ、これと相手方の私的利益との衡量において社会通念上相当な限度にとどまるかぎり、権限ある税務職員の合理的な選択に委ねられているものと解すべく、また、暦年終了前または確定申告期間経過前といえども質問検査が法律上許されないものではなく、実施の日時、場所の事前通知、調査の理由および必要性の個別的、具体的な告知のごとき

も、質問検査を行なううえの法律上一律の要件とされているものではない。」（注）

(注) この決定は、いわゆる荒川民商事件（広田事件）の最高裁決定である。なお、この事件は、刑事事件で、第1審（東京地裁昭和44年6月25日判決）は、被告納税者を無罪としたが、第2審（東京高裁昭和45年10月29日判決）は原判決を破棄し、被告を有罪としたもので、本決定は被告人の上告を棄却し、第2審の判断を維持したものである。

(参考) 参考として、上記決定と同趣旨の最高裁昭和58年7月1日第1小法廷判決の要旨を掲げておく。

「所得税法（昭和40年法律第33号による改正前のもの）63条1号にいう「納税義務者」とは、既に法定の課税要件が充たされて客観的に所得税の納税義務が成立し、いまだ最終的に適正な税額の納付を終了していない者のほか、当該課税年が開始して課税の基礎となるべき収入の発生があり、これによつて将来終局的に納税義務を負担するに至るべき者をもいい、「納税義務があると認められる者」とは、権限ある収税官吏の判断によつて、右の意味での納税義務がある者に該当すると合理的に推認される者をいうものと解するのが相当である（以上につき最高裁昭和45年（あ）第2339号同48年7月10日第3小法廷決定・刑集27巻7号1205頁参照。なお、法63条の規定は、現行所得税法234条の規定と若干異なるところはあるが、その趣旨は全く同じであるとみるべきであるから、現行所得税法234条の規定の趣旨について右第3小法廷決定の述べるところは、そのまま法63条の規定の趣旨についても妥当するものといつてよい。）。」

「質問検査の範囲、程度、時期、場所等実定法上特段の定めのない実施の細目については、質問検査の必要性と相手方の私的利益との衡量において社会通念上相当な限度にとどまるかぎり、これを権限ある収税官吏の合理的な選択に委ねたものと解するのが相当である。そして、この場合、実施の日時場所の事前通知、調査の理由及び必要性の個別的、具体的な告知などは、質問検査を行ううえで法律上一律の要件とされているものではない。」

(ハ) 下級審判決

(A) 「必要性」を限定的に解するもの

㋐ 東京高裁昭和43年8月23日判決

「「調査に関し必要あるとき」というのも、右の申告のない場合または

申告が適正になされていない合理的な疑いのある場合をいい、もとより当該収税官吏の恣意による調査が許されるものでなく、この調査が申告納税を担保し、適正な課税を実現するための純粋な行政手続であるところから、犯則調査の場合のように具体的嫌疑のあることは要求されないが、そこに客観的な基準を有することは当然である。」(注)

(注)　同旨東京高裁昭和43年5月24日判決

㋺　静岡地裁昭和47年2月9日判決

「……申告納税制度を原則としている以上、原則として税額は納税者の意思によって確定するものと解すべきであって、税務署長が例外的に決定あるいは更正をするため調査を行う場合には、そうするだけの合理的な根拠と理由とを有していなければならないというべきである。したがって、右の各見地からすれば、所得税法234条1項にいう「必要があるとき」とは、適正、公平な課税を実現するために質問検査権行使の必要性が合理的に是認される場合でなければならないのは当然であって収税官吏の個人的な恣意が許されないことは明らかである。……

質問検査権の行使は、納税者の基本的人権（とくに財産権）に大いに係りあいをもつものであって、これが税務職員の恣意によって行使されたのでは、納税者の権利が侵害されることになるであろうことは何人にも明らかなことである。しかも右質問検査権の行使に対して正当な理由なく調査を拒み、あるいは、妨害すれば、その者は所得税法242条8号によってかなり重い刑罰を課せられることになるのである。したがって右質問検査権を行使するための要件は、厳格に解さなければならない。」

(B)　「必要性」を緩やかに解するもの

㋑　名古屋高裁昭和48年1月31日判決

「所得税法は申告納税方式をとり、納税義務者が納付すべき税額は、その者がする申告により確定することを原則としてはいるものの、最終的な税額の確定は税務署長に留保され、その是正のないことを条件として当該申告が是認されるにすぎないものである。そして、税務署長は、常に納税

義務者がその義務を正しく履行したか否かを調査する職責を有し、申告税額が自己の調査したところと異なる場合には、申告税額に拘束を受けることなくこれを更正し得るのであり、しかも、税務署長がいかなる場合にかかる調査をなすべきかは、法律に特に定めるところがないのである。したがって、税務署長は、過少申告なることを疑うに足りる事情の存する申告について調査をなしうるのはもちろんであるが、かかる疑いの存せざる申告について調査することも、何ら妨げられるものではなく、当該調査の結果万一過少申告なることを発見した場合には、申告税額を更正しなければならないのである。」(注)

(注) 同旨名古屋高裁昭和52年4月19日判決 etc.

㋺ 東京高裁昭和61年5月26日判決

「所得税法234条第1項に定める「調査について必要がある時」とは、調査権限を有する税務職員において、当該調査の目的、調査すべき事項、申告の体裁内容、帳簿等の記入保存状況、対象者の事業形態等諸般の具体的事情にかんがみ、調査の客観的な必要性があると判断される場合をいい、確定申告後に行われる所得税に関する調査については、過少申告の疑いが存する場合のみならず、そのような疑が当初から存しない場合でも、申告の適否すなわち、申告の真実性、正確性を確認する必要性が有する場合をも含むものと解すべきである。」(注)

(注) 同旨東京高裁平成元年3月20日判決、広島高裁平成4年9月29日判決

㋩ 大阪高裁平成14年7月9日判決（同旨第1審京都地裁平成13年11月30日判決）

　この事件は、相続税に係る税務調査の適法性が争われた珍しい事例であるので、特に新味はないが、その判旨を次に掲げておく。

「1　(最高裁昭和48年7月10日決定を引用して) 本件各申告に関しては、本件調査の実施当時、申告漏れが存在すると考えることにつき十分な根拠があったものと認められるから、原告らに対して税務調査を実施する一般的な必要性はあったものといえる。

そして、本件調査の具体的な態様は、本件申告における申告漏れの存否に関する調査のために必要があり、かつ、原告らの私的利益との衡量において社会通念上相当な限度にとどまっているということができる。

2　原告らは、被告や担当職員は本件調査の実施以前に本件返戻金請求権や本件構築物について申告漏れがあると判断していたのであるから、さらに税務調査を行う必要はなかったと主張する。

しかしながら、仮に、本件返戻金請求権や本件構築物につき申告漏れであることがほぼ間違いないといえるような状況であったとしても、相続人本人は、通常、相続に関する事情を最もよく知っていると考えられ、相続人本人しか知らない重要な事情が存在することも十分あり得るのであるから、担当職員において、上記申告漏れについての修正申告を促すなどする前に、その前後の事情を確認し、資料の提出を促し、原告らの見解を確かめておくことは、小さからぬ意義があったものというべきであって、その必要性を否定することもできない。

よって、原告らの上記主張は理由がない。

その他、本件調査の違法性を認めるに足りる証拠はなく、本件調査は適法であったというべきである。」(控訴審判決は、原審と同様のため、第1審判決文によった。)

(二)　学　説

(A)　金子宏教授の説(「租税法(第23版)」974頁)

「……「必要があるとき」というのは、客観的な必要性が認められるときという意味であって、必要性の認定は、租税職員の自由な裁量に委ねられているわけではない。客観的な必要性の認められない場合に質問・検査を行うことは違法であり、それに対しては答弁義務ないし受忍義務は生じない。しかし、調査の必要があるかどうか、あるとして、いつ、誰に対していかなる質問をし、またいついかなる物件を検査すべきかは、専門技術的な判断を必要とする問題であるから、租税職員の必要性の認定が違法とされる事例は実際問題としては少ないであろう。」

(ロ) 北野弘久教授の説(「税法学原論(第6版)」388頁)

「所得税法234条は、「所得税に関する調査について必要があるとき」にのみ質問検査ができるとしている。この必要性は一般的必要性だけではなく、当該被調査者について特に調査しなければならないだけのいわば個別的必要性でなければならないと解される。過少申告についていえば、前年度との比較、同業者との比較、景気の動向等々からいって(部内調査のほか、所得税法235条の業者団体への諮問権等を活用して判断する)、当該納税者について過少申告を疑うについて相当の理由がなければならない。」

(ホ) 私　　見

質問検査権は、「調査のため必要があるとき」において行使できることが法定されている。質問検査権の行使が納税者に多少なりと負担を求めるものである以上、税務職員の自由裁量で行使できる性質のものではないであろうし、そのことは、これまで見たとおり、「客観的な必要性」を要するというのが、判例ないし学説の大半であり、単に申告内容の確認のためにも行使しうるという見解はやや法律の解釈としては広過ぎる感じがする。

(ヘ) 「徴収について必要があるとき」

相続税法の質問検査権については、他の税法と異なり、「徴収について必要があるとき」にも行使できるとされている。

このように、相続税についてのみ、徴収の必要性から質問検査権の行使が認められている理由については、あまり明らかではないが、延納・物納の要件に該当するか否かの調査を行うため、特に設けられているものとする見解がある(「DHCコンメンタール相続税法」3524頁)(注)

(注)　なお、「北野コンメンタール相続税法」488頁以下、「税法学原論」(第6版)376頁(注)を参照されたい。

(3) 調査の事前通知

(イ) 従来の経緯

㋐ 概　　要

税務職員が質問検査権を行使する場合に、調査理由の開示等が必要である

かどうかについては、従来から鋭い対立があり、しばしば訴訟にもなっていた。判例は傾向としては、これを消極に解するものが多く、昭和48年7月10日の最高裁決定がリーディングケースと解されていたが、質問・検査が公権力の行使であることにかんがみると何らかの措置を設けるべきではないかという意見が強かった。

そこで、実際には、税務調査に際しては、原則として納税者に対し、調査日時を事前通知することとされ、例外として事前通知を行うことが適当でないと認められる次のような場合には、事前通知を行わないこととされていた。

なお、納税者に事前通知する場合において、その者の税務代理権限を有する旨の書面（税理士法30）を提出している税理士があるときは、あわせて当該税理士に対し事前通知をすることとされている（税理士法34）。

① 業種・業態、資料情報及び過去の調査状況等からみて、帳簿書類等による申告内容等の適否の確認が困難であると想定されるため、在りのままの事業実態等を確認しなければ、申告内容等に係る事実の把握が困難であると想定される場合

② 調査に対する忌避・妨害、あるいは帳簿書類等の破棄・隠ぺい等が予想される場合

㊁　学　　　説

(A)　金子宏教授の説（「租税法（第23版）」977〜978頁）

「質問・検査の日時・場所・理由等を事前に相手方に通知ないし開示しなければならないかどうかについては、争いがあり、判例は消極に解してきた（引用判例省略）。これに対しては、「調査理由等の告知は、明文の規定をまたずに憲法31条の解釈上当然に必要で、これを欠く質問・検査は違法である、と解することはできないとしても、質問・検査が公権力の行使であることにかんがみると、立法上・行政運営上その手続的整備の必要性は大きいといった指摘が強くなされていた。」」

(B)　北野弘久教授の説（「税法学原論（第6版）」389頁以下）

「……(1)所得税法234条1項自体は単に「所得税に関する調査について必

要があるときは」と規定しているが、当該調査において前記の調査の合理的必要性の理由が存在することを何らかのかたちにおいて外部に表現しなければ、法が右のことを規定した意味がほとんどなくなってしまう。それゆえ、同条は、当然に調査の合理的必要性の理由の存在の開示の趣旨を包含するものとみなければならないこと、(2)……申告納税制度の本旨を考慮するときは、いやしくも調査しようとするときはあらかじめ被調査者が納得し調査に協力しうるだけの調査の合理的必要性の理由を彼に開示すべきことは条理上当然と解されること、(3)……調査理由の開示によって被調査者の法的受忍義務の具体的範囲を確定する必要があり……、(4)憲法31条、35条、38条は、基本的には質問検査権の手続にも適用されると解されるので、調査理由の開示は質問検査権行使の適法要件とみなければならないこと、(5)憲法13条、31条等の「適正手続」の要請は質問検査の手続にもストレイトに適用されると解されるので……調査の合理的必要性の開示は、質問検査権行使の適法要件と解されるのである。」

(ロ) 平成23年の改正

平成23年12月の税制改正（経済社会の構造の変化に対応した税制の構築を図るための所得税法等の一部を改正する法律によるもの）による税務調査関係の改正では、当初の案にあった「納税者権利憲章の策定」及び「新たな税務調査手続の追加」が見送られたものとなり、従来から実務上行われていた事前通知等の法制化と処分理由の附記が法則化されたものとなった。その概要は、次のとおりである。

(ハ) 税務調査の事前手続

① 税務調査の事前通知

税務当局は、税務調査を行う場合には、原則として、あらかじめ納税義務者に対し事前に通知をすることとされている（通則法74の9①）。なお、具体的な通知方法については法律上は特段の規定は設けられていないが、通常は、電話による連絡等が考えられるところである。

② 事前通知の対象者

事前通知の対象者は、納税義務者（注1）とされている。また、その納税義務者に税務代理人（注2）がある場合には、その税務代理人も対象となる（通則法74の9①③）。

平成26年度の改正において、納税義務者について税務代理人がある場合において、当該納税義務者の同意がある一定の場合に該当するときは、当該納税義務者への調査の事前通知は、当該税務代理人に対してすれば足りることとされた（通則法74の9⑤）。この納税義務者の同意がある一定の場合とは、税務代理権限証書に、当該納税義務者への調査の事前通知は税務代理人に対してすれば足りる旨の記載がある場合とされている（通則法11の2）。

（注1） 上記の「納税義務者」は、所得税法や法人税法等で定める納税義務がある者、納税義務があると認められる者等をいう（通則法74の9③一）。

（注2） 上記の「税務代理人」とは、納税者の税務代理権限を有することを証する書面（税理士法30、48の16）を提出している「税理士」若しくは「税理士法人」又は税理士業務を行う旨の通知（税理士法51①③）をした「弁護士」若しくは「弁護士法人」をいう（通則法74の9③二）。

③ 対象となる調査の範囲

事前通知の対象となる「調査」は「実地の調査」とされ（通則法74の9①）、具体的には、納税義務者の事業所や事務所等に臨場して行う調査が、この「実地の調査」に該当することとなる。

④ 事前通知の内容

事前通知については、あらかじめ「実地の調査において質問検査等を行う旨」及び「次の事項」を通知することとされている（通則法74の9①、通則令30の4①）。

イ 調査を開始する日時

ロ 調査を開始する日時において質問検査等を行おうとする場所

ハ 調査の目的

（注） 具体的な通知内容としては、納税申告書の記載内容の確認、納税申告書の提出がない場合における納税義務の有無の確認、その他これらに類

するものとされている（通則令30の4②）。
　ニ　調査の対象となる税目
　ホ　調査の対象となる期間
　ヘ　調査の対象となる帳簿書類その他の物件
　　（注）　当該物件が国税に関する法令の規定により備付け又は保存をしなければならないこととされているものである場合には、その旨を併せて通知することとされている（通則令30の4②）。
　ト　調査の相手方である納税義務者の氏名及び住所又は居所
　　（注）　上記の「納税義務者」が法人である場合には、「名称」及び「所在地」となる（通則令10①一、会社法4）。
　チ　調査を行う職員（当該職員が複数であるときは、当該職員を代表する者）の氏名及び所属官署
　リ　納税義務者は、合理的な理由を付して「調査開始日時」（上記イ）又は「調査開始場所」（上記ロ）について変更するよう求めることができ、その場合には、税務当局はこれについて協議するよう努める（次の⑤参照）旨
　ヌ　税務職員は、「通知事項以外の事項」について非違が疑われる場合には、当該事項に関して質問検査等を行うことができる旨
⑤　調査の「開始日時」又は「開始場所」の変更の協議
　税務当局は、納税義務者から合理的な理由を付して調査の「調査開始日時」又は「調査開始場所」について変更したい旨の要請があった場合には、協議するよう努めることとされている（通則法74の9②）。事前通知の際に設定された調査開始日時等については、通常、納税義務者の都合等をも勘案されたものであると考えられることから、この「調査開始日時等の変更の要請」に当たっては、適正公平な課税の観点から、調査の適切かつ円滑な実施に支障を及ぼすことのないように「合理的な理由を付して」行うこととされている。
⑥　事前通知を要しない場合（事前通知の例外事由）

税務調査に際しては、上記①のとおり事前通知を行うことが原則であるが、調査の適正な遂行に支障を及ぼすことのないよう、課税の公平確保の観点を踏まえ、「違法又は不当な行為を容易にし、正確な課税標準等又は税額等の把握を困難にするおそれその他国税に関する調査の適正な遂行に支障を及ぼすおそれがある」と税務当局が認める場合（注）には、「事前通知」を要しないことが法律上明確化されている（通則法74の10）。この「事前通知を要しない場合」に当たるかどうかは、税務当局が、「調査の相手方である納税義務者の申告若しくは過去の調査結果の内容又はその営む事業内容に関する情報その他税務当局が保有する情報」を踏まえて判断することとされている。

（注） この「おそれがある場合」は、通達4－9で次のように例示されている。

（「違法又は不当な行為を容易にし、正確な課税標準等又は税額等の把握を困難にするおそれ」があると認める場合の例示）

4－9 法第74条の10に規定する「違法又は不当な行為を容易にし、正確な課税標準等又は税額等の把握を困難にするおそれ」があると認める場合とは、例えば、次の(1)から(5)までに掲げるような場合をいう。

(1) 事前通知をすることにより、納税義務者において、法第127条第2号又は同条第3号に掲げる行為を行うことを助長することが合理的に推認される場合。

(2) 事前通知をすることにより、納税義務者において、調査の実施を困難にすることを意図し逃亡することが合理的に推認される場合。

(3) 事前通知をすることにより、納税義務者において、調査に必要な帳簿書類その他の物件を破棄し、移動し、隠匿し、改ざんし、変造し、又は偽造することが合理的に推認される場合。

(4) 事前通知をすることにより、納税義務者において、過去の違法又は不当な行為の発見を困難にする目的で、質問検査等を行う時点において適正な記帳又は書類の適正な記載と保存を行っている状態を作出することが合理的に推認される場合。

(5) 事前通知をすることにより、納税義務者において、その使用人その他の従業者若しくは取引先又はその他の第三者に対し、上記(1)から(4)までに掲げる行為を行うよう、又は調査への協力を控えるよう要請する（強要し、買収し又は共謀することを含む。）ことが合理的に推認される場合。

㈡ 税務調査の終了手続

これについても、平成23年改正において、従来の運用上の取扱いが制度化

された。

① 更正決定等をすべきと認められない場合の通知

　税務当局は、実地の調査を行った結果、更正決定等をすべきと認められない場合には、納税義務者に対し、「その時点において更正決定等をすべきと認められない」旨を書面により通知することとされている（通則法74の11①）。

② 更正決定等をすべきと認める場合における調査結果の内容の説明等

　調査を行った結果、更正決定等をすべきと認める場合には、税務職員は、納税義務者に対し、「調査結果の内容（更正決定等をすべきと認めた額及びその理由を含む。）」を説明することとされている（通則法74の11②）。

　また、上記の説明をする際、当該職員は、納税義務者に対し、修正申告又は期限後申告を勧奨することができることとされている。ただし、この勧奨をする場合には、「その調査の結果に関しその納税義務者が納税申告書を提出した場合には、不服申立てをすることはできないが、更正の請求をすることはできる」旨を説明するとともに、その旨を記載した書面を交付することとされている（通則法74の11③）。

③ 納税義務者の同意がある場合の連結親法人又は税務代理人への通知等

　上記①の「更正決定等をすべきと認められない場合の通知」及び②の「調査結果の内容の説明等」について、「納税義務者が連結子法人である場合」又は「納税義務者に税務代理人がある場合」にあっては、当該納税義務者への実施に代えて、それぞれ次の者に行うことができることとされている（通則法74の11④⑤）。

　　イ　連結子法人（納税義務者）及び連結親法人の同意がある場合…その連結親法人

　　ロ　納税義務者の同意がある場合…その税務代理人

(4) **調査の方法と調査の任意性**

イ **相続税の質問検査の方法**

　相続税の質問検査権の特徴の一つとして、所得税や法人税が、納税義務者

以外の一定の関係者に対し、質問及び帳簿書類等の検査を行うことができるのに対し（通則法74の2）、相続税・贈与税では、帳簿書類等の検査は、納税義務者又は納税義務があると認められる者の財産若しくはその財産に関する帳簿書類に限定されているという点である（通則法74の3）。

　この理由については、明確な説明をした文献は見当たらないが、相続税・贈与税が財産の移転に対する税であることを理由とする考え方がある（「DHC相続税法コンメンタール」3526頁）。しかし、それだけではあまり説明にはならないように思われる。

　次に、「質問」の方法、場所、時刻については、特別の制限はなく、納税者の権利を不当に侵害するものでない限り、税務職員の判断に委ねられているものと解されている。

　また、「検査」とは、相手方の承諾を得て、帳簿書類（その作成に代えて電磁的記録（電子的方式、磁気方式その他の人の知覚によっては認識することができない方式で作られる記録があって、電子計算機による情報処理の用に供されるものをいう。）の作成がされている場合におけるその電磁的記録を含む。）その他の物件について、その存在及び性質、形状、現象その他の作用を五官の作用によって知覚実験し、認識を得る処分をいうものとされる。

　相手方の承諾は、どのような方法でもよいが、実際の検査に当たっては、明確な承諾を得るべきであろう。また、検査を行うためのその検査対象物が、立入りの必要な場所にあるならば、その立入りは、関係者の承諾を得た上で、認められるべきであろう。そうでなければ、検査の権限が認められている意義がないからである。

ロ　質問・検査の任意性

　相続税法上の質問・検査の行使は、国税犯則取締法上の調査のような強制力、すなわち相手方の拒否があっても、これを排除して行使できるものではなく、任意調査の方法によって行う。

　ただ、「任意調査」であるからといって、調査の相手方は、調査を自由に拒否できるというものではない。それは、質問調査を行う税務職員が実力を

行使して強制的に行ういわゆる直接強制ができないということにすぎないとされる。

すなわち、憲法第35条では、国民の住居、書類及び所持品については、現行犯として逮捕される場合（憲法35）を除いては、正当な理由によって司法官憲が発し、かつ、捜索する場所及び押収物を明示する令状によらなければ、侵入、捜索及び押収を受けることはないことを保障している。したがって、行政手続である租税法上の質問検査権の行使は、相手方の同意と協力が必要であり、それが拒否された場合に、その拒否を排除しても、質問の回答や捜索の受入れ等を強制することはできないのである。

しかし、それだからといって、質問検査権の行使は相手方の同意と協力にまつというだけでは、結局、税務執行への非協力者が税負担を免れるということにもなりかねず、負担の公平を至上の命題としている税務行政の面から、極めて問題である。そのようなことでは、事実上、質問検査権の行使は不能となり、効果のないものともなろう。

したがって、確かに、質問検査権の行使は、相手方の拒否を排除してまで、これを行うことができないという点では、任意調査ということになるが、それは、相手方が、質問検査を全く自由に拒否できることを意味するのではない。すなわち、質問検査権の行使は、直接強制の形では行い得ないが、その拒否に対しては、罰則をもって臨むこととされるいわゆる間接強制の方法によることができることとされているのである。

すなわち、当該職員の質問に対し答弁をしない者若しくは検査を拒み、妨げ、又は忌避した者又はこれらの質問、検査に対し、虚偽の答弁若しくは虚偽記載の帳簿書類の提出をした者には、1年以下の懲役又は50万円以下の罰金に処する旨の罰則が定められており（相法70二～五）、この罰則によって、質問検査の拒否がないように促しているのである。

このように質問検査に対する受容を直接強制することはできないが、不受容に対して罰則を適用することによって、質問検査権の受容を促す間接強制の方法をとっている。

なお、公証人に対する閲覧請求及び質問には、罰則による間接強制は認められていない。

(5) **特定職業人の拒否特権と質問検査権**

弁護士等の特定職業人の守秘義務と租税法上の質問検査権との関係については、明文の規定がないが、昭和36年7月の政府税制調査会の「国税通則法の制定に関する答申」83頁以下は、次のように述べている。

「(1) 次に、弁護士、公認会計士、医師等のような特定職業人に特有な守秘義務と租税法上の質問検査権との関係の問題がある。これらの特定職業人には守秘義務が課されており（弁護士法第23条、司法書士法第10条、税理士法第38条、民事訴訟法第281条、刑法第134条、性病予防法第29条等）、例を弁護士法にとると、「弁護士又は弁護士であった者は、その職務上知り得た秘密を保持する権利を有し、義務を負う。但し法律に別段の定めがある場合は、この限りでない。」とされている。そこで、このような特定職業人自体の所得調査に関し、又は特定職業人の依頼人の所得調査に関し行使される税法上の質問検査権と上記の守秘義務との関係が問題となる（注）。

(2) 省　略

(3) 現在、この問題については、わが租税法になんらの規定も存しない。他方特定職業人が守るべきであるとされている秘密の意義も必ずしも明確であるとはいい難いように思われる。

これら特定職業人にあっては、その守秘義務は依頼人との間の信頼関係の基礎となるものであるから、それが守られるべきであることは当然であるとしても、秘密の範囲が上記のように必ずしも明確でないこと及び秘密の中にも種々のものがあって、特に強くその保護が要求される人の身分に関する秘密や身体の欠陥等から経済取引に関する事項にいたるまで、さまざまのものがあることを考慮しなければならないであろう。

また、税務調査においては、所得等の課税標準の計算に必要な範囲で質問検査が行なわれるものであるという事情も、あわせて考えなければならない。

われわれは、一方において特定職業人の拒否特権は尊重されるべきであり、

他方において租税負担の公平が要請されるべきであるという両面の要請に応え、その合理的な調整をはかるためには、結局税務調査に必要とされる範囲内の事項については、特定職業人の業務に関しその依頼人との信頼関係に立って特に打ち明けられた事項については、税務職員の質問検査権の行使は及び得ないと解すべきであると考える。」

(注)　この点につき田中二郎教授は、次のようにいう。
　「弁護士、公認会計士、医師等のような特定職業人には特有の守秘義務がある。これと税法上の質問検査権との関係に問題がある。この点については、税法上、特別の規定はない。
　特定職業人の守秘義務に関する規定―例えば弁護士法23条では「弁護士又は弁護士であった者は、その職務上知り得た秘密を保持する権利を有し、義務を負う。但し、法律に別段の定めがある場合は、この限りでない」とされている（司法書士法10条、税理士法38条、刑法134条、民訴281条、性病予防法29条参照）。しかし、この秘密の範囲は明確でなく、種々の秘密が考えられるが、税務調査に必要とされる範囲内の事項については、特定職業人の守秘義務が解除されるとともに、税務調査に直接関係のない秘密については、税務職員の質問検査権の行使は許されないと解すべきであろう。」（「租税法（第3版）・法律学全集11」（有斐閣）223頁）

(6)　反面調査

　納税義務者及び納税義務があると認められる者以外の者に対する調査は、「反面調査」といわれる。この反面調査については議論の多いところであるが、金子宏教授は、次のように述べる（「租税法（第23版）」975頁）。

　「…反面調査は、特に必要があると認められる場合のほかは、本人調査（筆者注・納税義務者及び納税義務があると認められる者に対する調査の意）によって十分な資料の取得収集ができなかった場合にのみ認められる、と解すべきであろう。」

　なお、最高裁昭和48年7月10日第3小法廷決定及び最高裁昭和58年7月14日第1小法廷判決は、客観的な必要性があると認められる場合は、本人調査を経ないで反面調査を認める趣旨であると解されるとされる。これに対し、静岡地裁昭和47年2月9日判決は本人調査を先行すべきであるとするが、そ

の控訴審である東京高裁昭和50年3月25日判決は、そのような前後関係は法の要求するところではないとしている(「租税法(第23版)」976頁)。

また、事前調査について、前掲最高裁昭和48年7月10日第3小法廷決定では、「歴年終了前または確定申告期限経過前といえども、質問検査が法律上許されないものではない」と判示している。ただ、その詳細については明らかでない。これに対し、「北野コンメンタール相続税法」492頁は、事前調査は容認されないと次のように主張している。

「…憲法における国民主権の原理の税法的表現といわれる申告納税制度のもとでは、納付税額の第一次確定権は主権者たる納税者に与えられており、税務官庁の課税処分(更正、決定等)は「第二次的・補完的な地位」においてのみ認められている。つまり、納税者の申告がまったくない場合またはその申告の内容が相当でない場合にのみ認められる(国税通則法24条以下、東京高裁昭43・5・24判決、判例時報523号27頁)。「調査について必要があるとき」とはまさに右のような場合をさすものと解されるから、事前調査は容認されないということになる。」

筆者は、この主張の根拠となる考え方には同意できないが、租税債権の確定前の事前調査は、事柄の性質上限定的なものになるのは当然であり、前記の最高裁決定等の判示は漠然とし過ぎているように思う。具体的事件での判例の集積がまず必要であろうと考えている。

(7) **身分証明書の携帯等**

当該職員は、前述した質問検査権に基づき、質問、検査、閲覧を行う場合においては、その身分を示す証標を携帯し、関係人の請求があったときは、これを呈示しなければならないものとされている(通則法74の13)。

この規定の趣旨について、立法関係者は、法人税法の質問検査権についてであるが、次のように述べている(武田昌輔著「立法趣旨法人税法の解釈(平成10年度版)」(財経詳報社)504頁)。

「法154条から法156条までに定められている当該職員の質問検査の権限は、法人の帳簿書類又は物件等を自ら調査するものであり、納税者たる法人の業

務の遂行その他に及ぼす影響はきわめて重要である。したがって、それらの調査は適正な手続によって行われることが必要であり、この意味において国税庁、国税局又は税務署の当該職員がこれらの規定によって質問又は検査をする場合には、その身分を示す証明書を携帯し、関係人の請求があったときにはこれを提示しなければならないこととされている。」

この身分証明書の提示と検査拒否との関連については、提示を求めたが、その提示をしなかった場合には、検査拒否の正当な理由があると判示した最高裁判例がある。旧所得税法に係るものであり、やや長くなるが、かなり重要な判示があるので、紹介したい（最高裁昭和27年3月28日第2小法廷判決）。

(事件の概要)

昭和23年某日S税務署の担当官Tが有限責任購売利用組合K市消費組合（以下「K組合」と略称）の従業員への給与支払に係る源泉所得税の調査のためK組合の事務所へ赴き、身分証明書を提示してK組合の専務理事である被告人に協力を求めたところ、被告と争いになり、Tを階段の下り口に押して行き、暴言を浴びせて、検査を不能にし、これが公務執行妨害罪に当たるかが問題となった。

第1審は、Tが所得税法施行規則に規定する検査章を携帯しなかったこと等を理由に検査拒否にならないとしたが、控訴審は公務執行妨害罪に当たるとし、上告となった。

(判　旨)

所得税法63条は、収税官吏は、所得税に関する調査について必要があるときは、納税義務者その他同条所定の者に質問し又はその者の事業に関する帳簿書類その他の物件を検査することができると規定しているから、所得税の調査等に関する職務を担当する収税官吏は、所得調査という行政目的を達成するためには、同条所定の者に質問し、又は同条所定の物件を検査する機能を法律上認められているものといわなければならない。所得税法施行規則63条は収税官吏は所得税法63条の規定により帳簿書類その他の物件を検査するときは、大蔵大臣の定める検査章を携帯しなければならないと規定している

が、この規定は、専ら、物件検査の性質上、相手方の自由及び権利に及ぼす影響の少なからざるを顧慮し、収税官吏が右の検査を為すにあたり、自らの判断により又は相手方の要求があるときは、右検査章を相手方に呈示してその権限あるものであることを証することによって、相手方の危惧の念を除去し、検査の円滑な施行を図るため、特に検査章の携帯を命じたものであって、<u>同条は単なる訓示規定と解すべきではなく、殊に相手方が検査章の呈示を求めたのに対し、収税官吏が之を携帯せず又は携帯するも呈示しなかった場合には、相手方はその検査を拒む正当の理由があるものと認むべきである</u>。しかし、さればといって、収税官吏の前記検査権は右検査章の携帯によって始めて賦与されるものでないことは前記のとおりであるから、<u>相手方が何等検査章の呈示を求めていないのに収税官吏において偶々これを携帯していなかったからといって直ちに収税官吏の検査行為をその権限外の行為と解すべきではない</u>。即ち、所得税に関する調査等をする職務を有する収税官吏が所得調査のため所得税法63条により同条所定の物件を検査するにあたって、検査章を携帯していなかったとしても、その一事を以て、右収税官吏の検査行為を公務の執行でないということはできない。従って、之に対して暴行又は脅迫を加えたときは公務執行妨害罪に該当するものといわなければならない（アンダーライン：筆者強調）。

　この判決については、理由と結論の間に矛盾があるという指摘もある（ジュリスト「租税判例100選・初版」172～173頁「税務職員の質問検査権」田宮裕氏評釈）。それを若干引用する。

　「…本件では検査章の携帯・呈示の規定を強行規定と解し、不携帯の場合の相手方の拒否権を認めているのである。

　そうであれば、検査章の携行・呈示は、相手方の拒否を正当化するような重要な職務執行の方式であるはずである。その意味で本件には理由と結論の間に実質的には矛盾があるともいえる。それにもかかわらず、判旨が公務執行妨害罪の成立を認めたのは、一方で税務職員が身分証明書は呈示しており、他方で相手方には検査章の呈示を要求した事実がなかったからであろう。税

務職員の検査行為であるかぎりいちおう公務としての外形と実質をそなえており、検査章の不携行という欠陥は、相手方の呈示要求によってはじめて顕在化すると考えるのである。」

(8) 犯罪捜査及び不利益供述禁止との関連

質問又は検査の権限は、犯罪捜査のために認められたものと解してはならないとされている（通則法74の8）。

現行憲法では、犯罪捜査のための手続について、「何人も、自己に不利益な供述を強要されない」（憲法38）とされ、また、「何人もその住居、書類及び所持品について、侵入、捜索及び押収を受けることのない権利は、第33条（筆者注・現行犯逮捕）の場合を除いては、正当な理由に基づいて発せられ、かつ捜索する場所及び押収する物を明示する令状がなければ侵されない」（憲法35）とされている。

一方、税法上の質問検査は、上述のごとく不答弁には罰則があって、事実上不利益な供述の強要禁止を排除しており、また、検査拒否にも罰則を以て臨み、一般的に営業に関する帳簿書類その他の物件を検査しうることに事実上はなっている。従って、この税法上の質問検査権を利用して、犯罪捜査を行うようなことがあれば、憲法上の人権保障の規定を潜脱する結果ともなりかねないので、特に確認の意味で、このような規定が設けられたものとされている。

ただ、税務調査のために質問検査権が行使された場合において、偶々脱税が探知されたときにこれが端緒となって収税官吏による犯則事件としての調査が開始されることは、認められるものと解されている。すなわち、最高裁昭和51年7月9日第2小法廷判決は、次のように判示している。

「弁護人の上告趣意のうち、憲法38条1項違反をいう点は、原判決（筆者注・名古屋高裁昭和50年8月28日判決）の「法人税法156条が、税務調査中に犯則事件が探知された場合に、これが端緒となって収税官吏による犯則事件としての調査に移行することをも禁ずる趣旨のものとは解し得ない」との判断は正当であって、このように解しても憲法38条1項に違反しないことは、

最高裁昭和44年（あ）第734号同47年11月22日大法廷判決（刑集26巻9号554頁）の趣旨に徴して明らかであるばかりでなく、本件の場合法人税法に基づく質問検査権を犯則調査若しくは犯罪捜査のための手段として行使したと認めるに足る証拠はないから、所論違憲の主張は、採用できない」。

　なお、質問検査権の行使が不利益供述を禁止した憲法第38条第1項の規定に違反するのではないかという疑問については、上掲最高裁昭和47年11月22日大法廷判決は、「手続が刑事責任追及を目的とするものでないとの理由のみでその手続の一切の強制が当然に右規定による保障の枠外にあると判断することは相当ではない」とし、「右規定（筆者注・憲法38条1項を指す）による保障は、純然たる刑事手続においてばかりではなく、それ以外の手続においても、実質上、刑事責任追及のための資料の取得収集に直接結びつく作用を一般的に有する手続には、ひとしく及ぶものと解するのを相当とする」と注目すべき判旨を示しながらも、「旧所得税法70条10号、12号、63条の検査、質問の性質が上述のようなもの（筆者注・国家財政の基本となる徴税権の適正な運用の確保・所得税の公平確実な賦課徴収）である以上、右各規定そのものが憲法38条1項にいう「自己に不利益な供述」を強要するものとすることはできない」との結論を示したものである。

第2節　処分の理由附記

1　改正前の制度の概要

　税務当局が国税に関する法律に基づき行う申請に対する処分や更正、決定等の不利益処分については、行政手続法第2章（申請に対する処分）及び第3章（不利益処分）は適用しないこととされ（旧通則法74の2①）、同法第8条及び第14条で定める処分理由の提示（以下「理由附記」という。）は要しないこととされていた。

(注) 上記の「国税に関する法律に基づく処分」には、酒類の免許に関する処分等は含まれないことから、これらの処分については行政手続法の規定が適用され、理由附記が必要とされている（旧通則法74の2①）。

ただし、青色申告者に対する更正については、その帳簿の記載を無視して行われることがないことを納税者に保障する観点から、その更正処分に際して理由を附記しなければならないこととされている（所法155②）。これに関連して、個人の記帳義務についてみると、いわゆる白色申告者のうち、前年又は前々年分において確定申告による所得金額が300万円超の者には記帳義務が課されているが、それ以外の者については記帳義務が課されていない状況にある（旧所法231の2①）。

2　改正の内容

国税に関する法律に基づく申請により求められた許認可等を拒否する処分又は不利益処分については、処分の適正化と納税者の予見可能性の確保の観点から、行政手続法の規定（同法第8条又は第14条）に基づき理由附記を実施することとされた（通則法74の14①）。

なお、記帳及び記録保存義務が課されていない個人の白色申告者に対する所得税の更正等に係る理由附記については、記帳及び記録保存の義務化と併せて実施することとされている（所法231の2①）。これは、記帳及び記録保存義務は、そもそも自ら税額を計算して申告・納付する「申告納税制度」の基礎であるところ、近年の情報技術の進展により、それほど困難を伴わずに記帳できるようになってきていることや、税務当局が適切な理由附記を行うためには、事業者が記帳し保存している帳簿の記載を踏まえる必要があること等を踏まえたものとされている。

(注1)　今回、基本的に全ての不利益処分等を行う際に理由附記が行われることとなるため、記帳が不十分な白色申告者に対しても、更正等の処分を行う際には理由附記が行われることになる。ただし、記帳及び記録の保存が十分でない白色申告者に対しては、その記帳及び記録の保存状況に応じて理由を記載することとなる（平成23年度税制改正大綱）。

(注2) 従前から理由附記が必要とされていた「青色申告に係る更正」の規定については、今回、特段の見直しはされていない。青色申告に係る更正の理由附記については、従来から、白色申告者の記帳義務に比してより高度な記帳が義務付けられている「青色申告」の特典の一つと位置付けられてきているところであり、また、その理由附記の趣旨及びその程度については、法律上、青色申告書に係る更正処分を行う場合には慎重な手続がとられていることに鑑み、通常の場合の理由附記の程度に比して厳格な理由附記を求める判例が定着しているものと考えられる。

3 適用関係

上記2の改正は、平成25年1月1日以後にする処分について適用される。

ただし、平成25年において記帳義務がない者（平成20年から平成24年までの各年分において記帳義務があった者を除く。）にする処分については適用しないこととされている（平成23年12月改正法附則41）。すなわち、記帳義務が課されていない個人の白色申告者に対する理由附記については、従前から記帳義務が課されている「前年又は前々年分において確定申告による所得金額が300万円超の白色申告者」と同様の記帳及び記録保存の義務化と併せて、平成26年1月1日以後実施することとされているが、平成20年から平成24年までの各年分において記帳義務が課されていた個人の白色申告者にする事業所得等に係る更正等に対する理由附記については、平成25年1月1日以後実施することとされている。

(注) 記帳義務が課されていない個人の白色申告者であっても、従前から「前年又は前々年分において確定申告による所得金額が300万円超の白色申告者」に課されている記帳及び記録保存義務の水準と同程度の記帳及び記録保存を行っている者にする事業所得等に係る更正等に対する理由附記については、今回の処分の理由附記に関する改正趣旨を踏まえ、運用上、平成25年1月1日以後実施するよう努めることとされている（平成23年度税制改正大綱）。

4 私 見

平成23年の改正（ことに理由附記）は、極めて問題を含んでおり、筆者と

しては、従来の経緯からしても、もう少し慎重な検討が行われるべきであったと考えている。これらの問題を指摘したものの一つとして、品川芳宣「納税環境整備（税務調査手続・理由附記の法制化）の問題点」（税経通信2011年3月号17頁以下）を挙げておく。できるならば、もう一度平成23年の改正を見直すべきではないか。

第3節　官公署への協力要請

　国税庁、国税局又は税務署の当該職員は、国税に関する調査について必要があるときは、事業者（特別の法律により設立された法人を含む。）又は官公署に、当該調査に関し参考となるべき帳簿書類その他の物件の閲覧又は提供その他の協力を求めることができるとされている（通則法74の12①）。

　この制度の趣旨について、創設当時の立案当局者は、次のように述べている（「昭和63年版・改正税法のすべて」471頁）。

　「現在、国家行政組織法の趣旨に従い、国の行政機関は、内閣の統轄のもとに、行政機関相互の連絡を図り、すべて、一体として、行政機能を発揮するように相互に協力して行政事務を遂行しているところであります。

　国税当局としても、従来から他の官公署に対して資料の提供等の協力を要請してきているところであります。

　今回の改正においては、先般の税制調査会の「税制改革についての中間答申」の趣旨に沿って、相続税法についても所得税法及び法人税法と同様の官公署等への協力要請規定を設けることとされました。

　すなわち、国税庁、国税局又は税務署の当該職員は、相続税又は贈与税に関する調査について必要があるとときは、官公署又は政府関係機関に、当該調査に関して参考となるべき帳簿書類その他の物件の閲覧又は提供その他の協力を求めることができることとされました。

　この規定は、既に設けられている所得税及び法人税と同じであります。な

お、所得税法及び法人税法については、昭和58年度の税制改正において、官公署等への協力要請規定が設けられており、改正の機会のなかった相続税については、今回の改正の際設けることとされたものであります」。

また、平成18年の改正においては、国税徴収法において同様の規定が設けられたことを契機に従来の閲覧等の対象の規定の仕方が「簿書及び資料」というように電子データを勘案していないものであったことから、これを現代的な規定の例にならい「帳簿書類その他の物件」と整備されたものである。

なお、平成23年12月の改正において、各税法の関連規定は通則法74条の12⑥に集約されている。

この協力要請は、相続税に関する調査に関し参考となるべき帳簿書類その他の物件の閲覧又は提供その他の協力に限られている。したがって、官公署等に提出された書類のすべてが税務官庁に提出されるわけではなく、その調査に関係のない書類については、税務官庁に提出されることはない。

この規定は、相手方官公署等の義務については何ら触れていない。したがって、その書類の閲覧、提供等の協力要請に応じたならばその官公署等の行政目的を阻害するおそれがあるかどうかについては、各官公署等において個々に判断することになる。

なお、「官公署」とは、国、地方公共団体の機関その他の各種の公の機関を包括的に総称する用語であり、およそ国及び地方公共団体の各種の機関はすべて含まれる。

なお、所得税及び法人税については、昭和59年の改正で同趣旨の規定が設けられているが、その趣旨については、「昭和59年版・改正税法のすべて」61頁及び66頁を参照されたい。

〔主な参考文献等〕

加藤千尋編「相続税法基本通達逐条解説（平成22年版）」（大蔵財務協会）
櫻井四郎著「相続税」（中央経済社）
北野弘久編「コンメンタール相続税法」（勁草書房）
谷口裕之編「財産評価基本通達逐条解説（平成25年版）」（大蔵財務協会）
菅原恒夫・近藤光夫共編「資産税質疑応答集（平成17年版）」（大蔵財務協会）
加藤千博編「相続税・贈与税関係　租税特別措置法通達逐条解説
　　　　　　　　　　　　　　　　　（平成23年版）」（大蔵財務協会）
金子宏著「租税法（第23版）」（弘文堂）
北野弘久著「税法学原論（第6版）」（青林書院）
武田昌輔監修「DHCコンメンタール相続税法」（第一法規）
武田昌輔監修「DHCコンメンタール国税通則法」（第一法規）
庭山慶一郎「相続税の実務と理論」（税務経理協会）
泉美之松・栗原安著「相続税・富裕税の実務」（税務経理協会）
志場喜徳郎他共編「国税通則法精解（平成25年改訂）」（大蔵財務協会）
紀平泰久ほか編「資産税実務問答集」（納税協会連合会）
注解所得税法研究会編「注解所得税法（五訂版）」（大蔵財務協会）
橋本守次著「Q&A宅地評価の実務（5訂版）」（財経詳報社）
裁決事例研究会編「東京国税不服審判所裁決事例集」（大蔵省印刷局）
大蔵財務協会「改正税法のすべて」

事項索引

あ

後継ぎ遺贈と受益者連続型信託……687

い

医業継続に係る相続税・贈与税
　の納税猶予等………………………942
遺産税体系・遺産取得税体系…………4
遺産に係る基礎控除…………………294
遺産の一部が未分割である場合の
　課税価格……………………………279
遺贈による遺言者の発見又は遺贈
　の放棄……………………………1199
遺贈の意義……………………………85
委託者又は受託者が死亡した場合
　の課税……………………………708
一時居住者……………………95, 449
著しく低い価額………………………485
「著しく低い価額」の対価該当性…494
「著しく低い価額」の判定基準……492
「著しく低い」の解釈について……1001
一身専属権……………………………130
一般障害者……………………………378
一般的な更正の請求………………1178
一般の貸宅地………………………1075
偽りその他不正の行為……………1226
偽りその他不正の行為がある場合
　の贈与税についての更正、
　決定等の期間制限の特例………1240
「偽りその他不正の行為により」
　の意義……………………………1225
遺留分侵害額の請求………………1193
隠蔽、仮装…………………………1226

「隠蔽・仮装行為」と「偽りその
　他不正の行為」との関係………1451
隠蔽・仮装行為を行った者…………357
隠蔽又は仮装の意義………………1393

う

売主死亡のケース……………………133

え

営業権………………………………1086
延滞税………………………………1335
延滞税の額…………………………1337
延滞税の計算期間の特例…………1342
延滞税の場合………………………1244
延滞税の割合の特例制度…………1347
延納及び物納………………………1275
延納期間……………………1283, 1292
延納年割額…………………………1285
延納の手続…………………1287, 1293
延納の法的性格……………………1291
延納の要件…………………1282, 1292

か

外国人贈与者…………………………449
外国人被相続人………………………95
買主死亡のケース……………………134
解約返戻金を支払う旨の定めがな
　い定期金給付契約………………1051
家屋…………………………………1074
各相続人等の相続税額………………325
加算すべき生前贈与財産……………270
加算税の場合………………………1244
貸付金債権…………………………1087

貸付事業用宅地等……………………1126
貸家建付地…………………………1076
過少申告加算税……………………1351
過少申告加算税に代えて重加算税
　が課される場合…………………1392
過少申告加算税の加重がされる場合
　………………………………………1353
過少申告加算税の計算……………1352
課税価格……………………………776
課税価格等の端数処理……………320
課税価格と課税標準………………222
課税財産……………………………128
課税財産の意義と範囲……………471
課税適状時説………………………431
課税当局の取扱い…………………435
課税要件事実の錯誤無効…………1186
仮装・隠蔽の意義…………………358
仮装又は隠蔽に係る財産の適用
　除外………………………………355
株式…………………………………1078
株式会社以外の法人の出資………1084
官公署への協力要請………………1565
官没拡張説…………………………3

き

企業再編税制創設に伴う法人の行
　為計算否認………………………1505
期限後申告…………………………1160
期限後申告の場合…………………1243
期限内申告の場合…………………1242
基準金利等の見直し………………1328
給付事由が発生している定期金に
　関する権利の評価………………1049
教育資金の一括贈与………………756
教育費………………………………716
業務上の死亡………………………165

居住用宅地が二以上ある場合……1117
居住用不動産とその他の財産を受
　贈金銭で同時に取得した場合
　………………………………………709

く

国等に対して相続財産を贈与した
　場合………………………………213
区分地上権……………………421, 1076

け

経営承継受贈者の要件……………889
経営承継相続人等の要件…………902
経過措置医療法人…………………942
経過措置が適用される場合………614
経過措置の内容……………………615
経過的取扱い………………………614
刑事罰と重加算税賦課の併課の二
　重処罰問題………………………1445
契約成立時説………………………427
契約に基づかない定期金に関する
　権利………………………………175
結婚・子育て資金の一括贈与……765
決定…………………………………1209
気配相場等のある株式……………1078
減額更正の場合……………………1222
現行制度の問題点…………………285
原則……………………………1144, 1240
原則的な延滞税……………………1336
原則的な期限後申告書……………1161
原則的な更正の請求………………1178
原則的な更正又は決定……………1209
原則的な修正申告書………………1168
原則による相続税の総額…………863
建築中の家屋………………………131
限度面積要件………………………1095

権利の評価 690

こ

故意の要否 361
行為計算否認規定は確認規定か創設規定か 1487
皇位とともに皇嗣が受けた物 195
公益事業 723
公益事業用財産 199, 723
公益信託に係る課税 686
公益を目的とする事業を行う法人 121
公益を目的とする事業を行う者 723
鉱業権、租鉱権、採石権 1086
公示価格レベルの80％評価の問題 1035
公社債 1084
更正 1209
更正等の効力 1213
更正の請求 1176, 1238
更正の請求手続によらない是正 1183
「更正の予知」についての主張・立証責任 1378
更正又は決定 1238
更正又は決定の期間制限 1220
「更正を予知してされたもの」の意義 1373
更正を予知しないでした期限後申告・修正申告の場合の無申告加算税の軽減 1382
更正を予知しないでした修正申告の場合の過少申告加算税 1371
公租公課 233
後発的事由等 1342
後発的事由による更正の請求 1179
合理性基準説 1464

国営事業用宅地等 1129
国外転出時課税 235
国税庁の取扱い 1356
国税庁又は国税局の職員の調査に基づく更正又は決定 1211
国税通則法の連帯納付義務との関連 1250
国籍 101
個人の事業用資産に係る贈与税・相続税の納税猶予及び免除制度特例 922
国家共同相続税 4
ゴルフ会員権 1087
婚姻の取消し又は離婚による財産の取得 555

さ

在外財産に対する相続税額 391
在外財産に対する贈与税額の控除 805
災害等による延長 1156
災害による税額計算の特例 396
再更正 1210
財産の取得の時期 104
財産の所在 456
財産の分割要件 341
財産の名義変更等があった場合 571
財産評価 948
財産評価基本通達による評価方法 1073
財産評価の原則 953
財産評価の方法 1045
財産評価は被相続人の利用状況又は相続人の取得状況のいずれの立場で行うか 957
財産分配説 4

財産分与費用……………………250
財産分与を受けた場合の更正……1216
財産を贈与した者の贈与税の連帯
　納付責任………………………1261
債務控除……………………………225
「債務」の意義……………………227
債務弁済資力喪失者への低額譲渡
　……………………………………514
債務免除等…………………………516
三大都市圏の特定市の市街化区域
　内農地等に対する納税猶予制度
　の適用除外………………………843
山林………………………………1077
山林に係る相続税の納税猶予及び
　免除制度…………………………930

し

死因贈与の意義……………………88
時価の解釈について……………1000
「時価」の考え方…………………954
事業運営等…………………………728
事業の用に供していた宅地等…1098
事業用宅地の判定………………1098
資産の取得…………………………420
資産保有型会社又は資産運用型会社
　……………………………………891
事実上の離婚と財産分与…………563
自然債務……………………………237
自然的死亡…………………………80
市町村長等の通知………………1522
実質課税の原則と租税回避……1508
実質所得者課税の規定の解釈…1510
実質的に遺産税である現行相続税
　に取得者課税的手法を持ち込ん
　だことによる問題点……………833
実子とみなされる養子……………303

失踪宣告による擬制的死亡………80
質問検査権………………………1532
質問検査権の趣旨と性格………1538
質問・検査の任意性……………1554
時点修正の可否…………………1038
自動車、家庭用財産など一般動産
　…………………………………1087
私法上の概念と同一に解すべしと
　する説（統一説）………………416
シャウプ勧告………………………15
借地権……………………………1074
借地権者の地位に変更がない旨の
　申出書……………………………611
借地権の使用貸借に関する確認書
　……………………………………603
借用概念一般………………………418
借用概念と学説……………………416
借用概念に関する判例……………418
社交上必要と認められる香典等…743
借家権……………………………1076
シャベル勧告………………………14
収益還元価額説……………………956
重加算税…………………………1391
重加算税の課税原因の成立時期…1437
重加算税の対象となる隠蔽・仮装
　の行為者の範囲………………1424
重加算税の賦課について「故意」
　は必要か………………………1404
住所…………………………97, 420
住所が国内・国外に移動している
　場合………………………………458
住所の判断…………………421, 456
終身定期金………………………1050
修正申告…………………………1168
住宅取得等資金に係る相続時精算
　課税の特例………………………826

項目	頁
住宅取得等資金の範囲	830
収納価額	1307
収納の手続	1307
受益者	674
受益者等が存しない信託	695
受益者等が存しない信託に対する相続税・贈与税の課税	698
受益者等が存しなくなった場合の次の受益者が委託者等の親族等であるとき	702
受益者等の存する信託が終了した場合	681
受益者等の有する信託について新たに信託の受益者等が存するに至った場合	678
受益者連続型信託	687
受益者連続型信託の課税の特例	689
受贈者	812
出国の場合の申告	1153
取得財産に係る基礎控除	286
準事業	1095
障害者控除	375
障害者控除の適用を受けることができる者	376
小規模宅地等の特例の適用が受けられる者	1094
小規模宅地等の要件	1094
小規模宅地の課税の特例	1089
条件付でされた物納許可が取り消された場合で、その物納財産の性質等について一定の事由が生じた場合	1200
上場株式	1078
使用貸借通達	596
使用貸借に係る土地についての相続税及び贈与税の経過的取扱いの時期別の内容	623
消滅時効の完成した債務	244
書画骨董品	1087
所得税一時納付説	4
人格なき社団	420
人格のない財団	115
人格のない社団	115
人格のない社団等が納税義務者となる場合	460
人格のない社団又は財団	114
人格のない社団又は持分の定めのない法人に対する贈与税額の計算	804
申告	815
申告、届出等の公法行為と錯誤	1190
申告期限後3年以内に遺産分割ができないやむを得ない事情がある場合	344
申告期限後3年以内の分割の場合の特例	344
申告期限後の分割	1135
申告期限の延長	1156
申告時に遺産が未分割の場合の申告	1153
申告書開示	835
申告書の記載内容の過誤の是正	1183
申告書の共同提出	1151
申告書の公示	1516
申告書の提出期限	1142, 1236
申告書の提出期限前の更正又は決定の特例	1216
申告書の提出義務者が死亡した場合の申告	1152, 1237

申告書の提出義務者の納税地の移
　動又は出国の場合……………1237
申告書の提出先………1150, 1152, 1236
申告書の提出を要しない場合……1156
申告書を提出すべき場合
　………………………1141, 1152, 1235
心身障害者共済制度………………208
心身障害者共済制度に基づく給付金
　………………………………………738
信託に関する特例…………………663
信託の効力が生じた場合…………668
信託法における受益者連続型信託
　………………………………………688
森林施業計画が定められている
　場合の特例………………………1287

せ

税額軽減の対象となる「配偶者」
　………………………………………338
税額の計算…………………………801
生活費………………………………716
生活費等で通常必要と認められる
　もの…………………………………718
生活費又は教育費…………………715
制限納税義務者……………90, 444
精算課税制度の適用者が死亡した
　場合…………………………………837
精算課税制度の適用を受けない受
　贈者は贈与税の過納が還付され
　ない…………………………………836
生前贈与と累積して課税する方法
　………………………………………411
生前贈与について相続税と
　別に課税する方法………………411
生前贈与の課税強化説……………774
正当な理由…………………………351

正当な理由がある場合の加算税の
　計算………………………………1369
「正当な理由」がある場合の過少申
　告加算税…………………………1355
「正当な理由」がある場合の無申告
　加算税……………………………1381
「正当な理由」の解釈上の問題点
　……………………………………1356
「正当な理由」の主張・立証責任
　……………………………………1370
制度の適用を受けるための選択……813
「税負担の不当減少」の解釈につ
　いて………………………………1462
生命保険金…………………………144
生命保険金等………………………472
生命保険契約に関する権利………170
生命保険契約に関する権利の評価
　……………………………………1087
生命保険に関する調書……………1527
税目間の調整を目的とした行為・
　計算否認規定の創設……………1502
税理士の関与と隠蔽・仮装行為の
　関連………………………………1431
税率…………………………………815
積極的な隠蔽・仮装行為がない場
　合の重加算税……………………1411
選挙資金等…………………………739
選挙費用・政治資金の取扱い………739

そ

葬式費用……………………………253
葬式費用とならないもの…………256
葬式費用の範囲……………………254
相次相続控除………………………384
相次相続控除の適用を受けること
　ができる者………………………386

相続開始の年における贈与税の課
　税価格の計算……………………778
相続開始の年の受贈財産を贈与税
　の課税価格に算入したこと………1208
相続開始前3年以内の贈与……………317
相続財産がないのに相続税がかかる
　……………………………………836
相続財産等の贈与等があった場合
　の相続税等の納付責任……………1259
相続財産に関する費用等………………247
相続財産法人に係る財産の分与を
　受けた場合の申告…………………1154
相続時精算課税制度……………289, 808
相続時精算課税制度における相続
　税額の計算…………………………816
相続時精算課税制度における贈与
　税の税額に相当する金額の控除
　及び還付……………………………818
相続時精算課税制度における相続
　税の納税に係る権利又は義務の
　承継…………………………………819
相続時精算課税制度に係る贈与税
　の課税価格…………………………814
相続時精算課税制度に係る贈与税
　の特別控除…………………………814
相続時精算課税制度の適用対象者
　………………………………………812
相続時精算課税制度は節税策とし
　て利用できるものか………………835
相続時精算課税等に係る贈与税の
　申告内容の開示制度………………821
相続税及び贈与税に関する特例……1342
相続税額の加算…………………………327
相続税制度改正に関する税制特別
　調査会答申…………………………219

相続税等の負担が不当に減少する
　結果となると認められる場合……465
相続税と実質課税の原則……………1512
相続税の沿革……………………11, 412
相続税の延納…………………………1281
相続税の延納の場合の利子税………1323
相続税の課税価格………………………221
相続税の課税根拠…………………………3
相続税の課税最低限の推移……………296
相続税の更正又は決定の特例………1216
相続税の質問検査権…………………1535
相続税の質問検査の方法……………1553
相続税の申告…………………………1140
相続税の申告の意義…………………1140
相続税の性格………………………………3
相続税の税額計算の基本的仕組み
　………………………………………290
相続税の総額……………………………313
相続税の納税猶予の場合の利子税…1327
相続税の物納…………………………1294
相続税評価額による譲渡は低額譲
　渡か………………………………1002
相続税法上の更正の請求の特例……1192
相続税法上の「受益者連続型信
　託」…………………………………688
相続税法上の「贈与」…………………416
相続税法第7条にいう「著しく
　低い価額」の判定基準……………982
相続税法第7条にいう「時価」の
　意義…………………………………980
相続税法第9条の4と第9条の5
　の適用関係…………………………707
相続税法における同族会社の行為計
　算否認規定の適用状況と問題点
　……………………………………1490

相続税法による特例的な期限後申
　告書…………………………1161
相続税法による特例的な修正申告
　書……………………………1170
相続税法の特例としての更正の請
　求に対する更正又は決定の特例1218
相続税法の連帯納付義務の法的性質
　………………………………1251
相続人の異動…………………1192
相続の開始があったことを知った日
　………………………………1144
相続の際建替え中であった場合の
　取扱い………………………1101
相続の放棄の意義………………303
相続の放棄の効果………………304
総則第6項……………………1007
争訟・無効原因の発生等に伴う期
　間制限の特例………………1230
相当の地代通達…………………631
相当の地代等の支払がある場合…629
相当の地代に満たない地代を収受
　している場合の貸宅地の評価…654
相当の地代の引下げ等があった場合
　…………………………………659
相当の地代を収受している場合の
　貸宅地の評価…………………650
贈与財産が2年経過日に公益事業
　に供されていない場合………732
贈与者……………………………812
贈与税額の計算…………………784
贈与税額の控除…………………329
贈与税についての更正、決定等の
　期間制限の特例……………1239
贈与税の延納…………………1291
贈与税の延納の場合の利子税…1324
贈与税の課税時期………………426

贈与税の課税方式………………771
贈与税の基礎控除………………785
贈与税の更正又は決定・更正の請求
　………………………………1238
贈与税の申告書の提出義務……1235
贈与税の納税猶予に係る農地等の
　贈与者が死亡した場合の相続税
　の課税の特例…………………858
贈与税の納税猶予に係る非上場株
　式等の贈与者が死亡した場合の
　相続税の課税の特例…………896
贈与税の納税猶予の場合の利子税
　………………………………1327
贈与税の配偶者控除……………787
贈与税の非課税財産……………713
贈与により取得した財産の範囲…731
贈与の意義………………………414
贈与の義務と債務控除…………243
贈与を受けた者の選択…………813
贈与を受けた者の相続人の選択…813
租税回避行為…………………1470
租税回避行為と行為計算否認規定
　………………………………1470
租税法の目的に照らして解釈すべ
　きとする説（目的適合説）……417
その他の経済的利益の享受……521
その他の土地…………………1076
その他の有価証券……………1085
存在しない受益者が委託者の親族
　である場合の課税……………700

た

胎児がある場合の延長………1158
胎児の取扱い……………………307
対象となる居住用不動産又は金銭
　…………………………………789

対象となる住宅、増改築等の範囲
　…………………………………831
退職手当金等………………………159
退職手当金等の範囲………………159
大陸棚…………………………………97
宅地………………………………1074
脱税があった場合の更正・決定の
　期間制限の特例………………1223
建物等の所有を目的としない貸地
　…………………………………1100
他の法律による過少申告加算税の
　特例……………………………1355
他の法律による無申告加算税の特
　例………………………………1381
端緒把握説・客観的確実性説……1376

ち

地価が下降した場合の時点修正…1039
地価が上昇した場合の時点修正…1038
地上権及び永小作権の評価………1046
嫡出でない子の相続分……………321
弔慰金………………………………163
超過物納…………………………1309
「調査」又は「徴収」について必要
　があるとき……………………1542
調査の事前通知…………………1547
調書の提出………………………1525
著作権……………………………1086
直系尊属から住宅取得等資金の
　贈与を受けた場合……………751

つ

通常の更正・決定の期間期限……1221
通常の更正の場合………………1221

て

低額譲渡……………………………481
低額譲渡と混合贈与………………482
定期金………………………………479
定期金給付契約……………………479
定期金給付事由が発生していない
　もの……………………………1053
定期金給付事由が発生しているも
　の………………………………1052
定期金に関する権利………………172
定期金に関する権利の評価……1048
定期借地権等……………………1075
定期借地権等の目的となっている
　貸宅地…………………………1075
庭内神し……………………………197
適正な対価を負担せず……………672
電話加入権………………………1086

と

同一の用語について民法と異なる
　見解と示した判例……………421
「当該職員」の意義……………1541
同時死亡と相続の開始………………83
同族会社等の行為又は計算の否認等
　…………………………………1456
同族会社に土地を貸し付けている
　場合の特例……………………651
同族会社の株式又は出資の価額が
　増加した場合…………………534
同族会社の新株の発行に伴う
　失権株に係る新株の不発行…551
同族会社の募集株式引受権……539
同族対比説………………………1462
特殊な場合の「知った日」……1144
特殊な場合の申告………………1153

特定遺贈……………………………87
特定委託者…………………………676
特定貸付事業………………………1128
特定居住用宅地等…………………1108
特定計画山林の課税の特例………1137
特定公益信託からの学術研究奨励
　金又は学資金の給与……………736
特定公益信託の信託財産…………215
特定事業用宅地等…………………1105
特定受贈者の範囲…………………830
特定職業人の拒否特権と質問検査権
　………………………………………1556
特定同族会社事業用宅地等………1121
特定特別関係会社…………………891
特定土地等及び特定株式等………402
特定の一般社団法人等……………123
特定の美術品に係る相続税の納税
　猶予及び免除制度………………934
特定物納制度………………………1310
特別縁故者が分与を受けた財産…181
特別縁故者が法人又は人格のない
　社団等である場合………………187
特別縁故者が民法第958条の3の
　規定により相続財産の分与を
　受けた場合………………………1205
特別縁故者に対する財産分与……182
特別関係会社等……………………891
特別寄与者…………………………188
特別受益者がある場合の課税価格
　………………………………………270
特別障害者…………………………378
特別障害者扶養信託の受益権に対
　する贈与税の非課税……………745
特別の利益…………………………727
独立説………………………………417
特例基準割合………………………1329

特例対象宅地等の選択……………1131
特例の適用要件……………848, 860, 888
土地の上に存する権利等…………1074
土地の使用貸借……………………586
土地の無償返還に関する届出書…647
土地の無償返還に関する届出書が
　提出されている場合の貸宅地の
　評価………………………………658
土地評価審議会……………………1043
土地評価の時点修正の問題………1033
特許権………………………………1086
取引価額説…………………………954
取引相場のない株式………………1078

に

二重資格と相続の放棄……………310
二重資格の相続人がいる場合……308
二世帯住宅の取扱い………………1112
認定医療法人………………………942
認定死亡……………………………80
「認定承継会社」の要件…………903
「認定贈与承継会社」の要件……891
認定特定非営利活動法人…………217

ね

年金払特約付の生命保険契約に
　係る生命保険年金………………158

の

農業相続人以外の者の相続税額…864
農業相続人の相続税額……………864
農業投資価格………………………863
農業投資価格による相続税の総額
　………………………………………863
脳死…………………………………80

納税が猶予される相続税の額
　…………………………………865, 903
納税が猶予される贈与税の額
　…………………………………850, 893
納税義務者………………………………442
納税申告書の提出の効力発生時期
　…………………………………………1172
納税申告と期間制限…………………1229
納税猶予に係る相続税額の免除……869
納税猶予の期限………851, 866, 893, 925
農地………………………………………1076
農地等についての相続税の納税猶
　予の特例…………………………………860
農地等を贈与した場合の贈与税の
　納税猶予制度と相続時精算課税
　制度の調整………………………………824
農地等を贈与した場合の贈与税の
　納税猶予の特例…………………………848
農地の贈与税・相続税の納税猶予
　…………………………………………840
納付………………………………………1242

は

配偶者居住権…………………………1066
配偶者・親族……………………………419
配偶者に係る税額軽減の計算の基
　礎となる財産……………………………339
配偶者の税額軽減………………………332
売買契約中の土地………………………132
売買契約中の土地等……………………105
犯罪捜査及び不利益供述禁止との
　関連……………………………………1561
阪神・淡路大震災の場合の特例……398
反面調査………………………………1557

ひ

東日本大震災の場合の特例…………401
非課税財産に係る債務………………251
非居住贈与者……………………………449
非居住被相続人…………………………95
非上場株式等に係る贈与税・相続
　税の納税猶予及び免除制度（一
　般措置）………………………………876
非上場株式等に係る贈与税・相続
　税の納税猶予及び免除制度（特
　例措置）………………………………910
非上場株式等についての相続税の
　納税猶予及び免除（一般措置）…901
非上場株式等についての贈与税の
　納税猶予制度と相続時精算課税
　制度の調整……………………………825
非上場株式等についての贈与税の
　納税猶予及び免除（一般措置）…888
非上場株式等の贈与者が死亡した
　場合の相続税の納税猶予及び免
　除（一般措置）………………………899
被相続人に係る相続税等の連帯納
　付責任…………………………………1257
被相続人の被相続人が負担した保
　険料……………………………………177
被相続人の要件…………………………901
評価通達によらない評価……………1005
評価通達によらない評価と
　評価通達第6項との関連…………1022
評価に関する沿革………………………949
評価の時期………………………………959

ふ

夫婦間の財産移転………………………565

不申告、虚偽申告、つまみ申告の
　ように積極的な隠蔽・仮装行為
　がない場合に重加算税が課税で
　きるか…………………………1411
不申告・虚偽申告と隠蔽・仮装……362
「不正行為」の行為者………………1228
附帯税…………………………………1320
負担回避と認められる場合の規制
　…………………………………………302
負担軽減税……………………………775
負担付遺贈………………………………87
負担付贈与……………………………422
負担付贈与があった場合の贈与税
　の課税価格の計算………………781
負担付贈与通達……………503,781,975
負担付贈与通達に係る訴訟…………978
負担付贈与通達の適用の問題………986
負担付贈与通達は違法・不当か…1003
物納申請の再申請…………………1306
物納申請の全部又は一部却下によ
　る延納の申請……………………1289
物納適格財産………………………1300
物納に伴う過誤納金の還付………1309
物納の許可審査期間における利子税
　…………………………………………1321
物納の許可の取消…………………1306
物納の撤回…………………………1311
物納の手続…………………………1304
物納の法的性格……………………1294
物納の要件…………………………1298
物納不適格財産……………………1302
物納劣後財産………………………1303
物納を撤回した場合の利子税……1326
扶養義務者…………………481,715

扶養義務者相互間において生活費
　又は教育費に充てるためにした
　贈与………………………………715
分割の意義……………………………342
分割要件……………………………1134

へ

平均余命……………………………1070

ほ

包括遺贈………………………………86
放棄があった場合の特例……………303
放棄と相続税の課税…………………306
報償説（手数料説）……………………4
法人からの贈与………………………713
法人税の「相当の地代」との比較　635
法人の株式の評価の特例……………694
法施行地…………………………………96
法定申告期限直前に認知、相続人
　の廃除の取消し等があった場合
　の延長……………………………1157
「法定相続人」の意義…………………297
法定評価方法………………………1045
保険料の負担者………………………152
墓所、霊びょう及び祭具……………195
保証期間付定期金契約………………174
保証期間付定期金に関する権利……174
保証債務………………………………238
保証据置年金契約……………………479
本件各売買の代金額の
　「著しく低い価額」の対価該当性
　…………………………………………984

み

未成年者控除…………………………366

未成年者控除の適用を受けること
　ができる者……………………369
みなし相続財産がある場合の相続分
　……………………………………269
みなし相続財産・みなし遺贈財産
　……………………………………141
みなし贈与財産………………………471
みなし納税義務者……………………459
みなす納税義務者……………………109
未分割遺産に対する課税があった
　後遺産分割により配偶者が財産
　を取得した場合……………………1206
未分割財産がある場合の課税価格
　……………………………………259
未分割財産が分割されたことによ
　る課税価格の異動…………………1192
未分割財産の特例……………………104
身分証明書の携帯等…………………1558
民法上の「贈与」……………………414

む

無期定期金……………………………1049
無申告加算税…………………………1378
無申告加算税に代えて重加算税が
　課される場合………………………1393
無申告加算税の計算…………………1379
無申告加算税の不適用制度…………1387
無申告加算税割合の加重……………1380
無制限納税義務者………………90, 442
無利子の金銭貸与……………………583

め

名義変更通達…………………………577

も

目的信託………………………………710

持分の定めのない法人…………117, 462
持分の定めのない法人が納税義務
　者となる場合等……………………462
持分の定めのない法人から利益を
　受ける者が納税義務者となる場
　合……………………………………463
戻し税説…………………………………4

や

やむを得ない事情……………………349
やむを得ない事情がある場合の特
　例適用………………………………815

ゆ

遺言執行費用…………………………249
有期定期金……………………………1049
郵送による提出時期の特例…………1173
郵送の場合の申告書の効力発生時期
　……………………………………1171
猶予税額の一部の猶予が打ち切ら
　れる場合………………852, 866, 895, 906
猶予税額の全額の猶予が打ち切ら
　れる場合………………851, 866, 894, 905
猶予税額の納付に伴う利子税
　………………………………854, 868
猶予の対象特例農地等の買換えの
　場合の特例…………………………868
猶予の対象農地等の買換えの場合
　の特例………………………………853

よ

養子がある場合の特例………………299
養子と二重資格………………………308
幼稚園等の教育用財産………………205
「予知してされたもの」の意義……1384
預貯金…………………………………1086

り

利益の授受の意思……………………534
利益配当……………………………419
履行時説……………………………429
利子税………………………………1321
利子税等の割合の特例制度………1327
利子税の具体的計算方法…………1332
率（税率）…………………………322
立木の評価…………………………1060

れ

連帯債務……………………………240
連帯納付義務………………………1245
連帯納付義務に係る確定手続……1264
連帯納付義務に係る相続税の延滞
　税の特例………………………1345
連帯納付義務に基づく相続税の利
　子税……………………………1327

ろ

老人ホームと小規模宅地等の課税
　の特例の適用…………………1114

1581

裁判例・裁決例索引

【明治】
38.11.25 大審院…………………245
39. 2.13 大審院…………………518
45. 5.14 大審院…………………228

【大正】
 2. 7.10 大審院…………………518
 2.10.25 大審院…………………427
 3. 1.29 行政裁判所……………246
 3.10.29 大審院…………………721
 3.12.15 大審院…………………1188
 5.11. 8 大審院……………86, 1199
 6. 5.18 大審院……………298, 1146
 6.12.12 大審院……………………87
 9.12.22 大審院…………………262
10. 5. 9 大審院…………………518
10. 5.30 大審院……………………86
10.10. 2 大審院…………………304
10.10.20 大審院…………………228
11.11. 6 大審院……………………79
15. 2.16 大審院…………………140
15. 9.18 大審院…………………310
15.12. 9 大審院……………………88

【昭和元年～10年】
 2. 5.30 大審院…………………140
 2. 7. 4 大審院…………………238
 3. 3.10 大審院…………………140
 5.12. 4 大審院…………………232
 6. 6.16 大審院……………………86
 7. 3. 1 大審院…………………228
 7. 3. 8 大審院…………………304
 7. 7. 8 大審院…………………228
 8. 5.26 東京控訴院……………140
10. 4.25 大審院…………………237
10.10.14 大審院…………………142
10.11.29 大審院…………………238

【昭和11年～20年】
11. 5.31 大審院…………………142
11. 6. 9 大審院……………………87
12. 6.30 大審院…………………1252
13. 4. 1 大審院…………………304
15. 2.13 大審院……………………86

16.11.15 大審院……………………88
16.12.17 大審院…………………140
18.11.11 大審院…………………610

【昭和21年～30年】
24. 7. 9 最高裁（2小）………1226
26. 1.26 富山地裁………………1446
26. 4.23 東京地裁………………1463
26.12.20 東京高裁………………1465
27. 3.28 最高裁（2小）………1559
28. 4.23 最高裁……………………83
29.11.26 最高裁…………………1188
29.12.24 大阪地裁……1371, 1374, 1439
30. 5.10 最高裁…………………1199
30. 5.31 最高裁…………………262
30. 9. 5 東京高裁………………254
30. 9.30 最高裁…………………1186

【昭和31年～40年】
31. 2.21 最高裁…………………556
31.12.24 大阪地裁………………1465
32. 1.31 福岡地裁………………585
32. 1.31 東京地裁………………1512
32. 5.21 最高裁……………………88
32. 7.12 大阪高裁………………262
32. 9.19 最高裁…………………1215
32. 9.24 大津地裁………………1512
32.12.11 高松高裁…………………86
32.12.28 宇都宮地裁足利支部……96
33. 4.30 最高裁（大）…………1448
33. 6. 2 最高裁…………………1143
33. 6.20 最高裁…………………427
33. 7. 4 東京家審………………254
33. 9.18 最高裁…………………607
33.11.17 大阪地裁………………352
33.11.27 大阪高裁……1374, 1397, 1453
33.12.23 東京地裁………………1463
34. 2.11 東京地裁………………418
34. 3.31 福岡高裁………………1510
34. 5.13 東京地裁………………355
34. 6.16 京都地裁………………310
34. 6.19 最高裁…………………232
34. 9.12 東京高裁………………418
35. 3.22 最高裁……………………98

35．5.17 広島地裁	1463
35．5.28 神戸地裁	95, 96
35．7.19 最高裁	1194
35.10．7 最高裁	419
35.11.30 大阪高裁	95, 96
36．5.19 長崎地裁	542, 553
36．7．6 最高裁（1小）	1449
36．8.10 大阪地裁	1427
36．9.19 大阪地裁	339
36.10.13 宇都宮地裁	723
36.12.27 大阪高裁	1400
37．2.16 大阪地裁	161
37．4.19 福岡高裁	542, 553
37．5.25 金沢地裁	567
37．6.18 広島地裁	722
37．6.29 最高裁（2小）	1509
37.10.18 東京地裁	570
37.11．9 最高裁	238
37.11.21 名古屋地裁	1297
37.12．8 名古屋地裁	1358
37.12.20 東京高裁	723
38．2.12 最高裁（3小）	1226
38．2.21 最高裁	607
38．3.11 横浜地裁	585, 723
38．3.22 名古屋高裁	567
38.10．7 東京家審	182
38.11．2 鹿児島家審	183
38.11．7 岡山家裁玉野支部審	182
38.12．7 京都家審	183
38.12.23 大阪家審	184
38.12.24 最高裁	542
39．1.28 岡山地裁	339, 419
39．2.18 最高裁	1449
39．2.24 山口地裁	585
39．3．6 最高裁	1200
39．6.11 東京地裁	570
39．6.30 最高裁（3小）	1510
39．8.21 熊本地裁	575
39．9.17 最高裁（1小）	1510
39．9.24 大阪高裁	1476
39．9.30 大阪家審	184
39.10．2 前橋家審	183
39.10.15 最高裁	115, 461
39.10.22 最高裁	1184, 1191
39.11.11 福岡高裁	575
39.11.30 和歌山家裁	719
39.12.21 大阪高裁	151, 1513

40．1.26 大阪高裁	161
40．2．2 最高裁	142
40．2.22 仙台地裁	570
40．3.11 大阪家審	182
40．3.26 富山地裁	1512
40．5.12 東京高裁	1463
40．8.12 東京家審	184
40.12.15 東京地裁	1466, 1476

【昭和41年～50年】

41．4．8 長崎家審	184
41．5.24 仙台高裁	570
41．5.27 大阪家審	184
41．7.14 最高裁	1194
41．9.13 浦和家審	183
41.10.27 最高裁	610
41.12.26 大阪高裁	432
42．2.24 最高裁	570
42．5．2 最高裁	1297
42．5.30 最高裁	304
42．9.29 大阪地裁	569
42.11．1 最高裁	140
42.11．8 最高裁	1226
42.11.21 大阪家審	183
43．3.27 広島高裁	1477
43．4.22 大阪地裁	351, 354
43．5.24 東京高裁	1544, 1558
43．6．6 最高裁	89
43．8．9 東京高裁	1476
43．8.23 東京高裁	1543
43.10.17 最高裁（1小）	1363
43.11.13 最高裁	419
43.11.25 大阪地裁	584, 591, 629, 1053
44．1.25 東京高裁	88
44．2．5 長崎地裁	351, 355
44．4．5 名古屋地裁	1466
44．5.27 名古屋地裁	1442
44．6.25 東京高裁	1543
44.11．4 最高裁	115, 461
44.12.25 東京高裁	496
45．2.26 東京高裁	143
45．3．4 東京高裁	265
45．4．1 京都地裁	1184
45．4.11 名古屋地裁	559
45．5.24 東京地裁	141
45．7．7 神戸地裁	1477
45．7.22 東京地裁	265

45. 7.29 東京地裁……………………634
45. 9.11 最高裁（2小）……1402, 1408, 1449
45.10.29 東京高裁……………………1543
45.12.25 千葉地裁……………………1512
46. 2.24 国税不服審判所………1174, 1382
46. 3.19 名古屋地裁……………1453, 1454
46. 3.25 国税不服審判所……………1385
46. 3.30 東京地裁………1466, 1477, 1489
46. 4.28 国税不服審判所……………229
46. 5.10 東京地裁……………………355
46. 5.12 松江家審……………………184
46. 6.17 津地裁………………………248
46. 7.15 東京地裁……118, 121, 122, 462
46. 7.23 最高裁………………………556
46. 8. 9 国税不服審判所…………1373
46. 9.27 国税不服審判所……………440
46.10.28 名古屋高裁…………………559
47. 2. 9 静岡地裁……………1544, 1557
47. 3. 9 東京地裁…………………1466
47. 3.30 国税不服審判所……………196
47. 4. 4 東京地裁…………………1144
47. 4.25 東京高裁…………………1478
47. 5.22 広島高裁……………………116
47. 6.28 東京地裁……………………116
47. 9.26 東京地裁………………104, 266
47.11.22 最高裁（大）……………1562
47.12.22 国税不服審判所……606, 1366
47.12.26 最高裁………………………162
48. 1.25 東京地裁……………………560
48. 1.31 名古屋高裁………………1544
48. 3. 9 東京高裁……………………355
48. 3.12 東京高裁……………………634
48. 3.20 最高裁（3小）
　　……………1225, 1420, 1421, 1423
48. 3.22 東京地裁……………………560
48. 7.10 最高裁（3小）
　　……………1538, 1542, 1543, 1557, 1558
48. 9.17 大阪地裁………………428, 437
48. 9.26 国税不服審判所……………133
48.10. 3 広島高裁岡山支部…………272
48.10.18 東京高裁…………………1442
48.11.28 国税不服審判所……………230
48.12. 8 国税不服審判所……………606
48.12.14 国税不服審判所……………551
48.12.18 高松家審……………………183
48.12.24 国税不服審判所………542, 544
48.12.26 名古屋地裁…………………1466

49. 2.27 国税不服審判所……………565
49. 2.28 長野地裁……………………585
49. 3. 1 京都地裁……………………354
49. 6.17 東京地裁……………1466, 1478
49. 6.28 最高裁………………………634
49. 8.29 東京地裁……………………249
49. 9.30 東京地裁……201, 204, 462, 527
49.10.17 東京高裁………………462, 527
49.10.23 東京高裁……………………560
50. 3.17 東京地裁……………………339
50. 3.20 東京地裁…………………1479
50. 3.25 東京地裁…………………1558
50. 3.29 福岡地裁………362, 1415, 1416
50. 3.30 東京地裁…………………1489
50. 5.20 大阪地裁…………………1439
50. 5.27 最高裁………558, 559, 721, 1186
50. 6.23 和歌山地裁……360, 1375, 1400, 1409
50. 6.24 札幌地裁…………………1359
50. 8.28 名古屋高裁………………1561
50. 9.25 東京地裁……………………463
50.10.22 大阪地裁……………………355
50.10.27 大阪地裁…………………1266
50.11.27 東京地裁……………………560
50.11.30 最高裁……………………1224
50.12.26 鹿児島地裁………………1464

【昭和51年～60年】
51. 1.13 札幌高裁…………………1466
51. 1.19 国税不服審判所…………1195
51. 2.17 東京地裁……483, 522, 523, 534, 573
51. 3.16 広島地裁……………………354
51. 3.18 最高裁………………………271
51. 4.15 国税不服審判所……………134
51. 4.24 神戸家審………………183, 184
51. 4.30 国税不服審判所……………545
51. 5.19 名古屋地裁…………………542
51. 6.30 福岡高裁………………363, 1415
51. 7. 9 最高裁（2小）…………1561
51. 7.20 東京地裁…………………1464
51. 9.10 京都地裁…………………1222
51. 9.20 広島高裁…………………1224
51.10.18 仙台地裁…………………1182
51.10.19 札幌地裁…………………1359
51.10.27 大阪地裁…………………1273
51.11. 3 最高裁……………………1224
51.11.26 横浜地裁………527, 1358, 1370
51.12. 9 最高裁（1小）…………1373

52. 1.25 最高裁（3小）………………………363, 1226, 1415, 1422	55. 5. 2 神戸地裁……………541, 550
52. 2. 1 国税不服審判所……………131	55. 5.20 東京地裁……………431
52. 4.13 横浜地裁……………432	55. 5.21 東京高裁……………137, 1007
52. 4.19 名古屋高裁……………1545	55. 5.27 東京高裁……………1370
52. 6.14 最高裁（3小）……………1359	55. 6.16 最高裁……………253
52. 6.28 大阪地裁……………560	55. 7. 1 最高裁（3小）……………1251, 1267
52. 7.25 東京地裁……………363, 1442	55. 7.29 国税不服審判所……………230
52. 7.27 東京高裁……………522, 573, 1213	55. 9.18 東京地裁……………230
52. 8.31 熊本地裁……………253	55.10. 4 国税不服審判所……………157
52. 9.10 大津家審……………184	55.10.13 名古屋地裁……360, 1401, 1409, 1440
52. 9.29 東京高裁……………237	55.10.21 東京地裁……………635
52.10.21 国税不服審判所……………131	55.11.20 最高裁……………1215
52.12. 7 大阪地裁……………486	55.11.27 最高裁……………143
52.12.16 京都地裁……………427	56. 1.28 東京地裁……………135, 136
52.12.23 大阪高裁……………560	56. 1.28 国税不服審判所……………231
53. 2.13 福島地裁……………586	56. 1.28 東京地裁……………499
53. 2.16 最高裁……………560, 574	56. 2. 7 国税不服審判所……………240
53. 2.21 最高裁……………557	56. 2.23 国税不服審判所……………185
53. 2.26 最高裁……………1186	56. 2.25 浦和地裁……………137
53. 4.12 大阪高裁……………1251, 1267	56. 2.25 大阪地裁……358, 360, 1401, 1428
53. 4.21 最高裁……………526	56. 2.25 浦和地裁……………1490, 1496
53. 5.11 大阪地裁……496, 537, 545, 547, 548	56. 2.26 広島地裁……………1183
53. 7.10 最高裁……………560, 1186	56. 4.24 大阪高裁……………350
53. 7.17 最高裁……………608	56. 4.26 東京地裁……………1184
53. 9.27 東京地裁……………135, 136	56. 6.24 国税不服審判所……………168
53.12.19 東京高裁……………527, 1358	56. 7.16 東京地裁……………1375
53.12.20 東京地裁……………432	56. 8.27 東京高裁……………432, 456
53.12.21 名古屋高裁……………542	56. 8.27 大阪高裁……………541, 550
54. 1.30 大阪地裁……………352	56.10.28 名古屋高裁……………137, 454
54. 2.14 国税不服審判所……………441	56.10.30 最高裁……………635
54. 2.15 福岡地裁……………432	56.11. 2 神戸地裁……………433, 439, 441
54. 2.21 松江家審……………184	56.11.20 京都地裁……………1181
54. 3.13 福岡高裁……………253	57. 1.14 国税不服審判所……………241
54. 3.28 浦和地裁……………134, 137	57. 1.20 国税不服審判所……………317
54. 3.28 札幌地裁……………560	57. 1.22 静岡地裁……………1443
54. 4.27 秋田地裁……………528	57. 2.17 国税不服審判所……………1367
54. 5. 7 仙台高裁……………586	57. 3.11 大阪高裁……………350
54. 5.10 東京地裁……………241	57. 3.18 国税不服審判所……………635
54. 5.29 大阪高裁……………352	57. 4.28 神戸地裁……………1227
54. 6.25 東京地裁……………635	57. 5.13 東京地裁……………240
54. 7.19 大阪高裁……………427	57. 7.23 仙台高裁……………528
54.11. 7 国税不服審判所……………351	57. 7.28 横浜地裁……………482, 487
55. 2.12 東京家審……………272	57. 8.13 国税不服審判所……………166
55. 2.21 福島家審……………184	57. 9. 3 大阪高裁……………361, 1401, 1429
55. 3.24 名古屋地裁……………135, 137, 454	57. 9.30 広島高裁……………229
55. 4.30 国税不服審判所……………1435	57.10. 8 国税不服審判所……………440
	57.10.14 東京地裁……………428

57.12. 5 熊本地裁……………………1406
57.12.15 熊本地裁……………………361
57.12.17 京都地裁……………………420
58. 3. 7 東京地裁……………422, 1047
58. 4.19 東京高裁
　　　　…………482, 486, 487, 499, 508, 977
58. 7. 1 最高裁（1小）……………1543
58. 7.14 最高裁（1小）……………1557
58. 7.18 東京国税不服審判所………129
58. 8.16 東京高裁……………………137
58. 9.29 国税不服審判所……483, 497
58.10.13 東京高裁……………422, 1047
58.10.14 最高裁………………………143
58.11.14 神戸地裁
　　　　……………105, 186, 250, 251, 266, 419
58.12. 2 大阪地裁……………………1181
59. 2.27 熊本地裁……………116, 117
59. 2.27 国税不服審判所……………155
59. 2.28 大阪地裁……………………566
59. 3.14 東京高裁………………97, 352
59. 3.28 東京高裁……………………428
59. 4.26 東京高裁……………………239
59. 6.19 那覇地裁……………431, 1005
59. 6.29 大阪高裁……………1479, 1489
59. 7. 6 大阪高裁……105, 250, 266, 419
59. 8.31 大阪地裁……………………1181
59.11.13 大阪地裁……………………186
59.12.14 国税不服審判所……………781
59.12.20 大阪地裁……………………576
60. 1.30 大阪地裁……………………566
60. 2.27 国税不服審判所……………256
60. 3.14 静岡地裁……………………422
60. 3.25 国税不服審判所……………441
60. 4.19 国税不服審判所……………153
60. 5.17 最高裁（2小）……………1181
60. 6.21 最高裁………………………350
60. 9.24 福岡地裁……………………1185
60.10.17 最高裁………………………566
60.10.23 東京地裁……………………1189

【昭和61年～64年】
61. 1.28 東京地裁……………………254
61. 3.17 最高裁………………………245
61. 4.25 国税不服審判所……………134
61. 5. 6 釧路地裁……………………1416
61. 5.26 東京高裁……………………1545
61. 6.23 東京高裁……………1374, 1378

61. 7. 3 東京高裁……………………1182
61.10.30 大阪高裁……………………576
61.12. 2 国税不服審判所……………606
61.12. 5 最高裁（2小）……135, 137, 454
62. 2.24 大阪高裁……………438, 441, 1401
62. 3. 3 最高裁………………………143
62. 5. 8 最高裁（2小）
　　　　……………………361, 1401, 1406, 1450
62. 5.28 最高裁（1小）……………137
62. 7. 6 国税不服審判所……………1430
62. 7.27 東京地裁……………………1187
62. 9. 9 東京高裁……………………422
62. 9.28 東京地裁……………………137
62. 9.29 大阪高裁……………………961
62.10. 6 最高裁………………………576
62.10.26 東京地裁……………137, 247, 268
62.11.10 最高裁………………………1185
62.12. 1 国税不服審判所……………167
62.12.23 東京地裁……………………1187
63. 4. 6 国税不服審判所……………231
63. 4.23 札幌高裁……………………1416
63. 6.13 国税不服審判所……………153
63. 6.29 仙台地裁……………265, 351
63. 6.29 福岡高裁……………………1185
63. 7.19 最高裁………………422, 781
63. 8. 8 横浜地裁……………………571
63.10.27 最高裁………………………1422
63.10.29 最高裁（1小）……………1416
63.12. 1 最高裁………………186, 250
63.12. 8 札幌地裁……………………1184

【平成元年～10年】
元. 1.26 大阪地裁……………………1359
元. 3.16 福岡地裁……………………1196
元. 3.20 東京高裁……………………1545
元. 3.31 国税不服審判所……………154
元. 6. 2 福岡地裁……………………354
元. 6. 6 最高裁………………………961
元. 6. 8 国税不服審判所……1367, 1382
元. 6. 9 静岡地裁……………………242
元. 6.16 国税不服審判所……………584
元. 6.22 国税不服審判所……………606
元. 7.20 福岡高裁……………………1196
元. 8.30 東京地裁……………………137
元. 9.14 最高裁………………353, 1187, 1189
元.10.16 東京高裁……………353, 1189
 2. 1.25 広島地裁……………………1464

2. 2.28 広島地裁	351
2. 2.28 名古屋地裁	1182
2. 2.28 大阪高裁	1352, 1368
2. 4.19 国税不服審判所	1000, 1501
2. 4.20 福井地裁	1407
2. 6. 5 最高裁	1184, 1185
2. 7.13 最高裁	137
2. 7.16 岐阜地裁	1429
2. 7.18 福岡高裁	117, 420
2. 7.18 広島高裁	1167, 1379, 1383
2. 7.18 名古屋高裁	1182
2. 9. 1 広島家裁	720
2. 9.27 最高裁	343
2.11.16 東京地裁	202, 203
2.12. 6 最高裁（1小）	1383
2.12.13 最高裁（1小）	1182
3. 2. 6 東京高裁	1182
3. 2.27 国税不服審判所	1386
3. 2.28 福岡地裁	1368
3. 3.14 東京地裁	1187
3. 3.15 大阪地裁	249, 1213
3. 3.29 大阪地裁	1407
3. 4.24 大阪高裁	1363, 1402
3. 5.29 名古屋地裁	139, 253
3. 6.12 名古屋高裁	1429
3. 6.26 東京地裁	1379
3. 7.19 京都地裁	560
3. 7.25 国税不服審判所	1435
3. 8. 8 大阪地裁	1432
3. 9. 3 東京地裁	576
3.10.17 最高裁（1小）	420, 1429
3.10.18 国税不服審判所	551
3.10.23 名古屋高裁金沢支部	1407
3.10.28 千葉地裁	1228
3.10.30 横浜地裁	1212
3.11. 1 国税不服審判所	1181
3.11.12 仙台地裁	485, 534
3.12. 2 国税不服審判所	253
3.12.12 最高裁	1212
4. 2. 6 東京地裁	244
4. 3.11 東京地裁	1005, 1009
4. 3.19 東京地裁	1167
4. 3.23 京都地裁	1402, 1417
4. 4.30 名古屋高裁	139, 253
4. 6.30 国税不服審判所	1501
4. 7.27 東京高裁	1212
4. 7.29 東京地裁	1011

4. 9. 2 大阪高裁	560
4. 9.29 広島高裁	1545
4. 9.30 神戸地裁	1407
4.11.16 最高裁	635
4.12.24 東京地裁	241
4.12.24 名古屋地裁	1407
5. 1.26 東京高裁	1009
5. 2.11 最高裁	353, 1189
5. 2.25 東京高裁	1228, 1454
5. 2.28 最高裁（1小）	139
5. 3.15 東京地裁	1011
5. 3.24 名古屋地裁	434, 437
5. 3.29 神戸地裁	1159, 1381
5. 4.27 大阪高裁	1418, 1423, 1440, 1444
5. 5.14 静岡地裁	965
5. 5.26 大阪地裁	1368
5. 5.28 最高裁（3小）	137, 268
5. 6.10 最高裁（1小）	1432
5. 8.10 仙台地裁	1409
5.10.28 最高裁	1009
5.11.19 大阪地裁	1167, 1381
5.11.29 大阪地裁	1159
5.12.22 名古屋地裁	1407
6. 1.26 東京高裁	965
6. 2. 1 東京地裁	1167
6. 5.11 東京地裁	1407
6. 5.30 千葉地裁	1191
6. 6.27 国税不服審判所	231
6. 6.28 大阪高裁	1402
6. 7.22 東京地裁	972
6. 8. 8 大津地裁	1455
6.10.26 大阪高裁	1181
6.11.22 最高裁（3小）	1413, 1419, 1423, 1441, 1451
6.12.22 東京地裁	972
6.12.27 名古屋高裁	1407
7. 1.31 名古屋地裁	1229
7. 2.23 最高裁	1228
7. 4.28 最高裁（2小）	1403, 1410, 1413, 1433
7. 6.19 最高裁	965
7. 7.19 横浜地裁	964
7. 7.19 那覇地裁	1466
7. 9.27 那覇地裁	433
7.12.18 東京高裁	956
8. 3.22 東京地裁	973
8. 4.18 東京高裁	964

8. 6.21 東京地裁……970	12.11. 2 大阪高裁……1015
8. 9.30 国税不服審判所……1387	12.11.17 大阪高裁……1376
8.11.28 東京地裁……1131	12.11.30 東京高裁……1466
8.11.29 東京地裁……1466	12.12. 8 東京高裁……1022
9. 2.26 東京高裁……973	13. 1.13 東京高裁……1022
9. 3.27 国税不服審判所……1174	13. 4.25 東京高裁……1441
9. 4.25 東京地裁……998, 1360, 1496, 1499	13. 5.18 大阪高裁……1480
9. 5.21 東京地裁……970	13. 5.30 国税不服審判所……232
9. 5.29 東京地裁……1040	13. 7. 5 東京高裁……1466
9. 6.23 大津地裁……1013	13.11. 9 東京高裁……1482
9. 6.26 東京地裁……1039	13.11.30 京都地裁……1545
9. 6.30 国税不服審判所……1367	13.12.14 大阪高裁……1480
9. 9.30 東京地裁……1040	14. 1.23 東京高裁……1410
9. 9.30 国税不服審判所……1385	14. 6.13 大阪高裁……997, 1495
9.11.25 東京地裁……1190	14. 7. 9 東京高裁……1545
10. 2.16 名古屋地裁……1103	14. 7.11 東京高裁……1132
10. 2.26 最高裁……964, 970	14.10.23 広島高裁……1181
10. 4.30 大阪地裁……1424	14.10.29 最高裁（3小）……1013
10. 5.28 東京地裁……1272	14.11.26 東京地裁民事第三部……1364
10. 6.24 横浜地裁……1407	14.11.27 東京高裁……1202
10. 6.25 最高裁……973	15. 3.25 東京高裁……1132
10. 7.15 東京高裁……1181	15. 4. 8 最高裁（3小）……997, 1495
10.12.25 名古屋高裁……434	15. 5.14 大阪高裁……1480, 1481
	15. 6.14 大阪高裁……1480
【平成11年〜20年】	15. 6.19 国税不服審判所……498, 988
11. 2.12 静岡地裁……1384	15. 7.30 大阪高裁……1495, 1499
11. 2.24 東京高裁……1407, 1450	15. 8.26 東京地裁民事二部……1365
11. 3.25 東京高裁……1022, 1025	16. 1.15 高松高裁……1376
11. 4.12 横浜地裁……1432	16. 1.21 横浜地裁……1365
11. 4.27 山口地裁……1407	16. 1.28 東京高裁……1482
11. 5.17 名古屋地裁……1466	16. 1.30 京都地裁……435
11. 5.31 東京地裁……1360	16. 1.30 東京地裁民事第三八部……1365
11. 6.10 最高裁（1小）……1368	16. 2.19 東京高裁……1365
11. 6.21 東京高裁……1479, 1489	16. 2.25 東京高裁……1365
11. 6.29 福岡地裁……1499	16. 3.16 東京地裁……1365
11. 9.29 東京高裁……1022	16. 4.19 東京地裁……1362
12. 1.26 東京高裁……343	16. 7.20 最高裁（3小）……1360
12. 2.23 大阪地裁……1015	16.10. 7 東京高裁……1365
12. 3.27 千葉地裁……1022	16.11.10 東京高裁……1362
12. 4.26 千葉地裁……1174	17. 1.17 最高裁（2小）……1229
12. 5.12 大阪地裁……994, 997, 1492, 1499	17. 1.25 最高裁（3小）……353, 1365
12. 6.23 長野地裁……1432	17. 1.26 名古屋高裁……1148
12. 7.13 大阪高裁……1013	17. 1.28 国税不服審判所……1174
12. 8.30 宇都宮地裁……1440	17. 3.29 最高裁（3小）……1132
12. 9.20 国税不服審判所……157	17. 5.31 東京高裁……1365
12. 9.26 東京高裁……1022, 1024, 1502	17. 9.16 大阪地裁……1389
12. 9.28 東京高裁……1022	

17.12.19 最高裁（2小）……………………531, 1478, 1481, 1514
18．1.18 東京高裁………………………1229
18．1.24 最高裁（3小）………………1483
18．2.23 最高裁（1小）………………1481
18．4.20 最高裁（1小）………………1433
18．4.25 最高裁（3小）………1363, 1368, 1433
18．5.24 国税不服審判所………………988
18．7.14 最高裁…………………………1147
18．7.18 最高裁（3小）………………1365
18.10.24 最高裁（3小）……………354, 1366
19．8.23 東京地裁………………………505
19．8.23 東京地裁…………………508, 672
20．5．1 佐賀地裁………………………1117

【平成21年～31年】
21．2．4 福岡高裁………………………1117
22．2．5 最高裁（2小）………………1117
22．7．6 最高裁（3小）………………158
23．2.18 最高裁（2小）……98, 419, 421, 426,
　　　　　　　　　　　　458, 531, 1486, 1490, 1500
23．2.22 最高裁……………………………85
24．6.21 東京地裁………………………196
24．9.25 東京地裁………………………1376
25．9．4 最高裁…………………………321
26．3.18 東京地裁………………………1507
26．5.29 東京地裁………………………1466

【令和元年～】
元．8.27 東京地裁………………………1027
2．6.24 東京高裁………………………1027

[著者略歴]
〔初版・新訂版・平成27年1月改訂〕

橋本　守次（はしもと　もりつぐ）

昭和6年12月9日生
昭和26年4月　　葛飾税務署採用
昭和32年8月　　大蔵省主税局税制第一課
昭和50年7月　　大蔵省主税局税制第三課課長補佐
昭和54年7月　　税務大学校教育第一部教授
昭和56年7月　　東京国税局調査第一部特別国税調査官
昭和58年7月　　銚子税務署長
昭和59年7月　　国税不服審判所審判官
昭和61年7月　　本郷税務署長
昭和63年7月　　東京国税不服審判所部長審判官
平成元年6月　　高松国税不服審判所長
平成2年8月　　退職・税理士登録
平成28年5月　　逝去

[主な著書]
用地買収の税務（東京出版）
コンメンタール相続税法（共著、第一法規）
実務必携　土地・住宅税制のすべて（税務経理協会）
Q&A宅地評価の実務（財経詳報社）
Q&A株式評価の理論と実務（財経詳報社）
借地権課税の基礎（財経詳報社）
実務家のための資産税重要事例選集（大蔵財務協会）
新「物納・延納の実務」（東京六法出版社）

［編著者紹介］
〔令和3年補訂〕

松岡　章夫（まつおか　あきお）

　昭和56年早稲田大学商学部卒業後、東京国税局へ。藤沢税務署、京橋税務署、大蔵省理財局、東京国税局税務相談室、国税庁資料調査課を経て平成5年退職。平成7年税理士登録。平成16～18年度の税理士試験試験委員、東京国際大学商学研究科客員教授、早稲田大学大学院会計研究科非常勤講師、税務大学校講師、東京地方裁判所所属民事調停委員などを務める。
　主な著書に『令和元年版 相続税小規模宅地等の特例』（共著）、『平成31年版 図解事業承継税制』（共著）、『令和2年12月改訂 所得税・個人住民税ガイドブック』（共著）、『4訂版 不動産オーナーのための会社活用と税務』（共著）、『法務・税務からみた配偶者居住権のポイント』（共著）（いずれも大蔵財務協会）がある。

令和3年補訂　ゼミナール相続税法

令和3年8月24日　初版印刷
令和3年9月10日　初版発行

編著者　松　岡　章　夫
　　　　（一財）大蔵財務協会理事長
発行者　木　村　幸　俊

発行所　一般財団法人　大蔵財務協会
〔郵便番号 130-8585〕
東京都墨田区東駒形1丁目14番1号
（販　売　部）TEL03(3829)4141・FAX 03(3829)4001
（出版編集部）TEL03(3829)4142・FAX 03(3829)4005
URL　http://www.zaikyo.or.jp

乱丁、落丁の場合は、お取替えいたします。　　印刷　三松堂(株)
ISBN978-4-7547-2927-1

［編著者紹介］
［令和3年補訂］

松岡 章夫（まつおか あきお）

昭和50年早稲田大学商学部卒業後、東京国税局入る。豊島税務署、東京国税局資産税課、大森税務署、東京国税局資産税課、国税庁資料調査課を経て平成5年退職。平成7年税理士登録。平成16-18年度の税理士試験試験委員。現在税理士・公認会計士事務所勤務（元国税庁、東京国税局大学校短期研究科非常勤講師、税務大学校講師、東京地方裁判所民事調停委員等を務める）。

主な著書に、［令和元年7月改訂　相続税小規模宅地等の特例］（共著）、［令和3年版　図解事業承継税制］（共著）、［令和2年12月改訂版　相続税－顧客への提案のポイント］（共著）、［自信が持てる不動産賃貸・一族で株式保有のオーナーと税理士のための3年先の会社の決算・税務］（共著）、［自信を持てる会社決算・税務申告のポイント］（共著）（いずれも大蔵財務協会）等がある。

令和3年補訂　モデル一ケース相続税務

令和3年8月23日　初版印刷
令和3年9月10日　初版発行

不 許
複 製

著者　松岡　章夫
（一般）大蔵財務協会監事
発行者　木 村 幸 俊

発行所　一般財団法人　大蔵財務協会
〒130-8585
東京都豊島区東池袋3丁目1番1号
（販売部）TEL 03(3829)4141・FAX 03(3829)4001
（出版編集部）TEL 03(3829)4142・FAX 03(3829)4005
URL http://www.zaikyo.or.jp

落丁・乱丁はお取替えいたします。　印刷　奥村印刷㈱
ISBN978-4-7547-2927-1